Franz Von Baader's Sämmtliche Werke
by Franz Von Baader

Address:
HardPress
8345 NW 66TH ST #2561
MIAMI FL 33166-2626
USA
Email: info@hardpress.net

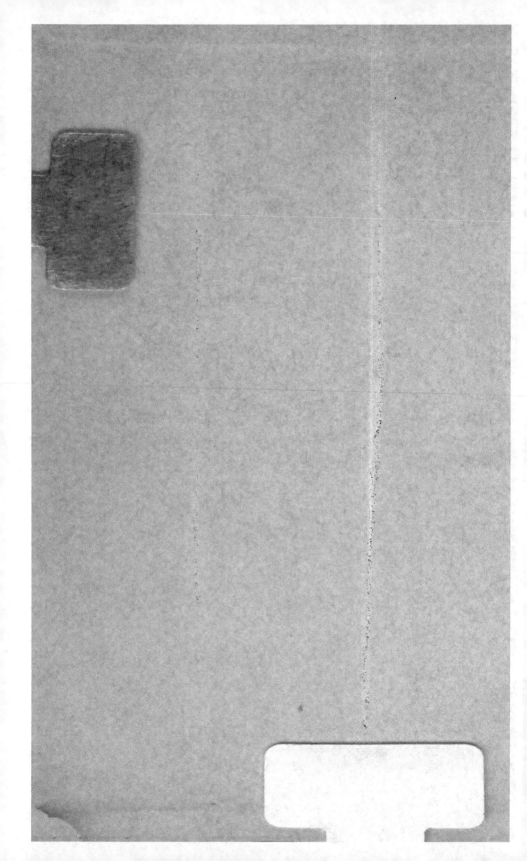

Baader
VB

Franz von Baader's
SÄMMTLICHE WERKE.

Systematisch geordnete,

durch reiche Erläuterungen von der Hand des Verfassers
bedeutend vermehrte,

vollständige Ausgabe

der gedruckten Schriften

sammt

dem Nachlasse, der Biographie und dem Briefwechsel.

Herausgegeben

durch einen Verein von Freunden des Verewigten:

Professor Dr. **Franz Hoffmann** in Würzburg,

Prof. Dr. Julius Hamberger zu München, Prof. Dr. Anton Lutterbeck
zu Giessen, Baron F. von Osten und Prof. Dr. Christoph Schlüter zu
Münster.

Sechszehnter Band.

Leipzig.

Verlag des literarischen Instituts.

—

1860.

SUPPLEMENTBAND

zu

Franz von Baader's

SÄMMTLICHEN WERKEN.

❦

Zweite Hauptabtheilung

der

sämmtlichen Werke.

Sechster Band.

Leipzig.

Verlag des literarischen Instituts.

1860.

Sach- und Namenregister

zu

Franz v. Baader's

sämmtlichen Werken

nebst einer Einleitung

über

den Entwickelungsgang und das System
der Baader'schen Philosophie.

Herausgegeben

von

Dr. Anton Lutterbeck,

ordentlichem Professor der Philologie an der Universität
zu Giessen.

Leipzig.
Verlag des literarischen Instituts.

1860.

Druck von F. E. Thein in Würzburg.

HERAUSGEGEBEN MIT UNTERSTÜTZUNG

SEINER MAYESTÄT DES KÖNIGS VON BAYERN

MAXIMILIAN II.

Schlusserklärung des Hauptherausgebers.

Mit dem vorliegenden Registerbande über die 15 Bände der sämmtlichen Schriften Franz von Baader's ist als dem 16. und Schlussbande der ganzen Sammlung ein Werk zum Abschlusse gebracht, welches im Gebiete der Philosophie an weitreichender Bedeutung von keinem andern, selbst nicht von der gewaltigen geistigen Macht der Gesammtausgabe der Werke von Schelling's, übertroffen wird. In der gesammten katholischen Welt, so weit sie sich über den Erdkreis verbreitet, ist seit dem Auftreten des Thomas von Aquin kein Philosoph erschienen, der sich an Grösse und Tiefe des Geistes mit Franz von Baader vergleichen liesse.

Das Werk wurde unter überaus schwierigen Verhältnissen unternommen. Der erste Schritt zur Ueberwindung der sich entgegenthürmenden Schwierigkeiten war die erbetene und auf das dankenswertheste erlangte Aufnahmserlaubniss der bei seinen Lebzeiten erschienenen Schriften Baader's von Seiten der ersten Verleger derselben, der Buchhandlungen G. Reimer, Giel, Liesching, Köhler, Campe, G. Franz, Theissing. Der zweite Schritt war die zur Ermöglichung des Beginns und der Fortführung unaufgefordert mit edler Liebe zur Wissenschaft und freudiger Opferwilligkeit geleisteten bedeutenden Hilfe des Herrn Barons Friedrich von Osten-Sacken, der auch als Mitherausgeber mit gründlicher Einsicht und geistvoller Vertiefung an dem Werke sich verdienstvoll betheiligte. Die weitern, noch immer gross genug hervorgetretenen Schwierigkeiten wurden überwunden durch die treue, ausdauernde und wirkungsreiche Hilfe der innig befreundeten Mitherausgeber, die kräftige Befürwortung des Werkes durch die k. Akademie der Wissenschaften in München bei der k. Staatsregierung, durch die mannigfache Förderung von Seiten deutscher Fürsten, Staatsmänner und Gelehrten und edler Männer und Frauen, und endlich durch die alle andern Hilfsleistungen überstrahlende grossherzige bedeutende Unterstützung des ganzen Werkes durch Seine Majestät den König Maximilian II. von Bayern, durch dessen alle Zweige der Wissenschaft umfassende Fürsorge Bayern auch im Bereiche der Wissenschaft im gesammten deutschen Vaterlande die Bedeutung, die geistige Macht und den segenreichen Einfluss zu gewinnen begonnen hat, welche der seit einem Jahrtausend durch alle Wechselfälle behaupteten politischen Bedeutung dieses im jetzigen deutschen Bunde nach Oesterreich und Preussen grössten Bundeslandes entsprechen.

Das wahrhaft Bedeutende ist im Zeitleben bei seinem ersten Hervortreten das am meisten Verkannte, Geschmähte, Verfolgte und Unterdrückte, wird aber durch seine innere Kraft und Macht zur rechten Zeit doch das Siegreiche, Bewältigende und Herrschende. Keines der bisherigen Systeme der Philosophie in Deutschland hat die Kraft und Macht in sich auch nur in Deutschland selbst dauernd herrschend zu werden, geschweige eine europäische, geschweige Weltphilosophie zu werden. Diese Kraft und Macht wohnt aber der Philosophie Baader's inne und während sie zunächst in Deutschland die grössten Umgestaltungen bewirken wird, kann sie nicht verfehlen, allmälig europäische und zuletzt Weltphilosophie zu werden.

Würzburg, den 8. Juli 1860.

Prof. Dr. Fr. Hoffmann.

VORWORT.

Wegen der grossen Zersplitterung, häufigen Wiederholung und stets neuen Wendung der Gedanken, die in den Werken Baader's herrscht, ist für das Verständniss und die ausgedehntere Brauchbarkeit dieser Werke ohne Zweifel mehr, als bei irgend einem andern Philosophen, ein Register unentbehrlich, in welchem das Verwandte, wenn auch noch nicht durchgreifend sachlich zusammengestellt, so doch vorerst wenigstens nach seinen Hauptkategorien alphabetisch geordnet vorgeführt wird. Hierbei ein richtiges Maass zwischen dem Zuviel und Zuwenig zu treffen, um auch nur den dringendsten Anforderungen zu genügen, hatte seine besondern Schwierigkeiten. Denn eigentliche Capitelsüberschriften, worin die Ausführungen des Philosophen kurz zusammengefasst würden, lassen sich bei Baader nicht machen; eine blosse Angabe der

Stellen aber, in denen von ihm über diesen oder jenen Punct gehandelt werde, ohne alle Andeutung, was er darüber gesagt, würde schon wegen der hierbei sich in's Unendliche häufenden Zahlenmasse vollkommen unzweckmässig gewesen sein. Es blieb daher nur übrig, eine Art Mittelweg zwischen wörtlicher Anführung, Auszug und blosser Stellenangabe zu wählen. Dass wir bei letzterer ausser der Band - und Seitenzahl der Gesammtausgabe auch noch den Titel der Schrift abgekürzt beifügten, geschah theils aus historischem Interesse mit Bezug auf das chronologische Datum jedes Ausspruchs, theils auch, um so dem Gedächtnisse besser zu Hülfe zu kommen. Eine Hauptrücksicht aber musste für uns sein, sowohl alles Wichtigere möglichst vollständig aufzuführen, als auch es immer da unterzubringen, wo es am leichtesten wieder auffindbar war. Wie weit wir in beiderlei Beziehung hinter diesem Ziele zurückgeblieben sind, wissen wir selbst nur zu gut; aber wenigstens darnach gestrebt zu haben, ist schon eine Art Genugthuung für uns. Uebrigens konnte es keineswegs unsere Absicht sein, durch unsere Arbeit etwa das eigene Studium der Werke Baader's überflüssig zu machen. Vielmehr wollten wir zunächst nur einen Beitrag liefern, theils zur Deutung des Einzelnen,

theils auch zum Verständniss des Ganzen. Denn
gewiss liegt gerade in dem einzelnen Begriff, dem
einzelnen Satz oder der einzelnen Sentenz eine
Hauptkraft dieser Philosophie, wie man schon daraus sieht, dass viele der letztern so gäng und gäbe
geworden sind, ohne dass ihrer Quelle auch nur
irgend gedacht würde. Aber dieses Einzelne wur-
zelte bei Baader in einer allgemeinen Grundansicht,
wie dieses theils schon seine wichtigern Begriffe,
theils und mehr noch ihre Zusammenstellung nach
der in ihnen selbst liegenden Ordnung beweist. In
Betreff der ersteren vergleiche man z. B. folgende
Artikel unseres Registers: „Philosophie, System,
Erkenntnisslehre, Offenbarung, Production,
Princip - Organ - Werkzeug, Ursache - Grund,
Inneres - Aeusseres, Gott, Weisheit, Natur,
Wille, Lust, Begierde, Finsterniss - Feuer -
Licht, Dreizahl, Vater, Sohn (Logos), Geist,
Schöpfung, Geist - Natur, Materie, Kraft,
Imagination, Tinctur, Attraction, Gravitation,
Sonne, Erde, Mensch, Gesetz, Bild Gottes, An-
drogyne, Versuchung, Sünde, Geschichte, Welt-
epochen, Christenthum, Wiedergeburt, Gesell-
schaft, Auctorität, Freiheit, Classicität und
Genialität, Religion, Wissenschaft, Kunst, Schönheit,
Liebe." Diese und alle andere Artikel erbauten

sich uns lediglich aus den dort angeführten Stellen, die wir nur in möglichster Uebersichtlichkeit und einfacher logischer Ordnung vorzuführen bestrebt waren. — Damit jedoch glaubten wir der Erkenntniss des Zusammenhanges, worin hier alles Einzelne steht, noch nicht Genüge geleistet zu haben. Zu diesem Behufe schickten wir vielmehr dem Register noch eine Einleitung voraus über den Entwickelungsgang und das System der Baader'schen Philosophie. Aus dieser im Verein mit jenen Artikeln wird hoffentlich der Beweis hervorgehen, dass hier allerdings noch etwas Anderes, als ein bloss zufälliger Gedankenreichthum, zu Grunde liegt. — Wir schliessen mit dem Wunsche, dass diese Arbeit, die uns selbst eine hohe Freude gemacht hat, auch Andern förderlich sein möge.

Giessen, den 19. März 1860.

Der Verfasser.

EINLEITUNG.

Der Entwickelungsgang und das System der Baader'schen Philosophie.

Den Hauptinhalt des folgenden Registers bilden die je nach den wichtigern philosophischen Begriffen oder Kategorien sich sondernden einzelnen Lehren Baader's. Diese selbst und ihren Zusammenhang kann man nicht verstehen, ohne eine Einsicht in das ganze System Baader's zu haben; die Einsicht in dieses System aber kann man nicht gewinnen, wenn man nicht vorher schon dessen durch äussere Umstände wie durch innere Fortbildung bedingte Entwickelungsgeschichte kennt. Desshalb soll es hier versucht werden, von beiden wenigstens einen Umriss zu geben, der dann durch die näheren Bestimmungen, welche das Register und mehr noch die dort angeführten Stellen in den Schriften Baader's selbst liefern, weiter vervollständigt werden mag. Die von uns beigefügten Anführungen bezeichnen Band und Seite der Gesammtausgabe.

Was nun zunächst den Entwickelungsgang der Baader'schen Philosophie betrifft, so liegt dieser bereits vorgezeichnet da theils im Leben Baader's, theils in der Reihenfolge seiner Schriften, welche beide wir daher für unsern Zweck näher zu betrachten haben. In ersterer Beziehung könnten wir zwar einfach auf die reichhaltige und schöne Biographie unseres Philosophen verweisen, welche Hoffmann (15, 1 — 160) gegeben hat; es wird jedoch nicht schaden, wenn wir hier an die Hauptpuncte daraus mit einigen Worten erinnern, nicht nur weil dieses die Uebersicht des Ganzen erleichtert, sondern auch weil erst darin manche spätere Bemerkungen ihre eigentliche Begründung finden. Ohnehin ist es unzweifelhaft, dass die Philosophie Baader's in weit höherem Maasse, als andere mehr formelle Systeme, unmittelbar aus dem Leben selbst hervorgewachsen ist und Vieles in ihr nur dann verständlich wird, wenn man die Anregungen beachtet, die Baader im Wechselverkehr mit der ihn berührenden Aussenwelt erhalten hat. Auf diese wird desshalb auch vor Allem hier unser Augenmerk zu richten sein.

Das Leben Baader's.

Wir unterscheiden darin: des Philosophen Jugend-, Lehr- und Wanderjahre (1765 — 1796); die Zeit seiner Thätigkeit in practischem Lebensberufe (1796 — 1824); und die Zeit seiner Professur an der Universität zu München nebst der seiner nächsten Vorbereitung dazu (1824—1841).

Das Geburtsjahr Baader's war dasselbe, in welchem Kaiser Joseph II. den Thron bestieg, sein Geburtstag der 27. März 1765, sein Geburtsort München, seine Taufnamen Benedict Franz Xaver. Dass sein Vater ein Arzt, nämlich der churfürstlich-bayerische Medicinalrath, Leibarzt und Garnisonsmedicus Joseph Franz Baader, und seine Mutter, Rosalie von Schöpff, eine fromme Katholikin war, ist für seine gesammte spätere Lebensrichtung, seinen gleichmässig für Natur und Religion aufgeschlossenen Sinn, eben so wenig bedeutungslos geblieben, als für die nicht gerade günstige Gestaltung seiner spätern Vermögensverhältnisse der Umstand, dass die Ehe seiner nur mässig begüterten Eltern vor und nach mit nicht weniger als dreizehn Kindern gesegnet wurde. Unter seinen Geschwistern sind nur seine beiden ältern Brüder, Clemens Aloys und Joseph, in weitern Kreisen bekannt und berühmt geworden, der Erstere, ein Geistlicher, als Verfasser eines bayerischen Schriftstellerlexicons und mehrerer anderer Schriften (st. 1838), der Andere als Oberbergrath und Director des königlich bayerischen Brunnenwesens, noch mehr aber dessbalb, weil er bekanntlich einer der ersten Begründer des Eisenbahnbaues nicht bloss in Bayern und Deutschland, sondern selbst auch in England und Nordamerika gewesen ist (st. 1835). Aus Franz Baader's frühester Jugendgeschichte erinnerte man sich später noch, dass er anfangs an Körperschwäche und Geistesdumpfheit gelitten hatte, dann aber plötzlich eines Tages (beim Anblick der Figuren des Euklides) zu reger geistiger Thätigkeit erwacht war. Er konnte sich jetzt schnell genug die nöthigen Gymnasialkenntnisse aneignen, um bereits mit seinem sechzehnten Jahre zur Universität entlassen zu werden, widmete sich hierauf zu Ingolstadt und Wien (1781—84) dem Studium der Arzneiwissenschaft, an dem letztern Ort unter der Leitung Stoll's, und erwarb dann zu Ingolstadt (1785) die medicinische Doctorwürde. Als er jedoch zur wirklichen Ausübung der Arzneiwissenschaft übergehen wollte, fand sich, dass ihn die Leiden der Kranken zu sehr angriffen; wesshalb er diesen Beruf wieder aufgab und fortan lediglich Naturwissenschaften betrieb, um sich zum Bergmann auszubilden. Nachdem er 1786 seine erste Schrift: „Vom Wärmestoff" (3, 1 ff.) veröffentlicht hatte, besuchte er 1787 zunächst die bayerischen Eisenwerke, Gruben und Hütten, und ging dann auf die von A. Werner geleitete Bergacademie zu Freiberg (1788—91). Er traf hier unter Andern auch mit Alexander v. Humboldt zusammen, mit dem er nahe Freundschaft schloss, und verfasste einige Schriften über Bergbau und Physik (6, 145 ff. 3. 180 ff.), die zum Theil mehrere Auflagen erlebten. Zuletzt begab er sich noch, um seine practische Fachbildung zum Abschluss zu bringen, auf einige Jahre nach England (1792—96). Aus seinen in eben dieser Zeit (1786—1793) verfassten „Tagebüchern" (11, 1 ff.) sehen wir zugleich, dass er bei der Ausbildung zu einem besondern Lebensberufe auch seine allgemeine, ihn später zum religiösen Philosophen befähigende, Bildung keineswegs vernachlässigte. Sind nämlich diese Tagebücher an sich schon aus dem rein moralischen und religiösen, oder, wie er es selbst bezeichnet hat (11, 7. 18), pythagoreischen Bestreben hervorgegangen, dadurch zur Selbsterkenntniss zu gelangen, dass er mit der Feder

in der Hand eine gleichsam stete Gewissenserforschung übte: so
lernen wir zugleich daraus die Bücher kennen, die ihn in jener
Zeit vornehmlich anzogen und seine ganze spätere Lebensansicht
begründen halfen, so wie auch seine geistigen Kämpfe, welche
erst durchgemacht sein mussten, bevor er sich zu dem entschied,
was er seitdem unverrückt festgehalten hat. Einer seiner Lieb-
lingsschriftsteller war der ebenso naturwarme als religiös-begeisterte
und auch von Hamann hochverehrte Herder. Ebenso erfüllte
ihn Kant, dessen Ruhm sich erst damals in weitern Kreisen zu
verbreiten anfing, mit hoher Achtung. Am 20. Juli 1786 heisst
es dann: „Hier fing ich an, die heilige Schrift zu lesen.“
Auch Erfahrungen in seinem Innern scheinen sehr einflussreich
für ihn gewesen zu sein, wie diess besonders mehrere Stellen über
die Wichtigkeit des Gebetes andeuten. Am 31. Januar 1787
erwähnt er zum ersten Male der (ihm vielleicht durch Kleuker's
Magikon 1784 bekannt gewordenen) Schriften Saint-Martin's,
die seitdem seine treuen Begleiter durchs Leben geblieben sind.
Mit den Schriften Jacob Böhme's hat er wahrscheinlich schon
früher Bekanntschaft gemacht, wie man noch aus einer Stelle in
seiner Schrift über den Wärmestoff (3, 41) sieht. Er hatte sie
einst bei einem Trödler gefunden, und war anfangs durch ihre
Unverständlichkeit dermaassen abgestossen worden, dass er sie vor
Zorn wider die Wand schleuderte. Später jedoch scheint ihn
vor allen Saint-Martin darauf zurückgeführt zu haben, so dass
sie ihn jetzt mehr und mehr an sich fesselten und in der Folge
sogar die Hauptgrundlage seiner religiösen Philosophie bildeten.
Ehe er aber hierfür sich entschied, hatte er — hauptsächlich
während seines Aufenthaltes in England — den tiefsten Kampf
seines geistigen Lebens zu bestehen. Es war diess der Zweifel,
den der vornehmlich von Rousseau zu einer Art System ausgebildete Deismus mit seiner Spitze, der Leugnung des Gottmenschen, in ihm angeregt hatte. Dagegen ist es bezeichnend
für seine damalige wie spätere Geistesrichtung, dass der gewissermaassen entgegengesetzte Irrthum, der Pantheismus von Spinoza
u. A., ihm niemals in stärkerem Maasse zu schaffen gemacht hat.
Nur verhältnissmässig schwach war derselbe in dem Determinis-

mus G o d w i n's vertreten, womit sich Baader ebenfalls in England eingehend beschäftigte. Mit der endlichen Ueberwindung
Rousseau's hatte dann aber auch K a n t's autonome Ethik (über
die Physik desselben urtheilte er stets günstiger) ihren Zauber für
ihn verloren. Die Errungenschaft in diesem Kampfe hat er endlich niedergelegt in der bereits in England (1796) abgefassten,
obwohl erst zwölf Jahre später (1809) gedruckten Schrift: „Ueber
Kant's Deduction der practischen Vernunft und die absolute Blindheit der letztern" (1, 1 ff.) — einer Schrift, die um so merkwürdiger ist, als wir in ihr nicht nur die erste selbständige philosophische Arbeit Baader's erblicken, sondern dieselbe auch schon
seine gesammte spätere Philosophie bezüglich ihrer erkenntnisstheoretischen, metaphysischen und ethischen Grundlage wie im
Keime in sich befasst. Mit dieser Schrift lieferte er den Beweis,
dass er, damals 31 Jahre alt, ebenso in philosophischer, wie
anderweit in äusserlich-practischer Rücksicht seine Lehrzeit bereits
abgemacht hatte.

Er erkannte nun auch, dass nur D e u t s c h l a n d der Platz
seiner Wirksamkeit sein könne (vgl. 7, 46. 8, 20), und er verliess daher England im Juni 1796, trotzdem, dass man ihn daselbst durch den ehrenvollen Antrag, die Leitung einer Blei- und
Silbergrube in Devonshire zu übernehmen, zurückzuhalten gesucht
hatte. Er begab sich zunächst nach Hamburg und schloss hier
vor Allem Freundschaft mit J a c o b i , desshalb, weil „der Glaube
und die Priorität des Optativs (das Gebet) die Achsen ihrer beiderseitigen Philosophie waren" (15, 168). Ferner studirte er
daselbst die K a b b a l a h , diesen „Torso der ältesten Naturphilosophie" (ebend.), und ausserdem las er jetzt auch die ihm bis
dahin noch unbekannt gebliebenen Werke von F i c h t e und
S c h e l l i n g , während er zugleich seine schon früher entworfenen
„Beiträge zur Elementarphysiologie" (3, 203 ff.) ausarbeitete, die
ihn ein Jahr später (1797) zuerst in die grossartigen Kämpfe der
deutschen Philosophie jener Zeit einführen sollten. Nach München (im December 1796) zurückgekehrt erhielt er alsbald (1797)
eine amtliche Stellung als Münz- und Bergrath, in welchem
Zweige er 1801 zum Oberbergrath und 1807 zum Oberstbergrath

befördert wurde. Diese Stellung behielt er bis zur Umwandlung
des königl. bayerischen Bergcollegiums im September 1820, worauf er unter Fortbezug seines damaligen Gehaltes (2200 Gulden)
vorläufig zur Ruhe gesetzt und erst durch seine Anstellung als
Professor an der eben errichteten Münchener Universität neuer-
dings in Thätigkeit gesetzt ward. Zugleich wurde er 1801 zum
correspondirenden, und 1808 zum ordentlichen Mitglied der Münchener Academie der Wissenschaften ernannt — eine Stellung,
die ebenfalls für seine literarische und sonstige Thätigkeit von
Erfolg war. Dessgleichen erhielt er 1808 den Civilverdienstorden
der bayerischen Krone, womit die Erhebung in den persönlichen
Adel und später (seit 1813) die definitive Einverleibung in die
Ritterclasse des Königreichs Bayern verbunden war. In demselben
Jahre (1808) wurde ihm der Auftrag ertheilt, während des Win-
ters Vorlesungen über Bergbaukunde und Probirkunde für die
Eleven des Bergfaches in München zu halten, wogegen er im
Sommer meistentheils Geschäftsreisen zu machen hatte. Neben
diesen amtlichen Beschäftigungen in mancherlei practischen Fächern,
worüber er auch verschiedene technische Schriften verfasste —
über Eisenhütten, Bergbau, Holzbau, Glasbereitung, Kunststrassen
und dergleichen aus den Jahren 1801, 1802, 1809 und 1815,
und selbst noch 1836 (Band 6) — sehen wir ihn zugleich als
Privatmann practisch thätig, und zwar mit besonderem Glück in
der Glasfabrication. Seit 1803 nämlich hatte er eine Reihe von
chemischen Versuchen angestellt, um das Problem zu lösen, in
welcher Weise bei der Glasbereitung anstatt der Pottasche Glaubersalz mit practischem Erfolge verwendet werden könne. Die er-
haltenen Resultate ermuthigten ihn eine eigene Glashütte zu Lambach bei Regensburg anzulegen und im Jahre 1809 konnte er
eine Vorstellung über seine Entdeckung bei der österreichischen
Regierung einreichen, welche dann seinen Vorschlag prüfen liess
und ihm hierauf im Jahre 1811 eine Gratification dafür von nicht
weniger als 12000 Gulden W. W. zuerkannte. Dieser glänzende
Beweis seiner naturwissenschaftlichen Kenntnisse möchte auch
desshalb wohl beachtenswerth sein, weil dadurch auf seine Naturphilosophie — als nicht etwa rein in der Luft schwebend — ein

günstiges Licht geworfen wird. Zugleich erhielten mit diesem Zuwachs seine Vermögensverhältnisse eine nicht unbedeutende Aufbesserung, indem er dadurch in den Stand gesetzt wurde, 1812 das gräflich Waldkirch'sche Gut Schwabing bei München zu kaufen, und hier für sich und seine Familie einen bleibenden Wohnsitz — bis zum Jahre 1832 — zu finden. Schon 1800 nämlich hatte er sich mit F r a n c i s c a v o n R e i s k y aus Prag, einer jungen Dame von ausgezeichneten Eigenschaften, vermählt, und aus dieser Ehe waren ihm mehrere Kinder, namentlich Guido und Julie geboren worden. Sie starb im Jahre 1835. Im Jahre 1839 verheirathete er sich zum Zweitenmale. Die Sorgfalt und Liebe, welche ihm seine zweite Frau, M a r i a R o b e l, in der treuen Pflege seines Greisenalters erwies, hat er bis zu seinem Tode hin nicht genug zu preisen gewusst. — Endlich haben wir von seinem Umgang in dem vorhin besprochenen Zeitraum noch zu erwähnen, dass er 1803 — 1808 in sehr vertrautem Freundschaftsverhältnisse mit dem genialen Naturforscher W i l h e l m R i t t e r stand, dass er 1806—1813, ja bis 1824 mit S c h e l l i n g theils einen sehr engen persönlichen und wissenschaftlichen Verkehr unterhielt, theils wenigstens ein gutes Einvernehmen hatte, und dass er seit 1809 mit S c h u b e r t nahe verbunden war. Seine zahlreichen philosophischen Schriften aus dieser Zeit sollen später besprochen werden. — Merkwürdiger Weise aber finden wir bis dahin noch gar keine Andeutung, dass auf Baader die grossartigen politischen Bewegungen jener Zeit, die französische Revolution so wenig als später die Siege Napoleons, irgend einen Eindruck gemacht oder ihm auch nur eine besondere Aeusserung darüber entlockt hätten.

Erst die Freiheitskriege sollten hierin eine Aenderung bringen. 1813 that er Schritte, um mit der Leitung der Landesbewaffnung gegen die Franzosen beauftragt zu werden. Als ihm aber diess nicht nur misslang, sondern in Bayern sogar übel gedeutet wurde, entschloss er sich bald nachher zu einem andern weit grossartigeren politischen Act, dessen Folgen alle Erwartung übertrafen. Im Jahre 1814 nemlich reichte er bei den drei Monarchen von Oesterreich, Preussen und Russland eine Denkschrift ein, in welcher er die durch die Zeitverhältnisse herbeigeführte Nothwendigkeit einer näheren Wiederverbindung der Politik mit der Religion darlegte. Denselben Gedanken führte er bald darauf (1815) in einer besondern Druckschrift (6, 11 ff.) noch weiter aus. Durch jene Denkschrift, die namentlich bei dem Kaiser A l e x a n d e r gute Aufnahme fand, ist er, was früher noch ganz unbekannt war, wenn nicht der erste Urheber, so doch der Anreger und Förderer eines sehr bedeutungsvollen geschichtlichen Ereignisses, nämlich der im September 1815 von den genannten Monarchen zu Paris geschlossenen h e i l i g e n A l l i a n z geworden. Vermuthlich ist eben diese Denkschrift auch der erste Anlass zu den mannigfachen Beziehungen gewesen, in denen wir ihn bald nachher mit vielen vornehmen Russen, namentlich mit dem Volksaufklärungsminister Fürsten Alex. v. G a l i z i n sowie auch mit dem Kaiser A l e x a n d e r finden. Der Kaiser beauftragte ihn (1815) mit einem grössern religiösen Werk für den russischen Klerus (15, 298 ff.), von dem wir wahrscheinlich nur zwei Bruchstücke, nämlich die beiden französisch geschriebenen Aufsätze *sur l'Eucharistie* (7, 1 ff.) und *sur la notion du temps* (2, 47 ff.) besitzen. Der Minister Galizin liess sich später (seit 1818 oder 19) von ihm eine regelmässige literarische Correspondenz gegen eine Remuneration von etwa 140 Rubel monatlich einsenden (15, 397). Baader, der während der Kriegsjahre grosse Verluste an seiner Glashütte zu Lambach erlitten hatte, suchte diese jetzt zu verkaufen (15, 361), und war von nun an überhaupt bemüht, Alles zu beseitigen, was ihn an der ungetheilten Hingabe an seine religiösphilosophischen Studien hindern konnte. Als seine Genossen in denselben finden wir für diese Zeit (1813 —24) vornehmlich den schon genannten S c h u b e r t und ferner den Dr. P a s s a v a n t, die beiden Frankfurter v. M e y e r, Adolf W a g n e r, Pfarrer S p e r l, Professor H i n r i c h s u. a. Zugleich aber ging ein hauptsächliches Bestreben Baader's jetzt dahin, zum Behuf einer innigern Verbindung von Religion, Wissenschaft und Kunst, die er als ein Hauptbedürfniss der Zeit erkannte, wie auch zum Zweck einer engern Wiederverknüpfung und Aussöhnung der drei getrennten christlichen Confessionen, die er als besonders förderlich für die Wiedererweckung des religiösen Geistes in Europa ansah, eine archäologische Akademie in St. Petersburg zu gründen, und die Verhältnisse waren der Art, dass eine Ausführung dieses Plans nicht unmöglich schien. Im Herbst 1822 liess er sich, von sonstigen Geschäften entbunden, Urlaub von der bayerischen Regierung zu einer Reise nach Russland geben, wohin ihn der Minister Galizin eingeladen hatte. Sein Begleiter war der esthländische Baron Boris von Yxkull. Allein eine Unvorsichtigkeit, welche dieser Letztere einige Zeit vorher durch einen der russischen Polizei alsbald bekannt gewordenen Besuch bei Benjamin Constant begangen hatte, machte das ganze Unternehmen zu nichte. Die Reisenden konnten nur bis Riga gelangen, und Baader musste dann unverrichteter Dinge mit dem Verlust aller Reisekosten wie auch unter Einbusse seines bisher von Russland bezogenen Honorars nach Deutschland zurückkehren. Er hielt sich hierauf noch einige Zeit in Ostpreussen auf, ging dann im November 1823 nach Berlin und blieb daselbst bis zum April 1824. Er benutzte diese Gelegenheit, um theils seine schon ältere Bekanntschaft mit Varnhagen von Ense und dessen Frau Rahel zu erneuern, theils mit Hegel und Marheineke jetzt zuerst persönliche Bekanntschaft zu machen, wogegen er sich von Schleiermacher und verwandten Geistern entfernt hielt. Bevor er von Berlin Abschied nahm, reichte er noch (1824) eine Denkschrift bei dem Könige Friedrich Wilhelm III. ein, in welcher er denselben auf die Nothwendigkeit aufmerksam machte, die Lehrstühle der Theologie überall nur mit Männern von positiv-christlicher Gesinnung zu besetzen, eine Vorstellung, die unter dem Ministerium Altenstein natürlich ganz erfolglos blieb.

Baader kehrte über Leipzig, wo er mit Adam Müller, v. Hüttner u. A. verkehrte, nach München zurück, nicht wenig erschüttert, wie es scheint, durch seine Erfahrungen, aber auch entschlossen, von jetzt an nur um so ausschliesslicher allein noch der Wissenschaft zu leben und hier vor Allem seine Ueberzeugungen zur Geltung zu bringen. Er schrieb seine „Bemerkungen über einige antireligiöse Philosopheme unserer Zeit" (2, 443 ff.),

eine Schrift, die als epochemachend hier besonders zu nennen
ist, weil Baader in ihr zuerst entschieden gegen Schelling auf-
trat und überhaupt ein System ankündigte, welches mit keinem
der bisherigen irgendwie harmonirte. Schelling nahm sogleich
von dem Inhalt dieser Schrift — und ausserdem auch von Baader's
missglückter Reise nach Russland, die aber für sich genommen doch
nichts Beleidigendes für ihn haben konnte — Anlass, um mit
ihm völlig zu brechen (15, 421), während Hegel, gegen dessen
System jene Schrift nicht minder gerichtet war, sich durch sie
keineswegs verletzt fühlte, sondern sich zwar dagegen vertheidigte
(Encykl. 2. Aufl. Vorr.), übrigens aber nach wie vor Baader's
Freund blieb. Es erfolgte (im Herbst 1826) die Anstellung Baader's als Honorarprofessor für Philosophie und speculative Theologie an der neuerrichteten Universität zu München, unter Verhältnissen, die zwar in pecuniärer Beziehung nicht eben günstig
waren, die aber doch insofern für ihn erwünscht sein mussten, als sie
ihm, dem nunmehr freilich bereits Zweiundsechzigjährigen, zum
ersten Male die Gelegenheit boten, über seine seit 30 Jahren
ausgebildete Philosophie öffentliche Vorträge zu halten. Der Eindruck, den diese Vorträge und Baader's ganze Persönlichkeit auf
seine Schüler machten, hat Hoffmann (15, 109) vortrefflich
beschrieben; dass derselbe am andern Ende Deutschlands nicht
minder stark war, kann auch der Schreiber dieses bezeugen.
Ueber seine jetzige wie seine frühere schriftstellerische Thätigkeit
wird nachher im Zusammenhange die Rede sein. Von Persönlichkeiten, die ihm in dieser Zeit (1824—1841) nahetraten, sollen
hier nur genannt werden: Der schon erwähnte Oberpostrath
v. Hüttner, Fräulein Linder, Minister Eduard v. Schenk,
Dr. Schlüter, Fürst Constantin v. Löwenstein-Wertheim,
Graf Montalembert, Niembsch v. Strehlenau genannt Lenau,
Professor Hoffmann, Professor Hamberger, Professor Molitor, Justinus Kerner, Malfatti, Freiherr v. Stransky auf
Greifenfels u. s. w. — Ein bedeutungsvolles Ereigniss wurde zuletzt noch für ihn die Gefangennahme des Erzbischofs Droste-
Vischering von Köln (am 20. November 1837). Denn die
bei dieser Gelegenheit sich erhebenden confessionellen und politisch-

kirchlichen Streitigkeiten wurden für ihn der Anlass zur Aufstellung einer Lehre von der „corporativen" Verfassung der Kirche, welche geeignet war, ihn mit der kirchlichen Hierarchie und deren Freunden in eine scharfe Opposition zu versetzen. Eine Folge davon war, dass ein Ministerialrescript vom November 1838 den „Laien" den Vortrag der Religionsphilosophie an den bayerischen Universitäten untersagte, was eigentlich nur für ihn und überhaupt nur für Katholiken, nicht aber für Protestanten z. B. Schelling galt. Uebrigens war es Baader selbst nicht eingefallen, sich mit dieser Lehre vom Katholicismus lossagen zu wollen; und auch die kirchliche Behörde scheint es so nicht angesehen zu haben, da sie ihn ganz unbehelligt liess. Nur ein junger Geistlicher hat ihn auf lediglich eigenes Ermessen bei Gelegenheit seiner letzten Beichte, wie derselbe erst fünfzehn Jahre später (im Herbst 1856) brieflich erklärt hat, zu einem „Widerruf seiner unkatholischen Behauptungen" aufgefordert, und diesen „Widerruf" dann auch sogleich von ihm entgegengenommen. Baader empfing hierauf die heil. Sacramente mit grosser Andacht und verschied sanft am 23. Mai 1841.

Die Schriften Baader's.

An diesen Lebensverlauf Baader's lehnte sich, wie seine philosophische Fort- und Durchbildung, so auch seine gesammte schriftstellerische Thätigkeit um so enger an, als er seit seinem ersten öffentlichen Auftreten und namentlich von 1796 an bis zu seinem Tode beinahe Jahr aus Jahr ein Schriften meist kleinern Umfanges in sehr grosser Anzahl (etwa 140) veröffentlicht hat, die sich zwar in Betreff des in ihnen niedergelegten philosophischen Systemes merkwürdig gleich geblieben sind, allein nichtsdestoweniger in ihrem Verlauf einen persönlichen Fortschritt ihres Verfassers zeigen, gemäss dem wohl gesagt werden kann, Baader habe zu derselben Sache nach und nach freilich wohl eine immer andere Stellung eingenommen, aber dabei doch niemals seine Ueberzeugung geändert. Hieraus ergibt sich die Möglichkeit und Nothwendigkeit einer historischen Untersuchung, welche die innere

Entwickelungsgeschichte seines Systems verfolgt und das Ergebniss davon in einer chronologischen Classification seiner Schriften niederlegt, die auch schon desshalb wünschenswerth ist, weil sie bei der grossen Menge dieser Schriften ihre Uebersicht erleichtert. Wir beziehen uns dabei auf das am Ende dieser Einleitung beigefügte Verzeichniss, ˉwelches die sämmtlichen Schriften nach dem Datum ihrer ersten Veröffentlichung oder auch — wenn sich diese bestimmen liess — ihrer Abfassung aufführt, indem wir hier nur für die fünf Perioden, in die wir dieselben glaubten vertheilen zu müssen, das zur allgemeinen Charakteristik einer jeden Dienliche näher aus einander zu setzen haben. Dass wir dabei nur die philosophischen, nicht die reintechnischen Schriften berücksichtigen, bedarf keiner Erwähnung.

Erste Periode 1786—1796 oder vom 21.—31. Lebensjahre Baader's. — Zu ihr gehören die sämmtlichen Jugendschriften des Philosophen, die nur erst Anläufe zu seinem System, aber noch nicht dieses selbst enthalten. Unter diesen geht die früheste, die Schrift vom Wärmestoffe, die in formeller Beziehung die beste von allen ist, noch von einem fast lediglich empirischen Standpunkte aus und stellt als ihre Grundlehre eine Behauptung auf, welche Baader schon 1792 als völlig verfehlt wieder zurückgenommen hat (3, 201). Im Uebrigen aber finden sich doch auch schon hier manche Vorandeutungen seines spätern Systems. (Vgl. Hoffmann's Einl. zu Band 3. S. III. ff. und meine Schrift über den phil. Standpunkt Baader's S. 8.) Bei weitem die wichtigste Schrift für die eigentliche Genesis der Baader'schen Philosophie sind dann die schon erwähnten Tagebücher, über die hier noch einmal zu sprechen nicht nöthig ist. Der Aufsatz über Kant's Metaphysik ist im Vergleich zu dem vielleicht ein oder zwei Jahre später geschriebenen Aufsatz über Kant's praktische Vernunft, ein Beweis, wie wenig noch bei der Abfassung des erstern Baader's Urtheil über die eigentliche Bedeutung des kantischen Systems feststand. Welche Stellung aber auch Baader damals und später zu Kant eingenommen haben mag, das bleibt gewiss, er gehörte im Ganzen so gut wie Fichte, Schelling, Hegel und alle neuern deutschen Philosophen zur kantischen Schule, wie diess Fortlage mit Recht behauptet hat.

Zweite Periode. 1796—1813 oder vom 31.—48. Lebensjahre Baader's. — Im Allgemeinen ist wohl diese Periode als die grundbauende oder einleitende zu bezeichnen, insofern sich Baader während derselben vornehmlich bemüht zeigt, nur erst seine Grundansicht und zwar zunächst im Gegensatze von Kant, sodann Jacobi gegenüber, und endlich auch im Verhältnisse zu Schelling, unter positivem Anschluss vorerst noch fast allein an Saint-Martin zu bestimmen, ohne hiebei über viel mehr als über das Princip sich auszusprechen. — Das Erste geschah in der bereits erwähnten Schrift: „Ueber Kants practische Vernunft" vom Jahre 1796 (1, 1 ff.), die zugleich als die principiellste aller seiner Schriften zu bezeichnen ist. — Was sodann Jacobi betrifft, so hat sich Baader ihm gegenüber erklärt, theils schon in seinem Briefwechsel mit ihm 1796—1806 (15, 1 ff.), theils in den beiden Aufsätzen: „Ueber den Affect der Bewunderung und der Ehrfurcht", 1804 (1, 25 ff.) und: „Ueber die Behauptung, dass kein übler Gebrauch der Vernunft sein könne" 1807 (1, 33 ff.) — wozu alles später über Jacobi Gesagte sich nur als erklärender Commentar und weitere Bestätigung verhält. Die Hauptsache läuft dabei auf Folgendes hinaus: Baader, einverstanden mit Jacobi in Betreff des Glaubens als Grundlage der Philosophie, konnte doch dessen Ansichten über das Verhältniss des Gefühls zur Speculation so wenig genügend finden, dass er vielmehr die Ueberschätzung des erstern und die Verachtung der andern, welcher Jacobi sich hingab, als im Wesentlichen identisch mit der freilich umgekehrt gemeinten Behauptung Rousseau's erkannte: „der Mensch hört auf zu fühlen, sobald er anfängt zu denken", und dass er hierin bei Jacobi ein noch nicht überwundenes Radical des Unglaubens sah. Die hierin begründete Misshelligkeit trat jedoch ganz entschieden erst hervor bei dem Streite Schelling's mit Jacobi (1812), in welchem Baader sich für Erstern erklärte und dadurch mit Jacobi völlig brach. — Zu Schelling, diesem „andern Saint-Martin" (3, 240 vgl. 11, 147) — wie auch zu Fichte — hatte sich Baader bereits durch seine Schriften:

„Beiträge zur Elementarphysiologie" 1797 (3, 202 ff.) und: „Ueber
das pythagoreische Quadrat in der Natur oder die vier Weltgegenden" 1798 (3, 247 ff.) in ein freundliches Verhältniss gesetzt, und dem hatte die Anerkennung entsprochen, welche diese
Schriften, besonders die letztere, sowohl bei Schelling selbst, als
bei Eschenmayer, Steffens, Goethe, Novalis u. A. fanden. 1806
lernten beide sich persönlich kennen, und seitdem Schelling seinen
beständigen Wohnsitz in München hatte (1808—1820), trat
zwischen ihnen und ihren Familien wenigstens eine ganze Reihe
von Jahren hindurch ein enger Verkehr ein, veranlasst und unterhalten, wie man aus dem Briefwechsel sieht, durch die gemeinsamen Studien der beiden Männer, und alsbald sich auch literarisch
in einer Weise bethäthigend, die für die Geltung Baader's
als selbstständigen Philosophen auf längere Zeit hin nachtheilig
wirken sollte. Denn nicht nur erschienen 1808—1813 mehrere
Aufsätze Baader's in Zeitschriften, die Schelling herausgab — so
die Aufsätze: „Ueber die Analogie des Erkenntniss- und des
Zeugungstriebes" 1808 (1, 39 ff.), „Ueber Starres und Fliessendes"
1808 (3, 269 ff.) und „Gedanken aus dem grossen Zusammenhange des Lebens" 1813 (2, 9 ff.) — sondern auch anderweitig
veröffentlichte Aufsätze Baader's aus dieser Zeit, — „Ueber den
Sinn und Zweck der Verkörperung des Lebens" (2, 1 ff.), „Fragmente zu einer Theorie des Erkennens" (1, 49 ff.) und „Ueber
den Begriff der dynamischen Bewegung im Gegensatze der mechanischen" (3, 277 ff.), alle drei zuerst erschienen in Baader's „Bei-
trägen zur dynamischen Philosophie" 1809 — konnten freilich
durch ihre Titel und Kunstausdrücke wohl an Schelling's Identitätsphilosophie erinnern. Jm Jahre 1818 bezeugt Baader in einem
Briefe Schelling's Einverständniss mit ihm rücksichtlich der
Böhmischen Lehre vom Ungrund und Grund (15, 349), und
ähnlich spricht er sich über ihn um jene Zeit auch noch
öffentlich aus (7, 34). Nach allem diesen wäre es bei
dem Ansehen, worin Schelling stand, allerdings sehr zu ver-
wundern gewesen, wenn man Baader nicht (ähnlich wie Hegel
bis zum Erscheinen der Vorrede seiner Phänomenologie 1806
vgl. Haym 214) als zu dessen Schule gehörig betrachtet

hätte — und wirklich geschah dieses damals und später, bis 1850, fast ganz allgemein. Allein bei genauerer Betrachtung sowohl der beiderseitigen Lehren selbst als insbesondere auch der Veränderungen, die sie im Laufe der Zeit erlitten oder nicht erlitten haben, stellt sich doch die Sache ganz anders und in gewissem Betracht sogar eher umgekehrt heraus. Denn Baader, gegen zehn Jahre älter als Schelling, hat seine Lehre gar nicht von diesem, sondern aus ganz anderen Quellen erhalten; auch hat er sich niemals zu Schelling's oder Spinoza's Pantheismus geneigt, sondern stets am Theismus des Christenthums festgehalten; endlich hat auch in keinem sonstigen wichtigern Punct Schelling's Lehre umgestaltend auf die Baader's eingewirkt. Vielmehr ist Baader's Lehre in allem Wesentlichen sich stets gleich geblieben. Dagegen hat Schelling's Lehre nicht nur überhaupt im Laufe der Zeit sehr bedeutende Umänderungen erlitten, sondern es hat auch namentlich an der im Jahre 1809 (Untersuchungen über das Wesen der menschlichen Freiheit) Baader's Einfluss auf Schelling grossen Antheil gehabt. Dass Jacob Böhme und die ältere deutsche Naturphilosophie damals so grosse Beachtung bei Schelling fanden, kam nur von Baader her; und ebenso ist des Erstern mehr und mehr hervortretende Hinneigung zum christlichen Theismus (ganz erreicht hat er diesen allerdings bekanntlich niemals) höchst wahrscheinlich von einem Anstoss ausgegangen, den er zuerst von Baader erhalten hatte. Den Beweis dieses Hergangs der Sache hat Hoffmann geführt, theilweise schon in seiner „Vorhalle der Baader'schen Philosophie" 1836, ganz schlagend aber in seiner Vorrede zu „Baader's kleinen Schriften", auch besonders abgedruckt unter dem Titel: Franz von Baader in seinem Verhältnisse zu Hegel und Schelling. Leipzig, 1850. Die hier vorgebrachten Gründe waren so unwiderleglich, dass sie sogleich die Zustimmung von Erdmann, Fortlage u. A. erhielten und alle Männer von Fach jetzt darüber einverstanden sind. Doch scheint der nähere Verkehr zwischen Baader und Schelling schon bald nach 1812, jedenfalls nach 1820 allmählich nachgelassen und endlich beinahe völlig aufgehört zu haben, so dass der 1824 erfolgte offene Bruch zwischen beiden ohne Zweifel schon lange vorbereitet war. Nach dieser Zeit hat Baader sich überall bestimmt und entschieden gegen Schelling's Lehre, und zwar gegen dessen neuere Lehre noch ausdrücklicher als gegen die frühere, ausgesprochen, während Schelling von jenem Zeitpunkt an stets eine hochmüthige Feindschaft gegen Baader gezeigt hat, die sogar noch bis über den Tod des Letztern hinaus fortdauerte. Diess kann um so auffallender erscheinen, oder auch um so erklärlicher, als die „positive" Philosophie Schelling's der Baader'schen in ihren Grundtendenzen unverkennbar viel näher steht, wie diess bei allen frühern Stadien der Schelling'schen Lehre der Fall war. — Erhellt nun aus diesem Sachverhalt, dass ungeachtet der Verwandtschaft, welche die Denkweisen und Lehren Baader's und Schelling's freilich allezeit aufs engste verknüpft hat, doch von einer Abhängigkeit des Erstern vom Letztern noch weniger als umgekehrt die Rede sein kann: so erscheint dagegen vor Allen Saint-Martin als derjenige, der namentlich in dieser Einleitungsperiode bestimmend auf Baader einwirkte (vgl. Bd. 12), mit dessen Principien er sich fast überall einverstanden erklärte — nur einmal wirft er ihm Mangel an höhern chemischen Kenntnissen vor (15, 315) — dessen Worte er sehr häufig z. B. in den Motto's mehrerer Schriften aus dieser Zeit anführte, und mit dessen ganzer Lehre er von Anfang an viel vertrauter schien, als z. B. mit Jacob Böhme, den er merkwürdiger Weise bis 1812 noch gar nicht einmal öffentlich erwähnt hat. Hatte er, angeregt durch jenen, bereits im Herbst 1796 auch kabbalistische Studien gemacht (15, 168) — vielleicht unter Zugrundelegung von Wachter's *Elucidarius cabbalisticus* (3, 383. 405 ff.) — und hatte er dann, gemeinsam mit Wilhelm Ritter (1803—8) insbesondere die Lehre vom Magnetismus praktisch näher kennen zu lernen gesucht: so scheint ihn hierauf besonders sein Umgang mit Schubert (seit 1809) zu tiefern Naturstudien im Sinne seiner spätern Philosophie und namentlich zu einem umfassendern und gründlichern Durcharbeiten der Werke Jacob Böhme's angeregt oder bestärkt zu haben (15, 235). Zu der auf seine Veranlassung von Schubert verfassten Uebersetzung von Saint-Martin's Schrift „vom Geist und Wesen der Dinge" schrieb Baader 1812 eine Vorrede (1, 57 ff.), worin er zum ersten Male

ausdrücklich auf Jacob Böhme hinwies (1, 69), zu derselben
Zeit, als er auch schon von dessen „Morgenröthe" eine neue
Ausgabe zu veranstalten vor hatte (15, 244). Wie er aber in
jener Vorrede, die man als eine Art Abschluss des Bisherigen
und Programm des Zukünftigen ansehen kann, Saint-Martin's
Schriften als einleitend zu denen J. Böhme's bezeichnet: so lassen
sich auch Baader's eigene bisherige Leistungen in Vergleich zu
seinen spätern, die eine weit grössere Geistesenergie und Concentration zeigen, als gewissermaassen nur erst einleitende
Philosopheme betrachten.

Dritte Periode. 1813—1824 oder vom 48. bis 59.
Lebensjahre Baader's. — Mit der in dieser Zeit (s. oben) auf
grossartige gesellschaftliche Zwecke — und zwar auf nichts Ge-
ringeres, als die von Grund aus neu aufzuführende Wiederher-
stellung von Staat, Kirche und Schule — gerichteten äussern
Thätigkeit des, wie man hieraus sieht, auch practisch-christlichen
Philosophen hielt seine nach innen gerichtete theoretische Thätig-
keit gleichen Schritt. Seine gesammte Philosophie sollte in dieser
Zeit ihren ersten Ausbau erhalten, für dessen Entstehung und
Beurtheilung folgende Gesichtspunkte maassgebend sein dürften.
Zu dem bereits 1809 begonnenen tiefern Studium J. Böhme's
hatte sich bei ihm 1812—15 auch noch ein tieferes Studium des
Theophrast v. Hohenheim (Paracelsus) gesellt (15, 243 ff.).
Dazu kamen fortgesetzte, aber jetzt noch weit eindringlicher als
früher betriebene Untersuchungen über das Wesen des Magnetismus, worin er durch den Verkehr mit Schubert (1809 — 18),
Passavant (1815—22), den beiden v. Meyer (1815—18) u. A.
unterstützt ward. Erst diese zweifachen Studien befähigten Baader
zur Aufstellung seiner „magischen oder magnetischen Physik",
die einen „Fundamentalartikel seiner ganzen Lehre" bildete (15,
465 ff.). Man hat sich mit Recht gewöhnt, Baader's Philosophie
überhaupt als „tiefsinnig" zu bezeichnen: dieses Beiwort passt
auf sie vor Allem wegen eben jener ihr eigenthümlichen Naturlehre oder Physiologie, womit zugleich seine Menschheitslehre
oder Anthropologie, seine Gottheitslehre oder Theologie
und seine Erkenntniss- und Offenbarungslehre in der

innigsten Beziehung standen. In diese vier Theile nemlich zer-
legte sich, wie wir später sehen werden, seine gesammte Philosophie; unter ihnen aber nahm die Physiologie eine Stellung ein,
wornach sie eben so sehr die Voraussetzung als die Folge alles
Uebrigen war. In der Zeit nun, die wir hier betrachten, hat ihn
eben die Physiologie mehr wie irgend etwas Anderes beschäftigt,
wie schon die Titel der meisten seiner damals verfassten Schriften
beweisen, (s. unten das Verzeichniss derselben). Doch traten
dabei vor und nach auch die übrigen Theile der Philosophie an das
Licht, nicht etwa planmässig, sondern wie gerade besondere Ver-
anlassungen und Umstände es mit sich brachten, aber alle beherrscht von demselben Grundgedanken. Abgesehen von diesem
Hauptinhalt seiner Lehre in jener Zeit war auch die Auffassungs-
und Behandlungsweise in Vergleich mit der in der folgenden
Periode eine eigenthümliche. Ueberall nemlich sehen wir ihn hier
mit möglichst eindringendem Blick die eigene Natur oder Wesenheit des je vorliegenden Gegenstandes rein nur als solche ins
Auge fassen, ohne dabei auch schon, wie dieses erst später der
Fall war, den Begriff und die Bedeutung der Auctorität näher
in Betracht zu ziehen. Er selbst hat für diesen Gegensatz die
Ausdrücke: Genialität und Classicität gebraucht, und in der That
dürfte für die tiefblickende Geistesenergie, welche alle seine Schriften
aus dem hier zunächst geschilderten Zeitraum charakterisirt, sich
nicht wohl ein passenderes Wort als das erstere auffinden lassen.
Durch beides zusammen möchte es dann wohl gerechtfertigt sein,
diese Periode im Unterschied von der folgenden als die physio-
logisch-geniale zu bezeichnen. Doch ist hierbei zugleich
noch zu bemerken, dass schon innerhalb eben dieser Zeit, gegen
ihre Mitte und ihr Ende hin — nemlich etwa seit dem Studium
des Judas Ischariot von Daub (1818) und dem des Thomas von
Aquin (1821) — die folgende Periode sich bei ihm gleichsam
stufenweise vorzubereiten angefangen und dann, wie es scheint,
unter dem Einfluss seines nordischen Unternehmens, schleunige
Zeitigung gewonnen hat.

Vierte Periode: 1824—1838 oder vom 59. bis 73. Lebensjahre Baader's. — Wir bezeichnen diese Periode im Unterschied

von der vorigen wie auch von der spätern als die theologisch-classische und berufen uns dafür auf folgende Gründe. Zu Jacob Böhme und Paracelsus hatte sich seit 1821 noch Thomas von Aquin gesellt und auch noch aus andern Gründen nahm jetzt anstatt der Physiologie die Theologie die hervorragendste Stellung ein, während sich zur Betrachtung der innern Natur jedes Seienden als ein gewissermaassen Neues oder bisher nicht Beachtetes der Begriff der höhern Auctorität hinzu gefunden hatte. Zugleich wurde von ihm jetzt, was später nicht mehr so der Fall war, im Leben des Geistes, vornehmlich das Positive beachtet und gefordert, wogegen das Negative zwar mit Kraft zurückgewiesen, aber doch mehr *extra* als *intra Iliacos muros* aufgesucht und angegriffen ward. Die Sprache wird nun ebenfalls entschiedener, die wissenschaftlichen Unternehmungen werden planmässiger, die Schriften zahl- und umfangreicher, und die Intension der philosophischen Thätigkeit wird gemildert durch eine entsprechende Extension derselben. Trotz des Unmethodischen der Form, welches auch jetzt wie früher fast allen Leistungen Baader's in Folge seiner Eigenthümlichkeit wie seines Bildungsganges anklebt, fällt doch das eigentlich Bedeutende, das, was er durch die Entwickelung des Gesammtinhaltes seiner Philosophie, vor Allem Schelling und Hegel sowie nicht minder der ganzen nach-cartesischen Philosophie gegenüber, geleistet hat, hauptsächlich in diese Periode; erst mit ihr tritt er in die Reihe der classischen Philosophen im engern Sinne des Wortes ein. Den Mittelpunct seines Strebens bildet, wie er selbst überall zu erkennen gibt, die wissenschaftliche Wiedervorführung Jacob Böhme's oder näher der Erweis des Böhmischen Begriffes der ewigen Natur, der zum Platonischen, alles Leibhaftseiende verflüchtigenden Idealismus, und zum Aristotelischen, nur am Kosmos sich haltenden, Realismus, den beiden Hauptbegriffen der bisherigen Philosophie, sich der Baader'schen Darstellung nach als ein Drittes Mittleres verhält und ihm vor Allem geeignet scheint, eine Versöhnung der bis dahin unvereinbaren Gegensätze in der Philosophie wie im Leben anzubahnen. Daher ist seine Hauptarbeit auch noch jetzt seinem alten Meister zugewandt: wir sehen ihn wiederholt, wenn gleich immer vergeblich, mit dem Plane umgehen, eine neue Ausgabe bald aller, bald wenigstens der Hauptwerke Jacob Böhme's zu veranstalten (15, 446 ff. 541. 569. 570 ff.); er liefert Commentare dazu (18, 237 ff. 57 ff. 159 ff.), und auch sonst kommt er immer wieder darauf zurück. Neben ihm aber bildet jetzt die zweite Hauptquelle, namentlich für die Erkenntnisstheorie oder für das Verhältniss des Wissens zum Glauben, Thomas von Aquin, an welchem zugleich die strenge kirchliche Dogmatik Baader's in dieser Zeit ihren festen Halt zu haben scheint, während das eigentlich Lebendige in seiner Theorie, der darin nachgewiesene stetige Uebergang des Innern ins Aeussere und umgekehrt, wodurch Alles im Fluss erhalten wird, noch ebenso wie früher in seiner paracelsisch - magnetischen Physiologie wurzelt, seine socialen Lehren aber sich zwar besonders an Restaurationsschriftsteller, wie de Maistre, Bonald und Adam Müller, eine Zeit lang auch an de la Mennais anlehnen, aber doch weder der Stagnation, noch der Revolution, sondern überall der Evolution das Wort reden. So ist es überall die höhere Mitte zwischen den Gegensätzen, der wir ihn zustreben sehen. Unter den fast zahllosen Schriften aus dieser Zeit (s. das Verzeichniss) nennen wir hier nur einige hauptsächliche: „Ueber einige antireligiöse Philosopheme unserer Zeit", 1824 (2, 443 ff.) nebst den „*Fermenta cognitionis*", deren letztes Heft (2, 365 ff.) erst jetzt (1825) erscheint, „Vorlesungen über religiöse Philosophie", 1827 (1, 151 ff.), „Vorlesungen über speculative Dogmatik", 1828—38 (Band 8 u. 9), „Vorlesungen über Societätsphilosophie", 1831 (14, 55 ff.), „Vorlesungen über Jacob Böhme's Theologumena und Philosopheme", 1833 (3, 357 ff.) nebst den schon erwähnten Commentaren über ihn, und endlich seine „Theorie des Opfers", 1836 (7, 271 ff.). Ausser den eben genannten, den Kern der Baader'schen Lehre in sich enthaltenden, Schriften sind freilich auch die übrigen in dieser wie in der vorigen Periode verfassten so inhaltsvoll und bedeutend, dass man sich nur schwer entschliesst, eine derselben unerwähnt zu lassen.

Fünfte Periode: 1838—1841 oder vom 73. bis 76. Lebensjahre Baader's. — Dem bis dahin von Baader mit Vorliebe gezeichneten positiven Lichtbild der hauptsächlich durch den Bund des Priesters und des Philosophen zu erstrebenden höhern Wahrheit sollte sich am Ende bei ihm auch noch die Kehrseite dieses Bildes, das negative Finsterbild der Hemmung des Fortschrittes dieser höhern Wahrheit in der Menschheit vermittelst des uneinig-einigen Zusammenwirkens der *„pretraille* und *philosophaille"* (9, 159) entgegenstellen. Leider scheint dem jetzt bereits hochbejahrten Greise trotz aller Rüstigkeit und Rührigkeit denn doch die Kraft gemangelt zu haben, um auch noch diese Zeichnung überall richtig und mit fester Hand ausführen zu können. Was namentlich die eine Seite betrifft, so waren dafür bedeutende exegetische, patristische und historische Kenntnisse nöthig, die Baader abgingen und statt deren er sich auf die Arbeiten einiger Freiburger Theologen, Ellendorf's u. A. glaubte stützen zu können. Die Ansicht von dem erst spätern Entstehen des römischen Pabstthums hatte sich bei ihm schon früh, wenigstens schon seit 1816, vielleicht in Folge seiner damaligen eifrigen Beschäftigung mit der griechischen Kirche, festgesetzt (15, 319 ff.); und die Punctualisirung aller kirchlichen, so wie nicht minder einer sehr ausgedehnten weltlichen (oder polizeilichen) Macht in eben diesem Pabstthum war ihm stets als eines der grössten Gebrechen in der äussern Verfassung der römischen Kirche erschienen, — auch ganz abgesehen von den Missbräuchen, wozu die Handhabung dieser Macht oft genug geführt hatte. In wie weit diese Theorie einen Stützpunct an dem alten Gegensatze des Episcopalsystems und des Papalsystems finden konnte, mag hier unerörtert bleiben; jedenfalls war Baader's Bestreben hauptsächlich darauf gerichtet, der Freiheit der Speculation innerhalb des Katholicismus den ihr nöthigen Spielraum zu sichern und zu diesem Ende verfasste er, wie schon erwähnt, bei Gelegenheit der Kölner Wirren 1838—40 eine Reihe von Schriften, die es wenigstens an Entschiedenheit nicht fehlen liessen, das Pabstthum für trennbar vom Katholicismus zu erklären. Gleichzeitig mit diesen verfasste er ausserdem noch eine andere Reihe von Schriften, die insbesondere gegen die linke Seite der Hegel'schen Schule gerichtet waren. Denn dass der Speculation von

Seiten des einbrechenden Materialismus, wie von Seiten des eben
damit wieder mächtiger werdenden Hierarchismus schon für die
nächste Zukunft die grössten Gefahren droheten, konnte seinem
Scharfblick freilich nicht entgehen. Erst ganz kurz vor seinem
Tode (1841) wurde er mit seiner letzten Schrift fertig: „Ueber
die Nothwendigkeit einer Revision der Wissenschaft natürlicher,
menschlicher und göttlicher Dinge" (10, 255 ff.), die gewissermaassen noch einmal Alles zusammenfasste, wofür er sein Leben
lang gearbeitet und gekämpft hatte. —

Die Lehre Baader's.

Nachdem wir so die äussere und innere Entwickelungsgeschichte der Baader'schen Philosophie näher beleuchtet haben,
wird es uns möglich sein, die Hauptlehren dieser Philosophie selbst, unter vorzugsweiser Beachtung der vorhin geschilderten drei mittleren Perioden ihrer Ausbildung, in einem
systematischen Ueberblick vorzulegen. Ehe wir jedoch dazu übergehen, müssen wir noch einige Worte über die bisherigen Be-
handlungen dieses Gegenstandes vorausschicken. Die betreffende
Lehre war hauptsächlich wegen ihrer ganz ungeordneten Auseinandersetzung in so vielen zerstreuten und fast ein halbes Jahrhundert hindurch allmählich erschienenen Schriften vor deren
Sammlung (1850 ff.) im Allgemeinen nur wenig beachtet worden,
und in den meisten Handbüchern für Geschichte der Philosophie
begnügte man sich sogar, sie nur mit einigen Worten als eine
besondere Abzweigung der Schelling'schen Lehre neben den
Leistungen von Steffens, Eschenmayer, Oken u. A. anzuführen.
Doch hat sie auch schon, abgesehen von einzelnen Besprechungen
in Zeitschriften u. dgl., verschiedene eingehendere und richtigere
Darstellungen gefunden, unter denen wir folgende hier namhaft
zu machen haben. Eine der frühesten ist die von Franz Hoffmann in dessen: Vorhalle der speculativen Lehre Franz Baader's,
Aschaffenburg 1836. Dazu kamen noch von demselben Verfasser:
Die Grundzüge der Societätsphilosophie Franz Baader's, Würz-
burg 1837, die schon erwähnte Schrift: Ueber das Verhältniss

Baader's zu Schelling und Hegel, Leipzig 1850, und die (auch einzeln so wie in einer Sammlung *) abgedruckten) Einleitungen zu den von ihm besorgten Bänden der Gesammtausgabe. Ferner: Sengler, über das Wesen und die Bedeutung der speculativen Philosophie und Theologie in der gegenwärtigen Zeit, Heidelberg 1837. S. 415—452; womit noch zu vergleichen ist dessen Idee Gottes, Heidelberg 1845 ff., sowie auch dessen Erkenntnisslehre, Heidelberg 1858. In der hier ausgeführten Kritik Baader's wird die Theosophie im Allgemeinen als nicht philosophisch bezeichnet; auch soll Baader in ungeeigneter Weise Naturalist sein — Urtheile, denen die folgenden zum Theil geradezu widersprechen. Eine gute Beleuchtung aus der bisherigen Philosophie hat ferner Baader gefunden in: Fortlage's Genetischer Geschichte der Philosophie seit Kant, Leipzig 1852, S. 246—255. Dass Baader's Lehre hauptsächlich eine Fortbildung der Fichte'schen Lehre und dass Alles was darin letzterer, namentlich ihrem strengen Subjectivitätsprincip, widerspreche, nur altererbter monstroisischer Auswuchs sei, möchte sich wohl nur aus der Vorliebe des Verfassers für Fichte und aus dem Wunsche, Baader hiernach möglichst hoch zu stellen, erklären. Weiterhin ist als erste Systematisirung der Lehre Baader's besonders wichtig und dankenswerth: Erdmann, die Entwickelung der Speculation seit Kant, 2. Band, Leipzig 1853, S. 583—632. Auch nach dieser Darstellung erscheint Baader durchaus nicht mehr als Schüler von Schelling, wohl aber im Gegensatz von Oken, in dessen Lehre Schelling's Identitätsphilosophie zu einer noch consequenteren, wenn auch einseitigeren Darstellung als bei ihrem Urheber selber gekommen sein soll, als der nicht minder einseitige, wenn auch consequentere und ältere Repräsentant oder besser Vorherverkünder der positiven Philosophie Schelling's, so dass also Schelling beide, Oken und Baader, in sich befasste, selbst aber Hegel untergeordnet blieb. Insbesondere wird Baader keineswegs Naturalismus, sondern vielmehr Spiritualismus vorgeworfen — ganz so, wie sich diess von einem Urtheil aus der Hegel'schen Schule erwar-

---

*) Acht phil. Abhandl. über Franz Baader u. seine Werke. Leipzig. 1857.

ten liess, wenn dieses von einem Mann gefällt werden sollte, der zugleich die grösste Achtung vor dem philosophischen Verdienste Baader's hegt. Hierauf erschienen meine Schrift über den philosophischen Standpunct Baader's, Mainz 1854, und Hamberger's Cardinalpuncte der Baader'schen Philosophie, Stuttgart 1855; worauf noch dessen: Fundamentalbegriffe von Fr. Baader's Ethik, Politik und Religionsphilosophie, Stuttgart 1858, folgten. — Seitdem haben sich mehrere Berufene und Unberufene über Baader bald so, bald anders ausgesprochen; es scheint aber nicht nöthig, deren Urtheile zu erwähnen, weil es uns hier nicht auf ein Lob Baader's und auch nicht auf die Zurückweisung eines Tadels gegen ihn ankommt, sondern allein auf eine Angabe dessen, was uns zu seinem bessern Verständnisse beizutragen scheint. Nur das wollen wir noch bemerken, dass Heinrich Ritter in seinem neuesten Werk: „Christliche Philosophie etc.", Göttingen 1858—59. Bd. 2 S. 741 ff., Baader auf einer einzigen Seite abmacht! Diess scheint uns weder der sonst so reichen Belesenheit und tiefen Einsicht jenes Mannes, noch gerade dieses seines Buches würdig zu sein, da doch ganz gewiss Baader in unserer Zeit der „christliche Philosoph" vor Allen ist und Keiner mit ihm in dieser Beziehung sich messen kann. — Hiernach wenden wir uns zur Darstellung der Baader'schen Lehre selbst, beschränken uns jedoch dabei auf eine Vorführung der Grundzüge des Systems, da theils schon das folgende Register die weitere Ausführung des meisten Einzelnen geben wird, theils aber ein grösseres Werk über Baader's System (etwa drei Bände umfassend) von Prof. Hoffmann in gewiss nicht allzu ferner Zukunft zu erwarten steht.

Bei der Begriffsbestimmung der Philosophie bemerkt Baader, hierin an Pythagoras und Platon wie an die bekannte biblische Lehre von Paulus u. A. sich anschliessend, dass die „Weisheit" ($\sigma o \varphi l \alpha$), um deren Erforschung es in der Philosophie sich handele, die göttliche, von Ewigkeit her fertige, von den Menschen nicht erst zu machende oder zu erfindende, wohl aber, wenn auch nur im Wunsch darnach, bereits bekannte (*Ignoti*

nulla cupido) und dieselben innerlich weisende sei (1, 196).
Doch aber ist darum seiner Ansicht zufolge die Philosophie nicht
blosse Theosophie, sondern die Einheit der Theosophie und der
Physiosophie, der Gottesweisheit und der Weltweisheit (1, 323).
Ihre Aufgabe im Allgemeinen ist „die Exponirung des Gesetzes
der Offenbarung des Seienden, dieses nach allen seinen Momenten
in der Normalität und Abnormität gefasst" (10, 273): ihr eigentliches Räthsel ist das „der gebährenden und schaffenden Liebe"
(10, 29); ihre Wahrheit „die Concretheit des Monotheismus und
des Polytheismus" (10, 273); ihr Ausgangspunkt und das, wodurch alle Räthsel in ihr zu lösen sind, „der Mensch" (1, 57.
8, 265); ihr Gegenstand „Geist und Natur" (1, 389), oder vielmehr „Gott, Geist und Natur" (5, 252 vgl. 14, 119); ihr Wahl-
spruch: „Nicht Trennen und nicht Vermengen, sondern Unterscheiden und Einen" (7, 88 &c.). Sie muss zugleich „genial"
und „classisch" sein, indem sie ebensowohl selbstständig in den
Gegenstand der Untersuchung eindringt, als dabei durch höhere
Auctorität sich leiten lässt (8, 34 ff.). Nicht die Erkenntniss *a
priori* oder *ab interiori*, und nicht die Erkenntniss *a posteriori*
oder *ab exteriori*, sondern erst die Verbindung und Aequation
beider ist die philosophische (1, 326). Denn, was mit jenen
Ausdrücken gleichgeltend ist, sowohl die abstract-theoretische als
die empirisch-practische oder historische Erkenntnissweise ist für
sich genommen unvollständig; nur die inmitten beider (und über
ihnen) stehende philosophische oder speculative Erkenntnissweise
kann auf Vollständigkeit Anspruch machen (1, 323 ff.). Nur
das auf einer doppelten, nemlich einer innern und einer äussern
Begründung Beruhende ist wahrhaft begründet, und nur der so
Erkennende ist wahrhaft frei; darum sollte auch die Philosophie
als die *cognitio per causas* (Aristot.) lieber die „freie" Erkenntniss genannt werden (1, 117. 4, 306). Der Mensch ist nicht
Schöpfer des Seienden: darum kann er auch das Gesetz der
Offenbarung des Seienden nicht durch Construiren, sondern nur
durch Nachconstruiren finden (7, 277).

Die Philosophie muss S y s t e m sein, d. h. alles Einzelne
darin muss ein organisches Ganzes bilden (5, 249). Es handelt

sich dabei nicht um eine Reihe sondern um einen Kreis von Begriffen, deren jeder mit dem Centrum und durch dieses mit allen übrigen Begriffen in Verbindung steht. Darum lässt sich auch die wahre Genesis nicht etwa nach und nach, sondern immer nur auf einmal fassen (8, 11. 14, 160). Ein philosophisches System lässt sich nicht aus den Trümmern anderer Systeme erbauen (5, 50); und ebensowenig reicht dazu das blosse Systematisiren eines begrifflosen Aggregates aus (1, 302). Ein systematischer Zusammenhang ist nicht bedingt durch einen Schematismus von a, b, c (1, 153), oder dadurch, dass die Gedanken sich numerotirt in Reih' und Glied aufgestellt zeigen; sondern die Hauptsache ist dabei der innere Zusammenhang der Philosopheme selbst (9, 13 ff.). Die rechte Methodik im Denken liegt in der Zucht des Gemüthes, wodurch es dem Geist möglich wird, sich rein und ungemischt der Wahrheit hinzugeben (8, 40). Die richtige Ordnung verlangt, dass man bei der Darstellung der verschiedenen Lebensregionen von oben ausgeht; denn das Höchste durchdringt Alles bis zum Niedrigsten herab, das Niedrigere aber fasst sein Höheres nicht (13, 115). Die Perpendiculaire (von Gott zum Menschen) ist es, welche als das Oben und Unten jedes Bewusstsein aufrichtet und setzt, und ohne eine solche grossartige Hingebung an das Höchste vermag der Mensch auch in der Speculation nichts (2, 208).

Ueber die Eintheilung der Philosophie hat sich Baader ausreichend nirgends ausgesprochen, weil er zu einer formell durchgeführten Aufstellung seines Systems gar nicht gekommen ist. Beachtet man aber die Hauptkategorien, die er thatsächlich behandelt hat, sowie einzelne seiner Andeutungen über die Art, wie er sie sich eingetheilt dachte (1, 154 vgl. mit 5, 57. 254. 259. 10, 255): so muss man Erdmann zustimmen, wenn er in der Baader'schen Lehre vier Haupttheile unterscheidet: Logik, Theologie, Physiologie und Anthropologie. Bei der Logik, welche nach Baader wie nach Hegel Logik und Metaphysik im gewöhnlichen Sinne umfasst (1, 315), scheint es der grössern Deutlichkeit wegen angemessen, Erkenntnisslehre und Offenbarungslehre zu unterscheiden, wenn auch von ihm selbst die letztere nicht ausdrücklich neben die erstere gesetzt worden ist (vgl. 9, 62. 14, 74 ff. 10, 321 ff. 348). So gefasst, bildet die Logik den allgemeinen, die drei andern Wissenschaften die besondern Theile der Philosophie. — Wir betrachten demnach:

1. Die Logik und zwar a) die Erkenntnisslehre. Die Erkenntnisslehre, mit der Baader sich befasst, hat nicht den Zweck, die Elemente der Philosophie kennen zu lehren — denn diese werden als schon bekannt vorausgesetzt (8, 215) — sondern nur die Vermittlungen und Bedingungen anzugeben, unter denen der Mensch zum freien Gebrauche seines Erkenntnissvermögens gelangt (1, 324). Es handelt sich hier zuerst um den Anfang und die Grundlage aller menschlichen Erkenntniss: diese aber sind allein zu finden in dem Sich-gewusst-wissen des Menschen von Gott oder dem Gewissen, also nicht in dem cartesischen *Cogito ergo sum*, sondern dem *Cogitor ergo cogito ergo sum* (14, 74. 8, 339 etc.). Auf dieser Grundlage erbaut sich alles Glauben und Wissen des Menschen, und eben hiernach ist auch das Verhältniss von Auctorität und Freiheit zu bestimmen — Fragen, die sich zwar zunächst auf die Religionswissenschaft beziehen, aber auch für alle andern Zweige des menschlichen Erkennens und Thuns, wie Politik, Geschichte, Industrie, von der höchsten Wichtigkeit sind (1, 363 ff. 8, 31). Denn auf allen Gebieten hat der religiöse Philosoph viererlei Feinde zu bekämpfen: die Herz- oder Gemüthlosen, die Kopflosen, die Speculativen ohne empirischen Grund, und die Empiriker ohne Speculation (8, 217), d. h. die Atheisten, die Deisten, die Separatisten und die Bigotten (8, 15. 5, 305 vgl. auch 1, 164 ff.), oder kürzer: die unfrommen Böcke und die sich fromm nennenden Schafe (8, 14. 15, 419). — In dem schlechthin unleugbaren Gewissen, welches ganz eigentlich ein Wissen, kein Glauben ist, weiss der Mensch unmittelbar von Gott. Alle andern s. g. Gottesbeweise sind nicht bloss unnöthig, sondern auch unstatthaft, da sich Gott durch etwas, das nicht Gott ist, nicht beweisen lässt; sie gehen sämmtlich, insofern man sie für nothwendig hält, von Gottes- und Gewissensleugnerei aus (1, 8. 4, 290. 9, 34 etc.). Das Erste ist also ein im Gewissen des selbstbewussten Geistes unmittelbar gegebenes und von seiner Willkür durchaus nicht ab-

hängiges *Deum scire* (nicht eigentlich *credere*); aus diesem erhebt sich auf zweiter Stufe und zwar durch die Vermittlung des Willens (denn *nemo credit nisi volens*) oder der Liebe das Glauben (*credere Deo* oder *in Deum*), welches freiwillige Glauben daher von jenem unfreiwilligen wohl zu unterscheiden ist (8, 23). Ebenso sind zu unterscheiden jenes Wissen, das dem Glauben zu Grunde liegt, ein anderes Wissen, das den Glauben belohnt, und ein drittes Wissen, das den Unglauben bestraft. Nicht Glauben und Wissen, sondern Glauben und Glauben, gleichwie Wissen und Wissen stehen einander gegenüber (8, 29). Das Gewissen ist ein Zeugniss, welches Gott selbst im Innern des Menschen von sich gibt; diesem innern Zeugniss entspricht ein äusseres Zeugniss, welches Gott in der Natur und Geschichte von sich gibt. Nun lässt sich in der That die Uebereinstimmung der physischen, der moralischen und der religiösen Zeugschaft nachweisen (15, 355); wie es denn schon an sich klar ist, dass eine Wahrheit der andern Wahrheit nicht widersprechen kann (1, 145 ff.) Durch einen bloss äussern Versuch aber kann Gewissheit, d. h. jene *divina necessitas* des Erkennens, wodurch dasselbe zum Wissen oder zur Wissenschaft wird, nicht gewonnen werden (1, 398). Da vielmehr alle Begründung, wie erst später gezeigt werden kann, eine zweifache, nemlich eine innere und äussere ist, so muss auch die Auctorität, — welches Wort bekanntlich von *auctor*, Urheber, Begründer abstammt (5, 55), und worunter man daher zuletzt nichts anderes als die Alles begründende Macht, Vernunft oder Weisheit des göttlichen Wortes oder Logos selbst zu verstehen hat (6, 37. 1, 169 &c.) — nothwendig eine zweifache, nemlich eine innere und äussere sein (8, 319 ff.). Aus eben diesem Grunde beruht denn auch alles ächte Wissen und Glauben des Menschen auf dem Zusammentreffen solcher innerer und äusserer Auctorität, ähnlich wie alle Kunst auf dem innerer und äusserer Natur (4, 260). Nicht minder erhellt daraus, dass jenes innere Zeugniss (das Gewissen) von dem äussern (Tradition, Schrift u. s. w.) so wenig zu trennen als damit zu vermengen ist (6, 121). — Unter Freiheit versteht man gewöhnlich nur die Wahlfreiheit; davon aber ist zu unterscheiden die höhere Freiheit

d. h. das Leben im Gesetz (nicht unter dem Gesetz). Da
diese höhere Freiheit eine innerlich und äusserlich begründete ist,
so findet zwischen ihr und der Auctorität nirgend ein Widerspruch statt (2, 468. 8, 34 ff.). Das christliche Dogma erweist
sich, recht betrachtet, als ein organisches Urbild des Erkennens,
dessen Fortdauer Gegentheil des Erstarrens, und dessen lebendige
Entwicklung Gegentheil des Zerstörens ist (4, 261. 8, 42 &c.).
Dogma, Cultus und Moral hängen aufs innigste zusammen; auf
alle drei ist der Begriff der Gesetzlichkeit (Auctorität, Superiorität,
Verbindlichkeit) anzuwenden (5, 233 ff.). Die Mysterien der
Religion sind nicht absolut unerforschlich (2, 828) und das
Forschen in ihnen für Kleriker und Laien unerlässlich (6, 79).
Hat auch jedes endliche Erkennen seine Grenze (Maass, Horos)
nach unten und oben, jenseits welcher nach beiden Richtungen
hin für den endlichen Geist das Böse liegt (8, 237): so ist doch
diese Grenze nicht so enge zu ziehen, wie z. B. Kant es wollte
(4, 385). Weiterhin zu beachten ist das Verhältniss des Sinnes,
der Vernunft und des Verstandes, sowie das der Vorstellung, des Gefühles und des Begriffes: dort wie hier
steht jedesmal das Dritte als das beziehungsweise Höhere in der
Mitte der beiden andern (4, 65. 2, 141. 240). Erkenntniss
und Liebe wachsen stets mit einander, wogegen eine dunkele
Wärme und ein kaltes Licht beide gleich wenig taugen (2, 109.
1, 411. 8, 230. 273.) Erkennen und Sein verhalten sich so,
dass die Erkenntniss des Seienden uns des erkannten Seins theilhaft macht (5, 210). Doch sind dabei das noch unvollendete
(anticipirte, magische) und das vollendete (wesentliche, effective)
Erkennen zu unterscheiden. Das erstere macht den Menschen
nur von Gott frei, so dass er sich ihm zu- oder abkehren kann;
das andere führt ihn in Gott ein, so dass er nun in ihm lebt
wie in seinem Elemente (1, 265. 2, 468. 8, 177 ff. 2, 506).
Es gibt kein eitles Erkennen, sondern nur ein solches, wie das,
wovon es heisst: Adam erkannte sein Weib und sie gebar (15,
204). Alles Erkennen ist genetisch, d. h. der Hervorbringende
weiss nur als hervorbringend oder im Hervorbringen sich und
das Hervorgebrachte (1, 184). Der Erkenntnisstrieb ist im Grunde

Eins mit dem Gestaltungs- oder organischen Bildungstrieb: er ist immerfort darauf gerichtet, ein Wort, einen Namen, ein Bild zu erzeugen und zu gebären, auszusprechen und darzustellen; und zwar soll das innerlich Gefundene (Empfundene) auch äusserlich offenbart und ausgesprochen werden (1, 43. 8, 236 &c.). Die Erkenntnisslehre hat somit in der Trinitäts- und Schöpfungslehre d. h. in der tiefern Auffassung und Darstellung, wie Gott sich selbst und Anderes erkennt und hervorbringt, wie ihr Ende, so auch ihren Anfang (1, 178). Denn alles menschliche Erkennen ist gegenüber dem göttlichen nur ein secundäres, und kann nur an diesem Vorbild sich zu seiner höchsten Bestimmung erheben (1, 193 ff.).

b) Die Offenbarungslehre. Gleichwie der Mensch in der Erkenntniss sich dem Seienden aufschliesst, so schliesst das Seiende in der Offenbarung sich dem Menschen auf, und es handelt sich hier um die Gesetze dieser Offenbarung. Alles Seiende zerfällt in drei Kategorien: Gott, Geist, Natur, gemäss dem bekannten Ternar des Erigena (5, 252. 13, 113), wogegen die Hegel'sche Dyas von Geist und Natur falsch ist (14, 119. 10, 185). In eben dieser Stufenreihe folgen auch die Dinge auf einander von oben nach unten (13, 99), und das Ziel ist die Aufhebung der Natur in den Geist, sowie des Geistes in Gott — welches Aufgehobensein aber nicht ein Verschlungen- oder Vernichtet-, sondern ein Erhoben- und Bewahrtsein des Niedern in dem Höhern aussagt (4, 316. 6, 80). Jenen drei Stufen des Seienden entspricht als eine gleichsam dafür bereitete Localität eine dreifache Offenbarungsstufe von dem göttlichen Einheitscentrum (unité-centre) aus, eine Offenbarung nemlich in der göttlichen, geistigen und natürlichen Region (2, 351). Das schlechthinnige Vorbild dieser drei Offenbarungen liegt jedoch bereits in der göttlichen Region als solcher, desshalb, weil Gott des Geschöpfes nicht bedarf, um vollständig Gott zu sein (13, 165. 191); gleichwie wir ein Nachbild davon in uns haben, an dem wir uns die hier in Betracht kommenden Vorgänge zunächst klar machen können, desshalb weil wir Gottes Ebenbild sind (8, 59 ff.). Fragen wir näher, wie eine Offenbarung oder Hervorbringung

zu Stande kommt, so finden wir, dass dabei zu unterscheiden
sind Princip, Organ und Werkzeug, wie denn Gott als
dem Princip gegenüber sich der Geist als Organ und die Natur
als Werkzeug verhalten sollen (4, 81. 7, 90 ff.). Nach Adam
Müller nämlich sind persönliche, dem Individuum nicht
schlechthin subjicirte, und sächliche, dem Individuum völlig
subjicirte Organe zu unterscheiden; die erstern werden hier Organe, die andern Werkzeuge genannt (2, 143. 157). Aehnlich
verhalten sich der Meister, der Geselle und der Lehrling (2, 168.
1, 178). Diese Triplicität darf nicht zum Dualismus herabgesetzt werden (10, 121. 138 ff). Dessgleichen sind bei der
Offenbarung zu unterscheiden Ursache und Grund = *causa*
und *ratio sufficiens,* eine Unterscheidung, die bereits von Proklus
und den Scholastikern herrührt (8, 278. vgl. 131). Eine Ursache
nämlich (d. h. ein Hervorbringendes) vermag sich als solche nur
durch ein Gründen zu äussern; nur durch einen Grund (Basis,
Stütze) kommt sie als verursachend zur Existenz (5, 11). Denn
jedes Offenbarende setzt etwas in sich, dieses von sich unterscheidend, um in und durch dieses sich zu offenbaren (9, 310).
Jede Manifestation ist somit bedingt und vermittelt durch eine
Occultation (4, 227). Denn im Ja und Nein entstehen, bestehen
und vergehen alle Dinge (9, 189), und alles normale Leben entspringt nur aus der Ueberwindung eines Widerspruches. So ist
überwundener Schmerz Lust, besiegte Finsterniss Licht (13, 80 ff.).
Ueberall kann nur durch Heimlichhaltung der Natur der Lichtgeist offenbar werden (2, 413); überall gründet das Leben im
Streite der Essentien, weiss aber von ihm ausgehend nichts von
ihm: in der Enge und Finsterniss geboren, wird es in der Freiheit und im Lichte genossen (8, 365). Zuerst — im Descensus — eingehüllt, wird es hernach — im Ascensus — enthüllt;
dieser ist nicht möglich, wenn nicht jener vorhergegangen (3, 391.
8, 368. 4, 208). Oder mit andern Worten: Jedes principiell
Wirkende hebt sich zuerst auf in ein Inneres (Organ) und ein
Aeusseres (Werkzeug), und stellt sich dann in der gelungenen
Wirkung — durch Aufhebung jener Aufhebung — wieder her
(2, 464). — So muss nun auch in Gott vor aller Creatur und

als Bedingung alles Lebens und aller Offenbarung in ihm sowohl Ursache und Grund unterschieden, als auch ein Ternar von Princip, Organ und Werkzeug = Urwille, Weisheit und Natur angenommen werden, ein Ternar, der keineswegs identisch ist mit dem Ternar von Vater, Sohn und Geist, sondern der selbst noch diesem vorhergeht und dem Zustandekommen desselben dient, diess freilich nicht zeitlich, sondern dem Begriffe nach genommen (2, 247). Wie nämlich überall, so gibt es auch in Gott drei Momente des Seins und Wirkens: eines der Indifferenz von Innerlichkeit und Aeusserlichkeit, d. h. des magischen Seins, ein zweites der Geschiedenheit beider, und ein drittes der Concretheit beider, d. h. des realen Seins (7, 298). Wenn sich in diesen drei Momenten jener vorhin erwähnte Ternar wirksam macht, wie dieses später (in der Theologie) noch näher aus einander zu setzen ist, so lässt sich nach derselben Grundanschauung bei jeder Offenbarung, so bei der Setzung einer That, bei der Hervorbringung eines Wortes, beim Selbstbewusstsein u. s. w. leicht auch ein Quaternar beobachten. Bei einer That, z. B. auch nur dem Hervorbringen des Ichgedankens im Selbstbewusstsein, unterscheiden sich sofort: 1) das Ich oder bestimmende Sein (*concipiens*, Causalität), 2) das bestimmte Sein (*conceptum*, Grund), 3) das ausführende Sein (*explicans*), und 4) das ausgeführte Sein (*explicatum*) — und ebenso beim Hervorbringen eines Wortes: 1) der Sprecher, 2) der Sprechgrund, 3) das Sprechen, und 4) das Ausgesprochene. Auch in Gott werden wir diesen Quaternar finden; derselbe hebt aber den Ternar so wenig auf, dass er ihn vielmehr erst begründet (8, 64 ff. 9, 180. 2, 43). Daher der Grundsatz: *Quand on est à trois, on est à quatre c. a. d. à un = trinitas reducit dualitatem ad unitatem = unitas a principio in binarium mota (superato binario) in trinitate consistit* (2, 105. 7, 159. 15, 447 ff.). In ähnlicher Weise lässt sich auch sonst noch die Zahlenlehre, insbesondere die Zahlen 1, 2, 3, 4, 7, 10, zur näheren Bestimmung der Offenbarungsgesetze verwenden. Das in dieser Beziehung aber fast Alles zusammenfassende Gesetz der Offenbarung ist: die Causalität, sich fassend im Grunde, unterscheidet sich in die Tripli-

cität von Action, Reaction und Energie, während die Gründung
sich als eine Duplicität zeigt, nämlich als eine innere und eine
äussere, und der Septenar oder Sabbat das Schema jeder vollendeten Manifestation ist (9, 170) — eine Lehre, deren Sinn erst
später deutlicher werden wird. Ein anderes wichtiges Gesetz,
welches ebenfalls mit dem Verhältnisse von Ursache und Grund
sich befasst, indem es das Zusammengeben beider als die nothwendige Bedingung für das Hervorbringen einer entsprechenden
Wirkung bezeichnet, wird so ausgedrückt: *Pater in Filio, Filius
in Matre,* wobei man vor dem ersten oder vor dem zweiten Satz
ein *Si* ergänzen muss, indem beide durch einander bedingt werden (10, 10. 8, 190. 9, 170. 4, 187 etc.). — Weiterhin sind
dann für die Offenbarungslehre von besonderer Wichtigkeit die
Kategorien Ewigkeit und Zeit, und die der himmlischen,
irdischen und höllischen Region. Der Himmel nämlich
oder die gute Ewigkeit vereint in sich alle drei Dimensionen
der Zeit, indem hier Vergangenheit und Zukunft in der Gegenwart befasst werden. Die Erde oder Zeitlichkeit hat nur zwei
Dimensionen, die Vergangenheit und die Zukunft, während die
Gegenwart fehlt. Die Hölle oder die schlimme Ewigkeit endlich
hat nur eine Dimension, die Vergangenheit (2, 52 &c.). Das
Verhältniss Gottes zur Welt ist je nach diesen drei Regionen
für die geistigen Wesen darin das der Inwohnung, der Beiwohnung und der Durchwohnung (8, 317 &c.), während
im Allgemeinen genommen Gott zugleich über, inner und
bei der Welt ist (13, 319). Die Einheit des göttlichen Wesens
ist unauflöslich und mit dem geschöpflichen unvermischbar
(13, 132). Ist in Gott eine Aeusserlichkeit allerdings
anzuerkennen (8, 351 &c.), so ist er doch schlechthin übernatürlich, überweltlich und übergeschöpflich (3, 382), und zwar
gerade desshalb, weil er nicht als blosses Centrum, sondern an
und in sich selbst auch als Peripherie zu fassen ist, d. h. weil
er schon als solcher und ganz unabhängig von der Welt eine
Aeusserlichkeit hat (13, 191). — Unter Zugrundlegung nun
dieser allgemeinen Begriffe können wir an die Betrachtung des
Besondern gehen.

2) Die Theologie hat sich vor Allem mit der näheren Auseinandersetzung der zwei schon erwähnten Ternare zu befassen, des Ternars oder besser der Triplicität von Urwille, Weisheit und Natur, und des durchaus davon zu unterscheidenden Ternars von Vater, Sohn und h. Geist (4, 885). — Gott hat, um fertig zu werden, weder erst einen logischen noch einen historischen Cursus durchzumachen (9, 103). Die Vorgänge in ihm sind nicht als zeitliche, sondern als ewige zu fassen, d. h. es coincidirt darin Vergangenheit und Zukunft, Altes und Junges, Bewegung und Ruhe u. s. w. (8, 88. 219). Das Leben in Gott ist zugleich Progress und Regress, also Kreisbewegung (13, 166). Sein erstes Stadium ist das magische, wo Gott bloss Wille ist, d. i. höchste Causalität, die dann erst (d. h. dem Begriffe, nicht der Zeit nach) sich selber durch Offenbarung begründet und hiemit verselbständigt (3, 388). Es geschieht dieses vermittelst des Ausgangs *(descensus)* des Willens in Weisheit und Natur (des Ungrundes in den Grund), und seines Wiedereinganges *(ascensus)* daraus (3, 379), welche beiden Momente in Gott in Eins zusammenfallen, während sie bei der Creatur getrennt sind (2, 243 ff. 14, 37 ff.). Die Weisheit (Sophia, Idea) ist das, was man mit Justin die Denkkraft *(δύναμις λογική)* Gottes nennen könnte (1, 300), ein Unpersönliches, welches von den drei Personen wohl unterschieden werden muss (2, 428. 530 ff.), obwohl jene gleichsam ein Auge, Spiegel und Bild der ganzen Gottheit ist und als *Idea Formatrix*, d. h. als alles Andere gestaltende Urgestalt allerdings auch (nach Sprichw. 8, 22. Weish. 9, 12) die Mitwirkerin (Organ, Urweib) Gottes (als Princips) *par excellence* genannt werden muss (2, 247. 288. 7, 105. 5, 447 &c.) Sie ist die Matrix aller Urbilder in Gott (4, 208) und heisst zugleich (nach Apoc. 14, 4) Jungfrau, wodurch ihre Erhabenheit und Unvermischbarkeit mit der Creatur bezeichnet werden soll (8, 91. 13, 186). Ihr Anblick ist Lust, wie der eines Weibes, wodurch die Begierde des Mannes erweckt wird (13, 89. 101. 2, 255). In der Creatur und bezüglich auf sie (d. h. als Gottesbild im Menschen) kann und soll sie allerdings persönlich (genauer *personans*) werden

(4, 311. 351 ff.). — Die Natur in Gott oder die ewige Natur ist nicht ein Hervorgebrachtes, sondern die unmittelbar hervorbringende Macht, das productive Vermögen Gottes (8, 78. 95), das aber beim Uebergang *ad actum* in der ersten Erregung oder als Begierde gleichsam selbstisch wird (7, 34) — von Jacob Böhme zuerst der Idea hinzugefügt, und zu ihr sich verhaltend, wie das (schlechthin dienende) Werkzeug zum (mitwirkenden) Organ (2, 247). Während die Weisheit oder Idea (analog der Idee des Künstlers) im Verhältniss zur Natur als entweder noch über ihr stehend, oder eingehend in sie, oder wirklich eingegangen in sie, drei Momente durchläuft, d. h. sich entweder magisch, oder lebhaft, oder leibhaft zeigt (9, 24. 4, 279 ff.): durchläuft auch die Natur im Verhältniss zur Idea, als entweder noch ganz ausser ihr seiend, oder eben durchdrungen werdend von ihr, oder schon ganz durchdrungen und bemeistert von ihr, drei Momente, nämlich den der Finsterniss, des Feuers und des Lichtes, welche Abfolge das Schema jeder Lebensgeburt ist (2, 226. 4, 393). In dem ersten und letzten Moment zeigt sich ein Ternar von besonderen Fassungen (Gestalten) der Natur (ein Finster- und ein Lichtternar), während der zweite Moment den Uebergang des einen Ternars in den andern bildet und insofern gleichfalls als eine besondere Naturgestalt betrachtet werden kann (13, 84. 102. 117). Ist nämlich die Natur zunächst Attraction (Begierde, Sucht), so entwickeln sich hieraus sofort als deren drei erste Gestaltungen die Condension, die Expansion und die Rotation, d. h. ein Widerspruch von Kräften, die eine Ausgleichung in sich selbst nicht finden (3, 322 ff. 5, 15 ff.). Mit dem Eintritte der Idee in die Natur aber, d. h. dem Blitz oder der vierten Naturgestalt, geht mit jenen eine Umwandlung vor sich, so dass nun die drei Gestalten sich, in umgekehrter Reihenfolge, als Wasser oder Licht (Liebe), als Ton (Freude), und als Wesenheit, in die Vollendung einführen. Diese sieben Naturgestalten sind die Momente aller Lebensoffenbarung (13, 84 ff. 9, 240 &c.). Der Finster- und der Lichtternar verhalten sich wie unruhige und ruhige Bewegung, wie Hunger oder Versehren und Gebären oder Erfüllen

(3, 401). Das vor Allem Wichtige jedoch ist, dass in Gott die negative Triplicität (das Naturcentrum) stets geschlossen oder verborgen, dagegen die positive Triplicität (das Lebenscentrum) stets geöffnet und offenbar ist; und zwar ist hier, wie überall, die (letztere) Manifestation bedingt durch die (erstere) Occultation (2, 53 &c.). — Die auf solche Weise nun leibhaft gewordene Idee und in's Licht erhobene Natur zusammen sind der Grund, vermittelst dessen die erste Ursache (der göttliche Urwille, der Ungrund) sowohl sich als alles Andere hervorbringt (9, 303). Das Erstere geschieht in der Trinität — denn auch um sich selbst als Dreipersönlichen hervorzubringen, bedurfte Gott der Weisheit und der Macht —, das Andere in der Schöpfung, Wiedergeburt und Vollendung der Welt. — Bei der Darstellung des Ternars von Vater, Sohn und h. Geist wird bemerkt, dass schon die Heiden, namentlich Platon, ihn wenn auch nur unvollständig erkannt, und die älteren Häretiker, Gnostiker, Manichäer, Arianer etc. ihn missdeutet hätten (1, 221). Vor Allem maassgebend aber seien dafür die kirchlichen Bestimmungen (7, 166), und unter den mittelalterlichen Theologen müsse hier nebst Alcuin (14, 433 ff.) besonders Thomas von Aquin (14, 199 ff.) beachtet werden, namentlich wegen seiner Anerkennung auch eines mütterlichen Princips in der Gottheit (14, 201 ff. vgl. 10, 15). Dagegen finde sich in den gewöhnlichen Expositionen des Ternars bei Theologen und Philosophen (Bossuet, Günther) grosse Verwirrung, indem man Zweieinigkeit statt Dreieinigkeit lehre, den h. Geist zu Vater und Sohn nur hinzuzähle oder addire, ohne ihn als Person zu fassen, das Wesen mit dem Act verwechsele u. s. w. (10, 14. 3, 222. 338 ff. 9, 413. 10, 85 ff. 14, 32. 138. 15, 456. 635 etc.). Nach Baader ist die Vorstellung sowohl des Schaffens als der Fortpflanzung oder natürlichen Zeugung davon ganz fern zu halten (7, 162. 2, 526). Auch ist die Trinität nicht (getrennt) numerisch, sondern vielmehr als untheilbare (Prim-) Zahl zu nehmen (4, 314). Den Dualismus darin kann man nur beseitigen durch Hinzunahme der vorhin entwickelten (J. Böhme'schen) Lehre von der Weisheit im Vereine mit der Natur (3, 420 ff. 13, 245 ff. 15, 651). Nach der richtigen

Fassung nämlich befinden sich in Gott drei Wirker und drei Gewirkte, wovon aber das dritte Gewirkte, die Idea oder Jungfrau, nicht selbst wieder (nach Gott hin oder *ad intra*) wirkend ist — d. h. es sind zu unterscheiden: der Einsprechende, der Eingesprochene, der Aussprechende (die drei Personen) und das Ausgesprochene (die Weisheit). Letzteres ist keine Person. (2, 530 ff. 13, 190. Vgl. ferner noch 1, 299. 2, 32. 428. 7, 115. 10, 8 ff. 334 ff. 13, 109. 382. 4, 239). Auch ist zu beachten, dass die Trinität bei ihrem ersten Eintritte in die Sophia bloss noch potentiell, erst vermittelst ihres Durchgangs durch die Natur actuell und essentiell wird (2, 804 ff.); ferner, dass die Divinität der drei göttlichen Personen vom Vater, ihre Persönlichkeit vom Sohne, und ihre Geistigkeit vom hl. Geiste ausgeht (3, 226); und endlich, dass die göttliche Trinität der Urgedanke ist für alles andere wahrhafte Denken oder Wissen von sich und Anderem (4, 413), während in Betreff der Persönlichkeit Gottes überhaupt im Auge behalten werden muss, dass Gott unpersönlicher ist als der creatürliche Geist, und persönlicher als die creatürliche Natur (8, 274).

8) Die Physiologie, insoferne man zu ihr nicht auch schon die Lehre von der göttlichen Natur zählen will — diese heisst allerdings φύσις (2, 378), ist jedoch wesentlich *spirituss* und spirituöses Princip (4, 350) und sie ist auch von dem, was sonst Natur heisst, so verschieden, dass unter ihr eben so wohl der geschaffene Geist als die geschaffene Natur steht (7, 262) — befasst genauer genommen in sich nur die Lehre von der geschaffenen Natur mit Einschluss der aussermenschlichen Geisterwelt, wogegen die Lehre vom Menschen erst einem spätern Abschnitt vorbehalten ist. — Dabei ist als allgemeiner Grundsatz festzuhalten, dass auf allen Gebieten des Seins Geist und Natur nicht zu vereinerleien und nicht zu trennen sind; so auch nicht Selbstisches und Selbstloses, intelligentes und nichtintelligentes Thun, Verstand und Sinn, Wille und Begierde, anschaffendes Wort *(Verbum)* und schaffende Naturmacht *(Fiat)*, Centrum und Peripherie u. s. w. (2, 377. 5, 18. 228. 251). — Was dann insbesondere jenen

Verein von Geist und Natur, der sowohl von Gott als vom
Menschen unterschieden ist, d. h. die Welt anbetrifft, so fragt
es sich hier zuerst nach der Weltschöpfung. Eine Creationstheorie als Begreiflichmachung der ersten Bewegung Gottes zur
Schöpfung würde ein Versuch der Creatur sein, in Gott zurück-
zusteigen, d. h. eine Zaubereisünde in sich schliessen (8, 286).
Auch das Wie? der Schöpfung ist etwas absolut Unerforschliches
(2, 352). Aber doch ist der Schöpfungsact einer beschreibenden Darstellung allerdings fähig und bedürftig (5, 14). Er ist ein Werk der
Liebe Gottes (13, 195), und der Ausdruck „Schöpfung aus Nichts"
soll nur heissen, dass die kraftschöpfende Ursache aus nichts
Anderem als sich selbst schöpfte, d. h. völlig spontan wirkte
(3, 241), indem sie das Unsichtbare durch das Sichtbare offen-
barte (2, 229). Ihr Analogon findet die Schöpfung aus Nichts
in dem Uebergang des magischen Gedankens durch Lust und
Begierde zur That (8, 79). Die Creatur trat dabei nicht unmittelbar aus der klaren Gottheit, sondern aus der ewigen Natur
hervor (2, 288. 305 ff.); und die Vorbedingung dazu war eine
Scheidung der Weisheit (des Grundes) in Lust und Begierde,
welchen Schöpfungsstreit die Creatur lösen und vollenden sollte,
d. h. sich verselbständigend sollte sie die Idee restituiren und
verherrlichen (2, 285 vgl. 248 ff. 4, 279 ff.). Die Schöpfung
verlief in drei Momenten: der Essentiation, der Formation und
der Sustentation der Creatur durch Gott (2, 166), und ist als
Production, nicht als Eduction noch als Emanation zu fassen
(1, 205). Das dadurch zu Stande Gebrachte war in seinem Urstande ein System, nicht ein Brouillon (9, 24 &c.). Durch das
erste schöpferische Aussprechen wurde die Creatur zwar in ihre
wahrhafte Region (Form, Locus, Mutter, Heimath) gesetzt, war
aber hiermit noch nicht fixirt darin (14, 92). — Weiterhin folgt
dann die Lehre von dem Sündenfall der Engel. Lucifer
fiel aus Hochmuth, während später der Mensch durch Niedertracht sündigte (2, 316. 3, 399 &c.). Hochmuth und Niedertracht sind die Kehrseiten von Demuth und Erhabenheit, den
beiden Elementen der Liebe (2, 316. 4, 399 &c.). Die Folge
der Sünde des Geistes war die Materialisirung der ur-

sprünglich nicht materiell erschaffenen Natur. Diese Materialisirung wurde von Gott zugleich als Strafe und als Hemmung der Sünde bewirkt (13, 121. 4, 341. 9, 87 &c.). Das Wesen der Materie kann nicht atomistisch, sondern nur dynamisch begriffen werden; denn es findet darin ein steter Uebergang aus dem Immateriellen ins Materielle und umgekehrt statt, wie dieses die Processe der Verbrennung, der Nahrung, Zeugung u. s. w. beweisen (4, 317. 401 &c.). So wenig wie ein Atom ist auch ein Element im gewöhnlichen mechanisch-chemischen Sinn irgend nachweisbar. Versteht man aber darunter eine Grundkraft d. h. ein Flüssiges als erste Stufe der Verkörperung oder eine chemische Basis im Sinne einer Naturseele, so lassen sich mit Paracelsus drei Elemente unterscheiden: Sal, Sulphur, Mercurius, d. h. Inneres, Aeusseres und der Begriff beider, oder Thesis, Antithesis und Synthesis (3, 206. ff. 274). Diese zeigen sich in jedem der vier äussern Elemente d. h. Gestaltungsformen der Materie (8, 252), und es ist daher gleichgültig, ob man 3 oder 4 Elemente zählt, da beides richtig ist (15, 190). Unsere vierelementische Materie ist aber nur die verlarvte einelementische (9, 204), welche eine Element als die organische Union der vier Elemente keineswegs etwa (mit Aristoteles u. A.) für ein fünftes Element zu halten ist (4, 146. 9, 51). Ausführlich wird dann gezeigt, dass die ganze gegenwärtige Natur eine Umgestaltung zum Schlimmen — d. h. eben die Herüberführung der einelementischen Natur in die vierelementische mit Allem, was sich daran knüpfte, Tod, Vergänglichkeit etc. — erlitten haben muss, und diese in Uebereinstimmung mit den Mythen aller Völker, nicht anders als schon vor aller Geschichte und selbst schon vor der Schöpfung des Menschen, aber doch nur in Folge eines Urverbrechens von Seiten eines geschaffenen Geistes geschehen sein kann. Auch Moses setzt diese Katastrophe bei seiner Erzählung von der Weltschöpfung schon voraus (2, 259. 8, 53. 79 ff. 113. 151. 5, 256. 7, 294 &c.). — Die Schöpfung, womit Moses beginnt, zeigt uns ein zunächst nur äusserlich gleichsam polizeilich wieder zu Stande gebrachtes Universum (8, 152), das erst durch die freie gottentsprechende That des Menschen und weiterhin durch den Gottmenschen und sein Reich allseitig zur Vollendung gebracht werden sollte (4, 279. 339. 15, 549). Das Sonnensystem ist nach physischen Gesetzen geordnet, die ein Abbild der ethischen Gesetze sind, nach denen das Gottesreich (Sonne, Christus) geordnet ist (3, 320). Nicht die Centripetal- und Centrifugalkraft halten die Planeten in ihrer Bahn, sondern die Sonne selbst hält und trägt sie (2, 61. 3, 292 ff. etc.). Das Sonnensystem ist einzig in seiner Art (3, 379). Ebenso ist auch die Erde einzig in ihrer Art und kein Stern unter Sternen (3, 313). Die jetzt noch sichtbaren Wirkungen des Vulcanismus weisen auf frühere Erdrevolutionen und diese auf eine Geisterrevolution als ihre Veranlassung zurück (7, 331 &c.). Nicht minder zeigt die Thier- und Pflanzenwelt in ihrer Bildung die Spur alter Kämpfe in der Natur, aus denen sie hervorgegangen (14, 465). Nebst dem Geisterfall hat auch die Ursünde des Menschen einen kosmischen Einfluss geübt (2, 295). Der gegenwärtige (materielle) Bestand der Natur kann nicht bleiben, sondern wird einst einer Verwandlung unterliegen (4, 255). Doch ist die Permanenz des Aeussern selbst (d. h. der nichtintelligenten Natur im Gegensatz zum intelligenten Geist) nicht mit einigen Mystikern zu leugnen, noch mit deren Gegnern als ewige Fortdauer der verweslichen Materie festzuhalten (3, 352). Natur und Geist, wie schon vorhin bemerkt, gehören aufs Innigste zusammen. So ist als ein durchgreifendes Naturgesetz der Zusammenhang der Physik und Ethik anzuerkennen. Auch leuchtet in den Schemen und Symbolen der Natur, in der Gerechtigkeit des Schicksals, von der die Tragiker reden u. s. w., eine höhere Region in diese niedere, worin wir uns zur Zeit befinden, hinein (5, 6 ff.). Die Schönheiten der Natur sprechen zugleich ihre melancholische Klage über den Wittwenschleier aus, den sie aus Schuld des Menschen tragen muss (2, 79). Desgleichen beruht auch der Begriff des Wunders auf einer theilweisen Wiederherstellung der ursprünglichen sowie Anticipation der zukünftigen Natur (4, 79. ff.). Nicht minder hängen die Begriffe Erde, Cultur und Cultus enge zusammen (7, 305. 3, 315), und es gibt ein noch ganz anderes *imperium hominis in naturam* als das der Industrie (9, 65). Das Streben des

Menschen aber soll nicht darauf gerichtet sein, naturlos, sondern naturfrei zu sein (7, 31. 83. 85 &c.).

4) Die Anthropologie handelt vom Menschen als Einzelwesen in seinem Bezug zu Gott, zu sich und zur Welt (Ethik) und vom Menschen als Mitglied der Gesellschaft (Politik). — Der Mensch, das Schlussgeschöpf Gottes, ist für sich genommen ein in sich einiges Wesen, das sich in ein Inneres und Aeusseres, Seele und Leib, unterscheidet und aus ihnen (unter höherer Vermittelung) sich wieder als Geist zusammenfasst. Seele, Leib und Geist sind nicht drei Bestandstücke des Menschen, als ob der Mensch nur eine Zusammensetzung daraus wäre, sondern vielmehr drei Organe, Attribute oder Vermögen des einen Menschen, der vermöge eines dreifachen Grundgefühles den Leib ausser (unter) sich empfindet, die Seele in sich fühlt und den Geist inner (über) sich vernimmt (8, 252 ff. 3, 214 ff. 4, 241). Von jenen dreien bildet der Geist als nichtcreatürliche, sondern nur durch die Gnade zu erlangende Idea des Menschen die (höhere) Mitte oder den Begriff (2, 240. 4, 374. 8, 91). Der Leib wurde von Gott erschaffen und die Seele von Gott eingeblasen, der Geist oder das Lichtbildniss aber wird aus Gott geboren (2, 92), während es freilich im Gegensatz dazu auch einen Ungeist gibt, eben so wie eine Unnatur (1, 87 &c.). Eine völlige Trennung von Leib und Seele findet auch im Tode nicht statt (4, 272 ff. 10, 228 ff.), sondern nur eine zeitweilige, in so fern der Mensch durch den Fall allerdings bis zu einem gewissen Grade den Character der Zusammengesetztheit erhalten hat (8, 253). Doch gehört der Leib so nothwendig zum Menschen, dass dieser ohne die Auferstehung des Leibes nimmer vollendet werden kann (2, 15. 8, 368 &c.). In der Auferstehung aber wird der ganze natürliche Mensch, d. h. Leib und Seele vergeistigt, nämlich die Seele in einen *spiritus vivificans* und der Leib in ein *corpus spirituale* verwandelt werden (4, 344 ff.). — Die Urbestimmung des Menschen war, Gott und Welt zu vermitteln, indem er Gott dienend und die Welt beherrschend Gott vor der Welt verherrlichen und die Welt in Gott vollenden sollte. Zu diesem Ende machte ihn Gott zu seinem Ebenbilde, d. h. es trat vermittelst der Ein-

sprache Gottes die göttliche Sophia oder Idea, die an sich das Bild Gottes, aber in Gott noch unpersönlich war, in den Menschen ein, indem sie durch Unterdrückthaltung (Negation) seiner natürlichen (negativen) Ichheit jetzt selbst persönlich ward (4, 311. 351 ff. 8, 167. 2, 209 &c.). Zwar konnte sie, die Jungfrau, sich nicht mit dem creatürlichen Wesen des Menschen vermischen (2, 224); aber doch gab sie sich seiner Seele und seinem Leib ein — als Gnade und Herrlichkeit *(gratia, gloria)* — und erhob ihn so zum Geiste (4, 281 ff. 836). Alles dieses war zwar vorerst nur noch eine Gabe und noch unfixirt; aber doch lag sogleich darin schon die Aufgabe und Forderung an den Menschen, durch seine eigene That d. h. durch freien Gehorsam gegen Gottes Gebot jene in sich für immer zu festigen (4, 214) und so die Fähigkeit zu erlangen, Gottes Sohn aus sich d. h. zugleich als Menschensohn zu gebären und im Einssein mit ihm sofort auch selbst Gottes Kind zu werden (2, 418. 10, 9). Der Mensch in dieser seiner ursprünglichen Herrlichkeit war die Sonne der Creatur (5, 32. 8, 59), der Repräsentant und das Organ des göttlichen Wortes im Universum (7, 295), die Ehestatt Gottes (2, 224), nach oben (innen) zu Jungfrau, nach unten (aussen) zu Mann, und also a n d r o g y n, so dass er auch ohne äusseres Weib sich (allerdings nicht numerisch) hätte fortpflanzen oder mehren (d. h. wohl, von innen aus, in Art der Wiedergeburt, den Gottes- und Menschensohn sich selbst hätte eingebären) können (2, 315. 7, 231. 9, 209 ff.). Aber schon bei der Vorführung der Thiere verlangte er statt des innern Weibes ein äusseres Weib, und als er desshalb in einen Schlaf versank, erschuf währenddess Gott das Weib als nunmehrige Trägerin der Idea, um ihn so vor einem tiefern Falle zu bewahren (3, 302. 7, 230 ff. 2, 356). In der hierauf folgenden (zweiten) Versuchung am Baume der Erkenntniss fielen aber beide, Weib und Mann, verführt vom Teufel, nicht wie dieser aus Hoffahrt, sondern durch Niedertracht. Damit verblich das Gottesbild im Menschen (2, 23. 389). Er ward aus dem Paradieseszustand in den jetzigen Erdenzustand versetzt, was zugleich eine Strafe und eine Gnade für ihn war. Geblieben war ihm noch die Wahlfreiheit, vermittelst deren er

die höhere Freiheit — das Leben in der Idea oder im Gesetz —
noch wieder erlangen konnte, jedoch nicht ohne einen ihm auch
äusserlich entgegenkommenden Erlöser (8, 188 &c.). Zwar wäre
der Sohn Gottes auch dann Mensch geworden, wenn Lucifer und
Mensch nicht gefallen wären (4, 383. 2, 64). Aber jetzt musste
bei der M e n s c h w e r d u n g ein tieferes Herabsteigen stattfinden
(2, 58. 159). Lag es nemlich in der Menschwerdung an sich
nur, dass sich das Princip (Jesus) zum Organ machte, ohne auf
zuhören, Princip zu sein, so musste jetzt das Princip sich sogar
zum werkzeuglichen Wirker (Jesus, Mariä Sohn) herabsetzen
(2, 159. 472 ff.). Aber schon vor dieser Fleischwerdung, nemlich schon sogleich nach dem Fall, hatte die geistige Menschwerdung des Logos begonnen, die sich bis zum Ablauf der Weltzeit fortsetzt. Diese geistige und die leiblich - irdische Menschwerdung sind nicht zu trennen und nicht zu vermengen (7, 289.
304). An die Menschwerdung und den Opfertod Christi, wobei
wie bei allen Opfern das Vergiessen des physischen Blutes allerdings auch ethisch wirksam war (7, 271 ff.), schliesst sich die
W i e d e r g e b u r t des Menschen an, d. h. das Eingeborenwerden
und Gestaltgewinnen Christi in seinen Jüngern (5, 90) zugleich mit
gründlicher Umwandlung Letzterer nach Seele u. Leib (8, 46. 157 &c.).
Ohne diesen Grundbegriff des Christenthums kann von einer
wahren Theorie des creatürlich Guten und Bösen gar keine Rede
sein (10, 32 vgl. 8, 46. 2, 281. 346 ff. etc.). Eine Moral ohne
Heiland ist heillos (2, 25. 4, 47) und eine bloss auf dem moralischen Gesetz gegründete Moral eine Sittenlehre für Teufel (1, 55);
der moralische Imperativ, die Gewissensbisse u. s. w. allein können
den Sünder nicht bessern (4, 170). Es ist daher der G l a u b e,
und zwar der Glaube an eine Person, nicht an eine Sache
(5, 221), als ein Folgeleisten einem höheren Gebot, oder
ein zu Herzen - Fassen, *animo informare* (4, 810), bei freier
Subjection, gemäss dem Satz: *nemo credit nisi volens* (1, 188.
9, 104 &c.), in Verbindung mit dem G e b e t (8, 28 ff. 1, 208.
2, 512 ff. &c.), und sich ausführend zu W i s s e n, W o l l e n und
H a n d e l n, Theorie und Praxis, gleichwie bedingt dadurch (1, 108 ff.
5, 251 &c.), das eigentlich Entscheidende (vgl. 8, 205). Der

Glaube ist magisch und wirkt auch physisch-effectiv (2, 377. 4, 380 ff. 8, 8. 9, 96 &c.), wobei noch zu beachten, dass seine Formfreiheit weder Formlosigkeit noch Formwidrigkeit ist (2, 295). Aber mit dem Glauben als einem von Innen nach Aussen Hinübergreifenden allein ist es nicht gethan; es muss auch noch ein von Aussen nach Innen Hinübergreifendes hinzukommen, wie dieses insbesondere die im engeren Sinne s. g. Heilmittel der Religion oder die Sacramente sind. Mit ihrem Vorhandensein an sich schon wird die Unentbehrlichkeit einer höhern Physik zur Begründung der wahren Ethik anerkannt (5, 1 ff.). Der Mittelpunct aller Sacramente ist das Abendmahl, zu dessen tieferer Deutung vor allem der paracelsische Begriff der Tinctur beiträgt (9, 117. 7, 1 ff.). — Beginnt mit allem diesen freilich schon in der Zeit für den Menschen das Leben der Ewigkeit, so kann er doch ohne den Tod, d. h. ohne Auflösung der niedern Leiblichkeit, und ohne Auferstehung, d. h. ohne das Gewinnen einer höhern Leiblichkeit nicht wirklich zur Vollkommenheit gelangen. Ueber diese höhere Leiblichkeit im Unterschied von der zeitlich-irdischen, und so auch über die immaterielle Natur im Gegensatz zur materiellen erhält man hauptsächlich durch die magnetischen Erscheinungen nähern Aufschluss (4, 47. 189. 2, 131. 15, 280). — So hat denn der Mensch im Allgemeinen einen fünffachen Cyclus durchzumachen: den ersten androgynen Zustand, die paradiesische Geschlechtsdifferenz, die zeitlich-irdische Geschlechtsdifferenz, den Tod, und den abermaligen androgynen Zustand (8, 278). Ebenso steht der Mensch in einem fünffachen Bezug: zu Gott, zur Menschheit, d. h. zu sich und zu andern, und zur Welt, d. h. zu den aussermenschlichen intelligenten und nichtintelligenten Wesen (8, 311). Der effective Rapport des Menschen reicht auch jetzt noch ungleich weiter, als er meint (2, 211. 1, 192). Er ist die Copula (Mitte und Vermittler) der intelligenten und der nichtintelligenten Wesen, des Himmels und der Erde, des Geistes und der Natur, unter sich und mit Gott (2, 194. 464. 4, 299. 331 &c.). Er ist nie ein Engel gewesen und wird nie einer werden, hat aber eine grössere Bestimmung als dieser (3, 318. 4, 150 &c.). Die Natur, insbesondere die Erde

und der Mensch gehören auf's Engste zusammen (3, 314). Von
der Vollendung des Menschen ist auch die Vollendung des ganzen Universums bedingt (2, 29. 4, 409. 9, 344 ff. &c.). —
Als Uebergang zum Folgenden mag hier sogleich auch noch
erwähnt werden, dass nach Baader die Weltgeschichte in drei
Perioden zerfällt: die Schöpfung, die Menschwerdung (beginnend
mit dem Sündenfall), und die Auferstehung (beginnend mit Christi
Himmelfahrt), entsprechend dem Vater, dem Sohne und dem
h. Geiste (2, 118. 419 &c.), und gewissermaassen ihr Abbild
wie ihre nähere Erklärung findend in den drei Epochen der Geschichte des Volkes Israel: der patriarchalischen, der mosaischen
und der prophetischen, von denen die erste in der natürlichen,
die zweite in der geistigen, und die dritte in der göttlichen Region
der Offenbarung verlief (7, 311 ff.). Wie aber das Gute, so
entwickelt sich auch das Böse stufenweise im Lauf der Weltgeschichte (7, 144). — Im Vorstehenden möchten die Haupt-
gedanken der Baader'schen Anthropologie, namentlich als Ethik,
enthalten sein. Es bliebe nun noch übrig, auch über seine
Politik oder Gesellschaftslehre zu sprechen. In dieser Beziehung
möge es genügen, Folgendes hervorzuheben. Die Gesellschaft,
im weitesten Sinne der *Contrat social* aller Irdischlebenden mit
allen bereits Verstorbenen und noch Ungebornen (14, 53), gliedert sich nach verschiedenen geschichtlichen Vorstufen (2, 213.
5, 74. 297) dermalen in drei grössere Abtheilungen: Staat,
Kirche, Schule. Bezüglich des Verhaltens derselben unter sich
ist entgegen dem zur Zeit vielfach sich vorfindenden unfreien und
unfrei machenden Bund des Despoten, Pfaffen und Sophisten
vor Allem zu dringen auf einen freien und freimachenden Bund
des Regenten, Priesters und Gelehrten, da nur durch diesen den
bestehenden Grundgebrechen der Gesellschaft wirksame Abhülfe
gebracht werden kann (1, 150. 6, 65. 9, 29 &c.). Nicht Stagnation und nicht Revolution, sondern allein Evolution ist die richtige Grundmaxime aller Politik (6, 73 ff.). Nur bei freier und
legitimer Unterwürfigkeit unter die rechte Auctorität kann man
zu wahrer Freiheit gelangen, gleichwie jede falsche und illegitime
Freiheit zur verdienten unfreien Unterwürfigkeit führt (5, 286 ff.).

Die Freiheit besteht nicht bloss darin, dass Einer den Andern nicht hindert frei zu sein, sondern es muss auch Einer dem Andern helfen (6, 134. 14, 80). Aus eben diesem Grunde sind Innungen, Stände, Corporationen u. s. w. möglichst zu schonen oder neu herzustellen, wie denn das Christenthum durchweg Innungs-princip ist (2, 288 ff. 5, 276 &c.). Auch ist nichts verderb-licher, als alles Immobiliar mobilisiren oder das Heil lediglich in der Geldwirthschaft suchen zu wollen (6, 65. 7, 338). Ohne Credo gibt es keinen Credit (2, 181). — Diese und ähnliche Grundsätze, die sich leicht noch weiter ausführen liessen, zeigen schon hinreichend, dass auch die Politik Baader's mit seiner Ethik und so mit seiner Anthropologie überhaupt wie aus einem Gusse war, wie auch mit seiner Theologie und Physiologie im innigsten Verbande stand. Hiernach über die durchgreifende innere Con-sequenz seines Systemes noch weiter zu reden, dürfte eben so unnöthig sein, als nachzuweisen, dass dieses System sich wirklich, wie er es von einem solchen verlangte, als ein Kreis (nicht als eine Reihe) von Begriffen darstellt, deren jeder mit allen andern und mit dem Mittelpunkt des Kreises untrennbar zusammenhängt.

Chronologisches Verzeichniss

der

Schriften Baader's.

Erste Periode: 1786 — 1796.

4*

Zweite Periode: 1796—1813.

Dritte Periode: 1813—1824.

Fünfte Periode: 1838—1841.

REGISTER.

A.

Anmerkung. Die erste Zahl bezeichnet den Band, die zweite die Seite in der Gesammtausgabe der Baader'schen Werke. Leipzig 1850 ff. Die Abkürzungen für die Titel der einzelnen Schriften ergeben sich daraus von selbt.

A visu gustus. Geist und W. 10, 16 und sonst oft.

Abälard erklärt sich ähnlich wie Baader über Logos und Sophia. Hoffm. Anhang: Vorw. zu Log. 1, 313.

Abbadona in Klopstock's Messias. Elementarbegriffe. 14, 44.

Abbreviatur der indirecten, nichtintuitiven, reflectirenden Vernunfterkenntniss durch das directe, intuitive und evidente Erkennen. Schr. (1822). 4, 107 ff.

Abendmahl. Hebräischer Name desselben. Euch. 7, 12 (25). Mahl, Vermählung. Aliment. 14, 475. Ansichten des Alterthums und der Russen über das Mahl. Euch. 7, 25. Melchisedek. Ebd. (Anm.) S. Eucharistie.

Aberglaube ist Abglaube, d. h. Unglaube an A ist Aberglaube an B. Ferm. 2, 180 ff. Aberglaube entsteht aus verbrecherischer Wissenschaft, nach dem Nichtgebrauch oder Missbrauch der wahren Wissenschaft. Unsterbl. 4, 272. Anm. Spec. Dogm. 8, 335. Unglaube ist ein grösserer Feind des Glaubens als der Aberglaube. Wahrh. 1, 128. Aberglaube und Unglaube, *hypocrite ignorance* (s. d.) und *ignorante impiété.* Wiss. u. Rel. 1, 88. Solidarität des Aberglaubens und Unglaubens, des Servilismus und Liberalismus: Jene sind schlecht berathen, welche den einen dieser Pole mit dem andern vertreiben wollen. Versehens. 4, 353 Anm. S. Regent, Jacobiner, Glaube, Unglaube.

Abfall, unversöhnbarer, versöhnbarer == directer, indirecter. Rel. Erot. 4, 199. Der Abfall der Menschen ging Gott zu Herzen. Ebd. 4, 199. Opf. 7, 290. Abgrund desselben. Ebd. 7, 294.

Abfallbarkeit (Labilität) der Creatur in ihrem ersten Moment. Ferm. 2, 166. == Aufstörbarkeit des Lebensabgrundes bei der ins ewige d. i. vollendete Leben geschaffenen Creatur in ihrem ersten oder Unschuldszustande. Bildungst. 2, 102. Labilität, Illabilität der Creatur. Seg. u. Fl. 7, 81. Die Locomotivität (Labilität) der Creatur wird dadurch begreiflich, dass Gott sie nur unschuldig erschaffen konnte. Antirel. Phil. 2, 466. Die Locomotivität der Creatur aus einem der Lebenskreise im Absoluten in den andern == Fall und Wiedererhebung (Reintegration). Ferm. 2, 285. Abfallbarkeit bei der Liebe; auch diese muss aus Unschuld durch Versuchung zu ihrem bewährten Stand und Bestand eingehen. Rel. Erot. 4, 197. (S. Versuchung.)

Abgaben, in der neuern Zeit zunehmend und auf die Proletairs drückend. Geldjuden. Steuereintreiber. Vermögensl. 6, 134.

Abgeschiedene. Ueber eine Behauptung Swedenborgs, den Rapport des irdisch-lebenden Menschen mit Geistern und Abgeschiedenen betr. Schr. (1832). 4, 201 ff. Ueber den Begriff einer *vis sanguinis ultra mortem.* Schr. (1838). 4, 422 ff. Die Abgeschiedenen stehen einige Zeit nach ihrem Abscheiden noch in sensibelem Rapport mit uns, später nicht mehr. M. Pasq. 4, 131. Die Heiden dachten sie sich als kraft-, weil blutlos. Blutopfer in der Odyssee, dämonische Opfer. Unsterbl. 4, 271. Anm. S. Blut. Sie und die Ungeborenen sind der Leiblichkeit der Lebenden (vermittelst der Blutseele und des Samens dieser) noch oder schon theilhaft. Aph. 5, 270. Sie stehen mit den Irdischlebenden durch das Medium des allgemeinen Individuums der Natur in activem Rapport: jedes Hervortauchen derselben in geschiedener Individualität ist in der Regel unnatürlich. M. Pasq. 4, 128. Anm. Ferm. 2, 172. Der Rapport der Abgeschiedenen mit den Irdisch-fortlebenden

besteht in einer wechselseitigen Attraction und Retraction. Leb.
4, 290 — und sie können selbst auch auf leblose Objecte
einwirken. Ferm. 2, 266. Man kann dieses Rapports wegen
die *revenants* auch als *non-allants* bezeichnen. Besess. 4, 247.
Die Abgeschiedenen entbehren nicht aller Sensation. Centr.
Sens. 4, 139. Sie und besonders die von der physischen
Erdschwere noch nicht Befreiten, treten im Sterben und nach
demselben in die Sinnlichkeitsweise der Magnetischen, wesshalb
mit ihnen diejenigen in Rapport treten können, welche ausschliessend nur in dieser (andern) Sinnlichkeitsweise leben.
Seh. v. Prevorst 4, 144. Ihre Manifestirbarkeit ist verschieden,
je nachdem sie zeit- oder raumfrei geworden sind oder nicht.
Elementarb. 14, 52. — Nur die Abgeschiedenen d. h. die Naturfreien sind die wahrhaft Wissenden. Bildungst. 2, 118. Ferm.
2, 243. 364. Metast. 4, 157. Br. 15, 404. — Abgeschiedene,
Lebende und noch Ungeborne befinden sich nach Burke als in
einem Socialcontract Verbundene. Spec. Dogm. 8, 219. Vgl.
Irdisch- oder Sonnenlebende.

Abgötterei, Dämonencultus. Anal. d. Erk. 1, 46. Abgötterei
setzt Erkennen des wahren Gottes voraus. Weiteres über Abgötterei. Tabl. 12, 190.

Abgrund, = der unter nicht in die Peripherie der Natur zu
setzende Sitz des Bösen in der alleräussersten Finsterniss, in
einer bodenlosen Untiefe, Leere oder Ungründigkeit, die nur
als das Resultat der Zersprengung eines Centrums verständlich
wird. Div. 4, 86 = *Centrum naturae*, das auch bei J. Böhme
so heisst. Studienb. 13, 339. Abgrund ist das Alleräusserste,
Ungrund das Allerinnerste. Opf. 7, 303 Anm. Die Eröffnung
des Abgrundes ist nur durch die Creatur möglich. Ferm. 2, 286.
Blicke des Menschen in den Abgrund, in den er hinabgestiegen
ist. Tabl. 12, 183. Abgrund der Seele ist ihr tiefster (un-
creatürlicher) Grund. In diesen Abgrund ist das erste Bild
als verblichen zurückgegangen, in welchem sofort der Name
Jesu sichtbar ward. Gnadenw. 13, 311. S. d. Folg.

Abimation: Abimirung. Construction dieses Begriffes. Div.
4, 86 ff. = Geistige Finsterniss, Unbegründetheit des Sehens.

Des err. 12, 84. == Entgründung oder *dispersion abyssale*; ein in sich zerfallenes Wesen kann sich nicht sammeln aus seiner Zerstreuung und sich nicht ausbreiten aus seiner Compression. Antirel. Phil. 2, 471. == Entgründung eines Wesens, welche durch Oeffnung seines Centrums und Verschliessung eines andern Centrums geschieht. Zeitbgr. 2, 75 Anm. == Abgründiges Kreisen. Rüge. 3, 326 Anm. == Auflösung der höhern Verkörperung eines Wesens in Folge seiner Trennung von seinem Centrum. Zeitbegr. 2, 86 == Verlust der natürlichen Erstgeburtsrechte eines Geschöpfes, des Theilhaftseins an Gottes Schöpferschaft (Vaterschaft), weil es sich der Zweitgeburt oder der Sohnschaft Gottes nicht theilhaft gemacht hat. Versehens. 4, 340. == Zu Grunde Gehen oder Gegangen sein, nicht Vernichtung oder Tilgung eines Seienden. Spec. Dogm. 9, 249. Versehens. 4, 369 ff. Strauss, Leb. Jes 7, 264. Heg. Phil. 9, 305. *Ex inferno nulla redemtio*. Aber damit ist doch die Wiederbringung aller Creatur in gewissem Sinne wohl verträglich. Höllenfeuer, Fegfeuer (s. d.), Tilgung der Lügengeburt *in via sicca*. Versehens. 4, 360 ff. — S. Ewigkeit, Hölle, Abimirung (Entgründung) des Menschen, nachgewiesen aus dem bisherigen Suchen der Philosophie nach einem Erkenntnissprincip. Bonald 5, 46.

Ablässe u. s. w. In der röm. Kirche wird die Befreiung von der Sünde vielfach an Bedingungen geknüpft, die dem Geiste des Christenthums fremd sind. Morg. und ab. Kath. 10, 114.

Ablösung des Products vom Producens nach den drei Momenten der Hervorbringung (Denken, Wollen, Wirken). Dieses Gesetz der Production gilt auch für die Reintegration, jedoch in umgekehrter Weise. Metast. 4, 149.

Abnormität, die, eines Lebendigen ist nur als Versetztheit (s. d.) aus dessen *locus natalis* oder *nativus* oder aus seinem constitutiven Element zu fassen (Elend, entsetzlich, Entstellung). Versehens. 4, 370 ff. Abnormes Verhältniss des Sinnlichen zum Nichtsinnlichen in dem dermaligen Zustand des Menschen. Rel. Phil. 1, 268 ff. Abnormes Verhalten der Creatur zu und in demselben schaffenden und aussprechenden Wort. Societ. 14, 95.

Abraham und Isaak, der Vater opfert den Sohn, um der göttlichen Gerechtigkeit zu genügen. Spec. Dogm. 8, 187.

Absperrungssystem, fruchtloses, gegen die Cholera und andere Uebel. Aphor. 5, 350.

Absolute, das Leben desselben besteht inner dem Kreise des Sich-Unterscheidens (Fassens) in einzelne Lebensanfänge (Principien), des Wiederaufhebens dieses Unterscheidens und der Rückkehr zu selben. Ferm. 2, 277. Der Absolute (Geist) ist die alleinige Substanz oder der Sich–Substanzirende und eben darum auch der Sich-Formirende. Rel. Phil. 1, 195. Die absolute Substanz oder der Absolutseiende ist auch der Absolut-Hervorbringende (Urcausale), und als Beides ist er der Absolut-sich–Bewusstseiende d. h. der absolute Geist. Ebd. 1, 218. Absolutheit = Vollendetheit. Das Absolviren oder Absolvirtwerden des Seienden ist ein Process, der auf normale oder abnorme Weise vor sich gehen kann. Br. 15, 643.

Absolutismus, jeder, ist irreligiös, unverständig und verbrecherisch. Evol. u. Rev. 6, 86, 90.

Abstraction, ihr Begriff fällt zusammen mit dem der Versetztheit (s. d.), Entstellung, Entstaltung, Verkehrung &c. Spec. Dogm. 8, 355 ff.

Abwesenheit Gottes in Bezug auf die nichtintelligente und die intelligente Natur. Solid. Verb. 4, 301.

Academie, Aufgabe der bayerischen Academie der Wissenschaften, Beruf der Academie der Wissenschaften. Aphor. 5, 331. 337. Memoire Baader's darüber an einen hochgestellten Staatsmann (1834). Br. 15, 510 ff. Sonstiges über die Münchener Academie. Br. 15, 191. 218. 227. 235. An das Generalsecretariat der Acad (1813). Biogr. 15, 54 ff.

Accent = Geist, Laut (Vocal, Consonant) = Leib, Aeusserlichkeit. Rat. Theol. 2, 505. S. Molitor.

Accidentia (praedicata) non migrant e substantiis in substantias. Elementarphys. 3, 211.

Accommodationssystem vieler Thologen. Evol. u. Rev. 6, 105 ff.

Acerellos über Freimaurerei. Espr. 12, 358.

Actio in distans. Die von Kant in dieser Beziehung angeregte Frage. Elemphys. 3, 223. Es gibt eine solche, ohne dass damit die Präsenz in der Distanz und die Aufhebung dieser durch jene geleugnet werden soll. So in Bezug auf das Licht und die Gravitation als Allbeziehung, auf magnetische und magische Erscheinungen, sowie auf religiösen Glauben. Solid. Verb. 3, 849. Inn. Sinn 4, 98. Ekst. 4, 15. 37. Fragm. 4, 49. Seh. von Prev. 4, 144. Besess. 4, 247. Anm. Ferm. 2, 256. 269. Spèc. Dogm. 8, 213 ff. 9, 66. Br. 15. 324. 327. 340. *Actio per distans* == Wirken des Geistes durch nichtgeistige Medien. Nouv. hom. 12, 251.

Action. Die *Minima* der Action sind das eigentlich Herrschende in der Natur und ebenso im Gemüth, Erkenntnissvermögen, Willen und Schicksal des Menschen. Dyn. Bew. 8, 282. Productive Action und Product: je kurzdauerndes jene, desto langdauernder dieses. Espr. 12, 321. Dreierlei Actionen sind der Intelligenz wesentlich: Erkennen, Wollen, Wirken; jede hat ihr besonderes Gesetz. Ferm. 2, 175. Primäre Einheiten derselben: es gibt in Bezug auf Intelligenz und Gemüth nur wenige Grundwahrheiten und Grundirrthümer; auch im Leben und in der Kunst findet sich nur eine Monotonie der Leidenschaften und Thorheiten. Opf. 7, 308. — Keine Action findet statt ohne Reaction. Kant's Deduct. 1, 9. Action, Reaction und noch eine dritte Action in allen Wesen der Schöpfung. Des err. 12, 107. Action und Reaction (Subject und Object) nur begreiflich durch die innere Praesenz eines (vermittelnden) Motors in beiden. Espr. 12, 266. Action und Reaction (letztere == *Stimulus* der Action). Formation, Intensität, Extensität. Tabl. 12, 186. Jede Action ist eine Determination d. h. eine Ausgleichung und Ineinsfassung mehrerer, zum Theil widriger Strebungen und Kräfte. Ferm. 2, 162. Einheit der Action verschieden von Wesenseinheit. Tabl. 12, 168. Eine Actionseinheit findet bei zwei Agenten nur statt, wenn sie sich demselben Dritten oder Einer dem Andern unterordnen. Rel. Phil. 1, 281. Action, Reaction und höheres Agens, von dem die Union ausgeht (in Bezug auf Societät) Spec. Dogm. 8, 221.

Action, Reaction, Energie. Sind die beiden erstern aus einander gefallen, so bedarf es einer äussern Copula (eines Gehilfen, Herrn, Mittlers), um sie in die Energie zusammen gehen zu lassen. Spec. Dogm. 8, 256. Die Action wird gezählt, die Reaction gemessen, die Energie gewogen. Magik. 12, 555. Action, Reaction, Energie, eine Trilogie, wie Princip *(Genitor)*, Form *(Genitrix)* und *Genitus*. Spec. Dogm. 9, 147. Vgl. 34. 144. Action (Männliches), Reaction (Weibliches), Energie (Androgyne). Societ. 14, 145. S. Agens. — Spirituose Actionen im Thierblut. Opf. 7, 312 ff.

Active und passive Natur in Gott vom Worte in Eins zusammengefasst. Seg. u. Fluch 7, 90. *Nomen activum, nomen passivum, verbum (copula)*, angewandt auf die Lehre von der Hervorbringung: Alle Existenz wird von einer, diese Verbindung bewirkenden Action (Sprechen, Segnen) als ihrer Basis getragen. Ebd. 7, 100. Vgl. ferner über Actives und Passives in Gott. Ebd. 7, 147 ff. S. Agens.

Adam, doppelter nach den Kabbalisten, der himmlische (Adam Kadmon) und der irdische. 2 Cap. d. Gen. 7, 226. Anm. Ob Adam Kadmon die zweite Person in der Trinität sei. J. B. Theol. 4, 405 ff. Adam Kadmon = Sophia. Incomp. 4, 311. Anm. S. Weisheit. Adam Kadmon als Urbild des Menschen. Minist. 12, 402. Adam's Verbildung (Sich - Versehen - haben) in die Thiernatur bei Vorführung der Thiere. 2 Cap. d. Gen. 7, 227 ff. Der Schlaf Adam's = Abimirung desselben in die materielle Natur = erster Fall desselben unter die Zeitregion 2. Cap. d. Gen. 7, 229. Spec. Dogm. 9, 89. Parallele von Schlaf und Tod, mit Bezug auf den Schlaf Adam's. Unsterbl. 4, 271 ff. Adam's Versuchung (s. d.) ein Entzücktsein oder Verzücktsein aus der paradiesischen, einelementischen Region in die niedere vierelementische vor seiner Einleibung in letztere. Unsterbl. 4, 276. Ausgang der Eva aus Adam. Geist u. W. 10, 11. (S. Weib, Gestaltung). Adam und Christus, Differenz ihrer Sendung: Opf. 7, 291 ff. Der alte Adam in uns muss getödtet werden, was nicht ohne Schmerz geschieht, weil der Vater in seinem Gezeugten sensibel ist. Rat. Theol. 2, 505. (S. Wiedergeburt). Adam und Christus, uns beide gegenwärtig. Minist. 12, 404. vgl. Nouv. hom. 12, 259.

Adel. Die Function des Adelstandes. Aph. 5, 308 ff. Adel und Standschaften, eine Gottesgabe. Espr. 12, 361. Die Rechte des Adels dürfen nicht angegriffen werden. Posit. Rechtsbest. 6, 61 ff. Adelswahnsinn in Betreff ebenbürtiger Ehen. Br. 15, 184.

Adler, Dr., in Berlin. Brief Baader's an ihn. Br. 15, 422.

Administration, die — in Religion und Wissenschaft hat man seit der Reformation den weltlichen Regierungen aufgebürdet. Rel. und Wiss. 7, 51.

Administrative Macht, die weltliche und geistliche müssen geschieden sein. Sichtb. Kirche. 7, 221.

Adoption und Conception unterschieden. Des err. 12, 156.

Adoration der Eucharistie — Calvin, Luther, Ambrosius, Augustinus u. A. darüber. Opf. 7, 394.

Aërolith, erster kosmischer d. h. die wüste, leer und finster wordene, coagulirte Erde. Rüge. 3, 330. Die Aërolithen sind gleichsam kleine Rückfälle in den erdegebärenden Urfinsterprocess, Leichname, Producte des erloschenen Lebens einer früher lebendigen Substanz. Ferm. 2, 312. Starres u. Fl. 3, 273.

Aether, primitiver, ungeschaffener. Espr. 12, 336.

Affect der Bewunderung und Ehrfurcht. Schr. (1804) 1, 25 ff. Einem Affect (Dienst) schlechthin kann sich der Mensch nicht entziehen. Spec. Dogm. 8, 207. Es gibt, analog den drei Principien J. Böhme's, einen dreifachen Affect, einen materiell-sinnlichen, einen spiritualen der Hoffart, und den der Liebe. Alim. 14, 487. Affect, von Kant und Hegel mit Unrecht aus der Wissenschaft verbannt. Espr. 12, 365. Identität des Gefühls-, Affects- und Willensgrundes. Espr. 12, 232. Unser ganzes Dasein ist in der Affection (Neigung). Espr. 12, 341. S. Denken, Dichtkunst, Erkennen.

Agens, Agentien. Agens und Patiens der Alten (Aristoteles, Cicero, Ovid) = Feuer (Licht) und Wasser (Erde). Wärmest. 3, 41. — Agens und Reagens, actives und reactives Princip

(s. Action), verwandt zur Exposition des göttlichen Ternars (s. Dreizahl). Ihr Zwiespalt. Anwendung auf die Lehre vom Erkennen = Empfindung und Anschauung. Spec. Dogm. 8, 345 ff. — Zwei widerwärtige Agentien müssen nothwendig einen Mittler haben. Das mercurialische Princip. Des err. 12, 126. Agens, Reagens, Energens. Espr. 12, 296. Bei jeder Auflösung d. h. Formumwandlung eines Körpers ist ein drittes unsichtbares Agens (z. B. Licht, electrisches Fluidum) thätig. Fest. u. Flüss. 3, 201. Bei der Ahnung ist ein höheres, unsichtbares, sich innerlich durch Drang offenbarendes Agens wirksam. Abbrev. 4, 112. — In dem Physischen und *suo modo* im Psychischen sind immaterielle, unsichtbare und inpalpable Agentien, *fluides incoercibles* anzuerkennen, gleichsam durchsichtige Gefässe (Träger und Beweger) alles dermalen Sichtbaren. Ferm. 2, 170. Bonald 5, 104. M. Pasq. 4, 132. Anm. Das Thier hat ein, die Pflanze zwei, das Mineral drei Agentien. Des err. 12, 103 ff. Agentien = Schutzgeister. Rapport 4, 205. Unsichtbare Agentien beim Opfer. Opf. 7, 298. Gute und böse Agenten oder Actionen, die an die Materie gebunden sind. Endl. Geist 7, 196. Primitive und secundäre Agenten, je nach den ewigen oder zeitlichen Regionen. Seg. u. Fl. 7, 136. Göttliche Agenten s. Centralwort und Siebenzahl. Auflösung.

Agrippa de occulta philosophia (über hebr. Sprache). Myst. Magn. 13, 170.

Agronomisches Unternehmen zu Köthen. Br. 15, 430.

Aegypter, Griechen, Römer und Germanen in Bezug auf Moralität mit einander verglichen. Urs. d. Leicht. 6, 332 ff. Aegypter und Hebräer deuten typisch die Doppelgestalt des *homme général* an. Opf. 7, 314. Ueber das Verhältniss von Moses zu den Aegyptern. Tabl. 12, 192.

Abriman s. Perser.

Alchemie oder Alchymie. Vgl. Wärmest. 8, 46. Die Grundidee der Alchymie. Ursprung und Wesen der Metalle. Das Materielle ist mehr oder minder von der Sonne gehemmtes Gift. Privatvorl. 13, 152 ff. Die Grundidee der Alchymie findet

5*

sich in J. Böhme's *Signatura rerum.* Br. 15, 659. Alchymie,
die Kunst Gold d. h. die göttliche Substanz oder die active
und höhere Natur aus irdischen Substanzen zu gewinnen. Euch.
7, 25. = Physik als göttliche Kunst, bestimmt von der Idee,
dass die Erlösung des Gottesbildes (des Menschen) die Erlösung
der Natur herbeiführen muss. Spec. Dogm. 8, 47. Gott ist
ein *Alchymicus* oder *Spagyricus*, der nach der Zeitigung der
Tinctur das Geschirr nicht fortwirft, sondern verherrlicht. Re-
creation Gottes dabei. Br. 15, 312 ff. Der von den Alchemisten
gesuchte *Lapis philosophorum* = das eine Element *(quinta
essentia)* als inwohnend den vier Elementen. Gnadenw. 13,
266. = Der äussere physische Heiland. Alim. 14, 487. Darin
sind die weisse und die rothe Tinctur (das leibgebende Monden-
wasser und das lebengebende Sonnenblut) untrennbar vereint.
S. Tinctur. Opf. 7, 400. Anm.   Der rothe Feuerlöwe und das
weisse Lamm. Br. 15, 646. Die wunderbare Alchymie der
Liebe. Relig. Phil. 1, 229.   Jacob Böhme's alchymistische
Grillen. Ferm. 2, 321.   Paracelsus über die vier Elemente
und die Qintessenz. Versehens. 4, 346.   Die Alchymisten und
die neuern Naturforscher (Naturbeschreiber). Morg. u. Ab. Kath.
10, 127. S. Naturphilosophie. Bei der Alchymie u. Astrologie
könnten die Erd- und Sternkundigen allein Licht über ihren
Beruf holen. Aliment. 14, 488. S. Astrologie.

Alcuin, *de trinitate ac mysteriis Christi libri tres.* Strassb.
1530. Randgl. 14, 433 — 448. Seine Lehre über Gott als
inamovibles Princip, welches sich gleichwohl von der freien
Creatur zu einer Action bestimmen lässt. Spec. Dogm. 9, 43.
Ueber das Theilhaftwerden der Creatur an der Natur Gottes.
Ebd. 9, 50. Er brauchte schon vom Kaiser den Ausdruck:
sancte Pater. Kirchenvorst. 5, 404. Anm.

Alimentation. Aliment. Ueber die Wechselseitigkeit der Alimentation und der in ihr stattfindenden Beiwohnung. Als Programm zu Vorlesungen über Anthropologie und Psychologie.
Schr. (1838) 14, 459 — 488.   Alimentation und Excretion.
Elem.-Phys. 3, 232. Innere und äussere Alimentation. *Nouv.*

hom. 12, 236. Centrale und peripherische Alimentation. Ver-körper. 2, 8. Morg. u. Ab. Kath. 10, 124. Nähren und Ver-zehren. Br. 15, 678 ff. Nahrungsmittel = Beförderungs-mittel einer Reaction, zu unterscheiden von den Principien der Wesen. *Des err.* 12, 115 ff. *Alimentatio est reactio. Oeuvr.* 12, 448. Alle Alimentation (und Schlaf) bezweckt, den entzündeten egoistischen Streit im Organismus zu arretiren und durch die Wiedereinverleibung ins Ganze (in die Temperatur) zu schlichten. J. B. Theol. 3, 427. Nahrung = Erhaltung des effectiven Rapports. Espr. 12, 329. Virtuelle und materielle Alimenta-tion = Restauration des Rapportes jedes Peripheriepunctes mit seinem Centrum als *Communio vitae.* Durch Speise und Trank versöhnt sich das thierische Leben mit der gemeinsamen Natur. Spec. Dogm. 8, 171. Geist und Natur sind nur lebendig durch Speise, Assimilation und aneignende Umwandlung. L'hom. 12, 205. Beim Alimentationsprocess findet eine Auflösung der Materie in immaterielle Differentialien statt, (Opf. 7, 383, vgl. 370, 397 ff.), und nicht ein blosser Stoffwechsel und Assimilations-kraft. Spec. Dogm. 9, 276 ff. Alim. 14, 464. Heg. Phil. 9, 324. Em. des Kath. 10, 66, 69. Alimentation und Be-fruchtung oder Beiwohnung. Ferm. 2, 270. Besess. 4, 253 vergl. Anthropoph. 4, 430. Emancip. d. Kath. 10, 69. Morg. u. Ab. Kath. 10, 223. Alim. 14, 470 ff. 475. Alimentation und Eucharistie (s. d.) Opfer: (die Speise zieht den Esser dahin, woher sie selber kam). Euch. 7, 3 (15) ff. Anal. d. Erk. 1, 47. Anzeige von Döllinger's Euch. 7, 66 Anm. Seg. u. Fl. 7, 14. Ferm. 2, 270. Elembgr. 14, 50. Alim. 14, 470 ff. Alimentation in der Trinität. Anthropoph. 4, 239. S. Verzehren und Gebären, Gabe, Speise.

Alleinseligmachend, in wie weit diess von der Kirche gesagt werden könne. Sichtbare Kirche 7, 216 ff.

Alleinslehre, s. Pantheismus.

Alleinwirker s. Princip (Organ, Werkzeug).

Allen, Quäker in England, befreundet mit Kaiser Alexander. Br. 15, 274.

Allgegenwart Gottes, begrenzt durch jedes endliche Wesen. Zeitbegr. 2, 59 (83). Anm. — Der Wärmematerie. Wärmest. 3, 29 ff.

Allgemeines, das Allgemeine == Eine muss in dieser äussern oder Formenregion gleichsam Partei machen. Ferm. 2, 201. Das Allgemeine und Einzelne, die Einheit und die Glieder eines Organismus bestehen nur mit und in einander. Aph. 5, 267. Nur das Universale kann das Einzelne speisen. Privatvorl. 13, 82. Hegel's Lehre über das Allgemeine, eine irrige naturphilosophische Vorstellung. Strauss Leb. Jes. 7, 266. Ueber die Kategorie des Allgemeinen, Besonderen und Einzelnen oder Form und Materie. Aphor. 10, 309. — Allgemeine Uebereinstimmung, Allgemeines Einverständniss, *sensus* und *ratio communis*, richtiger Begriff derselben. Indiff. 5, 215.

Allianz, heil., Baader's Betheilung an ihrer Stiftung. Biogr. 15, 61 ff. S. Religion.

Alt, jung, neu. Jung ist, was seinem Ursprung nahe steht. Elembgr. 14, 33. Alter und Kindheit sind vereint im Begriff des absoluten Lebens. Societ. 14, 124. Die einseitigen Bestrebungen nach dem Alten und Neuen, Vergangenen und Zukünftigen (s. d.) in unserer Zeit. Spec. Dogm. 8, 219. S. Veraltern. Altern und Sterben, in der Zeit nothwendig. Zeitbegr. 2, 56 (78 ff.) — Das alte Testament s. Christenthum, Judenthum, Heidenthum, h. Schrift. — Die Alten haben es weit gebracht in der Erkenntniss des Zusammenhanges des Sichtbaren und des Unsichtbaren. Zus. d. Leb. 2, 12.

Allwill, s. Jacobi.

Allwissenheit Gottes: in gewissem Verstande sieht Gott die Unordnungen nicht. L'hom. 12, 213.

Alphabet, Construction desselben aus der Figur $\otimes = +$ und $\bigcirc$ vom α und ω in einem Briefe Ritter's. Br. 15, 205.

Alterius sit, qui suus esse non potest, im Gegensatz zum Atheistischen: *Alterius (Dei) non sit, qui suus esse potest* (durch Autonomie). Blitz 2, 45. *Alterum s. Unum.*

Amor, der Begriff der Liebe nach Thomas v. Aquin in Bezug auf Gott. Erläut. 14, 203. 205, etc., überhaupt 288. 309 ff. *Amor generosus*, der wahre Geist der christl. Religion, da diese Liebe nicht bloss lieblich, sanft, weiblich, sondern auch kriegerisch, heroisch und erhaben im Kampfe gegen das Böse in uns ist. Begründ. d. Eth. 5, 30. *Amor descendit*, oder *descendendo elevat* od. *descendit ut elevet*. Br. 15, 486. Schub. 1, 63. Blitz 2, 43. Zeitbegr. 2, 57 (80). Bildungst. 2, 117. Geist u. W. 10, 3. Rel. Phil. 1, 230. Verb. d. Pol. 6, 11. Elembgr. 14, 49.

Amputation, nach ihr werden die getrennten Glieder als im Traume noch gefühlt. Unsterbl. 4, 278. Anm.

Amt, Amtsphäre. Aphor. 10, 352.

Amulette, Talismann, Schriftzeichen, Runen, Hieroglyphen, Porträts etc. stehen nach dem Glauben des Volkes mit den Originalen in Zusammenhang. Spec. Dogm. 8, 94 ff.

Analogie des Erkenntniss- und Zeugungstriebes. Scbr. (1808) 1, 39 ff. Vgl. Elem.-Phys. 3, 221 Anm. Soc. 14, 101 und Thomas v. Aquin, Erläut. 14, 201 ff.

Anarchie der Meinungen und Doctrinen. Freib. d. Int. 1, 146, Anarchismus und erstarrter Monarchismus. Rel. u. Wiss. 7, 51.

Anastomose der Wurzel (d. h. des Wollens) Gottes mit der Wurzel (dem Wollen) der Creaturen bei der Erlösung. Emanc. d. Kath. 10, 70. 84.

Anatomie, vergleichende. Tabl. 12, 173.

Anaxagoras über den Geist als das Princip und Wesen der Welt. Bonald 5, 86.

Androgyne-Natur Adam's vor Erschaffung des Weibes (2. Cap. d. Gen. 7, 231. Minist. 12, 409) und des Menschen in der Vollendung (Ebd. 7, 233), wie auch die Wiederherstellung derselben durch die Religion (Indiff. 5, 126 Anm.). S. Geschlechtsverhältniss. Ausführliche Darstellung dieser Streitfrage und Begründung der von Baader darüber vorgetragenen Lehre. Spec. Dogm. 9, 209—219. Aphor. 10, 294 ff. Br. 15, 646.

Dafür sprechen Gregor von Nyssa und Erigena (Morg. u. Ab.
Kath. 10, 128), dagegen Augustinus und Thomas von Aquin.
Erläut. 14, 294 vgl. 290. Vgl. Hoffm. Nachweisungen 2, 818.
Die animalisch-androgyne oder paradiesische Natur des Menschen
nach J. Böhme construirt. Ferm. 2, 314 ff. Die Androgyneität
= Geschlechtsindifferenz des Urmenschen hätte in der ersten
Epoche des paradiesischen Lebens der creatürlichen Fort-
pflanzung oder Geburt, und um so mehr in der zweiten Epoche
desselben, der der Geburt der Kräfte, fortbestehen können.
Ferm. 2, 271 ff. Androgyneität des ersten Menschen nach
Saint-Martin. Des err. 12, 70 ff. Das Gegentheil von An-
drogynismus ist der Hermaphroditismus (Spec. Dogm. 9, 136),
die sich wie Christenthum und Heidenthum verhalten. Ersterer
ist nicht mit Geschlechtslosigkeit und Impotenz zu verwechseln.
Rat. mat. Vorst. 3, 304 ff. Androgyne = Zusammengeschlossenheit des activen und reactiven Princips, des ternaren Centrums
mit der Peripherie in eine individuelle Essenz, Natur, Gebilde.
Hermaphroditismus. Scotus Erigena. Societ. 14, 141 ff. Das
Verhältniss der Androgyne zu Vater und Mutter (in Gott).
Geist u. W. 10, 7. Androgyne Natur des Zeugeprincips. Vorr.
1, 410. Nur die verschlossene Androgyne ist der eigentliche
Träger des einen und des andern Geschlechts, gleichwie in
jedem Starren und Flüssigen dieselben zwei Factoren der leben-
digen Substanz, wiewohl umgekehrt, vorhanden sind. Starr. u.
Flüss. 3, 373. Anm. Aus der Androgynenlust geht Alles, was
da leibt und lebt hervor; sie ist die geheime, undurchdring-
liche, magische Werkstätte alles Lebens. Anal. d. Erk. 1, 46.
Androgyne von der Sophia gesagt. J. B. Theol. 3, 385 Anm.
Die Androgyne bedingt die Inwohnung der himmlischen Jung-
frau (des Gottesbildes) im Menschen und diese die Inwohnung
Gottes in ihm. Nicht ist Gott unmittelbar der Mann und der
Mensch das Weib. Rat. mat. Vorst. 3, 303. Androgyne Natur
des Geistes, angedeutet durch seine Signatur, den Hermesstab.
Ferm. 2, 326. Rel. Erot. 4, 194. Androgyneität in Bezug auf
die in ihre Vollendung eingegangene Menschheit oder auf
Christus als Haupt und die Kirche als Leib. Versehens. 4, 353

Anm. Die androgyne Natur des überzeitlichen Menschen ist richtig zu erkennen, um nicht die immanente Geburt desselben (Wiedergeburt) mit der 'emanenten, fortpflanzenden zu verwechseln und das Verhältniss Christi zur Kirche als des Bräutigams zur Braut nicht zu missdeuten. Spec. Dogm. 8, 317. Die Androgyne in der Liebe (Ehe): ihre zwei Momente sind Demuth und Erhabenheit == Weib und Mann, welche sich bei der Sünde in ihr Gegentheil, Despotenlust und Sclavensinn, Hoffart und Niederträchtigkeit (Sinnlichkeit) verkehren und so als Geschlechtskräfte der Trennung auftreten, dagegen, durch die Religion entsündigt, sich als wahre Geschlechtsliebe zeigen. Erot. Phil. 4, 175. Rel. Erot. 4, 185 ff. Espr. 12, 280. Geist u. W. 10, 3. Ferm. 2, 340. Spec. Dogm. 8, 177. Rel. u. Pol. 6, 16. S. Despotie, Erhabenheit. Androgyneität auch dem Licht und dem Erkenntnissvermögen beigelegt. Anal. d. Erk. 1, 41. So auch Demuth und Erhabenheit mit Bezug auf Glauben und Forschen. Spec. Dogm. 9, 8.

Anfang == Aufhören (Cessiren) einer Gegenwart (Mitte), Suspension letzterer, Abstraction davon. Ferm. 2, 389. Anfang der Scheinzeit == Ende der wahren Zeit, herbeigeführt durch den Lügner und Mörder von Anfang. Zeitbgr. 2, 54 (76). Der Anfang der im Tode geschehenden Auseinander-, und bei der Auferstehung erfolgenden Wiedereinander-Setzung der drei constitutiven Principien des Menschen liegt schon in diesem Leben. Opf. 7, 408 ff. Der Anfang der Thätigkeit (Bewegung) liegt nicht in der Materie. Des err. 12, 121.

Angeborene und **selbsterworbene** Erkenntniss der Wahrheit sind zu unterscheiden. Wahrh. 1, 108 ff. **An-** oder **eingeborne Ideen**, ein zweideutiger und unklarer Ausdruck bei Cartesius und Leibniz, aber das damit Ausgedrückte ist gleichwohl gegen Locke, &c. zu vertheidigen. Bonald 5, 53, 89. Der Gottesidee werden alle Menschen eingeboren. Ebd. 5, 99.

Angelus Silesius, Cherubinischer Wandersmann, Wien 1657, Glaz 1674, Glogau 1675, dann v. Arnold 1701 ff. 1827, 1829. Br. 15, 235. 238. Stellen aus ihm über Tod und Leben. L'hom. 12, 217. Paradox scheinende Epigramme des-

selben. L'hom. 12, 227. Ferm. 2, 229. 244. Unsterbl. 4, 268.
Anm. Spec. Dogm. 8, 317. 9, 50 u. s. w.

Anglicaner und Römer hassen sich als gleichnamige Pole.
Heg. Phil. 9, 382.

Angriff, der vereinzelte ist der wirksamste. Ferm. 2, 141. Ein
vereinzelter Angriff od. Einwirkung von Seiten Gottes auf das
Erkennen oder Wollen oder Wirken einer in unvollständigem
Zustande befindlichen Creatur ist möglich. Ebd. 2, 174 ff.

Angriff, Ingriff = Berührung und Rührung, äussere und
innere Sensation und Wirkung. Paracelsus. Metast. 4, 162.
Incomp. 4, 318, 319. Versehens. 4, 407 u. s. w. S. Rührung,
Berührung.

Angst, J. Böhme's dritte Naturgestalt, ist als Angst vor dem
Leben od. des Feuers Anzündung an sich nur ein unfühlend
Treiben und Wachsen, dessen morboses Erhobenwerden ins
Gefühl den Schmerz erzeugt. Ferm. 2, 302. = Radical des
Lebens, wie die zornliche Kraft Radical der Liebeskraft. Privat-
vorl. 13, 78 ff. Angstunruhe *(Angustia)*, Rotation, Ixions-
rad = Centrum und Wurzel alles Natur- und Creaturlebens
(Todesangst, Geburtsangst). Blitz 2, 31 ff. Begründ. d. Eth.
5, 15. 33. Andeutungen vom Angst- od. Feuerrad sowie vom
Liebe- und Lichtgeist J. Böhme's schon Tageb. 11, 78. Angst-
kreisen, Kreisten, Kreissen = *parturire, dolore partus clamare.*
Solid. Verb. 3, 336 Anm. Jedes Leben wird in der Enge
(Angst, *Angustia*) geboren und in der Freiheit genossen. Zusamm. d. Leb. 2, 17 ff.

Anima est ubi amat. Espr. 12, 291. Dyn. Bew. 3, 281.
Rel.-Phil. 1, 231. Rat. Theol. 1, 501. Spec. Dogm. 8, 102.
Societ. 14, 100. Anthropoph. 4, 242 u. s. w.

Anleitung etc. s. Glasfabrication.

Annehmen im Gegensatz von Nehmen. Rel.-Phil. 1, 159 ff.

Anomie und Antinomie, die dem Entstehen der Materie zu
Grunde liegt; letztere, zum Vorschein gekommen zufolge einer
Differenzirung, wird mit der Reintegration des in Differenz
Gekommenen wieder verschwinden. Antirel. Phil. 2, 488. S.

Materie. Anomie als Folge eines Versuchs illegaler Autonomie. Ekst. 4, 24. Div. 4, 86. Franz. Rev. 6, 326.

Anonymus: 1) Verf. der Schrift: *Theologiae christ. juxta Jac. Bohemii principia Idea. Amstel. 1687.* Spec. Dogm. 9, 65. 69.* 2) Theolog. des 18. Jahrhunderts. Spec. Dogm. 8, 317. 3) Verf. der Schrift: Etliche Aufsätze von Gottes Dreieinigkeit und von der Versöhnung 1779. Randgl. 14, 429 ff. 4) Verf. der Schrift: Gedanken über Tod und Unsterblichkeit, Nürnberg 1830. Societ. 14, 58. 69. 5) Verf. der Schrift: Ueber die Identität der Idee der Weisheit und des Wortes. J. B. Theol. 3, 395 ff. 6) Verf. der Schrift: *Quelques traits de l'église intérieure. Trad. de Russe. Paris 1801.* Bildgl. 2, 121. 7) *Triomphe de l'amour* (1831). Br. 15, 658. 8) Verf. der Schrift: Gehen wir einer neuen Barbarei entgegen? Spec. Dogm. 8, 15. Anm.

Anorganismus, als verborgene Wurzel des Organismus. Ausführlicheres über erstern Begriff. Starr. u. Fl. 3, 275 ff.

Anschaffende Function des Willens und schaffendes *Fiat* (Begierde, Natur) unterschieden von J. Böhme und Thomas v. Aquin. Erläut. 14, 217.

Anschauung bezeichnete früher die höchste, bei Hegel aber die niedrigste Stufe des Erkennens. Beide Behauptungen sind richtig: jedes Erkennen sucht für die centrale Anschauung die entsprechende peripherische und umgekehrt, und ist selbst die Coincidenz beider. Societ. 14, 72 ff. Die sinnliche und magische Anschauung sind zu unterscheiden. Br. 15, 321. Es ist zu unterscheiden die blinde (passive, unfreimachende) und die luminöse (active, freie und freimachende) Anschauung; um sich von jener zu dieser zu erheben, bedarf man der Hülfe dieser. Spec. Dogm. 8, 235. Anschauung == reactives (zur Intension strebendes), Empfindung == actives (zur Extension strebendes) Princip. Identität von Anschauung und Empfindung. Spec. Dogm. 8, 348. Plastische Macht des Anschauens als Bewunderns, von welchem das Lieben und Zeugen ausgeht. Geist u. W. 10, 16. Anm. S. Imagination.

Anselmus über Glauben und Wissen. Kath. u. Prot. 1, 76. Wiss. und Rel. 1, 83 u. sonst.

Antediluvianer, ihre Sünden. Opf. 7, 301 Anm. 327. 331. S. Beschneidung.

Anthropologie soll nicht sein eine Beschreibung, sondern die Geschichte des Menschen als eines nicht in ruhiger Entwickelung, sondern im Kampfe mit widrigen Potenzen das, was er jetzt ist, Gewordenen. Rev. d. Wiss. 10, 281 ff. Vgl. Hoffm. Einleit. zum 4. Bd. d. W. W. S. I ff. Anthropologischer Standpunkt: „Man muss die Dinge durch den Menschen und nicht den Menschen durch die Dinge erklären". (St. Martin). Tageb. 11, 233 vgl. 72. 422. Des err. 12, 88. Tabl. 12, 173. Der Mensch überall die Lösung des Räthsels. Schub. 1, 57. Espr. 12, 263 ff. Minist. 12, 371 ff. Der anthropologische Standpunct darf bei der Erklärung der göttlichen Productionen nicht übersprungen werden, weil der Mensch als Bild Gottes zwischen Gott und der Welt steht. Spec. Dogm. 8, 63. 79. 201. 225.

Anthropomorphismus, der Schlüssel, der Alles aufschliesst. Tageb. 11, 185. Der Anthropomorphismus der christlichen Religion und das Ungegründete des daher genommenen Einwands gegen sie. Spec. Dogm. 8, 265. Anthropomorphismus in religiösen bildlichen Darstellungen. Opf. 7, 403. 405.

Anthropophagen: Alle Menschen sind im seelischen guten oder schlimmen Sinne unter sich Anthropophagen. Schr. (1834) 4, 221 ff.

Antichristianismus, der, unserer Zeiten und die Kirchenlehre verhalten sich wie Pelagianismus und Augustinismus. Anzeige von Widmer's Augustin. 7, 57.

Anticreatürliches = Böses. Heg. Phil. 9, 318.

Antinomien, die, von Kant erklären sich aus dem Fall und der Versetzung des geschaffenen freien Wesens. Teufel. Mensch. Zeitbegr. 2, 54 (76). Anm. Des Menschen und des bösen Geistes Befangenheit in der Antinomie des Raumes und der Zeit. Div. 4, 69.

Antireligiöse Philosopheme: Bemerkungen über einige antirelig. Philosopheme unserer Zeit. Schr. (1824). 2, 443 ff. Veranlassung der Schrift. Br. 15, 421 vgl. 417 ff. Antireligiöse Afterphilosophie. Div. 4, 64 ff.

Antlitz Jehova's, von ant (ent) und litzen (falten) $=$ der Entfaltende, Offenbarende. Form. od. Maass 2, 524.

Aphorismen, socialphilosophische (1828—1840) 5, 247 ff. religionsphilosophische 10, 283—352.

Apparenz $=$ Peripherie eines Centralen. Spec. Dogm. 8, 349 ff.

Apparitionen, eines ewigen Innern in einem ihm nicht entsprechenden, an sich unwesenhaften, Aeussern (z B. die Leibwerdung des Wortes) sind zweckmässig und nothwendig. Rev. d. Phil. 9, 338 ff. Morg. u. Ab. Kath. 10, 126.

Archäus der Philosophen von Handwerk, der Zufall. Tageb. 11, 94.

Architektonischer Verstand nach Kant. Begründ. d. Eth. 5, 8 ff. Aehnlich architektonischer Sinn. Spec. Dogm. 8, 241 ff. und architektonisches Sehen Gottes. Fund. d. Christ. 10, 44. Gott ist mehr als bloss ein Architekt. Espr. 12, 286. vgl. 293.

Argyrokratie und Aristokratie. Posit. Rechtb. 6, 69. Vermögensl. 6, 131. A. und Liberalismus. Wahrh. 1, 114. Anm.

Aristoteles Tageb. 11, 307, 313., über Verbindung von Physik und Ethik. Ebd. 11, 325 (Anm. d. H.); von der Form (Entelechie) eines belebten Körpers. Ebd. 11, 62 (Stellen in d. Anm. d. H.); von der Seele als Entelechie. Anthropoph. 4, 224. Aristoteles u. die Scholastiker über die Form. Rel. Phil. 1, 260. S. Form, Agens. Ueber die vier Elemente und das fünfte Element. Versehens. 4, 346. Ueber die Verwandtschaft der Despotie und Demokratie. Bd. 15, 445. Er hat die platonischen Ideen vom Himmel zur Erde herabgezogen, ihren überirdischen Ursprung wo nicht leugnend doch verdunkelnd, und begriff auch die Gesellschaft nicht. Bonald 5, 48 ff. Aristoteles und seit ihm Alle glauben vom Menschen und der nichtintelligenten Creatur, dass es damit noch *res integra* sei. Opf. 7, 275. *Ex iis nutrimur, ex quibus generamur.* Morg. u. Ab. K. 10, 223.

A r i u s nannte das von Gott wesentlich unterschiedene Geschöpf
den Sohn, von dessen Wiederaufhebung der Vater doch nur
lebte. Ferm. 2, 410. Das *punctum saliens* seiner Irrlehre
lag darin, dass er die (materielle) Schöpfung durch eine Ausgeburt des Logos erklären wollte. J. B. Theol. 3, 406. 413.

A r m e u n d R e i c h e können nicht durch Aufhebung des Reichthums und der Armuth gleichgestellt werden, vielmehr wird
durch ein solches Bestreben das Missverhältniss nur immer
unleidlicher. Vermögensl. 6, 130.

A r s n o n h a b e t o s o r e m n i s i i g n o r a n t e m. Spec. Dogm.
8, 217. Religionsphil. 1, 323. 331 u. sonst.

A r t i g k e i t, Höflichkeit. Rel. Erot. 4, 192.

A r z t, A r z n e i, A r z n e i w i s s e n s c h a f t. Der Arzt soll Gewissen haben. Tageb. 11, 9. Die Aerzte haben den Heilungs-
process im Magnetismus und in den christlichen Urkunden
(Heiland) zu beachten. Sie können nur durch den Magnetismus
aus dem wüsten materiellen Traume (der gewöhnlichen Arzneiwissenschaft) erweckt werden. Das Nacht- und Tageslicht (Magnetismus und Religion) haben grosse Bedeutung für sie. Ekst.
4, 14. 26 Anm. 39. Inn. Sinn 4, 105. Grosse Wichtigkeit
der Homöopathie. Hahnemann. Br. 15, 416. 433. (vgl. 476).
Allopathische und homöopathische Arzneimittel. Aph. 5, 342.
Homöopathie und Alchemie. Br. 15, 503. 588. 591. Die
wahren Principien der Arzneiwissenschaft sind nach Paracelsus
nur noch in den Traditis und Künsten der Quacksalber, Empiriker etc. zu finden. Ferm. 2, 200. Der Begriff der Alche-
miker von der Arznei. Versehens. 4, 378. Wie die Arznei
wirken könne. Opf. 7, 283. Beim Magnetismus erfolgt die
Heilung *per transpositionem*. Br. 15, 316. Arzneigabe,
Sakrament. Antirel. Phil. 2, 474. Arzneiwissenschaft und
Christenthum. Der dermalige Verfall der ersteren durch Materialismus. Br. 15, 504. Theorie der Medicin nach St. Martin. *Des err.* 12, 149. Die zwei Grundirrthümer der Zeit,
welche sich in der Religion finden, finden sich auch in der
Medicin: entweder soll das Heilmittel Alles und das kranke
Organ Nichts oder dieses Alles und jenes Nichts thun. (Brown,

Hegel). Spec. Dogm. 8, 166. Arznei, Amulette (s. o.). Monumente u. s. w. wirken, weil in ihnen die Receptivität für ein Agens fixirt, dieses in ihnen sensibel ist. Antropoph. 4, 235. In jedem Medicament Gerechtigkeit und Gnade. *Nouv. hom.* 12, 235. Ueber eine aus Feuer und Wasser gemischte Medicin, die nicht rechtzeitig gebraucht später immer feuriger wird. J. B. Theol. 3, 363. Die rechtfertigende Kraft der Arznei. Br. 15, 654. Geist = Universalmedicin. *Quar. qu.* 12, 481.

Ascensus, Descensus: Der *Asc.* des Ungrundes (der Freiheit) ist bedingt durch den *Desc.* des Grundes (der Natur) Ferm. 2, 243. Das Aufsteigen ist überall vermittelt durch ein Niedersteigen; aber in Gott sind beide Momente eins, in der Creatur getrennt. Missverständniss der Lehre J. Böhme's hierüber bei Schelling, Hegel, Daumer &c. Elem. Bgr. 14, 37 ff. *Asc. Desc.* = Ausgang, Eingang; freie Bewegung beider. Metast. 4, 151. Jeder *Descensus* ist eine Desintegration, jeder *Ascensus* eine Integration. Spec. Dogm. 9, 208. Der *Ascensus* und *Descensus* ist zu allererst immanent in Gott selbst zu begreifen, sodann secundär im Verhältniss der Creatur zu Gott. *Espr.* 12, 267. Doppelter *Asc.* und *Desc.* in Gott. Ferm. 2, 279. Ausführliches über *Descensus* und *Ascensus* mit Bezug auf Vorrede II. (1, 390 ff.). Br. 15, 486 ff. 489. *Desc.* und *Asc.* Gottes in Bezug auf Creatur durch Vermittelung des Menschen. Jacobsleiter. Spec. Dogm. 8, 290. *Desc.* und *Reascensus* der Liebe Gottes bei der Erlösung und Wiedergeburt. Societ. 14, 107. Alles Gute kommt von Oben herab und will wieder hinauf. Tageb. 11, 41. Bei jeder unserer Productionen (Gedanke, Kunstgebilde, Entschluss) findet ein *Ascensus* statt = Verherrlichung der Idee im Darstellen. Ferm. 2, 257. S. Ausgang, Production.

Asceten, mehrere, setzen irrthümlich die Liebe Gottes und die Liebe der Geschöpfe einander entgegen. Aph. 5, 263. Die Ascetik, ursprünglich heidnisch, wurde erst später *ad majorem Cleri gloriam* ins Christenthum eingeschwärzt. Heg. Phil. 9, 330.

Die Ascetik der Mönche seit dem Ende des 3. Jahrhunderts. Fund. des Christ. 10, 19 ff. Emanc. d. Kath. 10, 62.

Assecuranz, wechselseitige, der Bürger eines Staates. Staatswirthsch. 6, 177 ff.

Assimilationsprocess, chemischer, des Christlichen und des Heidnischen im Staat, unwillkürlich durch die franz. Revolution gefördert. Rel. u. Pol. 6, 26. Assimilation als Bild für die Theilhaftwerdung der göttlichen Natur. Br. 15, 277.

Assistenz, ohne die göttliche — besteht nie die Natur. Rat. mat. Vorst. 3, 293. Assistenz von Oben (Innen) und von Unten (Aussen) zugleich. Spec. Dogm. 9, 138. Assistenz und Resistenz des moralischen Gesetzgebers = dessen executive Macht. Ferm. 2, 434 ff. = innere unmittelbare Erleuchtung, eine Gabe Gottes, worin der Geber selbst gegenwärtig ist. Spec. Dogm. 8, 343. 344. S. Gleichwucht. — Assistenz der Evolution der Societät, als einzige mögliche Contrerevolution. Vermögensl. 6, 128. Franz. Rev. 6, 313. Das Gesetz der Assistenz. Br. 15, 429.

Association: Der Associationstrieb in den ersten Zeiten des Christenthums. Gabe der Sprachen. Spec. Dogm. 8, 326 ff. Die Associationen des Arbeitervolkes in England und Frankreich unter der Leitung von Demagogen. Vermögensl. 6, 131. Nur durch legale Associationen kann man den illegalen begegnen. Ebd. 6, 140. S. Gesellschaft. Die Associationsgesetze der Psychologen nicht ausreichend. Tabl. 12, 167.

Aesthetik (nach Kant): Die Natur bringt Schönes hervor; die Natur in unserem Gemüthe (als Technicismus innerer Stoffumwandlung) bringt ebenfalls Schönes (Anmuthiges) hervor — moralische Güte. Diess muss regulativ für unsere Urtheilskraft sein. Elem.-Phys. 3, 238. Vergl. Begründ. d. Eth. 5, 7 ff. Der Aesthetiker weiset die Reinheit und Einheit der Form, sowie ihre Unreinheit und Uneinheit, lediglich in der bestimmten Configuration ihrer Theile nach. Spec. Dogm. 8, 356. S. Kunst, Dichtkunst, Schönheit.

Astrognosie, Astrologie, Astronomie. Die astrognostische Naturansicht von Paracelsus u. A. (theilweise auch von Schelling) bliidet einen Gegensatz zur herrschenden mechanischen (doch Sternengeist nicht == heil. Geist zu fassen). Spec. Dogm. 9, 54. Die Verkennung der überirdischen Natur der Gestirne ist dem neuern Atheismus verwandt und seine Stütze. Br. 15, 531. Die neuere Astronomie (== Uranographie) und die Bedeutung des Menschen. Saint - Martin, Schelling, Steffens, Schubert. L'hom. 12, 221. Astrognosie und Astronomie verhalten sich wie Geognosie und Geographie (die *Mécaniques célestes* von La Place u. A.). Rat. mat. Vorst. 3, 291. Die alten Astrologen blickten tiefer als unsere neuen Himmelsbeschreiber od. Astronomen. Societ. 14, 94, s. Alchemie. Der Schlüssel zur alten Astrologie (vgl. St. Martin *ministère de l'homme esprit*). Ekst. 4, 37. Die criminelle Astronomie der Alten und die Beziehung des Magnetismus dazu. Br. 15, 382. Die Astrologie und gesammte Physik der Alten beruhte auf der richtigen Idee von der Conformität des universellen Geschehens (in den Gestirnen) mit dem partiellen (in den Gliedmaassen des Individuums). Spec. Dogm. 8, 224 — sowie auf dem Gesetz, dass in leichter beweglichen Regionen früher geschieht, was in schwerer beweglichen später. Div. 4, 71. Die Alten betrachteten alle Gestalten der Elementarkörper als eine Sternenschrift. Ferm. 2, 396. Das Vorsehen ist Vorgeschehen. Constellation. Versehens. 4, 380 ff. Astronomie nach Paracelsus == Lehre von der Imagination (s. d.). Incomp. 4, 305. Ausführlicheres über die Astrologie in 4 Hauptsätzen: Spec. Dogm. 8, 333 ff. Astronomie als Mythendeutung. Heg. Phil. 9, 380. S. Himmel. Constellation.

Astrum, Astralgeist. Astrum (== nichtintelligenter Geist) der Materie; daher physiastrisch (== naturgeistig) nach dem Ausdruck einer Somnambule vom J. 1787. Ekst. 4, 84. (NB. *astique*, nicht *astrique*. Br. 15, 333 ff.) Nach Paracelsus macht die Imagination und das Astrum eine Ehe, was eine *generatio* gibt, und diese ein *opus* als Werk dessen, woran der Mensch glaubt. Incomp. 4, 307. Anm. Astralgeist bei Paracelsus (vgl. Ferm. 2, 286 ff.) == Tincturleib bei J. Böhme == Nervengeist bei der Seherin von Prevorst == Lebensgeister

bei den Alten. Besess. 4, 250. = Sternengeist (Gestirn, Constellation, Idea, Evestrum) im Elementarleib, nach Paracelsus
das Mineral durchwohnend, der Pflanze zugleich innewohnend,
dem Thiere beiwohnend. Ferm. 2, 171. Societ. 14, 94. Wie
sich der Sternengeist zur vierelementischen Mutter verhält, so
verhält sich der bl. Geist zum einen geistigen Element. Studienb.
13, 337. Anm. 377. = Individueller, universeller Astralgeist.
Rapp. 4, 206. Anm. = lebendige Innerlichkeit in der Natur.
Spec. Dogm. 9, 54. = spirituöse Kraft. Einl. 12, 30. =
spirituöse Plastik oder Imagination der nichtintelligenten Natur.
Versehens. 4, 403 ff. = Nachtgeist bei Paracelsus, verschieden
vom göttlichen Geist und vom Evestrum. J. B. Theol. 3, 384.
= Thierbild im Menschen nach dem Fall. Aphor. 5, 256.
S. Weltgeist, Imagination.

Athanasius drei Hypostasen in Gott und deren spätere Erklärung. Morg. u. Ab. Kath. 10, 113. Er legte dem Sohne
eine dreifache Geburt bei. J. B. Theol. 3, 411.

Atheismus, moralischer, oberstes Princip der Kantischen Moral.
Kant's Deduct. 1, 10. Anm. Atheismus und Materialismus der
neuern philosophischen Systeme der atheist. Autonomie von
Kant und Fichte als Leugnung des Vaters, des Deismus als
Leugnung des Sohnes und der materialistisch - pantheistischen
Apotheosirung der Materie und ihres Geistes (Schelling, Hegel)
als Leugnung des heil. Geistes. Antirel. Phil. 2, 443 — 496.
Rel. Phil. 1, 308 ff. Wiss u. Rel. 1, 84. — Die Vorstellung
des Menschen als Selbstzweck ist atheistisch. Nouv. hom.
12, 245. Der Atheist ist ein Gottesmörder (*deicida*) d. h.
ein die Erzeugung des göttlichen Lichtes in seinem Innern
Aufhaltender. Zeitbgr. 2, 58 (81). Die atheistische Philosophie
nimmt zahllose widervernünftige Wunder an. Indiff. 5, 208.
Gottesverneinung = Selbstverneinung. Oeuvr. 12, 451. Atheist =
Theist. Des err. 12, 86. Tabl. 16, 176. Es gibt nur einen
practischen Atheismus = Antitheismus. L'hom. 12, 211. Espr.
12, 269. S. Gott.

Atome, Atomistik, Dynamik. Pyth. Quadr. 3, 249. Die
Atomistik von Saint-Martin verworfen. Einl. 12, 29 ff. Die

Atomistik ist in der Physik, Psychologie und Pneumatik gleich **verwerflich.** Div. 4, 75. Anm. Atome oder Monaden als *ultima pars seu fractio totius* (Abwesenheit des Vielen) sind irrationale Vorstellungen, wogegen Plato u. A. mit Recht das *Unum* = *Totum, cui nulla pars deest* (die Untrennbarkeit des Vielen) gefasst wissen wollten. Log. 1, 317. Das Fundament der Atomistik ist nichtig, weil das Vielfache der empfindbaren Qualitäten eines Objects nicht in eben so viele Objecte hypostasirt werden kann. Wahrh, 1, 112. Die Theorie der Atome ist veranlasst durch die gegenwärtige Constitution des zeitlichen Wesens, weil nämlich dasselbe von seinem Centrum getrennt ist. Zeitbegr. 2, 61 (85). Die Annahme der Atome, *molécules primitives*, bedarf allerdings noch einer Rechtfertigung. Fest. u. Flüss. 3, 185 ff. Die Nichtcontinuität des Flüssigen als innerlich Solvirten kann auch ohne *molécules* bestehen und ist nicht atomistisch zu erklären. Des err. 12, 154. Es lässt sich eine dynamische Erklärung davon aufstellen. Fest. u. Flüss. 3, 192. Anm. Eine Menge von Materien oder Substanzen und die unveränderliche Dauer dieser Menge sind bedenkliche Begriffe. Es gibt nur einzelne Materien, nicht eine allgemeine Materie. Insofern sie aus Grundkräften entsteht und in ihnen besteht (s. Kraft), besteht sie allerdings aus Monaden. Die physikalische Theilbarkeit der Materie ist nicht unendlich. Elem.-phys. 2, 232 ff. Die Atome sind substanzlose (unmaterielle, weil untermaterielle) Differentialien der Materie, welche des Integrators (des allein Form gebenden Lichtes) ermangeln. Besess. 4, 254. Sie sind nicht zu fassen als *molécules*, d. h. als bereits zu materiellen Substanzen integrirt. Spec. Dogm. 9, 56. Nur widersinniger Weise wird denselben Integrität beigelegt. Demokrit, die Neuern. Immaterielle und materielle Atome. Ferm. 2, 279. Die Natur integrirt sich beständig aus immateriellen differentialen Materiewesen, Differentialien (seien es auch *molécules*), und löst sich in sie radical wieder auf. Feuerprocess, chemischer Process. Incomp. 4, 317. Anm. Radicalhäresie der Unzerstörbarkeit der Materie. Versehens. 4, 401. S. Körper, Gas, Auflösung, Durchdringung. Die Atomistik

leugnet den **Z u g** (Attraction) und will ihn als **D r u c k** weg-
erklären. Relig u. Polit. 6, 14 ff. Vgl. Hoffmann's Einleitung
3. Bd. der WW. S. XIII — XXXIV., zum 4. Bd. der WW.
S. I—XX und zum 10. Bd. der WW. S. IX—LXIII.

A t t r a c t i o n, falscher und richtiger Begriff derselben. Solid. Verb.
3, 337. Attraction nicht = Adhäsion und Cohäsion. Hegel
üb. Euch. 7, 252. Dynamische und mechanische Attraction.
Dynam. Beweg. 3, 280. Attraction und Repulsion bei Dreien.
Espr. 12, 291. Attraction z. B. als Zug zum Glauben (s. d.),
das zum Schauen führt, ist eine *actio in distans*. Spec. Dogm.
8, 234. Attraction und Glaube verglichen. Indiff. 5, 221.
Attraction und Repulsion. Ferm. 2, 260. Attraction, Expansion,
Rotation, die drei ersten Naturgestalten J. Böhme's, ausführlich
erklärt. Begründ. d. Eth. 5, 15 ff. Statt des Dualismus:
Attraction, Expansion ist vielmehr der Ternar: Attraction, Im-
pletion, Expansion anzunehmen (Bewunderung, Liebe, Energie
— Wahres, Gutes, Schönes). J. B. Theol. 3, 390. S. Kraft.
A t t r a c t i o n, G r a v i t a t i o n = Schwere (s. d.). Unsere Astro-
nomen seit Newton halten beide für gänzlich einerlei, d. h. verwechseln den Zug mit dem Fall, das Schweben mit dem Sinken,
aus Befangenheit in materialistische Vorstellungen. Die Attraction
ist ein immaterielles nicht übernatürliches Wirken. Rat. mat.
Vorst. 3, 291 ff. Es ist diess eine Verwechselung des wahr-
haft centripetalen Triebes mit der centrifugalen Ohnmacht oder
Schwere. Die Attraction ist im Aeussern dasselbe, was die
Begierde (s. d.), das Verlangen im Innern. Rüge 3, 320. 321.
Die Attraction ist activ, die Schwere passiv, ein Unterschied,
den die Physiologen verkannt haben. Bildungsl. 2, 107. Vgl.
Fest. u. Flüss. 3, 183. 186. Die Attraction der Sonne und
der Erde, nach den Astronomen. J. B. Theol. 3, 393. Anm.
S. Gravitation.

A t t r a c t i v u m   s u i, seine **D i f f e r e n z** mit sich ist zugleich
seine **R e f e r e n z** zu sich. Rüge 3, 322. Anm.

A t t r i b u t e = Organe, Vermögen des Subjects als Vermittlungen
aller Production. Spec. Dogm. 8, 239.

Auctorität, es ist das Problem unserer Zeit, darüber ins Klare
zu kommen. Kath. u. Prot. 1,76. Das Wort stammt bekanntlich, wie Thorel bemerkt, von *auctor*, Urheber, Begründer ab.
Auctorität der Evidenz und Evidenz der Auctorität, der allein
die Vernunft gehorchen kann. Bonald 5, 55. Die Berufung
auf die Auctorität der Vernunft kann nur sein die auf die
Vernunft des Auctors als auf göttliche Weisheit oder Sophia
selbst. Rel. Phil. 1, 169. Anm. Incomp. 4, 319. Anm. Ausführlicheres über ihren Begriff. Aphor. 5, 295. Freiheit der
Intell. 1, 141 ff. Die Verbindlichkeit der Anerkennung einer
Auctorität ist Gegenstand des Wissens und muss daher er-
weisbar und beweisbar sein. Spec. Dogm. 8, 34. Auctorität
nicht aus Stärke noch aus Convention zu erklären. Die Quelle
der Auctorität liegt in Gott. Auctorität kann es nur über
Geringere geben. Des err. 12, 138 ff. Auctorität des Wortes
als Macht (*potestas*, Geist) und ihr Verhältniss zur Gewalt
(*vis*, Natur, als Werkzeug) nach der Lehre des Christenthums.
Zeitschr. Avenir 6, 37. Auctorität der Vernunft nicht in
Einzelnen, sondern nur da, wo mehrere Menschen sich in eine
socialorganische Eineit (Familie, Volk, Gemeinde, Kirche)
formiren, welche Einheit nur durch die Subordination Aller
unter den Logos zu Stande kommt. Freih. d. Intell. 1, 138.
S. Einheit. Nicht die Summe aller nichtselbständigen Ueberzeugungen oder Willen gibt einen selbständigen Gott. Indiff.
5, 196 ff. Auctorität ist das Kriterium der wahren Religion.
Indiff. 5, 204. Unterwerfung unter eine gemeinsame Auctorität
ist das Princip der Gesellschaft. Bonald 5, 93. Primitive,
traditive, sowie innere und äussere Auctorität. Aph. 5, 288.
Anm. Die legitime, positive und negative Function der Auctorität
cuiuscunque ordinis. Aeussere und innere Auctorität. Spec.
Dogm. 8, 319 ff. Die wahre Auctorität ist von aller Stagnation
frei. Solid. Verb. 3, 336. Anm. Legitime oder usurpirte Auctorität
in religiösen Dingen. Indiff. 5, 149. Noch einige erläuternde
Sätze darüber. Indiff. 5, 244 ff. Auctorität ist nicht ein Mensch
dem andern. Trennb. 5, 379. De la Mennais hatte nicht den
richtigen Begriff davon. Auctorität der Tradition, der h. Schrift,

der Wissenschaft. De la Mennais, Parol. 6, 120. Die Opposition dieser drei Auctoritäten in Kirche und Staat. Br. 15, 500 ff. Ihre Wiederversöhnung ist nicht von Rom, sondern von Deutschland aus zu erwarten. Br. 15, 502 vgl. 534. Auctorität einer Doctrin; Gegensatz dazu, ein vom Standpunkte des Menschen aus sich zeigendes Verhältniss zwischen Gott, Mensch, Universum. Spec. Dogm. 8, 268. Die Auctorität der Kirche wird durch den Gebrauch der Speculation in der Religionswissenschaft nicht gefährdet. Auctorität und Speculationsfreiheit sind verträglich, wie Classicität und Genialität (s. d.), wie Moral und Religion. Spec. Dogm. 8, 34 ff. Eine durch die Auctorität begründete Erkenntniss ist nicht unfrei, wie z. B. die mathematische und überhaupt die der sog. exacten Wissenschaften. Religionsphil. 1, 133. Vgl. Wissenschaft, Gesetz.

Aufgabe des Geschöpfes an Gott. Möglichkeit einer zweifachen Nichtaufgabe. Privatvorl. 13, 62. Die freie Selbstaufgabe der Intelligenz an das Unmittelbare ist in dem Falle, dass dieses über jener steht, keine Passivität, sondern reine Thätigkeit. Bonald 5, 46. Vgl. 80. Anm.

Aufheben eines Unmittelbaren, nach Hegel. Dabei ein dreifaches zu unterscheiden: Von dem mir Höhern soll ich mich aufheben lassen, das mir Tiefere soll ich aufheben, beides im Sinne von Bewähren, Begründen etc.; das Böse aber soll ich aufheben d. h. zerstören, entgründen. M. Pasqualis 4, 120. Anm. Deprimirende u. elevirende Aufhebung. Ferm. 2, 299. Zweifache Richtung der Aufhebung: das Subjiciren des a unter b ist eine Erhebung des b als des Nothwendigen. Ebd. 2, 280. Aufheben des Gefühls in den Begriff = Bewahrung. Ebd. 2, 157. Anm. Aufhebung der Mitte = Erlöschen des Lichtes in einer Creatur; damit fällt das Auskommen des wilden Naturfeuers in ihr zusammen. Ebd. 2, 409. Aufheben im Einen, Aufbewahren im Andern: Bestehen durch ein Vergehen. Anthropoph. 4, 229. 230. Aufhebung der Natur im Geist, nicht absolut (Hegel), sondern relativ zu fassen = Erhebung der erstern. Evol. u. Rev. 6, 80. Totale Aufhebung meiner selbst = Hinauf- oder Emporgehobenwerden meiner selbst durch Gott, weil keine Creatur mich ganz in sich aufheben kann. Antirel. Phil. 2, 459. Aufhebung der Glieder in das Ganze und dieses in jene, nicht = Tod. Spec. Dogm. 8, 162. Aufhebung = Scheidung. Je vollendeter die Gliederung, desto höher die Einheit als Geist. Br. 15, 376. Berichtigung des Hegel'-schen Begriffes der Aufhebung. Rat. Theol. 2, 516. Spec. Dogm. 9, 247. Heg. Phil. 9, 299. Vgl. Vermitteln. Einzelnheit.

Aufklärung in Frankreich. Schub. 1,67. Die Quintessenz aller Aufklärung ist die Behauptung, dass die Personificirung des moralischen wie des bürgerlichen Gesetzes eine überflüssige und schädliche Bigotterie sei. Wiss. u. Rel· 1, 85. Falsche Aufklärung = Auctoritäts- und Gottlosigkeit. Aphor. 5, 290. Aufklärungsbemühungen = Obscurantismus. Elembgr. 14, 29. Der Geist der Aufklärerei: sie sucht die 3 Zeugen des Gött-lichen auf Erden (d. h. die physische, die moralische und die positiv-religiöse Zeugschaft) zu trennen und zu entkräften. Was dagegen zu thun sei. Br. 15, 355 ff.

Auflösung, radicale, nach Kant = wahre Durchdringung. Fest. und Flüss. 3, 186. Jede Auflösung hebt sich damit an, dass der aufzulösende Körper die Form des auflösenden annimmt und also aus dem festen Zustande entweder in den tropfbar-flüssigen oder aus diesem in den elastisch-flüssigen übergeht, nicht mit bleibender Form bloss getrennt wird. Dabei ist ein drittes unsichtbares Agens (s. d.) thätig. Fest. und Flüss. 3, 200 ff. Auflösung, der Fundamentalbegriff der Chemie. Spec. Dogm. 9, 55. Anm.

Aufrichtigkeit, innere, mit Bezug auf Godwin. Tageb. 11, 220. Aufrecht und recht, ὀρϑός, Orthodoxie (s. d.), Ortho-sophie d. h. Untrennbarkeit beider und das *sursum corda* ist das Gesetz für sie wie für alle freien Verbindungen. Freih. d. Intell. 1, 141. Indiff. 5, 218. Aphor. 5, 293. Zwiesp. 1, 362.

Auge, materielles: wir wissen nicht, warum wir mit demselben und zuweilen ohne dasselbe sehen. Centr. Sens. 4, 137. Plato (im Alcibiades) vom Auge, das einem andern Auge begegnet (= Gewissen). Kant's Deduct. 1, 10. Geistesauge, nach Plato.

Göttliches Auge, Thierauge, infernales Auge. Verb. d. Wiss.
1, 348. S. Blindheit, Vernunft, Wissen. Ein Auge kann nur
in einem höhern Auge ruhen (Platon). Des err. 12, 84 ff.
Eingerücktwerden eines niedern Auges oder Sehens in ein
höheres. Abbrev. 4, 113. Ein höheres Wesen wohnt einem
niedrigern inne, wenn jenes dieses gleichsam als Auge oder
Spiegel, Leib &c. anzieht, sich in ihm reflectirt, im guten oder
bösen Sinne. Gott findet sich nicht im Sünder. Spec. Dogm.
8, 165. Auge und Raum. Antropoph. 4, 229. Ein Geschöpf, das keinen Augsinn hat, ist nicht finster. Spec.
Dogm. 8, 159. Auge und Leuchtendes. Lettr. 12, 430. Sichfassen des Willens in ein Auge. Espr. 12, 335. Auge und
Sehen: das Centralauge oder Sehen ist Licht vom peripherischen.
Quar. qu. 12, 483.

Augustinus: *Nemo credit nisi volens.* Freib. d. Int. 1, 145
und sonst oft. Ueber die Freiheit des menschlichen Willens
übersetzt von Widmer. Angezeigt (1826) 7, 53. Vgl. Wahrh.
1, 100. Anm. Erklärung des Sacraments. Opf. 7, 393. Ueber
die Benützung der Werke ausserkirchlicher Philosophen. Seg.
u. Fluch 7, 87. Ueber Irrlehrer. Spec. Dogm. 8, 18. Ueber
den Primat. Morg. u. ab. Kath. 10, 183 ff. S. Fortlage.

Ausdehnung der Körper durch die Wärme. Lehrsätze aus der
Thermometrie. Wärmest. 3, 62 ff. Ausdehnungs- und Con-
densationsaction. Pyth. Quadr. 3, 252. ff. Anm. S. Bitterkeit,
Vater — Mutter, Expansion.

Ausdruck des Gedankens. Unterschied von Zeichen und Wort.
Bonald. 5, 85. S. Zeichen.

Ausgang, Eingang. Der Ausgang ist nur des Wieder-
eingangs wegen (Tauler), ausführlich erklärt. Verkörp. 2, 8.
Espr. 12, 263. Vgl. Tabl. 12, 189. Der Aus- und Eingang
Gottes = Mysterium, Offenbarung, Verlauten des stillen Gottes.
Dabei keine bewährende Versuchung. Ferm. 2, 146. Der
erste Ausgang Gottes (= ewige Begierde, Natur) wird nur
durch den ewigen Eingang (= Eingeburt des Sohnes) vermittelt. Ebd. 2, 410. Anm. Ausgang nicht Abgang, Eingang

nicht Zugang. Vgl. Anm. Oeuvr. 12, 457. Vgl. 458. Ausgang und Eingang des Seienden = Suchen und Finden. Vorr.
1, 397 ff. Fund. d. Christ. 10, 29. Ternar von Ausgang,
Eingang, Inneblelben, nicht Dualismus von Subject und Object.
Spec. Dogm. 8, 239. S. *Ascensus.* Vermittelung.

Aeusseres, Inneres s. Inneres, Aeusseres.

Autenrieth, Tübinger Blätter f. Naturwissenschaften (Fall eines
mit Hirnbruch noch lebenden Kindes). M. Pasq. 4, 126. Anm.
Ansichten über Natur- und Seelenleben. Ferm. 2, 174. Er
ist von crassem Chemismus befangen. Br. 15, 279.

Autocratische Kirchenverwaltung nicht primitiv. Kirchenvorst.
5, 403.

Autonomie des Menschen, in neuerer Zeit an die Spitze der
Moral wie der bürgerlichen Gesetzgebung gestellt, ist ein ab-
surder Begriff. Kant's Deduct. 1, 9. Autonomie und Anomie
im Erkennen, Wollen, Wirken = Lehre von der absoluten
Spontaneität des Menschen. Ferm. 2, 176. Autonomie, Heteronomie. Nach ersterer soll das Ich d. h. der Mensch, jedes
vernünftige Wesen = Ich *par excellence,* Grund, Causalität,
natura naturans sein. Elem.-Phys. 3, 212. Das Sich-selber-
Gesetzsein-Wollen führt für die intelligente Creatur nicht
bloss eine Herabsetzung zur improductiven Natur, sondern eine
Verkehrung zur destructiven Unnatur herbei. Ferm. 2, 414.
Autonomie = ethischer Republicanismus. Begründ. d. Eth. 5, 3.
Die Autonomie und Anomie in der Politik sind nur Folgerungen
der abstracten philosophischen Gesetzeslehre. Zwiesp. 1, 371.
Anm. Autonomie, Volkssouveränität, deutscher und französischer
Sansculotismus. Antirel. Phil. 2, 455. Autonomismus und
Liberalismus. Religionsphil. 1, 326 ff. — Die absolute Auto-
nomie fällt nur in Gott und ist ihrem Begriffe nach eine über
dem Gesetze der Freiheit und dem Gesetz der nichtintelligenten
Natur (Sollen und Müssen) stehende höhere Nothwendigkeit
(*necessitas,* nicht *necessitatio*). Franz. Rev. 6, 324.

Axiome = *notiones causae,* nicht *notiones causatae.* Das
Axiom aller Axiome ist die Unmöglichkeit der Nichtexistenz
Gottes. Espr. 12, 265. S. *Dogma.*

B.

Baader, Franz Benedict v. — Sein Leben. Biogr. 15, 25 ff. Seine Vermögensverh. Biogr. 15, 4 u. 101. 123. Br. 15, 397. 414. 436. 442. 471. 484. S. Glasfabrication. Akademiker und geadelt (1808) Biogr. 15, 41. Er kauft 1812 das gräfl. Waldkirchische Gut Schwabing. Biogr. 15, 53. Br. 15, 243. Seine erste Ehe. Biogr. 15, 35. 120. Br. 15, 400. 515. Seine zweite. Biogr. 15, 120. Br. 15, 622 ff. Er hält zu München Vorlesungen über Bergbaukunde (seit 1807). Biogr. 15, 40. Seine Berufung nach Bonn. Br. 15, 399. 401. Seine Anstellung in München, schon bei dem Plan der Errichtung der dortigen Universität (1823) ins Auge gefasst. Br. 15, 395. 397. und wirklich erfolgt (1826). Biogr. 15, 106. Br. 15, 431. 435. Seine ärmliche Besoldung daselbst. Biogr. 15, 106. Br. 15, 443. Sein philosophischer Beruf. Br. 15, 379. 399. 411. 417. 419. 643. 446 &c. Das Ministerialrescript (1838), wornach der Vortrag der Religionsphilosophie von jetzt an bloss Geistlichen gestattet sein soll. Br. 15, 594 ff. Sein Armbruch. Biogr. 15, 62. Br. 15, 277 ff. 281. 299. Seine letzte Krankheit. Br. 15, 662. 672 ff. Biogr. 15, 124 ff. Seine Philosophie. Einl. 12, 39 ff. Seine Schriften. Biogr. 15, 26 ff.

Baader, Clemens Aloys. Lexicon bayerischer Schriftst. Staatswirthsch. 6, 179. Einführ. d. Kunststr. 6, 275. Biogr. 15, 6 ff. Vgl. 27 ff. 41. — **Joseph,** Biogr. 15, 10 ff. Schriften desselben, Einf. d. Kunststr. 6, 275. 285. Sein Brief. Br. 15, 272. Sein Tod 1835. Br. 15, 532.

Baar, *bara* (s. d.), bahren, wahr, Wort. Form oder Maass. 2, 524.

Babel, neues, der Sprach- und Gedankenverwirrung. Bonald 5, 61.

Baco: *Scientia et potentia in idem coincidunt.* Stelle angeführt Tageb. 11, 182 ff. (1789) s. *Scientia. Natura parendo vincitur.* (Stelle in der Anm.) Tageb. 11, 230. Revis. d. Wiss. 10, 263 &c. S. *Imperium. Harmonia luminis naturae* *et gratiae* — *Nunquam aliud Natura et aliud Sapientia dicunt.* Begründ. d. Eth. 5, 3. 5. Seine Methode ist besser, als die St. Martin's. Br. 15, 189. Seine Dreitheilung der Wissenschaft: Geschichte, Poesie, Philosophie. Tageb. 11, 85. 87. Ueber den Nexus des Ohres und Auges. Spec. Dogm. 8, 135. Bacon's Natursinn. Tabl. 12, 172.

Baguette, s. Magnetismus.

Baldamus Brief an Baader (1834). Br. 15, 701.

Balguy, *Discourses on various subjects.* Indiff. 5, 242.

Bandwurm, unmoralischer, dessen *Generatio aequivoca* in der Menschheit. Kant's Deduct. 1, 17 == constitutionell gewordenes Gebrechen, das man nicht sofort aufheben kann, sondern vorerst temperiren muss. Ferm. 2, 212. S. Eingeweidewurm.

Bann, nach biblischem Begriff eine durch eine menschliche That erzeugte bleibende Substanz. Ferm. 2, 220, 343.

Bara, hebr. == dem deutschen **bar** in offenbar, Gebären, Gebärde == schaffen, ins Licht setzen, emporheben, einer Tiefe als Ungründigkeit entheben. Unsterbl. 4, 278 ff. Spec. Dogm. 9, 23. S. Baar.

Barm-(== Warm-)herzigkeit Gottes == Mitleid desselben mit seinen Geschöpfen. Opf. 7, 333. Segen u. Fluch 7, 142. Endl. Geist. 7, 189. Deren goldene Kette von Adam bis Christus. Opf. 7, 338—345. Vgl. 319.

Barometerdruck der Abgeschiedenen auf die Atmosphäre der Irdisch-Lebenden. Leb. 4, 291. Anm.

Barthez, *Nouveaux éléments de la science de l'homme.* Bonald 5, 91.

Basen der antiphlogistischen Theorie lassen sich nicht isolirt darstellen. Fest. u. Fluss. 3, 187.

Basis == Natur, ohne die der Geist nichts vermag. Mit der Wegnahme der schlechten im Menschen muss die Gabe einer guten coincidiren. Ferm. 2, 381.

Bauch, verschieden von **Leib.** 2. Cap. d. Gen. 7, 282. Morg. u. Ab. Kath. 10, 128. Bauchredner, Kopfredner, Herzredner.

Anthropoph. . 4, 224. S. Hellsehen, Somnambulismus. Das Gewissen keine Bauchrednerei. Ferm. 2, 208.

Bauern-, Handwerks- und Kaufmannstand, die Real-bürgerclassen jedes Staates. Staatswirthsch. 6, 169 ff.

Bauhütte, Bau, Baumeister. Zur Bauung des Leibes, sowohl des verweslichen, als des nichtverweslichen, muss der Abgrund und dessen-Aufstörbarkeit das erste Element hergeben. Bildungsl. 2, 103. Bauhütte = irdische Beleibung, deren Verwerfung von Seiten des Materialismus und der ascetischen Affectation. Gnosticismus. Ferm. 2, 288. Das exoterische Leben ist nur Baugerüste für das innere. Verkörperung 2, 8 (S. Ausgang, Eingang). Vergängliche Bauhütte, ewiges Bauwerk. Tempel Salomon's. Blitz, 2, 42. S. Freimaurer. Segen u. Fluch 7, 117. 131. Geistersch. 4, 218. Opf. 7, 281. 287. Versehens. 4, 345. 348 ff. Freie Baumeister müssen zugleich Schwert und Maurerkelle zu führen wissen. Spec. Dogm. 9, 9.

Baum, ein böser vermag keine guten Früchte zu bringen. Spec. Dogm. 8, 132.

Baur, Mythologie. J. B. Theol. 3, 412.

Bautain, *Enseignement de la philosophie en France*. Verh. des Wiss. 1, 339 ff. *Réponse d'un chretien aux paroles d'un croyant. De la Mennais Parol.* 6, 113. Seine Verurtheilung zu Rom. Br. 15, 520.

Becher, Politischer Discurs. Frankf. 1668. Staatsw. 6, 170 ff.

Beck, Friedrich, s. Restauration.

Bedürfniss des Menschen sich erkannt und gewusst zu wissen. Spec. Dogm. 8, 110. Comment. 13, 328.

Befreier, äusserer, ist für einen innerlich entgründeten Mitwirker nothwendig. Antirel. Phil. 2, 407.

Befreiung von zeitlich-irdischen Leiden durch ein tieferes Leiden. Spec. Dogm. 8, 263. Die Befreiung der Intelligenz ist zwar ohne eine gesetzliche Bestimmung und Beschränkung derselben nicht möglich, aber diese letztere genügt doch keineswegs zur Effectuirung jener Befreiung. Rel. Phil. 1, 241.

Begeisterung = Erhebung aus dem sonnenwachen künstlichen Bewusstsein (Schauen, Wirken) in ein geniales, künstlerisches, naturfreies; besonders bei Somnambulen. Ferm. 2, 296. Dichterische, künstlerische u. s. w. Revision der Wiss. 10, 281. Beg. od. Poesie der Sünde = Einwirkung des gefallenen Geistes auf den sich ihm zugänglich machenden (sündigenden) Menschen. Rel. u. Pol. 6, 18.

Begeistung, böse, als sociale Macht *(puissance)* sich im Anfang der franz. Revolution zeigend. Spec. Dogm. 8, 328. 9, 47.

Begierde = Wollen, Bewegung, Nichtruhe, entsteht durch Desintegration und wird erfüllt (befriedigt) durch Integration. So bei der Monas und dem Ternar in Gott, so auch beim zeitlichen Produciren. Spec. Dogm. 8, 255. = Actuose Lust nach realer Erfüllung = Naturanfang. Fund. d. Christ. 10, 30. = Wurzel alles Lebens. Begründ. d. Ethik 5, 15 ff. = Princip der Natur. (S. Feuer, Natur.) Duplicität der Begierde: Finsterbegierde, Lichtbegierde. Creative Macht derselben. Falscher Dualismus des Idealen und Realen. Vollendung des Princips der Natur durch die Idea. Heg. Phil. 9, 303. Begierde oder Attraction (s. d.) als Bewegung des Attrabirenden ist eine *actio in distans* (s. d.) wodurch diese Distanz aufgehoben und der Contact anticipirt wird. So beim Glauben, der nur von der Begierde ausgeht. Spec. Dogm. 8, 213. Active und reactive Begierde = erfüllendes Centrum und zu erfüllende (zu bestimmende) Peripherie. Solid. Verb. 4, 298. Begehrungsvermögen = Bildgebärvermögen. Blitz 2, 45. Anm. Das Begehren hat bereits ein objectives Zeugniss in sich *(non existentia nulla cupido)*. Solid. Verb. 3, 335. — Begierden des Fleisches, in Betreff deren die St. Simonianer, das junge Deutschland und eine Secte in Brüssel zu Rusbroch's Zeiten dem Teufel gegen Christus zu seinem (vorgespiegelten) Rechte helfen wollten. Unsterbl. 4, 273. Anm. S. Lust und Begierde, Wille.

Begriff, Leerheit und Leblosigkeit des Abstracten (eine Wolke anstatt der Juno). Das Entscheidende ist der Wille und seine Wendung zum Guten oder Bösen. Tageb. 11, 94. Begriff,

Gefühl, Vorstellung (s. d.). Ferm. 2, 141 ff. S. Schema,
Symbol, Wärme, Bewunderung. Construction des Begriffs, ab-
weichend von der Hegel'schen: es ist das Eine selber, was
auf verschiedene Weise in mir und im Andern ist. Spec. Dogm.
8, 343. Begriff = Mitte von Aeusserem und Innerem =
Geist als Mitte von Leib und Seele. Ferm. 2, 240, s. Begründung, Beseelung, Bild Gottes. Gemüth = Centrum und Begriff des Denkens und Thuns, Gemüthlosigkeit = Begriff- und
Leblosigkeit. Wahrh. 1, 104 ff. Begriff Gottes als blosses
Sein, blosses Object für uns, ist spinozistisch und abstract.
Dagegen schon Hegel. Wahrh. 1, 109. Begriff Gottes und
Christi, dessen Objectivität und Subjectivität zugleich. Ferm.
2, 374 ff. Die irdische Begreiflichkeit reicht nur bis zur Grenze
unseres Sonnen- und Planetensystems. Ferm. 2, 312. S. Unbegreiflichkeit, Gefühl.

Begründung = Gestaltung. Jede ist dreigliederig, indem ihre
constitutiven Elemente sind: ein Enthaltendes, ein Erfüllendes,
und ein sie beide vereinendes Drittes = Oberes (Inneres),
Mittleres, Unteres (Aeusseres). Ein Wesen ist begründet —
im vollkommenen Dasein —, wenn sein Zeugeprincip (Vater
und Mutter) es erfüllt und enthält — *pater in filio, filius
in matre.* Bildungsl. 2, 106, vgl. Zeitbegr. 2, 82 Anm. ff.
Nur der *Genitus* als der Begriff des Innern und des Aeussern,
des Vaters und der Mutter, erklärt die Offenbarung (oder Begründung) = Formation, Gestaltung, Bestimmung, Erfüllung,
Stellung *(locatio)*, wogegen die Entgründung = Entstellung.
Spec. Dogm. 8, 177 ff. 182. Duplicität oder vielmehr Tripli-
cität der constitutiven Elemente der Begründung: Mann (Geist,
Feuer, Erhabenheit), Weib (Natur, Wasser, Demuth) und die
Union beider (Mercur, Erdprincip, $\female$), Doppelfunction jeder
Begründung, indem sie positiv (gliedernd, organisch) ist durch
und in der Aufhebung eines negativen (nichtorganischen)
Begründungsstrebens. Spec. Dogm. 9, 134—146. Fund. d.
Christ. 10, 34. Begründung = Beleibung löst sich in zwei
Acte auf: Unterordnung (unter Gott) und Erhebung
(über das Natürliche). Zeitbgr. 2, 67 (94) Anm. Begründung

der Existenz == Ingress eines Ungeformten in eine Form. Immanente, emanente Begründung == (äussere und innere) Selbstbegründung und Begründung eines Andern. Form oder Maass 2, 520. Das Begründende einer Existenz ist auch das Leitende der Action dieses Existirenden (mit Beziehung auf die Sprache und die göttliche Hülfe dabei). Bonald 5, 64. Das in sich begründete Sein ist auch nach aussen begründend, das in sich entgründete auch nach aussen entgründend. Privatvorl. 13, 148. Begründendes und Hemmendes einer Evolution, der Freiheit. Ferm. 2, 44. Freih. d. Intell. 1, 141. Begründung und Entgründung einer freigeschaffenen Creatur, Folge der rechten oder unrechten Wahl. Spec. Dogm. 8, 179. 9, 259. Begründung im Erkennen, Wollen, Handeln. Mit ihrem Verlust (beim Verlust der Einfachheit) tritt das Bedürfniss einer hülfreichen Berührung, der Hülfe eines freien Wesens ein. Spec. Dogm. 8, 257. Begründung der Ethik durch die Physik. Schr. (1813). 5, 1 ff.

B e h r e n d's über den Magnetismus. Br. 15, 330.

B e j a h u n g des Lebens geht aus einer doppelten Verneinung hervor. Das Lebendige besteht in Folge eines fortwährend aufgehaltenen Vergehens desselben. Bildungsl. 2, 100.

B e i c h t e, zeugt vom Bedürfniss, erkannt zu werden, beim Verbrecher. Spec. Dogm. 8, 164. == Entgründen des Bösen. Nouv. hom. 12, 245. == Blosslegen der Wurzel (s. d.). Minist. 12, 401. Rel. Erot. 4, 193. Beichte und Gewächs. Besess. 4, 248. Ueber die Ohrenbeichte. Morg. u. Ab. Kath. 10, 122.

B e l e i b u n g, Stätte der Inwohnung == Bleiben, Innebleiben. Blitz 2, 41. == Confirmation der Creation, die sie nur mittelbar erlangt. Spec. Dogm. 8,178. S. Bleiben.

B e m e r k u n g e n, einen Aufsatz über die römisch-katholische u. die griechisch-russische Kirche betreffend. Schr. (1839) 5, 391. vgl. Br. 15, 637.

B e n e d i c t i o n e n s. Segen.

B e n g e l hielt das J. 1836 für kritisch. Br. 15, 308.

B e o b a c h t u n g u n d E x p e r i m e n t in Bezug auf Geistererscheinungen. M. Pasq. 4, 130. Psychisch - physische Beob-

achtungen und Experimente, mit Anwendung auf den innern
Sinn. Inn. Sinn 4, 98. 102. Die Beobachtungs- und Experimentirkunst der Neuern. Incomp. 4, 306.

Beras Anthropologie. Versehens. 4, 334. Anm. Br. 15, 557.

Bergbau, ein Staatsgewerbe. Holzbau 6, 208.

Berger, allgemeine Grundzüge d. Wiss. Versehens. 4, 400.

Bergman's Idee eines allgemeinen Wärmemenstruums. Wärmest.
3, 8.

Berkeley Tageb. 11, 367 ff. v. Osten. Einleit. 12, 9.

Bernhard. S. *Uror* und *Coquor*. In der Hölle brennt nichts, als
der Gott nicht gelassene Wille. Spec. Dogm. 9, 267. Der h.
Geist = Kuss von Vater und Sohn. Espr 12, 291. Odem =
Kuss der Spirirenden. Spec. Dogm. 8, 293.

Berthold von Chiemsee. Versehens. 4, 334.

Berührung, stete, des Schöpfers durch das Geschöpf und des
Geschöpfes durch den Schöpfer. Blitz. 2, 34. Ohne sie gibt
es kein Wirken, kein Erfahren: der Mensch muss immer von
Christus berührt werden und ihn berühren d. h. beten. Zusam.
d. Leb. 2, 26. Nur durch sie d. h. Gemeinschaftsöffnung eines
Freien kann der Gebundene frei werden. Div. 4, 76. Berührung des Todten tödtet, des Lebendigen belebt. Elemphys.
3, 231. Berühren und Rühren s. Angriff.

Beschleunigung in der Mechanik = Genesis der Verselbständigung einer Bewegung. Ferm. 2, 413. S. Bewegung.

Beschneidung, wohl eingesetzt mit Beziehung auf die Verbrechen der Antediluvianer. Opf. 7, 327. S. Antediluvianer.

Beseelung und Begeistung nicht zu vermengen. Begeistigung =
Bedürfniss eines einzelnen Geistes (Lebens), sich mit dem universellen Geist (Leben) in stets offenem Rapport zu halten,
um dieselbe Union des beseelenden und beleibenden Factors
in sich zu erhalten, welche in dem universellen Geist als Begriff derselben besteht. Ferm. 2, 336.

Besessenheit, Bemerkungen bei der Lesung der Geschichte
Besessener neuerer Zeit von J. Kerner. Schr. (1835) 4, 243.
. Phänomen der Besessenheit bei den zwei zusammengewachsenen

Mädchen aus Ungarn. Ferm. 2, 173 vgl. auch Fragm. 4, 56 ff. Besessenheit ist nicht = Erfülltheit, Besitzung nicht = Kraft-erfüllung. Besess. 4, 245. Leibliche, seelische, geistige Be-sessenheit. Besess. 4, 255 ff. Besessenheit, böse Begeistung, wird zwar frei zugelassen, nimmt dann aber ihren Sitz auch in der Natur des Menschen, wesshalb sie mit einem blossen ethischen Imperativ nicht mehr zu heilen ist. Begründ d. Eth. 5, 24 ff.

B e s i t z , der rechtmässige, befreit den Besitzenden und den Be-sessenen (insbesondere mit Bezug auf Vater und Sohn). Bildungsl. 2, 118. Rel. Phil. 1, 282. Der unrechtmässige verletzt den Besitzer und das Besitzthum. Aphor. 5, 283 ff. Vorr. 1, 414. Gemeinsamer *(communio bonorum)*, individueller Besitz (Separa-tismus). M. Pasq. 4, 128 Anm. Ferm. 2, 173. Besitzergreifen durch Nennen, Spendiren des eigenen Geistes bei der Bewegung und Gestaltung fremder Gemüther. Anal. d. Erk. 1, 43.

B e s t a n d , der, des Einen in Dreien ist zu erklären durch den Bestand der Drei in Einem. Pyth. Quadr. 3, 267.

B e s t e h e n d e , das, wird theils durch positiven Angriff, theils durch Unterlassung der Reparatur bekämpft. De la Menn. Par. 6, 112.

B e s t i m m t h e i t , jede = Form (Gesetzlichkeit) einer Handlung, geht unmittelbar nicht vom Handelnden, sondern vom Princip oder von der Stätte aus, in welcher und von welcher aus ge-wirkt wird. Rat. Theol. 2, 501. Die böse Bestimmtheit, nach dem Fall, ist in unser Fleisch und Blut übergegangen. Spec. Dogm. 8, 166.

B e s t i m m u n g = Begründung (s. d.). Revis. d. Wiss. 10, 265. Nach Spinoza = Negation (Verendlichung) eines Positiven (Un-endlichen). Irrthümlichkeit dieser Behauptung. Rüge 3, 325. Anm. Vgl. *Omnis*. Es ist Bestimmung: die Wesen können sich nur bis zu dem Grad erheben, von dem sie herabgestiegen sind. Tabl. 12, 178.

B e w e i s vom Dasein Gottes, der einzig gültige, ist der aus dem Gewissen. Kant's Deduct. 1, 8. Affectirte Versuche eines solchen.

Ferm. 2, 208. Anfangend von Etwas, das nicht Gott ist, sollen sie uns am Ende doch zu Gott führen! Rat. Theol. 2, 499. Alle s. g. Beweise Gottes gehen von einer Gottesleugnerei aus. Spec. Dogm. 9, 34. Alle Gottesbeweise und Gewissensbeweise gehen von Gottes- und Gewissensleugnerei aus. Anthroph. 4, 240. Vgl. Tageb. 11, 59. S. Glauben. Es fragt sich nicht, o b, sondern w e r Gott sei. Indiff. 5, 219. Der Beweis Gottes aus dem Gewissen, d. h. Anerkennen unseres Erkanntseins durch einen Andern, ist oft übersehen. Inn. Sinn 4, 95 ff. Anm. Der Beweis für Gott ist im Menschen, nicht in der äussern Natur zu suchen. Tabl. 12, 191. Der Gottesbeweis aus physischen und leblosen Dingen ist unzureichend, nur der aus dem Menschen genügt. Franz. Revol. 6, 294 ff. L'hom. 12, 225. Espr. 12, 286. S. Axiome. Das Unbewegliche ist das All-bewegende. Espr. 12, 265 ff. — Beweis der Vergangenheit (Geschichte) aus der Gegenwart (Speculation) mit Bezug auf das Erlösungswerk. Erot. Phil. 4, 173 ff. Anm. Versehens. 4, 357. S. Geschichte, Fall, *Data.* — Scheinbeweis s. Mystificationen.

B e w e g u n g. Verschiedenes über ihren Begriff. *Des. err.* 12, 152 ff. Ihr Fundamentalgesetz: Nur das Unbewegliche oder Unbewegte ist das Bewegende. Zeitbgr. 2, 53 (75). Morg. u. Ab. Kath. 10, 192 ff. Aph. 10, 812. (nach Aristoteles und Thomas v. A.). Bewegung in Ruhe (s. d.) und Ruhe in Bewegung bei dem wahrhaft Seienden *(gratus in otio labor),* Form oder Maass 2, 521. Vgl. Leb. 4, 287. Bewegung und Ruhe. *Motus turbidus extra locum natalem. Tabl.* 12, 164. Dauer der Bewegung = Dauer des Nichtwoseins. Br. 15, 177. Bewegung = Ausgang und Eingang. *Espr.* 12, 327 ff. Bewegung und in diesem Sinne auch Zeit findet selbst in der ewigen Präsenz statt. Das wahre Conserviren ist dem Veraltern Wehren. Solid. Verb. 3, 352. Jedes Bewegende ist über dem Bewegten, wie die Seele über dem Organ — jenes trägt, dieses wird getragen. Elem. - Phys. 3, 210. Bewegung geht von der Aufhebung einer Figur (in meiner Imagination) aus und hebt sich wieder in der producirten Figur auf, wie Klang

von einer Klangfigur ausgeht und in einer ähnlichen Klangfigur sich aufhebt, wie Lebendiges aus einem Samen hervor-
und in Samenproduction niedergeht. Bonald 5, 83. Bewegung
entspricht der Figurbeschreibung, wie Stellung der Gestaltung.
Aphor. 5, 260. Bewegung, primitiv ertheilte (in den Geistwesen) und mitgetheilte (in den materiellen Wesen). Das
primitiv Bewegende ist dem Gesetzten absolut unfasslich. Nur
hierdurch der Materialismus zu widerlegen. Met. 4, 160. Anm.
Bewegung und Empfindung, gestaltendes (productives) und
reflectirendes (subjectives) Moment im Sinnorgan. Spec. Dogm.
8, 207. Bewegung $=$ Ortsveränderung. Active, passive Bewegung. Activität des Ortes dabei. Dynamische und mechanische Bewegung. Dynam. Bew. 8, 279. Der in der Mechanik
hergebrachte Ausdruck zur Bezeichnung des Moments der Bewegung oder ihrer Grösse ($MC = mc$) kann auch zur Bezeichnung des Moments jeder (endlichen) Action überhaupt gebraucht
werden. Pyth. Quadr. 3, 251. Alle Bewegungen in der Zeit
sind kreisförmig, spiral (gegen Newton). *Espr.* 12, 339. Eine
unendliche Bewegung in gerader Linie (Newton) ist begrifflos.
Minist. 12, 376. Bewegtwerden, unfreies (Leidenschaft),
freies Bewegungsvermögen. Antirel. Phil. 2, 468. Todte oder
passive (heteronome), freie oder active (autonome) Bewegung.
Elem. - Phys. 8, 307 ff. Freie Bewegung $=$ ihres äussern
Grundes mächtig gewordene und ihren innern Grund in sich
eröffnet habende — so die Bewegung eines Gestirnes im Gegensatz zu einem an die Schwere gebundenen irdischen Körper
(unfreie Bewegung = Fall), nach Hegel. Ferm. 2, 327. Rat.
mat. Vorst. 3, 292 (vgl. Beschleunigung). Bewegung des
Lebens in der Scheinzeit $=$ peripherische Bewegung, welche
letztere, als nicht begründet durch ihr inneres oder eigentliches
Centrum und nicht gehemmt durch die Oeffnung eines anderen
Centrums, für die Scheinzeit charakteristisch ist. Zeitbegr.
2, 53 (75) ff.

Bewunderung und Ehrfurcht, jene auf das Erkenntnissvermögen, diese auf das Begehrungsvermögen, bezüglich, sind
Affecte (s. d.), deren der Mensch in seinem Vermögen, ein

7*

Höheres zu erkennen und zu begehren, fähig ist. Aff. d. Bew. 1, 28. Bewunderung, Quelle der Religion. Espr. 12, 288 ff. Bewunderung und Liebe. Nouv. hom. 12, 235. Nur beim freien Gebrauche des Erkenntnissvermögens findet der (religiöse) Act des Bewunderns statt. Espr. 12, 267. Bewunderungswürdig, erstaunungswürdig. Lettr. 12, 429 vgl. 430. Bewunderung, ein Affect der Intelligenz (vgl. Plat. Theätet. S. 155.) Spec. Dogm. 8, 23. Bewunderung und liebevolle Verehrung bei jeder Erkenntniss eines Höhern. Das *Nil admirari* zu beschränken. Ebd. 8, 237. Bewunderung und Verehrung = Kopf und Herz. Zus. d. Leb. 2, 14. Bewundernde Hochachtung des Wahren und verehrende Liebe desselben. Rel. Phil. 1, 132 ff. Bewundern, Verehren, Gehorchen (sich frei Unterwerfen), ein Ternar nach Saint-Martin. Elementarbegr. 14, 32. Ferm. 2, 176. Bewunderung, Liebe, Energie; der Mensch ist religiös, in dem diese drei eins sind. J. B. Theol. 3, 390. Form oder Maass 2, 531 ff. Man bewundert nur, was man nicht begreift. Franz. Rev. 6, 299. 321. Bewunderung ist der religiöse Grundaffect. Heg. Phil. 9, 359. Das Bedürfniss unserer Seele, zu bewundern, ist nur ihr Bedürfniss, aus der Zeit herauszugeben; Bewundern = einen religiösen Cultus ausüben. Zeitbegr. 2, 56. (78). Anm. Bewunderung des Bewundernswerthen ein Beweis des Wissens, wie Nichtbewunderung des Bewunderungswerthen oder Bewunderung des Nichtbewundernswerthen Beweis der Unwissenheit. Aph. 5, 265. Spinoza hat Bewunderung und Staunen *(stupor)* verwechselt. Revis. d. Wiss. 10, 264. Der Affect der wahren Bewunderung hebt das Erkenntnissvermögen, während Angaffen aus Unverstand es hemmt und niederhält. Anal. d. Erk. 1, 42. Aechte Bewunderung sagt schon die Wahrnehmung des Göttlichen aus. Theor. d. Erk. 1, 51. Auch in Gott ist Bewunderung das Erste. Oeuvr. 12, 459 ff.

Bewusstsein, Ausführlicheres darüber. Tageb. 11, 302 ff. 362 ff. Seliges, natürliches, unseliges Bewusstsein (nach den drei Principien J. Böhme's). Antirel. Phil. 2, 490. Künstliches und künstlerisches Bewusstsein (im passiven und activen Sinne, im

Schauen und Wirken). Das reflectirte (künstliche, unfreie) Bewusstsein tritt erst mit dem Gesetz ein; das unreflectirte = göttliches, geniales. Ferm. 2, 158 Anm. 295. Zwei Momente im Bewusstsein der Creatur (Bewusstsein 1) der Eigenheit oder Freiheit 2) der Einheit mit Gott). Spec. Dogm. 8, 115. Unser Bewusstsein setzt ein anderes bereits fertiges Bewusstsein voraus. Ebend. 9, 109. S. Selbstbewusstsein.

Biene: Trage ich das Bienenweislein bei mir, so sticht mich keine Werkbiene. Rat. mat. Vorst. 3, 296. Br. 15, 271.

Bild, Wort, Gebärde sind nicht durch einander ersetzbar, obwohl sie durch einen natürlichen Nexus verbunden sind. Kein Gedanke ohne Bild — Poësie doppelter Art (vgl. Ferm. 2, 142. Vorstellung, Begriff, Gefühl — auch Wort, Zeichen, Griff). Bonald 5, 83. Man hat nemlich zu unterscheiden ein katoptrisches und ein plastisches Bild, d. h. Spiegelbild und Abbild; jenes steht immer in Zusammenhang mit seinem Original, dieses nicht. Spec. Dogm. 8, 94. Bild oder Form, nur als Function und nicht etwa erstarrt gedacht, ist es, welches die Vermittlung zwischen dem Innern und Aeussern leistet. Jeder Stoff ist zum Bilde seines ihm Höhern geschaffen — so der Mensch zum Bilde Gottes. Ferm. 2, 223. Bild als solches hat jedesmal einen objectiven Character, auch das durch Selbstanschauung gewonnene Ebenbild. Inn. Sinn 4, 95. Das innere lebendige Bild steht in virtuellem Nexus mit dem, dessen Bild es ist, so dass durch jenes sogar auf diesen eine Rückwirkung geäussert werden kann. Inn. Sinn 4, 105. Lebendige Bilder und Anschauungen, im allgemeinen wachen Bewusstsein, in Träumen, im magnetischen Hellsehen, sind Zeichen und Zeugen eines Rapports mit dem, dessen Bild sie sind, auch zur Rückwirkung auf diesen dienend. Ferm. 2, 265 ff. Eine mehrfache Signatur (Bild, Gestalt) liegt der noch unschuldigen Creatur *in potentia* inne, und nur diejenige, welche sie selbst in sich (durch eine That) ausspricht, wird ihr wahrhaft innerlich (während alle übrigen Signaturen dann als verblichene mehr oder minder unwirksam werden). Ferm. 2, 144. Das Innere wohnt unmittelbar seinem Bilde inne und nur mittelst desselben dem

Träger (Wesen). Spec. Dogm. 8, 96. Jedes Bild ist Wesen
dem, dessen Bild es ist und diesem somit subjicirt. Ferm.
2, 315. S. Wesen. Urbild, Nachbild. Einl. 12, 44. Jeder
realen Gestalt liegt eine unreale (wesenlose, aber doch magisch-
wirksame) Gestalt (als Blick, Blitz) zu Grunde. Alim. 14, 460.
— Die vermittelnde Eigenschaft des Bildes in der Natur- und
Gotteslehre. Urternar 7, 35. Vgl. Bild (Erscheinen) und Wahrheit = Frucht und Baum. 2. Cap. d. Gen. 7, 228. Bild =
Name. Theorie d. Erk. 1, 54. Bild = Gedanke oder Plan
eines Werkes; unformirte Präsenz. Adoption des Willens, innere
Formation, schaffende Offenbarung. So auch in Betreff der
göttlichen Weisheit. Tabl. 12, 172. Die höchste Wahrheit hört
nie auf, ihr eignes Bild hervorzubringen. Tabl. 12, 186 ff. —
Glückliche Anwendung von Bildern bei Saint-Martin. Minist.
12, 371.

Bild Gottes, tiefstes Geheimniss in uns. Tageb. 11, 61. Lehre
vom Bilde Gottes im Menschen ausführlich behandelt. Spec.
Dogm. 8, 93—105. 9, 142—152. 197—199. Aphor. 5, 256.
Das Bild Gottes im Menschen steht unter Gott (dem Geist-
gott) und über dem Creaturgeist (auch dem im Menschen
selbst), weil das Inwohnende über dem ihm als Form (Bild,
Hülle) Dienenden steht. Ferm. 2, 224. Bild Gottes = Form
der Seele oder vielmehr = Seele der Seele. Espr. 12, 283.
Die Creatur als solche ist noch nicht das Bild Gottes, aber
der Same dazu ist ihr eingeschaffen. Espr. 12, 347. Jedes
Geistbild, jede lebhafte und geistig substanzirte Idee ist die
lebendige Mitte von zwei Extremen, in deren Einem sie bloss
innerlich und in deren Anderem sie bloss äusserlich vorhanden
ist. Ebd. 2, 268. S. Begriff. Bild Gottes (Ebenbild der Dreiheit) = Idea, göttliche Jungfrau im Menschen, das Weib seiner
Jugend, mit dem sich derselbe hätte vermählen sollen, wogegen
er wirklich sich mit dem Sternen- oder Elementenweibe vermählt hat. Ebd. 2, 418. Das Gottesbild (Idea, Sophia, Jungfrau) im Menschen kommt nur durch einen Subjectionsact von
Seiten der Creatur zu Stande. Dessen Aufgehen setzt im
Menschen eine Scheidung voraus d. h. ein sich Vertiefen

(Occultiren), dem ein Aufsteigen (Manifestwerdung) entspricht.
Spec. Dogm. 8, 291 ff. Bild Gottes als Ueberintelligenz, als
Uebernatur und als Bild des ganzen Gottes, im engern Sinne
allein auf den Menschen bezüglich = Theilhaftsein an der
Sohnschaft Gottes. Triplicität der Geschöpfe: Geister, Naturwesen, Menschen — Himmel, Erde, Jerusalem. Solid. Verb.
4, 299. Versehens. 4, 330 ff. Gottesbild, Weltbild, Höllenbild
im Menschen. Zus. d. Leb. 2, 23. Gottesbild (Lichtbild),
teuflisches Bild (Finsterbild), brutales Bild (Thierbild). Ferm.
2, 339 ff. S. Mensch, Bildung, Gesetz.

Bilderdienst und Christolatrie (Personendienst). Zus. d. Leb.
2, 24 ff.

Bildungs- und Begründungslehre des Lebens. Schr. (1820)
2, 95 ff. Vgl. den Commentar dazu. Br. 15, 353 ff. (Die
Schrift war schon 1815 fertig. Br. 15, 277). — Bildung und
Gestaltung der Natur: die äussere zeitliche (durch die Sonne)
und die innere, ewige (durch das Gottesbild im Menschen)
geschieht wechselseitig und letztere ist die eigentliche bleibende
Frucht der erstern. Begründ. d. Eth. 5, 38 ff. Bildungsgesetze
für psychische und somatische Gebilde. Aliment. 14, 463.

Bildwörter, sinnliche Redensarten in der Bibel und Natur.
Tageb. 11, 156.

Billroth, Vorlesungen über Religionsphil. Franz. Rev. 6, 324.

Binarius, s. Zweizahl.

Bindung und Entbindung der Wärmematerie. Wärmest. 3, 97 ff.
— der luftigen Flüssigkeiten. Ebd. 3, 135 ff. — des Satan's
drei Tage vor dem Tode des Menschen, tausendjähriges Reich.
Fragm. 4, 45.

Birkholz, Universalkatechismus. Pyth. Quadr. 3, 367.

Bitterkeit (Expansionstrieb) = Vater, Herbe (Einschliessungs-
trieb) = Mutter. Zwischen ihnen erzeugt sich der Feuerblitz, und im Feuerblitz das Licht. Studienb. 13, 367.
S. Vater — Mutter.

Blasche, H., dessen Schriften (in der Anm. d. H.). Myst.
Magn. 13, 169. Das Böse im Einklange mit der Weltordnung.
Spec. Dogm. 8, 144. Societ. 14, 69. L'hom. 12, 218.

Blausäure, ein Beweis des geistig Bösen in uns. Br. 15, 299.

Bleiben des christlichen Lehrbegriffs und Perfectibilität alles menschlichen Wissen. Indiff. 5, 203. — Zu einem Bleibenden wird ein inner der Suspension von der Gegenwart (Mitte) Entstandenes, sofern es in die bleibende Mitte gesetzt wird. Ferm. 2, 389. S. Beleiben.

Blick = magische stille Figur. Geheimnissvoller Vitalprocess ihrer Verselbstigung; zwei Principien oder Anfänge der Realisirung der Idee, nach Jac. Böhme. Aliment. 14, 466. 468 ff.

Blicken, Scheinen, Sehen. Ekst. 4, 20. Anm.

Blindheit, constitutive, primitive, anerschaffene, der practischen Vernunft nach Kant; Gegensatz dazu: Erblindung des Geistes-Auges im Menschen, womit eine Wiedererweckung der verlornen Sehkraft vereinbar ist. Kant's Deduct. 1, 4. S. Auge, Vernunft.

Blitz, Vater des Lichts, Schr. (1815) 2, 27 ff. vgl. Br. 15, 255 ff. 267 ff. 271. 280. 287. S. Vater-Sohn-Blitz = Corruscation, Explosion, Schrack d. h. durchdringende Erschütterung, die immer dem Leuchten vorhergeht, aber auch ohne alles Leuchten statthaben kann, und Folge des Contacts zweier sich entgegengesetzter Principien ist, deren Eines das Andere comprimirt oder sich unterordnet. Blitz 2, 31. Anm. Blitz bei der Akme der Spannung: dadurch Wassererzeugung und durch diese Lichterzeugung. Begründ. der Eth. 5, 16. Anm. Blitz in der Elementarnatur und in jeder anderen Natur. Ferm. 2, 239 ff. Seine Bedeutung in der Lehre J. Böhme's. Spec. Dogm. 9, 245. = vierte Naturgestalt nach J. Böhme, *Fons naturae* nach Pythagoras, von den Platonikern mit dem Kreuz im Kreis bezeichnet. Rüge 3, 326. S. Vierzahl. Er ist nothwendig zur Sprengung des finstern magischen Kreises, welcher den Geist des Menschen gefangen hält. Blitz = Aufgang der Freiheit in der Natur. Ferm. 2, 423. In ihm ist die vierfache Scheidung: 1) des Geistes über sich, 2) der Liebe Ens in der Mitte, 3) des Wassergeistes, des ertödteten Feuers, unter sich, 4) der Finsterniss (Phantasei) in sich. Gnadenw. 13, 264 ff. Feuerblitz = schreckender Blitz, Lichtblitz =

freundlicher Blitz. Ebd. 18, 271. Blitz = Schreckensgesicht.
Quar. qu. 12, 491. Durchbrechen des Blitzes oder Durch-
blitzen = Explodiren der Angsthitze d. h. des Gegensatzes,
wobei der Dualismus des Hasses sich in jenen der schaffenden, gebärenden, nährenden Liebe umgestaltet. Blitz 2, 39 ff.
— Blitzesblicke beim Schauen der Wahrheit. Tageb. 11, 88 ff.

Blut, das, steht in einer uns noch unbekannten Verbindung mit
dem Nervensystem und ist die Lebensquelle für die, allgemein
durch das thierische (jedes organische) System vertheilte, Temperatur. Wärmest. 3, 10. Das Blut der Menschen und Thiere,
derselben Erde angehörig, wird von derselben physischen Action
(s. d.) beherrscht. Opf. 7, 308. Auf dem solidarischen Nexus
der Blutseele im Menschengeschlecht, als wirklicher Metempsychose und Metensematose beruht der Begriff der Erbsünde und
der Erbgnade. Aphor. 5, 271. Blutsverwandtschaft bewirkt
in ihrem Wiedererlöschen Lebensgemeinschaft. Leb. 4, 292.
Durch das Vergiessen des frischen Blutes sollte nach dem Glauben der Heiden den Abgeschiedenen (s. d.) jene Naturpotenz
dargeboten werden, mittelst welcher sie sich dem Opfernden zu
manifestiren vermögen. Unsterbl. 4, 271. Anm. Blutvergiessen
und *vis sanguinis ultra mortem.* Versehens. 4, 377. Das
Vergiessen des Blutes der Thiere. Opf. 7, 286. Blutopfer,
Rapport dabei zwischen dem Diesseits und Jenseits, nach Saint-
Martin. Segen und Fluch. 7, 122 ff. Ferm. 2, 270. Blutopfer auf Golgatha, dessen Bedeutung nach Saint-Martin. Unsterbl.
4. 269. Anm. S. Opfer. Blutopfer und Todesstrafe. Ferm. 2,
291. Inneres Blutvergiessen = Hingebung der Seele. Opfer 7,
342. 407. — Blutbräutigam, Erklärung dieses Ausdruckes nach
J. Böhme. Br. 15, 645 ff. — Blut- und Feuertaufe (= Schmerz
der radicalen Tilgung unserer falschen Selbstsucht) kann dem
religiösen Menschen nicht erspart werden. Spec. Dogm. 8, 282.
(S. Wiedergeburt.)

Blutsauger, Herzsauger, blutlos, herzlos, (von bösen,
dämonischen oder rein materiellen Wesen). Eucharist. 7, 6. (18.)
Anm. Zeitbgr. 2, 65 (80). Rel. Erotik 4, 195. Herzblut-

saugende Macht in der Materie. Rat. Theol. 2, 513. S. Unseligkeit, Communion.

Bockshammer, Offenbarung und Theologie. Ferm. 2, 207.

Böhm, Professor in Giesen, Beispiel einer Ahnung, mitgetheilt
nach Jung Stilling's Theorie der Geisterkunde. Abbrev. 4,
110 — 112. Revis. d. Wiss. 10, 277 ff.

Böhme, Jacob, der *philosophus teutonicus*, von Baader zuerst
1812 öffentlich erwähnt. Schub. 1, 69. Der Reformator der
Religionswissenschaft. Ferm. 2, 199 vergl. 196. Der Stifter
der wahrhaft deutschen Physiosophie und Theosophie. Heg. Phil.
9, 304, — ein Mann nicht der Vergangenheit, sondern der
Gegenwart und der Zukunft. Br. 15, 572. — Der Erste, der
den Begriff des Wesens (= Materie) als mit dem des Schweren &c.
zusammenfallend erfasste. Bildungsl. 2, 110, — von dem nur
der nichtpietistische wie pietistische Eigendünkel glaubt, nichts
lernen zu können. Versehens. 4, 351. „Es macht mir wahre
Lust, unsere weltweisen Narren recht oft mit diesem Schuster
zu ärgern." Br. 15, 381. Seine Lilienzeit ist jetzt. Br. 15, 280.
Ihn auch nur *promiscue* zu lesen, ist schon gewinnbringend.
Br. 15, 284. Die hohe Bedeutung seiner Leistungen für eine
tiefere Begründung der Doctrinen des Christenthums. Bedingungen
bei deren erfolgreicher Benutzung, namentlich auch in Bezug
auf Jacob Böhme's Confessionsbornirtheit. Myst. Magn. 13, 161.
Ferm. 2, 367. Segen und Fluch. 7, 7. 78. 116. Privatvorl.
13, 59. Revis. d. Wiss. 10, 272. Seine Zusammenstellung
mit Paracelsus und Kepler. Br. 15, 263., mit Paracelsus und
Saint-Martin. J. B. Theol. 3, 370. Opf. 7, 277. Geistersch.
4, 216 ff. u. s. w. J. Böhme und Paracelsus, die beiden
grössten Naturphilosophen. Br. 15, 482. Ihre Nichtbeachtung
bei Schelling u. a. Neuern in Bezug auf den Verband von
Theismus und Naturalismus. Spec. Dogm. 9, 160. Vergleichung seines Systems mit Neuern, namentlich mit Hegel. Seine
Demuth und Erhabenheit. Ferm. 2, 373—388. (S. Hoffmann's
Anm. Ebd. 385) und 2, 123. Vorred. 1, 397 ff. — Baader
kommen 1809 drei complete Ausgaben seiner Werke zu. Br.
15, 285. Die beste ist die von Uberfeld (1730). Br. 15, 572.

Ueber die englischen Ausgaben desselben. Br. 15, 238. 494 ff. Wie es in Frankreich damit steht. Br. 15, 639. 659. — Baader beabsichtigt 1812 eine neue Ausgabe von J. Böhme's Morgenröthe. Br. 15, 244. 250. 254. 257. Plan einer neuen Ausgabe J. B. im J. 1828—33. Br. 15, 446. 476 ff. 491 — zunächst des Myst. magn. Ebd. 464. Plan einer Herausgabe der Gnadenwahl im J. 1836. Br. 15, 541. und des Myst. magn. Ebd. 569. Neuer Plan einer ausführlichen Erklärung von J. B. Myst. mag. und Gnadenwahl als bezüglich auf das alte und neue Testament im J 1838. Br. 15, 570—584. 655. 688. — Besondere Schriften 1) Ueber J. Böhme's Lehre, aus den hinterlassenen Studienbüchern. 13, 331—392. 2) Erläuternde Anmerkungen zu J. Böhme's Abhandlung über die Gnadenwahl (1832) 13, 237—316. 3) Aus Privatvorlesungen über J. Böhme's Lehre mit besonderer Beziehung auf dessen Schrift von der Gnadenwahl (Sommersemester 1829) 13, 57—158. 4) Vorlesungen über die Lehre J. Böhme, mit besonderer Beziehung auf dessen Schrift: *Mysterium Magnum* (Winter und Frühjahr 1833) 13, 159—236. 5) Vorlesungen über J. Böhme's Theologumena und Philosopheme 3, 357—432. Dieselben werden als eben (1833) der Presse übergeben bezeichnet. Spec. Dogm. 8, 367 (vgl. „Keine meiner Schriften ist dieser an Inhalt gleich." Br. 15, 493 ff.); Ankündigung noch weiterer Vorlesungen darüber (1836). Spec. Dogm. 9, 115. (Vgl. die Anführung von Petöcz: Welt aus Seelen (= Ansicht der Welt. Leipzig 1838 in J. Böhme's Theol. 3, 378). 6) Bruchstück eines Commentars zu J. Böhme's Abhandlung über die Gnadenwahl (1835) 13, 317—330. — Ausserdem mitgetheilte und mit einem Commentar begleitete grössere Stellen aus J. Böhme: z. B. Begr. d. Erb. 5, 12. Bildungsl. 2, 122 ff. Ferm. 2, 147 ff. (vgl. daselbst Hoffmann's Anm. über J. Böhme's vermeintlichen Pantheismus). Ferm. 2, 307 ff. Spec. Dogm. 8, 299. 346. Fund. d. Christ. 10, 38. Myst. Magn. 13, 178 ff. u. s. w. S. die Vorrede Hoffmann's zu Bd. I. S. LXXII ff. Von Osten's Einl. 12, 17 ff. Fechner über ihn. Ebd. 12, 18. Anm.

Bonald, Recension von dessen Schrift: *Recherches philosophiques sur les prémiers objects des connaissances morales.* Schr. (1825) 5, 43 ff. Vgl. Br. 15, 438. 480; Bonald. Aph. 5, 276 ff. Dessen Bemerkungen über Montesquieu. Urs. d. Leicht. 6, 338 ff. Bonald missversteht den Ternar von Central-wirker, Mitwirker, werkzeuglicher Wirker. Spec. Dogm. 8, 251. Anm. 9, 193.

Bonnet, über die Seelenkräfte übers. von Schütz. Tageb. 11, 20.

Borkenkäfer in den Wäldern, Folge schlechter Forstwirth-schaft. Evol. u. Rev. 6, 76.

Böses. Vgl. über den Begriff des guten oder pos. und des böse oder negativ gewordenen endl. Geistes. Schr. (1829) 7, 155. Eine gründliche Theorie des Bösen ist der erste Schritt, um den Bund der Theologie und Philosophie wieder anzuknüpfen. Endl. Geist 7, 156. Die Lehre Kant's von einem radicalen Bösen und die der Naturphilosophen u. A. von dem Bösen == Naturwerdung oder Abfall der Idee von sich sind durchaus verwerfliche Meinungen. Ferm. 2, 286. 344. Leugnung des Bösen ist Leugnung des Todesstachels und des Befreiers davon. Aph. 5, 250. Das Böse ist etwas Mundanes, nicht etwas bloss Menschliches. Wichtigkeit einer Theorie desselben für den Theologen. Spec. Dogm. 8, 228. Das Entstehen und Wesen des Bösen ist irr-thümlich erklärt von Lactantius und Scotus Erigena, richtig dagegen von J. Böhme. Ferm. 2, 382 ff. Daub in s. Judas Ischariot hat zuerst in der neueren Zeit die Bahn zu einer ge-nügenden Theorie des Bösen wieder eröffnet. Spec. Dogm. 9, 80. Elemente zu einer Theorie des Bösen. Urt. 7, 35 ff. Zus. d. Lebens: 2, 18. Starres u. Fliess. 3, 276. Ausführ-licheres über die Theorie des creatürlich Guten und Bösen nach J. Böhme. Spec. Dogm. 8, 141 ff. 146 ff. Privatvorl. 13, 137 ff. Societ. 14, 155 ff. J. B. Theol. 3, 403. Emanc. d. Kath. 10, 70 ff. Schlüssel zum Geheimniss des Urstandes des Bösen. Espr. 12, 388. Das in der Welt vorkommende Böse lässt sich weder von Gott noch von einem neben ihm vorausgesetzten andern Urwesen ableiten, und ebenso wenig hinweglengnen. Dasselbe hat auch nicht seinen Grund in der selbstlosen, sondern

in der intelligenten Creatur, welche die ihr von Gott geschenkte
Gabe nicht fixirend sie verwirkte. Myst. Magn. 13, 175 ff.
Das Böse hat seinen Ursprung nicht in Gott, sondern in geschaffenen intelligenten Wesen. Espr. 12, 277. Die primitive
Entstehung des Bösen. Franz., Rev. 6, 303 ff. Das Böse ist
vor der (primitiven) Welt noch gar nicht vorhanden gewesen,
sondern erst durch, für und in dem Wählenden erzeugt
worden. Spec. Dogm. 8, 178. Das Böse kommt zwar in der
Creatur auf, ist aber weder Creator noch Creatur. Heg. Phil.
9, 318. Das Böse ist nur durch eine freigewollte Scheidung
vom Ewigen entstanden, also selbst nicht ewig; es ist nur in
der Creatur möglich. Der (ewige) Gedanke der Möglichkeit
des Bösen in Gott ist nicht böse. Die Genesis des Bösen.
Des err. 12, 90 ff. Der böse Geist in einer intelligenten Creatur = einem Eingeweidewurm, und die intelligente Creatur
selbst = dem Mutterthier nach Daub. Bildungsl. 2, 103.
Ferm. 2, 251. Das ethisch Böse ist zwar nicht als solches,
wohl aber seine Wurzel in der Natur und Creatur nachzuweisen, als worin es allein als böse Begeistung oder als einzig
und ewig bloss s u b j e c t i v e Idee zu leben vermag. Begründ.
d. Eth. 5, 21 ff. Das Böse existirt nur subjectiv oder als
Wille zu sein, nicht essentiell. *Des err.* 12, 92. *Tabl.*
12, 171. *L'hom.* 12, 206 ff. Der Sitz, nicht der Ursprung
desselben ist in der Materie. Div. 4, 84. 86. Das zuerst
böse gewordene Wesen nicht = Princip. Magik. 12, 533.
Was an dem Verdorbenen wahrhaft noch ist, ist nicht böse.
Seg. u. Fl. 7, 110. Alles Bösesein ist nur Verrückung aus
dem rechten Orte, Versetztheit der Essentien. Spec. Dogm.
8, 165. Opf. 7, 305. Die Geistigkeit und Persönlichkeit des
Bösen verkennen, heisst: ihm Vortheil über uns einräumen.
Crocod. 12, 439. Das Böse ist schneidend gegen das Gute.
L'hom. 12, 224. Von allem Bösen gilt: *Laeta venire Venus &c. L'hom.* 12, 229. Das Böse ist in Lucifer als *Miasma*, im Menschen *per contagium. Tabl.* 12, 169. Die Ursache
des Bösen ist Entzweiung, die der Manifestation der Einheit
nicht dient, sondern sich ihr widersetzt. Ferm. 2, 167. Anm.

Lucifer und Adam wollten, ihr Princip negirend, sich als Princip setzen. Der Gottesleugner ist auch Menschenleugner. Spec. Dogm. 8, 173. Denken, Wollen und Thun mit Rücksicht auf das Böse. Seg. u. Fluch. 7, 184. Anm. Das Böse geschieht eigentlich nie, es bleibt immer zurückgedrängt in das subjective, tantalische, impotente Streben. Bonald. 5, 85 ff. Anm. Freih. d. Intell. 1, 147. Das Böse will mittelst einer andern Stellung eine andere Gestaltung sowohl für sich gewinnen als ausser sich verbreiten. Spec. Dogm. 8, 279. Der böse Geist im Menschen = Unvernunft, Aufhalten der Wahrheit in Ungerechtigkeit und Lüge, ist nicht bloss ein passives Ignoriren, sondern ein positiver, dynamischer und gewaltsamer Act des Gemüthes. Gebr. d. Vern. 1, 37 ff. Das Böse ist nichts Gemeines, nicht Ideelosigkeit, sondern etwas Ungeheures, Ideewidrigkeit. Privatvorl. 13, 73 ff. Das Böse ist nicht bloss Abwesenheit des Guten, nicht bloss Mangel (*finitudo creaturae*), sondern positive Renitenz gegen das Gute (Unterschied von *causa* (s. d.) *mali* oder *morbi* und *natura mali* oder *morbi* = Verbrechen, Gebrechen). Versehens. 4, 345 Anm. Aphor. 5, 260 ff. S. Krankheit. Grösse des Verbrechens, welches die Gottvergessenen und die Gottesempörer gegen Gott begehen. Indiff. 5, 187 ff. Das Böse ist antinatural, weil antitheistisch. *Vis sang.* 4, 429 (vgl. anticreatürlich). Sich wollen ist nicht böse, weil es natürlich ist; denn sowie die Natur entsteht, will sie sich selber und attrahirt sie sich selber; böse aber ist es, wenn das Kind erst o h n e, dann g e g e n den Willen seiner Mutter will. Versehens. 4, 359. Anm. Böse wie gute That bleibt als Substanz und hierauf beruht der biblische Begriff des Bannes (s. d.). Das Böse gewinnt Macht in so fern, als der Mensch nichts dagegen thut. Wahrh. 1, 126. Das Böse ist keine Geschichte, sondern eine Macht. Gebr. d. Vern. 1, 85. Elem.-Phys. 3, 242. Das Böse muss nicht bloss geflohen, sondern auch verfolgt und getödtet werden. Zus. d. Leb. 2, 13. Das Böse fängt mit Energie an und hört mit Schwäche auf; es depotenzirt sich als Bruch durch seine Potenzirung. Spec. Dogm. 8, 192. Es kann nur, nachdem es durch die äussere

Verkörperung gesammelt ist, wieder zerstört werden. Zeitbgr. 2, 62 (86) Anm. Die Erkenntniss oder Theorie des Bösen ist verschieden, **vor**, **in** und **nach** dem von uns begonnenen Conflict mit ihm. Ferm. 2, 281. Es ist kein *cognoscibile* und *concupiscibile* mehr für den, welcher gut gewählt hat. Eben so im umgekehrten Fall das Gute. Spec. Dogm. 9, 19.

B o s h e i t in höchster Steigerung = Widerstreben gegen die erkannte Wahrheit. Ihre Widerlegung ist das Hauptgeschäft der Religionswissenschaft. Spec. Dogm. 8, 81. Lehren der Philosophen über die Möglichkeit ihres Entstehens in der freien Creatur. Das Böse kein blosser Mangel. Spec. Dogm. 8, 148 ff. Primitive Böswilligkeit der Menschen, ein Radicalirrthum unserer Rationalisten. J. B. Theol. 3, 426. 428 ff.

B o s s u e t, der letzte Kirchenlehrer neuerer Zeit. Rel. u. Wiss. 7, 49. Die Trinitätslehre in dessen *élévations sur les mystères*. Elembgr. 14, 32. Societ. 14, 138.

B r a h m a n e n od. B r a m i n e n. Die älteste brahmanische Religions- und Weltanschauung hatte Vieles mit der J. Böhme's gemein. Ferm. 2, 301. Die älteste Lehre der Braminen war nicht phantheistisch, sondern nur die Anerkennung eines Menschlichen in allen Naturerscheinungen ausdrückend. J. B. Theol. 8, 361 ff. In der altindischen Theologie werden Logos und Sophia, das *v e r b e a r c h e t y p e* = *puissance mâle (interieur)*, *soleil* und die *p a r o l e d e v i e* = *puissance femelle (exterieur)*, *lune* als **2** *s a v i t r i* in 1 *être* unterschieden. Ternar von Feuer, Luft und Sonne (Licht). Rel. Phil. 1, 299. Vergl. über M a j a = Sophia, Imagination &c. Spec. Dogm. 8, 277 ff. 9, 182.

B r a t e n w e n d e r = maschinistisches Natursystem. Br. 15, 857.

B r ä u t i g a m u n d B r a u t, ihre Trennung ist das alleinige Leiden, weil jede Lust Zeugungslust ist. Rat. Theol. 2, 504. Anm. An der Fertigung des Brautkleides und des Brautschleiers der Idea (der Realisirung des Ideals), sowie an der Zerstechung des Lügenkleides können Alle nur mit Schmerzen arbeiten. Geistersch. 4, 214. 219.

B r e n n e n, immanentes, der Grundprocess der Natur. Gesicht des brennenden und doch nicht verbrennenden Dornbusches.

Ferm. 2, 390—97. — natürliches, im Menschen seit dem
Sündenfall, welches erst erlöschen muss, damit ein anderes Feuer
in ihm aufgehen könne, zu dessen Oel derselbe einen nothwendigen Bestandtheil herzugeben hat. Ferm. 2, 225 ff.
Dunkeles Brennen (finsteres Feuer), Licht, Blitz zeigen sich
oscillirend, geradlinig, gebrochen und zackig (dreizackig). Blitz
2, 31. S. Speise. (Vergl. Centrum.)

B r e n n e r, Freie Darstellung d. Theologie. Rel. Phil. 1, 224.

B r o d u n d W e i n, die Grundsubstanzen des Lebens, auch nach
der neuern Chemie. Groote's Faust. 7, 45.

B r o w n 's System reducirt sich auf eine Verwechselung des Rausches
mit der Stärke. Elemt.-Phys. 3, 230. Anm. Seine Aufreizungs-
und Deprimirungstheorie erklärt nichts. Nouv. bom. 12, 236.

B r u e y s *Défension du culte chretien.* Opfer 7, 401.

B r u s c h i u s, eine sehr schlechte naturwissenschaftliche Auctorität.
Eisenhütt. 6, 195.

B r u s t - o d. H e r z r e g i o n wurde bei der Schöpfung des Weibes
in zwei Hälften getheilt. 2. Cap. d. Gen. 7, 234.

B u c h s t a b e, G e i s t, der rechte Buchstabe tödtet den e i g e n e n,
nichtrechten Geist (das selbstsüchtige Wissen), um dadurch dem
rechten Geist Bahn zu machen (das wahrhafte Wissen zu
befreien). Ferm. 2, 184 ff. Spec. Dogm. 8, 35. — Unterschied der vollstimmigen, mitlautenden und stummen Buchstaben.
Incomp. 4, 315. (S. Werkzeug, Organ, Princip.) S. Gestus.
Punctation und Lettern in der Naturbetrachtung. Einfl. d. Zeich.
2, 129. Vocale, a, e und i, o und u == Mitte, Höhe, Tiefe.
Heg. Phil. 9, 302. Vocal, Mitlauter == Geistiges, Physisches.
Minist. 12, 378 vgl. Schrift.

B ü f f o n 's Hypothese von einer Sonne ohne Planeten. Minist.
12, 390.

B u l l u s, ein Theologe. J. B. Theol. 3, 410 ff.

B u n d, B ü n d e. Geheimer, revolutionärer Bund auf Lyceen und
Universitäten (um 1824); das geeignete Mittel dagegen nicht
der absolute Rigorismus der politischen Gewalt. Wiss. u. Rel.
1, 85 Anm. Weitverbreitete, theils geheim, theils offenbar
wirkende Bünde haben die dermalige Entzweiung der Religion

und Wissenschaft herbeiführen helfen. Ebd. 1, 88. S. Laster. Positiver organischer Bund zwischen Fürst und Volk verschieden von einer bloss negativen Bürgschaftsanstalt. Zeitschr. Aven. 6, 40. Nothwendigkeit der Errichtung eines christlichen Bundes d. h. einer philosophisch-religiösen Missionsanstalt anstatt der Freimaurer und der Jesuiten. Br. 15, 374 ff. 878 vgl. 319. Bund zwischen dem wahren Priester und wahrhaften Gelehrten und dessen Gegentheil, der Bund des Pfaffen und Sophisten. Freih. d. Intell. 1, 150. Bund zwischen dem Despoten und Pfaffen und Bund zwischen dem freisinnigen Regenten und Priester. Trennb. 5, 380. S. Gesellschaft. Weltstandschaft. Alle Natur- und Gesellschaftsbande sollen zu freien Bünden erhoben werden, worin kein Regieren und kein Regiertwerden stattfindet. Spec. Dogm. 9, 223. Emanc. d. Kath. 10, 58.

Bürger, das Wort abzuleiten von bergen, verbürgen, mit Bezug auf die wechselseitige Bürgschaftsleistung aller Bürger. Vermögensl. 6, 135 ff. Staatswirthsch. 6, 178.

Burke, über den Gesellschaftsvertrag, lehrt, dass Abgeschiedene, Lebende und Ungeborene in einem Socialcontract verbunden sind und bekennt sich damit zum socialen Realismus. Posit. Rechtsbest. 6, 70. Spec. Dogm. 8, 219. Aphor. 5, 269. Er und Görres haben die Jacobiner überschätzt. Aphor. 5, 319.

Büsch Schriften über den Geldumlauf und andere staatswirthschaftliche Gegenstände. Schr. (1802) 6, 181. Staatswirthsch. 6, 174.

Byron in Vergleich mit den englischen und französischen Gottesleugnern. Seg. u. Fluch 7, 154. Vgl. Voltaire.

C.

Cabanis, *Rapport du physique et du moral.* Bonald 5, 79. 91. 105. 108.

Callus am Knochen, Wetterprophet. Ekst. 4, 34 ff.

Calvin's Prädestinationslehre. Privatvorl. 13, 59. J. B. Theol. 3, 428.

Capacität, specifische, für ein gewisses Quantum der Bewegung.

Elém.-Phys. 3, 208. Dieser Ausdruck hat seinen Ursprung dem Transfusionssystem zu verdanken und kann darum nicht beibehalten werden. Pyth. Quadr. 3, 261. Anm.

Capellari, Mauro, Triumph des heil. Stuhles. Morg. und Ab. Kath. 10, 232.

Capital und Zinsen: bei den Opfern der Liebe darf man auf letztere nicht sehen. L'hom. 12, 211.

Cardia, dahin (nicht nach den Bauchnerven) ziehen sich die Sinne und Lebensgeister zurück, während die Sinneswerkzeuge erstarren. Inn. Sinn 4, 100. Das Zurückziehen der Lebensgeister nach der Cardia findet statt beim natürlichen Tode; anders beim gewaltsamen Tode und bei Somnambülen. Ferm. 2, 269.

Caricatur, jede Lüge ist eine Car. der Wahrheit, jedes Verbrechen eine Caricatur der Tugend (mit Bezug auf Menschenopfer). Ferm. 2, 359.

Caro über Saint-Martin. Einl. 12, 50 ff. 70. 109. Anm.

Carriere, M., Hegel und Leo (Allg. Ztg. 1839). Biogr. 15, 124. Heg. Phil. 9, 330 ff.

Cartesius Lehre, dass alle Erkenntniss mit dem Zweifel, nicht mit dem Glauben, beginnen müsse, ist verwerflich und = absoluter Autonomie des Wissens. Spec. Dogm. 8, 15 ff. 203. Solid. Verb. 3, 335 ff. Ihr ist entgegenzustellen, dass in der gemeinsamen Ueberzeugung der Societät die Ueberzeugung des Einzelnen gründet. Indiff. 5, 195 ff. Des Cartesius *Cogito ergo sum.* Spec. Dogm. 8, 339. 9, 33. Verh. d. Wiss. 1, 349 ff. Zwiesp. 1, 370 (vgl. die Anm. d. H. 373). S. *Cogito.* Jeder Philosoph, der mit sich und nicht mit Gott anfängt, legt damit schon den Grund der Gottesleugnerei. Indiff. 5, 195 ff. Spec. Dogm. 8, 339. Cartesius Urheber der Trennung des Naturalismus und Theismus. Heg. Phil. 9, 381. Cartesius geistlose Auffassung der Natur, naturlose Auffassung des Geistes, gottlose Auffassung beider. Solid. Verb. 4, 297 vgl. Begründ. d. Eth. 5, 6. Cartesius und Spinoza. Rev. d. Wiss. 10, 255 ff. „Es ist mein Beruf, dem Cartesianismus in der Philosophie ein Ende zu machen." Br. 15, 643. Vgl. v. Osten Einl. 12,

5. 45. 8. Dualismus. Seine Wirbelhypothese Ahnung der
wahren Grundbewegung der Natur. Minist. 12, 889.
Carus Lehrbuch der vergleichenden Zootomie. Alim. 14, 467.
470. Lehrb. der vergleichenden Zoologie (vgl. Anatomie u. Physio-
logie?). Heg. Phil. 9, 314 ff. System der Physiologie. Ebd. 9, 324.
Cäsar und Tacitus über die Religion der Germanen. Urs. d.
Leicht. 6, 336.
Cäsaropapismus = römische Dictatur. Bemerk. 5, 397.
Zurückweis. 5, 407. Cäsaropapismus und Protestantismus waren
beide nicht der erste oder katholische Christianismus. Trennb.
5, 382 vgl. Br 15, 579. 596. S. Ultramontanismus. Römische
Kirche.
Catechismus romanus über *imago*. Rel. Phil. 1, 260.
Ueber den Unterschied der *christiana philosophia et huius
saeculi sapientia*. Religionsphil. 1, 323. Den Verfassern desselben fehlte bei der Eucharistie der Begriff des *totum in toto,
totum in qualibet parte*. Spec. Dogm. 9, 171. Aber den Begriff der Tinctur haben sie mit Recht ebenso wie Thomas von
Aquin darauf angewandt. Ebd. 9, 117. *Causa sui = fructi-
ficatio et generatio sui*. Geist u. W. 10, 7. Dieser Ausdruck
oder dass das Gute nur von sich seine Macht habe, ist nur
negativ zu nehmen. Des err. 12, 89 ff. Bei *causa sui, cognitio
sui* ist das Wort *causa, cognitio* anders zu fassen, als bei
causa (= factio), cognitio alterius. Rel. Phil. 1, 212. —
Causa morbi, natura morbi (mali) = Urthat, Effect. Des
err. 12, 91. Ferm. 2, 144. Erst wenn diese jene angenommen
hat, wird sie Geist, Leben. Jedes Leben als Geist sucht seinen
Leib. Spec. Dogm. 8, 178. Es sind daher zu unterscheiden: *causa
morbi, natura morbi* und *effectus (spiritus, vita) morbi*.
Spec. Dogm. 8, 131. Societ. 14, 153 ff. S. Böses.
Causalität, s. Ursache.
Cementation, chemische, ein von der Geognosie noch viel zu
wenig beachteter Gestaltungs- und Umgestaltungsprocess, als
anschaulicher Beweis der Durchdringung. Ferm. 2, 298 ff. =
Durchdringende Gasauflösung, ohne eine äusserlich bemerkbare

8*

Zerstörung der Structur und Gestalt des so durchdrungenen
Körpers (Mineralogie, Metallurgie). Einfl. d. Zeich. 2, 120. Anm.

Censur der Schriften Baader's durch einen Stockkantianer. Br.
15, 460. 462.

Central-Landrath in Bayern. Aphor. 5, 866.

Centrum, Central. Centrum (nicht etwa der geometrischen
Figur eines Kreises, sondern vielmehr eines Organismus) bei
J. Böhme immer = Kreis, Einfassung, Grund. Ferm. 2,
164; oder = Mitte und Kreis oder Sphäre. Spec. Dogm.
8, 283 ff.; nicht bloss ein Punkt inner der Peripherie,
sondern überall in der Peripherie (Sphäre, Region) gegenwärtig. Ferm. 2, 427 (Ekst. 4, 23. Anm. Opf. 7, 380.
Anm. Besess. 4, 246. Anm. 247. Rat. Theol. 2, 501. Jedes
Centrum ist wieder Peripheriepunct. L'hom. 12, 211. Es ist
nicht = mathematischer Punct, sondern das zeugende innere
Eine, in Vergleich des Aeussern, Erscheinenden, Vielen (Einzelnen).
Pyth. Quadr. 3, 257; = sich realisirend durch Inwohnung
in seiner Peripherie. Geistersch. 4, 214. = Ausgangspunct
eines Organismus, worin die einzelnen Glieder vorerst noch
ungeschieden (in potentia) liegen = Grund, verschieden von
Ungrund = das esoterisch Eine, das sich erst in das Centrum
involvirt, um sich dann mit und in diesem zu evolviren. Verkörp. 2, 3, nicht als ein in seiner Peripherie Eingeschlossenes
(Gefangenes), sondern als wahre Mitte d. h. frei und nicht
sperrbar, peripherie-frei und nicht-los, zu denken. Ferm. 2, 390,
als Mitte nicht das Innere des Aeussern, sondern das beide
diese in tertio Verbindende und darum subtiler oder kleiner,
als das Subtilste eines Wesens und doch auch grösser, als seine
Ausbreitung. Religionsphil. 1, 326 = Geist einer Region.
Rapp. 4, 3, als Mitte überall das Höhere, und das Centrirte
überall das Niedere. Anal. d. Erk. 1, 42, nicht identisch mit
der Summe seiner Radien (mit Anwendung auf die Basis des
innern Sinnes und Wirkens in Vergleich zur äussern Sinnlichkeit.) Inn. Sinn. 4, 101. Ebenso ist auch Peripherie nicht
im mechanischen, sondern im organischen Sinn zu nehmen.
Die Ruhe des Centrums bedingt die freie Bewegung in der

Peripherie; mit der Nichtruhe (Oeffnung) des erstern tritt eine Hemmung in letzterer ein. Zeitbegr. 2, 53 (75). Elem.-Phys. 3, 210. Wenn ein Wesen als Centrum sich offenbart, geschieht dieses nur durch Setzung einer entsprechenden Peripherie (als Stätte und Grund der Offenbarung). Dem universellen Centrum entspricht eine universelle Peripherie, dem partiellen eine partielle. Das Universelle ist wohl Inbegriff, aber nicht *Summa summarum* alles Partiellen. Opf. 7, 380. Wie Centrum und Peripherie verhalten sich Idee und Natur, Ideales und Reales, Esser und Speise, Feuer und Wasser, Mann und Weib. Solid. Verb. 4, 300. So auch Christus und Kirche = Haupt und Leib; beide erfüllen sich einander, beide sind androgyn. Das *Activum* (Männliche, *Immobile*) liegt nicht allein im Centrum, und das *Reactivum* (Weibliche, *Mobile*) nicht allein in der Peripherie. Versehens. 4, 353. Anm. Hiernach auch die Einverleibung des einzelnen Menschen in den universellen Leib Christi zu verstehen. Spec. Dogm. 9, 283 ff. S. Einzelnheit. Ueber das Natur- und das Lebenscentrum s. Natur. Göttliches Centrum der Menschen, dessen Erniedrigung od. Herabsetzung bei der Menschwerdung zu fassen ist als eine von diesem Centrum herabsteigende Emanation, wodurch es sich zum Organ macht, ohne doch aufzuhören, Centrum zu sein. Zeitbegr. 2, 57 (80). — Centrum des Dreiangels. S. Vierzahl. Das Centralbild im Menschen ist verblichen und in Gottes Wort eingegangen, Opf. 7, 373. (s. Bild). — Die Centraldoctrin aller religiösen Wissenschaft ist jene der Vereinigung Gottes mit der Welt mittelst der Menschwerdung. Rel. Phil. 1, 208. — Die Centralkörper in der Astronomie sind selber unbewegt, alles andere bewegend. Bonald 5, 101. Anm. (s. Bewegung). — Hegel hat die Begrifflosigkeit der (naturwissenschaftlichen) Annahme zweier sich widerstreitender Centralkräfte (seit Newton) gezeigt. Dasselbe gilt von Kant's positiven und negativen Kräften. Rüge 3, 319. Die zwei (drei) Centralkräfte im Himmel, auf der Erde und in der innern seelischen Natur des Menschen construirt. Rüge 3, 321. Dualistische Construction der Centralkräfte. Solid. Verb. 3, 386.

(Kräfte, Widerstreit.) — Centralsinn od. Gemeinsinn, die Vorstellung eines solchen als höchsten (sechsten) Sinnes ist sehr einfältig. Seh. v. Prev. 4, 146. Centralsinn und peripherischer Sinn. Spec. Dogm. 9, 220. Ueber Unterscheidung einer centralen Sensation von einer blossen peripherischen und Unabhängigkeit der erstern von unsern materiellen Sinneswerkzeugen. Sehr. (1828) 4, 133 ff. vgl. Br. 15, 450. — Central- oder universelle Wesen, drei, denen man sich geloben oder verloben (glauben, auf sie sich verlassen) kann. Rat. Theol. 2, 515. — Centralwort, göttliches. Segen u. Fluch 7, 111. vgl. Thomas v. Aquin. Von ihm verschiedene Agenten. Seg. u. Fluch. 7, 112 ff. 117 ff. vgl. Siebenzahl. Zum Centralworte bilden die sich durch Worte manifestirenden Segnungen die Peripherie. Seg. u. Fl. 7, 138.

Centrumflüchtigkeit, Centrumstrebung. Die Centrumflüchtigkeit der Creatur = Zeitflüchtigkeit, Gebundenheit an die Zeit. Das Zeitleben ist nie ohne ein Jenseits und ein Sollen. Seg. u. Fl. 7, 84. Anm. 92. Die Centripetenz des Partiellen erscheint als Centrifugenz des Universellen und umgekehrt. Spec. Dogm. 8, 160. = Die Centrifugalität = Mitteflüchtigkeit = beständiges Ausfahrenwollen über die göttliche Majestät = Hoffart und Fall. Ferm. 2, 409. Die Centrifugal- und Centripetal-Tendenz nicht = Streben aus und nach dem Centrum, sondern Streben, die Mitte zu überfliegen und ihr zu entsinken. Spec. 8, 176. Die Centrifugal- und Centripetalkraft = Ursache und Grund oder genauer, positive und negative Mitte (Grund) der beiden Causalitäten. Spec. Dogm. 9, 229. *Tria juncta in uno.* Ebd. 3, 284. Vgl. Dualismus.

Centrumleerheit und Centrumferne der Materie. Endl. Geist 7, 205 ff.

Cerberus, dreiköpfiger, Symbol der Dreinneinigkeit. Spec. Dogm. 9, 218.

Cerebralsystem und Gangliensystem: eine Versetzung der Seele aus dem Kopf in den Bauch bei magnetischen Erscheinungen kann nicht zugegeben werden. Elet. 4, 419 ff.

Cerinthus. Gegen seinen falschen Spiritualismus hat Johannes den christlichen Begriff der Leiblichkeit vertheidigt. Spec. Dogm. 8, 968. Das cerinthische Unwesen unserer Zeit. Stelle eines alten, beinahe ganz unbekannten Schriftstellers darüber (1816). Br. 15, 297. Cerinthianismus unserer Zeit, theils in moralischen, theils in mystisch-ascetischen Lehren; französische Mystiker, deutsche Antimystiker d. h. Moralisten. Urt. 7, 88. Unsere Cerinthianer und Doketen nehmen in Medicament, Amulet, Monument &c. nur eine Erinnerung, keine reelle Vergegenwärtigung an. Anthropoph. 4, 285. Die Lehre von der schlechthinnigen Unleiblichkeit Gottes ist Rationalismus und Cerinthianismus. Myst. Magn. 13, 196. Strauss lehrt ähnlich wie Cerinth über Christus. Strauss: Leb. Jesu 7, 264 ff. S. Häresie.

Chamisso, Verse über die Sophia. Geistersch. 4, 213 ff.

Chaos und **Hyle** bei den Griechen = Dissemination und Differenz der Unform. Spec. Dogm. 9, 279. 285. Es besteht aus dem Conflict des $+$ und $-$. Br. 15, 177.

Chaptal, über Vervollkommnung der chemischen Künste. Eisenhütt. 6, 195.

Character, mit Bezug auf Güte und Ueberzeugung. Minist. 12, 410.

Charis, Grazie, Charitas. Aph. 5, 348. $\chi\acute{\alpha}\varrho\iota\varsigma$, $\chi\acute{\alpha}\varrho\iota\sigma\tau\varsigma$, $X\varrho\iota\sigma\tau\acute{\varsigma}$. Zus. d. Leb. 2, 22. Anm.

Chemie und **Physiologie,** die neuere, hat noch nicht den Begriff des immanenten Brennens (s. d.) als Grundprocess oder innere Grundbewegung der Natur gefasst, nähert sich ihm aber doch. Ferm. 2, 395 ff. Eine Chemie, die, ohne die Körper aufzulösen, uns ihre wahren Principien kennen lehrt. Des err. 12, 103. Vgl. Alchemie, Paracelsus. Saint-Martin.

Chemnitz, *Examen concilii Tridentini.* Morg. u. Ab. Kath. 10, 168.

Chevireff, Etienne de, Prof. in Moskau, Brief über die russ. Kirche. Morg. u. Ab. Kath. 10, 204 ff. vgl. Br. 15, 607.

Choleraseuche, geistige. Br. 15, 498. Die Krankheit. Ebd. 662 &c.

C h r i s t oder Wiedergeborner d. h. ein ins höhere, gemeinsame
(kosmische, ewige) Leben (des *homme général*) Erweckter.
Ekst. 4, 6. Alle Menschen sind in der Anlage geborene
Christen. Franz. Rev. 6, 300. Die ersten Christen wussten
nichts von einer Inhibition des freien Forschens in religiösen
Dingen. Em. d. Kath. 10, 64.

C h r i s t e n t h u m: die Bedeutung der geschichtlichen Thatsache
darin. Tageb. 11, 115 ff. Ueber das Leben Jesu von Strauss.
7, 259 ff. Pietistische Mystiker und Rationalisten haben es
sich angelegen sein lassen, allen Glauben an das Historische
des Christenthums als nicht bloss überflüssig, sondern auch als
eine unmoralische Christolatrie (Idolatrie) begünstigend unter
den Menschen zu tilgen. Denselben Zweck suchte Strauss auf
wissenschaftlichem Wege zu erreichen. Strauss Leb. Jes. 7, 265.
Ueber die Leugnung der Geschichte in Betreff des Lebens
Jesu. Heg. Phil. 9, 338 ff. Der Glaube an die äussere Geschichte des Christenthums muss durch Einsicht in das Ge-
schehen-m ü s s en derselben gestärkt werden. Spec. Dogm. 9, 16.
Fund. d. Christ. 10, 41 ff. Die ideale, universelle Natur des
Christenthums: es ist die Mitte der Geschichte und muss daher
speculativ erkannt werden im Gegensatz zu einer bloss empirischen (practischen) und abstracten (theoretischen) Erkenntniss desselben. Spec. Dogm. 8, 223 ff. Das Christenthum
eignet sich nicht bloss zu Kinderlehren, sondern auch zu Männer-
lehren. Spec. Dogm. 9, 7. S. Fortwachsen. Das Christenthum = Menschwerdung des moralischen Gesetzes. Ferm. 2,
159. Antirel. Phil. 2, 449. = Religion der Erlösung und Versöhnung in Bezug auf Erkennen, Wollen und Wirken. Franz.
Revol. 6, 305. = Religion der Befreiung des Menschen von
Gott, von sich, von andern Menschen und von der Natur und
Creatur. Ztschr. Aven. 6, 41. Es ist wesentlich Integration
oder Reintegration eines Desintegrirten. Spec. Dogm. 8, 259.
Der Geist desselben ist ein *Esprit d'amour et d'honneur*.
Vermögensl. 6, 134. Seine Radicallehre ist: der Mensch kann
seine Freiheit in Bezug auf andere Menschen und die Natur
nur erlangen und sichern durch Versöhnung mit Gott. De la

Mennais. Par. 6, 113. Die Grundlage des Christenthums ist: Gib von deinem Leben, wenn du Leben empfangen willst. L'hom. 12, 204. Die Dinge des Christenthums sind solche, die beständig in und ausser uns vorgehen. Opf. 7, 305. Der Unbegriff des Christenthums wurzelt in einer aus der platonischen Ideologie geschöpften irrigen dualistischen Ansicht vom Verhalten des Idealen und Realen. Strauss Leb. Jesu. 7, 262. Vgl. Spec. Dogm. 8, 223 ff. Zwischen Christenthum und Welt besteht ein *bellum internecinum*. Indiff. 5, 126. Das Christenthum ist die Ausgleichung von Freiheit und Subordination, Herrschen und Dienen, Wissen und Glauben, im geistlichen und weltlichen Regiment, wie sie ausser dem Christenthum nicht möglich ist. Comment. 13, 329. Auf welche Weise das Christenthum die Societät befreit habe. Freih. d. Intell. 1, 139. Sein Einfluss auf die Societät bei seinem Eintritt zur Zeit der römischen Weltherrschaft. Evol. u. Rev. 6, 92. Christenthum und Völkercultur: nur Christen sind Weltumsegler geworden. L'hom. 12, 210. Die christliche Zeit in Bezug auf Sitten, Gebräuche, Socialinstitute (Galanterie, Frauenachtung &c.) verglichen mit der vorchristlichen. Erot. Phil. 4, 174. Das Christenthum nimmt sich des Schwachen an. Rel. Phil. 1, 307. Der Begriff der christlichen Religion beruht auf der associirenden Macht des Logos als Princips der Sprache. Spec. Dogm. 8, 327. Christenthum als Innungs- und Societätsprincip nach Fr. Schlegel. Vermögensl. 6, 137. Vgl. Bonald 5, 119 ff. Das Christenthum ist bis dahin fast nur in Privat- und Familienverhältnissen durchgedrungen, während es die öffentlichen Verhältnisse z. B. die Civil- und Criminaljustiz noch keineswegs seinem Geiste gemäss umgestaltet hat. Rel. u. Pol. 6, 24. — Kirchengeschichtliches: In Bezug auf das Urchristenthum ist es irrthümlich zu behaupten, dass der Lehrbegriff der Kirche sich lediglich in den drei ersten Jahrhunderten rein erhalten, sodann aber verfälscht und verändert habe. Anz. von Döll. Euch. 7, 64. Frühzeitige üble Einwirkung der Gnostiker auf den Bereich des Christenthum. Fund. d. Christ. 10, 19. Emanc. d. Kath. 10, 61 ff. S. Ascese. Die drei vorzüg-

lichsten Katastrophen der christlichen Societät. Aphorismen 5,
301 ff. Der Verfall des Christenthums in fünf Abstufungen
(Constantin, Gregor VII., Luther, englischer Deismus, französischer
Atheismus). Spec. Dogm. 9, 30. Vgl. Fund. d. Christ. 10, 19. ff.
Emanc. des Kathol. 10, 61 ff. Das Christenthum ist Princip
einer Corporation, Commune, als einer religiösen Weltinnung,
die aber nicht als Monarchie in die Erscheinung treten soll.
Morg. u. Ab. Kath. 10, 105. Corporativer und communaler
Geist des Christenthums. Kirchenvorst. 5, 402. — Mit der
s. g. Reunion der christlichen Confessionen ist es nichts. Relig.
u. Wiss. 7, 52. Ueber die Beschränktheit derselben erheben
die Principien J. Böhme's. Privatvorl. 13, 58. Katholiken und
Protestanten müssen gemeinsame Sache machen gegen die Feinde
(Verächter und Hasser) des Christenthums. Spec. Dogm. 8, 12.

Christenthum, Judenthum und Heidenthum: Bonald
5, 115 ff. Heidenthum und Judenthum. Wahrh. 1, 116. Aph.
10, 293. Der Grundbegriff des Heidenthums: *Homines in
natura quaerentes numen*, der des Christenthums: *Numen in
homine quaerentes*. Tageb. 11, 94. Erschlaffung des Judenthums im nachexilischen und des Christenthums im dermaligen
Zeitalter. Opf. 7, 359. — Ausartung des Judenthums und Heidenthums beim Eintritt des Christenthums; doch würde auch ohne
diess das Christenthum eingetreten sein. Unjudenthum im Judenthum, Unnaturreligion im Heidenthum. J. B. Theol. 3, 359. ff.
Doctrinales Eingehen in das Judenthum und Heidenthum bei den
ältesten Kirchenvätern. J. B. Theol. 3, 362 ff. Die Menschen
müssen dermalen erst wieder zu Heiden und Juden gemacht werden, ehe sie zum Verständniss und zur Würdigung des Christenthums gelangen können. J. B. Theol. 3, 370. Aph. 10, 293.
Im alten Testament ist die eigentliche Wissenschaft (mehr noch,
wie im neuen) vollständig zu finden. Spec. Dogm. 8, 50. Das
Judenthum ist Knospe, das Christenthum Blüthe. Das alte
Testament weist z. B. in seiner Lehre vom Messias auf die
jüdischen Quellen der Religionswissenschaft zurück. Jüdische
Mystik. Spec. Dogm. 8, 301 ff. Jüdische Nationalkirche,

christliche Weltkirche. Siehtb. K. 7, 212. Wer die Erblehre
und das Knechthum im Judenthum verkennt, wird dieselben
auch im Christenthum verkennen. Aph. 5, 262. Das Gesetz
des alten Bundes, nicht die Mythologie des Heidenthums, ist
Basis des Christenthums. Biogr. 15, 115. Vgl. Weltgeist.
Judenthum, Christenthum und ein drittes Höheres, worin beide
verklärt wiederkehren müssen. Mart. Pasq. 4, 118. Die Magie
des Heidenthums und des Judenthums ist durch das Christenthum verstummen gemacht. M. Pasq. 4, 118. S. Judenthum,
- Schrift, Heidenthum, Dionysius Areopagita.

Christophori Theophili systema theologicum mysticum.
Endl. Geist, 7, 162.

Christus, die Lehre von ihm nach Thomas von Aquin. Erläut.
14, 230 ff. Christus, Sohn *(Deus filius*, [s. d.] nicht *Dei
filius)*, Logos $=$ Urform, *εικα'ν* od. Maass ($= 1 \times 1 = 1^2$),
und der aus der Einigung des Vaters und Sohnes ausgehende
Geist ($= 1 \times 1 \times 1 = 1^3$). Form od. Maass 2, 525. Er ist
nur als Menschensohn *Filius Dei* d. h. Sohn des dreieinigen
Gottes. Versehens. 4, 415 ff. Die Incarnation des Christs ist
nicht ausschliessend auf dessen irdische Geburt zu beschränken.
Versehens. 4, 399. In ihm nahm die göttliche Person (der
Logos) die unpersonirte Menschheit od. Natur an. Br. 15, 441.
S. Maria. Er nahm nach dem Falle die Stelle des Menschen
ein. Des err. 12, 97. Er ist Haupt centraliter mit der himm-
lischen Menschheit (Sophia) vermählt und androgyn; an dieser
Vermählung soll in *ultima mediatoris aetate* jedes Glied theil-
nehmen. Versehens. 4, 352 Anm. Als menschgewordener Erlöser der Menschheit ist er zugleich Erstgeborner vor aller
Creatur, das Centralorgan aller Schöpfung. Geist u. W. 10, 9.
S. Wort Gottes, *verbum caro factum.* Nur unter die Erde
sich begebend, konnte er über sie sich erheben. Spec. Dogm.
9, 89. Bedeutung der Auferstehung Christi. Aphor. 5, 350.
Christi Reich (noch vor dem Weltgericht). Br. 15, 259. —
Christus und Kirche als Mann und Weib. 2. Cap. d. Gen.
7, 236. S. Centrum. Christus, der Engel Gottes *par excellence*,

ist erst als Haupt seines Leibes (Gemeinde) auferstanden und kann nur mit uns seine vollständige Auferstehung, die seines Leibes, feiern. Seg. u. Fl. 7, 123. Christus hat seine virtuelle und reale Gegenwart und somit die Formation seiner Kirche jeden Zweien oder Dreien, die sich in seinem Namen verbinden, zugesagt. Zurückweis. 5, 408. Niemand vermag Christus ohne Ihn oder seinen Geist zu erkennen und vor der Welt zu bekennen. Spec. Dogm. 8, 361. Christus, nicht ein blosser Moralprediger; sein Verzeihen. L'hom. 12, 223. Christus, ein *Non-allant*, nicht *Revenant*. Leb. 4, 291. Christus in und ausser uns. Versehens. 4, 379. Die beiden Ultras des Christenthums in Bezug auf die Aeusserlichkeit und Innerlichkeit von Christus, Kirche und Tradition. Spec. Dogm. 8, 186. Der Repräsentant Christi ist nicht zu vermengen mit dessen Surrogat. Zurückweisung 5, 408. — Christolatrie gehört wesentlich zum Christenthum. Rat. Theol. 2, 499. Minist. 12, 420. — Christophobie und Indifferentismus: jene herrschte in der ersten französischen Revolution, dieser jetzt. Evol. u. Rev. 6, 78. Christophobie = Photophobie und Philophobie, Licht- und Liebesscheue der in einen falschen Lebensgeburtsprocess eingegangenen Creatur, entsprechend der Hydrophobie auf physischem Gebiete. Evol. u. Rev. 6, 78 ff. S. Wasserscheu.

Cicero's Erklärung der Religion (de invent. 2, 35). Des err. 12, 138. Tageb. 11, 20. Schub. 1, 69. Zeitsch. Aven. 6, 40. Constit. 6, 46. De la Mennais Parol. 6, 119.

Circulation, inländische, bei den Gewerben zu vermehren. Staatswirthsch. 6, 174. Büsch. 6, 190.

Classen, *Theologia gentilis*. J. B. Theol. 3, 359. 403 Anm.

Classicität s. Genialität.

Claudius. Tageb. 11, 46. 154. 270 &c. Br. 15, 163. 182 &c. Sein Tod (1815). Br. 15, 258. Vgl. ferner Seg. u. Fl. 7, 121. Zeitschr. Aven. 6, 33 u. sonst oft.

Cleasby, Richard. Br. 15, 492. Sein Brief an Baader (1838). Ebd. 494.

Clerus, der katholische, vertheidigt, was er nicht kennt, und der andere bestreitet, was er ebenso wenig versteht. Br. 15, 366. Derselbe kann jetzt so wenig wieder der alleinige Vertreter des Lehrstandes werden, ' wie der Adel der des Wehrstandes. Dagegen eignet er sich zur Advocatie der Proletärs. Biogr. 15, 86. Br. 504. 509. 515. S. Vermögenslose, Katholicismus, Priesterthum.

Clodius Urania 1820. Ferm. 2, 210.

Clouet, Metallurg. Eisenhütt. 6, 198.

Coagulation = Gerinnung, Gegentheil der realisirenden Verdichtung. Espr. 12, 346.

Cölibat und Fasten im höchsten Sinne und nach der urprünglichen Bedeutung = Opfer einer Suspension des normalen Ingresses von Inhalt und Form, Subject und Object &c. Ferm od. Maass 2, 523.

Cogito ergo sum, dafür *cogitor ergo sum* (vgl. Gal. 4, 9. 1 Cor. 13, 12). Sp. D 8, 339. Nouv. hom. 12, 238. Esprit. 12, 324 ff. Ob der Satz: *cogitor ergo sum*, Pantheismus in sich schliesse. Einl. 12, 41 ff. Anm. *Cogitor ergo sum*, weil Alles, was nach dem Ersten ist, nur in Bezug auf dasselbe ist. Minist. 12, 376. S. Cartesius.

Colitur in Patre Deus, sicut in Matre Dei Natura. Solid. Verb. 3, 333.

Combabisirung (nach Kombabus, einem Freund des Seleucus Nicator, Lucian. Dea Syr. 19 ff., so genannt), mit Beziehung auf den scandalösen Vorschlag Weinhold's, Aphor. 5, 280 ff., dann als vermeintliches Mittel, die Keuschheit der Intelligenz zu retten. Ferm. 2, 323. Wiss. u. Rel. 1, 93. Vermögensl. 6, 140. Biogr. 15, 93, sowie auch mit Rücksicht auf Hyperascetik. Ferm. 2, 229. und servil-bigotte Bestrebungen. Siehtb. Kirche 7, 214. Anm. Geistige Selbstcombabisirung der Supranaturalisten durch Aufstellung einer von Gott und Natur verlassenen Moral. Begründ. d. Eth. 5, 19.

Communion der Menschen unter einander ist dreifach, indem es herznährende, herzleerende und herzzehrende Menschen gibt.

Anthropoph. 4, 237. S. Blutsauger. — = *Communio* oder *communicatio naturae* nach Thomas von Aquin und dem *Catechismus Romanus*. Hegel über Euch. 7, 255.

Composition des Katholicismus mit dem Liberalismus nach de la Mennais. De la Mennais Par. 6, 118. S. Zusammengesetztheit.

Concentration des Bösen bis zur angestrengten Persönlichkeits- oder Subjectivitäts-Exertion (Kopf der Schlange) war nothwendig, ehe es zerbrochen werden konnte. Ferm. 2, 424 ff.

Concentrische Sensation im Unterschied von subjectiven Einbildungen. Gesetze dafür in Bezug auf Raum und Zeit. Centr. Sens. 4, 137.

Concept s. verrücken.

Concipere nach Thomas v. Aq. (s. Erläut. 14, 201) vom Erkennen gebraucht. Rel. Phil. 1, 184.

Concordia luminis naturae et gratiae. Spec. Dogm. 9, 161.

Concretheit = Liebebegriff, bedingt durch gegen- und wechselseitiges Aufheben. Ferm. 2, 227.

Condillac, *Homme-Statue* (über die Sprache). Bonald 5, 52, 71.

Condorcet, Gesinnungsgenosse Rousseau's. Ev. u. Rev. 6, 87.

Conflict zwischen Katholicismus und Protestantismus. Kant's Deduct. 1, 21. Kath. u. Prot. 1, 73.

Conformation, Confirmation. Spec. Dogm. 8, 172.

Consequenz der englischen Protestanten. Indiff. 5, 153. Anm.

Conspiration, die, eines höhern und niedrigern Geistes ist keine Confundirung beider. Rel. Phil. 1, 283. Anm. Die Conspirationen der Fabrikherren gegen die Fabrikarbeiter in England. Vermögenslose 6, 135 ff.

Constant, Benjamin, über die Religion. Wahrh. 1, 118. Indiff. 5, 235 ff. (Daselbst seine Schriften in der Anm.) Spec. Dogm. 9, 280. B. Yxcull's Rendezvous mit ihm. Br. 15, 395. 412. 432.

Constellation, Lehren der Alten darüber. Ferm. 2, 266. Die Sternenzeit läuft der Erdenzeit vor. Verschem. 4, 381. Unter-

scheidung eines activen und passiven Gestirns. Ferm. 2, 208.
Die Constellation entspricht als gleichsam unsichtbare Strömung
der ihr als Leib dienenden Configuration, wie Stellung der
Gestaltung und Bewegung der Figurbeschreibung. Aphor. 5, 260.
S. Astrologie.

Constitution: Ueber ein Gebrechen der neuen Constitutionen.
Sch. (1831) 6, 45. — Constitutives Princip des Staates und
seine Surrogate. Erot. Phil. 4, 171. Anm. S. Gesellschaft.

Construction, eigene, bedingt wie in der Mathematik so auch
in der Religion die Erkenntniss. Spec. Dogm. 9, 7. Incomp.
4, 309. Versehens. 4, 389. — Jede Construction Gottes, auch
als dessen Selbsthervorbringung gefasst, ist mit seinem Begriff
unverträglich, Gott ist nur hervorbringend, nicht hervorgebracht.
Ferm. 2, 555. Nur das Gestaltende (das das Sichtbare Hervorbringende) ist auch das Sichtbarmachende. Begründ. d. Etb.
5, 10.

Consumtion, wie dieselbe zu regeln. Staatsw. 6, 174 ff. Consumtion und Production identisch. *L'hom.* 12, 203.

Convertibilität der Schauungs-, Empfindungs- und Wirkungssphäre bei magnetischen Erscheinungen. Versehens. 4, 388. Anm.

Convulsionen erscheinen bei einer Trennung des Mitwirkers
(Organs) vom Princip, wie bei der der Werkzeuge vom Organ.
Ferm. 2, 282.

Coordination, jede, gründet in einer gemeinsamen Subjection.
Spec. Dogm. 8, 111. Coordination und Subordination, Zu-
ordnung und Unterordnung, sind unter sich untrennbar verbunden und bilden zusammen ein Doppelgesetz = Quaternar
(s. d.) = vier Weltgegenden (s. d.), anstatt des Dualismus.
Societ. 14, 104.

Copiren und geniales Produciren in der göttlichen Kunst, Gutes
zu thun. Spec. Dogm. 8, 35.

Coquor dum destituor. (St. Bernhard). *Nouv. hom.* 12, 241.
Spec. Dogm. 9, 254 und sonst oft.

Cornelius herrliche Zeichnungen zu Dante. Br. 15, 452.

Corpora non agunt chemice nisi soluta, mit Beziehung auf die Umbildung des Geistes durch Liebe, wodurch derselbe gleichsam flüssig wird. Starr. u. Fl. 3, 271. Elem.-Phys. 3, 224. 242. Anal. d. Erk. 1, 42. Anm. Einl. d. Zeich. 2, 129. Anm. Ekst. 4, 20. Inn. Sein 4, 101. Heg. Phil. 9, 304 &c. Corporisation = Effect der Conjunction der Sternenkräfte mit den elementaren Kräften. *Minist.* 12, 387. — *Corpus philosophorum* (J. Böhme) = Spiritualisches Wasser von Feuer und Luft. *Minist.* 12, 408.

Corporationen, Stände, Innungen u. s. w. werden vom Christenthum verlangt. Ferm. 2, 289. Corporationsgeist = substanzirende Idee. Mart. Pasqu. 4, 124. Anm. *Esprit de corps.* Sichtb. Kirche. 7, 213. Die Corporationen bilden ein Mittelglied zwischen der Regierung und den Unterthanen: Was den Unterthan gegen die Regierung, das schützt diese gegen jene. Daher ihre Abschaffung Ursache des Despotismus und der Rebellion. Ferm. 2, 288. Der Corporationsgeist kein Kastengeist. Em. d. Kath. 10, 78. Die Einführung einer äussern Macht in die Corporation erweiset sich nicht bloss als Rückgang, sondern als Destruction des corporativen oder Gemeindelebens. Morg. und Ab. Kath. 10, 105. Corporative Gestaltung der Kirche (ohne Pabst). Br. 15, 603. 615. 652. S. Gesellschaft.

Corpuscular- und Molecularphysik, die, unterscheidet nicht die materiell-vermittelte (mechanische) und die materiell-unvermittelte Einwirkung auf die Materie. Incomp. 4, 316. 319.

Corruptio unius generatio alterius. Tageb. 11, 160. S. *destructio.*

Cousin's Nichtphilosophie. Aph. 10, 312. Brief Baader's an ihn. Br. 15, 359.

Crawford. Tageb. 11, 289.

Creation, Creatur s. Schöpfung, Geschöpf.

Credere Deo, in Deum nach Thomas von Aquin (Erläut. 14, 335) unterschieden. Spec. Dogm. 8, 23. S. Glauben. Das Crede des künftigen Jahrhunderts, ob Christianismus oder

Materialismus, der Erlöser oder das Thier? Bonald 5, 79. *Credo, ut intelligam.* (Anselm.) Wiss. u. Rel. 1, 83. S. Glauben.

Credit == Staatskraft, wahrhafte lebendige Substanz, Capital in höherem Sinne. Durch ihn als den Dritten werden die Consumtion und die Production in Wechselwirkung erhalten. Ferm. 2, 397. Wie der öffentliche Credit wieder zu heben ist. Kammern. 6, 224. Ohne Credo kein Credit. Ferm. 2, 181. Dem Creditwesen muss die inländische ständische Basis wieder gegeben werden — *esprit de corps, crédit de corps.* Vermögensl. 6, 133. Das falsche Creditsystem Hauptursache des dermaligen Geldmangels. Br. 15, 485.

Criminalpflicht. Opf. 7, 288. Anm. Etwas zum Nachdenken über Criminaluntersuchungen und Criminaljustiz. Aphor. 5, 359 ff.

Crispation und Materialisirung der Natur. J. B. Theol. 3, 367.

Cubus, der vollendende Terminus aller Zahl. Nombr. 12, 518. == Dritte Potenz des Lebens, Lebenskrone; nur in dieser findet die Vermählung mit der diesem Leben höhern, sie belebenden Natur statt. Bildungsl. 2, 105.

Culminationspunct des Lebens d. h. der seiner Fructification oder Fortpflanzung in Bezug auf Ekstasen der niedrigern Naturen in höhere. Bildungsl. 2, 113 ff.

Cultur, etwas Anderes, als Befriedigung der Wissenssucht und der materiellen Bedürfnisse. Solid. Verb. 4, 301. Der Zweck der Cultur, der moralischen und ächten Aufklärung, ist allein Läuterung, Reinigung und Heilung des innern Auges. Aff. der Bewund. 1, 30. Mangel und Verderbniss der Cultur gleich unnatürlich für den Menschen. Des err. 12, 145.

Cultus, als freie Huldigung und als befreiende Religion. Franz. Revol. 6, 301. Der dermalige sociale Cultus, nicht einem Baum, sondern einer Pyramide vergleichbar. Vermögenslose. Der Zusammenhang von Cultus und Cultur. Aphor. 5, 275. 2. Cap. d. Gen. 7, 2. Opf. 7, 337. Zus. d. Leb. 2, 18. Das Christenthum als Culturprincip. Aph. 5, 310. Die Theorie und Praxis des Cultus ist bedingt durch den innern Sinn. Inn. Sinn 4, 103. Nur, was selber Gemüth hat, kann Gegenstand

des Cultus sein. L'hom. 12, 212. Jeder Gottesdienst kann
nur von Liebe ausgehen und in Bewunderung gründen. Ferm.
2, 337. Der Sinn und Zweck des Cultus ist, uns in unsere
Function als Gottesbild zu restauriren, d. h. Rehabilitation des
Menschen zur effectiven Wiederherstellung des Bundes mit Gott
und mit der ganzen (intelligenten und nichtintelligenten) Natur.
Ferm. 2, 289 ff. 339. Jeder Cultus ist Opfer und jedes Opfer
Cultus. Opf. 7, 276. 296. Der Zweck des Cultus oder Opfers
ist Verklärung der Natur im Geist und des Geistes in Gott.
Opf. 7, 352. Nothwendigkeit des Cultus. Opf. 7, 285. Der
Cultus beginnt mit dem Bedecken des Samens mit Erde (Cultur).
Nouv. hom. 12, 250. Die Abänderungen der primitiven Weise
des Cultus ist schon sehr früh eingetreten. Opfer 7, 401. Cultus
und Orakel &c. beruhen auf einer vorübergehenden oder bleiben-
den Wiederherstellung aus einer niedern in die ursprüngliche
höhere Erkenntnissweise. Spec. Dogm. 8, 234. Cultus der Bewohner des ewigen Jerusalems nach Augustinus. Seg. u. Fluch
7, 145. Anm. Duplicität des Cultus. Verse Lavater's darüber.
Opf. 7, 299. Materialisirter und paganisirter Cultus. Morg. u.
Ab. Kath. 10, 181. Worin das Ungenügende der gewöhnlichen Theorien über Cultus und Sacramente seinen Grund habe.
Spec. Dogm. 8, 269. Ueber den Zusammenhang von Dogma,
Cultus, Moral, s. Dogma.

D.

Daguerre's Lichtzeichnungen und Späth's Gasometrie. Aph.
5, 365.

Damiani († 1072) wirkte für Hebung des Primats. Em. d. Kath.
10, 75.

Da mihi punctum et coelum terramque movebo, mit Bezug
auf die weltüberwindende Macht des Menschen. Des err. 12, 100.
Tabl. 12, 189.

Dämonen, ihr Dienst der älteste aller Götterdienste, erklärt durch
die Einbildungskraft als weibliches Naturvermögen und dessen
Aeusserung im Begehrungsvermögen. Elem.-Phys. 3, 221. Guter

und böser Dämon bei jedem Menschen. Fragm. 4, 45. Der Genius und der Dämon. Privatvorl. 13, 129. S. Schutzengel. Die Dämonen finden draussen d. h. ausser einer materiellen Creatur Qual. Spec. Dogm. 9, 87. Beim Dienst des Dämon kehrt sich das dreifache Verhalten des Menschen zu Gott als Lehrling, Geselle und Meister um. Spec. Dogm. 9, 92. Kakodämonische Erscheinungen im Magnetismus. Fragm. 4, 46 ff. Dämonennamen. Fragm. 4, 52 ff. Ueber die tiefe Fassung des Dämonischen und Infernalen bei Baader. Geistersch. 4, 219 Anm. Hoffm. Das Dämonische im Cultus des Heidenthums. Aph. 5, 262. J. B. Theol. 3, 363.

D a n k, Erkenntlichkeit = Anerkennung des Gebers in der Gabe. Solid. Verb. 4, 302. Anm.

D a n t e über diejenigen, welche zugleich mit der Welt und dem Himmel mäkeln wollen, d. h. die Lauen und Indifferenten. Wahrh. 1, 108. Er gab dem Lucifer im Innersten der Hölle einen Thron von Eis. Geist u. W. 10, 4. Rat. Theol. 2, 513 Anm. Aph. 5, 344. Dante über die Vereinigung der weltlichen und geistlichen Macht in einer Person. Aph. 5, 307. S. Cornelius.

D a p h n e wird in der Vermählung mit dem Sonnengott zur Pflanze. Deutung dieses Mythus. Ferm. 2, 280. Aph. 5, 272. Societ. 14, 84. Daphne und Semele. Myst. Magn. 13, 181.

D a s e i n, Theorie desselben als geoffenbarten oder sich offenbarenden Seins mit Bezug auf Hegel und Schelling. Spec. Dogm. 9, 184 ff. — Dasein eines eigenen Wärmestoffs oder der Wärmematerie. Wärmest. 8, 19 ff.

D a t a creatura datur Deus, dato tempore datur aeternitas, dato spatio datur infinitudo, data materia corruptibili datur materia incorruptibilis (spiritualis). Solid. Verb. 3, 354.

D a u b, Judas Ischariot oder das Böse im Verhältniss zum Guten. 1816. 1818. Randgl. dazu 14, 401—429. Diese Schrift wird oft citirt theils mit Bezug auf die darin vorgetragene Theorie von Zeit und Raum (s. d.). Zeitbgr. 2, 54 (76) vgl. 70.

Div. 4, 69. Anthropoph. 4, 229, theils wegen der darin aufgestellten Lehre von dem übernatürlich und übermenschlich Guten (Christus) und dem unnatürlich und unmenschlich Bösen (Teufel). Ekst. 4, 291. Ferm. 2, 291. Spec. Dogm. 9, 19. 81., mit dem Bemerken, dass Daub später wieder in seine alten Irrthümer zurückgefallen und das Böse auf die Rechnung Gottes geschoben hat. Privatvorl. 13, 137. Spec. Dogm. 8, 189. Seine Beschäftigung mit Hegel's Phänomenologie (1822). Br. 15, 889. Der einzige Theolog unserer Zeit, mit Bezug auf s. *Theologumena* und s. Judas Ischariot. Br. 15, 496 ff. Vgl. noch: Bildungsl. 2, 112. 117. Ferm. 2, 293. Evol. u. Rev. 6, 94. 98. 100 &c.

D a u m e r, seine Schriften, insbesondere die Urgeschichte des Menschengeistes und Andeutung eines Systemes spec. Philosophie. Nürnberg 1831. s. in d. Anm. Hoffmann's zur Spec. Dogm. 9, 81. Vgl. Rel. Phil. 1, 203. Anm. Vorred. 1, 403. Societ. 14, 58. 119. Er drang tiefer als seine Vorgänger in das den Urstand der Zeitwelt betreffende Geheimniss ein. Elem.-Bgr. 10, 38., verfiel aber in einen enormen Missverstand des J. Böhme'schen Begriffes vom *Centrum naturae* (s. d.). Myst. Magnum 13, 194 ff. Br. 15, 521 ff. und stellte eine gnostisch-manichäische Lehre auf von der Natur in Gott als Urcreatur in dem Abfall der Idee von sich. Myst. Magn. 18, 209. vgl. 178. Quar. qu. 12, 486. Heg. Phil. 9, 317. Fund. d. Christ. 10, 47. S. Manichäismus. Perser.

D e b e t u n d C r e d i t d e r L i e b e. Rel. Erot. 4, 184.

D e g e r a n d o, Geschichte der philosophischen Systeme. Bonald, 5, 45. 51. Rel. Phil. 1, 175.

D e i s m u s ist Atheismus, weil ein Gott, der nicht als E r l ö s e r sich bezeugte, kein Gott wäre. Blitz 2, 34. Darstellung des Deismus nach Rousseau und Ausführlicheres zu seiner Widerlegung. Indiff. 5, 140. Das deistische System ausführlich behandelt und widerlegt. Antirel. Phil. 2, 445. 455—476. Eine deistische Trennung zwischen Gott und dem Geschöpf ist so wenig als eine Vereinerleiung beider anzunehmen. Spec. Dogm. 8, 92.

Dekalog, Grundlage des Moralgesetzes. Religionsph. 1, 327 ff.

De la Mennais, s. Indifferentismus (1826). Er und seine Mitarbeiter an der Zeitschrift Avenir verdienen Dank und Hochachtung. Zeitschr. Av. 6, 31. 43. Anm. Elembgr. 14, 29. Ecl. 12, 435. Bemerkungen über de la Mennais *Paroles d' un croyant.* Schr. (1834). 6, 109 ff. (vgl. Bautain). Das Christenthum soll nicht dem Königshasse dienen, wie in den *paroles d' un croyant* verlangt wird. Evol. u. Rev. 6, 97, (vgl. Auctorität). Man hätte in Rom seinen Ehrgeiz besser benutzen können. Br. 15, 500. Rückblick auf de la Mennais in Bezug auf die Widersetzlichkeit des katholischen Clerus in Preussen gegen die Regierung. Schr. (1838). 5, 383. De la Mennais Ultramontanismus. Morg. u. Ab. Kath. 10, 250.

Deleuze Br. 15, 253. Ueber Magnetismus. Paris 1813. Ebd. 302. Ueber Incarnation. Ebd. 360. Ueber St. Martin's Zahlenlehre. Einl. 12, 73.

De Luc, Ideen zur Meteorologie, Briefe &c. Fest. u. Fl. 3, 188. 195.

Demagogen, jetzt grösstentheils bei den Proletairs die Stelle des Priesters als Volkslehrer vertretend. Vermögensl. 6, 135. S. Revolution.

Demokratie, die neueste und schlechteste Form derselben. Aph. 5, 315. Anm. S. Gesellschaft.

Demuth = Tiefmuth, Sinken, als mit dem Aufgang des Lichtes, der Herrlichkeit, zusammenfallend, in der innern Region dasselbe, was die Wassererzeugung in der äussern. Bitz 2, 42 = Bedingung der vollendenden Leibwerdung. Privatvorl. 13, 137. Demuth und Erhabenheit s. Androgyne, Liebe. Demuth und Glaube. Nouv. hom. 12, 251.

Denken, in ihm ist der Mensch mit der Wahrheit selber in thätigem Verkehr (*cogitare* = Bezwingung der Endlichkeit durch den wahrhaften Gedanken). Spec. Dogm. 8, 36. Denken (*cogitare*, dichten, verdichten) = das in Eins sich sammelnde Vermögen. Br. 15, 849. Denken des Menschen, kein Erdenken (s. d.), sondern Nachdenken. Ferm. 2, 328. Die Bewegungsursache der Gedanken des Menschen gehört nicht ihm. Tabl.

12, 167. Macht mich etwas denken, so bewegt es mich;
denke ich etwas, so bewege ich es. Spec. Dogm. 8, 271.
Blosses Denken einer Leidenschaft befreit uns nicht von ihr.
Kant's Deduct. 1, 18. Denken und Fühlen, guter, schlechter
Affect (s. d.) beim Denken. Aph. 5, 282. Denken und Em-
pfinden sind nicht zu vereinerleien. Ausführlicheres über
Imagination, Verständniss, Gefühl. Bonald 5, 83 ff. S. Geistes-
abwesenheit. Nicht von einer Identität des Denkens und Seins,
sondern von einer Identität der denkenden und schaffenden
Kraft in Gott sollte man sprechen. Tabl. 12, 177. Denken,
Wollen, Wirken = Centralwirken, Mitwirken, werkzeugliches
Wirken. Seg. u. Fl. 7, 149. Denken, Sprechen, Wirken, ein
dreieinfacher Act. Spec. Dogm. 8, 135. Tabl. 12, 164. Denken,
Sprechen, Thun, entsprechend: Schrift, Stimme, Gegenwart.
Versehens. 4, 391. Anm. (Vgl. Wort, Zeichen, Griff). —
Dreizahl. Erkenntnisslehre.

Derivation, Begriff ders. Opfer 7, 282, 284. 309 ff. Sie
findet statt zum Behuf der Integration. Stellen Jesaja c. 53
und c. 1. Derivation bei Opfern. Opf. 7, 356 ff. Auch beim
Heilen. Der Heiland nimmt unsere Schuld auf sich, nachgewiesen an dem Gleichniss der Electricität. Spec. Dogm. 8,
169. Derivation und Transposition beim Opfer. Zusamm. d.
Leb. 2, 11; insbesondere beim Opfer Christi. Opfer 7, 363.
S. Magnetismus, Opfer.

Desiderium sui (des Werkmeisters) sollten alle Werke des
Menschen zurücklassen. Tabl. 12, 183.

Desintegrität des Menschen, eine Frage der Anthropologie,
wie die Materialisirung der Natur eine Frage der Physiologie.
Spec. Dogm. 8, 250. = Nichteinfachheit, Zusammengesetztheit
(s. d.) = Versetztheit, Dislocation, Desordre. Form oder
Maass 2, 533.

Desorganisation bei Magnetischen = Bewusstsein von der
Umgebung ohne Vermittlung der sonst hiezu dienenden Körper-
organe. Ekst. 4, 2. S. Magnetismus = Dematerialisation der
Natur, nicht Naturlosigkeit. J. B. Theol. 3, 369. — Jede

Kränkung des Creaturlebens, jede Unfreiheit desselben wurzelt in seiner Desorganisation. Ferm. 2, 287.

Despotie und Sclaverei, alle wahre, geht aus der Sünde (Irreligiosität) hervor. Nur Erlösung von Sünde kann also auch Erlösung von ersteren bringen. Das Problem der Gesellschaft kann nicht ohne Religion gelöst werden. Relig. u. Polit. 6, 18. Sie sind antichristisch. Ebd. 6, 20. Despotenlust, Sclavenlust = Hoffart, Niederträchtigkeit (s. Androgyne). Die Schlangenkrümme jeder Sünde ist nur durch die Diagonale dieser zu construiren. Zeitsch. Av. 6, 33. — Identität von Despotismus und Revolutionismus. Aph. 5, 290. Zweck der Despotie Verstärkung der materiell-sinnlichen Bande und intellectuellen Privation. Magik. 12, 536. S. Gesellschaft.

Destructio unius constructio alterius = divide (solve) et coagula, coagula et solve (alte Regel der Aerzte) = *divide et impera* (Regel der Politiker) — hier angewandt auf die Aufhebung einer Concretheit zu einer Abstraction durch Herstellung einer andern Concretheit. Spec. Dogm. 8, 353. Espr. 12, 287 und sonst oft mit wechselnder Anwendung.

Determinatio est positio. Des err. 12, 89. Der sich Determinirende unterscheidet sich von sich als Determinablen. Daher keine Selbstbestimmung ohne Wahl. Ebd. 12, 100. S. *Omnia.*

Deus est sphaera, cuius centrum ubique, circumferentia nusquam. Tageb. 11, 371. Spec. Dogm. 8, 283 &c. *Deus nec creaturae miscibilis, nec separabilis a creatura.* Rel. Phil. 1, 205. *Deus est in se, fit in creaturis* (Erigena). Ferm. 2, 145. — Ein irriger Satz in der deutschen Theologie. Br. 15, 447. *Deus scitur, non creditur* (s. *Credere*). Minist. 12, 372. *Deus non potest (vult) se negare (se non manifestare).* Ferm. 2, 209. 245. Tabl. 12, 163. *Deus est mortali juvans mortalem* (Plinius). Freib. d. Intell. 1, 144. Solid. Verb. 8, 344. Des err. 12, 136. *Deus (spiritus) creaturam (naturam) intelligit; creatura (natura) Deum (Spiritum) sentit.* Espr. 12, 286. *Deus Sermo* bei Indern und Persern. Gott selbst ist im redenden Wort des Verstandes = sensualische Sprache. Ferm. 2, 384. S. *Credere.*

Deutinger, das Princip der neuern Philosophie. Minist. 12, 380. Anm.

Deutsche Theologie d. i. edles Büchlein vom rechten Verstande, was Adam und Christus sei, und wie Adam und Christus sei und wie Adam in uns sterben und Christus erstehen soll. Herausgegeben von Grell. 1817. Randgl. 14, 448 ff. Ausführlich beurtheilt. Spec. Dogm. 9, 70 ff. Angeführt. Ebd. 9, 42. –uiq ff. Begründ. d. Ethik 5, 22 Anm. Revis. d. Wiss. 10, 258 Anm. und sonst oft.

Deutschland. Ueber die Ursachen der Leichtigkeit, mit welcher die Germanen die christliche Religion annahmen. Schr. (1825) 6, 328 ff. Das Reich des Mittelalters. Societ. 14, 115. Die deutsche Reichs- und Rechtsverfassung, ein hohes Völker-Rechtsgeschwornengericht. Posit. Rechtsbest. 6, 64. S. *Duobus litigantibus*. Nur von Deutschland kann die Restauration in Religion, Wissenschaft und Kunst ausgehen; denn wo das Feuer auskam, muss es auch gelöscht werden. Groote's Faust 7, 46. Nur von Deutschland kann die Versöhnung der Philosophie durch die Religion ausgehen. Spec. Dogm. 8, 20. S. Auctorität. Die Deutschen ertragen nicht wohl in Sachen der Schrift und der Wissenschaft eine ausländische Dictatur. Emanc. d. Kath. 10, 58. Die sogenannte junge germanische Philosophie, *giovine tedesca* (s. d.). S. Philosophie.

Diaconat, das, beschäftigte sich in der apost. Zeit mit der materiellen Pflege und Hülfeleistung für Vermögenslose. Vermögensl. 6, 138.

Diagnose und Prognose unseres Zeitalters. Wahrh. 1, 102 ff.

Dialektik, anschauungslose. Polemik dagegen. Tageb. 11, 5. Vernünftige Dialektik = Fortgehen, Evolution. Ihr steht entgegen das Stillestehen und die unvernünftige Fortbewegung, Revolution. Ferm. 2, 331. Gute, zur Wahrheit führende und schlechte, von ihr abführende Dialektik. Rel. Phil. 1, 276 ff.

Dicendo facimus. Zeitschr. Av. 6, 37.

Dichtkunst nach Baco und Herder. Tageb. 11, 85. Das Weltall, ein Poëm, eine Epopee der Einbildung der Gottheit. Tageb. 11, 156. Die Poësie ist von den ältesten Völkern als die

Ursprache (weil Sprache Gottes zu den Menschen) geschildert
worden. Ihre Macht *(potestas)* und Bestimmung, nur dem
Göttlichen zu dienen. Rat. mat. Vorst. 3, 298. Die älteste
Poësie aller Völker ist religiös. Tabl. 12, 189. Die Poësie
aller Zeiten und Völker bewegt sich um die Ueberzeugung,
dass in den Gestalten und Erscheinungen der Natur sich etwas
dem Menschen Analoges offenbare. J. B. Theol. 3, 361. Die
von den Banden ihrer Materialisation befreite sensible und ·
ductive (nichtintelligente) Natur ist poëtisch, ja der Poët (d. h. der
die Idea auswirkende Künstler und Werkmeister oder Schaffer)
selber. Rat. mat. Vorst. 3, 297. Der Mensch, Urpoët des
Universums. Espr. 12, 335 ff. Doppelte Poësie, v o r und i n
dem Begriff. Ferm. 2, 142. Wahrh. 1, 117. Anm. Doppelte
Dichtung: entweder führen die Sinne dem Geiste die Bilder
vor, oder der Geist führt sie den Sinnen vor. L'hom. 12, 214.
Poësie und Bildnerei Copien der göttlichen Offenbarung in
Wort und Schrift. Sie sind höherer Natur Nachahmung. Des
err. 12, 159. Dichter, Somnambüle, Abgeschiedene, wünschen oft die Verhüllung mit der Einhüllung (s. d.) zu vertauschen. Rapp. 4, 206. Der Dichter ist oft ein Prophet
philosophischer Wahrheiten. Pyth. Quadr. 3, 263. Die Aufgabe des Dichters in Bezug auf Darstellung der Liebe. Erot.
Phil. 4, 178. Ursprung der D i c h t k u n s t und der b i l d e n d e n
K u n s t. Tageb. 11, 10 ff. Die Entfernung oder Trennung
der Geliebten vom Liebhaber machte diesen zuerst zum Dichter
und Künstler. Geistersch. 4, 213. Sehnsucht und Schmerz
der Dichter und Künstler. Ebd. 4, 218. Dichterische und
künstlerische Begeisterung und Exaltation zeugen von einer
Union des Affects (s. d.) und der Apperception. Abbrev. 4, 114.
Dichter und Künstler sind Seher und Visionäre; jedes Kunstwerk ist Denkmal einer Vision. Die von Innen herausbildende,
inbildende Sinnlichkeit dabei. Centr. Sens. 4, 138. Die
Sinnigkeit der Dichter und Künstler findet eine Hemmung
an dem Mangel des Tiefsinns der Wissenschaft. Spec.
Dogm. 9, 168. Dichtkunst und bildende Kunst werden vom
Materialismus niedergehalten und an ihrem höhern Auf-

schwunge gehindert. Rat. mat. Vorst. 3, 297 ff. Drei Arten,
Poësie und Bildnerei zu würdigen und zu treiben: zum Zeit-
vertreib, in religiösem Sinne, im antireligiösen, infernalen Sinn.
Geistersch. 4, 219. Wäre Poësie (d. h. Lust) nicht im Himmlischen, wie könnten wir die irdische und teuflische Poësie
überwinden? Die Sünde ist nicht Prosa. Prosa des Zeitlebens
als Schutzmittel gegen die Poësie der Hölle. Spec. Dogm.
8, 175. Poësie des Verbrechens bei den Pygmäen und schön-
geisterischen Insecten der neuern Zeit. Opf. 7, 328. Anm.
Gegensatz der heidnischen Poësie (auch bei Klopstock) und
der christlichen Poësie. Das Urpoem. Die Wiedervermählung
des Menschen mit der Sophia. Br. 15, 313. Die *Imago magica*
in der Poësie. Br. 368. S. Kunst.

Dictatur s. römische Kirche.

Dienen = Lieben. Nicht der Dienst erniedrigt. Rel. Evol.
4, 119 ff. vgl. Indiff. 6, 136 ff. Der dem rechtmässigen Herrn
geleistete Dienst befreit. J. B. Theol. 8, 416.

Dieu-machine, entsprechend dem *état-machine*. Aph. 5, 268.
S. Mechanismus.

Differenz im Anfange der Natur, aus welcher die Polarität hervorgeht. Eine Theorie des Lichtes und der Finsterniss lässt
sich nicht ohne Feuer zu Stande bringen. Fund. d. Christ.
10, 34 ff. = Evolutions- oder Formationsstreit. Die Möglichkeit einer solchen im Urstande des Creaturlebens. Em. d. Kath.
10, 72. Die Nichtentzündlichkeit, Entzündlichkeit und wirkliche
Entzündung der Differenz. Heg. Phil. 9, 312. Die differentiellen
Momente des Abgrundstriebes bedingen in ihrer Latenz das
Leben (dessen Leibwerdung), sind aber als wirklich gewordene
Potenz dem Leben feindlich (vernichtendes Nichts, tödtender
Tod). Bildungl. 2, 103. Der Urstand und Bestand der Materie
(s. d.) ist nur in Folge einer Differenzirung ihrer constitutiven
Principien und diese nur in Folge einer gesetzwidrigen Action
zu begreifen. Seg. u. Fl. 7, 115. S. Schöpfung.

Difformation des Katholicismus, die, ist zu suchen in der
nicht corporativen, sondern autokratischen Stellung des Vor-
steheramtes. Zurückweisung. 5, 407.

Digby hat gegen Galilei gezeigt, dass nicht alle Materie gleich schwer sei und gleich schnell zur Erde falle. Elem.-Phys. 3, 234.

Dii omnia laboribus vendunt. = Fürchte das Leichte. Ferm. 2, 207. Societ. 14, 115. Solid. Verb. 8, 335 und sonst oft. Vgl. Hesiod. Op. 287: τῆς δ᾽ ἀρετῆς ἱδρῶτα θεοὶ προπαροιθεν ἔθηκαν ἀθάνατοι. Plat. Protag. p. 340. D. S. Schmerz.

Ding an sich — ein die Speculation beunruhigendes Spectrum. Spec. Dogm. 8, 241. Ueber das Ding an sich und sein zum Vorschein Kommen nach Kant (s. d.). Incomp. 4, 309. Versehens. 4, 385. Die Dinge bestehen nicht unabhängig von allem Erkannt-, Geschaut- und Empfundensein, sowie es auch nicht ein bewusst- und geistloses Entstehen und Vergehen derselben gibt (Atheismus). Spec. Dogm. 8, 358 ff. Vgl. Rel. Phil. 1, 151 ff. Die göttlichen und natürlichen Dinge können nur zusammen richtig erkannt werden. Spec. Dogm. 9, 61 ff. Bei den räumlich-zeitlichen Dingen ist Unterscheidung = Trennung, Einigung = Confusion, wesshalb hier das Verlangen immer mit dem Erlangen zu Grabe geht. Spec. Dogm. 9, 61 ff.

Dionysius Areopagita, ohne ihn kein Scotus Erigena, kein Thomas von Aquin. Bedenklichkeiten gegen ihn und seine heidnischen Quellen. Spec. Dogm. 8, 303 ff. Vgl. Einl. 12, 61. Ueber das Schweigen. Minist. 12, 418.

Diotima bei Plato sucht den Geliebten, nicht weil er schön ist, sondern weil er ihr hilft, das Schöne zu erzeugen. Anal. d. Erk. 1, 44.

Dirigiren, verschieden von Regieren. Trennb. 5, 371.

Dissipatio tenebrarum est collectio luminis. Nouv. hom. 12, 248.

Dissolution der bösen Action durch den Bestand der Materie; daher Zunahme des Bösen mit Corruption der Materie. Antirel. Syst. 2, 491.

Divide et impera leidet gute und nichtgute Anwendung. Spec. Dogm. 9, 46. Vgl. *Destructio.*

764

Divinations- und **Glaubenskraft.** Schr. (1822) 4, 61 ff. vgl.
Biogr. 15, 102. Br. 15, 365. 368. Ihr eigentliches Motto
372. Marginalien dazu 379 ff. Die Divination durch dreierlei Vermittelungsweisen erklärt. Div. 4, 70 ff. Das Hellsehen
in die Zukunft nicht wunderbarer, als das in die Vergangenheit. Br. 15, 264. Stelle aus Schubert's Nachtseite der Natur,
benutzt von Baader. Br. 15, 332. Divination und Ubiquität.
Espr. 12, 291. Divination des Schicksals. Begründ. d. Eth.
5, 8. Divination und Mantik. Opf. 7, 379. Vgl. Segen u. Fl.
7, 115. 121.

Divonne, Graf, in Paris. Br. 15, 360. 365. 377. Ein Brief
an ihn erwähnt. Ebd. 424. 431. *Voix qui crit dans le
desert. Espr.* 12, 273.

Döbereiner's Erfindung. Br. 15, 405.

Dobmayer, *Systema theologicum. Solisb.* 1807 ff. Verhältniss
der speculativen Dogmatik Baader's zu Dobmayer's Dogmatik.
Spec. Dogm. 8, 9 ff. 55 ff.

Doctrin s. Lehre.

Dogma == Same, Axiom. Spec. Dogm. 9, 15. Zwiesp. 1, 362.
Anm. == Schema in jedem organischen Leben == Princip,
Prototyp, Talent. Spec. Dogm. 8, 16 ff. == Organisches Urbild des Erkennens, dessen Fortdauer Gegentheil des Erstarrens,
und dessen lebendige Entwickelung Gegentheil des Zerstörens
ist. Nothwendigkeit seiner Evolution. Unsterbl. 4, 261. Ferm.
2, 432. Antirel. Phil. 2, 483. Wiss. u. Rel. 1, 87. Anm. 92.
Freih. d. Intell. 1, 144. Für das Dogma ist Identität der
Form und des Wesens characteristisch. Wahrh. 1, 118. Es
begründet innerlich und äusserlich. Spec. Dogm. 8, 42. Es
kann kein neues Dogma gemacht werden. Br. 15, 558. 561.
Dogma, Cultus, Moral; ihr Zusammenhang. Der Begriff der
Gesetzlichkeit (Auctorität, Superiorität, Verbindlichkeit) auf alle
drei anzuwenden. Indiff. 5, 283 ff. Vgl. Ebd. 5, 155. 173.
Rel. Phil. 1, 234 ff. Dogmen, Religionsprincipien, Sacramente
und Cultus der morgen- und abendländischen Kirche verglichen.
Morg. u. Ab. Kath. 10, 112 ff.

Dogmatik, speculative (fünf Hefte 1828—1838) 8, 1 ff. 9, 1 ff. Vgl. Br. 15, 446. 1. Heft: 449. 450. 453. 2. Heft: 458. 459. 461. 3. Heft: 491. 4. Heft: 526. 537 ff. 540. 5. Heft: 567 ff. 569. Unterscheidung der speculativen (generellen, propädeutischen) und der s. g. positiven oder historischen. Gesonderte Betrachtung der erstern. Spec. Dogm. 8, 201. Die speculative Dogmatik hat vor der Entwickelung des Begriffes vom Reiche Gottes zu behandeln die Begriffe vom Menschen, von Gott und der Welt oder vom Universum, von deren Verhältnissen, von der Freiheit des Menschen, vom ethisch Bösen und von der Materie. Spec. Dogm. 8, 9 ff., die drei wichtigsten Lehren der generellen Dogmatik sind die von der Freiheit des Menschen, vom Bilde Gottes in ihm, und von der Liebe Gottes zu ihm. Ebd. 8, 137. Plan des Verf. in Betreff von Heft 1—4 der speculativen Dogmatik als erstem oder einleitendem Theil. Spec. Dogm. 8, 200 ff.

Dogmengeschichte, sie wendete sich erst gegen die Kirchenväter, dann gegen die Apostel, zuletzt gegen Christus selbst. Anzeige von Döllinger's Ench. 7, 62.

Döllinger, der Physiolog, dessen Dissertation über Magnetismus rücksichtlich Fernsehen, im Archiv für thierischen Magnetismus. 1. Bd. Ekst. 4, 21 ff. Anm. 26. Seine physiologischen Lehren. Aliment. 14, 475. Emanc. d. Kath. 10, 82. Biogr. Anh. 15, 159. — **Döllinger**, der Theolog, Anzeige seiner Schrift über Eucharistie. Schr. (1826) 7, 59 ff. vgl. Indiff. 5, 147. Anm.

Dolor. S. Schmerz.

Domainen, Regalien, Gemeingüter: Kammern. 6, 223.

Dönhof, Graf, in Hohendorf bei Königsberg. Br. 15, 464. vgl. 393 ff.

Doppelgängerei, actuose, nicht spectrische, im Guten und schlimmen Sinne. Unsterbl. 4, 276. 278. Doppelgängerei der gespaltenen Wesen in und ausser Gott. Nouv. hom. 12, 249.

Drache, Kampf des Ritters mit ihm im Finstern; erst nachdem er ihn besiegt, sah er die Scheusslichkeit des Unthiers. Spec. Dogm. 8, 176.

Douzetems, *Mystère de la croix* (Geheimniss des Kreuzes. Aus dem Französischen. Frankfurt 1782.) Blitz 2, 46. Endl. Geist 7, 177. — 2. Cap. d. Gen. 7, 284 Anm. Spec. Dogm. 8, 184. 9, 249. Elembrg. 14, 40 &c.

Dreizahl, Ternar, Trinität, Trilogie u. A.: *Tres faciunt collegium. Tres faciunt figuram (existentiam). Tres faciunt medicinam.* Solid. Verb. 3, 339. Anm. *Tria juncta in uno* bei der Sphäre. Spec. Dogm. 8, 284. Ternar, eine Zahl für sich. Quar. qu. 12, 472. *Trinitas reducit dualitatem ad unitatem i. e. quaternarium.* Ekst. 4, 30. Des err. 12, 108. 137. oder: *Quand on est à trois on est à quatre* c. a. d. à un. Bildungsl. 2, 105. Ternar und Quaternar. Pyth. Quadr. 3, 267 ff. Ternar (Quaternar) der Hervorbringung (besser Triplicität oder Trialismus, verschieden vom göttlichen Ternar. Versehens. 4, 385 vgl. Ferm. 2, 247. Morg. u. Ab. Kath. 10, 121. 138—147.). S. Urternar. Alle Einheit und alle Uneinheit ist Dreiheit. Dreieins und Einsdrei. Nouv. hom. 12, 248. Harmonischer und in Differenz seiender Ternar. Espr. 12, 329. Dreizahl (Dreiangel) beim Producenten (drei Productionsanfänge in ihm, Dreiheit aufgehoben in Einheit), beim Product (Einheit aufgehoben in Dreiheit), und der Zusammengeschlossenheit beider, d. h. Concretheit, producirende Mitte. Ternar von Erigena: *Natura creans non creata, creata creans, creata non creans* = dem von J. Böhme: Vater (Ensoph), Sohn (im Licht offenbarer Gott), Schöpfung. Ferm. 2, 242. Dreiheit des Producens (Subjects) und Einheit des Productes. Spec. Dogm. 8, 285 vgl. 239. Ternar, rücksichtlich Quaternar der Causalität = Subject-Objectivität = Activ-Reactivität = Expansivität (Streben nach Fülle) und Contractivität (Streben nach Hülle). Agens (s. d.) und Reagens gehen zusammen in eine Action als gemeinsamen Wirker aus. Daher nicht Duplicität, sondern Triplicität jeder Causalität. Diese dreifache Causalität führt in ein gemeinsames Gewirk (Object, Gegenbild). Thomas v. Aquin, J. Böhme, Pythagoras. Spec. Dogm. 8, 345 ff. Vgl. That. Trialismus von Ursache, Grund, Gewirk, anstatt des abstracten Dualismas von Subject und Object. Versehens. 4, 385. Drei Momente des Seins und Wirkens nach J. Böhme: Indifferenz der Innerlichkeit und Aeusserlichkeit (magisches Sein), Geschiedenheit beider, Concretheit beider. Opf. 7, 298 ff. Die Lehre vom Ternar kann nur durch das Verhalten der Ursache (s. d.) zu deren Grund und Erscheinung aus der Dunkelheit, worin sie sich befindet, ins Licht gesetzt werden. Heg. Phil. 9, 309. Ternar nach Paracelsus: 1) Das Wurzelwesen (z. B. Mensch) mit seinen Grundvermögen (z. B. beim Menschen: Denken, Wollen, Wirken). 2) Attribute oder Organe (z. B. beim Menschen: Geist, Seele, Leib). 3) Das hiermit in seine bestimmte Existenzweise geführte Wesen (z. B. der Mensch). Spec. Dogm. 8, 251 ff. Primitiver Ternar (Vater, Sohn, Geist), den die Juden schon in ihrem Ensoph erkannten, und secundärer Ternar (Gott, Weisheit, Natur, oder Princip, Organ, Werkzeug), mit welchem letztern aber in der Construction (s. Ferm. 2, 241) angefangen werden muss. Ferm. 2, 247. Ternar des centralen Wirkens, Mitwirkens und werkzeuglichen Wirkens, sich darstellend in der Societät als Regent *(pouvoir)*, Mitwirker *(ministre)* und Unterthan *(sujet)*. Bonald 5, 68. Nach Bonald = *causa, medium, effectus* oder *potestas, minister* und *subjectus*, wobei aber Bonald den *effectus* mit dem *efficiens* verwechselt hat = *mas, femina, vis generans* = *potestas cogitans, cogitatio, volitio efficiens.* Spec. Dogm. 8, 251. 9, 193. Ternar des Centralwirkens, freien Mitwirkens und werkzeuglichen Wirkens. Inwohnen, Beiwohnen, Durchwohnen. Franz. Revol. 6, 326. Centralprincip, Glieder als Eigenschaften, gemeinschaftliches Substrat, Leib. Spec. Dogm. 8, 168. Ternar des Princips, des Organs (der Kräfte) und der Werkzeuge (Attribute) in den drei Hauptregionen, der göttlichen, der geistigen und der natürlichen. Plato und Erigena (s. Scotus) kannten schon diesen Ternar (Ohr, Auge, Zunge. Kirchenlehre: *In essentia unitas &c.).* Divin. 4, 81 ff. vgl. Ferm. 2, 356. (Vgl. auch Aristoteles Phys. 2, 7: Nichtbewegt-Bewegendes, Ewig-Bewegtes, Vergängliches). (S. Princip). Die Triplicität des Einen, Besonderen (Sondernden), und

Einzelnen ist mit Hegel statt des Dualismus von Form und
Materie anzunehmen und damit zugleich die vermittelnde Function
des Formators anzuerkennen. Logik 1, 320 vgl. 316. Drei-
zahl (Zehnzahl) = Licht und Herz Gottes. Beseas. 4, 247 Anm.
— Göttlicher oder h. Ternar, Dreieinigkeit. Schon
die Heiden hatten davon einige, obwohl unvollständige Kunde.
Ferm. 2, 356. Der h. Ternar bei den Heiden unvollständig
erkannt. *(Causa prima, mens, anima mundi.)* Plato, die
Gnostiker, Manichäer, Origenes, Arius. Rel. Phil. 1, 221. Anm.
Die kirchlichen Bestimmungen über den h. Ternar. Figur des
Ternars. Endl. Geist 7, 166. *Alcuin de trinitate* (Andeu-
tungen der Sophia bei ihm, s. Weisheit). Randgl. 14, 433 ff.
Trinitätslehre des Thomas von Aquin. Spec. Dogm. 8, 346.
Erläut. 14, 199—210. (Der Vater übt die Function der An-
drogyne aus. Ebd. 14, 202 vgl. 233. Warum nicht mehr als
drei Personen in Gott. Ebd. 14, 208. Ueber Proprietäten,
Notionen, Relationen in Gott. (Ebd. 14, 209). Mangel in den
gewöhnlichen Expositionen des Ternars (Zweieinigkeit statt
Dreieinigkeit, der Geist zu Vater und Sohn nur hinzugezählt
oder addirt, Vermengung des Wesens mit dem Act, Sohn =
Erkennen, der h. Geist = Lieben &c.). Geist u. W. 10, 14.
Rüge 3, 322. Solid. Verb. 3, 338 ff. Br. 15, 456. Heg.
Phil. 9, 413. Emanc. d. Kath. 10, 85 ff. Der Irrthum Bossuet's
in der Exposition des Ternars. Elembgr. 14, 32. Societ. 14, 138.
Verwirrung bei Theologen und Philosophen über den Begriff
der Trinität. Br. 15, 635. Von dem Ternar in der Gottheit
ist die Vorstellung des Schaffens und noch mehr die des Fort-
pflanzens oder natürlichen Zeugens fern zu halten. Endl. Geist
7, 162. Form od. Maass 2, 526. Die Trinität der göttlichen
Personen ist nicht numerisch zu nehmen, sondern als untheilbare (Prim =) Zahl. Incomp. 4, 314. Den Dualismus in der
Trinitätslehre hat J. Böhme durch seine Lehre vom Geist im
Unterschied von der Weisheit (= Auge) beseitigt. S. Weisheit. J. B. Theol. 3, 421. Die beste Exposition des Ternars
bei J. Böhme. Gnadenw. 13, 245. J. Böhme's Begriff vom
Ternar. Br. 15, 651. Was J. Böhme's Exposition desselben

anfangs unklar macht. Ebd. 13, 246. Darstellung der Trini-
tätslehre J. Böhme's mit Bezug auf die Ausdrücke: ausgehender
Geist und ausgegangene Weisheit. J. B. Theol. 3, 420 ff.
Der Vater (Sprecher) spricht aus dem Wort, in dem er die
Weisheit fasst, durch den Geist die Weisheit aus (vor sich).
Qoar. Qu. 12, 485. In Gott drei Wirker, und drei Gewirkte,
wovon das dritte Gewirkte, die Idea oder die Jungfrau, nicht
wieder als wirkend erscheint. Form oder Maass 2, 530 ff.
Myst. Magn. 13, 190. Darstellung der Lehre vom Ternar, als
Voraussetzung der biblischen Lehre von Geist und Wasser.
Geist u. W. 10, 8 ff. Der heilige Ternar sich darstellend in
einem Septenar nach J. Böhme. Rel. Phil. 1, 299. S. Siebenzahl. Zur Lehre vom Ternar. Aph. 10, 334 ff. Vgl. Vorw.
1, 419. Die Divinität der drei göttlichen Personen geht vom Vater, ihre Persönlichkeit vom Sohne, ihre Geistigkeit vom h. Geiste
aus. Rüge 3, 326 Anm. Eins in dreien im Irdischen, drei in Einem
im Göttlichen. Jener Ternar ist corruptibel, dieser incorruptibel.
Die Tetras (△) ist früher, als die Trias (△). Br. 15, 109
vgl. 182. Jede der drei Personen denkt, spricht, wirkt für
sich, aber keine ohne die beiden andern. Nouv. hom. 12, 251.
vgl. 242. 253. 256. 257. Die Lehre vom h. Ternar erläutert
an dem Ternar von Feuer, Luft, Licht, den J. Böhme und auch
schon die Indier aufgestellt haben. Rel. Phil. 1, 299. Privatvorl. 13, 109. Das Verhältniss des Wesens zu den Personen,
sowie der Personen unter einander, erläutert an dem Begriff
der Alimentation. Anthropoph. 4, 239. Der Sohn = Liebe,
der h. Geist = deren Agent. L'hom. 12, 225. Die göttliche
Trinität ist der Urgedanke für alles andere wahrhafte Denken
(Wissen von sich und Andern). Incomp. 4, 315. — Trilogie:
Ternar der Selbstbewunderung, Selbstliebe und Selbstverherr-
lichung des höchsten Wesens. Franz. Rev. 6, 300. 321. —
Trilogie von Gott, Geist, Natur (s. d.). Versehens. 4, 350
Anm. — Triplicität der Geschöpfe s. Wesenklassen. — Ternar
von Geist, Natur, Leib. Br. 15, 558. 560. Ausführliches
darüber. 562 ff. — Ternar von Mann und Weib, Haupt und

Leib, Herz und Gemeinde, weil beide der höhern Einheit unterworfen sind. Ferm. 2, 361. — Ternar == Potenzenprogress, die Wichtigkeit dieser Lehre für Physik und Pneumatik. Endl. Geist 7, 198 ff. — Ternar von Zahl, Maass, Gewicht, von Feuer, Wasser, Erde, von Keim, Vegetation, Production, von Schreiben, Sprechen, Handeln. Mart. Pasq. 4, 124. — Ternar im Selbstbewusstsein: Gefühl (Gemüth), Sinn (Intelligenz), Trieb (Willensentschluss) Wahrb. 1, 129. — Triplicität der Relation des Geschöpfes zum Schöpfer: Werkzeug, Mitwirker, Alleinwirker. Versehens. 4, 375. — Ternar in jeder Gedankenbewegung des Menschen bezüglich eines Höhern: *Ipsi insum, mihi adest, mihi inest.* Ferm. 2, 157, 329. Spec. Dogm. 9, 95. — Dreifache Relation des Menschen zu Gott: Gottinnigkeit, Gottwidrigkeit, Gottlosigkeit. Spec. Dogm. 8, 323 ff. S. Relation. — Trilogie der Formation: Sichaufeinmalnehmen, Sichvielmalnehmen, Wiederzusammennehmen der Vielheit. Quar. Qu. 12, 486. — Dreifache Versetztheit und dreifache normale Gesetztheit des Menschen. Opfer 7, 318. Triplicität der Versetztheit oder Gebundenheit des Menschen in Folge seiner, drei Stufen durchlaufenden, Abkehr von Gott, gemäss der Triplicität seines Wirkens, nämlich des Denkens (s. d.), Wollens, Sprechens und Wirkens; denn zum Organ Gottes berufen, sollte er im Denken nur gewirkt, im Sprechen aber Mitwirker und im Wirken Selbstwirker sein. Opf. 7, 346. 347 Anm. — Triplicität der Restauration: recht Thun, gut Wollen, wahrhaft Erkennen. Opf. 7, 348 ff. — Dreizahl der Segnungen in Bezug auf Hervorbringung, Belebung und Vollendung. Segen u. Fluch 7, 116. Dreizahl (oder Vierzahl?) der Naturwesen. Des err. 12, 104. Dreizahl der Elemente, der Actionen, der geometrischen Figuren, der angebornen Fähigkeiten, der zeitlichen Welten &c. Des err. 12, 123 ff. Ternar des *nomen activum*, des *verbum* und des *nomen passivum.* Des err. 12, 159. — Die Dreizahl ist aller Production gemein: die Segnungen, die der Schöpfer vom Geschöpf erhält, sind Früchte des göttlichen Wirkens, Wollens und Denkens; die Segnungen der göttlichen Gerechtigkeit, der Verherrlichung und des Lobes Gottes. Segen u. Fl. 7, 137.

Dualismus, Zwei- und Vieldeutigkeit dieses Wortes. Vorrede. 1, 593. Ein Dualismus gibt sich überall nur kund, wenn die Triplicität noch nicht entwickelt oder wenn sie wieder rückgängig geworden ist. Em. d. Kath. 10, 86. Dualismus zwischen Gott und Welt, ältester und christlicher ⚌ Unterschied einer nichtgöttlichen Welt *(mundus immundus)* und einer göttlichen. Spec. Dogm. 9, 78. Dualismus seit Cartesius (s. d.) und ein älterer seit dem Aufkommen der neuplatonischen Schule, in Bezug auf das Verhalten des Idealen und Realen. Dagegen ist der Trialismus einer göttlichen, geistig-intelligenten und natürlichen nichtintelligenten Region geltend zu machen. Spec. Dogm. 9, 124. Der leidige Dualismus der Ideale und des wirklichen Leibhaften. Geisterseh. 4, 212. Dualismus von Geist und Natur (s. d.). Der Dualismus beim Erkennen (Subject und Object) und der bei der Befruchtung (Mann und Weib) ist zu verwerfen. Ferm. 2, 227. Dem Dualismus von Subject und Object ist der Trialismus (Triplicität) von Ursache, Grund und Gewirk ⚌ Zahl, Maass und Gewicht entgegen zu setzen. Versehens. 4, 385. Ueber die Dualität oder vielmehr Triplicität der Causalität ⚌ Polarität (s. Ursache und Grund). Ueber den Dualismus der Zeugungs- (Productions-) kräfte vgl. Spec. Dogm. 8, 76. 78. S. Androgyne. Der Dualismus von Expansiv- und Condensivkraft reicht zur Erklärung der Materie, und der von Centrifugal- und Centripetalkraft zur Erklärung der Kreisbewegung der Gestirne nicht aus; vielmehr ist auch hier ein Trialismus anzunehmen. Spec. Dogm. 8, 284. S. Widerstreit, Centrumflüchtigkeit. Radicale Dyas in der Creatur, nicht in Gott; das Geheimniss der Schöpfung. Die Idea, die Seele und Leib vermittelt (s. Begriff, Geist), ist nicht geschaffen. Spec. Dogm. 8, 91. Aller Dualismus und Manichäismus ist von Saint-Martin widerlegt. Des err. 12, 87. 89. Der Dualismus ⚌ innerer Zwiespalt derselben (Polarität nach Schelling) ist als rein dynamisches Phänomen aufzufassen. Pyth. Quad. 3, 249. Der Dualismus des zeitlichen Wesens. Zeitbgr. 2, 61 (85). Der Normalzustand der Creatur ist nur durch eine Hülfe, eine Speisung von oben zu gewinnen oder

zu erhalten. Wenn sich die Creatur dieser Hülfe nicht in
Demuth unterwirft, tritt bei ihr ein ihr wahres Leben auf-
hebender Dualismus hervor, der mit Unrecht von den Naturphilosophen als primitiv und constitutiv angesehen wird. Myst.
Magn. 13, 180 ff. Der Dualismus der Zeit ist nicht == dem
nothwendigen Gegensatz von Action und Reaction. Societ.
14, 97. Der Dualismus (= Composition) von Leib und Seele
im Menschen und der von Geist und Natur im Makrokosmus
ist nicht primitiv und constitutiv (Fichte, Schelling, Hegel).
Elembegr. 14, 39. Der constitutionelle Dualismus in Frankreich seit der Restauration. Constitut. 6, 49. Der Dualismus
in der Politik, wie in der Philosophie. Br. 15, 374.

Dualitätsphilosophen und Theologen. Solid. Verb.
3, 335. 338.

Dummheit und Bosheit. Aphor. 5, 250 ff.

Dünn nach J. Böhme: sich dünner machen == sich einem Höhern,
tiefer Gradirten, zum Grunde lassen. Studienb. 13, 349, 351.

Duobus litigantibus tertius gaudet, oft gebraucht,
z. B. Spec. Dogm. 8, 219, von der Mitte (Ewigkeit, Gegenwart) im Zeitstreit zwischen Vergangenheit und Zukunft. Einmal
dafür: *Tribus litigantibus quartus gaudet* von Deutschland's
Verhalten bei dem schon 1839 vom Verf. vorausgesehenen
Kampfe zwischen Frankreich, England und Russland (1854—56).
Morg. u. Ab. Kath. 10, 93.

Dupuis, *Origine de tous les cultes.* Spec. Dogm. 8, 285.
Heg. Phil. 9, 380.

Durchdringung nach Kant (Stelle in der Anm. d. H. Ferm.
2, 171. vgl. noch besonders Kant's W. 8, 523 ff.). Mart.
Pasq. 4, 125. Rel. Phil. 1, 207 Anm. Hegel üb. Euch. 7, 252.
Mit diesem Begriff ist der einer radicalen Auflösung und einer
originellen Flüssigkeit gegeben. Fest. u. Flüss. 3, 186. Das
wahrhaft Undurchdringliche ist das Durchdringende. Das Centrum ist von seiner Peripherie impenetrabel, die Peripherie vom
Centrum penetrabel. Impenetrabilität == wechselseitige Impotenz
einzudringen, gilt nur von Wesen derselben Region. Gott als
der absolut Undurchdringliche ist der Alles Durchdringende.

Ferm. 2, 263. Spec. Dogm. 9, 95 ff. Incomp. 4, 318. Societ.
14, 79. Das Schema für das Durchdringen oder Durchwohnen.
Espr. 12, 321 vgl. 314. Durchdringung = Inexistenz eines
Höhern in einem Niedrigern. Spec. Dogm. 9, 273 ff. Das
Durchdrungensein meiner schliesst den Begriff des mich Durch-
dringenden ein. Ebd. 9, 94 ff. Alles Durchdringen in seiner
Vollendung ein Umgreifen, Bilden, Gestalten. Anal. d. Erk.
1, 42. Durchdringung oder Durchwohnung nach Kant =
Aufhebung nach Hegel. Ferm. 2, 297. Durchdringung der
drei constitutiven Elemente des Menschen. Div. 4, 76. Daraus
gefolgerte Möglichkeit der Inexistenz eines verklärten Leibes
in einem unverklärten bei Fortbestand des letztern in seinen
äussern Relationen (*substantia intra substantiam*). Spec.
Dogm. 9, 55. S. Gas.

D u r c h s c h a u e n ist bedingt durch Hervorbringen (s. Construction)
oder Nachmachen (s. *scimus quae facimus*). Begründ. d. Eth.
5, 10. Anm. Was wir durchschauen, ist unter uns, z. B. die
Unterwelt den magnetisch Wachen. Ekst. 4, 31.

D u r c h w o h n u n g, I n w o h n u n g, B e i w o h n u n g. Die Lehre
darüber schon angedeutet: Tageb. 11, 381. Darstellung der
Lehre darüber = dreifaches Verhalten des Menschen zu Gott,
nach Paulus und Angelus Silesius: „Gott ist dem Knechte Herr,
ist Vater seinem Kind, und Bräutigam, wo Er Sein' Braut —
Sophia — findt." Blitz 2, 38. Ferm. 2, 171 vgl. 195. Rel.
Phil. 1, 283 ff. Spec. Dogm. 8, 317. 9, 171. 177. Societ.
14, 77 ff. Versehens. 4, 348. Aphor. 5, 355. Strauss Leb.
Jesu 7, 265. Anm. Ode Klopstock's, die Durchwohnung be-
schreibend. Minist. 12, 375. Anm. Die drei Stufen entsprechen
dem Vater (Lehrlingsgrad), Sohn (Gesellengrad), Geist (Meistergrad) und den drei Perioden in der Weltgeschichte. M. Pasq.
4, 118 ff. Inwohnung und Durchwohnung in Bezug auf Erkenntniss. Einl. 12, 45. Durchwohnung, Beiwohnung, Inwohnung
in Bezug auf Welten und Gestirne. L'hom. 12, 203. Vgl.
Astrom, Fatalismus, Schechina.

D u r s t, einziger Beweis für die Existenz des Wassers. Tageb.
11, 145.

Dynamik: das von Kant darüber aufgestellte Gesetz gilt für
Lebendigwerdung oder Machung und Tödtung alles Individuen-
lebens. Elem.-Phys. 327. Ueber den Begriff der dynamischen
Bewegung im Gegensatz der mechanischen. Schr. (1809)
3, 276 ff. S. Naturphilosophie, Atomismus, Mechanik, Kraft. —
Dynamismus, Mechanismus; jener von Baader stets vertheidigt:
Hoffm. Vorr. zum 3. Band S. II. ff.

E.

Eckardt, Ludwig, Aesthetiker. Einl. 12, 36.

Eckart, Meister (um 1320), der Erleuchtetste aller Theologen
des Mittelalters, Societ. 14, 93, gleich ausgezeichnet durch die
Tiefe und Kühnheit seiner Speculation, wie durch hohe Religiosität, Aphor. 5, 263,; jedoch in seiner Ausdrucksweise hin
und wieder barock, wesshalb einige seiner Sätze verdammt und
von ihm selbst wieder zurückgenommen worden sind. Form ed.
Maass 2, 523. Spec. Dogm. 8, 188. Plan Baader's ihn nach
einer Münchener Handschrift neu herauszugeben, Br. 15, 457,
477. Pfeiffer's Ausgabe 15, 159. Seine Lehre über Vater und
Sohn, in Gott. Urtern. 7, 36,; über Ausgang und Eingang.
Versehens. 4, 359; über die abbildliche Vergöttlichung (Sohnwerdung) des Menschen und die Aufhebung seines Geistes in
den göttlichen Geist. Blitz 2, 44. Anm. Elem.-Phys. 3, 245.
Ferm. 2, 410. Antirel. Phil. 2, 455; über die Verwerflichkeit
der Confundirung des geschöpflichen Wesens mit dem Schöpfer.
Rel. Phil. 1, 208. Anm.; über die Ichheit als wahre Persönlichkeit und als falsche Persönlichkeitssucht. Rüge 3, 329;
über die Güte der zornlichen Kraft im Menschen und in Gott.
Spec. Dogm. 9, 203; über die Gnadebedürftigkeit des Menschen. Seg. u. Fl. 7, 152; über die Vermählung der menschlichen Seele mit Gott vermittelst des Gottesbildes, in ihr.
Ebd. 7, 153; über die Zeitlichkeit und Ewigkeit der Dinge.
Morg. u. Ab. Kath. 10, 116. 224. „Jede Creatur beginnt zu
altern, sowie sie ins Zeitleben tritt.‟ Rel. Phil. 1, 273. Vgl.
Minst. 12, 419 Anm.

Eckartshausen, über das Kunststück, lebende Menschen anderswo erscheinen zu lassen. Besess. 4, 252. Er war den Ideen nicht stark genug. Br. 15, 239.

Educt und Product bei einer chemischen Präcipitation. Tageb. 11, 406. Das geschiedene Starre und Flüssige sind nicht Educte der lebendigen Substanz, sondern Producte ihres erloschenen Lebens (Leichname, Aërolithen). Starr. u. Flüss. 3, 273. 274. Unterschied von Educt und Product bei einem Organismus, in welchem sich der sich erhebende und der sich senkende Trieb von einander und von der wachsthümlichen Mitte getrennt haben. Spec. Dogm. 9, 137.

Efulguration = Coruscation, ein Ausdruck von Leibniz. Einl. 12, 68.

Egoismus, Systeme desselben (der Epikureismus, die neuere Höflingsphilosophie). Tageb. 11, 427 ff. Der Egoismus des materiellen Wirkens, das sich im Kampfe um seine gefährdete Existenz nur mit Noth des Sterbens erwehrt. Antirel. Phil. 2, 491.

Egoität: Nichts kommt im Sohne zur Geburt, was im Vater nicht seiner natürlichen (dem Lichte noch unassimilirten) Egoität abstirbt. Fund. des Christ. 10, 35.

Ehe, die ursprüngliche (das Wort im weitesten Umfange genommen) ist dem Menschen vermöge der rettenden ewigen Liebe immer noch möglich. Spec. Dogm. 9, 146. Ehe (im eigentlichen Sinne) von Gott eingesetzt. 2. Cap. d. Gen. 7, 229. Ueber Ehe und Liebe. Ebd. 239. Verschiedene Arten der Ehe, gute, gemeine, schlechte. Aph. 5, 339. Ehe, vom Christenthum zu einem Sacrament gestaltet. Rel. u. Pol. 6, 24. Nach Kant nicht ein Sacrament, sondern ein Miethcontract. Aph. 5, 281. Die Assistenz gemischter Ehen, den Geistlichen geboten, gegen die Gewissensfreiheit. Constit. 6, 47. Ehescheidungen aus anderen Gründen, als dem des Ehebruchs sind verwerflich. Der erste Ehebruch und seine Wiederholungen. Des err. 12, 144.

Eid (sacrum, sacre, Sacrament) als Grundlage jedes Bundes. Eigenschaften desselben. Bonald 5, 53 ff.

Eigenschaften des Lebens (Gestalten oder Geister der Natur) = nichtleibliche Organe, Mitwirker, *virtutes*. Ihr Verhältniss zu den leiblichen Werkzeugen, *vis*. Spec. Dogm. 8, 112.

Eigensucht, ihr tantalisches Bestreben, sich zu manifestiren. Myster. magn. 13, 235 ff.

Eigenthum in einer Nation, hat einen socialen und solidären Zusammenhang. Aphor. 5, 249. Die solidäre Natur desselben. Aph. 5, 282. Wie das Eigenthumsrecht allein garantirt werden könne. Naturrechtl. Gr. 6, 4.

Einbildungskraft der Natur = weibliches Naturvermögen; Einbildungskraft im Gemüth, im Begehrungsvermögen, ebenfalls weiblich. Elem.-Phys. 3, 220 = innere Bildung oder Vorstellung, die nicht durch Anregung der äussern Sinne kommt. Inn. Sinn 4, 95. Impotente und schöpferische Einbildung. Incomp. 4, 307. S. Imagination.

Einbürgerung der Proletairs, ein nicht unauflösbares Problem. Vermögensl. 6, 139.

Einengung (Particularisirung) der göttlichen Manifestation, durch Schuld der Menschen herbeigeführt. Ferm. 2, 186.

Einerzeugung eines Bildnisses des Geglaubten, wie des Bandwurmes in einen Mutterorganismus. Incomp. 4, 311 ff.

Einfachheit, Zusammengesetztheit. Um einfach oder nicht ausgedehnt zu sein, braucht etwas nicht so klein, wie ein mathematischer Punct zu sein. Pyth. Quadr. 3, 357. S. Ganzes. Zusammengesetztheit. Mendelsohn. Einfachheit schliesst nicht Vielheit der Eigenschaften aus. Espr. 12, 294. Jeder materielle Körper ist scheineinfach. Espr. 12, 344.

Einfluss, dynamischer, im Gegensatz eines mechanischen. Ausführlicheres über diesen Begriff. Pythag. Quadr. 3, 259 ff. Anm. Einfluss Gottes auf die Wahl des Menschen = constitutive Einwirkung, der der Mensch direct keine Action entgegensetzen kann, die aber auch diese Action frei lässt. Ferm. 2, 155. Einfluss der Intelligenz auf die nichtintelligente Natur; willkürliche, plastische. Bonald 5, 76. Einfluss des Bösen,

nicht bloss auf die eigene Natur der böse gewordenen Creatur.
Begründ. d. Eth. 5, 31. 37. Einfluss der Gedanken auf die
Bildung ihrer Zeichen und Einfluss des Verlangens auf den
Gedanken. Einfl. d. Zeich. 2, 136. Einfluss der Zeichen der
Gedanken auf deren Erzeugung und Gestaltung. Schr. (1820,
21) 2, 125 ff.

Einführung der Kunststrassen (Eisenbahnen) in Deutschland.
Schr. (1836) 6, 273 ff.

Eingebung = Eingerücktwerden des irdisch-lebenden Menschen
in das Centrum der Zeitregion. Rapp. 4, 297 vgl. Rat. Theol.
2, 508 ff.

Eingeburt des Menschen in den Sohn, wurde nicht unmittelbar
durch den Vater schon mit der Schöpfung bewirkt. Elembgr.
14, 37. Der Eingeburtsprocess Gottes in die Creatur und der
Creatur in Gott der Zweck der Schöpfung. Societ. 14, 111.
112 ff.

Eingeweidewurm, als lebendiges, individuelles, persönliches
Wesen oder vielmehr Unwesen erscheinend. Bildungl. 2, 03.
S. Bandwurm, Böses, Krankheit, Einerzeugung.

Einheit und **Vielheit** (Mannichfaltigkeit) in demselben Wesen
widerstreiten sich nicht, weder in Gott, noch im Geschöpf,
weder im geistigen noch im natürlichen, noch im Vereinwesen
beider. In jedem Daseienden findet sich Convergenz eines
Vielen zu Einem (*extrinsecus monas, intrinsecus myrias*)
und Divergenz der Einheit zur Vielheit, des Centrums zur Peripherie. Privatvorl. 13, 61. Spec. Dogm. 8, 161. 362 ff. Allmen.
14, 471. Em. des Kath. 10, 83 ff. (Der Vernunftbegriff der
Einheit = Dreieinigkeit. Spec. Dogm. 8, 364). Einheit und
Einzelnes. Ohne Reinheit keine Einheit und keine Einung.
Nouv hoth. 12, 252. Die Einheit jedes Lebens ist kein Unmittelbares, sondern entsteht erst durch Aufhebung eines unmittelbaren Ersten in eine Vielheit und Wiederaufhebung dieser.
Ferm. 2, 277. Jede (lebendige) Einheit hat drei Momente:
1) unmittelbare Einheit, 2) Aufhebung derselben in Sonderung
(nicht = Schöpfung), 3) vermittelte, d. h. aus der Wiederaufhebung der Sonderung hergestellte Einheit (Ausgang des-

census — Eingang, Reintegration, *ascensus*). Relig. Phil. 1, 189 ff. Die Einheit des Willens kann nicht ohne die Vielheit der Triebe (Motive) zu Stande kommen; diess der Schlüssel zu J. Böhme's Lehre von den drei Principien. Rat. Theol. 2, 511. Anm. Eines und Vieles; die Synthesis derselben = Form, die Vielheit = Stoff; Eines (*unum*) als Einziges (*unicum*) zugleich Vieleins und Einsvieles. Log. 1, 316 ff. Die Einheit Gottes nicht = abstracte Einheit (summarischer Collectivbegriff aller Geschöpfe), sondern = absolute Einzigkeit, Alleinzigkeit, Individualität. Spec. Dogm. 8, 285. Einheit = Vollendetheit, Integrität, Absolutheit = Alleinigkeit. Ein Vieles, dem ein Einziges, es einend oder gliedernd, innewohnt = Einziges, Persönliches. Indiff. 5, 150 Anm. 178 Anm. Die Einheit als zählend ist keine Zahl. Man fängt mit Eins zu zählen an und hört mit Eins (Totalität) zu zählen auf. Rüge 3, 319. Einen eines Ungezählten, Zählen, unter einen Nenner Bringen, Sprechen = Schaffen. Bildungsl. 2, 107. Einigung (Union) = Mitte (Mittler) eines Innern und Aeussern. Espr. 12, 272. Einung der Kräfte z. B. der Elementarkräfte bei der Bildung eines Körpers = Gliederung = systematische Vertheilung der Functionen, ist immer nur aus einem Princip möglich. Elem.-Phys. 3, 216. S. Eintracht. Die Einung (äussere, innere) von Zweien geschieht immer nur durch eine dritte einende Potenz; die vorher sich verneinenden Energien offenbaren sich erst nachher als die enthaltende und die erfüllende Potenz. Bildungsl. 2, 106. Das Eine (Gemeinsame) und das Einzelne in der äussern Region. Sichtb. Kirche 7, 211. — In einem Organismus finden sich drei Einheiten: 1) eine abstracte, 2) eine des Ganzen, 3) eine jedes Theiles. Spec. Dogm. 8, 159. Einen und Unterscheiden, im Gegensatz von Trennen und Confundiren. Ferm. 2, 144. Urterm. 7, 88. Div. 4, 68. Rel. Phil. 1, 207. Mit der Zunahme der Einung hält die Unterscheidung gleichen Schritt. Ferm. 2, 163. = Die Einheit des Lehrbegriffs ist nicht herzustellen durch menschlichen Unterricht, Unwissenheit, Zwang, sondern ihr Grund ist allein Christus *sicut potestatem (auctoritatem) habens*. Indiff. 5, 203. S. Auctorität, Zahl.

Einhüllung, Verhüllung. Rapp. 4, 208. 206. S. Dichtkunst.
Einsprache als Erleuchtung und als Frage oder Bitte um
Erleuchtung. Rel. Phil. 1, 291 ff.

Einstimmigkeit der Schrift- und Naturlehre (*harmonia luminis
naturae et gratiae*). Baco. Begründ. d. Ethik 5, 3.

Eintracht und Einverständniss zweier Endlichen wird allein
vermittelt durch deren Aufgabe an den Unendlichen. Antirel.
Phil. 2, 400. Spec. Dogm. 8, 327. Nichtverständniss kein
Einverständniss, Nichtwille keine Einwilligkeit. Spec. Dogm.
9, 165. Eintracht und Zwietracht der Natur bedingt durch
ihre Mehrgestaltigkeit. Rüge 3, 319. Anm. S. Einheit.

Einwilligkeit, Keinwilligkeit. Anthropoph. 4, 242.

Einzelnheit, Allgemeinheit = menschlihe, göttliche Vernunft; Aufhebung (s. d.) jener in diese = Emporhebung, nicht
Vernichtung. Ferm. 2, 328. Nicht das Einzelne als solches
kann sich mit dem Ganzen confirmiren; nur das Centrum (s. d.)
kann dem Einzelnen diese Formation und Conformation geben;
nur Gott confirmirt (conformirt?). Spec. Dogm. 8, 172.

Eisen vom Feuer durchglüht = Creatur in der Herrlichkeit (nach
Erigena. Divis. nat. 5, 10. 879. Floss.). Versehens. 4, 344 ff.

Eisenhüttenwesen und Bergbau in der obern Pfalz. Schr.
(1802) 6, 193. ff.

Eklipse, Schwächung des Lichtes des Christenthums, Character
der neuern Zeit (s. d.). M. Paaq. 4, 118.

Ekstase: Ueber die Ekstase oder das Verzücktsein der magnetischen Schlafredner. Schr. (1818) 4, 1 ff. vgl. Br. 15, 324.
333. Fragment aus der Geschichte einer magnetischen Hellseherin. Schr. (1818) 4, 41 ff. vgl. Br. 15, 329. Ueber den
Begriff der Ekstasis, als Metastasis. Schr. (1830) 4, 147 ff.
Ekstasen, Verzükungen, Visionen &c. sind bei allen Völkern
und zu allen Zeiten vorgekommen. Vergebliche Versuche sie
als Facta wegzuerklären, Verrücktheit. Centr. Sens. 4, 186 ff.
Die Ekstase ist kein blosses Duodram zwischen Geist und Leib.
Incomp. 4, 321. Sie ist = Hingerücktheit, Verzücktheit =
Anticipation des Todes, als Trennung des leiblichen, geistigen

seelischen Seins des Menschen. Daher wird auch dadurch, wie
durch den Tod, dem Unglauben das Concept verrückt. Metast.
4, 154. Es tritt in ihr bezüglich des Verhaltens von Geist,
Seele und Leib eine bedeutende Aenderung ein. Br. 15, 369.
vgl. 580. Bei Ekstatischen und Abgeschiedenen ist die Scheidung
der drei Principien des Menschen nicht eine absolute. Ebd.
4, 157. Die Ekstase ist wesentlich == Schwächung oder Entbindung des der Seele ihren irdischen Leib anziehenden und
ihr die Macht über selben gebenden Geistes (Astralgeistes oder
Nervengeistes). Eintritt einer andern Begeistung, Entgeistung
des Leibes, Entleibung des Geistes. Unsterbl. 4, 276. Die
Ekstase im Somnambulismus, aber auch sonst z. B. beim Eintritt eines nichtelectrischen Körpers in die Wirkungssphäre eines
electrischen, vor der Geschlechtscopula, bei jeder Infection, ist
eine Desorganisation und Dematerialisation, geschehen durch
Imagination. Zweideutigkeit derselben. Rat. mat. Vorst. 3, 300.
In den ekstatischen Zuständen findet eine Entbindung der
einzelnen Sinneskräfte von ihren respectiven Organen statt, kein
Vicariren der Sinne. Rel. Phil. 1, 265 ff. 279 Anm. Bei der
Ekstase zeigt sich im einzelnen Moment der Geist des Menschen
als zugleich seinem (irdischen) Leibe innewohnend und doch
auch frei und unbeschränkt ihn durchwohnend. Blitz 2, 38
Anm. Die Ekstase ist nicht nothwendig mit leiblicher Krankheit verbunden. Metast. 4, 156 ff. Es ist eine fixe Idee, dass
dieselbe den Menschen unter der Natur und somit den Geist
in einem widernatürlichen und schwächlichen Zustand gefangen
halte. Incomp. 4, 312. Morbose Desorganisation bedingt nicht
höhere Erleuchtung. Nouv. hom. 12, 249. Doppelexistenz in
begeisterten Zuständen. Ebd. 12, 247. Ekstasis bei der Liebe.
Rel. Phil. 1, 229 ff. Ekstatische Zustände, benutzt zur Erkenntniss des primitiven Zustandes der Menschen und der
primitiven Religion. J. B. Theol. 3, 366 ff. Nur in der Ekstase
findet eine theilweise Lüftung des Sargdeckels oder der Puppen-
hülle des zeitbefangenen Menschen im Schauen und Wirken
statt. Spec. Dogm. 9, 112. Magnetische Ekstasen als Er-
innerungen und Prophezeiungen der wahren Stasis des Men-

schen. Vorred. 1, 412 ff. Die Ekstase kann von der Somnambule dem Magnetiseur mitgetheilt werden. Br. 15, 324. 334.
S. Magnetismus, Somnambulismus.

Elasticität, über den Begriff derselben in Bezug auf Lavoisier.
Zusammenhang und Elasticität ist jedem Flüssigen eigen, auch
dem Tropfbarflüssigen. Fest u. Fl. 3, 195 ff.

Elektricität: Ritter's Forschungen über Elektricität und Magnetismus. Br. 15, 192 ff. Die elektrische Spannung kann nur
durch eine Verrückung oder Unordnung der Pole erklärt werden. Der Blitz ist dabei Vollbringer des Gerichts und Wieder-
hersteller der Pole. Zeitbgr. 2, 67 (93). Unterschied der Mittheilung und Erregung der Elektricität. Anthropoph. 4, 235 Anm.
Nach Divisch ist eine doppelte Elektricität zu unterscheiden,
eine positive oder siderisch – active und negative. Incomp.
4, 309 Anm. Parallele aus der Lehre über die Elektricität
mit der Lehre von der Freiheit. Spec. Dogm. 8, 167. Das
Phänomen der Erregung von Elektricität und Magnetismus
durch Vertheilung angewandt auf die Theorie des Bewusstseins. Aff. d. Bewund. 1, 28 ff.

Elemente = erste Zeichen der höhern Kräfte sind in Wesen
und Zahl bestimmt. Tabl. 12, 177. Nach Kant ist Element
= *pars, quae non est totum*, und der Gegensatz dazu Welt
= *totum, quod non est pars*. (S. Ganzes.) Daher kein
Element von einem Chemiker nachweisbar. In einem andern
Sinn ist Element = Grundkraft = Flüssiges als erste Stufe
der Verkörperung und Aliment. Es gibt nicht zwei, sondern
drei Grundkräfte nach Paracelsus und Gren: *(sal, sulphur,
mercurius)* = drei Naturseelen, entsprechend den drei Raum-
dimensionen, Construction eines Körpergebildes, Corruptibilität
alles Körperstoffes. Altes Symbol des Körpers: Dreieck mit
einem Punct in dessen Mitte. Thesis, Antithesis (Analysis),
Synthesis. Elem.-Phys. 3, 206 ff. Die drei Elemente *Mercurius, Sulphur, Sal* entsprechen dem Unterleib, der Brust
und dem Kopf. Ausführlicheres über den Mercurius. Des err.
12, 125 ff. Ueber Mercurius. Espr. 12, 323. 325. Das Symbol

△ = Verhältniss des einen activen zu den drei passiven Elementen ist von Kant, Fichte und Schelling nicht erkannt. Br. 15, 182. Die genannten drei chemischen Basen finden sich in jedem der vier Elemente. Spec. Dogm. 8, 252. S. Paracelsus. Ob man drei oder vier Elemente annimmt, ist gleichgültig, da beides wahr ist. Br. 15, 190. Magik. 12, 551. Feuer, Wasser, Erde, entsprechend den Thieren, Pflanzen und Mineralien, nach Saint-Martin. Des err. 12, 102. 117. 125. S. Same, Kraft. — Schelling und Wilhelm Ritter (über Galvanismus) nehmen drei Elemente an. Dazu muss aber noch ein viertes (die Luft) kommen, das jedoch mit den drei andern (Feuer, Wasser, Erde) nicht gleich zu setzen ist. Pyth. Quadr. 8, 266. Vgl. Des err. 12, 123 ff. Spec. Dogm. 8, 252. Feuer und Wasser = Starres und Flüssiges = Form oder Hülle und Fülle oder Formabile = Kraft und Saft = Geschlechts- oder Halbkräfte. Nur in ihrer Latenz wohnen sie der lebendigen Substanz inne. Starr. und Fl. 8, 274. Feuer = subjectives Princip der Natur, Inneres, *Mas*; Wasser = objectives, Aeusseres, *Foemina* (Licht = der Begriff beider). Ferm. 2, 391. Feuer und Luft. Gedicht. Aph. 10, 303. Die Elemente Feuer, Wasser, Erde abgeleitet von Kraft und Widerstand. Espr. 12, 319. Die Luft hält das Wasser, dieses die Erde, diese das Feuer in sich verborgen. Tabl. 12, 198. Man sollte nicht von Feuer, Luft, Wasser, Erde, als selbständigen Wesen, sondern von Feurigkeit, Luftigkeit, Wässerigkeit und Irdischkeit als Eigenschaften desselben Wesens reden. Tabl. 12, 184. Man kann die Elemente nach Pasqualis eintheilen in active (Feuer = Mann), passive (Wasser = Weib) und ein drittes (Erde = Mensch): Feuer, Wasser, Erde = Zahl, Maass, Gewicht. Die Luft geht nicht in die Gestaltung ein. M. Pasq. 4, 122 Anm. 123 ff. Triplicität der Elemente: Feuer = Anfang und Ende des Elementes, Wasser = Anfang und Ende der Corporisation (Materie), Erde = Anfang und Ende der Form oder der bestimmten substanzirten Formation. Die Luft dagegen hat eine centrale und superessentielle Func-

tion. Spec. Dogm. 9, 89. 127 ff. Vgl. Einfl. d. Zeich. 2, 134.
Privatvorl. 13, 120 ff. Divinat. 4, 74. Distemperatur =
Widerstreit der vier Elemente, ihre Temperatur = Unauflöslichkeit, Quintessenz. Unsterbl. 4, 275. Das eine Element
als organische Union der vier Elemente ist nicht ein fünftes.
Seherin v. Prev. 4, 146. vgl. Privatvorl. 13, 116. Die Quintessenz nach Aristoteles, Paracelsus und Jacob Böhme. Versehens. 4, 346. S. Feuertheorie. — Element, bezüglich auf
Gott, in und von dem wir leben. Blitz 2, 29. Elemente =
Grundkräfte, Vermögen des Menschen, (Leib, Seele, Geist).
Elem.-Phys. 3, 214 ff. Elemente in der Zeit und ewiges Element: die Seele, aus der Ewigkeit heraus in die Zeitregion
gesetzt, bildet mit jenen ein materielles Product (Form, Leib)
und findet zurückkehrend die Form (den ewigen Leib) mit dem
ewigen Element. Des err. 12, 99. — Die ganze elementarische Region besteht aus zwei Naturen. Des err. 12, 119 vgl.
108. — Elementare oder spirituöse Potenzen, nicht Materie,
sondern die Materie deren Product. Opf. 7, 277. Das Einwirken der spirituösen Grundlage auf die Elementarmacht. Einl.
12, 30. — Elementaractionen höherer Ordnung, deren der
Mensch in seinem innern Leben nicht entbehren kann. Blitz 2, 30.

Elementarbegriffe über die Zeit, als Einleitung zur Philosophie der Societät und der Geschichte. Schr. (1830?) 14, 29 ff.

Elementarphysiologie, Beiträge dazu. Schr. (1797) 3, 208 ff.
Vgl. über den Zweck derselben. Br. 15, 189.

Blend, in ihm ist, wer seine Mutter (Geburtsstätte) verliess und
sich in einer fremden oder Strafmutter befindet. Rel. Erot. 4, 187.

Elihu, als ältester Theodicäist, versuchte das Böse hinwegzuerklären. Spec. Dogm. 8, 228 und sonst oft.

Ellendorf über die Karolinger, die Moral der Jesuiten, der
erste Triarier. Emanc. d. Kath. 10, 57. Morg. u. Ab. Kath.
10, 116. 252 ff. Br. 15, 604. 622. 662.

Elliot, über freie (lose) und gebundene Wärmematerie. Wärmest.
3, 8.

Elohim, nicht = göttliche Personen, sondern Unteragenten Gottes bei der Schöpfung. Spec. Dogm. 9, 141. Identität und

Unterschied der Namen Elohim und Jehovah oder Adonai.
—: Versehens. 4, 335.

Emanation, verschieden von Schöpfung. Die Creatur ist nicht
einwesig mit Gott. Ferm. 2, 116. Emanation, Generation,
Faction, Creation. Zeitbgr. 2, 66. (91). —: Emanationen oder
Lebensausflüsse aus dem Opfer Christi, in der physischen,
psychischen und pneumatischen Region. Segen u. Fluch. 7, 123.
Emanation der Geister aus Gott nach Saint-Martin. Einleit.
12, 35. 57 ff. Emanation, Emission, Spiration bei Baader.
Einl. 12, 63. Vgl. Magik. 12, 532. 536. 552. S. Geist,
Schöpfung. Das Ausgeben von Gedanken &c. ändert nichts
im Wesen (Gottes, der Menschen). Weiteres über Emanation.
Tabl. 12, 177 ff. Emanation und Restauration bei St.-Martin.
Nombr. 12, 509 ff. 521. Lucifer die erste, der Mensch die
zweite, Christus die dritte Emanation. Oeuvr. 12, 453. Magik.
12, 534.

Emancipation der Katholiken in England. Aph. 5, 306 ff.
Ueber die Thunlichkeit oder Nichtthunlichkeit einer Emancipation des Katholicismus von der römischen Dictatur in Bezug
auf Religionswissenschaft. Sehr. (1839) 10, 53 ff. Vgl. Br.
15, 600 ff. 613. Heg. Phil. 9, 349. S. Römische Kirche.

Empedokles, über die Wärme. Wärmest. 3, 29 Anm. — Ueber
die göttliche Nothwendigkeit. Spec. Dogm. 8, 273. Minist.
12, 389. S. Lommatzsch.

Empfangen und Thun: man muss dabei die drei Momente
der Begründung, Leitung und Bekräftigung (= Vater, Sohn,
Geist) unterscheiden. Spec. Dogm. 8, 44. Der Empfangende
ruht in dem Gebenden. Verkörp. 2, 8. Empfängnissact, Ausbildung, Geburt in Bezug auf das Lichtbild in uns. Ferm. 2, 347.

Empfindung und Gedanke. Bilder thun der Seele wohl. Tageb.
11, 25 ff. Empfinden = Entfinden (Verlieren) = Fassung
oder Aufhebung, deren Wiederaufhebung (Geisten) diese Fassung als aufgehobene Empfindung, d. h. als Geschautes in
sich setzt. Ferm. 2, 303 ff. Die Empfindung ist als Bestimmtheit eine Beschränkung, die zur Befreiung treibt. Quar.
Qu. 12, 489. Vom Hervortreten des Empfundenen in Ge-

schautes und dem Zurücktreten des letztern in ersteres hat der Somnambulismus lehrreiche Beispiele gegeben. Spec. Dogm. 9, 66. Vgl. 186. Duplicität aller Empfindung. Espr. 12, 271. Es gibt ein doppeltes Empfinden, je nachdem man sich einem Höhern oder Niedern öffnet. Daher bezeichnet Empfindung das Höchste und das Unterste des menschlichen Gemüthes. Spec. Dogm. 8, 210. Vgl. Bildungsl. 2, 113. Ferm. 2, 337. Erot. Phil. 4, 163—200. Nachempfindung in einem verlorengegangenen körperlichen Glied. Des err. 12, 133. Empfindlichkeitszunahme bei grösserer Befreiung vom irdischen Körper. Fragm. 4, 52.

Empiriker = Historiker = Praktiker, weisen auf den Schrifttext ohne alle (höhere) Erklärung hin und wollen gar keine Speculation. Widerlegung derselben. Spec. Dogm. 8, 217 ff. Vgl. über B. Ansicht vom Verhältniss des Empirismus und der Speculation. Hoffm. Vorr. zum 3. Bd. S. III. ff.

Empörung eines geschaffenen Wesens wider Gott, directe oder totale und indirecte; Fall des Teufels und des Menschen verschieden. Zeitbgr. 2, 54 (75) ff. — Empörung gegen das äussere Gesetz kann nur verhütet werden durch Verbreitung eines bessern Verständnisses desselben. Religionsphil. 1, 335.

Enceladus, der Mythus von ihm. J. B. Theol. 3, 403 ff.

Ende der Creatur = Vollendung, nicht = Wiedervergehen. Aphor. 5, 254 ff.

Endlichkeit nicht identisch mit Schlechtigkeit, wie Hegel meint. Wahrb. 1, 120. J. B. Theol. 3, 429.

Endursachen, *causes*, besser *intentiones finales*. Ausführlicheres darüber. Bonald 5, 106 ff.

Energie, specifische, Einführung dieses Begriffes. Pyth. Quadr. 3, 252 ff. Die specifischen Energien (Stärken) verhalten sich umgekehrt, wie die Grade der Anstrengung (die Geschwindigkeiten) bei gleichem Momente. Ebd. 253. S. Action.

Enge, s. Angst.

Engel = Intelligenzen, immaterielle Substanzen. Die Lehre des Thomas von Aquin über sie. Erläut. 14, 213 ff. 222. 257 ff. 268 ff. 278. 281. 297. 346. Vergleichung derselben mit den

Menschen, welche Thomas unter, Baader über die Engel stellt.
Ebd. 14, 215. 259. 274. (Die Engel stehen über den Menschen. Tageb. 11, 3.) Dreifaltige Weltcreatur. Endl. Geist
7, 164. Erwähnung einer besondern Schrift des Verfs. über
Engel und Dämonen (1836). Br. 15, 544. Engel und Sterne
(s. d.) mit einander verglichen. Metast. 4, 150. Seg. u. Fl.
7, 101. Nach der Schilderung Milton's und Klopstock's werden
die Engel ganz wie materielle Wesen zur Erde herabsteigen
und nur maschinistisch vermittelt, nicht magisch wirkend gedacht. Rat. mat. Vorst. 3, 298. Primitive und secundäre
Hierarchie der Engel. Privatvorl. 13, 128 ff. Engel können
nur durch den Menschen der Vollendung der Leibwerdung
theilhaft werden. Die Quelle dieser Leibwerdung ist nicht in
ihnen, wie im Menschen. Vis sang. 4, 481. Restaurirbare
Geister ausser dem Menschen. Endl. Geist 7, 194. Dämonen
und ein dritter Theil intelligenter Wesen. Rapport 4, 205.
Ausführliche Begründung dieser Ansicht und Nachweis, wie die
Erlösung dieses dritten Theils der Intelligenzen durch die Menschen der Erlösung theilhaft werden können. Elembgr. 14, 43 ff.
S. Gabalis, Region. Schutzengel, durch uns der vollen Seligkeit entbehrend. Nouv. hom. 12, 246. Engel und Mensch,
einander Gehülfen. Nouv. hom. 12, 241. Der Engel oder
Genius, d. h. ein von Gott dem Menschen gesendeter Geist,
ist nicht eine vor und ausser dem Menschen fertige Creatur,
sondern soll mit dem geschaffenen Menschen erst in eine creatürliche Persönlichkeit zusammengehen. Versehensein 4, 351.

England, betäubender Marktlärm daselbst. Tageb. 11, 199 ff.
Englische Industrie. Büsch 6, 185 s. Consequenz. Englische
Kirche. Wiss. u. Rel. 1, 88 Anm. Politik und Religion da-
selbst. Indiff. 5, 137. Vgl. Politik.

Englobirende Macht der Dinge. Espr. 12, 335.

Ens und Mens, daher entalisch, mentalisch == stumm, sprechend
(dem vegetabilisch und animalisch entsprechend). Gnadenw.
13, 269. 274.

Entdeckungen == Wiedererinnerungen (Platon). Tabl. 12, 178.

Entelechie bei Aristoteles und Oetinger $=$ innere Selbst-
bewegung der Seele als *progressio continuata a forma ad
formam* (Anthropoph. 4, 225), sich in der Spirale bewegend
(Versehens. 4, 366) $=$ sich selber fortzählende Zahl oder
Process und Progress durch alle einzelnen Momente als Stadien
hindurch von Anfang bis zu Ende. Heg. Phil. 9, 305.

Entgründung s. Abimation.

Enthaltsamkeit, Keuschheit. Tageb. 11, 92. 188. Geilheit.
Ebd. 11, 160 ff.

Enthüllung geschieht auf Kosten der Hülle oder doch durch
Unterordnung des Bezeichnenden unter das Bezeichnete. Einfl.
der Zeich. 2, 127.

Enthusiasten, im Gegens. von Phantasten. Nouv. hom. 12, 254.

Entschädigungen, entsprechende, sind schlechthin nothwendig.
Staatsw. 6, 178.

Entselbstigung, freie, durch Liebe (vgl. Rel. Erot. 4, 188 ff.),
erklärt durch den Begriff der Centralität und Periphericität, sowie durch den Begriff der freien und unfreien Penetranz. Soc.
14, 79. Entselbstigung ist Bedingung aller wahrhaften Verselbständigung. De la Menn. Parol. 6, 114.

Entstehen eines (gewirkten) Individuums von und in einem
(wirkenden) Individuum nach dynamischer Construction erklärt $=$ Contraction und Expansion eines Flüssigen (als Mutter-
stoffes) durch eine äussere (räumlich-berührende) Ursache.
(Same, Reiz, Funke, Schema.) Empfängniss, Ablösung, Geburt.
Elem.-Phys. 3, 219 ff. Vgl. Ursache und Grund.

Entstellung s. Versetzung.

Entwickelung alle — entsteht nach Saint-Martin nur durch
eine Einigung verschiedener Kräfte. Einl. 12, 23. Wachsthum
der körperlichen Wesen ist nicht Entwickelung. Des err. 12, 118.

Entzeitlichung, nur durch sie geschieht die Zeitbefreiung.
J. B. 3, 371.

Entzündbarkeit, allgemeine, der Natur, sowohl der äussern
als der innern. Begründ. d. Eth. 5, 16. Entzündbarkeit, nicht
wirkliche Entzündung des Ixionsrades ist der Creatur angeboren.

11*

Blitz 2, 83 ff.   Die Entzündbarkeit (das *posse inflammari*) des Hasses muss getilgt werden, damit die Liebe actuos werde, auch wenn es nicht zur wirklichen Entzündung des erstern kam. Rat. Theol. 2, 502.

Entzweiung = Unmöglichkeit der Einung verbunden mit dem Imperativ zu solcher und zugleich Unmöglichkeit der Abtrennung von einem Andern verbunden mit dem Imperativ zu solcher. Ferm. 2, 228. Anm.   Es gibt eine wahre und eine falsche Entzweiung, jene der Manifestation der Einheit dienend, diese sich ihr widersetzend. Ferm. 2, 167. Anm.   Die Entzweiung im creatürlichen bösen Geist und deren Unproductivität wird vom universellen Geist bewirkt. Ferm. 2, 326.

Eos, Zeitschrift. Br. 15, 451. 454. 455.

Erbauung, religiöse, nach de Maistre. Ferm. 2, 221.

Erbfolge eines Apostelamtes findet nicht statt. Morg. u. Ab. Kath. 10, 133.

Erbsünde und Erbgnade, beide Begriffe beruhen auf der Unterscheidung des Samens zur Creatur von dieser selbst. Ferm. 2, 219. Erbsünde und Erbgnade (Erlösung) beruhen auf Metempsychose und Metensomatose. Aph. 5, 271. S. Blut.

Erde, ihr Alter nicht höher zu setzen, als die h. Schriften angeben.   Bonald 5, 69.   Ihre Stellung im Universum.   Ferm. 2, 311—314 (vgl. die Bemerk. Hoffmann's daselbst u. S. 536 über das Verhältniss dieser Lehre zu der der neuern Astronomie). Desgleichen Spec. Dogm. 9, 282. (S. die Anm. Hoffm. daselbst über die ähnliche Ansicht Schelling's, Daumer's &c.) Einzigkeit der Erde in ihrem Urstand, in ihrem Bestand und ihrer Function nach Hegel. Rüge 3, 317.   Der Erdplanet ist Individuum *par excellence* in Vergleich aller von ihm hervorgebrachten Individuen, wogegen die maschinistischen Vorstellungen die Erde aus einem allgemeinen Grundbrei, Chaos, entstehen lassen. Pyth. 3, 257. (Die Erde ist ein Stern unter Sternen, noch gelehrt nach Herder. Tageb. 11, 41.) Die Erde ist kein Stern unter Sternen, wie Herder behauptete. Kampf der Astronomie und der Theologie über die Bedeutung der Erde. Ihre ursprüngliche kosmische Stellung (*in loco solis*) war eine andere, als ihre dermalige. Lucifer, der Mensch. Rüge 3, 313 ff. Die Erde entfiel *puncto solis* und ist nicht unbewegt. Ihre Bedeutung im Universum. Des err. 12, 155. Die Erde, kein Stern unter Sternen, sondern einzig. Vorr. 1, 413. Die Erde, kein Stern unter Sternen, vielmehr als Finstergeburt entstanden vor allem Himmelsgestirn. Spec. Dogm. 9, 53. Erde = *âme sensible*. Magik. 12, 535. Die Erde als besonders geschaffen ist weder mit dem obern Gestirn noch dieses mit dem Planetensystem zu vermengen und die Function jedes dieser drei zu unterscheiden. Gnadenwahl 13, 275. Versehens. 4, 379. Der Erdkörper und seine Bedeutung für die Schwere. Elem.-Phys. 3, 209. Jede irdische Creatur ist halb irdischer und halb siderischer (solarischer) Natur, wesshalb auch jedes Erdenleben nur in und mit dieser Conjunction beginnt, besteht und mit ihrem Aufhören erlischt. Begründ. d. Eth. 5, 38. Anm. Die Productionen von Himmel und Erde stehen in umgekehrtem Verhältniss. Metast. 4, 150. Die universelle Erde entstand und besteht durch Verschlingung (Introversion) der himmlischen Wesenheit (*sensible immateriel* bei Saint-Martin). Ferm. 2, 178. S. Himmel. Die Erde = *matrix* im Universum. Opf. 7, 378. Anm. Die Erde als Princip, Mutter Rhea, Vesta, als Quelle aller Formen und Bildungen beinahe zu verehren. Pyth. Quadr. 3, 264. Die Erde auch bei der Mesmerischen Wechselwirkung magische Vermittlerin. Ekst. 4, 12. Zusammenhang der drei Begriffe: Erde, Cultus, Cultur. Opf. 7, 305. Rüge 3, 315. Die Erde = *Centrum sensibilitatis*, wie *gravitatis*, auch mit Bezug auf Opfer, Blutvergiessen, Onan's Sünde &c. Br. 15, 326. Diess ein Hauptsatz des M. Pasqualis. Ebd. 328 ff. — Die jetzige Erdoberfläche hat ihr Dasein einer Anarchie zu verdanken. Tageb. 11, 287. Die Erdverhältnisse sind alterirt durch den Fluch der Sünde vor des Menschen Fall (Anm. Hoffm.). Spec. Dogm. 8, 276. Die Bedeutung der Erde und ihr Nexus mit den refractairen Mächten. Opf. 7, 293. Die Erde trägt überall Spuren einer Rache des Himmels gegen titanischen Trotz. Opf. 7, 331. Der Urstand der Erde und Materie = Depossedirung der rebbelischen Geister

aus ihrem gehabten Erbe durch dessen Verschliessung und Ver-
larvung. Vis sang. 4, 429. Das Kleinod und Gift in der Erde
und Materie. Versehens. 4, 347. Die Erde ist nicht mehr
Jungfrau, sondern erlitt eine zweifache Alteration, beim Falle
Lucifer's und beim Falle des Menschen, welcher letztere sie zur
Wittwe machte. Des err. 12, 108. S. Schönheit. — Die Erde
und der Mensch haben (nach Pasqualis) ihre Schicksale
aufs innigste mit einander verflochten. M. Pasq. 4, 123 vgl.
Br. 15, 350. Bildungsl. 2, 122. Einfl. d. Zeich. 2, 188. Begründ. d. Eth. 5, 40. Ferm. 2, 817. 512. Divin. 4, 92. Dogm.
9, 90. Mensch, Erde, Universum. Espr. 12, 311 ff. Erd-
werdung des Menschen. Espr. 12, 284. Wie ohne die Vermittlung der Erde die physischen Sterne nicht ausgeboren
werden können, so ohne den Menschen nicht die höhern Gestirne (Geister). Urtern. 7, 37. Anm. Elembgr. 14, 44 ff.
Der Mensch = Erde für die Geister. Espr. 12, 291. Erde,
Sonne, Sterne. Minist. 12, 392 ff. Vgl. Sonne, Katastrophe.
— Die Erde als Element (s. d.).

Erdenken, Nachdenken und Nachsprechen; beim Menschen
findet nur letzteres statt. Bon. 5, 86. S. Denken, Geistes-
thätigkeiten.

Erfahrung, sinnliche und innere. Tageb. 11, 14 ff. Erfahrung
durch dynamische Einigung eines niedern (menschlichen) Ich
mit einem höhern (göttlichen). Kant's Deduct. 1, 5. Erfahrung
und Gesetz nach Kant. Wunder. Div. 4, 80. 83. Erfahrung
(Historie) und Speise: bei beiden läuft es hinaus auf einen
Scheidungsprocess eines zweifachen Hemmenden sowohl in
äusserer als innerer Begründung. Spec. Dogm. 8, 321.

Erfüllung = Gestaltung (innere, äussere). Das Erfüllende
(Inhalt, Seele) ist das Gestaltende (Form, Bild, Wesen). Ferm.
3, 338. Dreifache Erfüllung. Ebd. 341.

Ergründen, doppeltes: wenn der Gegenstand über dem Erkennenden steht = sich zu Grunde lassen demselben; wenn jener
dagegen unter dem Erkennen steht = sich zum Grunde und
Träger machen demselben. Anal. d. Erk. 1, 42. Anm.

Erhabenheit und Demuth, s. Androgyne, Liebe. Erhabenes und Schönes = *ascensus*, *descensus*. Morg. u. Ab. Kath. 10, 118.

Erhaltung des innern Menschen durch beständige Consecration (Namengebung) und Communion von Seiten Gottes. Anthropoph. 4, 236. Die Erhaltung höherer Manifestationen hebt als lebendige Tradition die Zeitdistanz ununterbrochen auf, wogegen das Aufheben dieser Erhaltung oder Tradition die Zeitdistanz als solche hervortreten macht. Antirel. Phil. 2, 482. S. Zeit.

Erigena, s. Scotus Erigena.

Erinnerung, der eigentliche Sinn dieses Wortes. Seg. u. Fluch 7, 123. = Vergegenwärtigung durch Eindringen in ein Inneres und Erschliessung desselben. Inn. Sinn 4, 105. = Wiederaufschliessen des innerlich Verborgenen, in Bezug auf das Gottesbild in uns, das durch den Fall latent geworden. Zus. d. Leb. 2, 24. Erinnerung und Ahnung geben einen Beweis von der Realität des Seins im magischen Zustande. Studienb. 13, 346. Erinnerung und Vorsehen (Diviniren) sind gleich wunderbar. Ekst. 4, 15. Erinnerung = Reminiscenz; Gleichniss von einer Eichel. Espr. 12, 265. S. Entdeckung.

Erkenntnisslehre. Ueber die Erkenntnisslehre oder Logik Baader's in Vergleich zu der der neuern Philosophen: Kant, (Maimon), Fichte, Schelling, Hegel, (Bachmann) Günther, wie auch Böhme und Spinoza, s. Hoffmann's Einleitung zum 1. B. der WW. S. XX — LXVII. Ueber die Grundgedanken der Baader'schen Erkenntnisswissenschaft s. Hoffm. Einleitung zum 2. B. d. WW. S. VIII — XXI. — Vorlesungen über religiöse Philosophie im Gegensatz der irreligiösen älterer und neuerer Zeit. 1. Heft. Einleitender Theil. Vom Erkennen überhaupt. Schr. (1826) 1, 151 ff. Ueber die Analogie des Erkenntniss- und Zeugungstriebes. Schr. (1808) 1, 39 ff. Fragmente zu einer Theorie des Erkennens. Schr. (1809) 1, 49 ff. Ueberhaupt die Schriften des ersten Bandes. Ueber die Abbreviatur der indirecten, nichtintuitiven, reflectirenden Vernunfterkenntniss durch das directe, intuitive und evidente Erkennen. Schr. (1822) 4, 107 ff. u. ähnliche Schriften des 4. Bds. Einige Principien

der allgemeinen Erkenntnisslehre. Spec. Dogm. 8, 228 ff. (vgl.
Br. 15, 450). Theorie des Erkenntnissvermögens nach J.Böhme's
Myst. magn. Br. 15, 300. S. auch Spec. Dogm. 8, 13—105.
Vgl. Glauben und Wissen. Wissen. Wissenschaft. Religion und
Wissenschaft. Anschauung. Schauen. Sinn. Seben. Intelligenz.
Vernunft. Verstand. Gewissen. Selbstbewusstsein. Bewusstsein.
— Begriff der philosophischen oder speculativen Erkenntniss
und ihr Unterschied von der nichtphilosophischen: Unter philosophischer oder speculativer Erkenntniss versteht man die *cognitio per causas.* Incomp. 4, 306. s. Philosophie. Man
unterscheidet eine Erkenntniss *a priori* und *a posteriori* =
ab interiori und *ab exteriori;* die Verbindung und Aequation
beider ist die philosophische. Religionsphil. 1, 326. Unterschied der speculativen Erkenntniss von der abstracten. Speculiren von *speculum;* ich habe dabei den Gegenstand als
geschauten auch inne zu werden, das Andere zugleich in
ihm und in mir, objectiv und subjectiv, zu gewahren. Spec.
Dogm. 8, 343. Die philosophische oder speculative Erkenntniss im Gegensatz zur nichtspeculativen oder factischen, empirischen, historischen. Irrige Vermengung der erstern mit formeller, theoretischer, unpractischer Erkenntniss. Religionsphil.
1, 323 ff. Die speculative (freie, geniale) Erkenntniss hält die
Mitte zwischen abstracter und blindempirischer. Ihr Bedürfniss
in gegenwärtiger Zeit. Religionsphil. 1, 330. (Ueber Hegel's
dialectische Fortbewegung der Denkthätigkeit als Sichfreimachen
des Erkennens. Rel. Phil. 1, 276.) Wahrhaft philosophische
Erkenntniss im Gegensatze zweier anderer unvollständiger
Erkenntnissweisen, der abstract-theoretischen und der empirisch-
practischen. Societ. 14, 60 ff. Vgl. Aliment. 14, 461 ff.
Die philosophische Erkenntnissweise sollte man lieber die freie
= innerlich und äusserlich begründete, — im Gegensatz der
unfreien nennen. Ferm. 2, 328 ff. Rel. Phil. 1, 117. S.
Freiheit. — Das menschliche Erkenntnissvermögen entwickelt
sich nur in so fern gesetzmässig, als es von der, alle andern
Ueberzeugungen begründenden Ueberzeugung ausgeht, dass der
Mensch Gott nur durch Theilhaftwerden der göttlichen Vernunft

zu erkennen vermöge. Wiss. u. Rel. 1, 96. S. Logik. Die Erkenntniss ist (zunächst) eine Gabe, wobei sich der Empfänger glaubend verhält: *non credam* = *non accipiam* = *non serviam.* Eine Erkenntniss, die das Glauben bedingt und eine andere, die davon bedungen wird. Indiff. 5, 238 ff. Die Erkenntniss ist nicht von, jedoch durch den Menschen zu erwarten. Des err. 12, 83. Gegebene und aufgegebene, gebotene und verbotene Erkenntniss, gesunder und morboser Erkenntnisstrieb. Es gibt keine Erkenntniss ohne den Urwissenden. Ebd. 12, 84. Erkenntniss Gottes ist die uns von Gott gegebene Erkenntniss Seiner. Aph. 5, 259. Die gegebene Erkenntniss soll durch Selbstthätigkeit entwickelt werden; es gibt für den Menschen, wie keine fertige Tugend, so auch keine fertige Wahrheit. Ferm. 2, 156. Erkenntniss ist nicht ohne Kopfbrechen, gleichwie Tugend nicht ohne Brechen des Herzens, zu erlangen. Spec. Dogm. 8, 214 ff. Gegebene und aufgegebene Erkenntniss. Relig. Phil. 1, 246. Spec. Dogm. 8, 125. Untrennbarkeit eines Gegeben- und Aufgegebenseins in allem Wissen. (Vernünftigsein = *ab intus* Vernehmen; Urtheilen = Subsumiren unter ein Erkenntnissprincip). Spec. Dogm. 9, 101 ff. Eine andere Erkenntniss ist die uns (auch wider Willen) aufgenöthigte, eine andere die, welche uns bloss als Lohn eigener Mitwirkung zu Theil wird, und gegen die wir uns auch theilweise verschliessen können. Wahrh. 1, 119. Drei Classen religiöser Erkenntnisse: aufgenöthigte, gegebene, aufgegebene. Spec. Dogm. 8, 344. — Meine Erkenntniss eines Andern schliesst nothwendig die der Relation meiner zu diesem Andern in sich. Rel. Phil. 1, 256. Zwischen dem Erkennenden und dem Erkannten kann eine dreifache Relation stattfinden: 1) Ich werde erkannt und erkenne nicht, 2) ich erkenne und werde erkannt; 3) ich erkenne und werde nicht erkannt. (Gott, Mensch, Natur als verschiedene Erkenntniss-Objecte. Erigena). Spec. Dogm. 8, 230. 359. Unterschied der Erkenntniss eines Höhern und eines Niedern; eigentlich nur Letzteres ist Erkennnen, Ersteres zugleich und vor Allem Anerkennen. Anal. d. Erk. 1, 41 ff. Das endliche Erkennen hat seine Grenze (Horos, Maass) nach oben und nach unten; jenseits derselben liegt für den endlichen Geist nach beiden Richtungen hin das Böse. Spec. Dogm. 8, 237. Bemerkungen gegen Kant und Schelling in Bezug auf die Grenze des Erforschbaren. Versehens. 4, 385. Das Erkennende ist sowohl vom Object wie vom Subject (als subjectirtem Medium und Organ des Erkennenden) verschieden. Ekst. 4, 30. Der Erkennende wird geschaut; der Schauende wird erkannt. Spec. Dogm. 8, 235. S. Schauen. Kein Erkennen ist affectlos. (S. Affect, Gefühl.) Der Erkennende kann dem Erkannten gegenüber, oder über, oder unter demselben stehen u. s. w. Theor. des Erk. 1, 51. Erkennen und Lieben sind in gewisser Beziehung Eins. Spec. Dogm. 8, 230. Vgl. Rel. Phil. 1, 236. — Das religiöse Erkennen geht (ebenso wie die Liebe) drei Stadien durch: Unmittelbares Gegebensein, Afall, Wiederkehr durch Versöhnung. Spec. Dogm. 8, 19. Die Erkenntnissweise eines Wesens ändert sich, wenn es aus der primitiven Ordnung (*locatio*, Gesetz) in eine niedrigere weicht, welches letztere jedoch auf eine unfreie und eine freie Weise geschehen kann. Ebenso bei der Liebe. Spec. Dogm. 8, 233. S. Gesetz. Die Erkenntniss ist je nach der (moralischen) Güte des Erkennenden verschieden. Endl. Geist 7, 180. Ueber das Verbot der Erkenntniss des Guten und Bösen. Antirationale Theologen. J. B. Theol. 3, 426. Das von der Religion verlangte Nichterkennen, Nichtlieben, Nichtwollen ist nur die nöthige Vorbedingung des wahren Wissens, guten Lebens und rechten Thuns. Wahrh. 1, 109. Verbrecherische Erkenntniss, verschiedene Arten der Unwissenheit. Ferm. 2, 230. Vgl. Rel. Phil. 1, 246 ff. S. Wissen. Man spricht von Erkenntniss der Natur, der Sünde &c., gerade, als wenn es völlig gleichgelte, ob man sich mit ihnen eingelassen oder nicht. Spec. Dogm. 3, 176. — Erkennen und Sein sind nicht trennbar. Des err. 12, 85. Die Erkenntniss gewährt dem Menschen mehr wie Alles andere das Gefühl seines Daseins. Tabl. 12, 178 ff. Die Erkenntniss des Seienden macht uns des (erkannten) Seins theilhaft. Indiff. 5, 210. Das Erkennen begründet innerlich den Erkennenden und der Erkennende zeigt sich in einem organischen Verbande mit dem Erkannten. Rel. Phil. 1, 233. Unterscheidung des noch unvollendeten (anticipirten, magischen) Erkennens vom vollendeten (substanzialen, natürlichen). Rel. Phil. 1, 265. Die erste Erkenntniss macht mich nur frei von Gott, so dass ich mich nun frei Gott zu- oder abzukehren vermag; die zweite wesentliche Erkenntniss ist die, wo ich in Gott eingegangen bin. Spec. Dogm. 8, 177 ff. Doch ist in dieser Rücksicht die Erkenntnissfunction des Menschen nicht in zwei Functionen (Erkenntnisssuchen und effectives Erkennen) zu spalten. Indiff. 5, 211. Beim wesentlichen Erkennen verhält sich das *Cognoscibile* als Grund (Motiv) und das Erkennen selbst als Zeugen. Ferneres über gebotene und verbotene Erkenntniss. Finsterniss nicht == Abwesenheit aller Erkenntniss, sondern == Irrthum und Lüge. Durchscheinen, Anscheinen, Ein- und Ausscheinen einer höhern Erkenntnisssphäre in und aus einer niedern. Rat. Theol. 2, 506. Inwohnende, durchwohnende Erkenntniss. Theor. d. Erk. 1, 53, 54. Permanente Geistererscheinung als Erkenntnissschlüssel für Theologen, Philosophen, Historiker, Naturphilosophen und Aesthetiker. Geistersch. 4, 212. Erkenntniss, die Grundfeste aller Freiheit. Insofern Wellen Bewegung ist, gründet es im Erkennen. Antirel. Phil. 2, 468. Jedes primitive und vollendete (begreifende) Erkennen ist ein g e n e t i s c h e s, d. h. der Hervorbringende weiss nur als hervorbringend oder im Hervorbringen sich und das Hervorgebrachte. Rel. Phil. 1, 184. Die Theorie des Erkenntnissvermögens fällt daher mit jener der Schöpfung selbst zusammen. Begründ. d. Eth. 5, 10. Der Erkenntnisstrieb == Gestaltungs- oder organischer Bildungstrieb, indem er immer ein W o r t, N a m e n, B i l d zeugen und gebären, aussprechen und darstellen will. Es ist das Wesen des erkennenden Gemüthes, dass es das in sich Gefundene (Empfundene) auch offenbare, ausspreche. Anal. d. Erk. 1, 43. Wahrhafte Erkenntniss nie unfruchtbar. Espr. 12, 268. Es gibt kein eitles d. h. kein anderes Erkennen, als das in der Stelle: „Adam erkannte sein Weib und sie gebar", ausgedrückte. Br. 15, 204. S. Tauler. Dynamisches und mechanisches Erkennen zu unterscheiden, wie dynamisches und mechanisches Gestalten. Einl. 12, 45. Jede Erkenntniss ist nur dann vollendet, wenn beide (die aufhebende und die aufgehobene Anschauung) in ihrer Vermittelung als Substanz und Hülle, als Geist und Leib zusammengehen. Spec. Dogm. 8, 236 ff. Erkenntniss und Genuss des Erkannten fallen zusammen (Saint-Martin). Societ. 14, 157. Nur die edle Erkenntniss bringt zur ewigen Ruhe der ewigen Sanftmuth des Paradieses. Br. 15, 269. Erkennen, Wollen, Thun s. Dreizahl.

Erklären ist überall nur Enthüllen eines Seins. Br. 15, 204.

Erleuchten, alles, eines Andern geht von Selbstbeleuchtung als seinem Grunde aus. Rel. Phil. 1, 278 ff. Eine Intelligenz vermag auf die andere erleuchtend (elevirend) oder verfinsternd (deprimirend) einzuwirken. Rel. Phil. 1, 289.

Erlöser des Menschen d. i. derjenige, der ja durch seine innere Berührung von der Spannung zwischen Kopf (s. d.) und Herz (Licht und Wärme (s. d.), Kälte und Finsterniss) befreit und diese Spannungen in Einwesigkeit auflöst $=$ Heros und Eros. Geist u. W. 10, 6 vgl. 4. Bei ihm entspricht die Erscheinung nicht dem Wesen: der *Deus Filius* wird scheinbar zu einem blossen *Filius Dei*. Spec. Dogm. 8, 259. Die Heiden erfahren die Berührung des Erlösers. Spec. Dogm. 8, 166.

Erlösung, der Process derselben begann mit dem Fall und wird erst enden mit der Zeit selbst. Indiff. 4, 193. Er zerfällt gemäss der Dreizahl von Leib, Geist, Princip *(animus)* in drei Perioden: Patriarchen, Propheten, Christus. Div. 4, 91. Anm. Die Möglichkeit der Erlösung folgt aus dem Begriffe der Zeit als indirecter Trennung von Gott und indirecter Gemeinschaft mit Gott. Zeitbgr. 2, 56 (79), sowie aus der Erlösbarkeit — Lösbarkeit *(Dissolubilitas)* auch eines bereits bestimmten bösen Willens. Ferm. 2, 156. Erlösbarkeit des Menschen wegen der Art seines Falles. Des err. 12, 93. Die erlösende Thätigkeit der Liebe nach Saint-Martin. Espr. 12, 281 ff. Nur Gott kann erlösen, weil nur er mich mit meiner Wurzel vereinigen kann. L'hom. 12, 226. Der Erlösungsact ist ein grösseres Wunder als der Schöpfungsact. Rel. Erot. 4, 179—200. Spec. Dogm.

9, 26. Unsterbl. 4, 282. Die Erlösung = Wiederbefreiung eines in seiner Evolution rückgängig gewordenen Wesens durch ein Hülfewesen (der unentschiedenen Engel durch Menschen) ist unter drei Bedingungen möglich. Elembgr. 14, 47 ff. S. Beweis.

Eros der Griechen d. i. der Gott, der die Liebe ist. Aph. 5, 264 = höhere vermittelnde Action bei der Liebe. Erot. Phil. 4, 165. 170 ff. Der himmlische und der irdische Eros. Erot. Phil. 4, 178. Der himmlische Eros trägt keine Binde vor den Augen. Spec. Dogm. 9, 13. Die Liebenden sind die Agenten eines höhern Eros. Schub. 1, 61. Eros und Heros = Christus, der die Creatur mit der Idea indissolubel vermählt hat, der Erlöser der Menschheit. Geist u. W. 10, 6. Spec. Dogm. 9, 26 und sonst oft.

Erotische Philosophie, Sätze daraus. Schr. (1828) 4, 168 ff. vgl. Br. 15, 452. — Vierzig Sätze aus einer religiösen Erotik. Schr. (1831) 4, 179 ff. vgl. Br. 15, 475 ff.

Erregung durch Vertheilung in der Electricität, analog dem, was geschieht, wenn der Erlöser dem Gefallenen nahe tritt. Spec. Dogm. 8, 168.

Erscheinung im Sinne Kant's d. h. getrennt vom Ding an sich oder Wesen, ist ein unbiblischer Begriff, da man den Baum nur an den Früchten, den *Genitor* nur im *Genitus* erkennen kann. Einen ganz richtigen Sinn hat dagegen Erscheinung *(apparitio)* als indirecte Manifestation durch einen Spiegel = figürliches (nichtwesentliches), d. h. zeiträumliches Erkennen. Wahrh. 1, 110 ff. — Erscheinung eines Abwesenden (eines Geistes) in Weise eines katoptrischen Bildes. Spec. Dogm. 8, 94. Magnetische Erscheinungen sind historisch unleugbar. Rev. d. Wiss. 10, 275.

Erstarrung in der Natur. Construction ders. Elem.-Phys. 3, 217. — In den Socialformen: in ihnen tritt Erstarrung (Versteinerung) und Zerfallen (Verwesung) ein, sowie das Bildungsprincip *(nisus formativus)* d. h. der Corporationsgeist sich herauszieht. Ferm. 2, 289. Erstarrung und Zerfliessung sind beide mit dem Leben unverträglich. Anthropoph. 4, 233.

Ersterben == Aufhebung des Weizenkorns, der Speise, des Samens, Gottes — in der Erde, dem Magen, der Matrix, der Creatur; ebenso des Alleinseins im Gemeindeleben. Ferm. 2, 228 ff.

Erstes, Letzes: Was in der Ausführung das Letzte ist, ist in der Absicht (*Idea*) das Erste, mit Bezug auf den Menschen als Schlussgeschöpf und die Menschwerdung des Logos. Versehens. 4, 832.

Eschenmayer. Pyth. Quadr. 3, 263. Sein Versuch, die scheinbare Magie des Magnetismus zu erklären. Br. 15, 314. Sein Brief an Baader. Ebd. 321. Die niedrigen Ansichten des Eschenmayer'schen Journals. Br. 15, 835. Ekst. 4, 2. 11. 12. 26. 27 Baader's Briefe an ihn. Br. 15, 336. 421. Vgl. Besess. 4, 253. 254. J. B. Theol. 3, 390. Er hält sich überall nur in der Dimension der Fläche. Br. 15, 461, und ist ein abstracter Gefühlsphilosoph. Ebd. 467 vgl. 482. 631.

Esotericon et Exotericon bei Claudius. Tageb. 11, 319. Esoterische Gottheit == Chaos, Ensoph, Vater, verschieden sowohl von der im Lichte offenbaren (Sohn), als von der creatürlichen Offenbarung. Erigena's Ternar. Ferm. 2, 242. Societ. 14, 136. Auf- und Daraufgehen des esoterischen Gottes in der Natur und Creatur nach mehreren Naturphilosophen. Esoterischer Gott, exoterisches göttliches Wesen, Natur. Verkörp. 2, 3. Vgl. Aeusseres, Inneres.

Essenz == Wesenheit, οὐσία. Gegens. Vermögen. Essentialität der drei Grundvermögen in Gott. Die Grundvermögen im Menschen. Versehens. 4, 415. *Essentiare est ad Inexistentiam potentiarum (radicum) redigere.* Ferm. 2, 203. Desgleichen Gegens. Action: Nur in der Action kann sich der geschaffene Geist gegen Gott empören, während er in der Essenz mit Gott verbunden bleibt: ein Zusammenhang, der ewig dem Geschöpfe ein Geheimniss bleibt. Zeitbgr. 2, 55 (77). Nur Gott producirt Essenzen aus seiner Essenz. L'hom. 12, 212. Die Essenz erhält bei der Schöpfung ein von der *Unité-centre* gesondertes Dasein. Ferm. 2, 854. 355. Die Befreiung der Essenz von den Banden der Zeit und des Raumes (der Materialität) be-

dingt die Freiheit der Manifestation in jeder Zeit und jedem
Raum. Elembgr. 14, 51. Nicht essenslos, sondern essensfrei:
die Essentien sind keine Atome. Qar. Qu. 12, 481. Essenz im
Gegens. von Existenzweise. Minist. 12, 882. Essential im Gegensatz von Substantial: ersteres gebraucht von dem nicht zur
Selbständigkeit in sich Gesteigerten z. B. dem Geist oder Verstand der Natur, essentielle Kraft u. s. w. Bedründ. d. Eth.
5, 10 Anm. Vgl. Ens, Mens; Geist, Substans.

Ethik: Ueber die Begründung der Ethik durch die Physik. Schr.
(1813). 5, 1 ff. Vgl. Br. 15, 251. 254. 255. Physik und
Ethik. Tageb. 11, 24 ff. 34. 112 ff. 133. 174. Die physische
und moralische Natur sind nicht zu trennen. Schub. 1, 65 ff.
Die Physik und Ethik sind in Ermangelung desselben Begriffs
demselben Irrthum verfallen, indem jene die Schwere, diese
das Gesetz (Imperativ) als die alleinige Relation des Niedern
zum Höhern ansehen. Rat. Mat. Vorst. 3, 294. Ethisch-
Gutes = naturfrei, übernatürlich; Ethisch-Böses = infra-
naturalisch. Begründ. d. Eth. 5, 21 Anm. Ekst. 4, 26. S. Natur.

Être - principe verschieden von *Principe d'être*. Des err.
12, 87. 93. L'hom. 12, 204. Strauss, Leb. Jesu 7, 268.
Opf. 7, 279. — *Êtres spirituevx* verschieden von *Êtres
spirituels*. Segen u. Fluch 7, 113. — *Être pensant, être
pensif*, d. h. der Mensch ist eine Intelligenz, die nur mittelst
anderer, ihr nun höher stehender Intelligenzen die Reaction ihres
Gedankens erhält. Des err. 12, 96. 157. Bonald 5, 82.

Etwas, das, abgeleitet aus dem Widerspruche des Seins und
Nichtseins nach Hegel. Bildungsl. 2, 101.

Eucharistie: Ueber die Eucharistie. Schr. (1815). 7, 1 (15) ff.
Vgl. Br. 15, 320 ff. 367. Recension der Schrift: Die Eucharistie in den drei ersten Jahrhunderten von Döllinger (1826)
7, 59. Eine Aeusserung Hegel's über die Eucharistie. Schr.
(1833) 7, 247. Ueber die Eucharistie. Aphor. 10, 290. Vgl.
Morg. u. Ab. Kath. 10, 123 ff. Br. 15, 688. Ueber die zweifache Gestalt des Sakraments. Opfer 7, 398. vgl. Starr. u. Flüss.
3, 269 ff. Spec. Dogm. 9, 98. Ueber die *praesentia realis*
und die Transsubstanziation. Opf. 7, 398. Vgl. Br. 15, 541.

545.   Der Leib Christi ist materiell unpersonirt oder unspeci-
ficirt in der *Species visibilis* des Brodes gegenwärtig (Tertullian. J. Böhme). Rel. Phil. 1, 283. Br. 15, 441. *Corpus
spirituale* und *animale;* ersteres nicht mit Geist zu verwechseln.   Anz. von Döllinger's Euch. 7, 64 ff. Anm.   Ueber die
Anwendung des Begriffes der Tinctur (s. d.) darauf schon bei
Thomas v. Aquin. Spec. Dogm. 9, 117. vgl. Osten Einl.
12, 20.   Die Lehren Luther's, Calvin's und Zwingli's über die
Eucharistie und Anwendung davon auf die Politik, Aristokratie,
Demokratie und Ultrademokratie. Seg. u. Fl. 7, 124. Anm.
Sein, Werden, Bedeuten; Triplicität der Sustentation dabei,
auch für den socialen Organismus geltend. Opf. 7, 385 ff.
Eucharistie und Alimentation. Ferm. 2, 221 ff. Anthropoph.
4, 223 ff. Endl. Geist 7, 197. Aliment. 14, 476 ff. S. Ali-
mentation, Abendmahl, Speise.

Europäischer Staatenbund, das organische Princip darin
nur zu behaupten durch eine, den ganzen Verein befassende,
einem Oberhaupt unter- und zugeordnete, religiöse Societät.
Indiff. 5, 179.

Euthanasien in Wien. Br. 15, 353.

Eva, Ave in jedem Weib (s. d.). Ferm. 2, 256. Beabsichti-
gung einer besondern Schrift darüber (1815). Br. 15, 280.

Evangelium *S. Spiritus* des Fratricellen im 18. Jahrhundert.
Vorr. 1, 406. Spec. Dogm. 9, 14. S. Johannes von Parma.

Evestrum (Gespenst) = astralischer Gegenwurf in der Phan-
tasie Lucifer's so wie in der Seele Adam's, als diese sich in
die thierische Eigenschaft der äussern Welt eingeführt. Bildungsl.
2, 104; = finsterer, in der ewigen Natur geschöpfter Geist,
verschieden vom Astralgeist (s. d.) nach Paracelsus J. B. Theol.
3, 384. = Ungeist, unförmliches Spectrum, entgegen dem
Gottesbilde oder der göttlichen Idea im Menschen, nach Paracelsus und J. Böhme. Versehens. 4, 350; = Krankheitsgeist,
Gegensatz von Idea. Opf. 7, 371. 373; = Geist, wesenlose
oder vom Wesen verschiedene (abwesende) Erscheinung =
Fata Morgana. Vgl. Apgesch. 12, 15. Nicht Petrus, sondern
sein Geist. Spec. Dogm. 8, 91. 94.

Evolution und Revolution in der Natur. Ferm. 2, 299. Bedenkliches Nahegrenzen der evolutionären und revolutionären Bewegungen des Lebens. Bildungsl. 2, 100 ff. Die Evolution des göttlichen Lebens im Menschen wurde von Kant, wie alles Forschen über die fünf Thiersinne hinaus als Mystik zurückgewiesen. Kant's Deduct. 1, 22 ff. Freie, wachsthümliche Evolution des religiösen Wissens. Versehens. 4, 365. Die Nothwendigkeit einer Evolution. Spec. Dogm. 8, 310. Evolution als Vermittlung der Vergangenheit und Zukunft. Antirevolutionär = revolutionär. Spec. Dogm. 8, 318 ff. Evolution und die Götzendiener der Stagnation. Unsterbl. 4, 262 ff. Evolution oder Progress der Societät und der Regierungsform. Trennb. 5, 871. S. Revolution, Involution.

Evolutionismus und Revolutionismus oder die positive und negative Evolution des Lebens überhaupt und des socialen Lebens insbesondere. Schr. (1834) 6, 73 ff.

Ewigkeit nicht = ungeformte Zeit ($+ - = \bigcirc$), sondern besser Zeit = differmirte, entstellte Ewigkeit. *Infinitum* nicht zu verwechseln mit *Indefinitum*. Form oder Maass 2, 520. Ewiges nicht = Abstrahiren vom Zeitlichen, sondern Durchschauen desselben. Opf. 7, 372. Ewigkeit = ewige, wahre Zeit, Gegenwart, Vergangenheit und Zukunft in sich befassend. Identität von Sein und Werden. Das in der Ewigkeit Seiende ist immer seiend, immer gewesen seiend, immer sein werdend. Zeitbgr. 2, 51 (72). = Region der Totalität. Espr. 12, 336. = Concretheit, Ausgleichung, Identität des Alten und Neuen, weder überstürzte Bewegung, d. h. Entgegensetzung des Alten und Neuen, noch starre Ruhe. Spec. Dogm. 8, 219. = Jetzt, *praesentia*, Sein und Werden zugleich, ewig alt (Vater) und ewig jung oder neu (Sohn) = beständige Erneuerung und immer erneuerte Beständigkeit desselben Seienden. Das Dasein bei Hegel kein Starres, sondern ein immer sich erneuerndes. Solid. Verb. 3, 350. Zwei Gestalten der Ewigkeit für den endlichen Geist: Himmel, Erde, Hölle, nicht bloss Himmel und Erde. Societ. 14, 65. Negative und positive Ewigkeit. Fund. d. Christ. 10, 35. — Die Behauptung einer Ewigkeit oder

Unaufhörlichkeit der Höllenqual ist $=$ der, dass mit dem Wiedererlöschen der Entzündung des negativen Willensprincips in der Creatur die Bewegung des schöpferischen Willens zu ihr in Stillstand gesetzt würde. *Duratio definita, infinita, indefinita.* Spec. Dogm. 9, 257. Vgl. Abimation, Hölle.

Exaltation oder gleichsam Ekstase der unorganischen Natur, z. B. der metallischen in die zunächst über ihr stehende Pflanzennatur. Bildungsl. 2, 116.

Exceptio firmat regulam, d. h. die Schöpfung beweiset das alleinige Sein Gottes. Ferm. 2, 355.

Excommunicationen bei Christen, Juden, Heiden. Trennb. 5, 74. Anm.

Exegese unserer Zeiten, ideenlos bei grossem Aufwand historischen Wissens. Begründ. d. Eth. 5, 4. Ferm. 2, 226 Anm.; typische: Ferm. 2, 264 Anm. und sonst oft. S. heil. Schrift.

Ex fide intellectus, Jesaja 7, 9 nach LXX., nicht Vulg. Anzeige von Widmer's Augustin. 7, 58.

Existenz $=$ Formation. Societ. 14, 132 ff. Actives, Passives, und eine Beides verbindende Action. Des err. 159.

Ex nihilo nihil fit, das richtige Verständniss dieses Satzes. Eund d. Christ. 10, 28. 46.

Exorcismus, Kirchenlehre darüber. Besess. 4, 246. Primitiver, womit die Genesis beginnt. Ebd. 449. Anm.

Expansion, Folge einer Scheidung. L'hom. 12, 226 vgl. 224. Das Comprimiren der falschen Expansion bedingt die wahre Expansion. L'hom. 12, 211. S. Kraft.

Experiment: durch das gewissenhafte Experimentmachen mit dem Christenthum an sich selber gelangt man vom todten Glauben zum lebendigen und vom Glauben zum Anfang des Schauens. Tageb. 11, 117. Die Experimentirkunst und das *Imperium hominis in naturam* gedeihen nur recht bei der chemischen, nicht bei der mechanischen Naturauffassung. Elem.-Phys. 3, 237.

Explosion bei der Verbindung eines Activen und Passiven. Seg. u. Fl. 7, 116.

Extravasat, extravasirte Lebensstoffe. Ferm. 2, 262.

F.

Facies hippocratica. Br. 15, 294. 296. 319.

Facultäten, über die Stellung der philosophischen zu den drei anderen (vgl. die Anm. d. H.). Spec. Dogm. 8, 216.

Fall des Menschen, seine Voraussetzung für den religiösen Philosophen nothwendig. Spec. Dogm. 8, 38. 46 ff. Er lässt sich ebenso wie die Thatsache der Erlösung, als in der Vergangenheit geschehen, noch aus der Gegenwart beweisen. Spec. Dogm. 8, 166. S. Beweis. Ihm ging schon voraus der Geisterfall. Eklipsis in der Natur, Chaos. Schöpfung der Erde (s. d.) und des Menschen als Gegenwirkung. Fall der Menschen, Fluch in der Natur. Paradiesische und irdische Geburtsweise wie auch Wiedergeburt des Menschen. Ferm. 2, 376. Fall Lucifer's (s. d.) und des Menschen. Espr. 12, 279. 332. Der Fall des Menschen (schon vor Erschaffung des Weibes) war ein Ehebruch, eine Untreue gegen die Idee (M. Pasqualis, Saint-Martin). Des err. 12, 144. Der Mensch setzte durch Essen der Frucht des Guten und Bösen in sich neben einander, was unter einander hätte stehen sollen. Nouv. hom. 12, 250. Der Fall des Menschen, ein kosmisches Ereigniss. Tabl. 12, 184. Der Mensch fiel aus einer höhern Region in eine tiefere. Bedingungen der Wiederherstellung des Menschen. Dynam, Beweg. 3, 282 ff. S. Lucifer. Fall des Urmenschen = Erlöschen des solarischen Processes in ihm. Begründ. d. Eth. 5, 4. Der Mensch verlor dabei alle Fähigkeiten bis auf den Willen und dessen Attribut, das Aussprechen desselben. Des err. 12, 85. 105. Nach dem Fall ist dem Menschen nicht Erkennen und Wirken, sondern nur Wollen verblieben. Der Wille mit seinem Attribut, der Sprache. Des err. 12, 135 ff. Die dabei stattfindende Wegnahme des primitiven d. cifachen Organs und die Gabe eines andern dafür geschah zur Strafe, aber auch zur Schirmung, Sühnung und Restauration des Menschen. Das neue Organ soll geopfert werden; die Seele (das Blut), aber auch Geist und Leib. Spec. Dogm. 8, 258. Nach dem Fall wurde der Mensch aus dem Abgrund gehoben durch

einen neuen Leib, einen neuen Geist und eine neue Seele.
Minist. 12, 400 ff. — Fall eines Niedrigern, wenn seine passive
und des ihm Höheren active Imagination nicht zusammenstimmen. Anal. d. Erk. 1, 45.

Fanatismus und gangrenöse Religionsindifferenz. Indiff. 5,
123, 136.

Farben: Roth, Gelb, Weiss und Grün, Blau, Schwarz $=$ Höhe,
Mitte, Tiefe. Heg. Phil. 9, 302. S. Höhe.

Fata volentem ducunt, nolentem trahunt, in ver-
schiedener Anwendung. Elem.-Phys. 3, 209. Anm. Anal. d.
Erk. 1, 43. Anm. Blitz 2, 45. J. B. Theol. 3, 362. Franz.
Revol. 6, 328. Spec. Dogm. 9, 43 und sonst oft.

Fatalismus, der, wird in seiner Wurzel allein durch die Einsicht in das Wesen der Durchwohnung (s. d.), Inwohnung
und Beiwohnung getilgt. Rat. mat. Vorst. 3, 295. Fatalismus
und Materialismus; woher jener entstanden ist. Tabl. 12, 170 ff.

Fatum, ein mechanischer, hölzerner, wahrhaft heidnischer Begriff. (Bratenwender.) Tageb. 11, 137 ff. Vgl. Spec. Dogm.
8, 278. S. Schicksalsidee.

Faust's Versöhnung mit dem Leben von E. v. Groote (1816),
angezeigt (1825) 7, 39. S. Göthe.

Fechner, G. Th., Zendavesta. Einl. 12, 64 Anm. — H. A.,
über J. Böhme's Leben. Einl. 12, 18 Anm.

Fegfeuer, Uebereinstimmung J. Böhme's mit der Kirchenlehre
darüber. Segen u. Fl. 7, 192. Die orientalische Kirche hatte
Recht, keine strenge Scheidelinie zwischen Fegfeuer und Hölle
während der Dauer dieser zeitlichen Welt zuzulassen. Zeitbegr.
2, 88. S. Abimation. Fegfeuer und Gnadenschätze der Kirche.
Morg. u. Ab. Kath. 10, 115.

Feind des Kreuzes Christi kann man sein durch Weltlust, fröm-
melndes Thun, *utiliter* Sich-Appliciren des Verdienstes Christi.
Spec. Dogm. 8, 264.

Feldhoff, *Astrologia sacra.* Spec. Dogm. 8, 385. Ueber die
Völkertheilung. Br. 15, 559. Brief Baader's an ihn (1837). Ebd.

Felix culpa. Zeitbgr. 2, 58 (81). Ferm. 2, 350.

Fenelon, *Explications des maximes des Saints sur la vie intérieure* (1699). Lettr. 12, 433. Anm. S. Quietismus, Guyon.

Fermenta cognitionis, Schrift in 6 Heften (1822—25) 2, 137 ff. vgl. Br. 15, 360. 389. 402. 406. 417. 422. 427. Ueber deren neue Ausgabe 526.

Fernsehen, Gesetze dafür. Ekst. 4, 21 ff. == Weiter-, sowie Vor- und Zurücksehen. Div. 4, 69 == Magisch oder im Geiste Sehen. Div. 4, 70.

Feste, jüdische: Die drei Hauptfeste (Ostern, Pfingsten, Laub-hütten) entsprechen den drei Momenten der geistigen Geschichte der Regeneration des Menschen, den drei Grundvermögen des Menschen, und den drei Regionen, nemlich der irdisch-natür-lichen, geistigen und göttlichen. Opf. 7, 316.

Festigkeit und Flüssigkeit, Ideen darüber, zur Prüfung der physicalischen Grundsätze des Herrn Lavoisier. Schr. (1792) 3, 181 ff. Vgl. „Diess Buch ist eine Mausfalle." Brief. 15, 163. Festigkeit oder Starrheit ist nach Kant nichts weniger, als ein einfaches Phänomen. Man kann die Erklärung des Festen nur bei dem flüssigen Zustand anheben. Fest. u. Flüss. 3, 186. Festes und Flüssiges == gebildetes Individuum, ungebildeter Stoff. Pyth. Quadr. 3. 264 ff. Festes, Fliessendes, Gas; genauere Bestimmung des Begriffes Gas (Geist). Anthropoph. 4, 226 ff. Anm. — Festes, Bewegliches: Nur der Feststehende bewegt sich frei, und wenn die Mobilität das Immobile (Positive) angreift, so geht die intellectuelle und die bürgerliche Freiheit verloren. Aphor. 5, 316. Anm. S. Flüssiges, Starres.

Festus, des Heiden, *summa theologiae christianae*. Heg. Phil. 9, 343.

Feuer- und Wärmetheorie, die Ansichten der neuern Phy-siker darüber, insbesondere die Lehren von Achard, Amonton, Arden, Baume, Bayer, Beccaria, Becher, Bergman, Black, Blaggen, Boerhave, Boyle, Braun, Brisson, Büffon, Ca-vendish, Cleghorn, Crawford, Crell, Cullen, de Luc, Durande, Elliot, Erxleben, Fontana, Forster, Franklin, Gahn, Geyer,

Gmelin, Gravesande, Guerike, Hales, Haller, Hauser, Herbert, Homberg, Ingenhouss, Karsten, Keir, Kirwan, Lambert, Landriapi, Laplace, Lavoisier, Lemery, Leonhardi, Lichtenberg, Magelhaens, Mairan, Maquer, Marat, Maret, Marggraf, Martine, Meyer, Mongez, Morveau, Muschenbroek, Nollet, Pallas, Pelletier, Perrault, Pott, Pörner, Priestley, Reaumur, Rey, Richmann, Rohault, Rozier, Saussure, Scheele, Scopoli, Sennebier, Stahl, Volta, Watt, Weigel, Wiegleb, Wilke. — Wärmest. 3, 9—178. Die älteren Begriffe davon, insbesondere die Ansichten des Empedokles und Demokrit (Wärmest. 3, 49 vgl. 29), des Hippokrates (Ebd. 30), Plato (29), Aristoteles (13 ff. 31. 41), der Peripatetiker (13 ff. 53), des Epicur, der Corpuscularisten und Atomisten (14, 49), der Stoiker (30), des Cicero und Ovid (41). Vgl. ferner: Boerhave und die Chemiker (14), Baco und die mechanische Schule, Descartes, Euler, Newton u. s. w. (17 ff.). Vom Feuer überhaupt und von den Gesetzen des Verbrennens. Wärmest. 3, 147 ff. — Die Feuer- und Lichttheorie d. h. Lebenstheorie J. Böhme's: *Ignis ubique latet*, oberster Grundsatz der Physik; Feuer in der äussern = Begierde (s. d.) in der innern Natur, als Aufgang des Lebens. Begründ. d. Eth. 5, 16. Blitz 2, 30. 36. Bildungsl. 2, 101. Heg. Phil. 9, 318. 322. Schlechte Vorstellung vom Feuerprocess in der gemeinen Physik: Transportation derselben unveränderter Stoffe oder Materien, mit Verkennung der wunderbaren Intraction (Aufhebung) der Materie und ihrer Erhebung zur geistigen Actuosität. J. B. Theol. 3, 423. Gebundener und freigemachter Feuerstoff. Tabl. 12, 175. Finsterniss (s. d.), Feuer, Licht = Schema der Lebensgeburt, nach J. Böhme. Ferm. 2, 226. Anthropoph. 4, 228. Espr. 12, 327. Das Feuer ist eine Wesen aufhebende und Wesen setzende Macht, aber selber kein Wesen, sondern Kraft und Geist, welche eine Kraft sich in jedem Wesen jeder der drei Welten (Principien), jedoch in jeder anders, kund gibt. Ferm. 2, 240 ff. Feuer, Anfang und Ende des Elementes. Der Welt Anfang und Ende im Feuer. Tabl. 12, 192 ff. Feuer urständet nicht *per generationem aequivocam*. Nouv. hom.

12, 242. Feuer baut und verzehrt. Ebd. 254. Feuer =
Hunger nach Licht. Espr. 12, 266. Feuer, Licht, Luft, ein
Wesen. Das Feuer wirkt unter sich die Finsterwelt, über sich
die Lichtwelt. Quar. Qu. 12, 487 ff. Der Geist (Luft) setzt
das Feuer, dieses jenen voraus. Quar. Qu. 12, 476 ff. Das
Feuer entsteht in der Conjunction der Natur und Uebernatur:
diese in die Natur eindringend entzündet selbe und hiermit
zugleich sich selbst; Entzünden aber ist Aufschliessen. Gnadenwahl 13, 257. Feuer = Wurzel (Ursache) der Natur; Licht
= Geist inner oder über dieser Natur. Die Begründung, Substanzirung oder Realisirung dieses Lichtgeistes geschieht durch
beständige Subjicirung (Entgründung) der Natur. Ferm. 2, 408.
Das Feuer ist aufgehoben im Licht, die Natur im Geist, indem letzterer(s) jene(s) durchwohnt oder durchdringt. Ferm.
2, 297 ff. Feuersterben, nach J. Böhme jede wahrhafte Lebensgeburt bedingend. Revis. d. Wiss. 10, 270. Feuerbad bei
jeder Purification des Geistes. Tabl. 12, 189. Urtheilende
Function des Feuers. Ferm. 2, 241, 278. Lichtleeres, Licht-
erfülltes Feuer; jenes corporisirend, dieses decorporisirend.
Spec. Dogm. 9, 23. Unsterbl. 4, 279. Das Lichterzeugende
Feuer und das Grimmfeuer. Privatvorl. 13, 101. Feuerschwert
des Cherubs, Regal Gottes, dessen sich Lucifer anmaassen
wollte. Spec. Dogm. 9, 88. Feuerprocess = Brennen, Ver-
brennen. Das verbrennende Feuer = ausgekommenes; an-
fangendes = Aufhören (Verzehrtwerden) der Basis dieses
Feuers. Ferm. 2, 390. Zerstörendes, in der Zeitregion auszubrechen drohendes Feuer. Zeitbgr. 2, 52 (74). — Nicht
alle ausgekommenen Feuer sind gelegte; es gibt auch solche,
die durch Selbstentzündung entstehen. Evol. u. Rev. 6, 91.
Sthenische Feuervulcane pflegen asthenische Vulcane zur Nach-
folge zu haben (mit Bezug auf die erste und zweite Revolution
in Frankreich). Posit. Rechtsbest. 6, 57. Feuervulcane in
Amerika, die zu Schlamm- und Stickluftvulcanen werden. Vermögensl. 6, 129. — Ueber das Feuer als Element s. d.

Feuerbach, der Criminalist. Aph. 5, 359. Der Philosoph,
sein Missverständniss J. Böhme's. Heg. Phil. 9, 317. Seine

Lehre vom Abfall der Idee von sich. Fund. d. Christ. 10, 47.
Seiner Schrift über Philosophie und Christenthum. Morg. u.
Ab. Kath. 10, 164. Seine Vergötterung des Todesgedankens,
eine hohle Prahlerei. L'hom. 12, 214 ff. Vgl. Hoffm. Einl.
zum 3. Bd. S. XXVII ff., zum 9. Bd. S. I ff. Hamberger
Einl. zum 13. Bd. S. 8 ff.

Fiat justitia et conservetur mundus. Vermögensl.
6, 127.

Fichte, Johann Gottlieb, Stellen aus dessen Naturrecht unter
dem Titel: Naturrechtlicher Grund gegen die Aufhebung der
Zünfte 6, 3 ff. Ueber dessen geschlossenen Handelsstaat.
Naturrechtl. Gr. 6, 8 ff. Büsch 6, 189. Ueber den Begriff
der Wissenschaftslehre. Elem.-Phys. 3, 213. Anm. Dessen
Lehre vom Selbstbewusstsein als *ipsissima res* des Geistes
höchst wichtig und verdienstvoll. Rel. Phil. 1, 175. (vgl. Hoffmann Anm. 1, 179.) Spec. Dogm. 8, 66. Fichte's richtige
Einsicht und fixe Idee. Metast. 4, 160 Anm. Seine Lehre
von der zeitlichen Anschauung als der einzigen und also ewigen
ist irrig. Br. 15, 178. Ueber Fichte's Ich und Nichtich.
Dreifache, oder eigentlich zweifache Gestalt des Nichtich, rohes,
krankes, gesundes. Das Erkranktsein ist nichts Ursprüngliches,
sondern Folge eines Verderbnisses. Elem.-Phys. 3, 242. ff.
Fichte und Hegel über Natur und Geist. Ekst. 4, 27. Anm.
Die Lehre Fichte's über Ich und Nichtich, Hegel's über Sein
und Nichtsein, Schelling's über Seinkönnen, Sein und Sein des Seinkönnens berichtigt. Das Nichtich ist nicht immer Negation des
Ich. Fichte's *bellum internecinum* zwischen beiden. (Gott
und Geschöpf, Geist und Natur). Spec. Dogm. 9, 34 ff. vgl.
Br. 15, 367. Aph. 5, 35 ff. S. Ich. Fichte hat den Unterschied zwischen dem constituirenden Thun Gottes und dem
constituirten Thun der Creatur geleugnet, ebenso wie die Naturalisten das Bewusst- und Selbstlose vor das bewusste Selbst
gesetzt, und Atheismus gelehrt. Widmer's Augustin. 7, 56.
„Wir müssen zu Grunde gehen oder Gott." Oeuvr. 12, 462.
Anm. Seine Kritik aller Offenbarung. Spec. Dogm. 9, 69.
S. Atheismus. Hoffm. Vorr. zu Bd. II. S. XLII ff. v. Osten

Einl. 12, 11. — Imanuel Hermann Fichte's Sätze zur Vorschule der Theologie. Spec. Dogm. 8, 110. 115. Seine Lehre über die Freiheit des Menschen. Spec. Dogm. 8, 120 ff.

Figur = Begriff einer in sich zurückkehrenden Bewegung. Espr. 12, 342. — Bleibendes im Veränderlichen, in meiner Imagination gesetzt, ist haftender Habitus = Schema des figurbeschreibenden Vermögens = *Idea formatrix*, also nicht ein Todtes in einem Todten, sondern eine in einem activen, producirenden Organ bleibende Disposition. Bonald 5, 83 ff. Anm. Gegensatz von Figürlichkeit und Wesentlichkeit. Ferm. 2, 418. 420. Beide Begriffe kehren sich um, je nachdem man im innern oder in den äussern Sinnen steht. Inn. Sinn 4, 100. Die innere Stellung der Zeit = Zahlfigur, die äussere = Figur, Bewegung = Figurbeschreibung. Die innerlich gefasste (gestellte) Figur ist die den Klang oder Geist gebende. Form oder Maass 2, 522 ff. Anm. 8. Klangfigur. Das selige und das unselige Bewusstsein leuchtet nur als Figur (magisch) in das natürliche Bewusstsein hinein. Ferm. 2, 296. Figurbeschreibung s. Gesetz, Gestirn. Vgl. Substanz.

Filius Deus im Unterschied von *Filius Dei*. Spec. Dogm. 8, 259. S. Christus. Die Interpolirung des *Filioque*. Morg. u. Ab. Kath. 10, 112 ff. vgl. damit Geist u. W. 10, 13 u. a. St. — *Filius in matre est, s. pater in filio; non est filius in matre, si pater non in filio* u. u. Spec. Dogm. 8, 112.

Finanzkunst, ihre Abirrungen und wie sie verbessert werden könne. Vermögensl. 6, 133. Staatsw. 6, 172 ff. Holzbau 6, 209. Kammern 6, 222.

Finstergebilde und Missgeburten in der Natur, die auf Kosten des Menschen leben. Bildungsl. 2, 120.

Finsterniss, damit ist nicht die Natur identisch (Schelling), sondern jene nur bedeutungsvoll für den Geist. Spec. Dogm. 8, 158 ff. Finsterniss, in der sich der gefallene Mensch befindet und worin ein Phantom an die Stelle der Wahrheit gesetzt wird. Des err. 12, 85. Finsterniss, Teufel, Tod, nicht blosse Abwesenheit des Gegentheils (s. Böses, Unwesen &c.).

Ebd. 8, 159. Doppelter Begriff der Finsterniss. Privatvorl. 18, 101.

Finsterniss (Finster), Feuer, Licht = Aeusseres, Inneres, Mitte, Schema jeder Lebensgeburt. Ferm. 2, 226. = Körper, Seele, Geist (Idea, Begriff), jedoch nicht zu verwechseln mit den drei Principien oder Welten J. Böhme's (Hölle, Erde, Himmel). Ferm. 2, 241. In Gott = Zorn, Stärke, Liebe, so jedoch, dass hier die Finsterniss im Licht verborgen ist und seiner Offenbarung dient. Blitz 2, 33; in der Creatur = *ecclesia pressa, militans, triumphans* = Dante's *Infernum, Purgatorium, Paradisus*. Blitz 2, 35 ff.; entsprechend den drei Principien aller Manifestion, dem Werkzeug, Mitwirker (Organ), Centralwirker = Stummer Lauter, Mitlauter, Selbstlauter. Myst. Magn. 13, 230. Finsterniss und Licht, ein Producirtes. Quar. Qu. 12, 472. Finsterniss und Licht in jedem Leben, jene als Dualismus, diess als die einende, den Zwist lösende Rettung zu betrachten. Bildungsl. 2, 107. Beide sich darstellend als Ternar und zwar der Finsterternar als das Umgekehrte des Lichtternars ($\triangle \, \triangledown$). Blitz 2, 34 vgl. 32. S. Feuer, Naturgestalten.

Firdusi's Schachnameh, Bruchstück Dschemschid, übers. vom Gr. Ludolph, mit Anm. von Joh. Müller. (S. Herder's Werke 1829. 1. Theil. S. 276). Spec. Dogm. 9, 29.

Fischer, Carl Phil., in Tübingen (später in Erlangen). Br. 15, 496. Centr. Sens. 4, 139. Anm. Hoffm. und sonst öfter.

Fixsterne, s. Sterne.

Flamme. Für sie und das thierische Leben gibt die Feuer- und Lebensluft das *pabulum vitae* her. Wärmel. 3, 9. Das Phänomen der Flamme oder des Verbrennens gehört einer höhern Ordnung an, als die Mittheilung der Temperatur. Pyth. Quadr. 3, 262. „Die Flamme muss die Leidenschaft verzehren. In Flammen muss die Freiheit sich gebären." Ferm. 2, 243. Br. 15, 896.

Fluch = Flucht der göttlichen, durch den Menschen als Bild Gottes vermittelten Gegenwart in der Natur. Aphor. 5, 256. Begründ. d. Eth. 5, 40. Der Fluch Gottes über die Natur (seine Flucht aus ihr) und der Wiederbringungsprocess derselben durchläuft mit dem des Menschen gleiche Momente. Bildungsl. 2, 120. 122. Pflicht des Menschen, die Natur von diesem Fluche zu befreien. Ferm. 2, 187. — Fluchen bei den Kirchenvorstehern. Morg. u. Ab. Kath. 10, 286.

Fludd, *de macrocosmo.* Tabl. 12, 196.

Flüssiges: Den richtigen Charakter der Flüssigkeit, Fluidität hat zuerst Kant angegeben = ungemein leichte Beweglichkeit (Verschiebbarkeit) der Theile. Fest u. Flüss. 3, 191 ff. Das originell Flüssige ist nach Kant ohne alle Viscosität, als vollkommenes Continuum, nicht aus discreten Theilchen bestehend zu denken, wogegen alles Palpable aus discreten Theilchen bestehen mag. Ebd. 3, 185. Der Zusammenhang im Flüssigen ist nur der der Expansion, nicht der der Substanz. Aus ihm sind ursprünglich alle Körper entstanden. Pyth. Quadr. 3, 265. Ueber die Continuität des Flüssigen. Aph. 10, 320. Das Fliessende, = Stoff ohne Form, hat zwar Penetrationskraft, aber keine Continuität, dynamische (chemische) Potenz und mechanische Impotenz. Starr. u. Fliess. 3, 271 ff. Flüssiges (*Fluides*) d. h. nicht individuell sich manifestirende Agentien. M. Pasq. 4, 126; im geistigen Sinn *fluides incoercibles* = Agentien, die nur gefühlt (geglaubt) werden können. — Flüssig, aufgelöst = durchsichtig für eine tiefere Action, bei den Gliedmaassen einer Magnetischen. Fragm. 4, 51. Flüssigwerden des Herzens nach Thomas von Aquin. Erläut. 14, 315. S. Festigkeit, Gemüth.

Fluxion = Auflösung der Materie in Immaterielles und deren neues Entstehen aus diesem. Versehens. 4, 401 Anm.

Force, résistance. L'hom. 12, 227. S. Kräfte.

Förg, über Gehirn- und Rückenmarkslehre. Fund. d. Christ. 10,28. Br. 15, 585—621. Drei Briefe Baader's an ihn (1840). Br. 15, 639—664.

Form, Formation. Ueber den Begriff der Zeit und die vermittelnde Function der Form oder des Maasses. Schr. (1833) 2, 517 ff. vgl. Aristoteles. Form und Stoff. Aph. 5, 341. Form, Figur, sichtbare Bildung, Gestaltung eines Dinges. Tageb.

11, 60. Der allgemein herrschende Unbegriff von Form, Stoff und Wesen. J. B. Theol. 3, 386. S. Ideales und Reales. Form und Inhalt, nicht wie Geschirr und Flüssiges, sondern organisch verbunden. Rel. Phil. 1, 304. Inhalt und Form = Geist und Natur. Die Mitte (Seele) erfüllt sie beide. Espr. 12, 284. Inhalt und Form = Fülle und Hülle, Seele und Leib, Intension und Extension, Empfinden und Schauen &c. Die Identität derselben nicht Einerleiheit beider, sondern Identität des beide erzeugenden, in beiden sich manifestirenden Princips. Ferm. 2, 325. Form und Erfüllung kommen erst in der Conjunction zu Stande. Espr. 12, 267. Die Untrennbarkeit und Identität von Form und Wesen, Einheit und Vielheit, in jedem Lebendigen. Spec. Dogm. 8, 161. Formal und Real werden irrig einander entgegengesetzt. J. B. Theol. 3, 387. Die organische Form ist identisch mit dem Wesen. Aph. 5, 268. Die Materie ist nur durch ihre Formation und ebenso auch die Form. Spec. Dogm. 9; 279. Log. 1, 319. *Forma dat rei esse.* Ueber den Begriff von Form und Wesen. Die unificirende, synthetisirende Macht des Logos. Ferm. 2; 222. Log. 1, 317. *Formator* und *Formabile* verhalten sich wie Geist und Natur, Intelligentes und Intelligirtes. Gott kann nicht naturlos gedacht werden. *Forma = Idea*, ein Vermittelndes, nicht Primitives (Hegel). Form und Formender sind zu unterscheiden, ebenso Form, Nichtform, Unform. Log. 1, 315. 318. 320. Ueber Materie und Form bei Thomas v. Aquin. Erläut. 14, 211. 212 ff. 281. *Materia appetit formam.* Quar. Qu. 12, 495. Hegel hat dem Dualismus von Form und Materie die Triplicität des Einen, Besondern oder Sondernden, und Einzelnen entgegengestellt, womit die vermittelnde Function des Formators ausgesprochen ist. Spec. Dogm. 9, 280. Form, *formatio, informatio:* Der Erkennende conformirt sich im Erkennen dem Erkannten. Rel. Phil. 1, 260. Wie die Formation zu Stande kommt. Spec. Dogm. 8, 364. Wo ein abnormer Ingress (Mésalliance) von Inhalt und Form, Subject und Object stattgefunden, kann nur das Opfer einer Suspension des normalen Ingresses zum Ziele führen. Vorr. 1, 411. Form

oder Maass 2, 528. Anm. Innere und äussere Formation. Tabl.
12, 172. Formation = verselbständigende Gründung, Selbst-
potenzirung, Herrlichkeit, Offenbarung. J. B. Theol. 3, 387.
Die Formation (der Charakter) jedes Existenten geht unmittelbar nur aus seinem Grunde hervor. Versehensein 4, 389. vgl.
367. Dreifache Formation und der entsprechend ein dreifacher
Formationsgrund in Gott: esoterische, exoterische, creatürliche Selbstformation Gottes. Societ. 14, 186 ff. = Ueber-
natürliche, natürliche, creatürliche Selbstmanifestation Gottes.
J. B. Theol. 3, 388 ff. Die Triplicität und Quadruplicität des
innern Formationsprocesses (in der Imagination) im Unterschied
der äussern Formation und deren äusserer Begründung nach
J. Böhme. Spec. Dogm. 9, 181 ff. vgl. 192. Formationsstreit bei der intelligenten Creatur; vier Zustände darin: Un-
schuldstand, fixirte Integrität, restaurirbare Difformität, unre-
staurirbare Difformität. Dreierlei Agenten dabei: Centralwirker,
Mitwirker, werkzeugliche Wirker. Spec. Dogm. 8, 98 ff. Der
Formationsstreit wird geschlichtet durch die in der Selbstbestimmung zum Guten oder Bösen getroffene Entscheidung,
deren Folge daher Bildung oder Missbildung ist. Spec. Dogm.
8, 269. Formation, Formlosigkeit, Corporisation. Opf. 7, 281.
Nichtform, normale Form, Unform. Form oder Maass 2, 521.
Die Form der körperlichen Wesen wird durch eine höhere
Ursache (das angeborne Princip) bewirkt. Des err. 12, 121 ff.
Formlosigkeit der Zeit = Unvermögen, Ohnmacht (*deliquium*)
zu sein = *vis inertiae* = *conamen essendi s. existendi* =
Conflict des Seins oder Nichtseins = Schwere und Leere der
Zeit. Form oder Maass 2, 519. S. Zeit. — Gegen die For-
men des Weltregiments, mit Ausnahme der Despotie und der
Rebellion, ist das Christenthum indifferent. Kirchenvorst. 5, 402.

Forschung, Freiheit derselben im Gegens. zur Verknechtung
der Schule. L'hom. 12, 280.

Fortlage, über Augustinus Theorie der Zeit. Br. 15, 548.

Fortpflanzung eines Höhern in einer niedrigern Natur, Gottes
in der Menschheit, indem Letztere des Ersteren Bild wieder-
spiegelt: grösste Heimlichkeit des Lebens. Bildungsl. 2, 114 ff.

Die Fortpflanzung bei Adam, wichtig für die Confirmation der Gottesbilder in ihm, wurde durch den (ersten) Fall gestört und seitdem der Mensch dualistisch getrennt. Spec. Dogm. 9, 122 ff. Die creatürliche Fortpflanzung ist nur *procreatio*, nicht eigentlich *generatio*. Versehens. 4, 369. Die Fortpflanzung der materiellen Wesen ist bloss numerisch, secundär; eben so ist ihre Sustentation (Nutrition) nur secundär. Seg. u. Fl. 7, 113. Die Fortpflanzung als Enumeration dauert nur so lange, bis das durch alle Creatur zu Wirkende fertig ist. Geisterach. 4, 218 Anm. Die Fortpflanzung und die sie bedingende Geschlechtsverschiedenheit fällt nicht in die Region des Geistes, sondern unter sie, in jene der noch unvollendeten Natur. Rel. Phil. 1, 219. S. Geist und Natur. Auch bei der creatürlichen Fortpflanzung sind Vater, Mutter und Sohn dieses nur im Momente der Zeugung. Geist u. W. 10, 13 ff. S. Vater, Mutter. Geschwindigkeit (Intension) der Erzeugung. Seg. u. Fl. 7, 116. Responsabilität im Gebrauche der Fortpflanzungsmacht (die noch Ungebornen sind im Samen der irdisch Lebenden bereits physisch gegenwärtig). Spec. Dogm. 8, 221.

Fortwachsen in der Zeit: Man kann es keine Alteration nennen, wenn eine Pflanze, ein Thier, ein Mensch; ein Volk, die Menschheit, die Erkenntniss in ihr, das Dogma, die Kirche fortwächst in der Zeit. Unsterbl. 4, 262. Lebendiger Fortwuchs in der Religionswissenschaft ist nothwendig. Spec. Dogm. 8, 17. Fortschreiten oder Fortwachsen des Christenthums und des Menschthums in Wissen und Wirken. Spec. Dogm. 9, 13. S. Christenthum, Gabe.

Fourier's Lehre über Associationswesen. Evol. u. Rev. 6, 95.

Fournié, Pierre, Abbé, früher Secretär des M. Pasqualis, später in London, Verf. d. Schrift: *Ce que nous avons été &c.* Ferm. 2, 434. M. Pasq. 4, 117. Br. 15, 307—338. Baader's Briefwechsel mit ihm erwähnt 347. 360. 365. Seine Theorie des Bösen 377. und der Höllenstrafen 550. Oeuvr. 12, 451.

Frage *(interrogatio)* und Bitte *(rogatio)*, jene (nach Baco) an die Natur, diese an Gott zu richten. Rat. Theol. 2, 514 Anm.

Fragment aus der Geschichte einer magnetischen Hellseherin.
Sehr. (1818) 4, 41 ff. Vgl. Br. 15, 329.

Franciscus Georgius. Versehens. 4, 884.

Franciscus Patritius. *Magia philosophica.* Hamb. 1593.
J. B. Theol. 3, 374. Fund. d. Christ. 10, 26. 31.

Franck, Kabbala. Einl. 12, 62.

Franklinianismus == Böhme's System. Studienb. 13, 339. 349.

Frankreich, französische Revolution. Das französische
Volk wird vielleicht mit dem jüdischen gleiches Schicksal,
gleiche Strafe, aber auch gleiches Verdienst um die Wiederherstellung der wahren Religion haben. Rel. u. Pol. 6, 24.
Sendschreiben St. Martin's an einen Freund über die französische Revolution (Paris 1795). Deutsch mit Anm. (1832).
6, 291. Die französische Revolution vom Halbprotestantismus
Ludwigs XIV. an bis zum Atheismus des Nationalconvents,
von der Verderbniss des achtzehnten Jahrhunderts an bis zur
Bewegung im Jahre 1830. Zeitschr. Av. 6, 32. In ihr galt
der Uebermuth der niedern Stände == Freiheit, und man dachte
das Heil des Staates als allein in der Form (Verfassung) lie-
gend, mit Nichtbeachtung des Gemeingeistes (der Religion).
Feindseligkeit gegen das Christenthum. Rel. u. Polit. 6, 20 ff.
Das Epochemachende der französischen Revolution: Seit ihr
ist offener, frecher und schamloser wie je Gewalt vor Recht
gegangen. Posit. Rechtsbest. 6, 63. Die französische Revolution im Kampfe mit der Religion. 6, 309. Die Franzosen
werden leicht zu Extremen getrieben. Verh. d. Wiss. 1, 354.
Die Demokratie und Despotie in Frankreich. Br. 15, 373 (vgl.
471). Politische Zustände in England und Frankreich (1831)
Br. 15, 481. S. Politik. Die Franzosen halten keine Mitte
fest zwischen Bigottismus oder Servilismus und Jacobinismus,
und sie haben auch keinen Begriff von einer freien Corporation.
Zurückweis. 5, 407.

Frauenliebe, Wehmuth der edelsten Naturen über das Getrennt-
sein der Gemüther durch die Geschlechtsdifferenz. Ferm. 2, 271.
314 ff. Reine Frauenliebe bringt den Geschlechtstrieb zum

Schweigen. 2. Cap. d. Gen. 7, 233. Gottesdienst, Frauenliebe.
Ferm. 2, 317. Gottesliebe, Frauenliebe, Freundesliebe. Aph.
5, 273. S. Christenthum.

Freiburger Beiträge zur Beförderung des ältesten Christenthums. 3 Bde. Ulm 1788—1793. Morg. u. Ab. Kath. 10, 160.

Freiheit, eine noch Kantische Stelle darüber. Tageb. 11, 207 ff.
Erläuterungen zur Lehre von der Freiheit. Spec. Dogm. 8,
153—192. Theorie der Freiheit des Menschen. Spec. Dogm.
8, 108—152. Nochmalige, zusammenfassende Darstellung der
Lehre darüber. Spec. Dogm. 8, 269 ff. — Die Wahlfrei-
heit (nicht zu verwechseln mit der durch die Entscheidung
gewonnenen Freiheit. Des err. 12, 92. Kant's Deduct. 1, 13.
Elembgr. 14, 41) wird sehr uneigentlich Autonomie genannt.
Rat. Theol. 2, 500. Espr. 12, 334. — Sie ist weder Gott
noch der vollendeten Creatur zuzuschreiben. Spec. Dogm. 8, 117.
Begriff derselben, sie ist eine Gabe Gottes. Tabl. 12, 167 ff.
Sie ist nichts Bleibendes für die Creatur, sondern nur ein noth-
wendiges Medium der Erlangung ihrer bleibenden Freiheit oder
Unfreiheit. Wahrh. 1, 100. Sie ist nicht mehr bei einer Crea-
tur, die sich bereits entschieden hat, ausgenommen in so fern
Gott sie ihr zurückgibt. Spec. Dogm. 8, 165. Triplicität in
Bezug auf dieselbe. Nouv. hom. 12, 251. Opf. 7, 368. 376.
Sie ist ein Werk der Gnade. Des err. 12, 105. — Die Frei-
heit des Willens erläutert durch die Lehren von den zwei
Grundprincipien der Manifestation. Spec. Dogm. 9, 255 ff.
Dreifacher Gesichtspunct bei der Freiheit: Imagination, Wil-
lenserzeugung, That. Spec. Dogm. 8, 158. Absolut frei ist
nur der Gute (der der absoluten Freiheit Gottes Theilhafte),
absolut unfrei nur der vollendet Böse zu nennen. Kant's
Deduct. 1, 13 Anm. Der Schlüssel zum Verständniss der
Freiheit ist, dass kein Wesen wahren Genuss hat ausser seinem
Erzeugniss und seinen Werken. L'hom. 12, 221. Freiheit im
physischen und ethischen Sinn = Gleichwucht mit dem universellen Princip. Aph. 5, 254. Das Höhere (z. B. Geist,
Centrum) wird von seinem Niedern (Natur, Peripherie) nur frei
durch Binden des Bindenden, Occultiren des Occultirenden.

Begründ. d. Eth. 5, 13. Das Centrum verhält sich gegen seine Peripherie strahlend und ist Peripherie-frei, nicht-los. (Auch wenn Gott einer Creatur innewohnt, durchwohnt er sie.) Blitz 2, 38. Freiheit (= Einheit, Ungrund) und Naturcentrum. In und aus ersterer entsteht letzteres; jene ist Anfang und Ende des ganzen Processes. Verkörp. 2, 4 ff. Alles, was *sua sponte* oder gemäss der eigenen Natur des freien Wesens ganz von ienen heraus entsteht, darf nicht necessitirt, gezwungen und unfrei genannt werden. Gnadenw. 13, 239. Freiheit = Selbstbestimmung, nicht Bestimmungslosigkeit. Rüge 3, 326. Anm. Freiheit und Bestimmtheit. Morg. u. Ab. Kath. 10, 245. Freiheit des Mitwirkers findet statt, wenn er in allen Bestimmungen und Gestaltungen seiner Vermögen (Erkennen, Wollen, Wirken) den Gestaltungs- und Bestimmungsgrund (das unbeweglich Bewegende) in sich findet und erhält und von keinem äussern Grunde abhängig ist. Antirel. Phil. 2, 468 ff. Die Freiheit des Lebensprocesses in einer Creatur ist bedingt durch ihr Sich-eingeben in die Universalsonne, ihr Sich-nicht-verschliessen dagegen durch Sicherhebung in ihre Selbheit (Centrum). Verkörp. 2, 7. Unfreiheit bei der Durchwohnung, halbe Freiheit bei der Beiwohnung, gänzliche und völlige Freiheit bei der Inwohnung. Rat. mat. Vorst. 2, 297. Freiheit des Menschen in fünffachem Bezug: auf Gott, auf den Menschen selbst, auf andere Menschen und Intelligenzen, und auf die selbstlose Natur und Creatur. Gegens. Knechtschaft. Franz. Rev. 6, 303. Freiheit als Freiheit des Erkennens, Wollens und Thuns kann nur gegeben werden durch Vermittelung meines mich selbst Gebens an den Geber. Indiff. 5, 214. Freiheit kann sich der Mensch allein nicht geben. Der Wille ohne Zuhilfenahme der Natur reicht nicht aus. Begriff der Wahlfreiheit. Ein *Solvens universale et centrale* ist dem Gefallenen unentbehrlich. Freiheit und Bestimmtheit. J. B. Theol. 3, 414. 417. Freiheit wird gegeben. Freie Wahl zwischen Gutem und Bösem. Ferm. 2, 154. Freiheit in der Wahl des (Geistes-) Auges, nämlich entweder des Licht- oder des Finsterauges, die sich dem Menschen im Zeitleben anbieten, wobei also ein Sehen vor und nach dem Eingang darin, ein gegebenes und aufgegebenes, unterschieden wird. Verh. des Wiss. 1, 346 (vgl. 345 Aum.). Zwiespalt 1, 366 ff. Freiheit der Wahl = Willkür, verschieden von wahrer Freiheit und von Unfreiheit des Willens. Spec. Dogm. 8. 277. Freiheit im Erkennen und Wollen ist für den Menschen dadurch bedingt, dass seine beiden Gemüthsgestalten, die höhere und niedere, gute und schlechte, durch höhern Einfluss getrennt und geschieden und so die Duplicität des Gemüthes in ihm hergestellt ist. Aff. d. Bewund. 1, 29. Der Mensch kann nur durch die Temperirung des Doppeltriebs der Natur die Freiheit erlangen. Schub. 1, 63 ff. Freiheit vom Gesetz bewährt der Gesetzgeber im Geben des Gesetzes und der Gesetzesempfänger wird ihr nur theilhaft im Thun des Gesetzes, weil er darin sich erst als Werkzeug, dann als Organ oder Mitwirker des Gesetzgebers mit diesem verbindet. Versehens. 4, 367. Freiwerden durch Freimachen. Nur der wahrhaft Freie vermag zu befreien. Der Unfreie macht unfrei. Spec. Dogm. 8, 168. Alim. 14, 481. — Ueber die Freiheit der Intelligenz. Schr. (1826). 1, 133. vgl. Br. 15, 437. Freiheit der Speculation ist nicht durch Sichverschliessen gegen die Auctorität (Tradition) zu erreichen. Indiff. 5, 240 ff. Die Freiheit des Erkennens lässt sich nur mittelst einer doppelten (einer innern und äussern) Begründung oder Auctorität erlangen. Religionsphil. 1, 325. Das Verhältniss der Freiheit und Religion nach de la Mennais. Zeitschr. Av. 6, 34. 42. — Freiheit erlangt durch Eintritt ins Gesammtleben der Menschheit ohne Untergang der Individualität, die vielmehr erhöht wird. Ekst. 4, 24. Jede freie und legitime Unterwürfigkeit führt zur wahren Freiheit und begründet diese; sowie jede falsche und illegitime Freiheit zur verdienten unfreien Unterwürfigkeit führt. Aph. 5, 286 ff. Ueber wahre und falsche Freiheit und Unterwürfigkeit. Ferm. 2, 168 Anm. Freiheit und Despotismus in ihren Wirkungen. Aph. 10, 352. Aeussere Freiheit ist bei innerer Unfreiheit schädlich. Evol. u. Rev. 6, 78. Die Freiheit des Volkes kommt ihm durch seinen Regenten. Volk und Regent == Leib und Haupt == Weib und Mann. Ferm. 2, 214. Die Freiheit der Menschen von einander ist nicht bloss negativ zu fassen == *neminem laedere*, sondern positiv == Liebe zu einander. Freiheit des Volkes und des Regenten nicht == wechselseitiges Lossein von einander. Posit. Rechtsbest. 6, 64 ff. Die Freiheit in der Societät ist nicht bloss negativ, sthenisch liberal und asthenisch servil zu fassen, sondern als (von innen aus) associirende Macht, als Hülfe, die Einer dem Andern leistet. Soc. 14, 80 ff. Die Freiheit besteht weder mit materieller Gebundenheit noch mit materiellem Lossein von einander. Vermögensl. 6, 134. Der Begriff der Freiheit schliesst die Sicherheit des Besitzes, des Erwerbs und des Genusses jeder Art des Eigenthums in sich, wohin auch das Amt gehört. Const. 6, 49. Worin die Freiheit und Gleichheit des Erwerbes bestehe und wie sie zu erreichen. Staatswirthsch. 6, 176 ff. Pseudofreiheitssystem in der Staatswirthschaft == Vogelfreiheit des Einzelnen. Staatsw. 6, 177.

F r e u d e u n d L e i d: Die Liebe schreibt Alles mit doppelter Kreide an. Rel. Erot. 4, 185. — Freude, das *primum mobile* aller Religion. Armseligkeit aller Weltfreuden. Opf. 7, 407. Freude oder Geistreunion der lieblosen Macht und der machtlosen Liebe. Seg. u. Fl. 7, 99. Anm.

F r e i m a u r e r. Blitz 2, 42. Anm. S. Bauen. Die Freimaurerei ist wahrscheinlich bei den Juden entstanden. Privat. Vorl. 13, 133. Deutung der drei Grade nach Hutchinson und Saint-Martin. Br. 15, 336 ff. S. Bauhütte.

F r e m d e s Gut nicht zu verlangen und nicht zu erlangen. Aph. 5, 249.

F r e u n d e s b e d ü r f n i s s. Tageb. 11, 169. Ueber Freundschaft und Liebe. Tageb. 11, 181 ff. Der eigentliche Freund und Feind des Menschen. Spec. Dogm. 9, 7.

F r i e d r e i c h, *de nisu formativo 1818.* Begründ. 2, 106 ff.

F r ö m m i g k e i t. Der Religion ist nur mit einem *amor generosus* gedient. Spec. Dogm. 8, 48 ff. Fromme (d. h. Pietisten) in Norddeutschland und einem Theile Russlands &c. und ihre

Wissensscheue. Ferm. 2, 322. 370 ff. Widerlegung ihrer
Einwürfe gegen alles Nachforschen und Nachdenken in Religions-
sachen. Wiss. u. Rel. 1, 89 Anm. u. an vielen and. Stellen.
Vgl. Pietisten.

Fronleichnamsfest, Etwas zum Nachdenken bei Gelegenheit
desselben. Schr. (1833). 7, 241.

Frühungewitter, s. Gewitter.

Function, die $=$ *actio ad extra,* begründet das functionirende
Organ. Nouv. hom. 12, 254.

Fundamentaldoctrinen: Ueber die Vernünftigkeit der drei
Fundamentaldoctrinen des Christenthums vom Vater und Sohn,
von der Wiedergeburt und von der Mensch- und Leibwerdung
Gottes. Schr. (1839). 10, 17 ff. vgl. Br. 15, 579—585. Eman.
d. Kath. 10, 77. Die Fundamentallehre der christlichen Religion ist: Jede gelungene Erhebung des Menschen in die ihm
höhere (d. i. göttliche) Region oder Natur ist eine wahrhafte
Einerzeugung (Ein- oder In-Eins-Bildung, Einverleibung) jenes
in diese. Bildungsl. 2, 114. Der Grund- und Hauptbegriff
der Religion ist der einer Vermittlung oder eines Mittlers. Indiff.
5, 190 ff. Die Fundamentalpuncte des Christenthums nach
Jurieu. Indiff. 5, 150 ff. — Das Fundamentalproblem der
Philosophie ist eine vollständige Theorie der Zeit. Zeitbgr.
2, 50 (69). Das Hauptproblem der Natur- und Geisteslehre
ist die Auffindung des Princips ihrer Specification. Spec.
Dogm. 9, 237. Das Hauptproblem der Naturphilosophie (s. d.).

Fühlen und Wissen, Verse über ihre Vermählung und Scheidung. Aphor. 5, 352. Fühlen, Empfinden, Sein. Oeuvr. 12, 467.

Furcht, als Gottes- und Regentenfurcht ein äusserer Stützpunct
zur Befreiung des Menschen. Franz. Rev. 6, 315. — Fürchte
das Leichte (Saint-Martin). Spec. Dogm. 8, 215.

Furie der Zerstörung (nach Hegel) in jedem Menschen
schlummernd. Antirel. Phil. 2, 471. Wiss. u. Rel. 1, 85 ff.
S. Negativität, Unnatur.

G.

Gabalis, C., Geistermärchen (Vermählung der sterblichen Elementargeister mit dem unsterblichen Menschen). Geistersch. 4, 217. Anm. S. Engel.

Gabe (Talent, Aliment), ist keine Hemmung des Lebens. Antirel. Phil. 2, 456. Ueber den Zusammenhang von Geber und Gabe. Rel. Erot. 4, 189. Rapport. 4, 206. Anm. Das Nahrungsmittel muss, um nähren zu können, mit dem Speisenden in psychischem und physischem Rapport stehen. Anthropoph. 4, 231. (Vgl. Alimentation). Gabe der das Gesetz erfüllenden Kraft und eine dieser entsprechende Aufgabe. Freih. d. Intell. 1, 142 ff. Gabe und Aufgabe bei der Liebe. Rel. Erot. 4, 196. Gabe und Aufgabe in der Erhörung des Gebetes. Hegel üb. Encb. 7, 253. Anm. Gabe und Aufgabe in Bezug auf die Sophia. Geistersch. 4, 214. Gabe und Aufgabe in Bezug auf die Theologie: diese soll fortwachsen in der Zeit und der Same nicht in Apothekerbüchsen verschlossen werden. Spec. Dogm. 8, 318. S. Fortwachsen. Jeder Glaube (Unglaube) steht in Mitte eines gegebenen und aufgegebenen Wissens. Fund. d. Christ. 10, 23 ff. S. Solipsismus.

Gabler, über die Kreisbewegung. Spec. Dogm. 9. 230.

Galizin, (Golizin), Alexander, Fürst und russischer Cultusminister, Brief Baader's an ihn (1821). Br. 15, 361. vgl. 389. 395. 635. Staatswirthschaftliche Berichte an ihn. Ferm. 2, 398. Ihm waren in der ersten Ausgabe die Fermenta (1822 ff.) gewidmet.

Galle, ihre auch quantitativ scheidende Function wird nachgewiesen in der Schrift über den Verdauungsprocess von Dr. Trettenbacher. München 1836. Spec. Dogm. 9, 203.

Gallicanisches Schisma, benutzt von den Liberalen und Ultraroyalisten in Frankreich. Zeitschr. Av. 6, 31 ff. 34. 40. Der Gallicanismus ist aufgekommen zur Zeit Ludwig's XIV. Franz. Rev. 6, 315. Die römische Kirche und die gallicanischen Freiheiten. Emanc. d. Kath. 10, 57.

Galvanismus und Magnetismus. Begründ. d. Eth. 5, 5.

Gangrenöse Insensibilität. Nouv. hom. 12, 240, 244.

Ganzes und Theile, beide sind nur zugleich da. Spec. Dogm.
8, 159. 357. Vgl. *Totum parte prius esse necesse est.*
Elemphys. 3, 235. *Totum (Unum) est, cui nulla pars deest (pars est, quod non amplius divisibile):* richtige Definition der Einfachheit (s. d.) bei den Platonikern. (Vgl. Parm.
137. C. Phileb. 14. C. ff.) Spec. Dogm. 9, 45. Rüge 3, 319.
S. Element.

Gas = Geist bei den ältern Physikern = *Fluides incoercibles.
Corpora non agunt, nisi soluta.* Ausführlich Metast. 4, 159.
Anm.; = elastisches Fluidum; es ist permanentes und nicht-
permanentes Gas zu unterscheiden. Fest. u. Flüss. 3, 195.
vgl. 200. Drei Formen: Festes, Fliessendes, Gas (letzteres
unsperrbar und imponderabel). Anthropoph. 4, 227. Anm.
S. Körper. Das Durchdringen zweier Gase unterscheidet sich
von dem Zusammenfliessen zweier tropfbar-flüssigen Materien.
Geistige Wesen vermischen sich nicht (fliessen nicht zusammen),
sondern durchdringen sich. Ferm. 2, 163. Anm. Rel. Phil.
1, 283. Anm. S. Durchdringen, Geist.

Geben und Empfangen zwischen Gott und der Creatur.
Antirel. Phil. 2, 452. Dasselbe findet auch statt in Bezug
auf die Vernünftigkeit, d. h. das Auge, darin mich Gott sieht,
ist dasselbe, darin ich Gott sehe. Gott ist die Vernunft, der
Mensch hat sie. Ebd. 454 ff. 457. Reciprocität und Un-
trennbarkeit des Empfangens und Gebens, Leidens und Thuns,
Bewegtwerdens und Bewegens &c., im Erkennen u. s. w. Spec.
Dogm. 8, 206. S. Auge, Vernunft, Grund.

Gebet, Zweifel an seiner Wirksamkeit, sich stützend auf die
Unveränderlichkeit der Weltstellung des Menschen. Ferm. 2,
345. 347. Der wahre Begriff desselben und seine Nothwendigkeit, ausführlich dargethan gegen Kant. Kant's Deduct. 1, 18 ff.
Anm. Seine Nothwendigkeit und Unaufgebbarkeit, als Wurzel-
wahrheit aller Religion. Rat. Theol. 2, 500. Erhörbarkeit des
Gebetes. Ekst. 4, 16. Das Gebet aufgegeben vom Deismus,
weil es doch in den grossen Bratenwender (das Schicksal) nicht
eingreifen könne. Antirel. Phil. 2, 476. Das Gebet im Verhältniss zum Gesetz nach der Ansicht: *Lex est res surda et*

inexorabilis. Versehens. 4, 407. Der *nexus rerum* dabei ist im *commercio spirituum,* nicht im *nexu phaenomenorum* zu suchen. Tabl. 12, 188. Das Gebet ist nothwendig für das Seelenheil. Es ist Wort oder Rede in seiner (ihrer) höchsten Bedeutung. Der Mensch ist von Natur ein betendes Wesen. Rat. Theol. 2, 512. 514 ff. Das Gebet ist dem Menschen, was dem Baumeister das Senkblei. Durch das Gebet muss der Mensch jede einzelne Sache, bevor er darüber einen Entschluss fasst, in den Tod (der Einzelnheit) versenken d. h. opfern. Blitz 2, 35. Das wahre Gebet betet sich selbst, wie der wahre Gedanke (s. d.) sich selbst denkt. Besess. 4, 246. vgl. Anm. 2. Das Gebet ist Eingabe des menschlichen Willens in den göttlichen. Die Heilsamkeit desselben für die Abgeschiedenen. Besess. 4, 250. Br. 15, 294. 532. Die Fernwirkung des Gebetes. Fragm. 4, 46. Gebet als Dankgebet und Bittgebet in Freude und Schmerz. Erot. Phil. 4, 176. Anm. Rel. Erot. 4, 186. Das Gebet als Gabe und Aufgabe. Anthropoph. 4, 234. Das Gebet ist nothwendig, um Erleuchtung zu erlangen. Rel. Phil. 1, 203. Die Wichtigkeit des Gebetes für den Glauben. Spec. Dogm. 8, 28 ff. Gebet, das Salz der Wissenschaft. L'hom. 12, 210. Gebet und Philosophie. Ebd. 212. Die Wichtigkeit des Gebetes für die Speculation: *Speculatio est interrogatio, interrogatio est rogatio, rogatio est oratio.* Spec. Dogm. 9, 123. Das Gebet und seine Bedeutung für die Philosophie. Tageb. 11, 134 ff. 330. Das Gebet ist die einzig wahre Philosophie und Physik. Tageb. 11, 8. Ausführlicheres über das Gebet. Aph. 5, 343 ff. Vgl. Zus. d. Leb. 2, 26. — nach J. Böhme. Br. 15, 647. 651. vgl. 308. Baader's Philosophie eine Philosophie des Gebetes. Br. 15, 536. S. Glaube, Optativ (Imperativ).

Gebilde der Kunst, die, sollen uns die Stelle der Göttererscheinungen (Visionen) vertreten. Ferm. 2, 218.

Gebrauch der Vernunft, s. Vernunft.

Geburt und Offenbarung des Wortes sind verschieden; jene geschieht über, diese in der Natur. Morg. u. Ab. Kath. 10, 121. Gebären und Schaffen sind verschieden = immanen-

tes und emanentes Hervorbringen. Privatvorl. 13, 101. Zwei
Geburtshelfer jeder Seele (= Begeistung und Beleibung), von
denen der erstere die Seele mit siderischer, der andere sie mit
elementarischer Speise nährt. Schub. 1, 60. Zwei Momente
in der Geburt des Lebens: Die Creatur gelangt zur Vollendetheit ihres Seins nur dadurch, dass sie zweimal geboren wird.
Fund. d. Christ. 10, 36. Die erste und zweite oder die natürliche und geistige Geburt; letztere = Theilhaftsein an Gottes
schöpferischer Macht (Vaterschaft) und Sohnschaft. Versehens.
4, 341. 343 Die Geburt der Finsterniss kann nur durch die
Geburt des Lichtes verhindert werden. Spec. Dogm. 8, 182.
Die strenge Geburt = erste Fassung wird aufgehoben durch
die scheidende Macht des Feuers, wodurch der Geist als von
der Natur Abgeschiedener ein diese Natur Wissender wird.
Ferm. 2, 363 ff. Geburtsrad = Naturrad = Angst, Kreisen,
Begier, Gier, Gyratio, Gähren. Rüge 3, 326. == Mordleben der
drei ersten Gestalten der Natur. Es producirt für sich nichts,
ist nur negativ = Finsterniss = Newton's *vis attractiva* =
Cartesii *Vortex.* Studienb. 13, 349.

Gedanke, Beschreibung der Geburt des Gedankens (Analogie
des Erkennens und Zeugens). Tageb. 11, 45 ff. vgl. 5. Gedanke und Sensationen. Bonald 5, 55. Ansichten der Ideo-
logen über den Gedanken. Activität und Passivität dabei.
Bonald 5, 80 ff. Gute und böse Gedanken kommen her von
geistigen Wesen, die innerlich in mir sprechen (mit Bezug auf
das Speisen der Hungerigen und das Tränken der Durstigen.
Matth. 25, 31 ff.). Spec. Dogm. 8, 105. 107. Wahrhafte
Gedanken sind nur die, die sich selber denken. Gebet (s. d.).
Elembgr. 14, 30. L'hom. 12, 210. Der Gedanke setzt ein
Früheres, nämlich das Verlangen, als sein eigentliches Mobile
voraus, z. B. der Gedanke: Kleid, das Verlangen, sich gegen
Kälte zu schützen. Einfl. d. Zeich. 2, 135. Bei der Zeugung
oder Geburt des Gedankens sind drei oder eigentlich vier Mo-
mente zu unterscheiden(Fassung oder Conception), unmittelbar Ge-
fasstes, Ausgang oder Aussprechen (Nennen), zweite Fassung =
Ausgesprochen- oder Genanntsein (Name). Spec. Dogm. 8, 68 ff.

Schon bei der Gedankenerzeugung finden sich drei Momente (gewirkt, mitwirkend, selbstwirkend). Spec. Dogm. 8, 270. Durch das Suchen nach einem Wort für einen Gedanken wird die Manifestations- (Schöpfungs-) Kraft des Wortes klar. Bonald 5, 87. Zusammenhang von Gedanke und Wort. Indiff. 5, 225. Gedanke, Wort, That, drei Stufen der Ablösung des Products vom Producens. Nouv. hom. 12, 255. vgl. 238—240. Gedanken und Gedankenzeichen kann Niemand sich selbst machen; der Keim dazu muss schon da sein. Einfl. d. Zeich. 2, 133. Falsche Gedanken entstehen aus falscher Liebe. L'hom. 12, 225. Die baldige Verwesung unreiner Gedanken. Tabl. 12, 188 ff. Böse Gedanken individualisiren sich, wie Krankheitsprocesse (Eingeweidewürmer). Urtern. 7, 37. Anm. Gedanke = Plan eines Thuns oder Geschehens. Ecce hom. 12, 424. Gedanke und That eines Menschen, auch verbrecherische, sind wichtiger und bedeutender als das Erscheinen eines Irrsterns (Hegel). Bonald 5, 98. Der objective Gedanke Hegel's führt über dessen System hinaus. Vorr. 1, 394 ff. Ueber Gedanke und Gefühl, mit Bezug auf Rousseau's Behauptung, dass man aufhört zu fühlen, wie man anfängt zu denken. Spec. Dogm. 9, 162. Jeder Menschheitsgedanke ist Menschengestalt. Tabl. 12, 190.

Gefahr des Lebens, *periculum vitae*, für jede Creatur = Entzündbarkeit des Feuers in ihr. Zeitbgr. 2, 52 (74). Bildungsl. 2, 100.

Gefälligkeit und Coquetterie. Rel. Erot. 4, 190.

Gefühl (*sentiment*) vereint Geist und Natur. Vorred. 1, 412. Anm. Gefühl = Vitalfluidum, Wasser. Ferm. 2, 157. Anm. Unterscheidung des dem entwickelten Gedanken vorhergehenden und des ihn begleitenden Gefühls (*sentiment*). Indiff. 5, 213. Nach Saint-Martin wird der Mensch mit einem passiven Gefühl geboren. v. Osten Einl. 12, 22 ff. Gefühle und Affecte sind nicht immer dunkler Natur. Spec. Dogm. 8, 211. Ausführlicheres über Gefühl, Empfindung, Begriff (s. d.). Div. 4, 74. Die Zweiheit des Subjects und Objects, die im Gefühl noch unentwickelt, ist im Vernunftbegriff wieder aufgehoben. Das wahrhafte Erkennen stellt also in seiner Vollendung das Gefühl

als neu bewährt her. Bonald 5, 81. Anm. Gefühl ohne Erkenntniss in religiösen Dingen, dargestellt in Goethe's Faust.
Gefühl ist Alles u. s. w. Spec. Dogm. 9, 13. vgl. 11. Nicht
in der Trennung der Gefühls- und Erkenntnissseite (Affect und
Apperception), sondern in ihrer Reunion und Reintegration liegt
der Schlüssel für magnetische Zustände, dichterische und künstlerische Begeisterung und Exaltation &c. Abbrev. 4, 114.
Gefühl bezeichnet das Höchste wie das Unterste des menschlichen Gemüthes, je nachdem dieses von einer höhern oder
niedrigern Natur afficirt wird. Gefühle, die von oben, und die
von unten kommen. Bildungsl. 2, 113. Sittliche und unsitt-
liche Gefühle. Wahrh. 1, 120. Die pneumatische Gefühls-
region als dritte oder vielmehr erste Region des Geistlebens.
Bildungsl. 2, 110. Gefühle und Empfindungen des Göttlichen
in uns sind, wenn auch dunkel, doch real. Kant's Deduct. 1, 7.
Warum soll in den Gefühlen nichts Objectives sein? Gibt es
denn keine andern intelligenten Wesen ausser dem in der Zeit
lebenden Menschen? Abbrev. 4, 112. Lebhafte Gefühle bei
Visionen &c. sind nicht bloss subjectiv. Centr. Sens. 4, 138.

Gegenrevolution, nur durch ächte Wissenschaft entgegen der
falschen zu bewirken. Rel. u. Pol. 6, 27.

Gegensatz, verschiedener Sinn dieses Wortes. Endl. Geist
7, 159. 180. Der Gegensatz von Einem und Vielem, Licht
und Finsterniss, Freude und Angst, Organismus und Anorganismus &c. ist die Bedingung alles Lebens; im autonomen ist
dieser Gegensatz der lebendigen Substanz innerlich, im heteronomen sind beide Lebensfactoren getrennt. Starr. u. Fliess.
3, 275. Bei der Akme des Gegensatzes findet eine Depotenzirung und Umwandelung statt. Blitz 2, 39 ff. Ueber dem
Gegensatz (Polarität) hat die Naturphilosophie sowohl den Ober-
als Untersatz aus dem Gesichte verloren. Solid. Verb. 3, 336.

Gegner, die zu bekämpfen sind: die Wissensverächter, die Wis-
sensfrechen, die Wissensscheuen, die Wissensfaulen und die
Wissenskleinmüthigen. Rel. Phil. 1, 164 ff. Es sind vier
Gegner zu bekämpfen: 1) die Herz- und Gemüthlosen, 2) die
Akephalen, 3) die Speculativen ohne empirischen Grund, und

4) die Empiriker ohne Speculation. Spec. Dogm. 8, 217.
Quadrupelallianz gegen die Religionswissenschaft. Vgl. Spec.
Dogm. 9, 161 ff. Atheisten, Deisten, Separatisten und Bigotte.
Spec. Dogm. 8, 15. Anm. Aph. 5, 305. Die sich fromm
nennenden Schafe und die nicht frommen Böcke. Spec. Dogm.
8, 14. Br. 15, 419, 446. S. Aberglaube, Ignoranz.

Geheimniss, das — der ächten Transscendentalphilosophie besteht in der Erfindung der Methode, allenthalben Gott selber reden
zu lassen. Antirel. Phil. 2, 451. Geheimniss der organisch-
verbindenden oder reliirenden Macht des Lebens. Aph. 5, 270.
Geheimniss des Lebens als Gliederlebens nach Paulus. 1 Cor.
12, 14. Spec. Dogm. 8, 111. Gesetz des Geheimnisses in
der organischen Natur (nach Carus). Heg. Phil. 9, 314. Ge-
heimnissvolles (Mysteriöses) der Vitaldoctrinen der Religion:
das religiöse Erkennen als ein dem centralen Erkennen des
Menschen in jeder seiner partiellen Erkenntnissphären noch
tiefer liegendes oder als central par excellence. Spec. Dogm.
8, 336 ff. Geheimwissenschaften, eine moralische Diätetik
vorschreibend. Tageb. 11, 33. (S. Wissenschaft.)

Gehilfe, adiutor, innerer = Lichtgeist (spiritus spiratus),
der dem ersten Menschen dienen sollte, die Schechina creatürlich in sich auszuwirken oder zu gebären. Versehens. 4, 345.
Anm. 350 ff. 375. S. Geist. Innerer und äusserer Gehilfe
Adam's (= Sophia, Eva). 2. Cap. d. Genesis 7, 229. 230.
235. Gehilfen bei der Selbstgeburt und procreatio. Opf. 7,
309. Anm. Der Verlust der inneren Gehilfin des Menschen
machte den Urstand der äussern nothwendig. Anal. d. Erk. 1, 44.

Gehirnleben, Cardialeben, Bauchleben. Besees. 4, 252. Anm.

Gehlen, Aufsatz in Schweigger's Journal. Anleit. 6, 242. Beiträge zur wissenschaftlichen Begründung der Glasmacherkunst.
Ebd. 6, 243.

Gehorchen, ein Opfer der freien Liebe. Indiff. 5, 201.

Geist, die Lehre davon noch immer die dunkelste Partie unserer
Dogmatiken. Versehens. 4, 349. Unbestimmtheit und Vieldeutigkeit des Wortes Geist. Der Geist der Materie ist kein
intelligenter, wieviel weniger der göttliche Geist. Ekst. 4, 84.

Ursprüngliche Bedeutung des Wortes Geist $=$ sich selber frei zu fassen Gebendes: Gott als absoluter Geist, Luft in Bezug zum Feuer. Spec. Dogm. 8, 293. Im engeren Sinne $=$ das sich in sich selbst spiegelnde Wesen. Der Geist soll sich in Gott, die Natur sich im Geiste spiegeln. Privatvorl. 13, 134. $=$ Subject-Object, von Hegel richtig gefasst. Spec. Dogm. 8, 238. $=$ Selbheit, Ternar. Endl. Geist 7, 159. — Vierfacher Sinn des Wortes Geist bei J. Böhme. Quar. Qu. 12, 497. Geist nach Hegel und J. Böhme $=$ Aufhebung einer Fassung (Entäusserung oder Aufhebung). Ferm. 2, 305. $=$ Begriff (s. d.), Centrum, Mitte eines Innern und Aeussern, sohin die Sache, das Leben oder der Lebendige; seine Signatur der Hermesstab (η). Ferm. 2, 326. Privatvorl. 13, 122. $=$ Mitte zwischen dem Sichinnern und Sichäussern, Identität von Intension und Extension. Hemmung des Ueberganges aus der einen zur andern $=$ abnormes, unwahres, ungesundes Sein, Uebelbefinden, Schmerz. Spec. Dogm. 8, 161. Vgl. Rel. Phil. 1, 188. Privatvorl. 13, 150. Pneumatogonischer Process s. Lust und Begierde. Ueber eine bleibende und universelle Geistererscheinung hienieden. Schr. (1833) 4, 209. (NB. Geistererscheinung nicht $=$ Geistererscheinug. Geistersch. 4, 212.) Der Geist in seiner Selbstgestaltung stellt die göttliche Androgyne dar: Vermählung der drei Gestalten des ersten Ternars mit den drei Gestalten des zweiten Ternars. Privatvorl. 13, 89 ff. Der Urgeist ist *potentia* und actu zugleich. Privatvorl. 13, 98. — Geist $=$ intelligenter Geist und $=$ nichtmaterielle Substanz, *esprit, être spiritueux*. Der Geist hat eine von der Materie geschiedene Existenz. Spec. Dogm. 8, 245. Der erste und zweite Hervorgang des Geistes $=$ intelligenten Wesens aus Gott. Des err. 12, 100. Geistwesen und materielles Wesen. Das Nichtgesehene, Nichtgehörte, Nichtbegreifliche, Nichtbewegliche ist nicht nur Nichts, und nicht nur nicht weniger als Sichtbares, Hörbares, sondern mehr als dieses, nämlich Sehendes, Hörendes &c. und *per descensum* auch sichtbar, hörbar &c. und *per ascensum* wieder unsichtbar, unhörbar &c. Metast. 4, 159 ff. Der Geist der Materie ist selbst materieller Natur, wie der

Thiergeist thierischer. Form oder Maass 2, 532. Nach Saint-Martin kennt der Geist in allen Regionen keinen Raum, sondern nur Intensität in seinen Grundkräften. v. Osten. Einl. 12, 30. Geist-mensch, dessen Dienst nach Saint-Martin. Minist. 12, 369 ff. Der Natur ist ein essentialer, nicht substanzialer Geist oder Verstand beizulegen. Begründ. d. Eth. 5, 10. S. Essenz, Ens. Die Somnambule sieht im Geist der Natur. Ekst. 4, 30. 33. Geist, ein ungleich subtileres und kräftigeres Gas (s. d.), muss eine ähnlich durchdringende Kraft haben. Einfl. d. Zeich. 2, 129. Anm. (S. Cementation). Die Intelligenz des Geistes = Penetranz. Espr. 12, 287. — Ueber den Begriff des gut oder positiv und des nicht gut oder negativ gewordenen endlichen Geistes. Schr. (1829) 7, 155 ff. (vgl. „diese Schrift übertrifft an Tiefe alle meine frühern Schriften“. Br. 15, 453 ff.) Der intelligente Geist befindet sich bei seinem Urstand rücksichtlich seines Wollens in der Schwebe über seiner Wurzelregion und unter der Lichtregion, um sich zur Eingeburt in die eine oder andere zu entscheiden; im einen Fall wird er naturfrei (supra-natural), im andern naturunfrei (infranatural), aber beidemal nicht naturlos. Versehens. 4, 369. Sein des Geistes über, in, unter der Natur, sowie in, ohne, gegen Gott. Heg. üb. Euch. 7, 249. — Göttlicher Geist im Menschen = der heilige Genius, nicht ein creatürlich Wesen, Engel &c.; denn die Engel, wie die Menschen-seelen, haben dieses Geistbild innewohnend. Gegensatz: Astral-geist (s. d.). Göttlicher Geist (im Unterschied vom h. Geist, der dritten Person im h. Ternar), ein zunächst unpersönlicher, dann persönlicher Geist, wirksam bei der Schöpfung, Incarnation und Geistsendung = *spiritus supra aquas, incubans, for-mans*, hatte eine mütterliche Function. Erweckung der himm-lischen Jungfrau in der irdischen. Geist u. W. 10, 9. vgl. 12 ff. S. Emanation. Geist, das dem Menschen von Gott unmittelbar eingehauchte (von dem Ternar ausgegangene) geistige Wesen (*spiritus spiratus* s. Gehilfe) ist weder die dritte gött-liche Persönlichkeit, noch demselben die göttliche Natur abzu-streiten (= *Ruach feminin.*). Er ist auch verschieden von der ewigen Natur, die gleichfalls in ihrem Urstand *spiritus*

oder spirituöses Princip ist. Versehens. 4, 350. Geist = Lichtgeist, nicht Gemahl, sondern Verlobter oder Verlobte des Menschen. Versehens. 4, 354. Geist = heil. Geist, selbstisch
gegen Vater und Sohn zu fassen. Espr. 12, 291. Ausgang
und Sendung des h. Geistes, Geistwerdung des Sohnes. Nouv.
hom. 12, 257. S. Dreieinigkeit. Geist = Sophia. Die sieben
Geister (Sophia, Herrlichkeit, *ruach fem.*) tragen bei den
Hebräern nur den Namen des Geistes (des göttlichen Ternars),
der sich zu ihnen wie der Mann zum Weibe verhält. Die
Sophia keine Persönlichkeit. Anthropoph. 4, 235. S. Gott,
Geist, Natur. — Geistesbildniss des Menschen = Geistleben
desselben. Ferm. 2, 280. Geistbild, Organ, Namenträger =
normale Abhängigkeit eines Niederen von dem ihm Höheren.
Opf. 7, 371. — Geist = Nachtgeist, Evestrum (s. d.) Finster-
geist. J. B. Theol. 3, 384. Der böse Geist der Creatur ist
weder eine Creatur, noch kann er ohne oder ausser einer solchen
entstehen, noch selbe vernichten, obschon sie zu Grunde richten.
Versehens. 4, 372. Anm. Vgl. 311. Der creatürliche gute
und böse Geist keine Creatur. Br. 15, 556 ff. — Der Geist
= Instrument (Organ) unseres Erkennens. Bonald 5, 55.
Geistesabwesenheit, Alienation = Nichtidentität des Denkens
und Empfindens, im engern Sinne = Unverantwortlichkeit des
Menschen für das, was nicht von ihm, sondern nur durch ihn
geschieht. Bonald 5, 77. Das erste Moment der Geistesbildung
ist die Gedankenbildung oder vielmehr Gedankennachbildung; das
zweite die Willensbestimmung oder Willensgestaltung. Bonald
5, 82. Geist und Gemüth sind in einer Religionsdoctrin zugleich
zu erbauen. Spec. Dogm. 3, 205. — Geistes- und Gefühls-
mattigkeit (Asthenie) dermalen in allen Fächern des Wissens
und Thuns herrschend, nach der vorhergegangenen ruchlosen
sthenischen Revolutionsperiode, beide hervorgegangen aus dem
Sinken der Religion. Antirel. Phil. 2, 482. (S. unsere Zeit).
Geisteskrankheiten sind tiefer als in der Materie, d. i. im Geiste
selbst zu suchen. Wahrh. 1, 126. Geisteskrankheiten, die aus
Körperverletzungen entstehen. Des err. 12, 134. — Geistes-
action, fortschreitend in der Zeit und immer subtiler werdend

mit dem Fortschritt der Zeit. Mart. Pasq. 4, 132. — Eine
directe Geistesmanifestation wird ohne allen vernünftigen Grund
geleugnet; aber ein halbes Anerkennen ist noch schlimmer,
wie ein ganzes Leugnen. Wahrh. 1, 131.

Geister, nicht alle erscheinenden — sind abgeschiedene Menschen. Rapport 4, 206. Gespräch über Geistererscheinungen,
Gespenster und sonstiges Psychologisches. Tageb. 11, 12 ff.
Ueber Gespensterfurcht. Tageb. 11, 105. Ungeschaffene und
geschaffene Geister. Nouv. hom. 12, 246. Die reinen Geister
sind nicht leiblos. Magik. 12, 532. Die Influenz der Geisterwelt
und ihr Zusammenhang mit der Unsterblichkeit &c. wird von
der Religion am sinnvollsten documentirt. Tageb. 11, 112.
Der Geistmensch und die übrigen Geistwesen unterscheiden sich
durch ein anderes Verhältniss zu dem immateriellen nichtdenkenden Princip. Des err. 12, 100 ff. Die Wirklichkeit des
bösen Geistes d. h. des Teufels. Antirel. Phil. 2, 465. Anm.
Die Entleibung der Geister oder ihr Rückgang in der Leibwerdung ist herbeigeführt durch Lucifer's und des Menschen
Abfall. Versehens. 4, 346. Das Verhalten des Geistes des
Abgrundes zu den materiellen Formen. Vis sang. 4, 430. Anm.
Die gefallenen Geister sind nicht das absolut Böse und ebenso
wenig sind der und die Bösen abzuschaffen. Ferm. 2, 285 ff.
Restaurirbare Geister ausser dem Menschen. Endl. Geist 7, 194.
S. Engel. Der Zweck der Geistererscheinungen ist meist eine
Beichte. Besess. 4, 249. Geistereinstrahlung und Elektrisirung
unseres Innern dadurch im täglichen gesellschaftlichen Leben,
mit Anwendung auf das Gebet. Tageb. 11, 144. Separatistische
Geisterinspirationen. Opf. 7, 335. Geheime Geistersocietäten;
böser Spuk derselben in unserer aufgeklärter Zeit. Br. 15, 240 ff.
Die blutlosen und kalten Geister sind blutsaugend, herz- und
geisttödtend. Antirel. Phil. 2, 454. Rationalistische Geister-
furcht. Incomp. 4, 305. Den himmlischen und höllischen
Geistern den *locus ambiens* abstreiten heisst ihnen die Umgebung abstreiten. Aehnliche Leugnung der Umgebung Gottes
(Sophia) oder deren Vermengung mit dem Geschöpf. Solid.
Verb. 3, 353. Das Reich der Geister ist leicht aufzuritzen.

Gefahren für eine vielleicht schon nahe Zukunft in dieser Beziehung. Ekst. 4, 8 ff.

Geist und Natur, ihre Abstracthaltung (Vivisection) nach
Plato, Cartesius, Fichte, Hegel. Versehens. 4, 338. S. *Harmonia
praestabilita*, Natur. Ihr Verhalten zu einander nach J. Böhme
und Saint Martin. Osten Einl. 12, 29. Mit dem dualistischen
Princip von Geist und Natur reicht die Philosophie nicht aus
(Günther?) Ekst. 4, 34. vgl. 39 ff. Anm. S. Dualismus. Schelling stellte die Natur gegen den Geist zu hoch, Hegel zu
niedrig. Fichte's *bellum internecinum* zwischen Geist und Natur.
Heg. über Euch. 7, 255 ff. Die Lehre J. Böhme's über die
Natur und die Lehre Hegel's über den Geist. Nach Schelling
erscheint die Natur als etwas v o r dem Geist, nach Hegel der
Geist als etwas v o r der Natur; nach J. Böhme setzen beide
sich wechselseitig voraus. Ferm. 2, 378. Der Geist ist kein
prius und die Natur kein *prius*, vielmehr sind beide angewiesen
auf eine M i t t e, Gott, worin sie ihre sacramentale Union anstatt
ihrer wilden Ehe zu suchen haben. Solid. Verb. 4, 300. Geist
und Natur nach Hegel: Subject, Object, Subject-object == An-
sich-sein, Nicht-an-sich-sein, Für-sich-sein. Heg. Phil. 9, 300.
S. Hegel. — Jeder Geist hat seine Natur *(terre)* in sich. Rel.
Erot. 4, 194. Geist und Natur sind nicht zu vereinerleien und
nicht zu trennen; es ist die Identität des intelligenten und nichtintelligenten Thuns anzuerkennen im E r k e n n e n (Wissen und
Sinn), W o l l e n (Wollen und Begehren) und Thun (anschaffendes Wort, *Verbum*, und schaffende Naturmacht, *Fiat*). Ferm.
2, 877. S. Nexus. Geist und Natur, originaliter in Gott, ab-
bildlich im Menschen (Seele == Mitte derselben). Espr. 12, 295.
Der Geist erkennt nur, was er sieht; der Sinn ist gleich ewig
mit dem Gedanken. Rel. Phil. 1, 305 ff. Dem Geistmenschen
kann man in der Regel nur durch seine materielle Sinnesweise
hindurch beikommen (wichtig für Offenbarungstheorie und Cultus). Spec. Dogm. 8, 250. Geist und Natur, Verstand und
Sinn, Wille und Begierde. Kein sinnloser Verstand, kein be-
gierdeloser Wille. Der Wille kann sich nur durch Selbstbestimmung bewähren, wobei er aus seinem gleichsam flüssigen

Urwesen in eine feste, wirkliche Gestaltung oder Leibwerdung
übergeht. Begründ. d. Eth. 5, 18 ff. Geist und Natur verhalten sich wie Centrum (s. d.) und Peripherie. Solid. Verb.
4, 297. Solidarität in der Verbindung eines Höhern (Innern)
mit einem Niedrigern (Aeussern). Alim. 14, 482. Der Geist
bleibt ohne selbstische Manifestation allem Andern ein Geheimniss; die Natur ist ohne ihr Zuthun dem Erkennen eines Andern
exponirt und subjicirt. Rel. Phil. 1, 220. Das Selbstlose
besteht nie ohne das Selbstische und dieses nie ohne jenes.
Indiff. 5, 228. Anm. Selbstloses und Selbstisches. Aphor.
5, 251. S. Selbst. Der Geist bedarf der Natur und die
Natur des Geistes. Des err. 12, 100. Die immaterielle Intelligenz kann auch im normalen Zustande nicht naturlos sein.
Tabl. 12, 186. Geist und Natur ohne einander zu denken,
ist widersinnig. Doch kann die Creatur nicht anders, als in
einer Geschiedenheit von Geist und Natur geschaffen sein.
Spec. Dogm. 8, 190 ff. S. Schöpfung, Natur. Die Untrennbarkeit von Geist und Wesen (Natur) in ihrer gemeinschaft-
lichen Substanzirung. Fund. d. Christ. 10, 33. 37. Geist
und Wesen = Wirken und Werkzeug, Sich-Potenziren und
ein ihm dienendes Sich-Depotenziren: keins ohne das Andere.
Lildungslehr. 2, 109 ff. Die Natur ist begründend für den
Geist; diess gilt auch für die ewige Natur und den ewigen
Geist. Begründ. d. Eth. 5, 11. Geist und Natur bedürfen
einander zu ihrer Vollendung. Br. 15, 593. Beide, der (geschaffene) Geist und die (geschaffene) Natur, stehen unter der
göttlichen Natur. Strauss Leben Jesu 7, 262. Die nichtintelligenten Wesen hängen in ihrer Vollkommenheit von den
intelligenten ab. Tabl. 12, 169. Was in Gott Eins ist und
bleibt, wird für die Creatur zwei (Himmel, Erde). Dieser
Binar soll durch den Ternar wieder zur Einheit kommen. Anthropoph. 4, 241 ff. Der Mensch als Vermittler von Geist
und Natur. S. Mensch, Schema. Der seelische Mensch macht
die Mitte von Geist und Natur, Intelligenz und Nichtintelligenz,
als Minister und Werkzeug, entsprechend der Manifestation
Gottes in der göttlichen, geistigen und natürlichen Region.

Strauss Leb. Jesu 7, 262 ff. Anm. Die Identität von Geist
und Natur im Geschöpfe ist nur wirklich, wenn das Geschöpf
in Gott eingegangen ist. Spec. Dogm. 8, 84. Der universelle Geist macht die legitime Union der zwei Lebensfactoren
(Beseelung und Beleibung) potent und productiv. Ferm. 2, 326.
S. Seele &c., Geschlechtsverhältniss, Fortpflanzung. Theilnahme
der Natur an der positiven wie an der negativen Vermittelung
des Geistes. Privatvorl. 13, 142. Möglichkeit einer vierfachen
Relationsweise der Intelligenz mit der nichtintelligenten Natur.
Elembgr. 14, 37. Naturfreiheit, Naturlosigkeit, Naturunfreiheit,
Naturwidrigkeit (der Supranaturalismus Kant's, Schiller's &c.).
Spec. Dogm. 8, 198. Wir sehen die Natur für zu gross, den
Geist für zu klein an, weil wir so sehr in der Natur versunken
sind. Privatvorl. 13, 151. Die Wissenschaft des Geistigen
ist weit sicherer, als die des Leiblichen. L'hom. 12, 224.
Der Geist ist raum- und zeitfrei, die Natur als geistleer räum-
lich und zeitlich. Nouv. hom. 12, 245.

G e i s t, S e e l e, L e i b, s. Seele, Leib, Geist.

G e i s t u n d W a s s e r, Schrift über den biblischen Begriff derselben in Bezug auf jenen des Ternars (1830). 10, 1. Der
Mensch kommt nur durch Geist und Wasser zur Wiedergeburt.
Hier Wasser = *prima materia*, Spiegelwesen = Geist. Geist
u. W. 10, 14. 16.

G e i s t l i c h e = Seelsorger, kein ursprünglich christlicher Begriff.
Vermögensl. 6, 138.

G e l d, Credit, Credo. Aph. 5, 311. Geld, Gelten, Werth, bestimmt durch den Credit. Ferm. 2, 397. Der grosse Einfluss
des Geldes (Mobiliars) seit der Entdeckung von Amerika hängt
zusammen mit der seit eben dieser Zeit eingetretenen Abnahme
des Credits und des Credo. Aph. 5, 284. Anm. Das Missverhältniss der Geld- und Naturalwirtschaft hat seit der Entdeckung Amerika's begonnen und ist gegenwärtig auf die Spitze
getrieben. Vermögensl. 6, 129. — Das Geld an sich oder
im Lande behalten = alle Bedürfnisse sich selbst verschaffen
und alle Arbeit an sich halten, welche an diese Bedürfnisse
gewandt wird. Büsch. 6, 184 ff. Durch die Vorkäuferei

(accaparement) der Münze oder des Geldes wird die Geldnoth immer grösser. Vermögensl. 6, 133.

Gemälde beim Fernsehen. Ekst. 4, 22 ff.

Gemeinde des Herrn, sichtbare, ist nirgend oder nur halb erstickt unter Unkraut zu finden. Tageb. 11, 148.

Gemeingeist = Zug eines allen Gemüthern zugleich innewohnenden centralen Wesens, d. h. des gemeinsamen Gottes. Rel. u. Phil. Pol. 6, 14.

Gemeinsames: Der gemeinsame Mensch *(homme - général)* und dessen erst zu vernehmendes Wort, oder die Gesellschaft und die allgemeine Uebereinstimmung der Menschen in der Gesellschaft — im Unterschied vom gemeinen Menschenverstand — als Begründung (Auctorität s. d.) der Vernunft des Einzelnen. Bonald 5, 56. Das gemeinsame Selbstbewusstsein kommt nur zu Stande durch Vermittelung eines gemeinsamen, sich als Centrum oder Oberhaupt und somit als Auctorität für alle Einzelne legitimirenden Selbstbewusstseins. Indiff. 5, 196. Gemeinsame Wahrheit, gemeinsamer Irrthum als Grundlage des Einverständnisses oder des Missverständnisses der Menschen. Trennb. 5, 373.

Gemeinschaft: Um mich als Einzelnen mit einem Andern als Einzelnen in Gemeinschaft zu setzen, muss ich meine Einzelnheit in die Form des Allgemeinen erst aufheben, d. h. jene durch dieses (das Allgemeine) vermitteln lassen. Denn es ist keine unmittelbare Aeusserung eines Einzelnen gegen oder in ein anderes Einzelnes möglich. Bonald 5, 85 ff. Das Gesetz für die Gemeinschaft ist: *Date et dabitur vobis*. Freih. d. Int. 1, 140. Die Gemeinschaft der Action (des Lebens) ist immer durch ein Drittes (eine gemeinschaftliche Basis) vermittelt. Ferm. 2, 427. Die Gemeinschaft mit der Welt (für jede Region) ist eine doppelte, eine leibliche und eine magische. Ekstas. 4, 4. Eine erst innerlich offenbare, geistige Gemeinschaft führt zu einer andern, allein vollständigen und wahren, innern und äussern. Leb. 4, 291 ff. Directe und indirecte Gemeinschaft mit Gott: jene die Bestimmung des

14*

Menschen, diese die Bestimmung der im eigentlichen Sinne zeitlich genannten Geschöpfe. Zeitbegr. 2, 89.

Gemeinwille oder Wille Aller = Subjection oder Auslöschung der Willen der Einzelnen in einem höhern Willen (Principalwillen, Centralmotiv). Rat. Theol. 2, 509.

Gemüth = Centrum und Begriff des Wissens und Thuns. Gemüthlosigkeit = Begriff- und Leblosigkeit. Wahrh. 1, 104 ff. Gemüth, Liebe, Kunst. Aph. 10, 350. Das liebende Gemüth wird immer reicher, das hassende immer ärmer. Ferm. 2, 257. Die Gemüthseinheit wie die Körpereinheit ist bedingt durch ein einendes Princip *a priori* (Maass). Elem.-Phys. 3, 207. Sie ist nicht etwas dem lebendigen Gemüth von aussen Infundirtes Ebd. 3, 211. — Der Uebergang aus einer Gemüthsform in die andere geht immer durch die formlose Stufe des Flüssigen: eine starr gewordene Gemüthsform kann nicht *via sicca* umgestaltet werden. Dynam. Bewegung 3, 283. Anm. S. Flüssiges.

Generation, der Generations-, Productions- und Manifestationsprocess ist nicht mit Schelling als Dualismus, sondern vielmehr als Triplicität zu begreifen. Antropoph. 4, 239 ff. S. Zeugen. Generation, Emanation, Creation. Oeuvr. 12, 454. 462. *Generatio* und *Factio* in Gott bezüglich auf Logos und Sophia. Incomp. 4, 313. Vgl. Opf. 7, 298. Anm. 348. *Generatio, Factio (= Emanatio), Creatio.* Br. 15, 463 ff. Vgl. 589. *Generatio originaria* oder *spontanea* in Bezug auf die Menschwerdung Christi als Sohnes Gottes, und dagegen *Generatio per infectionem vitae* bei allen andern Menschen, die der Sohnschaft Gottes theilhaft werden. Bildungsl. 2, 114. *Generatio primaria, secundaria.* Espr. 12, 361. Rel. Phil. 1, 174. Sichtb. K. 7, 218. *Generatio legitima perficit genitorem, generatio illegitima interficit genitorem.* Spec. Dogm. 8, 181. S. *Genitor.* Generation, Emanation, Creation s. Sohn. — *Generatio unius destructio alterius* in Bezug auf den alten und neuen Adam in uns. Bildungsl. 2, 115. Rat. Theol. 2, 505. — In Bezug auf Materie und Geist. Spec. Dogm. 8, 245.

Genesis, eine nichtzeitliche — findet in Gott statt, weil er nicht ein bewegungs- und lebloses, unfruchtbares Sein ist. Spec. Dogm. 8, 81 ff. — Die (mosaische) Genesis übergeht die Erschaffung der Engel, die nach Jesajas der Erde voranging. Versehens. 4, 331. Anm. Erklärung von Gen. 1, 1 und 2. Ueber die Katastrophe (s. d.), welche die hier angezeigte Erde und der ihr entsprechende Himmel erlitten hat. Rüge 3, 818. Erklärung des zweiten Capitels der Gen. (s. d.). Ueber die Genesis und die Apokalypse. Spec. Dogm. 8, 226. Bildungsl. 2, 119. S. Schrift.

Genialität, **Genius**. Das Thun eines höhern Mitwirkers (Gabe, Talent, höhere Natur, Eigenthümlichkeit) und das Selbstthun, nur beides zusammen begründet das Tüchtige, Gediegene, Gesunde, Freie und Geniale in allen Lebensäusserungen der Creatur, im Erkennen, Wollen, Wirken. Ferm. 2, 291. Geniales (künstlerisches) und ungeniales (künstliches) Thun der Creatur; jenes das gesetzfreie nicht gesetzlose, dieses das unfreie, reflectirte Thun; nicht jenes das instinctive, dieses das bewusste. Ferm. 2, 293 ff. — Classicität und Genialität (1825). Br. 15, 427. Genialität und Classicität sind mit einander recht wohl verträglich. Diese soll jene zugleich wecken und zügelnd begründen. Spec. Dogm. 8, 34 ff. Vgl. Biogr. 15, 94. Ferm. 2, 322. 432. 440. Rel. Phil. 1, 174. Wiss. u. Rel. 1, 94. Jede gelungene moralische Production kann und soll völlig so, wie die Production der schönen Kunst, das Werk des Genius (des uns allen hierzu angebornen Talentes) sein. Begründ. d. Ethik 5, 29. Genius, Genie, Talent = höhere Gabe. Genialität verträgt sich nicht mit Hochmuth. Soelet. 14, 94. Das Genie kann sich nur in dem Verhältniss wahrhaft gemeinsamen und mittheilen, in welchem es seine Eigenheit erhält. Ferm. 2, 348. Das Genie hat sein Gebilde von den Banden einer niedrigern entstellten Natur zu befreien und zu erlösen und durch dasselbe eine höhere Welt zugleich furchtbar und freundlich durchleuchten zu lassen. Ferm. 2, 218. Genialität eines Kunstwerkes. Franz. Revol. 6, 321. 825. Genie und Geist = Gemüth und Herz. Espr. 12, 848 ff. vgl. 324. — Der Genius

des Sokrates und die Engel der Bibel in Parallele zu ziehen.
Tageb. 11, 114. Genius unpersönlich = Sophia s. Geist.
Genitor und *Genitus* s. Vater und Sohn. Das Dogma
darüber stammt schon von Hermes Trismegistus her. Fund. d.
Christ. 10, 25 ff. *Genitor*, *Genitus* und *Processus*. Espr.
12, 322. Jedes Selbstischseiende als *Genitor* vollendet sich
nur mittelst seines normalen *Genitus* und versetzt sich durch
abnorme Eingeburt in den unversöhnten Zustand (Sohn,
Söhnen). Spec. Dogm. 8, 188. Der *Genitor* sieht, findet und
weiss sich nur im *Genitus*, d. h. der Geist muss, um sich zu
erkennen, gleichsam ausser sich treten, sich in sich unterscheiden. Bonald 5, 81 ff. Der Urwille (= *Genitor* = unmittelbare Einheit) tritt zuerst aus einander in zwei Abstractionen,
die Freiheit ausser der Natur (Sophia), und die Strengheit in
der Natur, oder die objective Lust (Schauen, Sehen) und die
subjective Begierde, und fasst sich dann wieder zusammen im
Begriff = *Genitus*. (*Genitor* und *Genitus* sind beide Subject-
Object, der *Genitor* androgyn.) Rel. Phil. 1, 223. *Genitor*
und *Genitus* = fassender und gefasster Wille. Gnadenw. 13,
253. *Genitor* = *Genitus* d. h. Identität des Hervorbringenden
und Hervorgebrachten, des Erkennenden und Erkannten. Rel.
Phil. 1, 185. *Genitoris pacificatio in Genito, irritatio in
suspensione generationis.* Geist u. W. 10, 5. S. Generation.
Der *Genitus* ist überall die Signatur (Character, εἰκών, Magnet)
des *Genitor* (als ἀόρατός). Ferm. 2, 428. Der Character des
Guten oder Bösen kommt nicht dem *Genitor*, sondern dem
Genitus zu. Begriffserklärung des *Genitus*. Spec. Dogm. 8,
178. 180. *Genitus* = Kraft, sich auszusprechen (sprechendes
Wort), verschieden vom ausgesprochenen Wort. *Ascensus* und
Descensus dabei. Geist und Leib. Spec. Dogm. 8, 240. Der
dreipersönliche Gott ist *Deus genitus*. Gnadenw. 13, 283.
Genitus und Sophia, Λόγος ἔνθετος und ἔκθετος, *Imaginatio*
und *Visio*, Einsprechen, inneres Hören, und Aussprechen, äusseres
Hören, Einleuchten und Ausleuchten. Incomp. 4, 309. *Genitor,
Genitus, Genitrix:* diese Ausdrücke als dogmatische Bestim-
mungen mit Bezug auf die Lehre von der Androgyne (s. d.).

Genitrix = Gottesgeist. Stellen der Schrift von einer *Genitrix* in Gott. Geist u. W. 10, 7 ff. 10. Was in der Union als *Genitor* und *Genitus* ist, tritt in der Desunion d. h. in der Suspension des letztern als *mas* und *foemina* hervor. Versehens. 4, 368. S. Mann. — Das Dogma vom *Genitor* und *Genitus* mit Bezug auf Evolutionismus und Revolutionismus. Evol. u. Rev. 6, 82 ff.

G e n u g t h u u n g, *satisfactio.* Eigene — wird durch das Opfer nicht überflüssig gemacht. Ferm. 2, 220. Anm.

G e n u s s = *factio continui*, Schmerz = *solutio continui.* Ferm. 2, 259.

G e o l o g i e, die, bestätigt J. Böhme's Lehre durch den Nachweis, dass die ältesten Formationen der Gebirge nicht aus Wasser, sondern aus Feuer entstanden sind. Privatvorl. 13, 108.

G e o m e t r i e, niedere, höhere = graphische, speculative Erkenntniss. Spec. Dogm. 9, 158. Ueber die geometrische Figur der Sphäre. Spec. Dogm. 8, 283 ff. Wie könnte eine Sphäre zu Stande kommen, wenn nicht jeder Peripheriepunkt sich dem Centrum lassen wollte. Spec. Dogm. 8, 172.

G e r a d e s = Rechtes. Die davon abweichende krumme Strebung der Sünde ist Effect zweier Seitenkräfte, einer centripetalen oder niederträchtigen und einer centrifugalen oder übermüthigen. Analog auch in der Physik (Kepler, Newton). Rel. u. Pol. 6, 17. vgl. Dynam. Bew. 3, 282.

G e r b e r über die Nachtseite der Natur (1840). Morg. u. Ab. Kath. 10, 173. 214.

G e r b e t, Betrachtungen über die Eucharistie. Religionsphil. 1, 323 Anm. 382 Anm.

G e r e c h t i g k e i t und Liebe Gottes, alle aus dem Zeitweltlauf entnommenen Einwürfe und Zweifel dagegen kommen darauf hinaus, dass die Zeit nicht Himmel oder Hölle ist. Ferm. 2, 285. Die versöhnende Liebe ist höher als Gerechtigkeit (Gesetz). Erot. Phil. 4, 171. — Gerechtes in der moralischen, Richtiges in der Naturregion. Seg. u. Fl. 7, 125 Anm.

G e r i c h t, in ihm wird die Finsterregion offenbar in der Lichtregion. Studienb. 13, 335.

Germanische Philosophie, die noch ganz junge. Incomp. 4, 322.

Geschichte darf auf keine Weise in Gott hineingetragen werden. Spec. Dogm. 8, 90. Ueberschätzung und Unterschätzung der Geschichte: *Fatum* oder *Historia addita Deo*. (Gegen Schelling.) Spec. Dogm. 9, 20. 58. Geschichte eines Wesens $=$ successive Entfaltung des Lebens desselben, wobei das, was früher das Obere (den Gipfel) ausmachte, später das Untere (die Grundlage) ausmachen muss. Zeitbegr. 2, 67 (94). Anm. Begrifflosigkeit in der Behandlung der Geschichte bei Theologen und in der Naturkunde. Antirel. Phil. 2, 483. Geschichtsbigotterie der Liberalen. Evol. u. Rev. 6, 102. Eine Theorie der Geschichte ist ohne eine richtige Theorie der Zeit und Ewigkeit nicht möglich. s. Zeit. Eine Theorie der Geschichte ist ohne die einer Offenbarungsgeschichte nicht möglich. Elembgr. 14, 53. Historie $=$ tradirte Offenbarung, Gegebenes und innere Ausgeburt des Gegebenen. Ferm. 2, 206 ff. Nur durch die geschichtliche göttliche Offenbarung im Menschensohn &c. konnte der Mensch aus einem Geschöpf ein Kind Gottes werden. Wahrh. 1, 121. Geistiges Klima, Geographie, Geschichte. Espr. 12, 324. Orientirung in der Geschichte nach dem Moment der Incarnation: Philosophie der Geschichte. Versehens. 4, 339. Geschichte des jüdischen Volkes $=$ Geschichte des Erziehungsplanes Gottes. Tabl. 12, 194. Jede Geschichtsepoche ist ein partielles Weltgericht. Spec. Dogm. 8, 218. Die Geschichte würde eine miserable Begrifflosigkeit sein, wenn wir nicht stets von der Gegenwart aus die Vergangenheit reconstruiren und einen Blick in die Zukunft werfen könnten. Spec. Dogm. 8, 168. — Schon 1816. Br. 15, 317. Beweis (s. d.) der Ursache (des Vergangenen) aus dem Effect (der äussern und innern Gegenwart). Begründ. d. Eth. 5, 28. Anm. S. Christenthum. Die Geschichte ist ihres Verständnisses wegen da. Nichtfortgeschrittensein der positiven Religionswissenschaft. Spec. Dogm. 9, 16. Strauss Leb. Jesu 7, 269 ff. S. Philosophie, Wissenschaft, Fortwachsen &c.

Geschlechtsverhältniss. S. Androgyne. Geschlechtspotenzen,

Zeugen und Gebären in Gott. Geist u. W. 10, 7. Anfänglíche Geschlechtslosigkeit der nichtintelligenten Natur im Menschen = Selblosigkeit. Warum zieht uns das geschlechtslose Kind so an? Ferm. 2, 271. Ausführlicheres darüber mit Bezug auf Plato und J. Böhme. Ebd. 2, 314 ff. Das Geheimniss der Geschlechtsverschiedenheit. Ebd. 2, 268. Das Entstehen der thierischen Geschlechtsdifferenz im Menschen, vor dem Schlafe Adam's beginnend und in demselben sich vollendend. Ihre Wiederaufhebung in der Wiedergeburt. Ehe, Zeugung, Erbsünde. Ferm. 2, 382. 2. Cap. d. Gen. 7, 230. Der Mensch wurde erst nach der zweiten Versuchung thierisch oder irdisch. Ebd. 7, 231. Anm. 8. Brustregion. Die Geschlechtsdifferenz ist überall Character des bloss heteronomen Lebens. Starr. u. Flüss. 3, 275. S. Natur. Geschlechtspotenzenspaltung als Wirkung des *Divide et impera.* Morg. u. Ab. Kath. 10, 247. Geschlechtsdifferenz im Thier und dem dem Thierleben anheim gefallenen Menschen. Vorr. 1, 411. Die thierische Geschlechtsdifferenz am Menschen ist hemmend für die Liebe. Ferm. 2, 360. Die Geschlechtsbegierde = höchste Stufe der entzündeten Selbstsucht, sohin völlige Lieblosigkeit; sie wird durch die Liebe zur Ehe geweiht. Ferm. 2, 179. Die Geschlechtsneigung wird nur durch freie Resignation des Geschlechtstriebes Geschlechtsliebe. J. B. Theol. 3, 463. In der Geschlechtsliebe sollen sich die beiden Liebenden aus einem und demselben Höhern (Androgynen) ergänzen. Jeder soll dem Andern behülflich sein, dass dieselbe Idea ganz in Jedem wohnt. Spec. Dogm. 9, 221. Das erste und zweite Stadium der Geschlechtsliebe. Erot. Phil. 4, 175 ff. Normale und abnorme Geschlechtsverbindung. Erot. Phil. 4, 195. Wie die an materialistische Vorstellungen gebundenen religiösen Dichter und Künstler das Geschlechtsverhältniss im Menschen darstellen sollen und wie dieses Mysterium von theologischer und philosophischer Seite geöffnet werden müsste. Rat. mat. Vorstell. 3, 301 ff. Die Geschlechtsliebe ist der Brennpunct der Poesie; ohne Myrthe und Schwert ist keine Epopoe möglich. Abirrungen der Dichter dabei Idee einer dramatischen Darstellung derselben etwa als

Gegensatz zu Göthe's Faust. Rat. mat. Vorst. 3, 305 ff. 307 ff.
Vgl. die Liebe aus dem Standpunct der Versöhnung. Eduard
v. Schenk's Plan einer dramatischen Bearbeitung dieser Ansicht
(1828). Br. 15, 444. 449. S. Vater und Mutter, Weib.

Geschöpf und Schöpfer sind unterschieden und eins. Segen
u. Fl. 7, 87. Die Creatur ist kein Theil Gottes. Segen u.
Fl. 7, 89. 106. Die Geschöpfe sind nicht Glieder Gottes.
Apb. 5, 267. Anm. Jede Creatur besteht in Mitte zwischen
Vater und Sohn, oben und unten. Br. 15, 376. Es gibt solche
Geschöpfe, die unmittelbar in eine ewige (ungeschaffene) Welt
geschaffen wurden, und solche, die in eine geschaffene (nicht
ewige) Welt geschaffen wurden. J. B. Theol. 3, 383. Das
Geschöpf gewinnt mit dem ursprünglichen Hervorgehen aus
Gott eine Selbheit, die es mit Freiheit an den Schöpfer wieder
aufgeben und hierdurch erst seine wahrhafte Selbheit gewinnen
soll. Myst. Magn. 13, 206 ff. Das intelligente freie Geschöpf
erhielt sein unmittelbar geschiedenes Sein als Vorschuss und
Capital, damit es durch eigenes Thun dieses Sein in sich fixire.
Aphor. 5, 260. Das Geschöpf besteht in Gott als seinem
Anfang, Mittel und Ende, d. h. es steht in dreifacher Beziehung zu Gott, als vor, durch und in ihm seiend, oder als
durchdrungen, erfüllt und umgeben von ihm. Blitz 2, 34. Das
Geschöpf als wollend ist nicht *causans non causatum*, sondern
causatum causans. Des err. 12, 92. Das reintegrirte Geschöpf nimmt an der Integrität (Absolutheit) des Schöpfers
Theil. Segen u. Fl. 7, 146. Die natürliche Geschöpflichkeit
und die geistige Geburt sind nicht identisch. Weil der Mensch
Gottes Geschöpf ist, ist er nicht auch schon sein Kind. Es
gibt auch Teufelskinder, obwohl keine Teufelsgeschöpfe. Versehens. 4, 358 ff. S. Schöpfung.

Geschwornengericht, dessen Princip ist bis jetzt noch keineswegs klar erfasst. Constit. 6, 54.

Gesellschaft, Societät. Vorlesungen über Societätsphilosophie. Einleitung: Philosophie der Zeit. Schr. (1831—32)
14, 55 ff. Vgl. über sie aus den Jahren 1828: Br. 15, 444.

453. — 1830: 461. — 1831: 475—480. Das Verhältniss der Naturphilosophie zur Societätsphilosophie, die besondere Aufgabe beider. Wahrh. 1, 125. Anm. Ausführlicheres über die Gesellschaftslehre. Indiff. 5, 164 ff. Das Bedürfniss der Gesellschaft für den Menschen. Bonald 5, 92 ff. Analogie zwischen der natürlichen Constitution des einzelnen Menschen und der der Gesellschaft. Bonald 5, 78. Die Societät muss als Leib cohäriren, als Seele confluiren und als Geist conspiriren. Religionsphil. 1, 327. Die Societät ein Organismus, kein Aggregat. Aph. 5, 267 ff. Societätsleben, Haupt, Gliederung. Opf. 7, 390. *Universus moralis mundus a Deo*, im Gegensatz von: *Universus m. m. ab Homine.* Freih. d. Int. 1, 141. Anm. Ueber Bonald's Anwendung des Begriffes des Ternars auf die Societät, als *causa, medium* und *effectus* oder als *potestas, minister* und *subjectus*, wobei er den *effectus* mit dem *efficiens* verwechselt. Spec. Dogm. 8, 251. Anm. *Societas hominum, precatione seu jur....mento Deo ligata, Religio evadit.* Zeitschr. Av. 6, 42. Alle Gesellschaft beruht auf Religion (Nächstenliebe). Aph. 5, 258. Societät = *Contrat-social* aller irdisch Lebenden mit allen Verstorbenen und noch Ungebornen (Burke). Elembgr. 14, 53. Die Natursocietät soll die höhere einführen, Einigung unter sich, coincidirt mit Einigung mit dem Höhern. Ecl. 12, 434. 435. Saint-Martin's politische Untersuchungen. Des err. 12, 138 ff. Die Familie ist der Anfang und das Urbild aller Gesellschaft. Der Zweck aller Gesellschaft ist die Rehabilitirung des Menschen (Christen) zum Priester und König. Des err. 12, 139. 140. Drei Stufen oder Momente (in der Geschichte) der Gesellschaft: natürliche, civile und politische nach Saint-Martin, dargestellt in der Geschichte des Volkes Israel: Theokratie = natürliche Gesellschaft, Richterperiode = Civilgesellschaft, Periode der Könige = politische Gesellschaft. Ferm. 2, 213. Bonald 5, 74. Aph. 5, 297. Religiöse Gesellschaft = Inwohnung des associirenden Princips, der Liebe, politische = Beiwohnung, polizeiliche = Durchwohnung. Die drei noachitischen Stämme; die drei Perioden der jüdischen Geschichte; Ehe, Familie,

Stamm, Volk: alle gehen von der unmittelbaren Liebe aus
und sollen sie confirmiren. Rat. mat. Vorst. 3, 297. Die
erste Form der Gesellschaft war die Theokratie; darauf Hervortritt gegliederter Scheidungen (αὐτοδιορισμός) und deren
Hypostasirung: Priester, Fürsten, Wissenschaftspfleger; aber auch
Ausartungen dieser drei. Trilogie der Socialfunctionen, dargestellt in den drei noachitischen Stämmen. Spec. Dogm. 9, 29 ff.
Der Mensch war ursprünglich nicht zur politischen Gesellschaft
bestimmt. Magik. 12, 536. Dämonokratische Gesellschafts-
form im Gegensatz der theokratischen. Ferm. 2, 190. S.
Theokratie. Die Gesellschaft besteht zu jeder Zeit aus drei
Societäten, in welcher das religiöse, das antireligiöse und das
nichtreligiöse Interesse mit dem religiösen, antireligiösen und
nichtreligiösen Wissen gleichen Schritt hält. Näheres über diese
drei Bündnisse. Spec. Dogm. 8, 325, 328 ff. Legitimität der
Societät = wechselseitige Befreiung der in den Bund Getre-
tenen. Zeitschr. Av. 6, 41. Socialreform und politische Reform sind von den Reformatoren und den Revolutionären verwechselt worden. Evol. u. Rev. 6, 76. Societät und Eucharistie
(s. d.). Anthropoph. 4, 232. Die herrschende Societätsphilosophie ist festgerannt in der Abstraction der politischen Gesellschaft von der religiösen. Seg. u. Fl. 7, 85. Religiöse und
bürgerliche Gesellschaft sind nicht schlechthin zu trennen. Evol.
u. Rev. 6, 90 ff. Der Fürsten und der Staaten Feind ist die
Sünde. Gegens. die physikalische Staatstheorie. Des err. 12, 143.
Das Grundübel der heutigen Societät ist die gewaltsame und
methodisch bewirkte Auf- und Niederhaltung und Zur-Stagnation-
Bringung der freien Evolution des christlich-socialen Princips
in Gesinnung und Erkenntniss. Evol. u. Revol. 6, 93 ff. Die
bürgerliche oder natürliche Gesellschaft = Staat, die religiöse
Gesellschaft = Kirche: Die Forderung des Uebertretens aus
dem Naturstand in den geselligen kann nur heissen, der Mensch
solle aus der bloss natürlichen (politischen) Gesellschaft in die
religiöse übertreten. Wahrh. 1, 124 ff. Anm. Seg. u. Fl.
7, 84. Diese religiöse Gesellschaft kann nur die universale
oder katholische sein. Ebd. 7, 84. Solidärer Verband des

Haupt- und Gliederlebens oder des Monarchismus und Föderalismus in der bürgerlichen und geistlichen Societät und Nichtbegriff desselben oder das *bellum internecinum* zwischen beiden. Versehens. 4, 353. Die religiöse Societät darf sich nicht monarchisch centralisiren und punctualisiren. Em. d. Kath. 10, 77. (S. Christenthum, Primat). Drei Classen von Menschen, in welche nothwendig die politische wie religiöse Gesellschaft (Staat und Kirche) sich stets getheilt befinden (Lehrlinge, Gesellen, Meister). Aph. 5, 356. — Natürliche Gesellschaft = Ehe, öffentliche = Staat. Indiff. 5, 126. Anm. — *Quae ad omnes pertinent, a singulis negliguntur.* Ecl. 12., 434. Monopolium, Polypolium, Propolium, drei Feinde der Gesellschaft. Staatswirthsch. 6, 177. — Gesellschaften, Corporationen (s. d.), Congregationen, Orden. Aph. 5, 276. S. Gesetz, Europäischer Staatenbund.

Gesetz, Begriff desselben nach J. Böhme. Spec. Dogm. 8, 279 ff. = Kreis, Hemmung oder Grenze, die nicht sowohl der Creatur gegeben ist, als vielmehr sie selbst (die Creatur) erst gibt, festhält, setzt, trägt, erhält und nährt. Erst durch die Schliessung dieses magischen Kreises wird die Creatur und bei seiner Wiedereröffnung verschwindet sie. Begründ. d. Eth. 5, 13. = ursprüngliche Locirung eines Wesens. Indiff. 5, 152. Anm. = Region, die jeder Creatur bei ihrem Entstehen gegeben wird und worin sie sich fixiren soll. Ferm. 2, 246. = *Locatio*, eine Begriffsbestimmung, die wichtig für den Physiker und Moralisten ist. Spec. Dogm. 9, 42. = Location, folglich Abfall vom Gesetz = Entsetztsein, Dislocation; Stellung = Gestaltung (s. d.); Gestalt, Figur, Gottesbild, Lage, Figurbeschreibung, Gestirn; Unbild, Entstellung. J. Böhme's Theol. 3, 419. Spec. Dogm. 8, 186 ff. 266. Opf. 7, 280. Es gibt ein Gesetz für alle Wesen, wenn es auch nicht allen Wesen bewusst oder innerlich ist. Naturwesen und geistige Wesen = passive und active Wesen. Des err. 12, 86. Das Gute ist für jedes Wesen die Erfüllung seines Gesetzes; das Böse das, was sich dieser Erfüllung widersetzt. Location = Erfüllung und Fixirung des Gesetzes = Beseligung des Menschen. Des err. 12, 89. Gesetz des

Menschen = der Wille seines Urhebers. Nouv. hom. 12, 250. Das wahre Verständniss des Gesetzes tritt erst mit seiner Erfüllung ein. Nouv. hom. 12, 247. Gesetz, Pflicht, Ermüdung, Ermuthigung, Elend — Glück, Vergnügen, Illusion, Verbrechen, Tod. Nouv. hom. 12, 252. Gesetz (Zahl, Character) ist unveränderlich für die Gattungen und die einzelnen Wesen. Tabl. 12, 174 ff. Der Begriff des ethischen Gesetzes kann nicht ohne jenen des Bildes Gottes (s. d.) gefasst werden. Versehens. 4, 373. Gesetz und Bild Gottes sind im Grunde eins: Gesetz = ursprüngliche Location eines Geschöpfes mit dem Imperativ, sich darin zu fixiren. Die Gestaltung entspricht der Stellung. Aphor. 5, 259. Von dem Begriff des Gesetzes darf nicht ausgeschlossen werden das Vergehen um eines Bestehens willen. Anthropoph. 4, 228. Der Begriff der Gesetzlichkeit bringt den einer Bestimmung, Negativität oder Schranke mit sich. Freib. d. Int. 1, 142. Doppelrichtung des Gesetzes, erläutert am Fall Lucifer's. Besess. 4, 427. Kant hat den Begriff des Gesetzes bloss negativ gefasst, Reinhold ihn richtiger = uneigennütziger Trieb erklärt. Der vom Geist Regierte steht nicht unter dem Gesetz. Kant's Deduct. 1, 13 ff. Das Gesetz tritt erst auf bei der Willenstrennung von der Liebe. Ferm. 2, 157. Anm. 293. Gesetz und Definition des Dogmas durch die Kirche treten erst bei ihrer Bestreitung hervor. Wahrh. 1, 113. Anm. Taubheit und Stummheit des bloss executiven Welt- oder Causalitätsgesetzes. Antirel. Phil. 2, 450. S. *Lex.* Nach dem Gesetz als Naturgesetz, Moralgesetz und Rechtsgesetz muss Christus sterben. Evol. u. Rev. 6, 107. Das moralische Gesetz soll, was die irreligiöse Moral nicht anerkennt (als Sohn), dem Menschen innewohnen, nicht bloss (als Vater) ihn durchwohnen. Rat. mat. Vorstell. 3, 246. Das moralische Gesetz ist selber Mensch geworden. Ferm. 2, 159. Spec. Dogm. 8, 274. Franz. Rev. 6, 325. Das Gesetz und dessen Erfüllung sind analog der enthaltenden und erfüllenden Kraft, sowie dem Erzeugenden und Erzeugten, Vater und Sohn. Zeitbgr. 2, 59 (83). Gesetz (mosaisches) und Assistenz zu dessen Erfüllung. Opf. 7, 318. Versehens. 4, 399. Begriff des Gesetzes nach Schrift und Philosophie oder gegen die Behauptung, als ob der Purismus des moralischen Gesetzes keine Religion vertrüge. Morg. u. Ab. Kath. 10, 95. 102 ff. Das Gesetz ist ein Zuchtmeister zur Freiheit. Spec. Dogm. 8, ˉ35. Gesetz und Freiheit = Auctorität (s. d.) und Speculationsfreiheit. Freiheit (s. d.) kann nur bei doppelter Begründung, innerer und äusserer, bestehen. Das Verhältniss von Gesetz und Gnade ist seit Pelagius verkannt worden. Spec. Dogm. 8, 40 ff. — Gesetz in der bürgerlichen, Glaube in der religiösen Gesellschaft (s. d.) Bonald 5, 93. Mit und durch das geschriebene Gesetz sahen wir ein Volk (die Israeliten) aus dem Familien- zum öffentlichen Leben, aus der mobilen und precären Gesellschaft zum stabilen, bestehenden Staat übergehen. Bonald 5. 74. Mit seiner Promulgation trat das jüdische Volk in seine zweite Epoche, d. h. aus der Naturregion in die Geistesregion. Opf. 7, 321. Es würde immer umfassender geworden sein (Periode der Adamiten, Noachiten). Opf. 7, 337 ff. Die dritte Epoche des Gesetzes = Eröffnung der göttlichen Region, Eintritt des Christenthums. Opf. 7, 360. Gesetz der Liebe. Opf. 7, 284 Anm. — Das Gesetz der Natur (s. d.) wird durch den Satz: *Natura parendo vincitur* nicht sistirt oder aufgehoben, sondern damit nur gesagt, dass die Natur vom Dienst des Eiteln befreit und durch den Menschen in ihr ursprüngliches Verhältniss zu Gott zurückversetzt werden müsse. Spec. Dogm. 9, 63. — Geschriebene Gesetze, Constitutionen &c. Des err. 12, 148.

Gesinnung und Erkenntniss = Wärme (s. d.) und Licht sind untrennbar mit einander verbunden Evol. u. Rev. 6, 94.

Gestaltung, Gestalt. Fortwährende Gestaltung jedes Lebendigen aus der Gestaltlosigkeit in die Gestaltetheit, aus der Continuität des Flüssigen in die Discretheit des Festen. Spec. Dogm. 8, 183. Die Gestaltung jedes Wesens entspricht seiner Stellung; daher Gesetz (s. d.) = Aufgabe, die ursprüngliche Gestaltung zu fixiren. Aph. 5, 259. Gestalt = unmittelbarer Ausdruck der innern Bewegung eines Leiblichen und dessen Stellung zu allem andern Leiblichen. Figurbeschreibung. Ferm.

2, 396. Gestalt (Bildniss) eines Wesens ist überall Folge
seiner Stellung oder der Weise seines Gesetztseins (Position)
zu seinem ursprünglichen Zengeprincip oder Centrum. Die
Theorie des Moralgesetzes fällt daher zusammen mit der des
Bildes Gottes im Menschen. Seg. u. Fluch 7, 132. Dritte
Gestaltung Adam's (s. d.) nach übel bestandener zweiter Versuchung. 2. Cap. d. Gen. 7, 281. Anm. Gestalt oder Form,
ihr Begriff und ihre vermittelnde Function (mit Bezug auf das
Gestaltgewinnen Christi in uns). Spec. Dogm. 8, 354. Mechanische und dynamische Gestaltung und Erkenntniss. Theor. d.
Erk. 1, 52 ff. — Gestalten der Natur (s. d.). Ausführlicheres
darüber nach J. Böhme. Spec. Dogm. 9, 239.

Gestirne, alle bewegen sich auf einmal und zugleich nach
Newton und Saint-Martin. Spec. Dogm. 9, 281. Rat. mat.
Vorst. 3, 293. L'hom. 12, 213. Dynamische und mechanische
Einwirkung der Gestirne auf einander. Rat. mat. Vorst. 3, 292.
Alle Bewegung der Gestirne ist Figurbeschreibung (s. Gesetz).
Sie können nur schreiben, nicht sprechen. Ferm. 2, 396. Ge-
stirne = Diamanten aus dem Stirnbande Gottes. L'hom. 12,
212. S. Astrologie.

Gestus, Gesticulation, Mimik, Pantomimik. Configuration der
Sprachorgane = Gestus = Character der Laute (Buchstaben)
im Hebräischen &c. Spec. Dogm. 8, 186. S. Buchstaben.

Gesundheit, ein *status violentissimus*. Tabl. 12, 180 ff.

Gewalt, magische: Er versetzt die Berge und sie wissen nicht.
Dyn. Beweg. 3, 280. Die Maxime der Gewaltthätigen. L'hom.
12, 206.

Gewerbe, Widerstreit des Privatinteresses dabei mit dem Gemeinsamen und Untersuchung, ob sich derselbe nicht beseitigen
lasse. Staatsw. 6, 171. Die Gewerbe sind unter sich, gegen
die Natur und gegen das Ausland zu schützen. Kammern 6,
220. Bei erschlaffter Gewerbepolizei nimmt der Krieg Aller
gegen Alle überhand. Naturrechtl. Gr. 6, 8. Gewerbefreiheit =
Vogelfreiheit des Erwerbes. Kammern 6, 225. Die 5 Haupt-
gewerbe: Landbau, Holzbau, Bergbau, Manufactur und Handel
und die Hülfsgewerbe dabei. Kamm. 6, 221.

G e w i r k e, alles zeitliche — tritt bei der Gluth des Weltgerichts-feuers wieder hervor entweder als Glorie oder Heiligenschein oder als Feuerkreis. Geistersch. 4, 218. S. Ursache.

G e w i s s e n , G e w i s s h e i t : ge $=$ συν $=$ con, also $=$ Mit-wissen, Plural im Wissen. Das eigentlich Erkennbare ist nur ein Erkennendes. Christus als autonom und der Teufel als anom haben kein Gewissen. Societ. 14, 76. Trennb. 5, 378. Anm. Spec. 8, 360 vgl. 339. 9, 33. Das Gewissen ist ein Ge-müthsphänomen: wir werden darin das Vernommensein und Vernommenwerden unseres Selbstes mit absoluter Gewissheit inne. Kant's Deduct. 1, 8 ff. Gewissen $=$ Wissen des Ge-wusstseins von Gott. Spec. Dogm. 8, 231. Br. 15, 631. Aph. 5, 259. Das Gewissen lässt sich nicht hinwegdeuten. Ferm. 2, 208. Die Dialectik bei der Leugnung des Gewissens nach Shakespeare. Rel. Phil. 1, 256. Gewissen als Wissen von der Auctorität der Tradition und der Schrift nicht zu trennen, aber auch nicht damit zu vermengen. De la Mennais Parol. 6, 121. Die Gewissheit *(divina necessitas)* des Erkennens, wodurch dieses Wissen oder Wissenschaft wird, kann nicht durch einen bloss äusseren Versuch gewonnen werden. Vorred. 1, 398. Anm. Grund der Gewissheit. Indiff. 5, 209 ff. Die Prophetik des Gewissens (Ritter). Br. 15, 218. Gewissenseigen $=$ leib-eigen. Morg. u. Ab. Kath. 10, 122. S. Beweis.

G e w i t t e r $=$ Wirkung der zweifachen Action der Natur. Des err. 12, 128. Erstes Frühungewitter der Schöpfung. Rüge 3, 330. S. Materie.

G i b b o n, Geschichte der Abnahme und des Verfalls des röm. Reiches. Indiff. 5, 135.

G i c h t e l, *Theosophia practica*. Leyden 1722. 4 Bde. Br. 15, 301. vgl. 248. 257. 263. 298. 655. Minist. 12, 380. 419.

G i e s i n g, ein Narr daselbst und dessen Aeusserung über Himmel und Hölle. Societ. 14, 78.

G i f t oder Tod in jedem Leben. Spec. Dogm. 9, 254. Br. 15, 682. 684. S. Blausäure.

G i o b e r t, Physiker. Anleit. 6, 268.

Gioberti. *Introduzione allo studio della filosofia.* (*ed. 2da. Brusselle 1844.*) Vorwort Band XIV, p. 13 ff.

Giovine tedesca. Unsterbl. 4, 273. Vgl. Incomp. 4, 322.

Girtanner. Tageb. 11, 289.

Gladisch. Rel. u. Polit. 6, 27. Anm.

Glasfabrication. Baader's Glasbütte zu Lambach und seine Verluste dabei während des Krieges, die trotz der von ihm gemachten Erfindungen ihm den Verkauf seines Etablissements wünschenswerth machen (1809—1822). Br. 15, 237. 246. 250. 384 ff. 390 ff. Ueber seine Erfindung s. Biogr. 15, 44 ff. und seine Schrift: Anleitung zum Gebrauche der schwefelsauren Soda oder des Glaubersalzes anstatt der Pottasche zur Glaserzeugung (1815). 6, 227 ff. Ueber ihre Belohnung von Seiten Oesterreichs &c. s. die Nachweise von Hoffmann 6, 343 ff. Biogr. 15, 48 und über jene Schrift selbst. Br. 15, 258. 268. 361 ff.

Glaube: Glaubensstandpunct Baader's. Anm. Hoffm. Spec. Dogm. 8, 205. Der Glaube und die Priorität des Optativs, die beiden Achsen der Philosophie nach Jacobi und Baader. Br. 15, 168. Glauben an Gott macht selig; Nichtigkeit der deistischen Gottesbeweise. Tageb. 11, 59. S. Beweis. Der Glaube an Gott, an andere Menschen und an die Natur stehen und fallen mit einander. Ferm. 2, 181. 186. *Deum credere* und *Deo credere;* nur für Letzteres gilt das *Nemo credit nisi volens.* Kant's Deduct. 1, 3. S. *Credere.* Der freie moralische Glaube bezieht sich nicht auf die Annahme der Sinnenwelt, indem die materielle Region durchaus den Character der Unfreiheit trägt. Wahrh. 1, 112. Der Glaube an die esoterische Allgegenwart (auf welche sich Zeitliches und Räumliches als auf ihr Centrum beziehen) ist ein Vernunftglaube und beruht wie aller Sinnglaube auf eigenem Gefühle, und kann nicht demonstrirt werden auf dem Wege müssiger Speculation. Glauben an eine Realität, einer Person, historischer Glaube &c. Elem.-Phys. 3, 241. Inwiefern der Glaube eine Gabe Gottes sei. Absolut passives Glauben eine protestantische Bornirtheit. Spec. Dogm. 8, 214. Nicht w a s, sondern w e m man glaubt, ist entscheidend. Glauben = Attraction (s. d.). Indiff. 5, 221. Glauben =

Folgeleisten von Aussen nach Innen oder umgekehrt = zu Herzen fassen, *animo informare*. Incomp. 4, 810. Glauben = Eingehen oder Eingehenlassen der sich uns darbietenden Wahrheit oder Sich-öffnen und -offenhalten (Nichtverschliessen) gegen sie: Voraussetzung des gründlichen Studiums der ethischen Wissenschaften. Bonald 5, 61. Freie Subjection beim Glauben. Religionsphil. 1, 333 ff. *Nemo credit nisi volens.* Spec. Dogm. 9, 104 ff. Objective Sollicitation zum Glauben. Indiff. 5, 201. Anm. Glauben und Vernunftgebrauchen = Grundfassen und sich frei bewegen. In ein Motiv eingehen und frei wollen = Geloben, sich verbinden, vermählen. Glauben und Wollen. *Nemo credit nisi volens* (Augustinus). Verh. d. Wiss. 1, 344 ff. Zwiespalt 1, 364 ff. Die Formfreiheit im Glauben ist nicht Formlosigkeit und nicht Formwidrigkeit. Ferm. 2, 295. Der Mensch soll nicht glauben, was er sieht, und glauben, was er nicht sieht. L'hom. 12, 229. Glauben, Schauen = Hoffen, Erfahren. Zwiesp. 1, 363. Glaube im Urstande bloss ein Wille, Same, ungebildeter Geist, der in Geist zu gestalten ist, indem zugleich die frühere Willensgestalt im Feuer zerschmolzen wird. Ferm. 2, 156. Glaubensmagie. Ebd. 2, 377. Glaube und Wundermacht, erläutert durch die Lehre von der Imagination: der Glaube (als Hunger) wirkt thätig mit zur Ausgestaltung des Gottesbildes in uns. Spec. Dogm. 8, 8. Glauben = *actio, attractio in distans* (s. d.), ein Eingehen des Begehrenden in den Begehrten, das ein Eingegangensein des Begehrten in den Begehrenden voraussetzt. Spec. Dogm. 9, 96 ff. Glauben, Glaubenmüssen, Unglauben &c. Physische Effectivität des Glaubens. Versehens. 4, 380. Anm. 383. Der Glaube ist divinatorisch, der Glaubende ist seines Erfolges gewiss. Div. 4, 76. Der Glaube ist durch Thun, nicht durch blosse Speculation zu bekräftigen. Aph. 5, 265. Die Macht des postulirenden Glaubens nach Kant, mit Bezug auf die Eucharistie. Opf. 7, 395. Glauben und Werke. Der alte Streit darüber. (In der Anm. d. H. Schwenkfeld, Daumer, Feuerbach). Myst. Magn. 13, 178. Der Glaube ohne Werke ist unzulänglich. Privatvorl. 13, 59.

Glauben und Wissen. S. Verhalten. Anselmus: *Credam ut intelligam*; Thomas: *Oportet eum credere, qui discit*. Rel. Phil. 1, 238. Character unserer Zeit in dieser Beziehung: *Iliacos intra muros peccatur et extra*. Nothwendigkeit einer Reformation, wodurch beide Parteien versöhnt werden. Spec. Dogm. 8, 204. Glauben und Wissen (Vernunft) widerstreiten einander so wenig als Auctorität oder Gesetzlichkeit und Freiheit. Verh. d. Wiss. 1, 342. Nicht Glauben und Wissen, sondern falsches Wissen und wahres Glauben, sowie falsches Glauben und wahres Wissen streiten mit einander. Kath. u. Prot. 1, 77. Freih. d. Intell. 1, 145. Ekst. 4, 27. Christliches Glauben und Wissen liegt im Kampfe mit nichtchristlichem. Revis. d. Wiss. 10, 257. Auch der Ungläubige glaubt, auch der Nichtbewundernde bewundert. Posit. Rechtsbest. 6, 66. Das krankhafte von einander Abgefallensein des Glaubens und Wissens kann nicht geheilt werden, so lange man das Uebel immer nur einseitig und nicht in seinem doppelten Sitze zugleich angreift. Verh. d. Wiss. 1, 356. Zwiesp. 1, 361 ff. Vertauschung von Glauben und Wissen, dass man nemlich wissen will, wo man nur glauben kann oder soll, und nur glauben oder geschehen lassen, wo man allerdings wissen und selbstthun kann und soll. Wahrh. 1, 115. Der Glaube beruht auf dem Wissen des Gewusstwerdens von Gott. Ferm. 2, 183. Jeder Glaube (wie Unglaube) steht in Mitte eines gegebenen und eines aufgegebenen Wissens. Fund. d. Christ. 10, 24. Man muss über seinen Glauben vernünftigen Grund geben. Spec. Dogm. 8, 208. Dem Glauben liegt nicht ein dunkles Gefühl, sondern ein mittheilbares Wissen zu Grunde. Jeder Unglaube birgt in sich einen Aberglauben (s. d.). Spec. Dogm. 8, 28. Der theoretische Glaube, der das Wissen bedingt, ist verschieden vom practischen Glauben, der eine Function des Wissens ist. Spec. Dogm. 8, 19. Glauben und Forschen. *Speculatio, dubitatio fiat intra fidem*, aber *fiat* (Cartesius, Rousseau). Vermögensl. 6, 139. Glauben == Annahme des nöthigen Vorschusses im Wissen. Das *a priori* des Wissens == sokratisches Nichtwissen == Glauben; das *a priori* des Wollens

= Nichteigenwollen; das *a priori* des Thuns = Gehorsamen oder Folgen; das *a priori* des Herrschens = Dienen. Solid. Verb. 3, 335 ff. Anm. 8. Salomonisches Urtheil.

Gleichen, Carl Heinrich von, Metaphysische Ketzereien (1791). Pyth. Quadr. 3, 250. 262. Anm.

Gleichgewicht und Ruhe, Unterschied beider. Tageb. 11, 173.

Gleichheit vor dem Gesetz ist, falls dabei das Recht der Standschaft verkannt wird, ein Levelling-System und Sclaverei Aller. Vermögensl. 6, 137.

Gleichwucht, Gleichwichtigkeit und Ungleichwichtigkeit — ihr hydrodynamisches Gesetz angewandt zur Erklärung einer doppelten Seinsweise jedes Einzelnen als Partialcentrum in einem und demselben allgemeinen Centrum (Medium). = Gesetz der Assistenz (s. d.) und Resistenz des befassenden Willens in Bezug auf den gefassten). Theorie d. Erk. 1, 54. Rel. Erot. 4, 187. Rat. Theol. 2, 511. Societ. 14, 89 ff. Gleichwichtigkeit einer Creatur mit und in Gott = Sein derselben in Gott als Mitte = freies Sein in Gott. Ferm. 2, 389. Anm. Gleichwucht in der Haltung und Bewegung einer Creatur, die ihren Willen in Gottes Willen setzt und darum gottfrei, gottleicht, gottgefällig und gratiös sich bewegt. Spec. Dogm. 9, 268 ff.

Gloria principis salus populi (und *salus populi gloria principis*). — Auch mit Bezug auf das Verhältniss Gottes zur Menschheit. Indiff. 5, 195. Ferm. 2, 309. Zeitschr. Avenir 6, 39. Neuv. hom. 12, 256.

Glück, Glückseligkeit. Tageb. 11, 205. 237. 341. Glückseligkeit = Vollendetheit der Creatur (ausführlich). Indiff. 5, 159 ff. 163.

Gnade von Gnieden, Niedern (die Sonne geht zu Gnaden). Rel. Erot. 4, 192. = Positive Kraft, deren man bedarf, um der positiven Kraft der bösen Leidenschaft im Herzen zu widerstehen. Tageb. 11, 157. Das aus Gnade Gegebene ist nur ein Vorschuss. Ferm. 2, 207. Gnade und Freiheit. Opf. 7, 367. Vorlaufende, mitwirkende, confirmirende Gnade. Opf. 7, 348. Anm. Die Entfernung des Verbrechers aus Gottes

Nähe ist zugleich Gnade und Strafe. Ferm. 2, 433. Gnaden-
vergebung *(redemtio)* bei Irdischlebendigen und Abgeschiedenen, die im Hades, aber nicht im Pfuhl sind. Versehens. 4, 408.

Gnosis, die wahrhafte — bildet keine Reihe von Begriffen,
sondern einen Kreis derselben; wesshalb es weniger wichtig
ist, von welchem aus man im Vortrage der Wissenschaft an-
hebt. Spec. Dogm. 8, 11. S. System.

Gnostiker, insbesondere die Valentinianer und Marcioniten.
Ausführliches über ihre Irrlehre. Anzeige von Döllinger's Euch.
7, 67. Der Grund des Irrthums der Gnostiker oder Manichäer
war, weil sie den Anfang des Guten und Bösen in die Ursache
(causa) und nicht in den Grund verlegten. Spec. Dogm. 8, 132.
Die Lehre der Gnostiker über die Materie. 2. Cap. d. Gen.
7, 229. Vgl. Form oder Maass 2, 526. 534. Mit der Gnosis sehen wir die Abstraction der Speculation von der Geschichte
und damit die erste Befehdung der Kirche eintreten. Antirel.
Phil. 2, 483. Die üble Einwirkung der gnostischen Irrlehre
auf den Bereich des Christenthums seit dem Ende des ersten
Jahrhunderts. Fund. d. Christ. 10, 19. Emanc. d. Kath. 10, 61.

Göcking's Lieder der Liebe. Tageb. 11, 9.

Godwin, dessen Schriften in der Anm. des H. Tageb. 11, 210
(10. April 1793). Auszüge daraus. Ebd. 11, 216—422. Bedenklichkeiten darüber. Ebd. 11, 280 &c. „Der Mensch sollte
gar nicht in Gesellschaft leben." Des err. 12, 138.

Görres, Joh. Jac., Europa und die Revolution (Stuttg. 1821).
Aphor. 5, 318. Vgl. Br. 15, 367. Ueber Segen und Fluch der
Creatur, drei Sendschreiben an Prof. Görres (1826) 7, 71 ff.
Asiatische Mythengeschichte (Heidelb. 1810). Rel. Phil. 1, 227.
Christliche Mystik (Regensb. 1836 ff.). Br. 15, 547 ff. Revis.
d. Wiss. 10, 268. Seine Definition des magnetischen Selbst-
bewusstseins als eines verkehrten, nämlich von der Objectivität
abgewandten, ist falsch. Heg. Phil. 9, 354. Anm. Görres,
eifriger Vertheidiger des Papismus gegen den Katholicismus.
Morg. u. Ab. Kath. 10, 253. Görres, Moy und Consorten.
Br. 15, 595. S. Burke.

Göschel, Monismus des Gedankens (1832). Vorred. 1, 392 ff.
Gossner, Geistlicher. Br. 15, 294. 416. Biogr. 15, 99. S. Lindl.
Goethe, Verse aus dem Gedichte: die vier Jahreszeiten. Elem.-
Phys. 3, 240. Stelle aus Goethe's und Schiller's Xenien. Elem.-
Phys. 3, 241. Verse über das organische Leben. Ferm. 2, 160.
Goethe's Faust, über den Teufel darin (mit Bezug auf die
Schrift Schubarth's darüber. Divinat. 4, 84 ff. (grosse Anmerk.)
Ferm. 2, 188 ff. 398. (Mit Bezug auf eine 1824 erschienene
Schrift darüber.) Antirel. Phil. 2, 462 ff. 493 ff. Spec. Dogm.
8, 324 (vgl. Hoffm. Anm.) 9, 17 ff. S. Hinrich's. Seine
Zeichnung eines Kreuzes mit Gänsen. Spec. Dogm. 8, 261
(und Andeutung seiner Lehre vom Teufel. Ebd. 8, 278?) vgl.
Br. 15, 459. 568. Pater Brei, ein Fastnachtsspiel. Spec. Dogm.
8, 158. „So tauml' ich von Begierde zum Genuss &c." Rel.
Phil. 1, 272. Goethe's Farbenlehre, über die aller Positivität
zu Grunde liegende Negativität. Das Princip der Finsterniss
ist an sich nichts Böses. Teufel. Antirel. Phil. 2, 466. Heg.
Phil. 9; 319. Vgl. Societ. 14, 95. Goethe's Mysticismus. Rel.
Phil. 1, 243. Goethe über die Tücke und Menschenfeindlich-
keit der Natur. Endl. Geist 7, 201. J. B. Theol. 3, 361 ff.
Goethe's Gedicht: Der Goldschmied zu Ephesus. Opfer. 7, 404.
Br. 15, 313. Goethe und Plotin: Wäre nicht dein Auge sonnenhaft &c. L'hom. 12, 203. Goethe über das Sehen. Nouv.
hom. 12, 253. Goethe's Gedicht: die Vögel. Incomp. 4, 316.
Anm. Goethe und Schiller meinten, nur das Christenthum habe
den Menschen die Klarheit und Gediegenheit ihrer Gedanken
getrübt. Besess. 4, 252. Goethe's Gedicht: Eins und Alles.
Morg. u. Ab. Kath. 10, 117. Goethe's Wahlverwandtschaften
fatalistisch. Minist. 12, 408. Sein Leben fiel in die egoistische Periode der Kunst. Rel. Theol. 2, 504. Anm.
Gott, die Erkenntniss desselben: Gott lässt sich vom Menschen
nicht finden, sofern sich letzterer nur inner der Zeit hält.
Beweise (s. d.) vom Dasein Gottes. Cultus. Zeitbegr. 2, 55 (78).
Directe oder primitive Gotteserkenntniss, indirecte nach dem
Fall durch den Menschen und durch die Natur. Erstere, ob-
schon anthropomorphistisch, ist vorzüglicher. Spec. Dogm.

8, 266. Das Gotteserkennen des Menschen ist nur **menschlich**. Tageb. 11, 62 ff. Die radicale Gewissheit Gottes **bringt** die Sollicitation, ja den Imperativ des Glaubens an ihn **mit** sich. Spec. Dogm. 8, 23. Unser Wissen von Gott ist **heller**, als von jedem Sonstigen, Niedrigern. Bonald 5, 95. Gott **ist** nicht ohne Gott zu suchen und zu finden. Indiff. 5, **253.** Tabl. 12, 179. Gott kann nicht ohne Gott erkannt **werden**. Antirel. Phil. 2, 495. Die wahrhafte Erkenntniss Gottes **kann** dem geschaffenen Geiste nur Gott selbst unmittelbar mittheilen. Rel. Phil. 1, 262 ff. Gott ohne Gott (in Christus) erkennen wollen, ist Hochmuth. Spec. Dogm. 8, 11. Die Gottesverlassenheit (Noth) ist das einzige Mittel, um zu Gott zu gelangen. Ferm. 2, 232. Nicht Furcht und Hoffnung schaffen Gott, sondern Gott schafft sie. Bonald 5, 103. Das gottesleugnerische System von Kant und Fichte. Antirel. Phil. 2, 445. S. Atheismus. Die eigentliche Gottesleugnung ist die Leugnung der Wahrheit des Christenthums (des Sohnes, nicht des Vaters). Blitz 2, 34. Zeitbgr. 2, 58 (81) Anm. Gottlos, Gottwidrig (Atheist). *Neque hoc sensu Athei dantur, quod Deum nesciant, sed quod negent contra conscientiam, nec alia sciunt, nisi quae horrent.* Spec. Dogm. 9, 49. Gottesleugner im practischen Sinn = Gotteshasser, *Deicides*, in der neuern Zeit. Bonald 5, 114. Indiff. 5, 220 ff. Gottesleugnerei und Menschenleugnerei coincidiren. Div. 4, 83. Anm. Die Furcht vor Gott und seiner Nähe in der neuern Zeit. Tabl. 12, 196 ff. Gottesscheu, Wasserscheu (s. d.), gottesmörderischer Hass. Aff. d. Bewund. 1, 28. — Gott ist die alleinige Substanz, weil er allein sich zur ewigen Selbstenthebung aus seines Lebens Wurzel genügt, er allein sich ganz von selbst ausspricht (expandirt). Gegensatz: Die intelligente Creatur und die nichtintelligente Creatur. Ferm. 2, 210. Gottes Werke sind eine *actuatio substantiae* (der Creatur als des Trägers des Bildes), anders wie die einer Creatur (Gott ist die alleinige Substanz, die Creatur hat keine andere Substantialität, als die ihr von Gott gegebene). Spec. Dogm. 8, 90. 95. S. Schaffen. Gott ist nicht als das Innere der Creatur zu denken. Tabl. 12, 173.

Die Welt gehört nicht zum göttlichen Wesen. Tabl. 12, 169.
Gott setzt nur und wird nicht gesetzt; der Mensch (jede Intelligenz) wird gesetzt und setzt, die nichtintelligente Natur wird
nur gesetzt und setzt nicht. Antirel. Phil. 2, 456. Gott ist
ewiges Sein und ewiges Werden zugleich, ein ewig fortgehender Process. Zusam. d. Leb. 2, 21. Gott hat, um fertig zu
werden, erst weder einen logischen noch einen historischen
Cursus durchzumachen. Spec. Dogm. 9, 103. In *Deo omnia
tempora sunt unum tempus sine tempore, omnes loci unus
locus sine loco.* Solid. Verb. 3, 353. Gott ist allein in sich
selber enthalten und enthält sich selber, d. h. er ist Geist und
Natur in Einem. Anthropoph. 4, 241. *Deus* (s. d.) *est
sphaera, cujus centrum ubique, circumferentia nusquam.*
Ferm. 2, 390. Centrum und Peripherie in Gott. Minist. 12, 403 ff.
Gott, als absoluter Geist Centrum, hat seine Peripherie in
seiner Ueberwesentlichkeit, die nicht Wesenlosigkeit ist. In
ihm ist die reale Union von Geist und Natur, Centrum und
Peripherie. Solid. Verb. 4, 297. In Gott sind Geist und
Natur, Freiheit und Nothwendigkeit identisch. Spec. Dogm.
9, 218. Gott ist nach J. Böhme nicht als blosses Centrum,
sondern auch an und in sich selbst als Peripherie zu fassen.
Myst. Magn. 13, 191. Es ist nach J. Böhme zu unterscheiden
der in sich und insofern über Natur seiende Gott und sein
durch diese (erst ewige und dann auch zeitliche) Natur Offenbarsein oder Sichaussprechen. Ferm. 2, 146. In Gott ist eine
Aeusserlichkeit (Natur) allerdings anzuerkennen. Spec. Dogm.
8, 351. Gott ist nach J. Böhme ein Licht und ein verzehrendes Feuer. Ferm. 2, 392 ff. Gott = dreipersönlicher Geist,
seinem Wesen (Natur) als Himmel innewohnend. Fund. d. Christ.
10, 37. Das Sein Gottes in, über und unter der ewigen
(und also auch zeitlichen) Natur. J. B. Theol. 3, 383 ff.
Die Uebernatürlichkeit, Ueberweltlichkeit und Uebergeschöpflichkeit Gottes ist von J. Böhme tiefer gefasst, als vor und
nach ihm geschah. J. B. Theol. 3, 382. J. Böhme's Begriff
Gottes ist nicht ein abstracter; Gott ist darnach frei von aller
Infection der Zeit, auch schlechthin unabhängig vom Geschöpf.

Myst. magn. 13, 165. Unaufheblichkeit der Einheit des göttlichen Wesens und dessen Unvermischbarkeit mit dem geschöpflichen. Privatvorl. 13, 132. Gott ist zugleich über der
Welt (supramundan), inner ihr (intramundan) und bei ihr
(assistirend). Comment. 13, 319. Gott ist sich selbst Subject
und Object und bedarf also, um letzteres zu haben, nicht der
Welt. Spec. Dogm. 9, 58. Gott ist sich dem Menschen mit-
theilend nicht bloss sprechend (Object) und der Mensch bloss
hörend (Subject), sondern Gott ist Object-Subject (sprechend
und hörend) zugleich und ebenso der Mensch (hörend und
nachsprechend). Desgleichen leuchtend und sehend &c. Antirel.
Phil. 2, 458. Gott ist ausser Natur und Scienz oder Begierde
seines Wortes ein eigenschafts- und unterschiedloser Gott (*in
personis proprietas*). Gnadenw. 13, 256. Gott vermag aus
seinem verborgenen Grunde nicht anders als durch ein Thun
(Gebären seines Revelators) sich offenbar zu werden. Fund. d.
Christ. 10, 26. *Dieu en desiderant de se prononcer prend
nature.* J. B. Theol. 3, 416. Gott ist Alles, was er ge-
beut, z. B. die Weisheit, Wahrheit, Liebe, Güte &c.; daher
kann des Menschen Verhalten zur Weisheit &c. nur in einem
Theilhaft- oder Nichttheilhaftsein an der göttlichen
Natur bestehen. Wahrh. 1, 122. Gott, Inbegriff von Allem
nach Saint-Martin. Einl. 12, 66. Gott formirt sich nach J.
Böhme übernatürlich im Geistesauge und vollendet sich in der
zweiten Formation (in der Natur) in drei Geburten, analog mit
dem geistigen, seelischen und leiblichen Sein des Menschen.
J. B. Theol. 3, 399. Gott kann seine drei Grundvermögen
(Wissen, Wollen, Wirken) ohne Organ und Attribute, d. h.
das anschaffende Wort (*Verbum*) und Werkzeuge oder Diener
(*Fiat*) nicht geltend machen. Ebenso auch der Mensch nicht.
Ferm. 2, 169. Gott als sittliches Wesen ist an den End-
ursachen seiner Werke zu erkennen. L'hom. 12, 222 ff. Gott
sieht den Sünder nicht. Minist. 12, 417. vgl. Anm. Das
hebräische „nacham" heisst „bereuen" und „sich trösten";
Gott kennt keine Reue. L'hom. 12, 223. Gott ist für die
Seele nur, wenn die Seele ist. L'hom. 12, 205. Die Ver-

wandtschaft mit Gott schliesst die Möglichkeit der Vereinigung mit ihm in sich. Espr. 12, 268 ff. In Gott ist eine Mitte, worin sowohl das absolute Princip als das werkzeugliche (die Natur) aufgehoben sich finden, jenes als emporgehoben *(ascensus)*, dieses als niedergestiegen *(descensus)* und umgekehrt. Ferm. 2, 279. Gott == Organismus schlechthin; je mehr die einzelnen Glieder sich zur Selbständigkeit steigern, desto höher der Organismus. Spec. Dogm. 6, 73. 8. *Vita propria.* Der Monotheismus im engern Sinn ist ein Abstractionsbegriff. Ferm. 2, 278. Die Wahrheit ist die Concretheit des Monotheismus und des Polytheismus. Rev. d. Wiss. 10, 273. Gott ist eine Welt. Espr. 12, 310. 344 ff. Mehrheit der Potenzen in Gott, nach der Philosophie der Hebräer, analog der Mehrheit der Lebensgeister im Menschen. Ferm. 2, 269. Gott == Wahrheit. L'hom. 12, 232. Gott == Geist des Geistes, nicht universeller Geist. Minist. 12, 376. Gott ist der Geist und zwar der dreifaltige. Einfluss dieser Lehre auf die neuere deutsche Speculation. Rel. Phil. 1, 220. S. Dreizahl. Das Göttliche ist gänzlich vollendete Individualität oder Persönlichkeit. Eket. 4, 24. Gott Vater nicht == Vater Gottes; Gott Sohn nicht == Sohn Gottes. Geist u. W. 10, 7. 8. S. Vater, Sohn, Geist. Gottes – und Schöpfungslehre nach Saint-Martin. v. Osten Einl. 12, 85. Durch die Schöpfung ist kein Neues, d. h. Nichts, was nicht schon ideell in Gott gewesen wäre, entstanden; und doch ist Gott nicht die Welt und die Welt nicht Gott und nicht der Leib Gottes. Privatvorl. 13, 135 ff. Die Creatur (s. d.) befindet sich zugleich ausser und in Gott. Spec. Dogm. 8, 85. Die Nichtunterscheidung des Göttlichen und Creatürlichen bei Hegel und in der spätern Zeit auch bei Daub. Spec. Dogm. 8, 189. Gott ist der Geist der Geister, das Wesen aller Wesen. Spec. Dogm. 9, 225 ff. Gottheit und Gott == Producirendes und Producirtes (Russbroioh). Tabl. 12, 187. Derselbe Gott offenbart sich, obwohl nicht auf dieselbe Weise, im Himmel, in dieser äussern Welt und in der Hölle. Ferm. 2, 209. Gott als geoffenbarter Gott soll vom Menschen realisirt werden. Elemphys. 3, 245. Gott == die

sowohl immanent als emanent (im Abbilde) sich subjectivirende
Mitte sowohl seiner selbst als alles von ihm Ausgegangenen.
Spec. 8, 283 ff. 295. Die einmal aufgehobene Gemeinschaft
der göttlichen und menschlichen Action kann nicht anders als
durch jenen Mittler wieder hergestellt werden, der selbst die
Mitte der Gottheit, ihr Herz, ist. Ferm. 2, 429. Gottes Rath-
schlag, falscher Wahn darüber. Comment. 13, 319. Gott (der
Geist) erscheint in der Natur und ist (über, inner, ausser)
Natur. Daher sein Bild in der Creatur als Widerschein.
Begründ. d. Eth. 5, 13. Anm.

Gott, Geist, Natur; Gott-Mensch: Gott-Eins *(Unité-centre)*
und drei Offenbarungen oder Grade der Manifestation, in der
göttlichen, geistigen und Naturregion. Ferm. 2, 351. Gott,
Geist, Natur, = Ternar des Erigena. Privatvorl. 13, 113. =
Die drei Kategorien des Seienden. Aphor. 5, 252. Die Alten
verstanden bei ihrer Lehre von Gott, Geist, Natur unter Geist
nicht die dritte Persönlichkeit in Gott, sondern das vom Ternar
unmittelbar ausgegangene geistige Wesen *(spiritus spiratus)*.
Versehens. 4, 850. S. Geist, Gott, Mensch, Natur, Cultus und
Cultur. Br. 15, 469. Göttliches, Geistiges, Natürliches, oder
vielmehr: Geistiges, Seelisch-natürliches, Leibliches *(genius,*
animus und *vigor)*. J. Böhme über diese Trilogie. Solid.
Verb. 3, 341 ff. Göttliche, menschliche und niedere natürliche Region. Untrennbarer Zusammenhang dieser drei Regionen
oder Principien. Bildungsl. 2, 118. Zahlencorrespondenzen
zwischen der göttlichen, geistigen und natürlichen Region. Nombr.
12, 517 ff. 522. Gott, Geist, Natur; drei Relationsweisen
des Geistes zu Gott und zur Natur. Espr. 12, 302. Die
Natur führt in Geist, der Geist in Gott. L'hom. 12. 212. vgl.
251. Gott *pensant non pensée, parlant non parlé, operant*
non operé; der Mensch *pensée pensant &c.;* die Natur *pensée*
non pensant &c. Nouv. hom. 12, 240. Göttliche, geistige,
natürliche Wesen; diese Eintheilung wiederholt sich in der
Sphäre der Menschheit. Tabl. 12, 187. Gott, Mensch, Natur.
Erot. Phil. 4, 168. Die Stufenreihe der Dinge: Gott, Geist,
Natur. Privatvorl. 13, 99. Die Trias: Gott, Geist, Natur ist

gegen Hegel's Dyas: Geist und Natur (s. d.) festzuhalten. Societ. 14, 119. Morg. u. Ab. Kath. 10, 185. Aufgehoben-sein der Natur in Geist, des Geistes in Gott. Hegel. Incomp. 4, 316. Anm. Vergleichung von Gott und Seele rücksichtlich ihres Verhältnisses zur Natur. Spec. Dogm. 8, 113. Gott und Mensch. Gedicht. Aphor. 10, 304. Gott wollte ver-möge seiner Liebe in einem Andern enthalten sein und dieses Andere in sich enthalten (Gottmensch, Menschgott); er macht sich diesem Andern zu Geist und Natur. Anthropoph. 4, 241. Der Begriff des Gottmenschen liegt in jeder Menschenbrust. Religionsphil. 1, 325. Anm. Gottmenschheit. Aphor. 5, 250. Nothwendigkeit eines äussern Gottgesandten für den gefallenen Menschen. Zus. d. Leb. 2, 23. S. Christus.

G r a a l , heiliger, und dessen tiefchristlicher Dichter. Bildungsl. 2, 116. Anm.

G r ä c o r u s s i s c h e K i r c h e , s. Kirche.

G r a t u s in otio labor. Vorr. 1, 391. Anm. Spec. Dogm. 9, 57 und sonst oft, mit verschiedenen Anwendungen.

G r ä u e l im Cultus gibt es dreierlei: satanische, fromme und stupid-abergläubische. Opf. 7, 330 ff.

G r a v i t a t i o n s - und Attractionssystem Newton's, nicht mechanisch = Neigung der Gestirne, zu und in einander zu fallen, sondern als Einheit aller Gestirn-Stellungen und Bewegungen zu fassen. Vorr. 1, 395. Heg. üb. Euch. 7, 251. Vergleichung der Gravitations-theorie Newton's mit Kant's Versuch, das moralische Princip auf eine Verstandesformel zu bringen. Kant's Deduct. 1, 11. Physische Gravitation und Attraction, analog der ethischen Immanenz. Aph. 5, 253. Gravitation und Magnetismus: die Gemeinschaft jedes einzelnen beweglichen Körpers mit dem Universum unter Vermittlung der Erde ist magisch. Ekst. 4, 11 ff. Mangelhafte Definition des Gravitationscentrums. Zeitbgr. 2, 59 (82). Organische Gravitation = Nexus des einzelnen Creaturlebens mit jenem der Gattung als Totalität im Gegen-satz zur Attraction = Selbstbeziehung jedes Einzelnen auf sich. Ferm. 2, 219. = Allbeziehung, nicht Allanziehung. Inn.

Sinn 4, 98. = Vermittlung eines allgegenwärtigen essentialen Rapports in der äussern Natur und Leiter alles übrigen einzelnen Kräftespiels. Ferm. 2, 263. = Macht des Centralgedankens, der sich kein Gedanke eines einzelnen Geistes zu entziehen vermag. Spec. Dogm. 8, 36. Gravitation jedes Wesens in seinen Ursprung. Espr. 12, 273 ff. S. Schwere, Attraction und Gravitation.

Gregor von Nyssa lehrte eine doppelte Schöpfung des Menschen, als Bild Gottes und als Mannes- und Weibesbild. Morg u. Ab. Kath. 10, 124. Gregor von Nazianz. Unsterbl. 4, 260 ff. Gregorius: *Deus manet intra omnia, Ipse extra omnia &c.* Spec. Dogm. 8, 313. Gregor I. erklärt sich gegen einen Oberepiscopat in der Kirche. Emanc. d. Kath. 10, 75. Gregor VII. Morg. u. Ab. Kath. 10, 107 ff.

Grillparzer, Verse aus dessen Gedicht: das goldene Vliess. Ferm. 2, 247.

Grimm, Jacob, Ueber den Ursprung der Sprache. Bonald 5, 58. Anm. 64. Anm. 71. Anm. 86. Anm. Indiff. 5, 225. Anm.

Grimm, unversöhnter — in einer Creatur, welche ihren partialen Lebensprocess von dem universalen Lebensprocess Gottes gesondert hält und in welcher daher das Zeugende (Vater) sich nicht in seinem Sohne findet. Verkörp. 2, 7. S. Vater und Sohn.

Groote, E. v. — s. Faust. Hugo Grotius über Vernunft und Glauben. Rel. Phil. 1, 242.

Grund, die Lehre davon ausführlicher dargestellt: Jede Begründung ist doppelt, eine innere und eine äussere. Kein Wesen (Ursache, *agens*) kann wirken, wirklich oder existent sein ohne seinen Grund als basisches, reactives Princip. Nur Gott erzeugt sich als Ursache seinen Grund selber ein. Die Creatur hat nur die Wahl zwischen Gründen &c. Solid. Verb. 3, 339 ff. Eine Causalität wird nicht unmittelbar, sondern mittelst ihres Ausganges (ihrer Gründung) effectiv, und zwar ist diese Gründung eine dreifache, eine innere, äussere und beide vermittelnde: Proclus und die Scholastiker. Spec. Dogm. 8, 278. Grund =

Basis, Centrum, Kreis, in den als in einen Beweggrund der Wille einzugehen (sich aufzuheben) hat, um wirken zu können. Rat. Theol. 2, 500 ff. Grund == Actives. Nouv. hom. 12, 254. Grund == Mitte, Centrum. Jede Mitte geht nur durch einen aufgehobenen Gegensatz. Wichtigkeit dieses Begriffes in der Logik und Metaphysik. Grund oder Mitte des Feuers == Licht. Bei der Zeugung sucht der Mann seinen Grúnd im Weibe, dieses in jenem. Positiver, negativer Grund. Spec. Dogm. 8, 178—184. Grund == Mitte zwischen Subjectivität und Objectivität. In der Lehre davon zählen bisher die Logiker zwei, wo sie drei hätten zählen sollen. Societ. 14, 62. Der Gründungsprocess zerfällt in zwei Hauptmomente: a) Zwiespalt, Dualismus; b) Vermittlung durch einen Dritten. Begründ. d. Eth. 5, 14 ff. 16 ff. Gründung == Mitte gewinnen. Br. 15, 643. Grund == Aufhebung, Schliessung, Vergewaltigung eines Abgrundes. Triplicität von Ungrund (== Tiefe), Grund und Höhe == Wurzel, Stamm, Krone. Grund oder Begründung eines Daseienden == Mitte gewinnen == sich mit sich zusammenschliessen. Heg. Phil. 9, 305. Die organische Function des Grundes als den Eingang und Ausgang vermittelnd und ausgleichend. Spec. Dogm. 8, 185. Gründung == Rücktritt auf und in sich selbst, Sich-zusammennehmen (sich fassendes oder sammelndes Anstrengen, Spannung) bei jedem Hervorbringen wie z. B. unserm Denken. Begründ. d. Eth. 5, 11. Der Lehrsatz vom Grunde. Endl. Geist 7, 180. Ursache und Grund, Inhärenz und Dependenz, Autonomie und Heteronomie, Ich oder Wille und Begehren sind nicht zu verwechseln. Elem.-Phys. 3, 211. Grund in Gott == ewige Natur == Vermögen Gottes. Urtern. 7, 34. Anm. Einen finstern oder dunkeln Grund in Gott (nach der Theorie Schelling's) anzunehmen, ist verfänglich und unstatthaft. Antirel. Phil. 2, 466. Spec. Dogm. 8, 91. Alles und so auch die Vernunft bedarf eines sichern Grundes, um sich frei bewegen zu können. Das Gründen in Bezug auf Religion geschieht durch ein freies Geben und freies Annehmen. Indiff. 5, 136. Guter, nicht guter Grund (Neigung). Ferm. 2, 153 ff. Positiver erhebender Grund, dessen eigent-

liche Bedeutung. J. B. Theol. 3, 393. Die Verborgenheit der
Mittel macht die Gründung unmöglich. Oeuvr. 12, 449. S. Ursache und Grund.

Gründlichkeit und Anschein der Gründlichkeit d. h. Seichtig-
keit bei Behandlung von Fragen des Geistes und Gemüthes.
Spec. Dogm. 8, 212.

Gruppe, Antäus. Vorred. 1, 392 ff. 398. Einl. X, XII.

Gügler, Darstellung der h. Schriften. Zeitbgr. 2, 68. (94). Anm.

Guhrauer. Einl. B. V, III. Rel. Phil. 1, 260. Anm. Einleit. II,
XXX. Anm.

Günther und seine Schule über Baader's *Cogitor ergo sum*.
S. Anm. Hoffm. 1, 373 ff. Spec. Dogm. 8, 339 (vgl. Anm.
Hoffm. das.). Günther hat in s. Vorschule zur spec. Theologie
zwar den Unterschied des Ternaire fixe und Ternaire mobile
(Gott im Wesen Eins, in der Form dreifaltig, die Welt im
Wesen dreifaltig, in der Form Eins) richtig angegeben, aber
der Unterschied der creatürlichen und nichtcreatürlichen Persönlichkeit (die drei Personen in Gott = drei Substanzen) fehler-
haft bestimmt. Endl. Geist 7, 164 ff. Günther's missverständ-
liche Aeusserungen über den Auferstehungsleib. Endl. Geist
7, 184. Seine ungegründete Furcht vor Pantheismus bei der
Lehre von der Naturfreiheit des Geistes. Endl. Geist 7, 205.
Nach ihm soll es Semipantheismus sein, wenn man mit der
Bibel sagt: *Spiritus est Deus*. Endl. Geist 7, 206. Er fasste
den Begriff der Materialität als identisch mit dem der Geschöpflichkeit und trägt über den Auferstehungsleib allerhand witzige
Redensarten vor (vgl. die Anm. d. H.). Societ. 14, 121 ff.
Solid. Verb. 3, 352. Die semirationale Schule Günther's. Ver-
sehens. 4, 367. Anm.

Gut, doppelter Sinn dieses Wortes (Unschuld, Bewährung). Spec.
Dogm. 8, 173. Gut oder böse werde ich erst durch Vermittelung meiner Wahl. Spec. Dogm. 8, 117. Das Gute, eine
im Willen erzeugte Macht *(puissance)*; das gefallene Wesen
hat keinen Willen zum Guten mehr. Des err. 12, 93. Gutes
und Böses = Integres und Desintegres oder Corrumpirtes.
Des err. 12, 84. 88. Gut- oder Bösewerden und Gut- oder Böse-

sein; jenes Uebergang aus dem noch unentschiedenen Zustand, dieses characterisirte, feste oder ausgesprochene Gemüthsgestalt oder Ungestalt. Ferm. 2, 153. Der gute oder böse Character wird durch den im Zeitleben successiv vollzogenen Selbstact der intelligenten Creatur gesetzt und auch wieder aufgehoben. Ferm. 2, 153. Gutes und Böses ist nicht Meinesgleichen, kein Individuelles wie ich, sondern eine meine Individualität übergreifende Macht. Ferm. 2, 208. Das Gute und Böse steht dem Menschen nicht eigentlich gegenüber, sondern jenes über, dieses unter ihm, beide ihn zu sich hinzuziehen suchend. Daher bedarf er auch, um dem Zuge nach unten zu widerstehen, der erhebenden Gegenwart eines über ihm Stehenden. Aff. d. Bewund. 1, 27. Das Gute ist dem Bösen unendlich überlegen. Des err. 12, 90. — Gutes und Böses als Principien, wodurch in der Natur Ordnung und Unordnung hervorgebracht werden. Des err. 12, 122. — Güte und Gerechtigkeit Gottes. Versebens. 4, 343. Güte des Naturprincips in Gott = S t r e n g e (an sich haltende Macht und Negativität) und M i l d e (frei sich gebende, somit Anderes ponirende Liebe). Rüge 3, 323. Gutes, Schönes, Angenehmes. Des err. 12, 159. — Gutes Herz = thierische Güte böser Menschen. Gebr. d. Vern. 1, 78. — Die gute Sache in Deutschland und in der ganzen christlichen Welt ist nicht verloren, aber man muss auf seiner Hut und kampfbereit sein. Groote's Faust 7, 46.

G u t m a n n , Offenbarung göttlicher Weisheit. Br. 15, 241. 270.

G ü t e r v e r ä u s s e r u n g s - und Z e r s c h l a g u n g s s y s t e m. Naturrechtl. Gr. 6, 9.

G u y o n , Madame, *Commentaire sur les Cantiques.* Ferm. 2, 227. Anm. S. Fenelon.

H.

Hagenbach über Böhme in s. Vorlesungen über Wesen und Geschichte der Reformation. Ferm. 2, 423 ff. Anm.

Hahn, vermischte theologische Schriften. Ekst. 4, 28. Anm. Die h. Schriften zur guten Botschaft. Blitz 2, 37. Zum Ephesier- und Kolosserbrief. Blitz 2, 46. Anm. Rel. u. Pol. 6, 24 ff.

Haimhausen, Grf. v., hay. Oberbergwerksdirector. Wärmest. 3, 3.

Haller, Albrecht v., „Ins Innere der Natur dringt kein erschaffener Geist." Flachheit dieser Worte. Die selblosen Wesen haben keine Mitte, sondern die Mitte hat sie. Spec. Dogm. 8, 182. Vgl. 192 Versehens. 4, 385. — **Carl Ludwig von Haller**, Restauration der Staatswissenschaft (1816—20 vgl. die Anm. d. H.), ein Irrthum desselben. Rvol. u. Rev. 6, 87.

Hamann, eine Stelle von ihm angeführt. Zus. d. Leb. 2, 25. Anm. Vgl. v. Schaden's Vorrede zum 11. Band der WW. Dann 11, 11. 26. 41 ff. 50 ff. 59. 65 ff. 72. 82. 84. 95 ff. 114 ff. 140. 150. 162. 184. 217. 227. 244. 255. 265. 290 in den Anm. — Bonald 5, 58. Anm. 66. Anm. 71. Anm.

Handelsfreiheit, Nothwendigkeit einer Beschränkung derselben. Büsch. 6, 138 ff. — Handeln und Thätigsein gehört dem Geschöpfe, Einsicht bloss der Natur an. Espr. 12, 350.

Häresie, Deismus, Atheismus, drei Stufen der Abkehr von der Religion. Indiff. 5, 133. Die Häretiker haben nicht einen Theil der Wahrheit, weil der vom Ganzen losgerissene Theil aufhört, ein Theil der Wahrheit zu sein. Indiff. 5, 203. Jede Häresie ist nach Tertullian (s. d.) entweder eine Aufforderung an die Kirchenvorsteher zu einer neuen Entwickelung der Lehre, oder eine Strafe für die Versäumniss einer solchen Entwickelung. Verb. d. Wiss. 1, 354. Zwiesp. 1, 363. Anm. Die dreigestaltige, in der Wurzel einfache Häresie des Cerinthianismus (s. d.), Manichäismus und Arianismus ist gründlich -allein zu widerlegen durch J. Böhme's Naturlehre. J. B. Theol. 3, 405.

Hardenberg, von (gen. Novalis): Antropoph. 4, 230. Unsterblichkeit 4, 274. Fund. d. Christth. 10, 36. Tageb. 11, 366. Anm. Nouv. homme 12, 259.

Harmonia praestabilita, die Lehre davon ist entstanden
aus dem Nichtbegriff der Identität von Geist und Natur, oder
aus der Meinung, dass beide für sich zwei fertige Bestandstücke seien. Ferm. 2, 379. S. Geist und Natur. *Harmonia
praestabilita* von Bosheit in gewissen Bedenklichkeiten gegen
die speculative Philosophie. Spec. Dogm. 9, 9.

Harphii, Theologiae mysticae libri tres. fol. 1556   Br. 15,
301. *Oculus sidereus.* Ebd. 15, 238.

Hartenstein, über die neuesten Darstellungen und Beurtheilungen
der Herbart'schen Philosophie (1838). Spec. Dogm. 9, 262.
Vergl. Antirel. Philos. 2, 496. Anm.

Harvey: der Mensch durchläuft im Mutterleib alle niedern
Organismen. Crocod. 12, 440. *Omne vivum ex ovo.* Oefter.

Haupt und Leib, Mann und Weib, Siderisches und Elementares.
Antropoph. 4, 232. Haupt- und Gliederleben im physischen
und socialen Organismus. Bemerk. 5, 394. Anm. Haupt- und
Gliederleben in der Societät. Trennb. 5, 372. Die Universitas
basirt im Haupte. Oeuvr. 12, 453.

Hauptproblem s. Fundamentaldoctrinen.

Hebel, die einfachste und natürlichste Ansicht desselben, mit
Anwendung auf jedes System entgegengesetzt bewegender Kräfte.
Pyth. Quadr. 3, 254.

Hebräer, die schlimmen Folgen der Vernachlässigung ihrer
Gnosis. Spec. Dogm. 8, 14. Die hebräischen Theologumena
sind zu unterscheiden von der bereits missverstandenen kab-
balistischen Lehre, wornach z. B. die Schöpfung eine Entfaltung
und Evolution der göttlichen Substanz und die Integration der
Geschöpfe eine Resorption derselben in Gott sein soll. J. B.
Theol. 3, 382. Die Lehre der hebräischen Philosophie von
den vier Welten nach Jesaja 43, 7. Elembgr. 14, 35. Myst.
Magn. 13, 201. S. Vierzahl. Die Ansicht des jüngern Helmont
über die hebräische Sprache als Ursprache und insbesondere
über den Causalnexus des Characters der Laute in der Ursprache mit dem Laut. Spec. Dogm. 8, 135. 186. Die ältesten
Himmelszeichen concordiren mit den Buchstaben des hebräischen
Alphabets. Spec. Dogm. 8, 335. Die hebräische und die

deutsche Sprache sind nach Kaindl unmittelbar verwandt.
Myst. Magn. 13, 220. S. Schmid. Hebräische Buchstaben
zusammensetzen und Hebräisch verstehen, ist zweierlei. Geheime Wissenschaft (s. d.), Magie. Spec. Dogm. 8, 332.
S. Sprache.

Hegel, über Baader's Lehre in der zweiten Ausgabe der Ency-
clopädie der phil. Wissenschaften. Aphor. 10, 306. Sein Ur-
theil über Baader. Br. 15, 414. 423. Baader's Brief an ihn.
Ebd. 15, 464. Sein Tod (1832). Br. 15, 482. Baader's sehr
günstiges Urtheil über ihn. Ferm. 2, 141 ff. vgl. Mart. Pasq. 4, 121.
Anm. Hegel über die Bewegung der Idee. Ferm. 2, 151. Hegel
über Religion. Ferm. 2, 327. Vergleichung von Hegel und
J. Böhme. Ferm. 2, 348. Bemerkungen über Hegel's System.
Die Lehre von der Vermittlung. Vorr. 1, 394 ff. Hegel's
Fortschritt über Schelling hinaus in der Lehre vom Geist.
Privatvorl. 13, 149 ff. Hegel hat die Speculation von ihrer
polarisch-dualistischen Gebundenheit wieder losgemacht und dem
Principium contradictionis seine richtige Bedeutung vindicirt.
Spec. Dogm. 8, 364. Hegel über die Verneinung der Ver-
neinung. Ekst. 4, 12. Hegel gegen die schlechte Physik. Ekst.
4, 20. Hegel's Ansicht, dass die Knospe von der Blüthe
widerlegt werde. Opf. 7, 287. vgl. 297. Hegel's richtige Ansicht über die Einzigkeit der Erde und ihre Bestimmung im
Weltsystem. Rüge 3, 317. Hegel hat den ersten Schritt zur
Begründung einer Naturphilosophie gemacht, indem er die Entäusserung eines Wesens (zur Natur) als die Bedingung seiner
Innerung (als Geist) begriff. Rüge 3, 324 ff. S. Geist, Geist
und Natur. Hegel erkennt zwar die Idee an, verkennt aber
die abstracte Natur der materiellen Wirklichkeit. Leb. 4, 293.
Anm. Hegel brachte die Kategorie der Aeusserlichkeit verkehrt in Anwendung. J. B. Theol. 3, 409. Hegel's Phä-
menologie des Bewusstseins — seine Dialectik ein zweischneidiges
Schwert. Mart. Pasq. 4, 121 ff. Spec. Dogm. 8, 232. Hegel
über Wesen und zum Vorschein-kommen. Incomp. 4, 310.
Hegel's Ansicht vom Glauben, wobei der Glaube an eine Person unberücksichtigt bleibt, eine cerinthische Phänomenologie.

J. B. Theol. 3, 430 ff. Deficit in Hegel's Exposition des Begriffes vom Grunde. Spec. Dogm. 9, 130. Hegel's gnostisch-manichäische Behauptung von dem Abfall der Idea (Natur) Gottes von sich (Stelle in der Anm. d. H. vgl. Hegel's WW. 7, 28.). Myst. Magn. 13, 209. Hegel's Trilogie: Sein, Nichtsein, Dasein, sowie Schelling's Trilogie: Ideales Nichtsein, ideeloses Sein, ideal-reales Sein. Spec. Dogm. 9, 184 ff. Solid. Verb. 4, 293. Anm. S. Schelling: Sein. Hegel nimmt das Ansichsein (die Natur) in Gott bereits für den ganzen Gott. Morg. u. Ab. Kath. 10, 118. — Hegel's verderbliches System der Philosophie, welches Gott durch den Menschen zu sich bringen will. L'hom. 12, 226. 230. Hegel's Vergötterung des menschlichen Geistes. Oeuvr. 12, 447. Anm. Hegel's spinozistische Erklärung der Vernunft. Des err. 12, 138. Hegel's affectloser Wille. Espr. 12, 333. Hegel hat bei Bestimmung des Subjects und Objects den *primus motor* als Vermittler übersehen. Espr. 12, 266. Hegel und Fichte. Lettr. 12, 429. Anm. — Hegel, ein geistig Besessener. Br. 15, 453 ff. Seine Zaubereisünde. Ebd. 15, 460. Seine abstracte Begriffsphilosophie. Ebd. 15, 467. Die hegelisch-lutherische Lehre flach und dämonisch. Ebd. 15, 494. Hegel, Stifter der Schule der logisch Verrückten. Ebd. 15, 539. Ueber die rechte und· linke Seite der hegel'schen Schule. v. Osten Einl. 12, 12. Revision der Philosopheme der hegel'schen Schule. Schr. (1839) 9, 289. vgl. Br. 15, 614. 616. 624. Ueber eine Aeusserung Hegel's in Betreff der Eucharistie (s d.). S. Hoffmann's Einleitung zu Bd. II. S. L ff.

Heidenthum, die sternenbesäete Nachtseite der Religion. Begr. d. Eth. 5, 30. Eine natürliche oder heidnische Religion hat es nie gegeben, weil die Uroffenbarung eine wahrhafte Gottesoffenbarung war. Wahrh. 1, 127. Die Heiden haben nicht, wie Goethe im Leben Winkelmann's behauptet, den Stein der Lebensweisheit, sich selbst genügen zu können, besessen. Antirel. Phil. 2, 479 ff. Die Zerrissenheit des Heidenthums. Lasaulx's Schrift darüber. Strauss Leb. Jesu 7, 269. Die dämonischen Götter im Heidenthum. Opf. 7, 332. S. Opfer.

Das seit dem 13. Jahrhundert unter den germanischen Völkern allmählich wieder aufgekommene Heidenthum ist eine Krisis, um das Christenthum tiefer zu fassen. Urs. d. Leicht. 6, 338 ff. Die Heiden *hominem in natura quaerentes, in natura numen;* Gegens. der Mensch das Bild Gottes. Tabl. 12, 177. S. Restauration, Christenthum, Judenthum, Heidenthum, Humanität.

Heiligung, ihr Fortschritt vom Höchsten zum Tiefsten. L'hom. 12, 228.

Heilung: Der Heilungsproces beginnt mit der neuen Begeistung und wird vollendet durch die ihr entsprechende neue Beleibung. Begründ. d. Eth. 5, 27. Die Heilung des Bösen ist nicht bloss supranaturalistisch durch höhere Begeistung, sondern auch naturalistisch durch neue Beleibung zu bewirken. Begr. d. Eth. 5, 23 ff. S. Hilfe. Die Existenz und Wirksamkeit religiöser Heilmittel. Franz. Rev. 6, 306 ff. 323. Wunderbare Heilungen des Bauers Martin und des Fürsten Alexander von Hohenlohe. Div. 4, 63.

Heimath, dieselbe verlassen, sich expatriiren, mit Bezug auf das Herabsteigen des göttlichen Centrums = tieferes Hineingehen in sein eigenes Wesen (Wurzel, Keim), um darin die, die Geschöpfe wiedergebärende, Emanation zu schöpfen. Zeitbegr. 2, 57 (80) ff. Woraus mich irgend Jemand vertreiben, was mir irgend Jemand wieder nehmen kann, das ist nicht meine Heimath, noch mein Eigenthum. Solid. Verb. 3, 353. Worauf die Liebe zur Heimath beruht. Elembgr. 14, 45.

Heimlichkeiten, natürliche und göttliche. Spec. Dogm. 9, 5.

Heirathen, Bemerkungen darüber. Tageb. 11, 205 ff.

Hekate, im Gegensatz von Sophia. Geistersch. 4, 219.

Helfferich, christliche Mystik. Ferm. 2, 318. Anm. 383. Anm.

Hellsehen, = *Clairvoyance*. Theorie darüber schon bei Paracelsus (*de spiritu sidereo*) und J. Böhme (3 Principien). Br. 15, 284 ff. Die Hellschauung geschieht nicht vermittelst der Nerven, sondern magisch. Doppelte Anschauung. Br. 15, 321. Petetin's Hypothese von einer Versetzung der Sinne dabei. Br. 15, 324. Es ist kein blosses Gefühlsleben. Inn. Sinn

4, 97. Anm. Ob Hellseher == Bauchredner seien. Mart. Pasq.
4, 122. S. Somnambulismus.

Helmont's Werke (Sulzbach 1683). Ekst. 4, 16. Br. 15, 325.
332. 692.

Helvetius und der ihm Gleichgesinnte. *Philosophies de la
Nature* und *Systemes de la Nature*. Tageb. 11, 95.

Hemmung des Lebensprocesses in einer Creatur, sobald diese
ihr Centrum in sich, nicht in Gott sucht, d. h. sich gegen die
Universalsonne verschliesst. Verkörp. 2, 7. Hemmung, Suspension, Aufhören des feueraufhebenden Processes mit dem Auskommen (Anfang) des Feuers. Ferm. 2, 298. vgl. 180.

Hemsterhuis, Aristäus. Tageb. 11, 171. 173. Baader schreibt
Hemsterhuis die Aeusserung zu: der Körper sei ein geronnener
Geist und das körperliche Universum ein geronnener Gott.
Pythag. Quadr. 3, 262.

Hengstenberg. Br. 15, 574. 578. 585.

Herablassung des primitiven Lichtes zum Menschen. Nothwendigkeit desselben nach dem Fall Heg. Phil. 9, 374. —
Gottes zu den Menschen. Andeutung einer höhern Mütter-
lichkeit, Weiblichkeit. Rel. Erot. 4, 183 ff.

Herabwurf, καταβολή, wodurch die Zeitwelt entstanden ist.
Heg. Phil. 9, 344. Societ. 14, 35 ff.

Herbart findet die Selbstquälerei absurd und leugnet darum das
Böse. Spec. Dogm. 9, 47. vgl. 262. Er lehrt einen affect-,
herz- und gemüthlosen Purismus in der Moral. Aph. 5, 282.
Herbart's Anzeige der Baader'schen Bemerkungen über einige
antireligiöse Philosopheme u. Z. Ferm. 2, 448. Anm. Vergl.
Ebendas. 2, 496. Anm. S. Hoffmann's Einl. zum II. Bd. der
WW. S. LVI ff.

Herder, über Büffon's Welthypothese. Wärmest. 3, 19. S.
Einl. Hoffm. zum III. Bd. S. III. Ueber den Ursprung der
Sprache. Tageb. 11, 10. vgl. 22. Vergl. Bonald 5, 18. Anm.
64. Anm. Aelteste Urkunde des Menschengeschlechts. Ebd.
11, 30 ff. Ideen und Geist der hebräischen Poesie. Ebd.
11, 29. 139. Zerstreute Blätter (das Lob Herder's). Tageb.
11, 52. vgl. 397. Briefe, das theologische Studium betreffend.

Ebd. 11, 178. Denkmal der Vorzeit. Ebd. 11, 331 ff. Philosophie der Geschichte. Rüge 3, 313. Herder's Natursinn.
Wärmest. 3, 40. 178. Tabl. 12, 172. Herder's Ideen. Tabl.
12, 173. 178. 185. 193. 198. Spec. Dogm. 9, 29. Anm.

Hermaphroditismus = Coexistenz beider geschiedener Potenzen in einem Leibe, das Gegentheil der Androgyne (s. d.).
Spec. Dogm. 9, 211. u. a. a. St.

Hermes Trismegistus, ein Forscher über Vater und Sohn,
von sehr altem Datum, nach Franc. Patricius. Fund. d. Christ.
10, 26. (= Theuth, dem Erfinder der Schreibekunst. Plat.
Phädr. 274. C. ff.) S. *Vis ejus integra, si conversus in
terram.* — Hermesstab oder Mercurstab, *caduceus* (☿)
= Sinnbild des zeitlichen Weltalls oder der enthaltenden, erfüllenden und beide vereinigenden Kraft. Zeitbgr. 2, 60 (84).
S. Kraft. = Signatur des Geistes (Idea, Begriff, Mitte, Androgyne), wo ⌣ den weiblichen leib- oder hüllegebenden (wässerig-
lunarischen d. h. äussern) o den männlichen, beseelenden oder
erfüllenden (feurig-solarischen oder innern) Factor, und + ihre
Union (das Erdprincip) bemerklich macht. Ferm. 2, 326.
Spec. Dogm. 9, 135. Aph. 10, 341. Es wird damit auch
die Zweideutigkeit des Zeitwesens sinnreich ausgesprochen. Spec.
Dogm. 9, 230. — Die Grundlage der hermetisch-alchemisti-
schen Weisheit. Tabl. 12, 177. Hermetische Kunst, von Jac.
Tollius, Michael Maier, Pernetti &c. zur Mythendeutung gebraucht. Heg. Phil. 9, 380.

Hermes, kathol. Theolog. Kantisch-kritische Unwissenheit. Spec.
Spec. Dogm. 8, 314. Der hermesische Streit. Em. d. Kath. 10, 58.

Heros und Eros d. h. Christus. Geist. u. W. 10, 6. Der
Heros in der Menschheit, wo die Freiheit und Natur (das
Moralgesetz und das Naturgesetz in einen seligen Bund ge-
treten sind — der Menschensohn. Spec. Dogm. 8, 275.

Herrlichkeit = Bild, Ehre; so ist das Weib des Mannes,
Adam Gottes Herrlichkeit. Anal. d. Erk. 1, 45. Herrlichkeit
Gottes = Aeusserlichkeit (Natur) Gottes, deren Begriff eine
(unauflösbare) Mehrheit von Potenzen, Principien und Kräften
in sich schliesst. Aus ihr, nicht aus der göttlichen Monas

selber, ist die Creatur unmittelbar hervorgegangen. Ferm. 2, 166.
S. Schöpfung. Herrlichkeit == Schechina, Doxa. Gott ihr
Vater, nicht ihr Schöpfer. Auch die nichtintelligenten Creaturen
sollen ihrer theilhaft werden. Versehens. 4, 343 ff. 846 ff. —
Herrlichkeit und Macht des Menschen vor dem Falle. Opf.
7, 315.

Herrnhuter, ihre Kopfscheue und Hoffart. Br. 15, 326.

Herrschen: das Herrschende ist überall nicht die Masse, sondern
die sie leise durchwehenden (von ihr nicht sperrbaren, ihr nicht fass-
lichen) Kräfte oder Wesen. Dyn. Beweg. 3, 281. Vielherrscherei,
Zweiherrscherei. Emanc. d. Kath. 10, 76 ff. Die ursprüngliche
Herrschaft des Menschen und das Entstehen der Herrschaft in
der Zeit. Des err. 12, 140.

Herschel's Astronomische Entdeckungen. Ferm. 2, 312. Anm.
Seine physical. Astrognosie. Rat. mat. Vorst. 3, 291. Anm.

Hervorbringung Gottes, primitive, secundäre. Rel. Phil. 1,
254. Die Hervorbringungen Gottes sind nach den Hervorbringungen des Menschen zu beurtheilen. Durch Selbsterkenntniss soll der Mensch Gott über sich und die Welt unter sich
kennen lernen. Spec. Dogm. 8, 63. Hervorbringung aus Nichts
d. h. aus dem Nichts (s. d.) seienden Grunde (s. d.). Urtern.
7, 33. Anm. Je inniger die Union von Action und Reaction,
um so inniger ist das Band zwischen Producens und Product.
Tabl. 12, 186. S. Production.

Herz, in demselben ist die Begierde mit ihrer Beengung und
die Liebe mit ihrem Reichthum, jene der Finsterniss, diese
dem Lichte entsprechend. Begründ. d. Eth. 5, 17. Herz ==
innerer Mensch. 2. Cap. d. Gen. 7, 232. == Herabsteigungs-
vermögen, Geist == Emporsteigungsvermögen. L'hom. 12, 226.
Doppelte Pforte im Herzen. Nouv. hom. 12, 249 ff. Herz-
leben, Bauchleben im socialen Leben. Ebd. 7, 232. Opf. 7, 385.
Herzblutsauger s. Blutsauger. Herz- und Geistlosigkeit der
äussern Natur. Wahrh. 1, 113. Herzfrei, kopffrei, handfrei.
Des err. 12, 160.

Hestermann, Offener Handelsstaat. Büsch 6, 189.

Heva im Hebr. == verkehrtes Wesen, im Syrischen mit asp.

Chejo == Schlangenweibchen; Schlange hebr. gen. masc. 2. Cap. d. Gen. 7, 282. Anm.

Hexengeschosse, nach Paracelsus. Br. 15, 542.

Hiel (Janson), seine Schriften. Amsterdam. 1687. 1690. Br. 15, 301.

Hier und Nun s. Zeit und Raum.

Hieroglyphik, göttliche, natürliche. Morg. u. Ab. Kath. 10, 217. S. Symbol.

Hieronymus, eine neologische Aeusserung von ihm. Br. 15, 558 ff.

Hilfe des Logos, dem der Einheit entfallenen Menschen nothwendig. Ferm. 2, 167. Hilfe einer befreienden Action bei der (guten) Selbstthat des Menschen und seiner Wahrheitserkenntniss. Ferm. 2, 156. Bedürfniss einer äussern Hilfe, um das Organ (Grund, Natur, Begierde), worin das Böse seinen Sitz genommen, zu heilen. Begründ. d. Eth. 5, 26. S. Heilung. Hilfewesen s. Erlösung.

Hillebrand's Organismus der philos. Idee. Ferm. 2, 353. Anm.

Himmel von Heben, Halten. Societ. 14, 94. Moderne und langweilige, weil begrifflose Vorstellung des Himmels als einer zahllosen, monotonen und also überflüssigen Wiederholung von Sonnensystemen u. s. w. Rüge 3, 318. Einfluss der Himmelskörper auf das Irdische nach Thomas von Aquin. Erläut. 14, 224. 276. Die Ingenerabilität und Incorruptibilität derselben im Gegensatz zu der Erde. Ebd. 14, 197. 213. 257. Wir sind in den Himmel, nicht in das Universum geschaffen. Espr. 12, 354. Himmel und Erde == intelligibele und sensibele Natur. Beide sind immer zusammen da; doppelte Sinnlichkeit. Br. 15, 377. Ehestätte der Vermählung von Himmel und Erde. Anthropoph. 4, 231. S. Astrologie, Astralgeist, Erde, Sonne, Erde und Planeten. Himmel, Erde und neues Jerusalem. Rüge 3, 313 ff. Himmel, Erde, Mensch. Br. 15, 488 ff. 609. 642. Himmel == Localität, welche dem in demselben sich befindenden Wesen den Vollgenuss seines Seins gewährt. Rat. Theol. 2, 511. Anm. Die christliche Lehre weiss nichts von einem Schlaraffenleben im Himmel (gegen Feuerbach). L'hom. 12, 216. Dichterstelle: „Vom Himmel kommt es &c." Espr. 12, 268. „Nur wer vom Himmel kam, kann in den Himmel kommen", d. h. nur der Mensch, nicht das Thier ist einer Himmelfahrt fähig. Spec. Dogm. 8, 175. S. Thier, Himmel, Hölle, Welt, Region.

Hinrichs, Brief Baader's an ihn (1822). Sein Werk über Religion. Br. 15, 388. Ferm. 2, 351. Aesthetische Vorlesungen über Goethe's Faust (1825). Spec. Dogm. 8, 20. Anm.

Hiort zu Copenhagen. Br. 15, 359.

Hippokrates (dessen Schriften in der Anm. d. H.). Tageb. 11, 109. Dessen Ansicht über die Wärme als einem ungeschaffenen göttlichen Wesen. Wärmest. 3, 30. Seine und des Pythagoras Ansicht über die Seele als forttönende Entelechie. Anthropoph. 4, 225. Ueber die durch *Sympathia*, *Sympsychia* und *Sympnoia* bewirkte *Communio vitae* organischer Wesen. Antropoph. 4, 226. Ueber 'Ἀΐδης und φάος. Versehens. 4, 366.

Hobbes, social-philosophische Lehren. Tageb. 11, 398 ff. Vergl. Indiff. 5, 137. Anm. 168. Anm.

Hoffart und Niederträchtigkeit, das Gegentheil von Demuth und Erhabenheit s. Androgyne, Liebe.

Hoffmann's (Amadäus) Elementargeist. Div. 4, 73. Anm. — Hoffmann, Wilhelm, Streitschrift gegen Dr. Strauss. Frag. 4, 60. — Hoffmann, Franz: Schelling's Benehmen gegen ihn und Sengler. Br. 15, 466 ff. 55 Briefe Baader's an ihn (1834—1841. Br. 15, 496—689). Dessen Schrift über die Selbsterzeugung (besser Sich-selbst-Hervorbringung oder Offenbarung) Gottes. Spec. Dogm. 9, 36. Vorw. 1, 417. vgl. Br. 15, 523 ff. Dessen Vorhalle zur Baader'schen Philos. Unsterbl. 4, 280. Zur katholischen Philos. und Theologie (über Maximus, Irenäus, Franc. Georgius, Postellus, Berthold von Chiemsee &c.). Versehens. 4, 334. Beantwortung von 12 Fragen desselben. Br. 15, 549 ff. — Hoffmann, Carl: Uebersetzungsproben aus dem Sanscrit. Relig. Philos. 1, 272.

Hoffnung = beginnender Glaube, Glaube = vollendete Hoffnung. L'hom. 12. 224.

Hogarth. Evol. u. Revol. 6, 97.

Höhe, Mitte (Grund), Tiefe, drei Kategorien, beispielsweise
nachgewiesen an Tönen und Farben (s. d.). Heg. Phil. 9,
302. 305.

Höheres, Niederes, jenes befasst dieses; in der Darstellung
der verschiedenen Lebensregionen muss man von oben ausgehen. Privatvorl. 13, 115.

Hölle, die — muss der Lichterzeugung des Himmels dienen.
Privatvorl. 13, 110. In ihr brennt nichts, als der eigene
Wille. Ferm. 2, 244. Die Hölle im Menschen entsteht, wenn
die Anfange nur irritabeln Elemente in eine wirkliche unordent-
liche Entzündung gerathen. Versehens. 4, 347. Die Hölle
ist nicht bloss ein Inneres, sondern auch ein äusseres *Vacuum*.
Des err. 12, 98 ff. Die Ewigkeit der Höllenstrafen (intensiv,
nicht protensiv). Indiff. 5, 187. Desgleichen Endl. Geist 7,
193. Die Ewigkeit der Höllenstrafen im Gegensatze ihrer
Zeitlichkeit behauptet. (Die Ansicht Jacob Böhme's und
Oetinger's darüber s. in der Anm. d. H.). Spec. Dogm.
8, 142. Vgl. dagegen Versehens. 4, 360 ff. 411 ff. 422.
Spec. Dogm. 9, 257. Die Qual der Ewigkeit leiden, ist etwas
Anderes, als selbe ewig leiden (Fournié). Br. 15, 550 ff.
558. 561. Es existirt kein Dogma für die Ewigkeit der Höllenstrafen. Minist. 12, 416. S. Abimation, Ewigkeit.

Holzbau, als Staatsgewerbe und unveräusserliches Regal. Schr.
(1802). 6, 201 ff.

Homer, Sitte der Griechen, einen Mann, der als Gast aufgenommen war, nachher im Kampfe zu vermeiden. Euchar. 7, 12
(25). Fatum. Spec. Dogm. 8, 273. Verse aus der Odyssee.
Spec. Dogm. 9, 68. V. Unst. 271. Anm. S. Abgeschiedene.

Hooke und die Chladnischen Klangfiguren. Spec. Dogm. 8, 135.

Horaz. Tageb. 11, 4. 18. 47. 148. 151.

Horen, Aufsatz im 1. Jahrg. über den Geschlechtsunterschied.
Elemphys. 3, 221. Anm.

Hören innerer Stimmen kommt sehr häufig vor. Centr. Sens.
4, 138. Nur der Sprechende hört, nur der Bewegende empfindet. Des err. 12, 100. 160. Vorzug des Hörens vor dem
Sehen. Minist. 12, 386.

Hormayr. Br. 445. 451.

Horst, K. R., Schriftsteller. Nach ihm kommt die Menschheit in drei Stufen, einer träumenden oder ekstatischen, einer speculativ-objectivirenden, und einer idealistischen, zu sich selber. Geistersch. 4, 211. Incomp. 4, 324.

Hospital der göttlichen Barmherzigkeit. Unsterbl. 4, 263.

Hube, über die Auflösung des Wassers in der Luft. Fest. u. Flüss. 3, 198. Anm.

Hufeland über Sympathie (1822). Ferm. 2, 261. 264.

Humanität, die heidnische und christliche — verhalten sich, wie die heidnische und christliche Freiheit. Freih. d. Intell. 1, 139. Anm.

Humboldt, Alex. v., Freund Baader's. Fest. u. Flüss. 3, 189. Anm. Spreng. 6, 165. S. Biogr. u. Briefw. Vorw. p. III—IV. Biogr. 15, 26. Ferm. 2, 312. Anm. — Humboldt, Wilhelm v., Ursprung der Sprache. Vorr. z. II. Bd. d. Ph. Schr. 1, 401. Anm. Bonald 5, 72. Anm. 88. Anm.

Hume, David, sein ätherischer Deismus im Gegensatz zum seligmachenden menschlichen Glauben an Gott. Tageb. 11, 59. vgl. 367 ff. 409 ff. 415 ff.

Hunger der Speise und des Geschlechtes, die das Individuum restaurirende und die ein neues Individuum zeugende Macht, ist die ktisiogonische Potenz selber. Societ. 14, 157.

Hunter, John, über das Blut. Elemphys. 3, 226. vgl. 221.

Huskisson, über Eisenbahnen. Einführ. d. Kunststr. 6, 285.

Hüttner, Herr v. — Br. 15, 336. Drei Briefe Baader's an ihn (1824—25). Br. 15, 416—431.

Hydrodynamisches Gesetz von der Gleichwucht, s. d.

Hydrophobie, s. Wasserscheu.

Hylozoismus == Aufhebung des Unterschiedes der belebten (beseelten) und der nichtbeseelten Materie. Incomp. 4, 317.

Hyperphysisches == höhere Natur, göttliche Natur in der Schrift. Es ist frei, nicht los von der Natur. Gegen dasselbe muss der Teufel am meisten protestiren. Bildungsl. 2, 98.

II.

Ja und Nein, alle Dinge entstehen darin; diess bezeichnet J. Böhme als die Negativität des Naturwillens = der Lehre Plato's, dass die Liebe entstehe in der Vermählung des Reichthums und der Armuth. Spec. Dogm. 9, 189.

Jacobi's zehn Briefe an Baader (1796—1806). Br. 15, 163— 205. S. Glaube. Sein Gefühlsdeismus. Aff. d. Bewund. 1, 32. Anm. Hoffm. Seine Poltronnerie gegen die Speculation. Kath. u. Prot. 1, 78. Anm. Zurechtweisung Jacobi's in Betreff seiner Ansicht vom Christenthum als Bilderdienst. Zus. d. Leb. 2, 24. Jacobi's Glaubenssystem. Ferm. 2, 371. Ungläubiges Radical in der Glaubenslehre Jacobi's und Kant's, bezüglich des Wissens vom Uebernatürlichen. Spec. Dogm. 8, 24 ff. Jacobi und Rousseau. S. Rousseau. Jacobi's Behauptung: *La raison est athée et doit l'être = L'état est athée et doit l'être.* Spec. Dogm. 8, 338. Eduard Allwill's Briefe von Jacobi. Br. 15, 176 179. Elem.-Phys. 8, 207. Vgl. Hoffm. Vorr. zu Bd. II. S. XL.

Jacobiner, die — wollten die Welt entchristianisiren. Durch ihr *regime sthénique* ist ein ansehnlicher Theil der französischen Nation zum moralischen Cadaver geworden. Rel. u. Pol. 6, 22 ff. S. Burke. Den Jacobinismus kann man nicht durch Ultraroyalismus u. u. vertreiben. Zeitschr. Av. 6, 33.

Ibbur = Seeleneinwohnung. Besess. 4, 250.

Ichheit und Individualität im Verhältniss zu Selbstsucht und Egoismus. Starr. u. Flüss. 3, 275 ff. Nur das Streben, das Ich absolut und nicht unter der Bedingung des Zugleichseins unter dem absoluten Centrum und mit den andern partiellen Centralitäten zu fassen, ist Sünde. Spec. Dogm. 8, 160. Der Auf- und Ausgang des Ich aus dem Nichtich (Du) ist von Fichte übersehen worden. Elem.-Phys. 3, 227. Div. 4, 87. Ferm. 2, 364. Fichtisches *bellum internecinum* zwischen Ich und Nichtich. Minist. 12, 420. S. Fichte.

Idee = Concretheit (nicht Einerleiheit) des Einen oder Allgemeinen und Einzelnen mittelst des Besondern. Ferm. 2, 202. Idee und Begriff = Centrum und Peripherie; beide sind wohl zu unterscheiden. Br. 15, 350. 381. Ob der Ursprung der

Ideen im Menschen liege. Bonald 5, 100. Angeborne Ideen, von Saint-Martin verworfen. L'hom. 12, 229. Espr. 12, 271. Nur durch eingeborne Ideen (apriorische Begriffe) ist Erfahrbarkeit möglich. Minist. 12, 376. Die Idee Gottes ist dem Menschen eingeboren, oder vielmehr der Mensch ist dieser Idee eingeboren. Bildungsl. 2, 117. Die christliche Religion ist die Religion der Idee = Einheit oder Einigung des Einen, Allgemeinen mit dem Besondern. Die Macht der Idee. Ferm. 2, 205. vgl. Div. 4, 92. Idee *par excellence* ist die Religion und die Kirche zu nennen. Sichtb. K. 7, 219 ff. Ideale Natur des Christenthums. Spec. Dogm. 8, 198 ff. S. Weisheit.

Ideal = Abbild und Urbild. Espr. 12, 278. Das Streben, selbes adäquat in der Erfahrung darzustellen, wird und muss ewig unerfüllt bleiben (noch kantisch). Naturrechtl. Gr. 6, 5. Das Ideal der Religion, der Poesie und Bildnerei, der Physik als Wissenschaft und Kunst. Geistersch. 4, 215. vgl. 214.

Ideales und Reales = Form (s. d.) und Wesen. Irrthümer der bisherigen Philosophie in dieser Beziehung. J. B. Theol. 3, 365. Dualistische Vorstellung des Idealen und Realen. Dagegen Triplicität der Idee. S. Hoffmann's Vorhalle. Unsterbl. 4, 280. Ideal = Genial = Conjunction des Practischen und Theoretischen, des Empirischen und Abstracten. Ideales und Reales stehen sich nicht entgegen, wenn man nicht die schlechte Idealität (Figur) und die schlechte Realität darunter versteht. Spec. Dogm. 8, 224. Das zeitlich-irdische Gestalten und Wirken realisirt zwar selber nicht schon die Idea, ist aber die Bedingung zu deren Realisirung oder Leibwerdung. Geistersch. 4, 218. In der Mitte des Idealen und Realen (über beiden) steht ein absolutes Reales als *Faciens*. Strauss Leb. Jesu 7, 262. (Idealismus und Realismus sind zu vermitteln. Einl. 12, 46. Idealismus und Empirismus. Ebd. 12, 9 ff.) Wahrer Idealismus: die Seinsart des Subjects bestimmt die Erscheinungsart des Objects. *Quidquid percipitur* (s. d.). Crocod. 12, 441. Wahrer Idealismus: Für Gott existirt kein Ding an sich (gegen Kant). Quar. Quest. 12, 484. Idealist = der Fisch beim Propheten. L'hom. 12, 213. S. Weisheit.

Identität (d. h. Untrennbarkeit und Unvermischbarkeit) des
Gebers und der Gabe in der lebendigen Region; z. B. für die
Somnambule ist der Arzt zugleich Arznei. Rel. Erot. 4, 189.
Rat. Theol. 2, 508. Anm. Identität des Auges und des Ge-
sehenen &c. Ecce hom. 12, 424. Identität des Wissens und
Seins nach der neuern Philosophie verschieden von J. Böhme's
Identität von Geist und Natur, intelligentem und nichtintelligentem
Thun. Ferm. 2, 377. Nichtidentität von Geist und Natur im
Menschen = Zwietracht, nicht bloss Trennung. Ferm. 2, 381.
Identität des Wissens und Seins nur = Identität des Wissens
und des gewusst *(sciemment)* Hervorbringens oder realen Con-
struirens (die Auctorität für das Wissen eines hervorgebracht
Seienden gebührt nur dem Auctor). Spec. Dogm. 9, 107.
S. Immanenz Identität des begründenden, leitenden und con-
firmirenden Princips. Rel. Phil. 1, 172. Identitätslehre = Lehre
vom selbstbewusstseienden oder beisichseienden Geiste. Rel.
Phil. 1, 188. Identität des Gottleugnens und des Geistleugnens.
Rel. Phil. 1, 198. Identitätsphilosophie = Lehre von der
Identität des Subjects und Objects, und deren Anwendung auf
theologische Expositionen. Spec. Dogm. 8, 345. Auf der Iden-
tität des Kennens, Nennens und Besitzens beruht die Lehre vom
Bilde Gottes und die Erklärung alles ekstatischen, magnetischen
und spectrischen Rapports. Incomp. 4, 312.

Ideo vivimus, quia morimur. Morg. u. Ab. Kath. 10, 98.

Idolatrie und das Bedürfnis, sich den Gottmenschen nahe zu
zu bringen. Opf. 7, 405.

Jean Paul s. Richter.

Jesaja, *Creavi, formavi, feci te.* (43, 7.) Br. 15, 559. Myst.
Magn. 13, 201. S. Vierzahl.

Jesuitenorden, die Anrühmung desselben in der Zeitschrift
Staatsmann als gegründet vorausgesetzt. Rel. u. Wiss. 7, 49.
50. Der Jesuitenorden im Kampf mit dem Jacobinerorden.
Posit. 6, 20. Das Jesuitenthum nach Adam Müller, de Maistre
u. s. w. Rückbl. 5, 388 Anm. Der Jesuitismus mit all seinen
Principien auf einen gottlosen, psychologischen Kunstgriff gegründet. Tageb. 11, 423. Vgl. Br. 15, 543. 574. 597.

Jesus, Christus, Maria's Sohn, nach Saint Martin = Offenbarung im äussern Menschen *(être naturel)*, im innern Geistmenschen *(être spirituel)* und im Innersten *(centre divine)*. Mart. Pasq. 4, 119. Div. 4. 92. Rel. Erot. 4, 200. Opf. 7, 290. 291. Anm. Heg. Phil. 9, 409. — entsprechend dem Ternar von Geist, Seele, Leib. Nr. 15, 306. Der Name Jesus im N. T. = Elohim im A. T. Besess. 4, 246. Jesus, Christus, Elohim, Jehova, Adonai nach J. Böhme. Versehens. 4, 335. Ueber den Paulinischen Begriff des Versehenseins des Menschen im Namen Jesu. Drei Sendschreiben. Schr. (1837) 4, 325 ff. Schriftstellen über das Versehensein des Menschen im Namen Jesu. Rel. Erot. 4, 179. 200. Spec. Dogm. 8, 315 ff.

Ignorance hypocrite und *Impieté ignorante*. Ferm. 2, 433. Spec. Dogm. 9, 161. Wiss. u. Rel. 1, 88. Ignoranz der Pseudo-Aufklärungsphilosophie. Kant's Deduct. 1, 5. 23. Aff. d. Bewund. 1, 30. Das Festhalten an Ignoranz ist Complicität mit Verbrechen. Opf. 7, 336. Ignoriren und andere schlechte Mittel zur Beseitigung von Erscheinungen und Thatsachen, die sich nach einer niederträchtigen Verstandestheorie nicht erklären lassen. Div. 4, 67. Ignorirung solcher Erscheinungen, wie Besessenheit. Besess. 4, 246.

Ignoti nulla cupido (Ovid. A. 3, 397). Spec. Dogm. 8, 19. (Vgl. 8, 34.) Espr. 12, 265. Minist. 12, 412. und sonst oft. (Vgl. Plato's Menon 80. E.)

Illabilität, dieser theologische Begriff (= Unsterblichkeit) ist mit dem physiologischen und dem juridischen Begriff der Indissolubilität oder Inseparabilität im Grunde identisch. Societ. 14, 125—132.

Illuminari est luci subjici. Magik. 12, 537. und a. a. St.

Imagination, im höchsten Sinne = Sicheinführung (Erhebung) des Menschen in das Bild *(imago)* Gottes. Myst. Magn. 13, 217., ist nach Paracelsus und J. Böhme ein sehr umfangreicher und tiefer Begriff. Incomp. 4, 307. Fund. d. Christ. 10, 30 ff. Das Wort Imagination hängt zusammen mit *imago (idea, forma)* und *magus*. J. B. Theol. 3, 378. Imaginiren = *per imaginem* agiren. Br. 15, 290. (Vgl. Vorrede zu Schu-

bert's Uebers. de l'Esprit des choses. Schub. 1. 59 — 69.)
Ursprung der Imagination ist Anfang der Bildererzeugung.
Weiteres über Imagination. Quar. Qu. 12, 491. vgl. 490.
493 ff. Dem Begriffe nach ist *Imaginatio* oder *Magia*
bei J. Böhme = Sophia bei den Juden = Idea bei den
Griechen (Platonikern), = Maja bei den Indiern. Spec.
Dogm. 9, 182. S. Weisheit. Alle Imagination beruht auf
einem doppelten Imaginiren, einem activen des Höhern und
einem passiven (reactiven) des Niedern, nach dem allgemeinen
Gesetz: *Omnia vitam habentia suo instinctu sursum ten-
dunt, et omnia vitam influentia deorsum.* Anal. d. Erk.
1, 45. Imaginiren = Begehren. Blitz. 2, 45. Privatvorl.
13, 139. Allgemeine Imagination als allgemeiner innerer Natur-
process; Dualität derselben: active und reactive (siderische
und elementare) Imagination, ein Untersatz, kein Gegensatz.
Incomp. 4, 308. Imaginativum der denkenden und der nichtdenkenden Naturen. Incomp. 4, 307. vgl. Opf. 7, 371. Anm.
Imaginirender Bildungstrieb, der im Gestirn, und ein entspre-
chender, der in der Erde und dem Element wirksam ist und
durch deren Conjunction eine geistige (jedoch nicht verständige
und nicht unsterbliche) Substanz, *Idea formatrix*, entsteht.
Ferm. 2, 266 ff. S. Astrognosie, Astralgeist. Imagination =
magische Vermählung, wodurch ein lebhaftes Bild als *Idea
formatrix* erzeugt wird. Ferm. 2, 260. = Magisches Eingehen und magisch Sich-Copuliren und Schwängern, welches,
dem realen und empfindlichen Eingehen vorgeht und dieses
bedingt, indem es die Kraft hierzu wesentlich macht. Rat.
mat. Vorst. 3, 300. In Etwas Imaginiren (Begehren) = sich
dem Motiv hingeben, in das man eingegangen ist, oder ein
Sich-selber-Bilden nach diesem, als ein Sich-versehen. Rat.
Theol. 2, 511. S. Morphologie. Das Geheimniss der Imagination als In- und Hineinbildung des Begehrten in das Be-
gehrende vermittelst der Begierde, gleich einer Tingirung oder
Besamung. Spec. Dogm. 8, 86. = Anfang und Wurzel
alles Hervorbringens, so auch bei der Alimentation und Propagation. Spec. Dogm. 9, 218. Durch die Imagination als

Geschlechtsbegierde erzeugt der Mann seinen Samen wirklich, während das Weib seinen Samen in ihr (als Ei) wenigst erregend losmacht. Ferm. 2, 218. S. Zeugung. Das Verhältniss der Imagination zum Willen nach Paracelsus und J. Böhme. Heg. Phil. 9, 340. Imagination == magische Fassung (Willensschöpfung, Glauben) in die und aus der Freiheit, wodurch diese angezogen wird, als Vorbedingung des Blitzes Ferm. 2, 245. 423. Die plastische Macht der Imagination nach Paracelsus. Geist u. W. 10, 16. S. Anschauung. == *Animi informatio.* Incomp. 4, 310. == Innere Formation und deren Begründung. Spec. Dogm. 9, 181. Das tiefste Mysterium der affectiven Imagination. Incomp. 4, 311. Anm. — Das Imaginiren des Materiellen == Gelüsten kommt von einer Untiefe in ihm her, da die Materie an sich herz- und geistlos, jene Untiefe aber herstödtend ist. Antirel. Phil. 2, 453. S. Blutsauger. Die Imagination beweist, dass alle Bildung das Resultat einer Conjunction eines Aeussern und eines Innern ist. Spec. Dogm. 8, 113. Imagination, Verständniss, Empfindungen und Gefühle == Bild, Wort, Handlung. Bonald 5, 96 ff. S. Miasma.

Imago, magnes, magia, etymologisch nach Kaindl (s. d.), und auch dem Begriffe nach, verwandte Worte. Myst. Magn. 13, 219. Spec. Dogm. 8, 95. Schub. 1, 62. Ekst. 4, 12. Ferm. 2, 259 ff. 268. Vorr. 1, 409. Spec. Dogm. 8, 382.

Immanenz == Inexistenz aller Dinge in Gott, nicht pantheistische Identität (s. d.). == Vereinerleiung aller Dinge mit Gott. Spec. Dogm. 8, 241. Elembgr. 14, 31. Societ. 14, 70. Die christliche Immanenzlehre, im Gegensatz der pantheistischen Identitätslehre == Lehre vom Thun, Wollen, Wissen in Gott. Aph. 5, 252. Die Immanenz des Lebens steigt mit der Stufe desselben und ist darum absolut bei dem absolut lebendigen und eben darum absolut persönlichen Gott, dessen Persönlichkeit sohin personificirend auf alle Wesen im Verhältniss ihrer Nähe zu ihm wirkt. Einfl. d. Zeich. 2, 134. Anm. Dreifache Immanenz der Dinge in Gott. Privatvorles. 13, 151. Der Standpunct der Immanenz. Vorred. 1, 391. Anm. 394.

Immateriell ist verschieden von übernatürlich, wie σῶμα

17*

πνευματικόν und πνεῦμα. Newton hat beides verwechselt.
Rat. mat. Vorst. 3, 293. Immaterielle, differensiale Materiewesen, Differenzialien, s. Atome. Ebenso Metamateriell nicht
= metaphysisch. Spec. Dogm. 9, 276. Solid. Verb. 4, 301.
Anm. Incomp. 4, 316. Der Unterschied des Hypermateriellen
und des Hyperphysischen. Versehens. 4, 382.

Immer und Ueberall, s. Zeit und Raum.

Impenetrabilität, s. Durchdringung.

Imperativ, kategorischer = Forderung des Vaters, den Sohn
zu gebären, sich in der Lebensgeburt zu vollenden. Spec.
Dogm. 8, 188. Der Imperativ des In-Gott-seins kann nicht
getilgt werden. Spec. Dogm. 8, 172. Es ist Imperativ (Gesetz)
für jeden Menschen, die Materie subjicirt zu halten, und er
hat dabei die Einsicht, dass der Mensch dieses *ex propriis*
nicht könne. Antirel. Phil. 2, 478. Der ethische Imperativ
(= Moralgesetz) reicht für sich allein nicht aus. Begründ.
d. Eth. 5, 3. 25. Der Imperativ (das Constitutionsgesetz)
geht in der physischen und psychischen Natur unmittelbar
auf das Sein *(manière d'être)*, und nicht, wie Kant meinte,
unmittelbar auf das Thun. Ferm. 2, 167. Anm. Imperativ
und Optativ. Zeitbegr. 2, 67 (94). Optativ und Imperativ
von der Sophia. Geistersch. 4, 213. 214.

Imperium in naturam, Unterschied des biblischen vom
Baconischen (= *Natura parendo vincitur*. S. Baco), abgeleitet aus der Lehre von der Erschaffung des Menschen zum
Bilde Gottes. Myst. Magn. 13, 223. Geistersch. 4, 216. Ursprüngliches *Imperium hominis in naturam*. Opf. 7, 301.
Es ist durch bloss äusseres Suchen nach Wissenschaft nicht
wiederzufinden. Tabl. 12, 185. Die Industrie ist nicht das
einzige *imperium in naturam*. Heg. üb. Euch. 2, 249. Anm.
Bildungsl. 2, 121. *Imperium in naturam* und *Servitium
erga Deum*. Opf. 7, 276. Nicht: *Natura parendo vincitur* (= Industrie), sondern *Natura Deo parendo vincitur*. Spec. Dogm. 9, 63. Des Menschensohnes *Imperium in
naturam*. Ekst. 4, 14. Vgl. Agronomisches, Eisenbahnen,
Glasfabrication &c.

Impietät der meisten über Religion und Moral schreibenden Schriftsteller. Minist. 12, 408.

Impotenz des selbstischen (selbstsüchtigen) Forschens und Thuns. Wahrh. 1, 129.

Inbildung, etwas Objectives. Incomp. 4, 312.

Incarnation der Lüge. Versehens. 4, 858.

Incompetenz unserer dermaligen Philosophie zur Erklärung der Erscheinungen aus dem Nachtgebiete der Natur. Schr. (1837) 4, 303 ff. Vgl. Br. 15, 546. Incompetenz aller Philosophie des Menschen, die seine primitive Geschichte als in seinem dermaligen Zustande nachweisbar ignorirt. Revis. d. Wiss. 10, 282.

Incompressibilität des christl. Elements. J. B. Theol. 3, 874.

Indifferentismus, Indifferenz: Recension von de la Mennais *Essai sur l'Indifference en matiére de la religion.* Schr. (1826) 5, 121 ff. Indifferenz gegen Religion mit Bezug auf de la Mennais Schrift darüber. Ferm. 2, 440 ff. Indifferentismus gegen alle Religion, Indifferenz, Toleranz. Kant's Deduct. 1, 21. Kath. u. Prot. 1, 73. Indifferenz und Lauheit von Christus und Johannes verurtheilt. Apb. 5, 257 ff. Indifferenz im Glauben, etwas Anderes, als milde Beurtheilung Ungläubiger (in Bezug auf Eucharistie). Opf. 7, 395. Anm. Indifferenz und neu ausschlagender Kampf in religiösen Dingen. Indiff. 5, 128. — **Indifferenz, stille, Differenz,** evolvirte Gliederung, drei Momente des sich offenbarenden Seins. Revis. d. Wiss. 10, 266. Gott ist an und für sich der Bestimmteste, weil er der Allbestimmende ist, nicht die Indifferenz oder Mutterlauge aller Gebilde. Spec. Dogm. 8, 297. Der Indifferentismus des (unbelebten) Körpers gegen Ruhe und Bewegung hat in der Natur keinen Grund. Elem.-Phys. 3, 210.

Indische und Parsische Lehre, s. Pantheismus, Brahmanen. Verse aus einem altindischen Dichter über das Nichtbefriedigende des materiellen Genusses. Rel. Phil. 1. 272.

Individualität, Individuum. Das Individuelle ist das allein Wahrhaft-seiende; krankes (böses) und gesundes (gutes) Besondersein. Ekst. 4, 23 ff. Das Individuelle ist immiscibel das Dividuelle miscibel. Ferm. 2, 163. Individualität als Selbheit nichts Böser. Spec. Dogm. 8, 277. Individualität (Einzigkeit) und Universalität widerstreiten sich nicht. Das Centralwesen kann immer nur als Individuum begriffen werden. Rat. Theol. 2, 510. Die Individualität Gottes. Hegel. Phil. 9, 832. Das Individuum, worin die Menschwerdung des moralischen Gesetzes begonnen hat und an welche andere Individuen sich anzuschliessen haben, um *(per infectionem vitae)* diesen Process fortsetzen zu können. Ferm. 2, 160. Die Individualität der Menschen hält sie, obschon psychisch einander berührend, doch physisch ausser einander. Einfl. d. Zeich. 2, 180. Das universelle und das partielle Individuationsprincip *(Terre-principe* und der Leib des Menschen); ihr verschiedenes Verhältniss im zeitlichen Leben, im Tode und nach der Auferstehung. Ferm. 2, 171. Wahre und falsche Individualität; Widerspruch in letzterer = die zwei ersten Naturgestalten nach J. Böhme. Spec. Dogm. 8, 123. Individualisationstrieb; gegen ein mir Höheres soll ich mich nicht abschliessen, sondern durch mein Zusammengeschlossensein mit ihm allein vermag ich meine Selbständigkeit (Abschliessen) nach Aussen und abwärts zu erhalten. Ferm. 2, 261. Alle Individuen einer Gattung leben und wirken in *solidum* mit und für einander. Ebd. 2, 220. — Individuen höherer und niedrigerer Regionen als Vermittler magnetischer Rapporte. Ekst. 4, 7. Individuen aus der Geisterregion bei allen magnetischen Vorgängen. Rapp. 4, 204. Die Vernichtung der Individualität im Tode, ein Heilmittel Feuerbach's, ähnlich dem des Dr. Eisenbart. L'hom. 12, 216.

Industrie s. *Imperium in naturam*.

In-einander-Eingehen, wechselseitiges, des Erkennenden und Erkannten. Rel. Phil. 1, 257. Incinandersein von Dienen und Herrschen, Bewundern und Begreifen, Anbeten und Lieben. Religionsphil. 1, 324. In-einander-Bestehenkönnen mehrerer Bewegungen (gegen Kant), sowie eines höhern und eines niedern Willens (gegen Spinoza). Rat. mat. Vorst. 3, 295.

Infallibilität = Auctorität. De la Menn. Parol. 6, 122.

Infection zum Tode, zum Leben. Unsterbl. 4, 269. *Infectio*

vitae. Bildungsl. 2, 114. Nur die Empfänglichkeit für ein *Agens* (Geist), nicht dieses selbst wird bei einer Infection (Segnung, Weihe) mitgetheilt. Anthropoph. 4, 235. S. Miasma.

Inflammabilität, nach J. Böhme jeder freien Creatur angeboren. Besess. 4, 247. Anm.

Influxus animae in corpus von Cartesius, Malebranche, Leibniz &c. bestritten. Anthropoph. 4, 224.

Infranaturalismus = Impotenz des ethisch-bösen, und dagegen Supranaturalismus = Potenz, Herrlichkeit, Befreiung des ethisch-guten Lebens.

Inhalt und Form s. Form und Inhalt.

Initiative, die — zur freien Communication des Menschen mit einer höhern Region konnte ihm nur von dieser selbst (im Wunder) kommen. Antirel. Phil. 2, 481. Die göttliche Politik scheint überall dem Schlechten und Bösen die Initiative zur Herbeiführung und Offenbarung des Guten zu lassen. Rel. u. Pol. 6, 23. •

Innewerden, Erfahren. Fronl. 7, 244.

Inneres und Aeusseres und die Conjunction beider bilden einen Ternar; ebenso das Feuer-, Wasser- und Erdprincip; die feurig-siderisch-solarische, die wässerig-lunarische und die beide einträchtig machende (unirende) Potenz (☿). Spec. Dogm. 9, 134 ff. Nur durch die Conjunction eines Innern und Aeussern geschieht alle Licht- und Worterzeugung. Espr. 12, 272. Alles Wirkliche kommt nur durch die Conjunction eines Aeussern und Innern zu Stande, so bei der Ton- und Worterzeugung. Vor der Conjunction jedoch oder abstract ist weder das Innere noch das Aeussere bereits manifest. Spec. Dogm. 8, 135. Innerlichkeit und Aeusserlichkeit ist nicht (mit Uebersehung der vermittelnden Function des Formationsgrundes) dualistisch zu fassen. Societ. 14, 114. Innerlichkeit und Aeusserlichkeit ergänzen sich nur in ihrer Conjunction (Mitte, Grund). Nouv. hom. 12, 249. Den in der Philosophie bis jetzt noch geltenden Begriffen der Subjectivität und Objectivität entgegen ist auch die Trilogie im Selbstbewusstsein *(ipsi insum, mihi inest, mihi adest)*

oder auf das Gesetz, dass jede Coexistenz durch eine Inexistenz
bedungen ist, zu verweisen. Spec. Dogm. 9, 94 ff. vgl. 33.
Incomp. 4, 310. Anm. Schema für den Begriff der Identität
des Subjects und Objects oder der Innerlichkeit und Aeusserlichkeit. Spec. Dogm. 8, 66. *Si pater in filio, filius in
matre*, d. h. wie der Vater das Innere (Geistige) des Sohnes,
so ist der Sohn das Innere (Geistige) der Mutter. Im Sohn
geht die Begeistung des Vaters und die Beleibung der Mutter
zusammen. Spec. Dogm. 8, 177. Innerliches und Aeusser-
liches, centrales und peripherisches Sein sind nothwendig zum
Dasein, wie Empfindung und Anschauung nothwendig zum
Begriff sind. Spec. Dogm. 8, 349 ff. Innerlich und äusserlich
bestimmt, erfüllt und manifest zu sein, ist der Grundtrieb alles
Seienden (Ganzheit, Integrität — Unganzheit, Qual). Incomp.
4, 312 Der äussere und der innere Lebensverkehr ruhen in
einander. Verkörp. 2, 8. Nur durch Aeusserung wird die
wahrhafte Innerung gesetzt. Ferm. 2, 159. S. Natur. Im
Innern und Aeussern soll sich nur éin Regiment kundgeben =
Intension und Extension. Ferm. 2, 202 ff. Vgl. noch über
Innerlichkeit und Aeusserlichkeit: Sichtb. K. 7, 213. Opf. 7, 298.
Anm. Versehens. 4, 379. In Gott ist eine Interiorität und
Exteriorität zu unterscheiden, letztere aber nicht als die der
Creatur zu fassen. Myst. Magn. 13, 168. Aeusseres in Gott,
ewiges, nicht von Gott getrennt, aber doch von ihm unter-
schieden als (nichtpersönliches) Wesen = Ort, Himmel, Wohnung,
Stätte, Doxa = Sophia, Auge, Leib, himmlische Jungfrau,
Heva. Geist u. W. 10, 11. Das äussere Sein Gottes (Ekstasis)
ist etwas Anderes, als das Sein der Creatur, insbesondere der
zeitlichen. Spec. Dogm. 8, 78. 80 ff. Begriff der Aeusserlichkeit in Gott. Abweisung des Eunuchenspiritualismus. J. B. Theol.
3, 402 ff. — Auf dem äussern und innern Geschehen ist
unser religiöser Glaube gegründet. Urtern. 7, 37 ff. Das
Aeussere und Innere kann beides gut und böse sein. 2. Cap.
d. Gen. 7, 232. Anm. Fronl. 7, 242. Inneres und äusseres
Wort, innere und äussere Sprache. Bonald 5, 11. Innere und
äussere Wirksamkeit des Wortes (Logos) und der Kirche. Indiff.

5, 191 ff. Aeusseres und inneres Wort, äussere und innere Begründung, äusseres und inneres Zeugniss (s. d.). Indiff. 5, 282. Innere und äussere Begründung des moralischen Gesetzes; Conjunction des innern und äussern Lichtprincips. Kath. u. Prot. 1, 78. Das Aeussere ist Anzeige, *praesagium*, *index*, des Innern; nichts vermag sich unserer Empfindung oder unserem Gedanken mitzutheilen, als vermittelst äusserer Eigenschaften. Einfl. d. Zeichen 2, 198. Widerspruch des Innern und Aeussern beim Sünder. Nouv. hom. 12, 244. Inneres und Aeusseres in Beziehung auf Cultus und Auctorität fordern sich gegenseitig. Opf. 7, 406. Anm. Die Aeusserlichkeit des Cultus ist nicht leere Ceremonie. Fronl. 7, 243. Aeuserliches Ding. Heg. üb. Euch. 7, 254. Aeussere Welt d. h. der die innere Begründung fehlt == eitel, leer, stumm. Zeitbgr. 2, 89. Anm. Aeussere und innere Anschauung == Mechanik, Dynamik. Elemphys. 3, 215. Es gibt ein inneres Thun (Wirken *ad extra*) und ein inneres Schauen, die nicht durch äusseres Thun und Schauen durch die äussern Sinne vermittelt sind. Inn. Sinn 4, 98. Es gibt ein doppeltes Inneres und Aeusseres, ein gutes und böses. Br. 15, 182 ff. — Inneres und Aeusseres == Unsichtbares und Sichtbares == Wesen und Erscheinung (noch kantisch gefasst?). Tageb. 11, 36 ff. S. Erscheinung.

Innung, Corporation, darauf beruht durchaus die christliche Religion. Ferm. 2, 215. Das Christenthum ist das Innungsprincip, s. Gesellschaft.

Inspiration, Begriff derselben == Geisten einer Seele in eine andere, zur Einvermählung der inspirirten Seele in die spirirende. Em. d. Kath. 10, 74. 85.

Instinct, der — einer niedrigern Wesensklasse wird, wenn diese in die Wirkungssphäre einer höhern gebracht wird, theilweise zu einer Stufe von Kraft und Intelligenz erhoben, die bei dieser höhern die gewöhnliche (natürliche) Wirkungsweise ausmacht. Bildungsl. 2, 111—113.

Institute für Religion und Wissenschaft, dieselben müssen zwar besondere, aber doch nicht National-, Privat- oder Winkelinstitute, sondern Humanitätsinstitute und ihnen die Weltstand-

schaft (s. d.) gesichert, auch dürfen sie nicht zwiespältig sein.
Ferm. 2, 438 ff. Wiss. u. Rel. 1, 90 ff.

Insurrectionen und Kriege können unter Umständen durch
ein moralisch-religiöses Princip nicht nur gerechtfertigt, sondern
auch als Pflicht geboten werden. Zeitschr. Av. 6, 42.

Integration, Integrität: Das erste Gesetz der Integration
ist: der Integrator, der nur ein Selbstintegrer sein kann, hat
sich dem Desintegrirten frei zu conformiren, mit Suspension
der vollen Manifestation seiner eigenen Integrität. Spec. Dogm.
8, 259. Integrität des Seins = wechselseitige Ausgleichung
der Vergangenheit (Alter, Tod) und der Zukunft (Geburt,
Jugend). Form od. Maass 2, 522.

Intelligenz: *Intellectus videt, sed sine voluntate non format
seu efficit.* Societ. 14, 156. Thomas von Aquin über den
intellectus (cognitio) in Bezug auf Gott. Erläut. 14, 199.
201. 204. 216. 288. 324 ff.; in Bezug auf den Menschen
und dessen Erleuchtung. Ebd. 14, 220. 224. 245. 247. 279.
347 ff.; überhaupt. Ebd. 14, 259 ff. 285. 297; über Erkenntniss und Wille. Ebd. 14, 251. 304 ff. Intellectuelle
Anschauung ist nicht als Schauen ohne alle Denkthätigkeit
noch als Intelligenz ohne alle Sinne zu fassen. Rel. Phil.
1, 306. Ob die Intelligenz ohne materielle Sinnlichkeit durchaus sinnenlos sei. Ausnahmen von der Sinnengebundenheit
schon im irdischen Leben. Spec. Dogm. 8, 247. Intelligenz,
nicht ohne Nichtintelligentes zu denken. Priorität (Superiorität)
jener vor (über) diesem. Ferm. 2, 164. Spec. Dogm. 9, 38.
Intelligenz und, Nichtintelligenz bilden nicht einen Gegensatz, sondern einen Untersatz; beide haben ein Centrum und
eine Peripherie, schliessen aber doch eine Triplicität in sich.
Opl. 7, 278. Immaterielle Intelligenz, im Unterschiede von
der Materie und der immateriellen Nichtintelligenz. Selbst-
bandeln ist Selbstanfangen. Tabl. 12, 186. Die intelligente
und nichtintelligente Creatur wurden zugleich geschaffen. Seg.
u. Fl. 7, 81. Irrthümliche Meinung Einiger, dass die Intelligenz nur im Menschen, und sonst weder über noch unter
ihm in irgend einem Wesen wohne. Incomp. 4, 321. Drei-

faches Verhalten der Intelligenz zur Natur und zu Gott: In, ohne, gegen Gott, sowie über, in, unter der Natur. J. B. Theol. 3, 380. S. Region. Das Sein und Leben der Intelligenz beginnt mit Empfangen; ihr Denken ist nicht Erdenken, sondern Nachdenken, ihr Sprechen Nachsprechen. Indiff. 5, 242 ff. Hemmung der freien Evolution der Intelligenz durch Lossagung von aller Tradition, wodurch die Speculation revolutionär ward. Rel. Phil. 1, 171 ff. Ueber die Freiheit der Intelligenz. Rede (1826) 1, 133. vgl. Br. 15, 437. Das Licht der Intelligenz eine Belohnung der Liebe zur Wahrheit. Gefühl Anfang und Ende der Intelligenz. Minist. 12, 412. 416.

Intensität, Extensität jedes Lebendigen = Doppeltrieb desselben, die Vielheit seiner Kräfte, Qualitäten &c. in sich als Einheit aufzuheben und hinwiederum sich als Einheit in sie aufzuheben. Ferm. 2, 162. S. Form, Inneres. Intension und Extension der Kräfte. Ferm. 2, 240. Anm. vgl. Anschauung. *Intensum* und *Extensum* nach Oetinger. Spec. Dogm. 8, 113 ff. Intensiv, protensiv, extensiv, gefasst als tetradisch, d. h. alle Dimensionen erfüllend, mit Bezug auf das ewige Leben und die Stelle. Eph. 3, 18. Blitz 2, 36. Anm. Intensivität, Extensivität und Inbegriff beider = Ternar von Zahl (s. d.), Maass und Gewicht. Spec. Dogm. 8, 161. Extension, Protension, Intension. = Dreifache Dimension jedes Seienden = Zahl, Maass, Gewicht oder Energie. Mit den beiden ersten d. h. Räumlichkeit und Zeitlichkeit, ohne Hinzunahme des dritten Begriffes reicht man nicht aus. Societ. 14, 65. 71 ff. Naturintensität, Lichtintensität, wirkende Intensität. Myst. Magn. 13, 205.

Interficite errores, diligite homines (Augustin). Kath. u. Prot. 1, 73. Br. 15, 418.

Intuitionen oder Erkenntnisse, primitive (centrale) und secundäre (peripherische), nach Goethe's Farbenlehre. Societ. 14, 95—197. Das intuitive Erkennen ist nicht etwas Unwahrhaftes und Illusorisches, und auch nicht als engere Sphäre dem reflectiven Vernunfterkennen untergeordnet. Abbrev. 4, 109.

Intussusceptio und *Ab-intus-productio* ist der Natur

eigenthümlich, im Gegensatz einer blossen *Juxtapositio* oder *Ablatio*. Incomp. 4, 320. Spec. Dogm. 9, 275 ff. Emanc. d. Kath. 10, 68. Jene ist der Hauptbegriff des physiologischen Lebens, nämlich die Einsicht, dass wie die ins Lebensfeuer gebende Materie als solche oder als Ponderabeles aufgehoben (verzehrt) wieder v e r g e h t, eine solche, sowie sie aus diesem Feuer hervorkommt, als Ponderabeles e n t s t e h t. Spec. Dogm. 9, 56. Elemphys. 3, 216.

I n v o l u t i o n = Sich-zusammennehmen, Sich-sammeln, Sichfassen u. s. w., Bedingung aller E v o l u t i o n = Sich-aussprechen, Sich-öffnen, Sich-aufschliessen. Verkörp. 2, 3. Anm. Involutionscentrum und Evolutionscentrum = *Centrum naturae* und Sonnengestirn. Ekst. 4, 12.

I n w o h n u n g s. Durchwohnung.

J o h a n n e s Lehre vom Worte = der J. Böhme's. Ferm. 2, 402.

J o h a n n e s von Parma, Verfasser des Evangelium s. *Spiritus*. Seg. u. Fl. 7, 128. Anfang des Protestantismus. Briefw. 15, 429.

J o n g l e u r s, religöse, politische. Ferm. 2, 200.

I r d i s c h - o d e r S o n n e n l e b e n d e und Abgeschiedene. Seg. u. Fluch. 7, 102. S. Abgeschiedene.

I r r t h u m, ein solcher muss widerlegt werden. Indiff. 5, 129. Wozu das Auftreten der Irrlehrer anregen soll. Augustinus darüber. Spec. Dogm. 8, 18. S. Häresie. Irrthum in Liebe ist nicht besser als Wahrheit in Hass. Sichtb. K. 7, 217. Die Irrthümer und Ketzereien Caricaturen der Wahrheit. Dölling. Euch. 7, 67. Anm. Jeder Irrthum ist nur durch seinen Hinterhalt der Wahrheit kräftig. Revis. d. Wiss. 10, 267. Seg. u. Fl. 7. 77. Anm. Rel. Phil. 1, 156 ff.

I s o l i r u n g des Geistes und der Natur, wodurch jener als Gespenst, diese als Leichnam erscheint. Begründ. d. Eth. 5, 34. Isolirung des Menschen d. h. Nichtempfangen und Nichtgeben in der Function seines erkennenden Geistes und seines Herzens. Indiff. 5, 200.

I s r a e l, das contrahirte Bild der gesammten Menschheit (des *homme général.*) Opf. 7, 349. S. das Folgende.

Judenthum, Träger der ältesten Traditionen der Menschheit.
Bonald 5, 46 ff. Repräsentant der Menschheit überhaupt, gleichwie Christus der allgemeine Mensch ist. Ferm. 2, 202. Opf.
7, 314. S. Israel. Die erste Stufe der Restauration des Judenthums, nämlich in die Region der Natur. Opf. 7, 311. Zweite
Epoche, die Gesetzgebung auf Sinai, Erhebung in die Region
des Geistes. Opf. 7, 318. vgl. 320 ff. Dritte Epoche, Laubhüttenfest, Erhebung in die göttliche Region. Opf. 7, 322. Die
Bedeutung des Prophetenthums. Opf. 7, 341 ff. Die Untreue
der Juden. Opf. 7, 343 ff. Nicht nur das Seelenheil kommt
von den Juden, sondern auch die Wissenschaft. Urtern. 7, 36.
Dogm. 8, 51. Das Judenthum ist von Martinez Pasqualis
nicht bloss in seinen Formen, sondern auch in seinen magischen
Kräften wieder vergegenwärtigt worden. Mart. Pasqu. 4, 118.

Jung Stilling, zwei Briefe Baaders an ihn (1815. 16). Br.
15, 272. 299. Sein Tod. 301. — Jung's Theorie der Geisterkunde. Br. 15, 253 ff. In seiner Ansicht vom Hellsehen hat
er den vergänglichen Sternengeist mit dem ewigen Lichtgeist
vermengt. Br. 15, 285. 290. Anm. — **Jung**, Alexander:
Dessen Lebensskizze Baader's in: Charaktere, Charakteristiken
und vermischte Schriften (1848). Biogr. 15, 66. Anm.

Jungfrau = Idea, Sophia. S. Weisheit. Maria.

Jupiter und Juno, nach Weigel. Geist u. W. 10, 11.

Jurieu. Sein System der Fundamentalpunkte des Christenthums.
Bonald, 5, 150 ff. 169 ff.

Justificirung eines Mörders, *vis sanguinis ultra mortem,*
Todesstrafe, Opfer &c. Versehens. 4, 383 ff.

Justin's δύναμίς τις λογική = Sophia. Rel. Phil. 1, 300.

Ixionsrad, Wurm des Lebens. Blitz 2, 33. = ewige unselige
Kreisbewegung, im Gegens. der ewigen seligen, und der zeit-
lichen leeren Kreisbewegung. Myst. Mag. 13, 167. = Ent-
stundensein des basischen Princips einer freien Creatur, in der
die Ichheit aufgegangen und die Circulation des gemeinsamen
Lebens gehemmt ist. Begründ. d. Eth. 5, 22. = immanentes
Fallen oder Stürzen, Gegentheil des Kreisens um die Mitte.
Spec. Dogm. 8, 168. S. Orpheus.

K.

Kabbalah = älteste Tradition, Des err. 12, 83. Die erste unter allen Theologien und Philosophien des Alterthums. Magik. 12, 549 ff. — Ein Torso der ältesten Naturphilosophie, überbaut von talmudistischen Grübeleien. Saint - Martin darüber. Ihr Wesentlichstes: Lehre über das Verhalten der androgynen Zeugung zur Zeugung durch zwei getheilte Geschlechter. Die Lehre derselben von der Einheit. Br. 15, 168 ff. — Das Ensoph (= formaler, unergründlicher Wille bei J. Böhme) hat zwar den Ternar (und folglich auch den Quaternar) in sich bereits, aber nicht actu, in Vater, Sohn, Geist. Sophia entwickelt und verselbständigt. Spec. Dogm. 8, 116. = Supernaturales Sein Gottes, dreieinfach, unterschieden von den folgenden 10 Sephirot, ähnlich wie der ausser Natur seiende Gott bei J. Böhme. J. B. Theol. 3, 384. Weiteres über Ensoph. Ebd. 3, 406 ff. Quar. Qu. 12, 485. — Stelle aus dem Buche Jezirah, angewandt auf die böhmisch - baader'sche Construction der sieben Naturgestalten. Br. 15, 270. S. ferner Weisheit, Zahlenlehre, Siebenzahl, Vierzahl, Elohim, Hebräer, Judenthum, Christenthum, Spinoza, Wachter. — Kabbalistische Rechnungsspielwerke. Ferm. 2, 321. Die Kabbalisten und Schwenkfeldianer tragen mit Unrecht den Begriff der Geschlechter in Gott hinein; doch ist dieses in einem höhern Sinne gestattet. Spec. Dogm. 8, 112. Die Theurgie der Kabbalah. Spec. Dogm. 9, 267. Kabbalah und Magie muss jeder Theolog kennen. Br. 15, 461.

Kaindl, die Teutsche Sprache aus ihren Wurzen. Salzbach. 1815 — 24. Myst. Magn. 13, 219 ff. S. Imago. Ueber das syrische *asal* = *abire, redire*. S. Hebräer. Vgl. *bara*.

Kälte als eigenes Princip im Gegensatz von Wärme = kaltmachende Materie nach du Hamel und Muschenbroek (*materia frigorifica*) und Humboldt. Wärmest. 3, 53. Fest. u. Flüss. 3, 189. Warmmachende Materie = dem *calorique* Lavoisier's. Fest. u. Flüss. 3, 189. Kälte- und Wärmeprincip = condensive und expansive Grundkraft. Zusammenhang von Kälte mit Salz und Licht. Pyth. Quadr. 3, 249 ff. 260 ff. S. Wärme.

Kammern, über den eigentlichen Zweck und das Organisationsprincip der Kammern. Schr. (1804?) 6, 217 ff.

Kanne über Lucifer und Adam's Seele. Privatvorl. 13, 141. Christus im alten Testament. J. B. Theol. 3, 368. Leben merkwürdiger Christen. Ekst. 4, 8. vgl. Opf. 7, 300. Vgl. auch über ihn Br. 15, 262. 269. 320. 558.

Kant nennt die Idee Gottes das Ideal unserer Vernunft (1786. 12. April). Tageb. 11, 4. S. Wunder. Seine Lehre über das Ding an sich, ausser uns und in uns. Ebd. 11, 7. Bemerkungen dagegen schon Ebd. 11, 15. S. Ding an sich. Kant's Idealismus, ein heilsam kritisches Symptom. Ebd. 11, 58. S. Ideales. Ansicht über das Fatum im Gegensatz zu Kant's Lehre vom Gebet (Anm. d. H.). Ebd. 11, 137. S. Gebet. Kant's Geständnisse über die reine Vernunft. Ebd. 11, 168. Mehrerlei Kantische Ansichten vom Verf. vorgetragen. Ebd. 11, 197. Auszüge aus Kant's Schriften nebst Urtheilen über ihn, insbesondere die practische Bestimmung des Menschen und die Erkenntnisstheorie betreffend. Ebd. 11, 289 ff. bis 361. Auszüge aus Kant's metaphysischen Anfangsgründen der Naturwissenschaft nebst Einschaltungen des Verf. Ebd. 11, 372 ff. Ueber Kant's Metaphysik. Schr. (1794?). Ebd. 11, 405 ff. — Ueber Kant's Deduction der practischen Vernunft und die absolute Blindheit der letztern. Schr. (1796) 1, 1 ff. Kant's Metaphys. Anfangsgründe der Naturwissenschaft. Fest. u. Flüss. 3, 184. 202. Anm. Elem.-Phys. 3, 305. (Die daselbst vorgetragene Lehre von Hylozoismus vgl. mit Saint-Martin's Lehre von der *force vivante des élements*. Br. 15, 164). Kant's Gedanken von der wahren Schätzung lebendiger Kräfte. Elem.-Phys. 3, 208. Kant's Kritik der Urtheilskraft. Elem.-Phys. 3, 207. Kant's Kritik der reinen Vernunft; Versuch den Begriff der negativen Grössen in die Weltweisheit einzuführen. Elem.-Phys. 3, 210 ff. Urtheil über Kant. Elem.-Phys. 3, 242. Anm. Kant über den Lebenscirkel von Ursache

und Wirkung. Verkörp. 2, 8. 8. Schema, Architektonischer
Verstand. Kant hat der Aufklärungsepoche den Leichensermon
gehalten. Spec. Dogm. 8, 20. Kant kam in seiner Lehre
von Zeit und Raum als bloss subjectiven Anschauungsformen
der Einsicht in die abstracte Natur der Materie näher wie seine
Vorgänger. Spec. Dogm. 8, 219. Kant's Lehre von der
Materie, als hinweisend auf eine jetzt noch unsichtbare Welt.
Spec. Dogm. 8, 287. Kant, Fichte, Schelling und Hegel über
Geist und Natur, Subject und Object. Spec. Dogm. 8, 158.
9, 94 ff. S. Inneres. Die Verderblichkeit der kritischen Philosophie. Ferm. 2, 324. Kant nahm Schein für Erscheinen.
Nouv. hom. 12, 251. Kant und die Moralisten. Zeitbgr. 2,
67 (94) ff. Kant hat nicht den Verband der Ethik und Physik
übersehen. Begründ. d. Eth. 5, 7. Kant's Begriff der Freiheit
und des radicalen Bösen hat viel zur Irreligiosität der neuen
Doctrinen beigetragen. Ferm. 2, 175. Widmer's August 7, 56.
Kant über den Ursprung des Guten und Bösen im Menschen.
Spec. Dogm. 8, 145. Die Lehre von Kant, Fichte, Schelling
und Hegel über den Ursprung des Guten und Bösen im Menschen. Spec. Dogm. 9, 18 ff. Kant setzt das Gute und Böse
im Menschen in die normale Subordination der Maximen. Espr.
12, 277. Seine Selbstgesetzgebungslehre ist von Saint-Martin
einfach und schlagend widerlegt. L'hom. 12, 208. vgl. Tabl.
12, 196. Ueber Kant's Definition der Liebe als Neigung zu
dem uns Vortheil Bringenden. Ferm. 2, 179. vgl. Aphor. 5,
264. 282. Ueber Kant's Lehre vom Gesetz als einem Non
plus ultra. Ferm. 2, 293. Ueber Kant's Bemühen, das Erkennen erst kritisch erkennen zu lernen, ehe man mit ihm
ans wirkliche Erkennen geht, ist eine misslungene Unternehmung
gewesen. Rel. Phil. 1, 259. Kant's Religion inner den Ver-
nunftgränzen enthält viel Unvernünftiges und das Vernünftige
darin ist nicht etwas von der Vernunft selbst Erfundenes. Spec.
Dogm. 8, 341. Warum Kant's Kritik so grossen Beifall gefunden. Franz. Rev. 6, 323. Kant's subjectiver Glaubensbegriff
macht jede Glaubenspflicht, jede Auctorität unmöglich. De la
Mennais Paral. 6, 121. Kant, Fichte, die Naturphilosophie

und Hegel haben das überzeitliche Sein der Creatur geleugnet. Fund. d. Christ. 10, 47. Kant hat mit seiner Theorie des Raumes und der Zeit grosse Verwirrung angerichtet. Form od. Maass 2, 522. S. Zeit und Raum. Atheismus. Autonomie. Hoffm. Einl. II, XXXIV—XLI. v. Osten. Einl. XII, 10. 40. Anm.

Karl der Grosse. Emanc. d. Kath. 10, 57. Morg. u. Ab. Kath. 10, 107. 116. Anm.

Karsten, Philos. der Chemie. Einl. III, XXXI.

Katastrophen in der äussern Natur, veranlasst durch die Verbrechen des Menschen und des gefallenen Geistes. Ferm. 2, 295. Spec. Dogm. 8, 151. Die Katastrophe, womit Moses beginnt = Materialisation und dadurch Enthebung, Detartarisation der Natur. Sie nahm ihren Anfang mit der aus dem gesammten Weltraume gezogenen und herausgestzten **Erde** (nicht als Himmelsgestirn zu fassen). Spec. Dogm. 9, 53. Die Katastrophe der Welt fand nach den Sagen und Mythen aller Völker vor aller Geschichte statt. Die Weltzeit bestand schon vor der Sendung des Menschen in sie. Misskennung der Katastrophe bei vielen ältern Theologen. Spec. Dogm. 8, 79. 113. Weltkatastrophe, die der Schöpfung des Menschen vorherging. Aphor. 5, 256. Opf. 7, 294 (Anm. d. H.). S. Erde.

Kategorien der Natur: Die richtige Auffassung der ersten (der Attraction) gibt die übrigen von selbst an die Hand. Rüge 8, 327. S. Naturgestalten.

Katholicismus und **Protestantismus**. Schr. (1824). 1, 71. Katholicismus vor dem Christenthum. Indiff. 5, 193. Anm. 245. Der Katholicismus als Form des Christenthams: keine Form ist gegen ihren Inhalt gleichgültig. Heg. üb. Euch. 7, 257. Der wahre, lebendige Katholicismus *Semper augusta, nunquam angusta meditans* in und ausser der Kirche. Solid. Verb. 3, 336. Worin der Hass des Katholicismus seinen Grund habe. Er soll Weltkirche, nicht verweltlichte Kirche sein. Zur Weltreligion gehört das Priesterthum als Weltstand. Vermögensl. 6, 141. S. Weltstandschaft. Ob dem Klerus der wissenschaftliche Unterricht wieder zu übergeben sei. Der protestantische

und der katholische Klerus der neuern Zeit. Wiss. u. Rel.
1, 86 ff. S. Klerus. Muthlosigkeit eines grossen Theils des
Klerus im Katholicismus und Protestantismus, weil das Kirchen-
lehramt im ältesten wissenschaftlichen Sinne eingegangen. Ver-
mögensl, 6, 128. Katholiken und Protestanten nehmen ihre
Zuflucht zum Feigenblatt der kritischen Philosophie, um ihre
Blösse zu decken. Spec. Dogm. 8, 212. Das Verhältniss des
Katholicismus und Protestantismus zur Wissenschaft (gegen
Schelling). Br. 15, 466. Die Reformation des Katholicismus
hat begonnen (1881). Br. 15, 468. S. Opposition. Katholicismus, Papismus, Christianismus nach Saint-Martin. Der
Katholicismus ist die Form des Christianismus. Minist. 10, 408 ff.
Ueber Katholicismus, Protestantismus und deutsche Theologie
und Religionswissenschaft, sowie Papismus und altgläubig
griechische Religion. Fund. d. Christ. 10, 22. S. Römische
Kirche. Katholicismus = *ecclesia pressa* zwischen Rom und
dem Protestantismus. Emanc. d. Kath. 10, 56. Der Katholicismus soll frei sein von der Reaction der Weltmächte und
von der Opposition des Protestantismus. — Der Verf. hat
in allen seinen Schriften den Katholicismus vertheidigt, aber
nie die Auctokratie oder Infallibilität seiner Vorsteher. Zurückweis. 5, 408.

K e i m, G e w ä c h s, B l ü t h e (oder Frucht), die drei Momente
alles Wachsthümlichen. Spec. Dogm. 9, 10. 149. — In allen
Menschen findet sich der Keim oder die Anlage zum Geistmenschen vermöge ihres Versehenseins in Christo vor Grund-
legung der Welt. Bildungsl. 2, 115. In den Keimen liegen
alle höhere Kräfte schon präformirt. Tabl. 12, 175.

K e i r, Physiker. Anleit. 6, 258. S. Feuer, oder Wärmetheorie.

K e n r i c k, Fr. Patr., Erzbischof von Baltimore: Das Primat des
apostolischen Stuhls (1853). Röm. u. russ. K. 5, 397. Anm.

K e p l e r, über die Wiederaufhebung der Ellipse in einen actuosen
Kreis. Ferm. 2, 300. *Prodromus. Ecce hom.* 12, 425. Vgl.
Br. 15, 398. S. Paracelsus.

K e r n e r, J u s t i n u s, die Seherin von Prevorst (1829). Randglossen dazu 14, 858 ff. Vgl. Ueber zwei Recensionen der Schrift: Die Seherin von Prevorst. Schr. (1829). 4, 141 ff. und daselbst 145. Anm. Vier Briefe Baader's an ihn (1832 —1835). Br. 15, 481—531. Geschichte der Besessenen neuerer Zeit (1835). Spec. Dogm. 9, 87. Vgl. Bemerkungen bei der Lesung der Geschichte Besessener neuerer Zeit. Schr. (1835) 4, 243 ff. Eine Erscheinung aus dem Nachtgebiete der Natur (1836). Incomp. 4, 303 ff. Vis. sang. 4, 423 ff. Vgl. Br. 15, 545 ff.

Kerning, Schlüssel zur Geisterwelt. Heg. üb. Euch. 7, 253.

Ketzerverfolgungen bei den Katholiken seit Augustin. Morg. u. Ab. Kath. 10, 238.

Kielmayer. Br. 15, 216. 279.

Kieser, Archiv für thierischen Magnetismus. Polemik gegen ihn. Ekst. 4, 17 ff. Div. 4, 73. Anm. Kieser's und Hegel's Hypothese über den Magnetismus als Getheiltheit des Menschen in zwei Hälften, die Gefühls- und die Erkenntnissseite, mit Unterdrückung dieser durch jene. Abbrev. 4, 110. Vgl. Br. 15, 336. 340. 482. Polemik gegen Kieser's Ansicht von der blossen Subjectivität aller Geistererscheinungen. M. Pasq. 4, 129 Anm. Kieser's System des Tellurismus. Vorr. 1, 412. Ueber dessen Erklärung der magnetischen Zustände. Revis. d. Wiss. 10, 276 ff. Einl. IV, XLVIII ff.

Kind s. Vater und Mutter.

Kirche: Ueber die sichtbare und unsichtbare Kirche, sowie über die sichtbaren und unsichtbaren Wirkungen der sichtbaren Kirche. Schr. (1829) 7, 209 ff. Ueber die Kaïnitische Kirche, im Gegensatz zur Abelschen und Sethischen. Aph. 5, 302. Nothwendigkeit einer äussern Kirche. Magik. 12, 588 ff. Das Kirchthum als solches d. h. die Auctorität der Kirche ist von den Reformatoren unabsichtlich bekämpft worden. Kath. u. Prot. 1, 76. Die *Lex assistentiae* sagt nichts Anderes, als dass die Kirchenvorsteher nicht in und mit i h r e r, sondern in und mit der göttlichen Kraft die Kirche (die religiöse)

Societät zu erhalten vermögen. Die religiöse Gesellschaft ist der Fels, an dem allein alle politische Gesellschaft ihren Halt finden kann. Indiff. 5, 149. Die Einheit der katholischen Kirche. Indiff. 5, 203. Die römisch-katholische Kirche kann und wird nur dadurch wieder die Eine und Einzige werden, dass alle von ihr sich getrennt habenden *soi disante* Kirchen in sich selber wieder gänzlich werden zerfallen sein. Rel. u. Wiss. 7, 52. Die katholische Kirche keine Nationalkirche. Seg. u. Fl. 7, 92. S. Weltstandschaft, Institute. Die christliche Kirche ═ Weltkirche, religiöse Weltsocietät, nicht Nationalkirche, nicht Vereinzelung. Die Kirche kann sich nicht mit dem Liberalismus (Rationalismus) und nicht mit dem Servilismus verbinden. Bonald 5, 92. Verh. d. Wiss. 1, 354. Zwiesp. 1, 863. Nationalisirung der Kirche. Trennb. 5, 380. 382. Verweltlichung der Kirche in Frankreich vor der französischen Revolution. Franz. Rev. 6, 293. 315. Weltliche Kirche. Kirchenvorst. 5, 401. — Dreifaches Verhältniss von Kirche und Staat: theokratisches, protestantisches und drittes (das der Unterscheidung und Versöhnung beider). Zeitschr. Av. 6, 42 ff. Die Wortführer in Kirche und Staat werden sich umsonst bemühen, den Teufel, der ein Spiritualist ist, mit Materialismus zu bekämpfen. Br. 15, 499. Kirche und Staat sind nur frei von einander im Bunde mit einander. Ebenso Wissenschaft und Kunst nur im Bunde mit jenen beiden. Posit. Rechtsbest. 6, 65. Kirche und Staat als Darstellungen der Idee (s. d.) Spec. Dogm. 8. 74. Der Lebensbaum der Kirche, des Staates, der Wissenschaft &c. ist weder mit den Radicalen umzuhauen, noch mit den Conservativen in allen Augen und Trieben zu beschneiden. Wiss. u. Rel. 1, 93. Kirchenraub wäre es, die Kunst dem Dienste der Religion zu entziehen. Ferm. 2, 218. Alle Kirchenlehrer waren speculative Philosophen. *Philosophandum est, si vel minime philosophandum est.* (Clem. Alex.) Spec. Dogm. 8, 19 ff. Die ursprüngliche corporative Kirchenverfassung wurde allmählig deprimirt. Bemerk. 5, 394. Die Kirchengeschichte hat vier Epochen: 1) die corporative Gestaltung der Kirche, 2) die Staatskirche (Karl der Grosse), 8) der Kirchenstaat

(Gregor VII.), 4) die Reformation. Ebend. 8. Christenthum. Die Kirchenspaltung wurde zum Theil veranlasst durch Nichtunterscheidung des passiven Glaubens und der eigenen Wirksamkeit. Spec. Dogm. 8, 44. Die gräcorussische Kirche hat eine grössere Weltfreiheit als die römische. Morg. u. Ab. Kath. 10, 91. S. Katholicismus, Reformation, Römische Kirche.

Kirchenväter, die Auctorität derselben bei katholischen Theologen vertheidigt gegen Nösselt und Niemeyer. Dölling. Euch. 7, 62 ff. Die Lehren der Kirchenväter über den Primat, insbesondere Clemens d. Römer, Ignatius v. Antiochia, Justinus d. Märt., Irenäus, Cyprianus, Hilarius, Athanasius, Basilius, Ambrosius, Gregor v. Nazianz, Epiphanius, Chrysostomus, Hieronymus, Augustinus, Theoderet, Gregor I. Morg. u. Ab. Kath. 10, 159—203. Häufige Verfälschung der Aussagen der Kirchenväter in römisch-katholischen Ausgaben. Morg. u. Ab. Kath. 10, 202 ff.

Kirchenvorsteheramt, über das — auf Veranlassung der kirchl. Wirren in der preuss. Rheinprovinz. Schr. (1838) 5, 399 ff.

Kirchner, Verf. der Schrift: Die Philosophie des Plotin. Dogm. 8, 224. Anm. 297. Anm. Die speculativen Systeme seit Kant (1860). Oeuvr. 12, 480. Anm.

Klang oder Ton entsteht nur durch inneres Erheben. Hall oder hallische Substanz nach J. Böhme = Geist. Spec. Dogm. 8, 243. Privatvorl. 12, 107. Klangfiguren als Widerlegung der Atomistik. Elemphys. 8, 236. — als anschaulicher Beweis der Durchdringung Ferm. 2, 298. Alle Figuren sind wahre Klangfiguren (mit Bezug auf die zweite und sechste Naturgestalt, Herbigkeit und Hall). Studienb. 13, 387. Klang- und Lichtfigur der Formation. Nouv. hom. 12, 255 ff. S. Hooke, Figur, Bewegung.

Klee, Commentar zum Römerbrief (1830). Spec. Dogm. 9, 105. Ueber Tertullian. Relig. Philos. 1, 196. Anm.

Kleid und Leib verschieden. Espr. 12, 343.

Kleiu, Einleitung in die Bibel (Strassb. 1820) und Schöpfung der Welt (1828) 2 Cap. d. Gen. 7, 226.

Klenze und seine Partei in Bayern (1828). Br. 15, 451.

Kleuker's Magikon (1784), Anmerkungen Baader's dazu 12, 529.
— Vgl. Elemphys. 3, 218. Anm. B. d. e. G. 7, 192. Reg. Phil. 9, 652.
— Brief Baader's an ihn (1804). Br. 15, 188 ff. 291. Einl. 12, 65. 73.

Klopstock's Oden: Tageb. 11, 2. 5. 31. Minist. 12, 375. 376.
Messiade (die daselbst vorgelegte Cabinetsrede Gottvaters mit
dem Sohn) Comment. 18, 820.

Klugheit und Vernunft: Tageb. 11, 204. Lieblose Weltklugheit
im Gegensatze zur Thorheit der Liebe, die aber doch klüger
und glücklicher, wie jene macht. Aphor. 5, 264 ff.

Kölner Händel. Biogr. 15, 121 ff. Emanc. d. Kath. 10, 58.
Brüggemann's Mittheilungen darüber. Br. 15, 568. Leo, Bruno,
Bunsen: 571. Pflanz: 574.

Könige, die ersten — waren Sonnenpriester, Weltweise und
Richter. Spec. Dogm. 9, 29. In England und Frankreich
wurden Königthum und Religion zugleich bekämpft (no King,
no God). Kath. u Prot. 1, 75.

Kopf und Herz, für beide gibt es nur ein System der Moral
(s. o.) und Religion. Tageb. 11, 484 = Licht und Wärme;
Lichtkälte und Finsterwärme: Geist und W. 10, 4 ff. Vgl.
Tageb. 11, 50. S. Erlöser, Wärme, Licht.

Könige, worauf die Ehrfurcht vor ihnen beruht, Königthum und
Priesterthum sollten in derselben Hand sein. Des err. 12, 141.

Körper = materielle Substanz, Raumindividuum, für sich be-
wegliche Raumerfüllung. Elemphys. 3, 305. = Resultat einer
Zusammenwirkung von Kraft und Widerstand; daher nicht un-
durchdringlich. Espr. 12, 313. Körper, Gas (s. o). Geist, in
Bezug auf Umwandlung und Durchdringung. Einfluss d. Zeich.
9, 129. Körper bewegen nicht Körper. Ecl. 12, 488. Körper,
Materien, immaterielle Agentien. M. Pasq. 4, 125. S. Atome.
Jeder, auch der kleinste Körper, wirkt auf alle andern ein.
Fragm. 4, 49 ff. Anm. Der menschliche Körper besteht aus
Kopf, Brust, Unterleib, entsprechend: Salz, Schwefel, Mercurius.
Des err. 12, 125.

Kosmos, der —, dessen Schöpfung Moses beschrieben, ist nur
äussere Wiederherstellung der Ordnung. Das primitive Verderbniss rührte von Wesen her, die unter die Natur gestürzt

sind. Spec. Dogm. 8, 192. Alle Kosmogonien lassen die Welt
mit dem Licht entstehen und mit dem Blitz vergehen. Blitz
2, 42. — S. Schöpfung, Katastrophe. — Der Kosmopolitismus
wird ewig eine fromme Grille bleiben. Naturrecht. Gr. 6, 8.
Kotzebne's Bühnenstücke. Socialph. Aphor. 5, 389. Emanc.
d. Kath. 10, 65. u. Minist. 12, 408. Durch Kotzeb. Spannung
in Deutschland gegen Russland erregt. Biogr. 15, 79. 95.
Kraft, ihr Begriff kommt überall nur durch eine Synthesis eines
Mannigfaltigen des äusseren und inneren Sinnes (Extension, Intension) zu Stande == *Janus bifrons*. Elemphys. 3, 213.
Ueberall in der Natur oder Materie sind zwei Kräfte wirksam,
die Repulsion und Attraction. Lehre Kant's, Newton's n. A.
darüber. Tageb. 11, 74. 883 ff. Ohne die repulsive und anziehende Kraft zusammen ist keine Erfüllung des Raumes und
also keine Materie denkbar, nach Kant. Fest. und Fliss. 8, 185.
Wenn Kant die Materie von Kräften entstehen liess, so vergass
er, dass diese Kräfte nicht Gottes, aber der von Gott hervorgebrachten Wesen sind. L'hom. 12, 213. Es gibt nicht zwei,
sondern drei Grundkräfte. Espr. 12, 274. Nicht zwei Grundkräfte, wie Kant wollte, genügen, sondern nur drei, wie Gren
(und schon Paracelsus) behauptete == drei Naturseelen (Sal,
Mercurius, Sulphur — Thesis, Antithesis, Synthesis). Verschwinden der einen oder andern Kraft hat den Widerstreit der
beiden andern zur Folge. Auflösbarkeit (Corruptibilität) aller
Körper (△). Elementarphys. 3, 206 ff. Ueber die expansive
und compressive Kraft, sowie die Bindung und Entbindung eines
ungeheuern Quantums derselben bei Zerkleinerung oder Anhäufung == Wärme und Kälte. Elemphys. 3, 216. Pyth.
Quadr. 3, 249. Nicht die compressive und expansive Kraft,
sondern ein drittes, sie beide Vereinendes, ihr gemeinsamer
Grund, ist die Quelle der Schwere und sohin auch die Quelle
der eigenen Bewegung der Materie. Pyth. Quad. 3, 258.
Als die zwei Grund- oder Halbkräfte, deren nie beigelegter
Zwist oder Zweikampf das Leben der sichtlichen Natur ausmacht, bezeichnen die Alten das Feuer und das Wasser,
wenn sie noch ein drittes Princip, die Erde, gesellen. Pyth.

Quadr. 3, 263. 8. Elemente. Statt der a u s d e h n e n d e n (expansiven) und z u s a m m e n d r ü c k e n d e n (verdichtenden, compressiven) Kraft, oder nach Saint-Martin K r a f t und W i d e r s t a n d, sollte man lieber sagen: tragende oder e r f ü l l e n d e (haltende) Kraft und e n t h a l t e n d e Kraft oder auch hinaufsteigende und herabsteigende Kraft. Zeitbgr. 2, 59 (82). Anstatt *Force* (s. d.) und *Résistance*, Expansion und Compression etc. sagt man besser Involution und Evolution. Näheres über ihr Verhalten. Es sind eigentlich drei Grundkräfte wirksam. Espr. 12, 296. Ausdehnung, Zusammennehmung und Mitte, ein Ternar. Espr. 12, 295. Kraft und Widerstand. Espr. 12, 316 ff. 329. Die Expansion und Compression sind von Flächen und nicht von Punkten aus zu construiren. Tabl. 12, 178. Die enthaltende und erfüllende Kraft sind nicht nothwendig feindselig gegen einander, sondern sie bedürfen einander, und nur, wenn sie sie sich gegenseitig ihren Dienst versagen, hemmen sie sich gegenseitig. Zeitbgr. 2, 60 (84). Ueber A t t r a c t i o n (= condensive Grundkraft, negativ), E x p a n s i o n (= expansive Grundkraft, positiv) und R o t a t i o n (= Conflict beider, Bedürfniss einer Ausgleichung). Begründ. d. Eth. 5, 15. Bildungsl. 2, 101. Ueber enthaltende, erfüllende und eine dritte sie vereinende Kraft. Bildungsl. 2, 106. Die Astronomen nehmen in der Natur zwei Kräfte (Triebe) an, die centripetale und die centrifugale Kraft; man muss aber nicht zwei, sondern drei zählen: die das Centrum (die Mitte) überfliegende, die ihr entsinkende Kraft (beide centrifugal), und die wahrhafte Centripetalkraft. Rüge 3, 320. Die A t t r a c t i o n ist nicht die eine der beiden Kräfte, sondern das Tiefste, Früheste, das Centrum der Natur selber. In ihr entsteht die D u p l i c i t ä t des Triebes und der Bewegung. An und für sich nämlich ist sie Position in der Negation und Negation in der Position und erweckt so in sich den W i d e r s t r e i t (noch nicht Widerspruch) des E i n g e s c h l o s s e n e n mit dem E i n s c h l i e s s e n d e n, indem sie sich hierbei als Negativität, Unruhe, A n g s t k r e i s e n, Zorn erweist. Somit ist sie dreigestaltig in concreto. Rüge 3, 322 ff. vgl. 326. Kraft = Feuerblitz,

Feuer; dabei findet sich stets ein dreifaches: Anstrengung
(= Verhinderung, Entzweiung), Aufhebung derselben (= Verwandlung des Widerstandes in ein weichendes nachgiebiges Mittel
ihrer) Entwickelung. Ferm. 2, 240. Latenz der Kraft =
Disseminirung ihrer differenziellen Elemente, wogegen deren
Intussusception die Integrirung der Kraft herbeiführt. Ferm.
2, 413. — Zwischen Kräften und leiblichen Organen = Organen und Werkzeugen ist zu unterscheiden. Man kann letztere
verlieren und doch noch jene haben. Spec. 8, 163. Schaffende
Kräfte bei jedem Hervorbringen. Tabl. 12, 164 ff. Schaffende
Kräfte bezeugt in allen Substanzen und Wirkungen der Natur,
in allen Handlungen der Menschen, in allen Traditionen der
Erde. Tabl. 12, 194. Die Expansionskraft der Natur, analog
der Liebe Gottes. Tabl. 12, 200. Kraft mich zu Gott zu erheben = Kraft, die Natur unter mir zu erhalten. L'hom. 12, 209.
Krankheit = gehemmte Secretion. Br. 15, 243. Sie nimmt
immer ihren Anfang von einem geistigen Bilde. Br. 15, 692.
Leibliche und geistige Krankheiten: diese zu heilen, ist wichtiger, als jene. Minist. 12, 406 ff. In jeder Krankheit des
intelligenten und des nichtintelligenten Lebens ist ein geistig
oder leiblich Substanzielles (natura morbi) und ein Erzeugungs-
process (anima morbi), ein Genitor und Genitus, die zugleich
entstehen und bestehen. Antirel. Phil. 2, 473. S. Böses.
Durch den Krankheitsgeist (natura morbi) will das Pflanz-
liche im Organismus zum Selbstisch-thierischen potenzirt werden
= unerfüllbare Sucht nach Wesen. Solid. Verb. 3, 338. Anm.
Physische und psychische Krankheiten streben sich bis zur
Individualisation zu steigern (Besessenheit als Steigerung der
Leidenschaft). Bildungsl. 2, 103. Die Ursache der Krankheit
ist ein Schmarotzerleben (Bandwurm in einem Mutterorganismus).
Morg. u. Ab. Kath. 10, 108 ff. Durch das Hervortreten einer
vorhandenen Krankheit wird deren radicale Heilung möglich.
Aphor. 10, 351. Krankheit = Anticipation des Todes. Segen
und Fl. 7, 150.
Krause, von ihm der Ausdruck: Gottinniges Leben. Rat. Theol.
2, 503. Anm. Vgl. Hoffmann's Einl. zum III. Bd. der WW.

S. LVIII ff. Baader's Verwendung für Krause in München
1831. Biogr. 15, 119. Krause's Lebenslehre. Ferm. 2, 801.
Anm. Krause's Religionsphilosophie. Ferm. 2, 405. Anm.

Kreis: Erklärung der Kreislinie. Des err. 12, 150 ff. Alle
krummen Linien reduciren sich darauf. Des err. 12, 155. Novmbr.
12, 514. Das Leben vollendet seinen Kreislauf im Ternar, in
dem der Vater, sich gleichsam verzehrend in der Zeugung des
Sohnes, als Geist vor dem Gezeugten wieder in sich zurückkehrt. Urtern. 7, 85. vgl. 32. Anm. **) Kreisbewegung im
Leben des Absoluten: Dieses sich suchend geht von sich
aus, hiermit aber sich selber findend geht es ewig wieder
in sich zurück. Böhme, Hegel, Scotus Erigena. Ferm. 2, 882.
Es ist eine dreifache Kreisbewegung zu unterscheiden: die
ewig selige, die zeitliche, leere, nichtige, und die ewig unselige.
Myst. Magn. 18, 167. Der Kreislauf des zeitlichen Lebens
kann zur völligen Tilgung des Bösen und völligen Herstellung
des Guten dienen. Spec. Dogm. 8, 119. Zwei conträre Prin-
cipe durch ein drittes in Circulation gesetzt geben vier Punkte:
Nacht, Winter etc. Des err. 12, 156. vgl. Espr. 12, 497.
Kreislauf des Lebens nach einem Schema mit vier Contra-
punkten (Frühling, Morgen; Sommer, Mittag; Herbst, Abend;
Winter, Mitternacht) nach Rüdiger und Birkholz (1803). Pythag.
Quadr. 3, 249. 268. == Schema der vier Weltgegenden nach
Pohl. Endl. Geist 7, 172 ff. == Schema aller Rotation und
Zeitevolution oder Geschichte: Abend (Herbst) Adoption;
Mitternacht (Winter) Conception; Morgen (Frühling) Floraison;
Mittag (Sommer) Fructification. Spec. Dogm. 9, 282. Ver-
sehens. 4, 857. Anm. Vgl. Tageb. 11, 55 ff. == Schema für
den Quaternar des Lebens. (Am meisten ausgeführt.) Aphor.
10, 243. S. Vierzahl.

Kreuz == Sinnbild des Feuers. Feuer Mittelpunct des Ternars
von Wasser, Luft, Erde. Tabl. 12, 191. == Mitte und Ternar,
Wurzel der Vollendung aller Dinge. Espr. 12, 343. == Vierzahl (Vater (Blitz) — Decussation), bezeichnet durch die Zahl-
hieroglyphe 4 oder X. Blitz 2, 46. Rel. Phil. 1, 217. ==
Mitte oder Centrum, mit Bezug auf die pythagoreische Tetras

als Schlüssel zur richtigen Weltanschauung. Soc. 14, 95. vgl. Pyth. Quadr. 6, 267. Rüge 3, 826. Die Bedeutung des Kreuzes. Heben und Weben. Br. 15, 541. Die Bedeutung des Kreuzes als Mittels der Reintegration. Goethe's Missverstand, Pythagoras' Tetras, J. Böhme's vierte Naturgestalt. Spec. Dogm. 8, 261. Kreuz und Gänseverstand. Briefw. 15. 568. S. Vierzahl. Die tragische Bedeutung des Kreuzes. Unsterbl. 4, 268. Abstraction der neuern Morallehrer davon (Decussation). Ferm. 2, 302. Kreuz und Unlust ist von der Liebeslust nicht zu trennen. Erot. Phil. 4, 178. Das Kreuz dient nicht bloss zur Decoration der Lilie. Zeitschr. Av. 6, 54. Kreuz der Speculation, Schmerz und Schmach der Geistesarmuth. Spec. Dogm. 9, 10 ff. vgl. Br. 15, 528. Der Christ ist der Welt nicht minder ein Kreuz, wie sie ihm. Ferm. 2, 184. Es gibt auch ein Welt- und Teufelskreuz. Opf. 7, 408.

Krieg, sein Zweck und in welchem Falle er rechtmässig ist. Des err. 12, 147 ff. Resignirter Naturtrieb dabei. J. B. Theol. 3, 408. S. Insurrection.

Krisis = weltrichtende Scheidung und Entscheidung; eine solche ist in unserer Zeit nahe wegen der herrschenden gottwidrigen Denkweise. Spec. Dogm. 8, 22.

Kriterium zur Unterscheidung des nichtcreatürlichen Gebens und Empfangens vom creatürlichen. Antirel. Phil. 2, 458. Kriterium des magnetischen Schlafes. Centr. Sens. 4, 135. Anm.

Krüdener, Frau v. — Ihr Begleiter war ein französischer Geistlicher aus Lyon. Br. 15, 325. Weiteres über sie. Ebd. 393. 416. Biogr. 15, 99.

Krystall und Klangfigur, *vestigia* von Licht und Ton. Spec. Dogm. 8, 244.

Ktisiomorphismus, Anthropomorphismus. Begründ. d. Eth. 5, 14. Geist u. W. 10, 8. 16.

Kuhnrath, *Amphitheatrum*, ein kostbares kabbalistisches Werk, über die Sprache &c. (1830). Br. 15, 460. 655.

Kunst: Génialität, Gabe, Gunst der Natur ist das Prius alles künstlerischen Thuns. Weiteres über Kunst. Spec. Dogm. 9, 110 ff. Das erste Erforderniss der Kunst ist ein mit Gott versöhntes Gemüth. Erot. Phil. 4, 169. Anm. Für Künstler und Gelehrte ist der ideale Character der Kirche von höchster Wichtigkeit. Sichtb. K. 7, 219. Jedes Verlangen ist Kunsttrieb. Tabl. 12, 164. Die Religion der Kunst. Unstatthafte Vermischung des Heidnischen und Christlichen in der Kunst. Opf. 7, 403. Der im alten Rom hausende heidnische Kunstgeist und die christliche Kunst. Morg. u. Ab. Kath. 10, 170. Die Imagination des Künstlers ist nur eine Fortsetzung, der Imagination der Natur. Incomp. 4, 308. Die Kunst ist Nachbildung einer höhern Natur. Ueber Religion und Kunst. Spec. Dogm. 9, 129. Der Künstler ahmt die höhere Natur nach. Strauss Leb. Jesu 7, 263 ff. Die dichtende und bildende Kunst macht überall den Durchblick der ewigen Natur in der zeitlichen geltend — „wie durch des Nordlichts bewegliche Strahlen ewige Sterrne schimmern". Morg. u. Ab. Kath. 10, 102. Doppelexistenz bei jeder Künstlerbegeisterung. Nouv. hom. 12, 247. Künstler, Bilder und Wirklichkeiten. L'hom. 12, 221. Die bildende Kunst, Poesie etc. hätte ohne höhere Offenbarungen oder Verklärungen des Sinnlich-Materiellen durch das Geistig-sinnliche (Sensibilisation de l'esprit) nicht entstehen können; d. h. ihr Ursprung und also auch ihr Zweck ist religiös. Wahrh. 1, 121. Alle Kunst ist im Grunde christlich. Minist. 12, 403. Alle Poesie und Kunst würde ebenso, wie Religion, ohne wirklich einmal gesehene Wunder ein unerklärliches Wunder sein. Antirel. Phil. 2, 482. Aff. der Bewund. 1, 30. Die Kunstwerke sollen dem Beschauer die Stelle einer Vision vertreten, ihn daher in eine Art Ekstase versetzen. Rat. mat. Verst. 3, 300. Die Bedeutung der Kunst für die Religion im Alterthum und im Mittelalter. Groote's Faust 7, 42 ff. Die alte deutsche Baukunst, Malerei und Musik war religiös und kirchlich. Vorz. 1, 417. Ueber bildende Kunst. Fronl. 4, 244. Das Moderne in der Kunst bezeichnet ihre Wiedertrennung von dem Idealen d. h. Religiösen. Das Schlechte dieses Modernen liegt keineswegs in der Neuheit (Späte) dieser Production. Wiss. u. Rel. 1, 94. Früher war die Kunst vorherrschend ahnend, prophetisch; soll sie wieder erstehen, so muss zuvor die Wissenschaft erstanden sein und von dieser muss die Kunst von nun an ausgehen. Privatvorl. 13, 114. Der Zweck der Kunst und insbesondere der religiösen d. h. des Cultus ist Transparenz oder Abspiegelung des Begriffs in einem äussern Bilde. Ferm. 2, 331. Ueber die Grenzen künstlerischer Darstellbarkeit religiöser Gegenstände. Aphor. 10, 846. Der Künstler schafft nichts Tüchtiges, wenn er sein Werk nicht *con amore* treibt. Ferm. 2, 294 ff. In der bildenden Kunst und in der Physik als Cultus der Natur gibt es drei Epochen: die religiöse, die naturservile und die egoistische. Rat. Theol. 2, 503. Anm. Die Kunstregel und das Genie oder die Moral und die Religion. Aphor. 10, 322. Ein classisches Kunstwerk hat fortwährend eine doppelte Function zu leisten, eine negative und eine positive. Spec. Dogm. 8, 35. Die Anerkennung der Genialität eines Kunstwerkes schliesst die eigene Genialität auf. Aphor. 5, 266. (Vgl. Genialität und Classicität.) Dem Künstler geht die Idee nur durch deren Darstellung wahrhaft auf. Ferm. 2, 195. Das Kunstwerk gibt dem Künstler seine Idee wieder. (Der Effect wird wieder Ursache.) Ferm. 2, 411. Das Kunstwerk ist nur vollständig, wenn der Producens im Product ruht und umgekehrt. Metast. 4, 152. Dem Künstler genügt es nicht, seine Idee in sich erzeugt zu haben, sondern er erstrebt nothwendig auch deren äussere öffentliche Darstellung. Freih. d. Int. 1, 137. Man versteht das Kunstwerk nur, wenn man in den Geist des Künstlers eingedrungen ist. Aeusseres, Inneres Vernehmen. Trennb. 5, 379. Anm. Verbindung von Colorit und Gestalt = Malerei, von Wort und Ton = Poesie. Des err. 12, 160. S. Dichtkunst. Schatten. Zur Theorie der Musik. Espr. 12, 302 ff. Die alte Musik konnte höhere Tugendkräfte herabziehen. L'hom. 13, 223. Tanz. Espr. 12, 308.

Kuss, Fortpflanzung durch ihn im paradiesischen Zustande. 2. Cap. d. Gen. 7, 233. Anm. Er findet sich nur beim Menschen und ist ein Sinnbild des Geistes. Ebd. 7, 236. Emanc. d. K. 10, 85. Br. 15, 610. 612. S. Bernhard.

Kurtz. Bibel und Astronomie. Ferm. 2, 313. Anm. Opf. 7, 294. Anm.

L.

La force se nourrit par l'action. Spec. Dogm. 8, 164.
= *Vis nutrimentum capit ab actione.* Myst. Magn. 13, 168.

La philosophie divine (*par Keleph Ben Nathan.* 3 Vol.
1793). 2. Cap. d. Gen. 7, 226. Anm. *La voix de la science
divine.* Paris 1805. (Saint-Martin.) Br. 15, 240.

Labilität, s. **Abfallbarkeit.**

Lactantius. Rel. Phil. 1, 235.

Laie, Behandlung der speculativen Dogmatik von einem solchen.
Spec. Dogm. 9, 9. vgl. 8, 10. Laien und Priester haben sich
an der Bearbeitung der speculativen Religionswissenschaft zu
betheiligen. Spec. Dogm. 8, 54. Warum es wichtig ist, dass
ein Laie und Katholik sich mit der Theologie befasst. Spec.
Dogm. 8, 205. Ein Laie (J. Böhme) bricht zuerst die Bahn
zu einem richtigen Verständniss und Einverständniss in Betreff
der Eucharistie &c. Morg. u. Ab. Kath. 10, 123. Scheidung
von Klerus und Laien. Morg. u. Ab. Kath. 10, 134. Durch
ein königliches Ministerialrescript (1838) ist der öffentliche Vortrag über Religionsphilosophie ausschliesslich dem katholischen
Klerus übertragen. Allm. 14, 401.

Lambert, für ihn wurden mehrere Ideen Kant's über die Theorie
des Himmels ein Leitstern. Tageb. 11, 415. Ueber den Begriff
der Repulsion. Dyn. Bew. 3, 280.

Lamennais, de. Recens. der Schrift: *Essai sur l'indiff.
en mat. de Relig.* WW. 5, 121—246. — Rückblick auf de
Lamennais i. B. u. Widers. d. Kath. Kl. in Preuss. WW.
5, 383—390. Ueber die Zeitschr. *Avenir u. i. Pr.* WW.
6, 29—44. — Bemerk. ü. d. Schrift: „*Paroles d'un Croyant.*"
WW. 6, 109—124. Vergl. Br. 15, 471. Sein Grundriss
einer Philosophie (1841). Ferm. 2, 441 ff. Anm.

Lamettrie. *Reflex. phil. s. l'origine des animaux.* Bonald
5, 110. 111. Anm.

Lampadius, Physiker. Anleit. 6, 242. 245.

Landesknechte *(glebae adscripti)* und Geldesknechte. Vermögens!. 6, 134.

Landwirthschaft, ihre sich so nennende rationelle Behandlung oder Misshandlung. Wahrh. 1, 114.

Lapis philosophorum s. Alchemie.

Laplace, seine Naturansicht ist mechanisch. Minist. 12, 390. S. Feuer, Wärme.

Lärm, nichts Gutes. Aphor. 5, 249.

Lasaulx (Ernst v.). Dessen Schrift: *De dominatu mortis in veteres.* Zeitl. und ew. Leben 4, 289 u. 7, 269. Zuhörer Baader's. Biogr. 15, 111. Schwiegersohn Baader's geworden 1835. Biogr. 15, 120. Vergl. Briefe 15, 526. 527. 540. 546. 569.

Lassen. Indische Alterthumskunde. Ferm. 2, 301. Anm.

Last und Lust, Schwere und Leichte, Leere und Fülle, Finsterniss und Licht. Spec. Dogm. 8, 321.

Laster: Man hatte Bündnisse oder Corporationen des Lasters seit dem Aufkommen der christlichen Religion nicht mehr gesehen; erst seit der französischen Revolution versuchte man ihm wieder Oeffentlichkeit (politische Sanction und Macht) zu geben. Rel. u. Pol. 6, 23. S. Bund.

Latent, dieser Ausdruck von Feuer oder Wärme gebraucht bezeichnet das Phänomen und ist ganz gerechtfertigt. Fest. u. Fläss. 3, 194.

Laubhüttenfest als entsprechend der dritten Epoche oder dem Eintritt des jüdischen Volkes in die göttliche Region. Opf. 7, 322. S. Judenthum.

Laudatur et alget. Anal. d. Erk. 1, 41.

Laut und Stimme; jener bezeichnet überall den Eintritt eines Selbstischen (nur der feste Körper tönt); diese ist der Träger (Leib, Substanz) des Geistes selbst (das Hörbare steht höher als das Sichtbare). Rel. Phil. 1, 291. S. Accent, Buchstaben, Hebräer.

Lavater. Einl. z. B. I, LXVI. Pontius Pilatus, Nathanael. Tageb.
11, 74. 107. 186. Anm. Gedenkzeilen Lavater's in ein Baader
selbst verehrtes Exemplar seines Pontius Pilatus. Biogr. (Anhang)
15, 157. Vergl. Biogr. 16, 28. Goethe's Bekenntniss gegen
Lavater. Religionsphilos. 1, 332. Anm. Gott hat vor der
Freiheit des Menschen mehr Respect, als alle Menschen zusammen. Ebend. 1, 333.

Lavoisier's und de Laplace's Methode, alle Aufgaben über
die freie Wärmevertheilung sowohl, als ihre Bindung und
Entbindung aufzulösen. Wärmest. 3, 110 ff. Lavoisier's Lehre
über Starres und Flüssiges, Elasticität, Wärme &c. Tageb.
11, 394 ff. Ideen über Festigkeit und Flüssigkeit zur Prüfung der physikalischen Grundsätze des Herrn Lavoisier. Schr.
(1792). 3, 181 ff. Lavoisier bedient sich der atomistischen
Naturerklärung. Seine Erklärung des dreifachen Zustandes der
Körper, des festen, tropfbar-flüssigen und elastisch-flüssigen,
und des wechselseitigen Ueberganges derselben. (Traité élemen-
taire de Chimie). Fest. u. Flüss. 3, 185. 188 ff.

Law, Wilhelm, Uebersetzung der Werke J. Böhme's ins Englische (1765). Privatvorl. 13, 89. La voie de la science
divine. Blitz 2, 32. 41. Anm. Dialoge über J. Böhme.
Espr. 12, 273.

Laxmann, Physiker. Anleit. 6, 242. Biogr. 15, 44.

Leben: Ueber Sinn und Zweck der Verkörperung, Leib- oder
Fleischwerdung des Lebens. Schr. (1809). 2, 1 ff. Gedanken
aus dem grossen Zusammenhang des Lebens. Schr. (1813)
2, 9 ff. Sätze aus der Begründungslehre des Lebens. Schr.
(1820). 2, 95 ff. Ueber zeitliches und ewiges Leben und die
Beziehung zwischen diesem und jenem. Schr. (1836). 4, 285 ff.
Das Leben hat überall in und an sich schon einen hyperphysischen Character. Bildungsl. 2, 97. Es ist die Mitte
eines Innern und Aeussern, eines Anfangs und Endes. Circulus vitae. Privatvorl. 13, 140. Es steht überall in der
Mitte zwischen einer abstracten Einheit (Geist) und einem Zu-
sammengesetzten (Natur). Spec. Dogm. 8, 160 ff. Der Grundtrieb des Lebens geht auf Intension (Empfinden) und Extension

(Schauen), Inhalt und Form, Seele und Leib &c. Ferm. 2, 325.
Zwei Abwege bei der Theorie desselben: das spiritualistische
darüber Hinausgreifen, und das materialistische oder mechanische
darunter Hinabsinken (Gespenst, Leichnam). Spec. Dogm. 8, 167.
Das Leben ist ein in sich kreisender Aus- und Eingang. Versehens.
4, 366. Auch das Leben Gottes ist nicht blosser Progress,
sondern auch Regress, also Kreisbewegung (s. d.). Myst.
Magn. 13, 166. Es gibt drei Lebensmomente: Ausgang, Bestand, Wiedereingang = Hervorbringung (Herabsteigen), Erhaltung, Wiederausgleichung (Wiederaufsteigen). Zeitbegr.
2, 51 (71). S. Ausgang, Eingang. Exposition des allgemeinen
Gesetzes aller Lebensgeburt. Br. 15, 656 ff. Jedes Leben
entsteht aus der Angst (Geburtsangst), geht unter (erstickt) in
solcher (Todesangst), und besteht folglich nur in beständiger
Aufhebung derselben. Ferm. 2, 300. Wird das Leben als
Lebensbaum oder als dessen Krone aufgefasst, so ist zu
sagen, dass es nur in dem Unter-sich-halten seiner dunkeln
Wurzel (des Abgrundes) oder im Schweben über seiner Ge-
burts- und Grabesstätte besteht, also hyperphysisch ist. Bildungsl.
2, 105. vgl. 111. Das Leben geht nur durch Enthebung aus
seiner dunkeln Wurzel und über sie auf. Ferm. 2, 210. Das
Leben steigt überall aus einer Tiefe hervor, Licht aus Finsterniss, Farbe aus Dunkel, Geist aus Leib, Leben aus Verwesung,
Herrlichkeit aus Schmach, Tugend aus Sünde. Begründ. d. Eth.
5, 12. Der Ternar von Finster, Feuer, Licht bedeutet, dass
ein zur freien Offenbarung Strebendes, im Finsterfeuer (der
Feuerwurzel) noch gehemmt, im Blitze kämpfend durchbricht,
und erst im (als) Licht seine freie (ruhige, stille) Offenbarung
erreicht hat. Ferm. 2, 85. Mag man des Lebens Aufgang
von Aussen als Feuer oder von Innen als Begierde betrachten,
immer ist der erste Moment der Lebensgeburt ein Widerstreit (zweier Kräfte: = Rotation, Naturcentrum, Geburtsrad),
und der zweite der aus diesem Naturrad hervorbrechende
Feuerblitz. Bildungsl. 2, 101. Alles Leben schiesst nur im
Blitze an. Mineral, Pflanze, Thier. Blitz 2, 31. Alle Lebens-
und Lichtgeburt wird vermittelt durch den Blitz, bei dessen

Eintritt eine Umwandlung, Assimilation, des bisherigen Gegensatzes aus dem des Hasses in den der Liebe stattfindet. Blitz 2, 39 ff. Alles Leben (das Originalleben der Gottheit sowohl, als das copirte der Creatur) muss um vollendet zu sein, zweimal geboren werden, und jeder Lebensgeburtsprocess muss zwei Momente durchlaufen. Blitz 2, 36. Jedes integre Leben gründet zwar in dem Streite der Essentien, weiss aber aus diesem ausgehend nichts von ihm; es wird in der Enge und Finsterniss geboren und in der Freiheit und im Lichte genossen. Spec. Dogm. 8, 365. In der normalen Lebensevolution bleibt es bei der blossen Sollicitation (den differentiellen Momenten) zur Aufstörung (wirklicher Entzündung) des Ungrundes. Bildungsgl. 2, 102. Das normale Leben entspringt aus Ueberwindung des Widerspruches. Ueberwundener Schmerz ist Lust, besiegte Finsterniss Licht. Privatvorl. 13, 80 ff. Das gesunde Leben ist = einer durch eine im Grunde gehaltene Negativität vermittelten Positivität. Ferm. 2, 302. Die zwei Momente des Lebens sind: ein actives, gestaltendes, figirendes, negatives = Anstrengung, und ein zerstreuendes, sich gemeinsamendes, öffnendes, fluidisirendes = Empfindung. Spec. Dogm. 8, 209. Alles Leben ist durch ein Tödten bedingt; und ebenso durch ein Sterben: *Ideo vivimus, quia morimur* (s. d.), d. h. der Tod ist die Wurzel des Lebens. Spec. Dogm. 9, 10. Morg. u. Ab. Kath. 10, 95 ff. Das freie ewige Leben kann nur aus dem Tod d. h. dem Absterben der Natur und Selbstheit entstehen; aber diesem Sterben muss die Imagination in die Freiheit (= magische geistige Fassung, Glauben, Muth) der wirklichen Einverleibung vorhergehen. Ferm. 2, 245. (Leben und Sterben sind dualistisch: Ich lebe und sterbe immer einem Andern. Ferm. 2, 180). Das Leben = einer Flamme, seine Abhängigkeit von der Speise. Spec. Dogm. 8, 206. Das Leben ein Kreislauf: Wie der Genitus den Genitor, so setzt dieser jenen voraus. Identität des Auges und des Lichtes, des Fühlenden und Gefühlten, des Wissenden und Gewussten. Privatvorl. 13, 94 ff. Der Kreislauf des Lebens ist nur dann vollendet, wenn das von allen Gliedern erzeugte Partialleben in die Liebe-

arme des gemeinsamen Vaters wieder aufgenommen wird.
Verkörp. 2, 8. Die drei Geburtsstufen des geistigen Lebens:
die magische, geistige, leibhafte. Privatvorl. 18, 115. Leibwerdung des Lebens b. Leib. Das dreifache Leben und Leiben
des Menschen nach J. Böhme. Aphor. 10, 285 ff. Heg. Phil.
9, 323. Alles Lebendige ist ein Eins und Vieles. Verse
Goethe's darüber. Rel. Phil. 1, 196. Das Leben ist entweder
ein widerstreitendes oder einstimmiges Vieleins. Ferm. 2, 161.
Die Lebensfactoren in einem Organismus = Glieder desselben.
Verkörp. 2, 5. Im Leben ist jede Unterbrochenheit in Zeit
und Raum aufgehoben. Div. 4, 79. Anm. Wahres Leben =
Ruhen im Wirken und Wirken im Ruhen. Spec. Dogm. 8, 164.
Der Lebensprocess verlangt im Beharrlichen Wechsel und im
Wechsel Beharrliches. L'hom. 12, 215. — Das Lebendige
gliedert (urtheilt) sich nicht in Zwei: Bewegendes und Bewegtes, sondern in Drei: Bewegendes Nichtbewegtes, Bewegendes Bewegtes, bloss Bewegtes, nach dem Ternar Erigena's und
dem Ternar von Princip, Mitwirker, werkzeuglicher Wirker.
(Div. 4, 81 ff.) Ferm. 2, 211. 277 ff. — Gott hat, wie
jedes Lebendige, einen Inhalt; dieser wird durch das Feuer
zur harmonischen Intussusception ins Licht geführt. Hierbei
drei Momente nach den Worten Jesaia's: *Creavi*, *formavi*,
feci te = Vater, Sohn, h. Geist. Myst. Magn. 13, 201 ff.
Die Einheit und die besondern Kräfte des göttlichen Lebens.
Das Verhalten beider verglichen mit dem von Schöpfer und
Geschöpf. Myst. Magn. 13, 206. Unterschied des göttlichen
Lebensprocesses und des Processes der Schöpfung. Momente
des immanenten göttlichen Lebensprocesses. Privatvorl. 13, 64 ff.
Der universelle (centrale, kosmische) und der partielle (locale)
Lebensprocess, d. h. das Wirken Gottes und des Geschöpfes
sind dynamisch verbunden und unterschieden, nicht getrennt
und nicht gemischt. Blitz 2, 34. Der partielle Lebensprocess
kann sich nur in dem universellen evolviren. Verkörp. 2, 7.
Der Lebensprocess der Creatur ist bedingt durch Rück- und
Zufluss göttlicher Kräfte. Zus. d. Leb. 2, 18. 19. Der Lebensprocess der Creatur soll mit dem in Gott conform sein. Aphor.

10, 808. Ist der Lebensprocess in einer Creatur gestört, so kann er nur durch Gott wieder hergestellt und zur Vollendung geführt werden. Blitz 2, 88. Das zeitlich-materiellkörperliche Leben des Menschen ist eine Privation und ein fast beständiges Leiden. Des err. 12, 95. Das moralische (gute oder böse) Leben ist zwar inner (über oder unter) der Zeit, aber nicht in der Zeit, indem jede That dem Gewissen stets gegenwärtig ist. Kant's Deduct. 1, 12. Das irdische Leben ist ein Embryonalleben im Verhältniss zum ewigen. L'hom. 12, 220. Anderes Leben: die Verhältnisse werden um so grösser, je mehr sie sich ihrem Ziel nahen. L'hom. 12, 228. Das concrete oder ewige und das abstracte oder zeitliche Leben: man soll nicht vor der Zeit in das Mysterium des erstern eindringen wollen. Seg. u. Fl. 7, 136 ff. Das Leben führt den, der es im moralischen Müssiggang zubringt, immer mehr zum Tode, während es denjenigen, der sein Talent anwendet, immer mehr zum Leben führt. Elemphys. 3, 246. Alle einzelnen Wesen leben von und für einander. Indiff. 5, 222. Das Lebensmoment bei Thieren, Nationen &c. und die Vulnerabilität nehmen gleichmässig zu. Elemphys. 3, 216. Das Leben ist untergegangen oder noch nicht aufgegangen, wo Starrheit oder Flüssigkeit als solche hervertreten; es geht auf, wo diese als solche untergehen. Starr. u. Fl. 3, 272. Ueber autonomes und heteronomes Leben. Ebd. 3, 273. 275. Das Leblose ist vom Centrum immer nur durchwohnt, nicht inwohnt, zwar nicht centrumlos, aber centrumunfrei. Rat. mat. Vorst. 8, 294. S. Intussusceptio, Zoometer.

Lebensgeister, Begriff dieses Wortes bei den Alten. Ferm. 2, 269. Besess. 4, 250. Lebensgeister, die sich in die Cardia ziehen und sich aus der Somnambule in den Magnetiseur versetzen. Ebd. 4, 251.

Lebenskraft, organische Kräfte, seelische, geistige Substanz. Tageb. 11, 115.

Lebenszustände, in denen die immaterielle Sensibilität durchscheint. Es gibt deren theils krankhafte, wie Katalepsie,

Somnambulismus, Erscheinungen vor dem Tode u. s. w., theils gesunde, z. B. Ekstasen, Inspirationen, bei Dichtern, Künstlern, jeder moralisch-freien That (Rausch, Wahnsinn). Spec. Dogm. 8, 248 ff.

Leere und Schwere sind identisch. Franz. Rev. 6, 325 ff. S. Schwere. Leeren und Zehren der falschen Fülle und Erwecken des Feuertriebs = der Sucht nach Licht ist *conditio sine qua non* der Erkenntniss. Spec. Dogm. 8, 213.

Lehre, Doctrin: Die Macht der Meinung oder öffentlichen Doctrin in der neuern Zeit. Indiff. 5, 131. Scandal der Zwietracht zwischen den öffentlichen religiösen und den ebenso öffentlichen nichtreligiösen Doctrinen auf mehreren Universitäten Deutschlands. Spec. Dogm. 8, 53. Verderblichkeit schlechter öffentlicher Religions- und Staatsdoctrinen. Br. 15, 477. Blosse Wiederherstellung des *status quo* der ältern Doctrin kann dem eingerissenen Unglauben und der Unwissenheit in der Religion nicht abhelfen. Verh. d. Wiss. 1, 341. Zwiesp. 1, 360. Die religiöse Doctrin muss den tiefern Volksklassen um so mehr zugänglich gemacht werden, als die irreligiöse Doctrin bei ihnen Eingang gefunden hat und findet. Vermögensl. 6, 141. Wiederverbreitbarkeit der religiösen Wahrheit. Wiss. u. Rel. 1, 89. S. Wissenschaft. Lehren von Günther, Spinoza, Schelling und Hegel. Endl. Geist 7, 184. 185. 187. 203. 205 ff. Lehrstand, Wehrstand, Nährstand. Aph. 5, 314 ff. Lehrling, Gesellen, Meister. Aphor. 5, 357. 360. S. Princip.

Leib des Menschen, seine Nichtigkeit nach Plato und Leibniz. Heg. Phil. 9, 427. Die höhere Bedeutung der Leiblichkeit nach dem Christenthum. Rel. Phil. 1, 307. Leib = gemeinsames Substrat (Centrum) der Lebensglieder. Spec. Dogm. 8, 162. Ewige, zeitliche Leiblichkeit. Opf. 7, 373. Der dermalige Leib des Menschen ist nicht nur Hülle, sondern auch positive Schranke für den Geistmenschen, die jedoch successiv getilgt (Ausbildung des Organs), aber auch durch Krankheit, Alter &c. wieder hemmend werden kann. Einfl. d. Zeich. 2, 131. Anm. Des err. 12, 99. Leibfrei ist der Mensch nur wollend. Des err. 12, 136. Mängel der irdischen Leiblichkeit:

Undurchdringlichkeit (= Impotenz einzudringen), Widerstand,
grobe (confundirende) Vermischung, im Gegensatz zur wahren
Leiblichkeit. Anthropoph. 4, 284. Anm. 8. Zusammengesetztheit, Materie. Der Leib des Menschen theils Nervenleib (Ge-
hirn-, Rückenmark-, Ganglien system), theils äusserer Kopf-,
Rumpf- und Eingeweideleib. Allm. 14, 464. Lichtleib, Auferstehungsleib. Endl. Geist 7, 183 ff. Virtualität und Com-
municabilität der höhern Leiblichkeit. Fronl. 7, 246. Ein
kräftigerer, subtilerer Leib in einem unkräftigern nicht = Geist
im Leibe; immaterieller oder geistiger Leib = Substanz, Wesen,
Materie im allgemeinern Sinne. Irdischer Leib, Sternenleib,
Engelleib, Auferstehungsleib des Menschen. Das individuelle
physische Princip kann dasselbe bleiben auch nach Ablegung
seiner verweslichen Elementarhülle und Ansiehung eines andern
von unzerstörbarem Element. Rat. mat. Vorst. 3, 290 ff. Anm.
Geistiger Leib = lebendigste Substanz, innigste Verbindung
vollkommenster Continuität (Form) und kräftigster Penetranz
(Stoff). Starr. u. Fl. 3, 272. Die plötzliche Umwandlung
meines Leibes zu einem Kraftleib würde die Aufhebung aller
irdischen Leiber zu blossen Scheinleibern für mich zur Folge
haben. Ferm. 2, 297. Das leibliche Hingerücktwerden eines
Menschen ist durch das fortdauernde Erzeugtwerden des materiellen
Wesens aus immateriellen Principien (analog der Schöpfung
des Sichtbaren aus dem Unsichtbaren) wohl zu deuten. Metast.
4, 185 ff. Ansiehung eines neuen Leibes, mit dem Tode beginnend. Unsterbl. 4, 278. Ohne den Begriff eines leibhaften
Geistes fällt man dem schlechten Spiritualismus, Realismus,
Supranaturalismus, Naturalismus anheim. Geistersch. 4, 213.
Es ist Hoffart, ohne Leib sein wollen. (Könnte man Gott
naturlos, die Natur gottlos machen, so verschwänden beide).
Zus. d. Leb. 2, 15. Der Leib = werkzeuglicher Wirker; ein
solcher ist zu jeder Offenbarung nothwendig. Lichtleib, ver-
geistigter Leib. Spec. Dogm. 3, 368. Unsere dermalige (irdische)
Organisation und Beleibung ist geheime Werkstätte und Bauhütte der höhern (himmlischen), uns niederhaltend unter dieser,
aber auch emporhaltend über der anorgischen oder höllischen.

Ferm. 2, 288. Der Leib dient zur Bindung finsterer Mächte. (Materielle Medicamente heilen Magnetische). Märt. Pasq. 4, 129 ff. Anm. Leib == σῶμα, Errettung, Absonderung, Geborgensein bezeichnend, Morg. u. Ab. Kath. 10, 99. — Leiblichkeit Gottes nach Tertullian. Rel. Phil. 1, 196. Anm. Der Bibel zufolge gibt es (nach Oetinger) auch eine geistige Leiblichkeit. Man muss mit J. Böhme nicht ein blosses esoterisches, sondern auch ein exoterisches Sein Gottes, nicht eine blosse Schiedlichkeit, sondern auch eine wirkliche Scheidung oder Gliederung der göttlichen Kräfte anerkennen, deren Grund die göttliche Freiheit ist. Myst. Magn. 13, 196 ff. S. Inneres, Aeusseres, Esoterisch. — Ueber die partielle und universelle Leibwerdung (== Substanzirung) des Lebens. Spec. Dogm. 9, 295 ff. Emanc. d. Kath. 10, 78. S. Leben, Begründung, Beleibung. Die Leibwerdung (Substansirung, Bewährung) der Creatur ist bedingt durch die Deprimirung des Triebes, für sich selbst offenbar oder creatürlich zu sein, oder durch die Uebergabe der Manifestationskraft der Natur an Gott durch die Creatur. Bildungsl. 2, 102. Ferm. 2, 165. — Die Leibhaftwerdung der Sophia geschah durch die Incarnation des Wortes. Geistersch. 4, 215.

L e i b e i g e n s c h a f t: Die Leib- und Geisteigenheit ist vom Christenthum verboten, das Subordinationsverhältniss aber geboten. De Lamenn. Parol. 6, 115. Die Leibeigenschaft und Geisteigenschaft der frühern Zeit war nicht so schlimm, wie die Vogelfreiheit, Schutz- und Hülflosigkeit der Armen in unserer Zeit. Vermögensl. 6, 131 ff. S. Gewissen.

L e i b n i z, Auszüge aus dessen Schriften. Tageb. 11, 349. Ueber Plato und Leibniz. Tageb. 11, 408 ff. Leibniz erwähnt J. Böhme's (Anm. d. H.). Myst. Magn. 13, 162. Ueber Leibnizen's *ratio sufficiens*. Ferm. 2, 154. Anm. Solid. Verb. 3, 341. Seine cartesianische Vorstellung von der Natur. Intell. u. Nichtint. 4, 297. Leibnizen's *Harmonia praestabilita;* das Wahre ist dabei geahnt, aber das Problem nicht gelöst. Spec. Dogm. 8, 84. S. Monaden. Vgl. Hoffmann's Einleitung zum II. Bd. d. WW. S. XXVIII. ff. v. Osten. Einl. 12, 8 ff.

63. „Die letzte Häresie ist der Atheismus." Fr. d. Int. 1, 143. Anm. Sein schlechter Begriff des Bösen. Religionsphil. 1, 833. Anm. Er lehrt Emanation (Coruscation, Effulguration) statt Schöpfung. Ferm. 2, 165. Widerlegt Spinoza's Begriff vom Möglichen. Ferm. 2, 287. Anm. Leibn. unterscheidet die *vis viva* von der *vis mortua*. Ferm. 2, 413. Seine Theodicee. Ferm. 2, 442. Anm. Die Kraft der Körper *aliquid praeter extensionem, imo extensione prius*. Elem.-Phys. 3, 213. Anm. Leibnis als Reformator der Philosophie. Bonald 5, 51. 53. Flachheit des Leibnizischen Optimismus. Spec. Dogm. 8, 117. Anm. Vergl. über Leibnis. Spec. Dogm. 8, 348. Anm. Leibnizens platonische Vorstellung von der Nichtigkeit des Leiblichen. Heg. Philos. 9, 427. Leibnizens Lehre von den angeborenen Ideen. Einl. d. H. X, XX. Sein Project einer Universalsprache. Morg. u. Ab. Kath. 10, 320. Anm.

Leichtes: Fürchte das Leichte. L'hom. 12, 224 und sonst.

Leiden aus Liebe ist das Geheimniss und die Erfindung des Christenthums. Spec. Dogm. 8, 170. Leidsamkeit und Wirksamkeit können nicht getrennt, sondern nur versetzt und verkehrt werden. Spec. Dogm. 8, 207. Leiden des Menschen in der Zeit. Des err. 12, 132. 135. Wie der Mensch dadurch gereinigt werden kann. Schlangenhaut. L'hom. 12, 207. Erinnerung und Linderung. L'hom. 12, 224. Falsche und wahre Leiden und Freuden. Nouv. hom. 12, 250. Qual des Dämons bei den von ihm den Naturwesen zugefügten Leiden. Tabl. 12, 186. S. Pein. Der Zweck der Leiden ist Impassibilität. Oeuvr. 12, 459. Actives und freies Leiden aus Liebe (Mitleiden) und passives, unfreies Leiden: die Befreiung von diesem soll den Menschen zu jenem activen Mitleiden und dann auch zum Mitwirken mit dem Erlöser befähigen. Spec. Dogm. 8, 262. Leiden der nichtintelligenten Creaturen, der Menschen und der intelligenten Creaturen. Segen u. Fl. 7, 139 ff. S. Schmerz. Dessgleichen das Folgende.

Leidenschaften, Lehren der Religion und der (kantischen) Philosophie darüber. Tageb. 11, 219. Die Liebe des Erlösers

zu uns, als frei übernommenes Leiden, ist keine Leidenschaft
im Sinne einer Passion. Spec. Dogm. 8, 169. —

Leitungskraft, verschiedene, der Körper für die Wärmematerie. Wärmest. 3, 59 ff.

Leo über die Achtung Andersdenkender. Spec. Dogm. 9, 166.
Anm. Leo IX. († 1054) gegen einen Oberepiscopat in der
Kirche. Emanc. d. Kath. 10, 75. — Leo und Görres (1868)
Br. 57 f. Er und die Hegelianer im Streite über den Vernunft-
gebrauch in religiösen Dingen (1839). Aph. 5, 324. vgl. Br.
15, 586.

Lesage, Physiker, dessen mechanisches System. Tageb. 11,
371. Fest. u. Flüss. 3, 186. Anm.

Lessing, über die Darstellung des Todes bei den Alten (Heiden)
und bei den Christen. Zeitl. u. ew. Leb. 4, 289. Anm. —
Aus Nathan d. W. Par. d. Croy. 6, 118. Anm. Ueber natürliche Religion. Evol. u. Rev. 6, 106. Ueber die jeder Praxis
zu Grunde liegende Theorie. (So bat z. B. der Ungläubige
an Gott einen Glauben an sich, die Welt und den Teufel. Spec.
Dogm. 8, 30. Anm. Er lehrte Pantheistisches. v. Osten. Einl.
12, 42 ff. Sein flacher Witz, dass die Materie nur durch die
Materie erklärt werden müsse. Des err. 12, 110. S. Spinoza.
Ueber Offenbarung. Seg. u. Fl. 2, 101. Anm. Heg. Phil.
9, 369. Anm.

Lethe: dass die Menge so reichlich aus diesem Flusse getrunken
hat, ist vielleicht eine Gnade Gottes. Tabl. 12, 170.

Leupold, Herausgeber von Preu's System der Medicin des
Theophrastus Paracelsus. Ekst. als Met. 4, 161. Anm.

Leuthner, von, Obermünzprobirer. Anleit. 6, 256. 266 &c.

Lex est res surda et inexorabilis (Liv. 2, 3.). Kant's
Deduct. 1, 23. Theor. d. Erk. 1, 54.

Liberale und **Servile** (Unliberale) sind in Betreff der Freiheit der Intelligenz in demselben Irrthum befangen; sie vermögen beide nicht frei zu dienen. Freih. d. Int. 1, 185. Spec.
Dogm. 9, 193. vgl. Ferm. 2, 258. Die Begriffe der Sohnschaft und Knechtschaft sind vom Standpunct der Religion aus

ungekehrt, wie die Moralisten sie fassen, zu bestimmen. Ferm.
2, 294. Der Liberalismus oder Revolutionismus ging von
einer servilen Irrlehre, der passiven Glaubenslehre, aus. Spec.
Dogm. 8, 134. Liberalismus und Servilismus = Sadducäismus
und Pharisäismus, das Gegentheil von Demuth und Erhabenheit. Vermögensl. 6, 128 ff. Zwiesp. 1, 372. Der Liberalismus will Regierungen ohne Regenten. J. B. Theol. 3, 404.
Guter und schlechter Liberalismus. Die constituirende Freiheit
der Wahl des Regenten ist zu unterscheiden von der Freiheit
oder Unfreiheit, welche die Regierten sich hiemit zuzogen.
Elembgr. 14, 42. Liberalität und Liberalismus. Bonald 5, 119.
Der Liberalismus des Christenthums und der Kirche, und der
Liberalismus des Teufels. Br. 15, 468. Liberale, Nominalisten,
Atomistiker. Aphor. 5, 268. Liberale und Ungläubige aus
Missverstand und Unverstand. Aph. 5, 292 ff.

Liberum arbitrium und *Nitimur in vetitum:* wie dieser
Widerspruch sich löse. Spec. Dogm. 8, 118.

Licht- und Verfinsterungstheorie Neuerer, in falscher Anwendung von Goethe's Ansicht von der aller Positivität der Manifestation zu Grunde liegenden Negativität, ist irrthümlich. Antirel.
Phil. 2, 466. Fast alle bisherigen Licht- und Tontheorien (Emana-
tion, Vibration, Undulation &c.) und Bewusstseinstheorien sind falsch.
Spec. Dogm. 8, 241. Alle Licht-, Bewusstseins- und Willens-
theorien, welche das Sehen und Wissen in der Creatur *per genera-*
tionem aequivocam erklären wollen und mit dem *Ego* statt mit
Gott anfangen, leugnen Gott. Spec. Dogm. 9, 266. Feuer, Licht,
Luft = Vater, Sohn, Geist. Privatvorl. 13, 109. S. Dreizahl.
Licht ist eine Geistesgestalt, die alle andern in sich aufnimmt.
Quar. Qu. 12, 489. Das Licht, in dem der Mensch in jeder
Region sieht, ist nicht selber blind und finster; das Wort, in
dem er spricht, ist nicht selber stumm und taub. Rapport
4, 207. Das Licht, in welchem wir sehen, ist = Eingerückt-
und Theilhaftwerden eines schon vorhandenen Sehens, also nicht
selbst blind und finster; ebenso ist auch das Wort, worin der
sprechende Geist gründet, nicht selbst stumm und taub. Rat.
Theol. 2, 507 ff. Licht = schaffendes, leibgebendes und leib-

erhaltendes, speisendes Wort. Unsterbl. 4, 272. Lichtprincip =
die Alles begründende, bleibend machende, beleibende d. h. schaffende Potenz. Lichtcentrum, *Centrum gravitatis*. Bildungsl.
2, 108. Licht = primitives Sehen. Nur das Leuchtende sieht,
und das Tönende hört. Nouv. hom. 12, 253. Einscheinendes
und anscheinendes-Licht = innere und äussere Gabe. Spec.
Dogm. 8, 342. Licht = architektonischer Verstand, regulative
und constitutive Macht für den Sehenden und das Sichtbare,
Subject und Object. Begründ. d. Eth. 5, 9. Licht, nach
Hegel = Subject der Natur = architektonisches Sehen, wie
das Auge sonnenhaft nach Goethe. Licht und Ton, Aeusseres
und Inneres. Spec. Dogm. 8, 242. Jedes Licht ein Sehen
(Auge), jedes Auge ein Licht. Evol. u. Rev. 6, 107. Die
Lichtbrechung, Spiegelung ist nicht mechanisch, sondern organisch
(als eine Erzeugung) zu erklären. Spec. Dogm. 8, 82. Die
Bedeutung des Lichtes in der Natur und im Geiste. Tageb.
11, 284 ff. Das Licht blendet und erleuchtet. Nouv. hom.
12, 244. 245. Duplicität des Lichtes: strahlendes und nicht-
strahlendes (phosphorescirendes) Sonnen- und Mondenlicht.
Incomp. 4, 309. Anm. Männlicher und weiblicher Lichtstoff,
nach Voigt. Blitz 2, 41. Anm. Das Licht geht in der Mitte
von Feuer und Wasser auf. Vis sang. 4, 428. Anm. (Vgl.
Geist, Begriff.) Das freundliche, Alles ernährende Licht trägt
den Alles verzehrenden, allmächtigen Blitz *(in potentia)* in
sich. Blitz 2, 43. Leuchten = seine Gestalt (Farbe, Figur,
species visibilis) im durchsichtigen Medium (überall ganz und
ganz in jedem Theil) dem Auge darstellen. Studienb. 13, 369.
Lichtsein = absolut Offenbarsein. Versehens. 4, 389. Das
natürliche Licht ist vor seiner Centralisirung (in den Gestirnen)
erschaffen worden. Vorr. 1, 413. Das Licht, sofern es sich
verwirklicht, ist nie ohne alle Temperaturveränderung vorhanden, sondern wie das Erkenntnissvermögen, gleichsam doppel-
geschlechtig oder androgyn. Anal. d. Erk. 1, 41. Licht und
Dunkel, Tag und Nacht. Herder. Tageb. 11, 30. Licht und
Finsterniss. Aph. 10, 348. Lichtkälte, Finsterwärme. Geist
u. W. 10, 4 ff. Kaltes Licht, finsteres Feuer; jenes Schein-

licht, dieses verzehrende Glut. (Gegen abstracte Gefühlsbe-
strebungen in der Religion.) Spec. Dogm. 9, 11. (Vgl. Licht
und Wärme. Tageb. 11, 25.) S. Kopf und Herz. Das zum
Vorscheinkommen der Lichtsubstanz ist bedingt durch Zerstört-
werden einer Finstersubstanz. Nouv. hom. 12, 248. Licht
feuerfrei, nicht feuerlos. Quar. Qu. 12, 487. Lichtes und
finsteres Sein der Creatur, ihre Suchten oder ihr Verlangen
und Hunger, Begierde &c. Endl. Geist 7, 177 ff. Lichtbild,
Finsterbild == Geistbild, Thierbild. Ferm. 2, 346. Lichtsein ==
Leichtsein; Finstersein == Schwersein. Unsterbl. 4, 279. Licht-,
Leicht-, Kräftigsein, und Finster-, Schwer-, Peinlichsein. Versehens. 4, 337. Das Licht der Aufklärung, vom Weltbrand
herrührend. Aph. 5, 249. Lichtscheue. Opf. 7, 358. S. Finsterniss, Licht, Ton, Farben, Klangfiguren. Tabl. 12, 189. Licht-
stab des Auges. Espr. 12, 299.

Lichtenberg's vermischte Schriften. Freib. d. Int. 1, 143. Anm.
Sein physic. Magazin. Wärmest. 3, 59. Anm. 61. Anm. Ueber
Fluidität. Festigk. u. Flüssigk. 3, 193. Anm. L. über Liebe
und Ehe. Bonald 5, 117. Anm. Weissagung. Br. 15, 203.
Die Lichtenbergischen Figuren bei Paracelsus. Br. 15, 308.

Liebe s. Erotik. Liebe == Wärme, das allgemeine Band aller
Wesen. Wärmest. 3, 35. 38. Schlüssel zum Verständniss des
Mysteriums der Liebe. Aphor. 10, 304 ff. Drei Hauptgesetze
dafür. Erot. Phil. 4, 165 ff. Die innere Oeconomie derselben.
Schub. 1, 61 ff. Liebe == Wechselprocess von Geben und
Empfangen. Privatvorl. 13, 83. == Trias des einenden Unter-
scheidens und unterscheidenden Einens. Ebenso der Hass. Ferm.
2, 360. Die Dreipersönlichkeit der Liebe in Gott; sie ist nicht
bloss dargestellt in einer Person, dem h. Geist. Der Liebende
hat das Vermögen, sein Wollen (Selbstheit, Persönlichkeit) dem
Geliebten zu entäussern, sich zum Werkzeug herabsetzend.
Geist u. W. 10, 15. Die Liebe Gottes zur Creatur, eine
Tochter des Mitleids. Ferm. 2, 352. Die Liebe des Menschen
zu Gott ist Gegenliebe (Anteros). Religionsphil. 1, 326.
Die Liebe zum Nächsten ist gegründet in der Liebe zu Gott.
Indiff. 5, 230. In der Liebe Gottes zum Menschen waltet

die innigste Einung mit höchster Distinction. Tabl. 12, 186.
Die wahre Liebe ist göttlich in allen ihren Gestalten, als
Geschlechts-, als Eltern- und Kindesliebe, als Geschwister-
liebe, Freundes-, Stammesliebe &c. Spec. Dogm. 9, 212.
Nexus der Liebe zu Gott, zum Nächsten und zur Natur, wozu
der Mensch das Vermögen als Gabe erhält, ebenso wie sein
dreifaches Erkenntnissvermögen. Spec. Dogm. 8, 230 ff. Die
Liebe im Kampfe mit schlechten irdischen Formen, d. h. mit
dem bösen Geiste darin. Br. 15, 601 ff. Liebe und Erkenntniss. Indiff. 5, 236. Gegebene und aufgegebene Liebe, gegebenes und aufgegebenes Wissen. Aph. 5, 347. Die zwei
Stadien der Liebe des Menschen zu Gott: Unschuldszustand
und Bewährung. Spec. Dogm. 8, 138. Jeder Liebende (und
Lebende) muss dienen und nur dienend liebt (lebt) er. Verse
darüber. Rel. Phil. 1, 161. Die Unzugänglichkeit der Liebe-
und Lichtregion für den Profanen. Blitz 2, 44. Die Himmelfahrt der Liebe kommt in uns nur zu Stande durch Nieder-
halten eines natürlichen Elementes. Spec. Dogm. 8, 294. Die
Liebe ist bedürfniss-, begierde-, naturfrei, nicht -los. Ferm.
2, 178 ff. Der Liebende ist gesetzfrei, wie Gott selbst, obschon weder gesetzlos, noch gesetzwidrig. Wahrh. 1, 130.
Die zwei Elemente der Liebe sind Erhabenheit und Demuth,
wie die der Sünde Hoffart und Niederträchtigkeit = Centri-
fugal- und Centripetalkraft. Anal. d. Erk. 1, 48. Ferm. 2, 816
(s. Androgyne). Die zeugende oder hervorbringende Liebe ist
väterlich und mütterlich zugleich. Aph. 10, 828 ff. Die Liebe
allein ist productiv, die Nichtliebe impotent, der Hass destructiv.
Ferm. 2, 209. Anm. Die Liebe selbst ist ein Kind der in
Liebe sich Verbindenden. Aph. 10, 343. vgl. Br. 15, 626.
Von der Mehrheit der Personen und Identität des Wesens in
Gott findet sich ein Abbild in jeder Liebe, indem auch hier
Wesenseinheit und Mehrheit der Personen stattfindet. Antirel.
Phil. 2, 459 ff. Anm. Der Grund der Liebe als Geschlechts-
liebe (s. Geschlechtsverhältniss) ist die Idea oder himmlische
Jungfrau selbst, die als Gehilfe (weisende Weisheit) in jeder
Mannes- und Weibesseele wirksam ist und sich als höhere

Constellation in zwei Menschen zu verbinden strebt (daher die
siderische Phantasmagorie der Liebe), in beiden zur himmlischen
Wiedergeburt drängend, sei es mit, sei es ohne Ehe. Kreuz,
von der Liebe nicht zu trennen. Rat. mat. Vorst. 3, 307—310.
Liebe == Ekstasis, d. h. gemeinsames Eingegangensein beider
Liebenden in ein drittes Höheres. Aph. 5, 263 ff. Der unfreie
Trieb (Geschlechtstrieb) verschwindet mit dem Eintritt wahrer
Liebe. Rel. u. Pol. 6, 15. Aechte Liebe ist das beste Ver-
hinderungsmittel von Ausschweifungen, sowie lebendiger En-
thusiasmus das beste Verhinderungsmittel des Bösen. Tageb.
11, 194). Ueber ungemischte und gemischte Liebe und Ehe.
Aph. 5, 349. Ueber Liebe in Bezug auf Religion und Politik.
Rel. u. Pol. 6, 13 ff.

Lignori lehrt Quietismus und Molinismus, nicht in Gott, sondern in den Beichtvater. Morg. u. Ab. Kath. 10, 122.

Limus terrae in Adam nach J. Böhme. 2. Cap. d. Gen.
7, 226. Anm. 227. Anm.

Linder, Fräulein Emilie: Neun Briefe Bauder's an sie (1825—
1832). Br. 15, 427—485. Ihr widmete B. die Schrift: Vierzig
Sätze aus einer religiösen Erotik. Vierz. 8. 4, 181.

Lindl, Pfarrer (1824). Br. 15, 416. Biogr. 15, 99. Er und
seine Anhänger nahmen mit Unrecht an, man müsse sich von
der äussern Kirche separiren. Sichtb. K. 7, 219. S. Pöschelianer
u. Gossner.

Linien, zwei, eines Winkels, die nur durch eine dritte zu einer
Figur verbunden werden können, angewandt auf den Menschen.
Des err. 12, 136 ff.

List, Friedrich. Pass. Staatswirthsch. 6, 197. Büsch. 6, 191.
Biogr. 15, 19.

List sowohl des Liebenden (Christi), als des Hassenden (des
Teufels), sich erst an uns zu entäussern, um hierauf mit und
in uns zu sein. Ferm. 2, 228. S. Princip, Lust.

Locke, Tageb. 11, 408. 414. Er sah lauter Peripherien und
keine Centra. Des err. 12, 100. Indiff. 5, 127. Anm. Vergl.
5, 53. 89.

Locomotivität der Creatur, s. Abfallbarkeit.

Logik, Bearbeitung der hegel'schen durch Baader (1838). Br.
15, 423. Logik und Metaphysik werden meistens == Formen-
und == Inhaltslehre gefasst. Aber die Logik ist vielmehr ==
Formirungslehre oder „Lehre vom Logos als Formator durch
seinen Geist == Sprach- und Denklehre oder speculative Wissenschaftslehre == Vermittelungslehre des ungeschiedenen und
des unterschiedenen (geformten) Inhalts. Log. 1, 315. vgl.
Br. 15, 532. 534 ff. Der Logik ist von Hegel wieder jene
Virtualität und Wesenhaftigkeit vindicirt, welche selbe seit
lange verloren hatte. Logik == Lehre vom Logos. Spec.
Dogm. 9, 62. Der Mensch wird als erkennend und durch-
schauend selber beständig erkannt und durchschaut. Das Wissen
dieses Sich-Gewusst-Wissens ist die Fundamentalwahrheit aller
Logik als Erkenntniss- oder Bewusstseinslehre und gehört nicht
bloss in die Moral. Die Logik als Denklehre muss auch als
Wortlehre dargestellt werden. Societ. 14, 74. 77. Ueber den
Begriff der Logik. Aphor. 10, 348. Zur Reform der Logik.
Aphor. 10, 321 ff. Die christliche Logik arbeitet auf nichts,
als die Reinigung unseres unreinen Willens. Tabl. 12, 184.
Der oberste Grundsatz der Logik ist: In der Beschränkung
zeigt sich erst der Meister und das Gesetz nur kann die Freiheit geben. Ferm. 2, 330. Die Logik und Mathematik sind
infallibel, weil dabei keine Selbstthat ist, sondern nur Zusehen
der Mechanik des Geistes. Des err. 12, 147. 150. Beleuchtung einiger logischen Irrthümer und Vorurtheile. Spec. Dogm.
8, 311 ff. Baader liest nicht über Logik, aber logisch. Br.
15, 539. 541 ff. 554. Vgl. Hoffmann's Einleitung zum I. Bd.
d. Werke S. XXI ff. und zum V. Bande S. XX ff.

Logos, Wort, Weisheit, Urform oder Urmaass == Formprincip,
dessen immanente Function sich in die als $\Lambda \acute{o} \gamma o \varsigma$ $\acute{\varepsilon} \nu \vartheta \varepsilon \tau o \varsigma$
und $\acute{\varepsilon} \varkappa \vartheta \varepsilon \tau o \varsigma$, sowie die emanente in die schaffende und restaurirende unterscheidet. Form oder Maass 2, 524 ff. Anm. 528.
Der Schlüssel zur Lehre vom $\Lambda \acute{o} \gamma o \varsigma$ $\acute{\varepsilon} \nu \vartheta \varepsilon \tau o \varsigma$ und $\acute{\varepsilon} \varkappa \vartheta \varepsilon \tau o \varsigma$
liegt im Menschen. Spec. Dogm. 8, 79. vgl. 9, 187. Myst.
Magn. 13, 168. Randgl. 14, 442 ff. $\Lambda \acute{o} \gamma o \varsigma$ $\acute{\varepsilon} \nu \vartheta \varepsilon \tau o \varsigma$ ==
ideelle, magische, stille Formation, womit sich das Seiende nur

nur erst in die Möglichkeit der Formation oder Existenz führt;
Λόγος ἔνθετος = wirkliche, reelle, laute Formation und Pronunciation, womit jene Möglichkeit in actum geht. Societ.
14, 186 ff. 140. 146. Der *Λόγος ἔνθετος* entspricht der
innern Gedankenreihe. Tabl. 12, 167. Der *Λόγος ἔνθετος*
ist auch noch nicht als *ἔκθετος* ein Selbstisches. Espr. 12,
291. 311. In der ältesten Lehre der Hebräer werden der
Λόγος ἔνθετος und der *Λόγος ἔκθετος* unterschieden = *uni-
genitus* und *primogenitus*. J. B. Theol. 3, 382. 406 ff.
Ueber das Verhältniss von *Λόγος ἐνδιάθετος* und *Λόγος
προφορικός* zu der ewigen Natur in ihren sieben Gestalten:
Privatvorl. 13, 71. Der Logos, der alleinige Uniens, im Gegensatz zu der Mehrheit der schaffenden Principien und der dadurch hervorgerufenen Vielheit in der Creatur. Fern. 2, 166.
Der Logos ist das organisirende Princip. Br. 15, 272. Der
Logos (Weisheit), Gehilfe des Schaffens (*Λόγος ἔνθετος, ἔκθετος*). 2. Cap. d. Gen. 7, 235. Anm. Der *Λόγος προφορικός* = Sophia, Bild, Gedanke. Br. 15, 446. Ueber *Λόγος
ἔνθετος* und *ἔκθετος*. Br. 15, 463. Ueber das Verhältniss
von Logos und Sophia in Gott. Aph. 10, 342 ff. Der Logos
d. h. der ganze Ternar ist das Active, Sophia das Reactive
= Weib, Jungfrau, Idea = *ποίησις* und *αἴσθησις* des Geistes
im höchsten Sinn. Jungfrau oder Weib, die den Mann um-
giebt, des Mannes Bild und Ehre ist. Societ. 14, 140 ff. Der
Logos ward Sophia, d. h. Jesus, der Ausgang und die Bewegung des Herzens Gottes, wurde zum Christ, d. h. geistig
Mensch. Opf. 7, 290. S. Weisheit, Tertullian. Der göttliche
Logos = göttliche Vernunft, das gemeinsame Centrum aller
creatürlichen Vernunft. Indiff. 5, 204 ff.

Lommatzsch, Director am köln. Gymnasium zu Berlin. Br.
15, 464. Ueber das Verhältniss des Lebensmagnetismus zur
Einbildungskraft. Inn. Sinn 4, 95 ff. Die Weisheit des Empedokles. (Berlin 1830.) Spec. Dogm. 8, 273.

Loose, s. Magnetismus.

Loquere, ut videam te (Sokrates' Maxime vgl. Plat. Lach.

187 E.) Espr. 12, 286. 309. 328. Bonald 5, 82. Vorr. 1, 407. Anm.
Spec. Dogm. 8, 243. 369.

Lorjä, Isaak, Kabbalist. Seine Lehre über den Magnetismus.
Br. 15, 843.

Lotze, über Th. Fechner's Atomenlehre in den Götting. gelehrten
Anzeigen: 110. Stück. 1855. S. 1095. Einl. X, LII. LVII.

Löwenstein-Wertheim, Fürst Constantin von — Sechs-
zehn Briefe Baader's an ihn (1828—1835). Br. 15, 443—528.
Spec. Dogm. 8, 5 ff. Constit. 6, 45. Posit. Rechtsbest. 6, 57.
Unsterbl. 4, 265.

Lucifer's und Adam's Fall (s. d.) verglichen. Des err. 12, 93.
In Ersterem erfasste sich die Selbstheit in der finstern Matrix
(*Centrum naturae*); im Andern in der äussern, astralisch-
irdischen Natur. Ferm. 2, 316. Lucifer's Fall. Versehens.
4, 399 ff. Lucifer *Terraecida* und *Homicida*. Versehens.
4, 345. Lucifer, ein Menschenhasser. Espr. 12, 284. Er ward
entseelt (*exsanguis*), daher seine Psychophobie. Nonv. hom.
12, 246. Er vermag nichts über die Naturprincipien. Tabl.
12, 171. Man darf sich in der Lehre über ihn nicht zum
Nominalismus bekennen (Schelling). Rat. Theol. 2, 510.

Lucretius über das Uebel in der Natur. Endl. Geist 7, 201 ff.
Ueber die Wiedergeburt (Rerum nat. 5, 196 ff.). Spec. Dogm.
8, 46. Ueber Verbrechen von Religionswegen. Opf. 7, 332.
Anm. *Nil datur praeter simulacra fruendum*. Rat. Theol.
2, 507. Anm.

Luft: Was wir Luft nennen, ist permanenter Dampf und wie
dieser eine Auflösung eines dazu fähigen Stoffes in Wärmematerie. Wärmest. 3, 129 ff. Luft eine Production des Feuers,
aber nicht des materiellen Feuers, sondern des Feuers, welches
jenes und alle sinnlichen Dinge hervorgebracht hat. Des err.
12, 124 ff. Luft, als viertes Element, nicht mit den drei andern
Elementen (Feuer, Wasser, Erde) gleichzusetzen, sondern sie
alle von innen aus belebend. (△). Pyth. Quad. 3, 266.
S. Elemente. Bei einer gewissen Dünnheit derselben findet
weder Schallen noch Leuchten statt. Verkörp. 2, 8. Luft,

Baader's Werke, XVI. Bd. 20

analog dem Geistwesen. Metast. 4, 160. Die Luft drückt
auf luftleere Körper, der Geist auf geistleere, entgeistete Wesen.
Theorie des Schweren und Leichten. Zus. d. Leb. 2, 20,
Luft, das allein dem Geiste offene Element. Einfl. d. Zeich.
2, 129. Div. 4, 78. Anm.

Lumen und *Numen* waren nach den Alten gleichbedeutende
Ausdrücke. Antirel. Phil. 2, 471.

Lust, alle — attractiv oder magnetisch. Daher der Gleichklang
der Worte *Magnes*, *Magia*, *Imago* (s. d.). Rel. Phil. 1, 250.
Alle Lust oder Wollust entsteht und besteht im Ingress oder
im Ineinandersein harmonischer Wurzeln, sowie aller Schmerz
aus dem Ineinandergefallensein disharmonischer. Ferm. 2, 167.
Anm. S. Schmerz. Jede Lust ist Zeugungs- oder Vermäh-
lungslust; jede Production geht nur von Lust aus. Rat. Theol.
2, 504. Anm. Wechselseitige Lust des Erkennenden und Erkannten, bei inwohnender Erkenntniss. Theor. d. Erk. 1, 53.
Lugen (Schauen) = Lusten. Alle Lust geht vom Schaulichen
aus und Lust = List, indem sie auf Gewinnung der Verselbstigung des Geschauten zielt. Spec. Dogm. 9, 342. Jede
Lust bringt ihre List mit sich. Gebr. d. Vernunft, 1, 35, Lust
und Last: *Laeta venire Venus, tristis manere solet*. Div.
4, 75 vgl. Segen u. Fl. 7, 118. 142. 154. Wo du nur Lust
hast, da ist Gott nicht verloren; woran du nur Lust hast, da
ist der Tod geboren. Br. 15, 260. vgl. 330. Lust am Welt-
reich und am Gottesreich, Hass beider gegen einander. Apb.
5, 258. Es gibt eine böse, und eine gute Lust. Bildungsl.
2, 113. Productive, improductive, destructive Lust. Form od.
Maass 2, 522.

Lust und Begierde: Unterschied und Einheit beider. Privatvorl. 13, 101 ff. Die Attraction der Lust geht dahin, dass
ich meine Begierde, mein gebährendes Naturcentrum, ihr ein-
gebe und in dieser Conjunction ein Wesen (eine geistige Substanz) erzeugen helfe, in welcher sich nun beide fassen und
ihren Rapport effectiv zu machen vermögen. Ferm. 2, 259.
Lust und Begierde bilden eine Concretheit, sind aber nicht als
zwei Geschlechtspotenzen zu fassen, da diese Dualität vielmehr

in die Begierde (Natur) fällt und die Idea (Lust) sich als die
Androgyne und Mitte zweier Pole zeigt. Revis. d. Wiss. 10, 274.
(Vgl. dagegen: die Idea hebt sich, in Lust und Begierde sich
scheidend, auf, und ruft hiermit die Creatur hervor (das Weib
Trägerin der Lust, des Bildes). Ferm. 2, 255 ff. und: die
göttliche Selbstmanifestation geschieht durch einen doppelten
Ausgang, nämlich: 1) den der strengen, herben Begierde, des
Männlichen, und 2) den der weichen, sanften, stillen Lust, des
Weiblichen. Beide gehen in einander durch die Proprietäten
der Natur. Privatvorl. 13, 89.) Man versteht nichts vom
Willen, wenn man den Unterschied der Lust und der Begierde
nicht versteht. Die Lust ist eine Affection des Willens, welche
vom Motiv ausgeht und des Willens Oeffnung und Eingang
sollicitirt. Der eingegangene Wille aber wird begehrend, d. i.
sich an der Vision versehend (*a visu gustus*) centrirt, fasst
und modelt oder imaginirt er sich dem Gesehenen gleich.
Wesswegen J. Böhme das *Fiat* als das schaffende Vermögen
und als den eigentlichen plastischen oder Bildungstrieb, somit
den Anfang der Natur, in die Begierde legt. Rat. Theol.
2, 504. Anm. Der pneumatogonische Process: Begierde =
actives, männliches Verlangen; der Wille entzündet sich in der
Conjunction dieses activen und passiven Verlangens zum Geist.
Spec. Dogm. 8, 299.

Luther, als unwissenschaftlich bezeichnet. Ferm. 2, 196. vgl.
Randgl. 14, 448. Luther und die kirchliche Auctorität. Indiff.
5, 147 ff. Seine Leugnung des Priesters als geschiedenen
Standes. Beg. u. Fl. 7, 128. Sein Begriff vom Glauben ohne
alle Werke. Ferm. 2, 175. *de servo arbitrio.* J. R. Theol.
8, 429. Ueber den Teufel. Div. 4, 84. Anm. Vergl. Zus. d.
Leb. 2, 184. Anm. Seine Mönchsphilosophie. Br. 15, 394. Er
hielt, wie seine Gegner, Pabstthum und Katholicismus für
unterschieden. Emanc. d. Kath. 10, 55. Br. 15, 596. Es soll
den protestantischen Theologen nicht verwehrt werden, mehr
zu wissen, als Luther wusste. Str. Leb. Jesu. 7, 270. Luther's
Inconsequenz in seiner Vorstellung von der Eucharistie. Opf.
7, 394.

Maass des Unendlichen kann das Endliche nicht sein.   Form
od. Maass 2, 519.   S. Zahl, Maass, Gewicht, Zeit.

Machiavelli, über die Zerstörer der Religionen. Indiff. 5, 175.

Macht (*potestas, pouvoir,* Auctorität) und **Gewalt** (*vis, force,*
executives Vermögen) = Inneres Wort und Natur. Zeitschr.
Av. 6, 36 ff. Macht und Gewalt bei jeder Regierung als
moralischer Person: die Verminderung der erstern lässt sich
nicht durch eine Verstärkung der letztern ersetzen (Kriegs-
macht, Polizeimacht). Posit. Rechtsbest. 6, 63 ff. Seg. u. Fl.
7, 110. Gebr. d. Vern. 1, 36. Anm. — Titanische Mächte,
ihre Bindung und Tartarisation bei der (zweiten) Schöpfung. Spec.
Dogm. 8, 227. Die entgründende Macht dient der gründenden.
Minist. 12, 405. — Geistliche und weltliche Macht im Mittelalter. Orden. Spec. Dogm. 8, 55. Die weltliche Macht ist
kein Ausfluss der geistlichen und umgekehrt. Jene ist gegen
den Missbrauch jeder Kraft, also auch der gesetzlosen Willkür
der Machthaber gerichtet. Evol. u. Revol. 6, 98. Die geistliche und weltliche Macht sollen sich bewundernswerth zeigen.
Rel. Erot. 4, 192. Ihre gänzliche Trennung soll nach dem
Avenir vortheilhaft für die Religion sein. Zeitschr. Av. 6, 35.
44. Sie dürfen nicht getrennt und nicht vermischt werden.
Rel. u. Pol. 9, 27. Vgl. Aphor. 5, 307. 313.

Macquer's Chemie (1775).   S. Feuer- und Wärmetheorie.

Madonna-, Engel- und Christusbilder zeigen oft, dass der
Bildner seinen eigentlichen Gegenstand, die Androgyne und die
hiermit versöhnte, weil integrirte Natur des Menschen nicht
geglaubt, gefühlt und sich klar gemacht habe. Rat. mat. Vorst.
8, 305.

Mädler, Astronomische Briefe: Ferm. 2, 312. Anm. Ebendas.
814. Anm.

Magg, Jüngerer Freund Baader's.   Biogr. 15, 126. 129. 130.
Gespräche Baader's in seiner letzten Lebenszeit mit einigen
j. Freunden. Biogr. 15, 139—160.

Magie, das früheste magische System und dessen Vergleichung mit dem schelling'schen. Elem.-Phys. 3, 240. Magie nach Saint-Martin = Medium und stetiger Uebergang aus dem Nichtsinnlichen ins Sinnliche. v. Osten. Einl. 12, 81. = Medium der Generation und der Sensibilisation. Espr. 12, 351. Vgl. Saint-Martin. Begriff und Geschichte der Magie und ihr Verhältniss zum Christenthum (s. d.) nach J. Böhme. Die magische Wissenschaft und Kunst der alten Parsen und Aegypter war anfangs gut, wurde dann durch den Missbrauch schlimm und verfiel zuletzt in Superstition und Ignoranz. J. B. Theol. 3, 374 ff. vgl. Spec. Dogm. 8, 333 ff. Neue Aufschlüsse darüber nach Ritter. Br. 15, 217. Nothwendigkeit einer Wiedererweckung der *Magia naturalis*. Ebd. 15, 280. Rechtfertigung der ausgedehnten Anwendung des Wortes Magie. Ekst. 4, 12 ff. Die Schrift über Ekstase ist nur ein Commentar über die Bedeutung des Wortes Magie. Br. 15, 326. — Magie nach J. Böhme = Thun im Willensgeist. Fund. d. Christ. 10, 81. = Entleibtsein. Ferm. 2, 296. Man versteht nichts von der Magie ohne den Begriff der dematerialisirten Natur. Br. 15, 461. Nothwendigkeit, darüber ins Klare zu kommen. Ebd. 15, 462. Der Hauptschlüssel. Ebd. 15, 463. 465. Spec. Dogm. 8, 277 ff. Die stille Magie der Natur, besonders gewisser Objecte und Situationen derselben. Ferm. 2, 267. Alles, was ich wirke, habe ich magisch in meiner Begierde. Quar. Qu. 12, 487. Der magische Cirkel des Lebens: Im Organismus bringt die Ursache ihren Effect hervor und dieser wird wieder zur Ursache. Verkörp. 2, 8. Der Magus und sein Kreis als Vorbedingung seiner Operation. Rat. Theol. 2, 501. 524. Magisch im Gegensatz zum Reellen, besser als der Gegensatz von Ideell und Reell. Ferm. 2, 421. Magisch und Leibhaft von Plagen einer Magnetischen. Fragm. 4, 51 ff. Die magische und körperlich-sinnliche (wache) Bewusstseinssphäre sind nicht absolut getrennt. Ekst. 4, 18. Der magische Verkehr ist organisch, der körperlich-sinnliche (oft) nichtorganisch. Ekst. 4, 4 ff. Der Glaube (s. d.) ist Magie. Quar. Qu. 12, 495.

Magikon, siehe Kleuker.

Magnetismus. Etwas vom Magnetismus, von einem nord-
deutschen Ärzte. Br. 15, 343. — *Lettre sur la seule ex-*
plication satisfaisante du magnetisme animal. Stockholm
1787. Br. 489. — Die bisherigen falschen Ansichten über
magnet. Clairvoyance. Br. 15, 487. 702 ff. Die Eintheilung
desselben von Troxler nach den Regionen (thierischer, irdischer,
atmosphärischer oder siderischer) ist abzuweisen. Ekst. 4, 32 ff.
Das Gebahren der Rationalisten bei den ekstatisch-magnetisch-
spectrischen Vorkommnissen. Spec. Dogm. 9, 272. Magnetische
Secten in Frankreich: Barbarin, Mesmer, Puysegur. Br. 15,
308. 332. Was die Erscheinungen des Magnetismus in unserer
Zeit zu bedeuten haben. Br. 15, 280 ff. 361. Allgemeinheit
der magnetischen Kraft. Espr. 12, 300. Die magnetischen
Erscheinungen haben desshalb, weil in ihnen eine Befreiung
von der allgemeinen Resistenz der Natur durchblickt, ein besonderes Interesse. Einfl. d. Zeich. 2, 131. Anm. Der Magnetismus ist eine Steigerung, nicht eine Herabsetzung des gewöhnlichen menschlichen Wesens. Ekst. 4, 29 ff. Der Zustand
des magnetischen Wachens ist ein höherer, als der des gemeinen. Ekst. 4, 20. Die magnetisch Hellsehenden schauen
und durchschauen ein und dasselbe Object zugleich. Ferm. 2,
182. *Nemo videt nisi volens.* Heg. Phil. 9, 348. Die magnetischen Erscheinungen sind Anticipationen des Zustandes nach
dem Tode. Centr. Sens. 4, 189. Im Magnetismus werden
Himmel und Hölle vorgespiegelt. Fragm. 4, 47. In den magnetischen Operationen wird eine Befreiung der Kräfte der
activen Natur des Menschen von denen der passiven Natur in
ihm beobachtet und ausgeübt. Zeitbgr. 2, 66 (92). Anm. Die
Gefahr der Deprimirung der äussern Natur und die Zweideutigkeit der magnetischen Zustände. Ekst. 4, 5 ff. Sagen u. Fl.
7, 115. Div. 4, 72 ff. Anm. Desorganisation = Enthüllung
des Centrums. Ecce hom. 12, 426. S. Desorganisation. Bemerkungen über das Magnetisiren und den magnetischen Rapport.
Magia, Magnes, Imago. Magnetisiren = Imaginiren. Ferm.
2, 260 ff. 268. Die *Ideas operatrices* vermitteln alle magische
Action. Br. 15, 330. Baader verspürt einen elektrischen Schlag

bei einer Somnambulen. Br. 15, 332. Der Magnetismus gibt ein Beispiel, wie eine Person einer andern theilhaft werden kann, so dass eine der andern *Sensorium* und Medium der Weltanschauung wird. Zus. d. Leb. 2, 26. Ueber das Verhältniss des Magnetiseurs und der Somnambule; der eigentliche Magnetiseur ist immer ein Geist oder Abgeschiedener. Rapp. 4, 205 ff. Br. 15. 262. Das Kraft-von-sich-Lassen des Erstern ist ein theilweises Sich-Opfern dem Kranken. Ekst. 4, 14. S. Derivation. Opfer. Die Somnambule schaut in das Herz des Magnetiseurs und reicht nur noch durch die Blutseele desselben in die irdische Region herab. Fragm. 4. 44. Aph. 5. 270. Der Causalnexus zwischen dem moralischen Befinden des Magnetiseurs und dem physischen Befinden der Somnambule. Ekst. 4. 25 ff. Ueber kecke und leichtsinnige Magnetiseurs. Bildungsl. 2, 124. Bei dem Magnetisiren ist das Purumatisiren nicht zu vergessen. Br. 15, 333. Manipulationen und Instrumente sind beim Magnetisiren nicht unwesentlich. Ekst. 4, 34 ff. Baguette. Ekst. 4. 36. Ferm. 2, 268 ff. Loose. Ekst. 4. 37. Hauch und Handauflegung. Ekst. 4, 12 ff. 14. vgl. 19. Anm. **. Fragm 4. 43 ff. 46. *Actio in distans.* Talisman. Ritter's Versuche mit dem Metall- und Wasserfühler Campetti (1806). Br. 15, 207 ff. Spec. Dogm. 9. 39. Metalleinwirkung bei Magnetischen. Br. 15. 352. Der Magnetismus gibt eine Analogie für die Eucharistie. Euch. 7, 26. Magnetismus und Kryptokatholicismus. Besess. 4, 218. Die magnetischen Erscheinungen haben bis jetzt noch wenig geleistet. Ferm. 2. 421 ff. Mehrerlei neue Ansichten Baader's über den Magnetismus seit dem J. 1840. Br. 15, 663 ff. 669. 686. 704. S. Ekstase. Somnambulismus.

Mahl und Vermählung als Weise des Essens und Zeugens. Ferm. 2, 178. S. Abendmahl.

Maja der Indier = Imagination (s. d.) oder unmittelbare magische Anschauung bei J. Böhme, verschieden von der täuschenden Maja. Spec. Dogm. 8. 277 ff. Quar. Qu. 12, 483. Himmlische, astralische, infernale Maja (Lust. Magie). Societ. 14, 94. S. Brahmanen.

Majestas eines Regenten = Genius. Expr. 12, 361.

Maistre, Graf Joseph de, *Les soirées de St. Petersbourg*
1821. Wiss. u. Rel. 1, 89. Anm. Randgl. 14, 387 ff. vgl.
Div. 4, 63. 77. 78. 88. Anm. Indiff. 5, 222. Ferm. 2, 173.
209. 212. 214. 220 ff. Spec. Dogm. 8, 4 &c. Rat. mat. Vorst.
8, 296. *Considerations sur la France.* Franz. Rev. 6, 326.
Essai sur le principe générateur des constitutions polit.
Franz. Rev. 6, 327. Sein Urtheil über Locke, Cartesius und
Leibniz. Bonald 5, 53. 58. 100 Anm. Ueber Malebranche's Unterscheidung einer generellen und individuellen Providenz. Emanc.
d. Kath. 10, 81. Maistre's falsche Deduction der Infallibilität
des Kirchenoberhauptes (1825). Br. 15, 429.

Malebranche, von der Wahrheit. Ueber die Erkenntniss
Gottes durch Gott. Seine Behauptung, dass wir Alles in Gott
sehen, würde richtiger heissen, dass wir Alles in Gott sehen
sollten. Bonald 5, 53. Verhalt. d. Wiss. 1, 348. Seine Lehre
von der Assistenz, wornach das Individuelle von der Vorsehung
Gottes ausgeschlossen sein soll, ist unvernünftig. Solid. Verb.
4, 302. Spec. Dogm. 9, 132. Seine schwache Theologie.
L'hom. 12, 228. S. Maistre.

Maleficium. Opf. 7, 326. 328.

Maler und Bildner können sich ihres Stoffes wegen schwerer
als die Dichter von den Banden der Materialisation frei machen
und halten. Daher müssen sie sich um so mehr in ihren Darstellungen erhabener Gegenstände beschränken. (Beflügelte
Engel, Madonna- (s. d.), Christusbilder). Rat. mat. Vorst.
3, 299. S. Kunst.

Malfatti, in Wien (1818). Br. 15, 342. 352. 504. vgl. Spec.
Dogm. 9, 5. Sein Brief an Baader (1841). Br. 15, 704.

Malthus. Socialphilos. Aphoris. 5, 281.

Manichäismus, die neuern Schriften darüber (in der Anm.
Hoffm. zu Antirel. Phil. 2, 485). Vgl. Pantheismus, Dämmer.
Saint-Martin hat den Manichäismus treffend bekämpft. L'hom.
12, 226. Minist. 12, 403. Der Irrthum des Manes, das
chaotische Nichts dem Schöpfer gleich zu setzen, führte die

Theologen zur völligen Nichtanerkennung des Naturcentrums in Gott. Urtern. 7, 34. Bildungsl. 2, 102. Der Manichäismus und die alte platonische Lehre von einer mit dem Geiste (Gott) gleichewigen Materie haben mit der Lehre J. Böhme's gar nichts zu thun. Ferm. 2, 380. Der Manichäismus schrieb den Ursprung des Bösen einer Vermengung und somit Gleichsetzung von Principien zu, welche an sich keineswegs böse seien. Antrel. Phil. 2, 485 ff. Der Manichäismus oder die Behauptung, dass das Naturprincip in Gott in ein anderes, numerisch von ihm verschiedenes Wesen übergehe, ist zuerst von J. Böhme gründlich widerlegt worden. Myst. Magn. 13, 208. Mani irrte nicht in der Anerkennung der Dualität des Guten und Bösen, sondern nur in der Annahme zweier Götter. Weiteres über den Manichäismus. Des err. 12, 87 ff. Der alte und neue Manichäismus fusst auf dem Scheine zweier in derselben Welt unabhängig für sich bestehender Götter (Nichtübereinstimmung des Innern und Aeussern). Spec. Dogm. 9, 271. Manes meinte irrthümlich, dass der Sitz des Bösen in der Essenz der Creatur hafte, da er vielmehr in der Region der Vermögen haftet. Versehens. 4, 413.

M a n g e l einer gesetzlichen Verantwortlichkeit der Kammern, ein Gebrechen aller neuern Constitutionen. Constit. 6, 48.

M a n i f e s t a t i o n s. Offenbarung.

M a n n, *man* (erkennen), *manisha* (Erkenntniss), *momuscha* (Mensch), *mens*, *mind*. Rel. Phil. 1, 237. Was in der Union als *Genitor* und *Genitus* ist, tritt in der Scheidung (Desunion), d. h. in der Suspension des Letztern, als *was* und *foemina* hervor. Versehens. 4, 368. Vgl. 344. Anm. 8. *Genitor* u. *Genitus*. Mann, Weib. Minist. 12, 380 ff. Mann und Weib = Erhabenheit und Demuth = Geist und Natur = Feuer und Wasser = positive und negative Electricität. Bei allem diesem bilden die constitutiven Elemente nicht sowohl eine Duplicität, als vielmehr (mit Einschluss der Union = *vis generans*) eine Triplicität. Spec. Dogm. 9, 134 ff. Vgl. 127. 8, 250. Anm. Mann und Weib werden beide in der Androgyne vollendet. Br. 15, 486 ff. Mann und Weib = gestirnter

Himmel (Sonne) und Erde =: Mensch und Natur =: Söhn
(Herz) Gottes und Mensch. Anal. d. Erk. 1, 43 ff. Mann
und Weib = Lust und Liebe. Esot. Phil. 4, 175. Der Mann
findet (sieht) sich im Weibe, indem sie ihm den Sohn gebiert,
wie der Spiegel das Bild. Auf ähnliche Weise sind wir bestimmt,
Gemahle (Jungfrauen) Gottes zu sein. Stdlenb. 13, 356.
S. Weib, Zeugung.

Mannert, über den Adel bei den Germanen. Urs. d. Leicht.
6, 881.

Marheineke, dessen Dogmatik. Bildungsl. 2, 112. 117. Rel.
Phil. I, 165. 235. Vgl. Döll. 7, 64. Spec. Dogm. 8, 195.
Br. 15, 464.

Maria, ihre Jungfrauschaft nach Thomas von Aquin. Sct. mat.
Vorst. 3, 303. Mehrere speculative Mystiker haben Maria mit
der Idee als Jungfrau verwechselt; daher Poesie und Abgötterei.
Br. 15, 449. In ihr musste das (verblichene) göttliche Bild
(s. d.) im Menschen erst wieder erweckt werden, damit sie
wahrhaft Jungfrau und Gottesmutter werden könne. Bei dieser Empfängniss (des Bildes) durfte keine Creatur die Function
des Mann- und Weibthieres leisten. Ferm. 2, 224. In ihr
gingen die zwei Naturen (die göttliche und menschliche) in
eine Person zusammen. Das Wort wurde nicht selbst zum
Wesen. Die creirende göttliche Wesenheit war vor ihrem Eingang (in die menschliche) unpersont und blieb auch in dieser
ihrer Personung den göttlichen Personen untergeordnet. Fund.
d. Christ. 10, 40. Vgl. Christus. Ueber die unbefleckte Empfängniss
Maria's. Morg. u. Ab. Kath. 10, 150 ff.

Marsilius Ficinus, in *Convivium Platonis*, betreffend die
platonischen Ideen in Bezug auf den Ternar. Heg. Phil. 9, 417.
Ueber die von den pythag. Philosophen gelehrte Trinität. Br.
15, 497. Vgl. 517.

Martensen, dessen Meister Eckart. Antirel. Phil. 2, 455. Anm.
460. Anm. Einl. III, XLI.

Martinez Pasqualis, des Portugiesen (nicht Spaniers) Lehre.
Schr. (1823). 4, 115 ff. Seine Lehre über Eva's Hervorbringung. = Magik. 12, 535. Vgl. Espr. 12, 861. Bitte um

Auskunft über ihn und seine Schule (1816). Br. 15, 307. Historische Mittheilungen über ihn. Magik. 12, 546 ff. Sein Manuscript über die Zahlenlehre, der Hauptcodex dieser Disciplin. Br. 15, 314. 340. 365. Seine Wirksamkeit in und nach dem Erdenleben. Br. 15, 329. 338. Ueber Freimaurerei. Br. 15, 337. — Seine Zahlenlehre. Ferm. 2. 335. Die martinistische Schule in Frankreich und deren Nichtbeachtung. Societ. 14. 63. S. Saint-Martin, Fournié, Judenthum.

Marum. Beobachtung, dass der Blitz dreizackig ist. Blitz 2, 31.

Materialismus = Behauptung einer Gleichheit und allgemeinen Einerleiheit aller Wesen. Des err. 12, 119. 134. = Leugnung jedes Geistes: Bemerkungen dagegen. Tageb. 11, 69 ff. 164 ff. 172. Ueber seine Widerlegung durch Baader. Einl. 12, 48. Verglichen mit Baruch's Göttern. L'hom. 12, 219. Die Materialisten als des Sinnes für Speculation völlig entbehrend = unbeschnittene Chamiten, sind in der philosophischen Polemik ganz ausser Acht zu lassen. Spec. Dogm. 8, 217. Die *qualitates occultae* im Materialismus. Des err. 12, 105. Der Materialismus kann damit nicht gestürzt werden, dass man die Existenz eines (wenn schon vergänglichen) W e s e n s dieser Welt leugnet, weil letztere ja (nach Kant) sich in ein Spiel (substanzloser) K r ä f t e auflösen lasse. Wahrh. 1, 130. Der Materialismus widerlegt durch die zweierlei (nämlich die ursprünglichen und abgeleiteten) Eigenschaften jedes Wesens. Espr. 12. 270. Zu seiner Widerlegung dient auch, dass kein Thier so sehr von allen andern, als der Mensch vom Menschen verschieden ist. Tabl. 12. 176. Materialismus = Rationalismus oder als Behauptung, dass das räumlich-zeitliche oder materielle Sein des Menschen sein einzig natürliches, wahres, ganzes und volles, die Materie die unmittelbare, einzige und erste Production Gottes sei. Antirel. Phil. 2. 477. Materialist ist auch der, welcher der Natur die Möglichkeit einer andere Corporisation und Sensibilisation als die zeitliche abspricht. S. D. 9, 92. Das materialistische System Schelling's. Antirel. Phil. 2. 446. Der Materialismus der Hegel'schen Philosophie, wornach die Materie ewig aus Gott hervorgeht, damit dieser ewig als Geist in sich

zurückkehrte, und ihr Missverständniss der polarischen Spannung
im Leben der Materie. Antirel. Phil. 2, 484. S. Günther.
Der Materialismus und Spiritualismus unserer dermaligen Philosophie und Theologie. Ferm. 2, 161. Der Materialismus, das
caput mortuum eines falschen verbrecherischen Spiritualismus.
Espr. 12, 309. Das Wesen des Materialismus und Spiritualismus. Anthropoph. 434. Anm. Materialismus und Spiritualismus in Betreff der Lehre vom Sinn. Indiff. 5, 212 ff. Der
Mensch ist mehr als ein blosses Sinnenwesen. Des. err. 12,
101 ff. Materialismus und Rationalismus in der Staatswissenschaft. Zeitschr. Av. 6, 36. Die Verderblichkeit des Materialismus in socialer Beziehung. Des. err. 12, 149. Den Materialismus
in der Staatskunst (Politik) und Staatswirthschaft ist so unvernünftig, wie der in der Moral und Physik. Posit. Rechtsbest.
6, 64. S. Atomismus.

Materie im allgemeinsten Sinn = Wesen, Natur. Materia von
Mater: Colitur in Patre Deus, sicut in Matre Dei Natura.
Solid. Verb. 3, 333. Rel. Erot. 4, 194. Fund. d. Christ. 10, 33.
(NB. Schon Plato nennt die Materie Mütter. Tim. 49 A, 50 D.)
Materie (Wesen) und Geist sind relativ. Wenn die Macht
und Energie der Ichheit (Natur) der durch den Blitz geöffneten
Freiheit zum Opfer gebracht wird, wird aus jener Energie (als
gleichsam einem Gase d. i. dem finstern Naturgeiste) Wesen,
materia prima. Blitz 2, 40. ff. S. Wesen. Materia prima =
Gattungseinheit, Allgemeinheit, die nachher in dem Besondern,
das aus ihr hervortritt, aufgehoben wird. Sterben und Auf-
erstehen beim Tode eines Individuums. Ferm. 2, 218.) Das
Materielle (Somatische) und die materiellen Wesen als Werkzeugliches. Incomp. 4, 315. Seg. u. Fl. 7, 111. — Materie
im engern Sinne = besondere Gestaltung und Verunstaltung
des Wesens = verwesliches Weltwesen Correlation von Geist
und Wesen (Materie). Irrthümlicher Glaube der Griechen, der
Gnostiker und vieler Neuern an eine ursprüngliche Ent-
fremdetheit und Entzweiung zwischen Geist und Wesen. Solid.
Verb. 3, 344. Gebrauch der Ausdrücke Materie und Natur
(verwesliche und unverwesliche Materie) in der heiligen

Schrift und bei neuern Schriftstellern. Ekst. 4, 18. Anm.
Versehens. 4, 375 ff. Die Lehre Saint-Martin's über die Materie. v. Osten Einl. 12, 29 ff. Saint-Martin und Schelling
über den Ursprung der Materialität der Natur. Ebd. 12, 71. Anm.
Von der materiellen Natur eine abgesonderte Classe und ein
abgesondertes Studium machen, heisst sie gottlos und abstract
betrachten. Des err. 12, 109 ff. Fünffache Stellung unseres
Geistes zur Materie. L'hom. 12, 281 ff. Zusammenhang der
Irrthümer über das Wesen des Menschen und das der Materie.
Ebd. 12, 108. Die materielle Natur ist eine der Erklärung
bedürftige Hieroglyphenschrift (nicht Wortschrift) des schaffenden Wortes an den Menschen. Wahrh. 1, 130. Anomie und
Antinomie in der Materie. Antirel. Phil. 2, 488. Indiff.
5, 162. Anm. Das Princip der Materie ist von dieser selbst
zu unterscheiden. Des err. 12, 110 ff. Die Erde (s. d.), als
alles Materielle tragend, ist nicht selbst materiell. Alle Materie
ist ihrer Natur nach sterblich und materiell; unzerstörbar ist
nur ihr inneres Princip. Pyth. Quad. 3, 285. Die Materie
ist nach Kant nicht denkbar ohne repulsive und anziehende
Kraft; also gibt es in der Natur keine *Matière brute*, sondern
nur eine *Matière vive*. Fest. u. Fl. 3, 185. S. Kraft. Drei
Formen der Materie als drei Stufen der Verkörperung oder
Entkörperung (Puncte, Flächen, Körper; Punct- oder strahlende
Kräfte, Flächenkräfte, mechanische Kräfte). Elemphys. 3, 323.
Es gibt keine allgemeine Materie, wohl aber immaterielle
Differentialten, woraus die Materie fortwährend entsteht und in
die sie sich fortwährend wieder auflöst. S. Atome. Das beständige Vergehen und Entstehen der Materie. Spec. Dogm.
9, 56. Ihre Permanenz ist, wie die einer Lichtscheibe, welche
man durch das schnelle Drehen eines Lichtstabes effectuirt.
Metast. 4, 158. Anm. Sie ist ein fixirter, aufgehaltener und
gleichsam betäubender Feuerhunger nach wahrhafter Substanzirung, ein vom Vegeten aufgehaltenes Nichts, das Gespenst *(apparition* un *revenant)* des wahrhaften Seins. J. B.
Theol. 3, 423. = (Die Fortdauer alles Zeitlichen ist nur
die Erscheinung einer steten Wiedererneuerung. Elemphys.

3, 222). Das Phantom der Materie ist für den Christen nicht
Minist. 12, 420. Die Penetrabilität (Permeabilität) der Materie.
Espr. 12, 287. Die Wahrheit und die Scheinbarkeit der
Materie, Tabl. 12, 196. Alle Materie existirt durch Bewegung, und nicht die Bewegung durch Materie. Des err. 12, 152.
Die Materie, der Welt Wesen, hat keine Tiefe, ist durchaus
nur Oberfläche, Schein und kann den Menschen nur berühren,
nicht rühren. Antirel. Phil. 2, 452. Der Erscheinung, dem
Urstand und Fortbestand der Materie liegt nicht ein gelöster,
sondern ein nur arretirter und suspendirter Widerspruch zu
Grunde. Rel. Phil. 1, 256. Der wahre Character der Materie
liegt darin, dass sie nichts produzirt, d. h. nur zu einer negativen Manifestation gelangt, bloss zu widerstehen hat. Segen
u. Fl. 7, 113. vgl. Antirel. Phil. 2, 443—496. Ferm. 2,
365—442. Die Materie im allgemeinsten Sinne oder Wesen
== das Schwere, Unfixe, Unfertige, Unselbständige. Zeitbgr.
2, 81 f. Bildungsl. 2, 110. Das materielle Universum ist
nicht gegen und ausser Gott absolut selbständig, so wenig, wie
die zur höchsten Selbstsucht gesteigerte Ichheit von Gott los
und selbständig ist. Ferm. 2, 327 f. Es ist Blasphemie, die
Materie für ein unmittelbares Geschöpf Gottes zu halten. L'hom.
12, 213. Der Materie kommt keine spontane Bewegung zu.
Bonald 5, 112. Die materielle Region trägt durchaus den
Character des Unfreien, wesshalb auch die Annahme der Sinnenwelt nicht (freier) Glaube genannt werden kann. Wahrh. 1, 112.
Die Materie ist nicht ins Unendliche theilbar, weil sie sonst
unzerstörlich und ewig sein würde. Des err. 12, 14. vgl. Einl.
12, 29. 31. Goethe und ein indischer Dichter über die
materielle Natur. Die Wurzel des materiell Daseienden ist nur
ein Bruch, keine Einheit. Rel. Phil. 1, 272. 273. Ferm.
2, 361. Die Materie ist nicht ewig und unzerstörlich; es gibt
nicht eine einige materielle Natur. Des err. 12, 117. Die
Nichtewigkeit der Materie. Gott ist nicht das Centrum der
materiellen Welt als Peripherie. Minist. 12, 274. — Die
Ohnmacht und innere Bestandlosigkeit des originellen Zustandes
der Materie. Confusion, welche der Gründung dieser Welt

vorherging. Pyth. Quadr. 3, 265 ff. Die Spannung und Gewaltthätigkeit der Materie beweist, dass sie nur durch einen Heraustritt aus der Region der Liebe entstanden ist. Die Ketten und Gefängnisse lassen auf einen Gefangenen schliessen, und dieser auf ein Verbrechen. Rel. u. Pol. 6, 16. Die Materie ist entstanden in Folge einer Selbsterhebung geistiger Wesen. Privatvorl. 13, 121. Die Materialisation der Schöpfung bei Lucifer's Fall. der Einbruch der Nacht in ihr. Die *Causa occasionalis* des Entstehens und Bestehens der Materie war allerdings ein geistig und persönlich Böses, gegen welches sie erschaffen ward; aber sie war nicht ein Geschöpf des Bösen. Gnostiker. Versehens. 4, 345 ff. Der Contact (Rapport) der Materie mit einem bösen Geist oder Unwesen. Ferm. 2, 177. Der Fall (καταβολή) der nichtintelligenten Natur (Leiblichkeit), wodurch diese zur Materie im engern Sinne entstellt ward. Ferm. 2, 161. Die Materialisirung der Natur. Franz. Revol. 6, 298 ff. Der Urstand der materiellen Wesen, wie in einem Ungewitter. Endl. Geist 7, 201. S. Gewitter. Die materiellen Wesen nehmen, obwohl schuldlos, an den Leiden der schuldigen intelligenten Wesen Theil. Diess ist nicht ungerecht. Seg. u. Fl. 7. 139. Anm. Die Materialisirung des Menschen, womit derselbe das ganze materielle Universum über sich bekam. Weltkreuz = Weltschwere. Antirel. Phil. 2, 492. — Die Bestimmung der Materie dem Bösen gegenüber. Opt. 7, 374. Die materielle Beleibung suspendirt die Finsterentzündung. Espr. 12, 285. 294. Die Materie bezweckt die Entfernung und Hemmung einer Action, die störend in die Einheit (Totalität) der Action einzudringen suchte. Ein ungeheueres Verbrechen veranlasste das Entstehen der Materie; jenes dauert noch fort, und eben darum auch diese. Antirel. Phil. 2, 489 ff. Die normale Function der Materie ist, die dämonischen Einwirkungen von der Natur und dem Menschen zum Behuf ihrer völligen Wiedersubjection fern zu halten. Spec. Dogm. 9, 87. Die Lüftung ihres Schleiers gibt auch übelthätigen Actionen eine grössere Virtualität. Opfer. Opf. 7, 328 ff. Unsterbl. 4, 271. Anm. Ferm. 2, 172. Die Materie dient zur Sonde-

rung, Regulirung, Dämpfung concentrischer Sehsationen. Centr.
Sens. 4, 139. Die Materie ist die Bauhütte eines herzustellenden Gebäudes. Sie ist für sich nicht verständlich, sondern
weist zu ihrem Verständniss über sich hinaus. Spec. Dogm. 8, 287.
Ausführliches über die Bedeutung der Materie. Seg. u. Fl.
7, 114 ff. Materie == Aeusserlichkeit (äusseres Wesen) der
nichtdenkenden (gedachten) Natur hi jeder Region. Ihre Nichtsubstanzialität in Bezug auf dieses ihr Inneres. Incomp. 4, 315.
In einem noch weitern Sinne, gegenüber den Ansichten der
Spiritualisten und Materialisten, ist Materie zu fassen ==
äusseres Wesen jedes Seienden. Relativität der Materialität.
Incomp. 4, 317. Materie im engern Sinne == irdische, vierelementische Leiblichkeit oder Begreiflichkeit; nicht == Leiblichkeit überhaupt. Geistiger Leib == immaterieller Leib. Verschiedenheit des Sternenleibes vom irdischen Leib, des Engelleibes vom Auferstehungsleib des Menschen. Rat. mat. Vorst.
3, 290 ff. Anm. Dieselben Elemente, welche transponirt die
materielle zusammengesetzte Existenz produciren, produciren in
ihrer normalen Position die immaterielle spirituöse Existenz.
Des err. 12, 106. Materie == besondere Seins- und Wirkungsweise der nichtintelligenten Natur, welche sich hiermit in einem
verlarvten Zustande und in der Versetztheit oder Zusammengesetztheit ihrer constitutiven Elemente befindet. Spec. Dogm.
9, 51. (Irrthum ist es, die Wirkungen und also die Wirklichkeit des Bösen in der selbstlosen Natur zu verkennen oder
zu leugnen und das über dem immer offenen Grabesschlunde
gleichsam nur gespenstisch und phantasmagorisch schwebende
Zeitleben für das wahrhafte, wenigstens für das alleinige Leben
des Urhebers der Natur und des Menschen selber auszugeben.
Spec. Dogm. 9, 81.) Die vierelementische Materie ist verlarvte einelementische. Spec. Dogm. 9, 204. Die Permanenz
des Aeussern ist nicht mit einigen Mystikern zu leugnen, aber
auch nicht mit Günther festzuhalten als irdisch-verwesliche
Materie. Solid. Verb. 3, 352. Durch den Schleier der Materie
blickt überall schon die Seelengestalt hindurch. Espr. 12, 342.
Die materielle Sinnlichkeit == Organ der Gottheit und Vehi-

ordem seiner Lebenskräfte, sowie für uns Stütze und Unterlage, um uns zu ihm emporzuziehen. Tabl. 12, 174. — Nur die Verwesung der Materie macht das Wachsen einer ewigen Leiblichkeit möglich, welche das ethische Leben begründet. Begründ. d. Eth. 5, 31. Anm. vgl. 21. Anm. Materielles und Inmaterielles in Bezug auf den Cultus. Fronl. 7, 244. Uebergang beider in einander. Heg. üb. Euch. 7, 254. Die Materie entmaterialisirt sich im Fortgange der Geschichte immer mehr. Der alte, massive Materialismus ist verschwunden und wir werden mehr und mehr in eine Gespensterregion sublimirt. Krankheiten. Sinnengenüsse der neuern Zeit. Mart. Pasq. 4, 135. Centr. Sens. 4, 139. Geistersch. 4, 211. Thomas von Aquin über die Materie. Erläut. 14, 275. 282. Derselbe hat Materie und Natur nicht unterschieden und den Bezug des Materiellen zum Geistigen nicht anerkannt. Erläut. 14, 256. 259. 289. Ganz irrig war es von der Naturphilosophie, die Materie als den Abfall der Idee von sich zu fassen. Antirel. Phil. 2, 489. Hegel hat zwar die Materie richtig aus dem Ternar von Zahl, Maass und Gewicht zu construiren versucht, aber doch sich dabei bedeutende Fehler zu Schulden kommen lassen. Form od. Maass 2, 523. Sinn alles Zeit- und Raum-Lebens und Wirkens. Nouv. hom. 12, 241. Ueber Materie und Form s. Form.

Mathäi, der Mysticismus. Göttingen 1832. „*Una veritas essentialis, catholica ubique sibi semper similis, nusquam sibi contradicens, et illa est Sophia. Quidquid ergo in Theologia verum est, in Philosophia naturae non potest esse falsum, alias Philosophia moria et asophia esset.*" Solid. Verb. 3, 335.

Mathematik, reine — und deren Philosophie. Tageb. 11, 224 ff. vgl. 168. Man sollte die mathematischen Lehrbücher mit der lebendigen Potenzirung und Wurzelextraction, statt mit der begrifflosen Addition und Subtraction beginnen. Elem.-Phys. 3, 215. Anm. Die Irrthümer der gemeinen Arithmetik. Nombr. 12, 517 ff. S. Zahlenlehre. Der Begriff einer höhern Mathematik ist den Neuern abhanden gekommen, wie der einer Im-

materiellen Natur. Spec. Dogm. 8, 247. Höhere Mathematik
im Magnetismus &c. Br. 15, 461. Das Irrationelle in der gemeinen Mathematik hat eine ähnliche Bedeutung, wie das Magische in der gemeinen Physik. J. B. Theol. 3, 381. s. Geometrie.

Matter, Kritische Geschichte des Gnosticismus. Rel. Philos. 1, 265.
Anm. Antirel. Philos. 2, 485. Anm. Indiff. 5, 235. Anm.

Maximus. Ferm. 2, 318. Anm. Versehen. 4, 384.

Maxwell, *Medicinae magneticae libri tres.* Francof. 1679. 16.
Br. 15, 342.

Mayer, die Aesthetik des Ev. nach Johann. Opfer 7, 402. Anm.

Mechanismus: Die Kartenhäuschen von mechanischer Vibration &c. Wärm. 3, 10. Der mechanische Naturphilosoph fasst
alle Metamorphosen in der Natur als blosse Metamorphosen der
Form, indem er keine innere specifische Verschiedenheit der
Materie zugibt. Fest. u. Flüss. 3, 189. Maschinistisch-hydrau-
lische Systeme in Bezug auf Elementarphysik, Chemie, Physiologie, Pathologie. Elem.-Phys. 3, 212. *Nature-machine, Esprit-
machine, Homme-machine.* Solid. Verb. 4, 301. Mechanismus = einseitige Causalität. Er ist bloss subjectiv, ein Schein
des inner der Zeit befangenen Geistes; in der Natur gibt es
keinen solchen. Br. 15, 186. Mechanismus der Denkgesetze
wie der Gesetze überhaupt. Verh. d. Wiss. 1, 346. Zwiesp.
1, 371. Mechanismus und Organismus, zeitliches und ewiges
Leben von Geist und Natur. Morg. u. Ab. Kath. 10, 187.
Mechanismus und Organismus im Staate. Aph. 5, 291.

Meiners, *historia doctrinae de vero Deo* (1780). Tageb. 11, 59.

Melancholie, Verirrungen derselben bei Feuerbach &c. L'hom.
12, 215 bei Schopenhauer. J. B. Theol. 3, 66 &c. Sp. D. 9, 82.

Melanchthon, über den Primat. Morg. u. Ab. Kath. 10, 109.
Ueber gute und bösgewordene Geister. Zus. d. Leb. 2, 16. Anm.

Melchisedech. Brod und Wein schon von ihm als Materie
des Opfers gebraucht. Euch. 7, 12 (15). Opf. 7, 387. Anm.

Mendelsohn's einfältiger Begriff des Einfachen. Ferm. 2, 160.
Spec. Dogm. 8, 159.

Menge, Johannes, Beiträge zur Erkenntniss des göttlichen
Werkes (Lübeck 1822). Blitz 2, 44. Anm. Geist u. N. 10,

4 ff. 12, Vorr. 1, 410 ff. — des göttlichen Wortes und Ebenbildes (Lübeck. 1822). Rüga 3, 314.

Mensch = eine von Organen bediente Intelligenz. Bonald
5, 76 ff. Die Lehre Saint-Martin's über den Menschen.
v. Osten. Einl. 12, 25 ff. Der Mensch ist zugleich verständig
und sinnlich. Verschiedene Zeichen und Mittel, wodurch sich
diese zwei verschiedenen Fähigkeiten zu erkennen geben (gegen
den Materialismus s. d.). Des err. 12, 105. Die Vorgeschichte
des Menschen nach Saint-Martin. Tabl. 12, 175. Ursprung
der Idee vom *Ministère de l'homme-esprit.* L'hom. 12, 203.
Unterschied der sinnlichen und geistigen Fähigkeiten, wogegen
die Materialisten nur ein einziges Wesen (Princip) im Menschen
finden wollen. Des err. 12, 129 ff. Der Mensch wird vom
Materialismus geleugnet, weil er eine selbstlose Sache sein soll.
Er ist nicht selbstlos, sondern entweder selbstfrei oder selbst-
unfrei. Bonald 5, 113. Der Mensch kann immer nur als beides
(Geist und Natur) in Ungetrenntheit bestehen. Spec. Dogm.
8, 58. Der Mensch ist nicht aus Seele (s. d.), Geist und Leib
zusammengesetzt, sondern ein und dasselbe menschliche
Individuum (Person) existirt im Normalzustande auf d r e i e r l e i
Weise, seelisch, geistig, leiblich. Temporäre Suspension der leiblichen Seinsweise im Tode. Spec. Dogm. 8, 148 ff. Der Mensch
== Leib, Seele, Geist (Tastorgan, Ohr, Auge), nicht ein Tri-
angel o h n e C e n t r u m. Ausführliche Lehre darüber, wie über
den Tod als dreifache Scheidung. Metast. 4, 153 ff. Fünf-
facher Bezug des Menschen, oder sein Verhalten zu Gott, zur
Menschheit (d. h. zu sich und zu andern Menschen) und zur
Welt (d. h. zu intelligenten und nichtintelligenten Wesen). Das
erste (religiöse) Verhalten ist ein centrales. Spec. Dogm.
8, 311 ff. Der vom Menschen durchlaufene (fünffache) Cyclus:
erster androgyner Zustand, paradiesische Geschlechtsdifferenz,
irdisch-zeitliche Geschlechtsdifferenz, Tod, abermaliger androgyner Zustand. Spec. Dogm. 8, 278. — Die Sendung des
Menschen in die Z e i t setzt diese schon voraus. Elem. 14, 43.
Der Mensch betrat *le lendemain d'une bataille* diese Welt.
Spec. Dogm. 8, 152. Der Mensch ist im Verstande Gottes

älter, als jedes andere Wesen und doch erst Schlussgeschöpf. Des err. 12, 97. Er ist der Essenz nach ewig, weil gleich ewig mit der Quelle aller Essenzen. L'hom. 12, 227. Der Mensch stammt aus Gott (Paulus). L'hom. 12, 214. Er ist das einzige Buch, das Gott selbst geschrieben und veröffentlicht hat. Espr. 12, 292. Der Mensch setzt Gott fort (Saint-Martin). Minist. 12, 397. Der Mensch == Central- und Schlussgeschöpf, nicht Postscript der Schöpfung und das Erratum des gefallenen Engels corrigirend. Fund. d. Christ. 10, 40. Der Mensch steht als Schlussgeschöpf dem Sohne näher, wie irgend ein anderes Geschöpf. Vis sang. 4, 431. S. unten. Der Geburtsadel des Menschen: er gehörte eigentlich der göttlichen Region an und wurde nur in die geistige Region gesendet und zum Herrscher über die Naturregion eingesetzt. Div. 4, 92. Die Urbestimmung des Menschen war: Bahnung und Ausbreitung des Paradieses erst über die Erde und dann über das ganze Universum. Bildungsl. 2, 119. Die Bestimmung des Menschen in Bezug auf die gesammte Schöpfung. Seg. u. Fl. 7, 100. 105 ff. Der Mensch, Repräsentant und Organ des Wortes im Universum. Opf. 7, 295. Der Mensch == Organ Gottes. Nouv. hom. 12, 235 ff. == Priester des Ewigen in der Welt. Tabl. 12, 195. Er ist emanentes, nicht immanentes Organ Gottes. Espr. 12, 354. 356. Der Mensch == Centrum, Extract, Ideal des ganzen (sinnlichen) Universums. Mikrokosmus. Bild Gottes. Tageb. 11, 78. Die Stellung des Menschen zwischen Gott und der Natur nach Saint-Martin. v. Osten. Einl. 12, 33 ff. Der Mensch ist Mikrotheus, und nicht Mikrokosmus. L'hom. 12, 205. Der Mensch sollte und soll das Bild Gottes in der Welt (Mikrotheus) d. h. Vollender und Verklärer der Natur, nicht bloss Mikrokosmus sein. Er steht desshalb in gleicher Kategorie mit der Sonne, und die materielle Natur hat das Recht, von ihm den Beweis Gottes zu erwarten, den sie selbst nicht geben kann. *Causa vitae testimonium Dei.* Spec. Dogm. 8, 59. 106 ff. 174. 226. 9, 85 ff. Franz. Revol. 6, 295 ff. 318. Aphor. 5, 255 ff. S. Beweis. Solarische Natur des Menschen, weil ihm in phy-

sischer und ethischer Beziehung Centralität zukommt und er
in der Schöpfung der offene Punct (Gottesleiter) in einem noch
höhern Sinne sein sollte, als dieses die Sonne ist. Begründ.
d. Eth. 5, 32 ff. S. Sonne. Der Mensch als Bild Gottes
gehört zum Begriffe des vollendeten Reiches Gottes. Spec.
Dogm. 8, 61. Der Mensch ist die Ehestatt Gottes, insofern
das Bild Gottes in ihm Jungfrau == weibliches Princip == den
Stoff zur Form gebendes Princip ist und Gott *(Dieu-esprit*
nicht *Homme-esprit)* die Function des Mannes (Vaters) leistet.
Ferm. 2, 224 (S. Bild). Die Bestimmung des Menschen, Bild
Gottes in der Welt zu sein, erläutert die Weltkatastrophe vor
ihm, seinen Fall d. h. Verlöschung des Bildes Gottes und Entzündung des Thierbildes (== Astralgeistes) in ihm, sowie den
Fluch in der Creatur und die Angewiesenheit beider auf einander. Aph. 5, 256. Das ursprüngliche Verhältniss des Urmenschen zur äussern Natur. Begr. d. Eth. 5, 37. Der Mensch
hätte die durch den Fall der Geister herbeigeführte indirecte
Gemeinschaft zwischen der äussern Natur und Gott unterhalten
sollen, wogegen er durch seinen Fall der Natur von neuem
ihr Leben genommen und sie zur Wittwe gemacht hat. Zeitbgr.
2, 56 (79). Anm. S. Schönheit. Der Mensch wird durch
Theilnahme an Gottes Natur (Uebernatur) allein unmittelbar,
die übrige Creatur nur mittelst seiner, der Einwohnung Gottes
fähig. Versehens. 4, 348. Der Mensch ist der Mittler (Nerve,
Gottes Empfindungs- und Bewegungsorgan in der Natur) zwischen Gott und allem übrigen Geschöpf. Blitz 2, 35. Er hat
der Natur, dem Geiste und Gott zu helfen. Minist. 12, 383.
— Der Mensch ist vermöge seiner Natur, nämlich als wollend,
ein religiöses, betendes Wesen. Rat. Theol. 2, 515. Der
Mensch vermag in Bezug auf sein Erkennen und Wollen nur
durch Gott zu voller Befriedigung seines Bedürfnisses zu gelangen. Studienb. 13, 328. Vgl. Rel. Phil. 1, 229. Der
Mensch ist nicht autonom, setzt sich nicht selbst, vielmehr ist
seine erste Function, sich nicht zu setzen, sondern in Gott
aufzuheben. Ferm. 2, 875. Der Mensch kann nur Mitwisser,
Mitwoller und Mitwirker mit Gott sein. Ferm. 2, 157. Anm.

Der Mensch kann überall nur Geschriebenes lesen, Ausgesprochenes nachsprechen, Gedachtes denken. Spec. Dogm. 8, 360. Dem Menschen ist nur die Fähigkeit, mit Gott mitzuwirken, angeboren, oder die Organisation ist nur als Anlage in ihm vorhanden, nicht schon fix und fertig. Ferm. 2, 281. Der Mensch lebt in Bezug auf sein höheres, inneres (kosmisches, moralisches) Leben weder allein in sich, noch von sich, noch für sich. Blitz 2, 29. Gänzliche Abhängigkeit des Menschen in physischer wie geistiger Beziehung. Tabl. 12, 186 ff. Die Aufgabe des Menschen, eines Jeden für sich und Aller zusammen, ist, die Leibhaftwerdung eines und desselben, Allen erscheinenden Geistes zu erwirken. Geistersch. 4, 219. Die practische Menschenleugnung fällt mit Gottesleugnung zusammen. Rel. u. Pol. 6, 13. Die Würde des Menschen ist von Kant wieder anerkannt in seiner Formel der praetischen Vernunft, der Mensch sei durch That — durch Rechtschaffen, was die Natur ausser ihm nicht vermag — das Complement zum Beweis oder Erweis des einen Gottes, welchen die Natur ohne ihn (den Menschen) nicht gibt und nicht geben kann. Element.-Phys. 3, 242. — Die Stellung des Menschen zur Welt. Heg. Phil. 9, 344—351. Die ursprüngliche kosmische Virtualität des Menschen. Vorr. 1, 413. Spec. Dogm. 9, 90. L'hom. 12, 212 ff. Sein effectiver Rapport reicht ungleich weiter, als er meint (Storchschnabel). Ferm. 2, 211. Relig. Phil. 1, 292. L'hom. 12, 222 ff. vgl. 208. Zusammenhang der Manifestation des Menschen und der Welt in ihrem ersten Entstehen und in allen ihren Veränderungen (Katastrophen). Div. 4, 82 ff. Anm. Der Mensch vermittelt Geist und Natur, Himmel und Erde mit Gott. Ferm. 2, 194. Antirel. Phil. 2, 464. Er ist die Copula der intelligenten und nichtintelligenten Naturen. Solid. Verb. 4, 299. Er ist als Schlussgeschöpf Mitte und Vermittler der intelligenten und nichtintelligenten Wesen, Himmel und Erde, Geist und Natur. Versehens. 4, 331. Br. 15, 549. 607. 641 ff. Der Mensch ist kein Engel gewesen und wird keiner werden. Rüge. 3, 313. Der Mensch = esprit divin, daher höher als die Engel. Nouv.

—

hom. 12, 236. Er hat eine grössere Bestimmung als der Engel.
Mensch. 4, 100. Sein Vorzug vor den Engeln. Endl. Geist.
7, 195. Spec. Dogm. 8, 315 ff. Er ist bestimmt zur Vermittelung und Verbindung der Geister und der Natur. Sein
esse æternel und *temporel*. Des err. 12, 101. S. Geister,
Magnetismus &c. Die Beziehung des Menschen zur Natur.
Ferm. 2, 267. Die Zusammengehörigkeit beider. J. B. Theol.
3, 360 ff. Der Mensch als *Cause seconde* d. h. als freithätiges
Wesen, gegenüber den Naturwesen als blossen Werkzeugen.
Benald 5, 109 ff. Für den Menschen ward aus dem finstern Erdprincip der nöthige Bestandtheil zum Lichtstoff genommen, was
sich daraus erklärt, dass bei dem durch den Geisterfall präcipitir-
ten Weltstoff auch das Gute mitverschlungen werde. Blitz 2, 46.
Der Urstand des Menschen (Lichtmensch == Bild Gottes) der
Seele nach aus der lichtleeren e w i g e n Natur und seiner Leiblichkeit nach aus der gleichfalls finstern Erde. Vis sang. 4, 428.
S. Natur. Der Mensch, gebildet aus dem Princip des Feuers,
des Lichtes und der Quintessenz der elementaren Natur. Minist.
12, 381. Von den zwei Substanzen des Menschen ist die eine
(der Geist) noch nicht substanzirt. L'hom. 12, 230. Der Mensch
und die Erde haben eine ähnliche Function zu leisten und
stehen beide in einer Art Ehe. Einfl. d. Zeich. 2, 133 ff. Ausführlicheres über das Verhältniss der Erde und des Menschen.
Rüge 3, 314. Die Beziehung der Erlösung auf den Menschen
und die Erde. Versehens. 4, 409. S. Erde. Der Mensch kann
nur über oder unter den Thieren stehen. Gebr. d. Vern. 1, 86.
Alle in die Natur eingreifende Thätigkeit des Menschen besteht
in Beförderung von Kraftäusserungen durch Wegräumung ihrer
positiven Hindernisse und umgekehrt. Elem.-Phys. 3, 232.
239. 246. Dreifaches Verhalten des Menschen zur Natur, als
naturfrei, naturlos, naturunfrei. Ferm. 2, 295. Die ursprüngliche hohe Macht des Menschen auf die Natur (der Seele auf
den Leib). Die Industrie beherrscht die Natur nur äusserlich,
und ist lieblos und eigennützig. Spec. Dogm. 8, 191. S. *Imperium*. Der Mensch, ursprünglich mit der verzeitlichten Natur
v e r b u n d e n, später an sie gebunden und durch sein Ver-

halten zu ihr selbst am Verhalten des Dämons zu ihr Theil
nehmend. Opf. 7, 314. Dreifaches Ministerum des Menschen
nach Saint-Martin, als Lehrling die Leiden der Natur zu er-
leichtern, als Geselle jene der creatürlichen Seele zu ertragen,
und als Meister am Leiden des göttlichen Herzens theilzunehmen.
Geistersch. 4, 217. Anm. L'hom. 12, 203. — Das Antlitz
des Menschen ist das allein Offenbare an ihm, die in der That
allein für sich verständliche Figur und der Prototyp aller
Figuren, mit welcher Erkenntniss die Morphologie beginnt.
Form oder Maass. 2, 524. Die ursprüngliche Menschengestalt
und die zukünftige der Wiedergebornen ist der Gipfel und das
Centrum aller kosmischen Gestalten. Div. 4, 82. Die ursprüngliche Menschengestalt ist nicht zu verwechseln mit dem Ideal
derselben im Sinne der Griechen. Opf. 7, 403 ff. — Der
innere Mensch lebt im reellsten Sinne von andern innern Menschen, Herzen oder persönlichen Wesen, als ihn speisenden,
und von ihrem Wort als Speise. Anthropoph. 4, 223 ff.
Der Mensch hat das Bedürfniss und die Macht, mittelst des
Hauches oder Odems seiner Seele in eine andere Seele einzugehen; aber es ist ihm unmöglich, in einem Centralwesen
zu ruhen, das selbst willen-, liebe- und sprachlos wäre, dem
materiellen Universum. Rat. Theol. 2, 511. In allen Menschen
ist zu allen Zeiten der innere Sinn wirksam, wenn auch meist
unentwickelt und nur im dunkeln Gefühl. Inn. Sinn 4, 96. —
Des Menschen Unschuldzustand, Versuchung, Fall, Erlösung
und Auferstehung nach Thomas von Aquin. Erläut. 14, 227.
229. 641. 291 ff. 336. Der Mensch wurde als Gottesbild,
nicht halbirt als Mannes- und Weibesbild, geschaffen. Spec.
Dogm. 9, 210. Der Mensch wurde nicht als irdisches Thierbild von Gott erschaffen, sondern ist irdisch geworden. Rat.
Theol. 2, 512. S. Androgyne, Adam, Versuchung, Sünde.
Bei dessen Fall verbanden sich alle physischen Mächte, welche
ihm untergeordnet in der Peripherie wirken sollten, um ihn zu
comprimiren; wogegen alle ihm centralbeigewohnten, assistiren-
den, intellectuellen Kräfte in die Peripherie für ihn traten und
gleich den Sternen von ihm schieden. Versehens. 4, 398.

8. Zusammengesetztheit. Der Mensch wurde durch den Fall in seinen drei Grundvermögen verdorben (Ungeist, Unseele, Unleib). Opf. 7, 351. S. Vermögen. Nichts ist in der Intelligenz und dem Wollen des gefallenen Menschen, was nicht auch in seinem Sinne, seiner Begierde und seinem Leibe ist. Aphor. 5, 257. Der Mensch ist zu einem verbrecherischen König geworden. Opf. 7, 300. Der Mensch ist jetzt nicht mehr Mitwirker und Mitwisser Gottes, sondern blindes Werkzeug und Marionette der Dämonen. Opf. 7, 301. Anm. Sein Dienst unter Gott und unter dem Dämon läuft die Stufen: Durch, Mit, In, (als Lehrling, Geselle, Meister) in umgekehrter Weise durch (Mephisopheles als Pudel &c.). Spec. Dogm. 9, 92. S. Lehrling. Des Menschen Centralität und Universalität im Universum erklärt die entsetzlichen Folgen seines Falles. Die Natur ist finster, weil sie im Menschenschatten steht. Bildungsl. 2, 119. Der Fall des Menschen ging Gott zu Herzen; weil er der erste Repräsentant Gottes war, machte sein Fall den Auftritt des Gottmenschen nothwendig. Rel. Erot. 4, 199. Privatvorl. 13, 146. Mit der verweslichen Hülle hat der Mensch seine Eigenschaft als geistiges Wesen keineswegs verloren. Des err. 12, 101. Seine Erdmenschwerdung ist der Anfang seiner Wiederbefreiung. Des err. 12, 98. Der Mensch ist dem Menschen gerade durch den Fall das erste und theuerste Object der Erkenntniss geworden. Spec. Dogm. 8, 267. In der fortschreitenden Menschengeschichte zeigt sich eine aufsteigende und eine absteigende Evolution des göttlichen Ebenbildes und einer monstrosischen oder Ungestalt. Theor. d. Erk. 1, 55 ff. Die Dematerialisirung des Menschen nimmt immer eine doppelte Richtung. Br. 15, 369. Allmählige Entmaterialisirung des Menschen. Wie die Krankheit zunimmt, vermehrt sich die Kraft und Stärke der Arznei. Tabl. 12, 193. 198. 490. Der Mensch ist ein Diamant, der nur mit seinem eigenen Staube geschliffen werden kann (Saint-Martin). L'hom. 12, 217. Im Menschen sind zwei Menschen d. h. zwei Gründe, zwei Naturen. Begründ. d. Eth. 5, 26. Anm. Der Mensch trägt einen gebundenen Befreier und einen freien Binder in sich.

Opf. 7, 369. Der Mensch hat die ihm aus gegebener Offenbarung durch sein eigenes Thun gewordene Erkenntniss darum doch keineswegs als sein alleiniges Product zu betrachten. Ferm. 2, 157. 297. Der neue Mensch. Nouv. hom. 12, 235. 248. Die neun Stufen seines Aufsteigens auf den Thron seiner Herrlichkeit nach Saint-Martin. Nouv. hom. 12, 255. Der Mensch verherrlicht und verherrlichend. Morg. u. Ab. Kath. 10, 127. Allgemeines Menschthum = Christenthum. Spec. Dogm. 9, 228. S. Anthropologie.

Menschwerdung Gottes, *Verbum caro factum:* die Vernünftigkeit dieser Lehre. Fund. d. Christ. 10, 37. = Christwerdung Jesu. Revis. d. Wiss. 10, 263. Sie trat sogleich nach dem Falle ein (Rel. Erot. 4, 200) und setzt sich fort bis zum Ablauf der Weltzeit. Opf. 7, 304. Anm. Sie hätte auch dann stattgefunden, wenn Lucifer und nach ihm der Mensch nicht gefallen wären, wenn der Urmensch alle Strahlen der Action des Wortes nach und nach in sich vereinigt hätte. Versehens. 4, 333 ff. Zeitbegr. 2, 64 (89). Nach dem Fall musste sie tiefer gefasst werden. Zeitbegr. 2, 58 (81). Ferm. 2, 159. Die Nothwendigkeit der Menschwerdung und des Todes Christi nach dem Fall. Spec. Dogm. 8, 188. Bei der Menschwerdung Gottes machte sich das Princip (Jesus) zum Organ, ohne aufzuhören, Princip zu sein; und er, das Organ (Christus), liess sich sogar herab bis zur Region des werkzeuglichen Wirkens (Mariä Sohn). Antirel. Phil. 2, 472. vgl. Ferm. 2, 159. S. Jesus. Die geistige und leiblich-irdische Menschwerdung sind nicht zu vermengen und nicht zu trennen. Opf. 7, 289. Ohne die Menschwerdung des Sohnes hätte sich Gott nicht als Vater im Menschen finden können. Nouv. hom. 12, 254.

Menzel's Literaturblätter (1836). Morg. u. Ab. Kath. 10, 173. Br. 15, 618.

Mercurius als Element (s. d.). Das mercurialische Princip = Mittler zwischen Feuer und Wasser, die Grundkräfte alles Körperlichen. Des err. 12, 126 ff. — Mercurstab s. Hermesstab.

Mesmer, seine Praxis war besser, als seine Theorie. Br. 15, 285, 287. Vgl. Hoffmann's Einleit. zu Bd. IV. S. XLIV ff. der WW.

Mestchersky, Fürst. Posit. Rechtsbest. 6, 71. Emanc. d. Kath. 10, 52. Br. 15, 659.

Metamateriell s. Immateriell.

Metaphysik s. Kant. Nach de Maistre ist die falsche Metaphysik seit Aristoteles ein Hauptgrund des Verfalls der Societät. Wiss. u. Rel. 1, 89. Anm. S. Immateriell.

Metastasis: Ueber den Begriff der Ekstasis als Metastasis. Schr. (1830). 4, 146 ff. Metastasis = Versetzung der Creatur aus der Region, in die sie von Gott gesetzt war. Das Böse liegt nicht in einer Substanz, sondern in einer Correlation. Spec. Dogm. 8, 174. Metastase in der Materie, als Gleichsetzung von Principien, die vielmehr einander untergeordnet sein sollten. Antirel. Phil. 2, 484.

Metempsychose und Metensomatose = solidarischer Nexus der Blutseele im Menschengeschlechte. Aphor. 5, 271.

Methodik im Denken, Nothwendigkeit einer solchen. *Dii omnia laboribus et doloribus vendunt.* Spec. Dogm. 8, 40. S. System, Baco. Die Darstellung der verschiedenen Lebensregionen muss von Oben anfangen. Privatvorl. 13, 115.

Metternich, Fürst. Br. 15, 395 &c.

Meyer, Johann Friedrich von. Blätter für höhere Wahrheit. (1817). Br. 15, 331. 354. 366. Zeitbegr. 2, 60 (84). 2, 68. Anm. Einl. 12, 55. 62 ff. Fragm. 4, 41. Divin. u. Glaubenskr. 4, 73. Anm. — Meyer, Carl, Major von, Zehn Briefe Baader's an ihn (1815—1819). Br. 15, 280—354. — Sendschreiben an ihn. Ekst. 4, 17.

Miasma, Wirksamkeit der Imagination zur Infection, analog der associirenden Wirkung des Geistes. Miasmen durch nichtpalpable und nichtsperrbare Stoffe geschehend. Spec. Dogm. 8, 327. 330. S. Imagination. *Miasma malignum aëreum* in der materiellen Natur. Tabl. 12, 169. 185.

Michelet, franz. Geschichtschreiber. Heg. Phil. 9, 357. — Michelet, Carl Ludwig. Gesch. der l. Syst. der Philos. in D. u. Frkr. ed. Maass. 2, 597. Anm.

Mikroskosmus und Makrokosmus. Den innern Sphären oder
Systemen entsprechen die äussern Zustände. Noav. hom.
12, 236. 247. Mikroskosmus und Mikrotheus s. Mensch.

Milton über die Sündenbrut, welche ihre Mutter nicht loswerden
kann. Aphor. 5, 345. *Excess of joy.* Seg. u. Fl. 7, 110.
119. 143. Espr. 12, 338. Alim. 14, 472. Anm. Vgl. Pädf.
Lehrb. 4, 397.

Mineral s. Thier.

Minima = maxima in der Natur nach Ritter. Privatvorl.
18, 113. Br. 15, 195.

Mirabaud: *Système de la nature.* Bonald, 5, 118. Anm.

Mirabeau. Verkehrter Brief über Polytheismus und Monotheismus. Indiff. 5, 180. Anm.

Mirari, miraculum, miroir d. h. das Erkennen als vermitteltes
Schauen ruht im Wunder. Theor. d. Erk. 1, 51. S. Weisheit.

Mises (G. Th. Fechner), Vom Leben nach dem Tode (1836).
Aph. 10, 285 ff. Br. 15, 631. Vergl. Heg. Phil. 9, 432.
Ueber Th. Fechner's Atomistik. Einleit. zu Bd. X, LII ff.
Fechner's Persönlichkeitspantheismus. Einleit. zu B. 12, 64.
Fechner, Herm. Adolph: Kritische Untersuchung über J. Böhme's
Leben und Schriften. Einleit. v. Oaten's zu B. 12, 18. Anm.

Misley's Brief an Baader (1832). Br. 15, 698.

Missus, ein — hat bezüglich auf seinen Herrn keine Selbheit,
wohl aber für die Region, in welcher er als Repräsentant des
erstern auftritt. Versehens. 4, 311.

Missgestalt des Menschen = Verlust des Gottesbildes. Spec.
Dogm. 8, 357. = Monstroäsche oder Ungestalt (a. d.). Theor.
der Erk. 1, 56.

Mitlauter und Selbstlauter, oder Beiwort und Wort, *Ad-
verbium* und *Verbum,* ähnlich wie Geschöpf und Schöpfer.
Einfl. d. Zeich. 2, 127. Anm. Spec. Dogm. 8, 365. Accent,
Vocal, Consonant. Rat. Theol. 2, 505. Anm. Myst. Magn.
18, 170. S. Selbstoffenbarung.

Mitte = Centrum d. h. aus welchem Alles geht und in welches
Alles wieder zurückkehrt. So ist Gott die Mitte der Creatur.
Spec. Dogm. 8, 284 ff. Was abhängt, hat ein Anderes zu

v unter Mitte. Mitte = Mitte von dreien. Des ert. 12, 84. Nur aus der Mitte einer Sache ist deren Anfang und Ende zu erklären. Ferm. 2, 298. Die Mitte oder das Herz der Gottheit = Sohn. Ferm. 2, 426. Die göttliche Mitte (im Menschen, dem Repräsentanten Gottes) ist die Idee oder Jungfrau. Man kann der Mitte entfliegen oder entsinken. Erhabenheit und Demuth, Hoffart und Niederträchtigkeit. Societ. 14, 158 ff. Spec. Dogm. 8, 128 ff. Mitte (Maass, *Tantum*) = Sonnenbahn der Planeten, über die sie sich nicht erheben und unter die sie nicht herabsinken dürfen. Die Sonne selbst erhält die Planeten in dieser Mitte. Ruge. 3, 321. Mitte oder Begriff der Function des Unterscheidens und Einens = Leben. Ferm. 2, 277. Negative Mitte einer Creatur. Endl. Geist 7, 173. — Die Wahrheit findet sich immer nur in der Mitte von zwei entgegengesetzten Parteien. Osten's Einl. 12, 40. Die Mitte zwischen den Parteien *(juste milieu)*, keine zu empfehlende Regierungsmaxime. Indiff. 5, 198 ff. Evol. u. Rev. 6, 104. Rechte Mitte der Liberalen = Mitte zwischen dem positiven Recht und dem Unrecht. Posit. Rechtsbest. 6, 59. Rechte Mitte als Composition der liberalen und servilen Partei, = doppelte Lüge. Vermögensl. 6, 128. Die rechte Mitte als die richtige Politik bezeichnet. Zeitschr. Av. 6, 38. Posit. Rechtsbest. 6. 70.

Mittelalter, die Barbarei am Ende desselben führte zum Studium der classischen Literatur zurück. Bonald 5, 50. Seine Scholastik und Mystik. Osten's Einl. 12, 3 ff. S. Philosophie.

Mittelreich, die Erbärmlichkeit der darin noch gehaltenen Geister macht der Weisheit des Schöpfers keine Unehre. Sch. v. Prev. 4 144 ff.

Mittler, die Idee eines solchen hat auch der Philosoph nicht zu scheuen. Tageb. 11, 187. 191. Doppelte Mittlerschaft, ideelle bei der Schöpfung, reelle bei der Erlösung. Br. 15, 305.

Mobilisirung, die absolute — des Immobiliars, der Hauptgrund der finanziellen Noth in unserer Zeit. Argyrocratie. Posit. Rechtsbest. 6, 65. Mobile und immobile Güter (Geld, Land). Opf. 7, 338.

Mobilität == Labilität, den Creaturen angeschaffen. Franz.
Rev. 6, 816 ff. — Der Gefühls-, Empfindungs-, Schauungs-
und Wirkungsphäre bei den Somnambulen &c. De Lamennais
- Parol. 6, 116. — Mobilien s. Siebenzahl.

Moderne, das == das Schlechte, was Religion, Wissenschaft und
Kunst in ihrer Trennung produciren. Biogr. 15, 93 ff.

Möhler, die Einheit in der Kirche. Emanc. d. Kath. 10, 75.
Morg. u. Ab. Kath. 10, 133. Ueber Entstehung des Pabstthums. Br. 15, 605. 618. Ueber Tertullian. Vorr. 1, 408. Anm.

Moleschott, Einl. III, XXX. XXXVI. XXXVIII.

Möller's *Scotus Erigena* und seine Irrthümer. Ferm. 332. Anm.

Moliere's Lustspiel. Hausverkäufer, der einen Stein aus seinem
Hause vorzeigte. L'hom. 12, 228. Erklärung des Fiebers
durch eine fiebermachende Materie. Emanc. d. Kath. 10, 71.

Molinos verwechselte die Nichteigenwilligkeit der Creatur mit
ihrer völligen Willenlosigkeit. Spec. Dogm. 9, 259. Guida
spirituale (1675). Lettr. 12, 433.

Molitor, Drei Briefe Baader's an ihn (1834—1837). Br. 15, 516—
548. Seine Philosophie der Geschichte sehr günstig beurtheilt.
Spec. Dogm. 8, 140. Rat. Theol. 2, 505. Anm. Magik. 12, 549.
Seine Ansicht über die höhere Bedeutung des Accents. Myst.
Magn. 13, 171. Ueber die jüdischen Parteien. Aph. 5, 280.
Anm. Vgl. ferner Privatvorl. 13, 71. Spec. Dogm. 8, 50.
120. 135. Versehens. 4, 325. 335. Br. 15, 520.

Monarchie, im geistlichen und weltlichen Regiment. Div. 4, 92.
Monarchie besser als Polykratie. Des err. 12, 143. Monarchien
und Republiken. Sichtb. K. 7, 217. Monarchisches und cor-
poratives Princip. Morg. u. Ab. Kath. 10, 106.

Monas, Monaden. In Bezug auf Gott ist *unus* == *unicus*.
Alle, auch die ungereimtesten, Lehren setzen diese Einheit voraus.
Universum. Die Lehre des Proclus über die Monas. Spec. Dogm.
8, 296. Missverständnisse in Betreff der Monas und des Ternars. Drei Potenzen. Cubus. Endl. Geist. 7, 160 ff. Die
zählende Monas, die Wurzel aller Zahlen, ist verschieden von
der gezählten Eins. Ferm. 2, 256. Aus der Monas kommt

unmittelbar nur die Dyas d. ih. der positive und der negative
Ausfluss der Monas, das Ja und das Nein. J. B. Theol. 8, 422.
Monas non numerus, sed fons numerorum (Wallenberg).
Spec. Dogm. 3, 251. Anm. Dieselbe Monas ist immer *Genitor*,
Genitus und *Processus.* Expr. 12, 322. Ueber Monas und
Neoaer (= Zahl). Verkörp. 2, 6. — Nach Leibniz und den
Spiritualisten ist die Monade = *Conatus absque termino a*
quo et ad quem. Anthropoph. 4, 225. Die falsche und flache
„einfache" Monade von Leibniz. Fesm. 2, 161. Die Leib-
nitzische Monadologie brachte die wahrhaft simple Einfachheit
des Geistes auf, wogegen Paulus das göttliche Leben als das
unauflösliche definirte. Unsterbl. 4, 270. Anm. Die Monadologie *Leibnizens* = spiritualisirte Atomistik. Spec. Dogm.
4, 44. S. Mendelssohn.

Monboddo, über den Ursprung der Sprache. Tageb. 11, 10.
Verr. 1, 400. Anm.

Monge über das Sehen. Tageb. 11, 370.

Monopolium s. Gesellschaft.

Monotheismus s. Gott.

Montalembert, Graf; sein Brief an Baader (1831). Br. 15, 471.
Das Sendschreiben Baader's über die Zeitschrift Avenir war
ihm gewidmet. WW. 6, 29.

Montamy, über Farbenlehre. Anleit. 6, 258.

Montesquieu, über Volksrepräsentation. Evol. u. Rev. 6, 87.
Ueber die Grundsätze der Alten in Bezug auf Volksvermehrung
(Plato, Aristoteles, Romulus), eheliche Treue (Carvilius Ruga),
Sclavenmord &c. Urs. d. Leicht. 6, 333 ff. Segen der Relig.
schon in diesem Leben. Indiff. 5, 164. Anm.

Moral, die — der Erdbürger ist nicht zureichend zur Befriedigung
aller unserer sehr humanen Bedürfnisse. Tageb. 11, 100. 104.
Die Moralphilosophie des Christenthums ohne Geschichte des
Christenthums ist eine Blüthe ohne Stamm. Tageb. 11, 113.
146. Herz- und Kopfmoral s. Kopf. Moral der Materialisten.
Bonald 5, 116. Moral der Deisten. Indiff. 5, 145. Das Unwesen der kantischen Moral. Begründ. d. Eth. 5, 3. Das

Moralsystem Kant's, wornach Gott nach Weise einer Hyperbel oder Asymptote von uns unerreichbar bleibt, ist ganz verwerflich. Spec. Dogm. 8, 26. Der herz- und afsectlose Purismus in der neuern Moral. Kant, Herbart. Aph. 5, 282. Unsterbl. 4, 268. Der Contrast zwischen Moral und Religion. Ferm. 2, 294. Franz. Evol. 6, 816 ff. Freih. d. Intell 1, 143. Das Princip der Moral ist nur der Wille Gottes (gegen Kant, Herbart, Spinoza). Lettr. 12. 481. Anm. Moralität vermeintlich = Geschiedenheit des menschlichen Wirkens von Gott. L'hom. 12, 208. Reine (leere) und heilandlose (heillose) Moral. Zus. d. Leb. 2, 25. Anm. Heil- und heilandlose Moral neben niederträchtiger Verstandestheorie. Div. 4, 67. Anm. Moraldoctrinen in Betreff des Gesetzes, als eines bloss in und von uns seienden. Ferm. 2, 438. Die Moralphilosophie mit ihrem Begriff der absoluten Autonomie des Menschen. Wiss. u. Rel. 1, 83. Das moralische Gesetz und die darauf gegründete Moral, eine Sittenlehre für Teufel. Theor. d. Erk. 1, 55. Der moralische Imperativ, Gewissensbisse &c. allein können den Sünder nicht bessern. Erot. Phil. 4, 170. Religiöse und irreligiöse (rationelle) Moralisten = Freie und Unfreie. Spec. Dogm. 8, 35 ff. Moralphilosophie und Mönchsascetik. Ferm. 2, 431. Neuere Moral und Landwirthschaft. Wahrh. 1, 114. Moralität (Verpflichtung = Verflochtenheit) beruht auf der Solidarität Aller mit Allen. Spec. Dogm. 8, 220 ff. *Morale et physicum* im Begriffe des Christs. Versehens. 4, 349. S. Ethik.

Mordlust und Unzucht haben gleichen Sinn, Geist und Zweck. Anal. d. Erk. 1, 44. Mordlust und Wollust. 2. Cap. d. Gen. 7, 237. Mordtrieb und Wollusttrieb, Aeusserungen der Sünde als Gegentheil der Liebe. Rel. u. Pol. 6, 13.

Morelli in Bergamo; seine 2 Briefe an Baader (1849). Br. 15, 679.

Morgenländische und Abendländische Katholicismus, der, mehr in seinem innern wesentlichen, als in seinem äussern Verhältnisse dargestellt. Schr. (1840). 10, 89 ff. vgl.

Br. 15, 645. 654. 684 ff. Rev. d. Wiss. 10, 272. 276. Die morgenländische Kirche muss bei dem Streit von Katholicismus und Protestantismus als *tertium comparationis* mit herbeigezogen werden. Br. 15, 655.

Morgensterne s. Sterne.

Moreau, L., über Saint-Martin. „*Le philosophe inconnu. Reflexions sur les idées de L. Cl. de Saint-Martin le theosophe, suivies de fragments d'une correspondance inédite entre Saint-Martin et Kirchberger. Paris. Lecoffre. 1850.*" Einl. 12, 50. 71. Vergl. *Essai sur la vie et la doctrine de Saint-Martin le philosophe inconnu. Par E. Caro. Paris, Hachette. 1852.*

Morphologie, Beobachtungen über sie. Br. 15, 368. 375. Ihr Princip liegt im „Versehen" d. h. durch sinnendes Eingehen in *A* wird mein Wille dem *A* gleich geformt. Morg. u. Ab. Kath. 10, 229. S. Imagination.

Mortification, die — und Selbstkreuzigung des Christen hat eine Würde und einen Adel, von welchen der Nichtchrist keinen Begriff hat. Spec. Dogm. 8, 170.

Morus, Henricus. „Die Raumanschauung bringt bereits den Begriff der Durchdringung mit sich." Comment. 13, 320. M. bewies die Grundverderblichkeit der Cartesianischen Vorstellung von der Natur für die Riligion. Solid. Verb. 4, 297. „Der Geist wird die Fülle einer Hülle werdend seine eigene Fülle inne." Versehens. 4, 390. Vergl. Bilgungsl. 2, 124. Anm. Einl. III. XXXII.

Motiv = Wirkungsstätte des Willens = Princip (Bereschit), Gesetz. Nur in dessen Wahl ist der Wille frei, aber nicht, nachdem er einmal in diese Stätte eingegangen ist, indem er sich dann nach der Natur letzterer bestimmen muss. Rat. Theol. 2, 501. Die Mehrheit der Motive reducirt sich auf die Dreizahl, so dass der Wille nicht eigentlich zwischen zwei, sondern drei Motiven zu wählen hat. Daher die Duplicität der abnormen Wahl. Rat. Theol. 2, 502.

Motus lationis und *motus alterationis* werden von den Schelastikern unterschieden. Pyth. Quadr. 3, 252. Anm. *Motus in loco natali placidus, extra locum turbidus. (Locus natalis creaturae est unitas Dei.)* Br. 15, 187. Spec. Dogm. 8, 171, 266. Espr. 12, 308. Indiff. 5, 152. Anm. Antirel. Phil. 2, 468. Societ. 14, 91 und sonst oft.

Müller, Johannes. „Die Verhältnisse eines Sonnenpriesters, eines Weltweisen und eines gewalthabenden Richters waren in den ersten Königen vereint." Spec. Dogm. 9, 29. 81. —

Müller, Adam. Elemente der Staatskunst (1810). Aus dieser Schrift würde noch mehr geworden sein, wenn A. M. den wahren Feind des Staates erkannt und den Staat im Kampfe gegen ihn und nicht im Kampfe gegen die uns willig dienende Natur vorgestellt hätte. Br. 15, 239. Zu einem Vertrage gehören drei Stücke: die beiden ihn abschliessenden Parteien und ein Drittes, Basirendes (Höheres). Die Nothwendigkeit einer theologischen Grundlage der Staatswissenschaft (1819). Bildungsl. 2, 106. 117. Die Gewerbspolizei in Beziehung auf den Landbau (Leipzig 1823). Wahrb. 1, 114. Anm. Br. 15, 415. Adam Müller über die Wechselwirkung der Consumtion und Production. Ferm. 2, 397. Ueber das Geheimniss der Vereinigung des Dienstes mit der Freiheit. Aphor. 5, 288. Vgl. Wiss. u. Rel. 1, 87. Einfl. d. Z. 2, 132. Anm.

Müller, Julius. Die christliche Lehre von der Sünde. Antirel. Philos. 2, 463. Anm. Dogm. 9, 80. Anm.

Mundt, Th. Ueber Machiavelli. Machiavelli und der Gang der europäischen Politik. 1851. — *„Sono infami e detestabili gli uomini destruttori delle religioni, dissipatori de' regni e delle republiche, inimici delle virtu, delle lettere, e d'ogni altra arte che arrechi e honore alla humana generazione."* *(Discorsi sopra la prima Deca di Tito Livio l. I, c. X.)* Indiff. 5, 175. 176. Anm.

Müssiggang, vermeintlicher, wenn man Besseres als andere betreibt. L'hom. 12, 210.

Mutato nomine de te historia (nicht *fabula*) *narratur*: bei der Schriftauslegung zu beachten. Spec. Dogm. 8, 224.

Mutter aller Dinge == der Wille des ewigen Vaters (in der

ewigen Natur), welchen er gesetzt hat in sich selber, sich
zu offenbaren und seine Wunder zu erzeigen. Studienb.
18, 387. == Materie. *Materia a matre* s. Materie, Vater. ==
Leib: Jeder Geist (jedes Leben) speist sich nur von seinem
Leibe (Mutter). Verkörp. 2, 8. Der Lichtleib ist die Basis
(Mutter) des Lichtgeistes (des Leuchtens). Blitz 2, 46. ==
Stätte, welche auf den in sie eingegangenen Willen mittelst
des Gezeugten entweder erhebend (verherrlichend) oder zu-
sammendrückend wirkt. Rat. Theol. 2, 501. == Region,
Medium (dasgleichen Stiefmutter). Erot. Phil. 4, 187 ff. ==
Das formirende Princip. Expr. 12, 281. Die drei Principien ==
drei Mütter. Quar. Qu. 12, 92. Mutterliebe als solche ist
nicht ungöttlich und von Gott ausgeschlossen. Geist u. W.
10, 15. Kein Wesen steht tiefer als seine Mutter. Tabl. 12,
178. Der Sohn ist ungleich edler und besser, als die ihn
gebärende (nährende) Mutter. Begründ. d. Eth. 5, 12. S. Weisheit.
Mystère de la croix. Gedicht von Douzetems. *„Per ignem
ad lucem."* Blitz 2, 46. Endl. Geist. 7, 177. Spec. Dogm.
8, 184. 9, 249. Zw. Cap. d. Gen. 7, 234. Anm.

Mysterien der alten Welt; ihr Entstehen aus den Ueberlieferungen der Weisen und ihrer Schüler; ihre Verschiedenheit und
Alteration. Heg. Phil. 9, 382. Schon die eleusinischen Mysterien lehrten die Einverleibung des Menschen zu einem *Corpus mysticum* durch Vermittelung der Gemeinschaftlichkeit
(Communio) der Nahrung. Em. d. Kath. 10, 74. — Innerer
Verband der Mysterien der Natur und der Religion. Mysterium
und Mystik sind immer nur etwas Relatives. Solid. Verb.
3, 334. Die Mysterien der Religion sind nicht absolut unerforschlich. Ferm. 2, 328. Das Mysterium des Christenthums
hält mit seiner Weltkundigkeit gleichen Schritt. Opf. 7, 401.
Das Forschen in den Mysterien der Religion ist Clerikern und
Laien zur Zeit höchst nothwendig. Evol. u. Rev. 6, 79. Jeder
Same ist Mysterium, so lange man ihn dem Aufschluss durch
Wachsthum entzogen hält. Ein selbstverschuldetes Missverständniss dieser Mysterien ist unerlaubt. Vorr. 1, 420. Warum
das tiefste Mysterium der Religion (Eph. 5, 32) so lange unbe-

kannt geblieben. Blts 2, 44. Bildgsl. 2, 115. Ausführliches
über das Mysterium des Genitor und des Genitus. Aph. 5, 351 ff.
Das tiefste Mysterium der affectiven Imagination. Incomp.
4, 311. Anm. Das Mysterium alles Lebens, nämlich wie mit
und in dem Ingress in die Form (Begründung) der Geist aufgeht oder urständet, sich als *spiratio* d. h. Aus- und Eingang,
kreisendes Kommen und Gehen kundgebend. Form od. Maass
2, 522. — Göttliche, thierische, satanische Mysterien. Indiff.
5, 143. Anm. *Mysterium iniquitatis* bei dämonischen Opfern
effusio sanguinis et seminis. Opf. 7, 310. == Caricaturen
des Heiligen. Bildgsl. 2, 116. Vorr. 1, 415. Das *Mysterium
iniquitatis* und das Mysterium des Christenthums entwickeln
sich gleichzeitig, obwohl verborgen, in der Zeit. Versehens.
4, 355 ff. —

Mystificationen, die, gewisser Lehrer über Religion und Natur
und die Verwirrungen in der religiösen und bürgerlichen Gesellschaft hängen zusammen. Vorr. 1, 389. Die Mystificationen
der antireligiösen Philosophie. Spec. Dogm. 8, 338 ff.

Mystik, Mysticismus, Mysteriophobie, Specaulationsscheue. Spec.
Dogm. 9, 36. Mystik und Mystiker im Gegensatz zu vier
Sorten Mystificateurs als Obscuranten. Aph. 5, 330. Spec.
Dogm. 9, 162. Thiermystik. Des. err. 12, 105 ff. Doctrinelle
Mystik == Speculation. Incomp. 4, 814. Mystische Auslegung
der heil. Schrift. 2. Cap. d. Gen. 7, 240. Mystisches und
Apokalyptisches in den Schriften Baader's für manche Leser
derselben. Vorr. 1, 386. S. Sandäus, Schlegel. (Baader schrieb
nicht für „dunkle Leser.")

Mystiker und Adepten. Wärmest. 3, 41. Mystiker == speculative Philosophen des Mittelalters — ihre Lehren über den
pneumatogonischen Process. Spec. Dogm. 8, 199. — Ueber das
Bild Gottes im Menschen. Spec. Dogm. 8, 291. Mystiker
des 14. und 15. Jahrhunderts, wichtig als speculative Theologen. Spec. Dogm. 8, 300. S. Meister Eckart, Tauler &c.
Die ältern Mystiker, welche zugleich doctrinell waren, werden
mit Unrecht verschrieen, da sie allein die dynamische Religionslehre erhalten haben. Kant's Deduct. 1, 9. Anm. Aeltere

und neuere spiritualistische Mystiker. Morg. u. Ab. Kath. 10, 126. Gefühlsmystiker, im Unterschied von den speculirenden oder doctrinellen Mystikern. Spec. Dogm. 8, 207. Lehren solcher über das Sichverlieren des Menschen in Gott. Ferm. 2, 227. Antirel. Philos. 2, 460. Ueber die Union Gottes und der Creatur. Aph. 5, 272. Anm. Ueber das Zugrundegehen des Ich. Ferm. 2, 354. Das Versinken der Creatur in Gott = Aufhebung der schlechten Selbstheit. Espr. 12, 846. Ueber die materielle Welt s. Materie.

ythen, Mythologie. Die Mythologie in der Religion ist von dieser zu unterscheiden. Ferm. 2, 218. Der alleinige Gegenstand der Mythologie ist die ursprüngliche Geschichte des Menschen. Heg. Phil. 9, 378. Sie ist nicht ohne die Traditionen des Volkes Gottes zu erklären. Minist. 12, 401. Die Mythologie lässt sich nicht mit Beseitigung des Dämonischen im Cultus des Heidenthums ergründen. J. B. Theol. 3, 368. Bei der Mythologie ist der Begriff des Opfers und des Cultus zu Grunde zu legen. Schelling hat die Mythen bloss als philosophische Doctrinen behandelt. Opf. 7, 297. Schelling's Philosophie der Mythologie ist blosse Mythengeschichte. Rüge 3, 315. Wie die Räthsel der Mythologie zu lösen sind. Aph. 5, 262. Die Mythen bei den Heiden, die Naturbilder im alten Testament, die Naturlehre J. Böhme's. J. B. Theol. 3, 404. Die heidnischen Mythen, Abkömmlinge einer (dem Heidenthum mit dem Judenthum) gemeinsamen Familien- und Patrimoniallehre. Spec. Dogm. 8, 304. Mythe aller Völker über ein dem Anfange der Zeit unmittelbar vorhergegangenes verhängnissvolles Ereigniss. Elembgr. 14, 60. vgl. 35. Mythe über die Lichtgeister. Ekst. 4, 17. S. Daphne, Omphale, Semele. Das Unverständniss der Mythen hat das Unverständniss und die Leugnung des Christenthums zur Folge gehabt. Spec. Dogm. 9, 15. Mythologie und Christenthum. Opf. 7, 406. Anm. Mythus und Historie (gegen Strauss). Opf. 7, 324. S. Christenthum.

N.

Nachfolger, die — Christi haben grössere Werke zu thun, als er. Spec. Dogm. 8, 18.

Nachtgebiet der Natur s. Kerner. **Nacht** und nächtlich, mit Bezug auf magnetische Erscheinungen. Ekst. 4, 12. 39. S. Arzt. **Nachtgeist** = Luftgeist = Astral- oder Nervengeist nach Paracelsus. Incomp. 4, 305. S. Astralgeist, Nerven.

Nähe eines Gesunden bringt Gesundheit. Opf. 7, 366. 368. S. Sokrates.

Nahrungsmittel s. Aliment.

Name, Nennen. Name, Buchstabe, Charakter, Wortschöpfen, Nennen. Tageb. 11, 61. Realität des Namens. *Non omnis moriar* (Horaz). Aphor. 5, 269. Name = Base oder Fasslichkeit, mittelst deren sowohl das, dessen Namen wir tragen, auf uns agiren kann, als wir auf dasselbe reagiren können. Ferm. 2, 427. 429. = immaterieller Träger der Sympathie. Biblische Bedeutung des Namens; Namen-anrufen, Glauben, Sprechen. Divin. 4, 78. Ferm. 2, 264. Namen-ausrufen bewirkt nach allen Religionen einen Rapport mit dem Gerufenen. Spec. Dogm. 8, 95. Name = Basis des Rapports. Nouv. hom. 12, 239. Tabl. 12, 191. Namen-geben (Weihen, Einsegnen) = Tingirung, Infection, In-Rapport-setzung. Anthropoph. 4, 223 ff. Name, verschieden von und geeint mit der Person. Anthropoph. 4, 235. Anm. Nennen, Name = Sprechen, Wort. Der Name ist das Wort und als Charakter und Signatur des Genitors auch dessen Magnet. Bonald 5, 88 ff. Anm. Vgl. Opf. 7, 315. Name = Macht oder Auctorität. Nur jenen Worten (Namen), welche die Geistwesen, die unsere Führer sind, beseelen, verdanken die Menschen ihre geistige Erhaltung. Segen u. Fl. 7, 130. Namen = Macht. 2. Cap. d. Gen. 7, 227. Anm. 228. Anm. — Nennen, Zählen, Rechnen. Ferm. 2, 335.

Napoleon. Urtheile über ihn aus der Zeit 1809 — 13. Br. 15, 235 ff. 245. 247. 249. Napoleon und die Demokratie. Br. 15, 373. Biogr. 15, 76. 142. Personification des in der französischen Revolution sich zeigenden Geistes der Despotie und Sünde. Rel. u. Pol. 6, 22 39. 60. Der fleischgewordene Revolutionismus. Aphor. 5, 268. Sein Concordat und die gallicanische Kirche. Emanc. d. Kath. 10, 57. 76. Vergl. Ferm. 2, 190. 323. S. Pantheismus. Napoleon, Ludwig. Biogr. 15, 142. Br. 15, 675. Vergl. N. Constit. 6, 53. Anm. Nation, Missbrauch dieses Wortes in neuerer Zeit. Aphor. 5, 311. Die Separation und Coagulation des Nationalismus ist antihuman und antichristlich. Kirchenvorst. 5, 403. — Bemerkungen über Nationalwirthschaft. Anleit. 6, 271 ff.

Natur, über die verschiedenen Bedeutungen dieses Begriffes. Aphor. 10, 318. Nach Kant Natur $=$ das innere Princip des Zusammenhanges der Mannichfaltigkeit eines Seienden. Aber dann fiele auch der Begriff des Geistes damit zusammen, der doch davon zu unterscheiden; vielmehr Natur $=$ Princip der selbstlosen Wirklichkeit. Br. 15, 535. Natur und Geist bilden den Gegenstand der Philosophie. Vorr. 1, 389. Natur und Geist sind nach J. Böhme zu unterscheiden, aber nicht zu trennen. Der Geist kann über, in und unter der Natur sein: himmlisches, zeitliches, infernales Leben. J. B. Theol. 3, 377 ff. S. Geist und Natur. Verschiedenes Verhalten des Menschen zur Natur: Feindseliger Dualismus zwischen beiden, poetische Scheinharmonie beider, eigennützige Industrie und Benutzung der Natur, blinde Sichhingebung an sie, paradiesisches Verhalten. Ferm. 2, 186 ff. vgl. Div. 4, 88. Naturhass, Naturfreundlichkeit. Versehens. 4, 370. Anm. Naturscheue nach Göthe. Erot. Phil. 4, 169. Naturscheue der neuern Theologen in Bezug auf Gott, von denen die Einen sich mehr zum spiritualistischen Doketismus, die Andern zum materialistischen Fetischismus neigen. Rüge 3, 324. Naturscheue und Theophobie haben gleiche Quelle und gleiches Ziel. Segen u. Fl. 7, 125. Naturliebe, Princip der Cultur und der bildenden Kunst. Rel. Erot. 4, 198. Den Jünglingen soll ein ernsteres und solideres Studium der Natur möglichst werth gemacht werden. Wärmest. 3, 10. Die Natur und ihre Mysterien im Verein mit den göttlichen Mysterien sind im Sinn und Geist der ältern deutschen Philosophie zu erklären. Spec. Dogm. 9, 36. —

Die Wurzel der Natur ist Begehren und Imaginiren, nicht bloss im Menschen und Thier, sondern überhaupt; so auch zwischen Gestirn und Erde. Ferm. 2, 266. Psychisch-plastische Natur: das ganze Leben der Natur ist eine grosse vielbedeutende Fabel. Tabl. 12, 198 ff. *Natura (imaginans) Spiritus (cogitantis) simia.* Incomp. 4, 308. Anm. *Natura simia Ideae et opifex.* Rat. mat. Vorst. 2, 297. *Nunquam aliud Natura, aliud Sapientia dicunt* (Baco). Die Natur ist ein *Idolum non loquens* für die Meisten unserer Weltmenschen. Tabl. 12, 177. Die Natur als Bratenwender. Tabl. 12, 196. Begründ. d. Eth. 5, 5. S. Imagination, Weisheit. Es sind zu unterscheiden: die schaffende und die geschaffene Natur (Wesen). Fund. d. Chr. 10, 39. == Die ewige und zeitliche Natur. J. B. Theol. 8, 377. Aus der ewigen universellen und uncreaturisirten Natur entstand eine temporelle universelle Natur (Scienz). Gnadenw. 13, 257 ff. Die ewige, ungeschaffen schaffende, und die zeitliche, geschaffene Natur. Natur und Creatur, integre und desintegre Natur. Heg. Phil. 9, 311. Sodann ist zu unterscheiden: die immaterielle und materielle Natur. Rat. mat. Vorst. 3, 290. Anm. == Natur und Materie. Sie verhalten sich wie *Primum* und *Alterum*, Positives und Negatives, Primitives und Secundäres. Jene ist durchdringend, unfasslich, unsichtbar und real, diese durchdrungen, gefasst und relativ unreal. Rat. mat. Vorst. 3, 293. Ueber immaterielle und materialisirte Natur in Bezug auf Penetranz und Impenetranz. Elem.-Phys. 3, 225. Die materialisirte Natur charakterisirt sich durch die Impotenz des Eindringens ohne die Aufgabe der Unterschiedenheit. Starres ü. Fl. 3, 272. Anm. Die vermeintliche Identität von Natur und Materie, ein allgemein noch herrschender physikalischer Irrthum, auch in Schelling's Naturphilosophie. Rat. mat. Vorst. 3, 290. Die Natur hat auch die Möglichkeit einer andern Aeusserlichkeit, als die der Materie. Ihr Inneres ist zwar ein Spirituoses, aber doch etwas ganz Anderes, als ein intelligent Geistiges. Spec. Dogm. 9, 89. Die nichtintelligente, jedoch immaterielle Natur darf nicht mit Materie verwechselt werden. Spec. Dogm. 8, 246. Natur und Materie == immaterielle und materialisirte Natur.

Das Entstehen der Materie nach J. Böhme. J. B. Theol. 8, 381.
Der Uebergang vom Unsichtigen zum Sichtbaren und vom
Sichtbaren zum Unsichtigen in der Natur ist äusserst leicht
und leise. Ferm. 2, 191. S. Materie. In der Stummheit der
materiellen Natur gibt sich eine resistirende Action des Geistes
kund. Spec. Dogm. 8, 121. Dreifache Seinsweise der nichtintelligenten Natur. Heg. üb. Euch. 7, 249. 255. Erste,
zweite (materielle), dritte Natur, in allen drei Reichen der Natur.
In der dritten, schmarotzerartigen, Natur (Kryptogamen, Infu-
sorien, Insecten, räuberischen Metallen &c.) thut sich die infernale Region auf. Morg. u. Ab. Kath. 10, 104. Die zweite
Natur (Materie) widerstreitet dem Geistmenschen, ist aber auch
Waffe gegen den geistigen Widerstreit. Tabl. 12, 186. Verderbniss der jetzigen Naturordnung nach Saint-Martin. Espr.
12, 284. 297 ff. 325 ff. — Die Natur zunächst in Bezug auf die
Creatur, ist nach J. Böhme Etwas, was diese weggeben (sich
darüber erheben) muss, um es zu haben (ihrer *compos* zu
zu sein), und zwar an den rechten Empfänger. Aufhebung
(s. d) der Natur nach Hegel. J. B. Theol. 8, 413 ff. 416.
Die zeitliche Natur dient der Bildung und Gestaltung der ewigen
Natur sowohl durch ihre Herausgehaltenheit daraus, als durch
den in ihr entzündeten Dualismus. Begründ. d. Eth. 5, 89.
Natura est binarius. Ferm. 2, 350. S. Zweizahl. *Natura
est indigentia gratiae = Ignis est indigentia luminis.*
Ferm. 2, 348. Bildgsl. 2, 101. Quar. Qu. 12, 486. *Natura
est indigentia Dei.* Wäre dieses festgehalten, so hätte der
atheistische, pantheistische oder spinozistische Naturalismus nicht
aufkommen können. Rüge 3, 323. Anm. — Das N a t u r -
p r i n c i p der ewigen und der zeitlichen Natur (der Naturgrund) wird von Gott gesetzt, setzt aber selbst den creatürlichen Geist oder ist eine Voraussetzung dieses letztern. Spec.
Dogm. 8, 109. *Principiatio naturalis* oder *naturae =*
Heraustritt der göttlichen Causalität aus ihrem esoterischen
Sein in ihr exoterisches = Setzung und Fassung des Natur-
grundes d. h. Anfang der Natur = Begründung der Causalität.
(Causalität = Vater, Naturgrund = Sohn oder Organ). Spec.

Dogm. 9, 59. S. Ursache und Grund. Der Anfang der Natur
ist nach J. Böhme die Begierde (Gottes), *indigentia, desiderium Dei*. Der Ueberfluss hat das Bedürfniss erfunden
(Jacobi). Spec. Dogm. 8, 114. Das Naturprincip, die Begierde = blosser Anfang oder Wille der Natur sowohl im
schöpferischen als geschöpflichen Sein, nicht = vollendete,
fertige Natur (*principiatum*). Heg. Phil. 9, 304. Der Naturanfang, verschieden von Natur, Wesen, Substanz. Fund. d.
Christ. 10, 33. Natur = Begierde, Sucht = Negativität =
Princip der Macht (*vis*); *Natura = vis Dei viva*, kein *Ens
praeter Deum*, Geschöpf oder Product Gottes; aber in Gott
auch nicht abstract maasslos, titanisch und vernichtend, sondern
normal, bildend und erhaltend. Rüge 3, 324 ff. Die Natur
oder Physis = Kraft d. h. ein Producirendes, nicht ein Product. Ferm. 2, 378. Die ewige Natur in Gott: J. Böhme
hat zuerst die Natur als ein in Gott (als Attribut) Seiendes
aufgefasst. J. B. Theol. 3, 397. Wichtigkeit der Lehre von
der ewigen Natur bei J. Böhme. Ferm. 2, 364. Die Bedeutung
der ewigen Natur in Gott nach J. Böhme. Privatvorl. 18, 66 ff.
Natur Gottes = das weibliche, speisende, leibgebende Princip. Br. 15, 376. Nach Hegel ist die Natur bloss ein zeitliches Geschöpf = materielles Universum; nach J. Böhme aber
ist die ewige Natur das unmittelbar schaffende Princip,
das *Fiat* oder die Allmacht. Durch diese Natur (ihre
Wiederaufhebung) gebiert sich Gott zum dreifaltigen Geist
aus. Ferm. 2, 306. Die ewige Natur (φύσις) = ein Vermögen Gottes, dessen Uebergang *ad actum* mit einer Erregung zusammenfällt, wodurch dasselbe gleichsam selbstisch
wird und sich als solches unterscheidend hervor- oder emportritt.
Nothwendigkeit der Annahme einer ewigen Natur in Gott.
Urtern. 7, 34. Anm. Zur Propagation der Idea nach aussen
ist Natur (in Gott) nöthig. Espr. 12, 278. Die ewige Natur
= Werkzeug der Manifestation Gottes, obwohl ewig in ihm
entstehend. Ferm. 2, 164. Der ewigen Natur wird stets von
J. Böhme vorausgesetzt der unerforschliche ewige Offenbarungswille. Ferm. 2, 403. Die Natur und Uebernatur entsteht ewig

in Gott. Gnadenw. 13, 255. Das Verhalten von Natur und Uebernatur oder Natur und Idea in Gott nach J. Böhme. Heg. Phil. 9, 314—326. Morg. u. Ab. Kath. 10, 112—121. Natur, Uebernatur, Unternatur (nicht Unnatur). Spec. Dogm. 9, 206. (Uebernatur muss auch die Natur Gottes in Bezug auf die geschaffene Natur genannt werden. Sie ist $=$ Licht, Schechina. Versehens. 4, 648.) Die Nothwendigkeit, eine Natur in Gott anzunehmen, bewiesen aus der Thatsache, dass die Creatur (der Mensch) und ebenso Gott nur durch Aeusserung sich inne wird. Die Liebe hat als Ueberfluss das Bedürfniss erfunden (Plato, Jacobi). *Natura est indigentia Dei.* Der Ausgang bedingt den Eingang. J. B. Theol. 3, 399. 400. 405. vgl. Ferm. 2, 169. Natürlichkeit jedes Seienden (auch des Absoluten) $=$ Princip und Bedingung seiner Aeusserlichkeit und Gliederung in Eigenschaften. J. B. Theol. 3, 416. Die Natur, sowohl die ewige als die zeitliche $=$ das der Manifestation dienende Princip $=$ Princip der Schiedlichkeit in der Manifestationsbegierde. Nothwendigkeit ihrer Annahme. Segen u. Fl. 7, 97. Das Reich der Natur ist der Grund des sprechenden Wortes; denn soll eine Creatur sein, so muss von ehe Natur sein. Studienb. 13, 370. — Die ewige Natur des Vaters ist in ihrem Urstande zwar auch ein *spiritus* oder spirituoses Princip, jedoch verschieden von Geist, als *spiritus spiratus* und auch abwärts *spirans*. Versehens. 4, 350. Anm. Die ewige Natur setzt ewige Sinnlichkeit. Solid. Verb. 3, 354. Die ewige Natur kann nicht ins Licht Gottes eindringen. Opf. 7, 370 ff. Anm. Die Confundirung der ewigen Natur mit Gott als dem Licht und Leben dieser Natur ist auch jene der letztern mit der äussern zeitlicher Natur. Zus. d. Leb. 2, 215. Anm. — Die sieben Naturgestalten: Die Natur ist nicht Eines, sondern Vieles. Seg. u. Fl. 7, 91. Die sieben Naturgestalten sind nach der Schrift dem Genitus dienende Kräfte oder Organe. Rel. Phil. 1, 223. S. Siebenzahl. Sie theilen sich ab nach den drei Kategorien der Natur: Finster, Feuer, Licht. Versehens. 4, 393. Anm. S. Finsterniss &c. Construction der Naturgestalten und zwar zunächst der drei ersten oder der dreigestaltigen Attraction (Begierde). Rüge 3, 321. 326. 8. Kraft, Selbstgründung. Bei den drei ersten Gestalten ist nur ein Dualismus == compressive und expansive Kraft, deren Zusammenfassung (nicht Einung) die Rotation gibt. Blitz 2, 32. Die drei ersten Naturgestalten (der negative oder Finsterternar), das Feuer als vierte Naturgestalt, und die drei Naturgestalten des zweiten positiven oder Lichtternars. Privatvorl. 13, 102 ff. Der Finster- und der Lichtternar == unruhige und ruhige Bewegung == Hunger oder Verzehren und Gebähren oder Erfüllen. J. B. Theol. 3, 401. Die sieben Naturgestalten sind die Momente aller Lebensoffenbarung. Das Feuer ist die Mitte zwischen dem ersten negativen und dem zweiten positiven Ternar. Das Leben hat die Wurzel unter sich und die Krone über sich. J. Böhme hätte bei seiner Construction von der Mitte oder (dem Feuer) anfangen sollen. Privatvorl. 13, 84 ff. Spec. Dogm. 9, 240. Anm. Vgl. ferner über die sieben Naturgestalten. Privatvorl. 13, 117 ff. Studienb. 13, 337 ff., sowie über die Bedeutung der siebenten Naturgestalt. Privatvorl. 13, 152 ff. Die sieben Naturgestalten und die drei Principien (seelische, leibliche und göttliche Geburt) zusammen bilden nach J. Böhme die zehn Momente des Lebensprocesses. Blitz 2, 32. Jede Naturgestalt verhält sich zu den andern, wie 1 : 6. Nouv. bom. 12, 249. — Das Naturcentrum ist nach J. Böhme == negative Triplicität (d. h. die drei ersten Naturgestalten), verborgenes Naturrad, Unruhe (die Stellen darüber in der Anm.). Spec. Dogm. 9, 247 ff. == Naturgeburtsrad, τροχὸς τῆς γενέσεως (Jac. 3, 6). Rotation, Begierde, Gier, Gährung, Gyratio, erster magischer Lebenscirkel, Naturwurm, der nicht stirbt. (S. Wurm) Wirre &c. Begründ. d. Eth. 5, 16. Anm. Bildungsl. 2, 101. Ferm. 2, 300. Rüge 3, 326. Incomp. 4, 311. Anm. J. B. Theol. 3, 400. Em. d. Kath. 10, 81. == Widerspruch, Conflict, der Anfang aller Manifestation des Lebens. Ferm. 2, 163 ff. == Finstere Matrix. Ferm. 2, 316. == Naturangstfeuer, gleichsam ein Destillirungsapparat zum himmlischen Oleum (*spiritus*), zu dessen Substanz wir uns selbst (unsere Seele) herzugeben haben. Ferm. 2, 248. Das *Centrum naturae* als finstere

Wurzel ist nicht schon Princip. Quar. Qu. 12, 488. Das ewige Naturcentrum = ewiges Uebergangsmittel aus dem stillen magischen Sein der Freiheit zum offenbaren lauten Leben. Verkörp. 2, 5. Naturcentrum und Lichtcentrum (Wort). Der Wille kommt zu Macht, indem er zu Wort kommt. Quar. Qu. 12, 490. Jedes Wesen hat nach J. Böhme ein doppeltes Centrum, ein Centrum der Natur und ein Centrum des Lebens. Durch die Geschlossenheit des erstern wird die Geöffnetheit des andern bedingt, weil immer die Manifestation durch eine Occultation bedingt ist. Zeithgr. 2, 53 (75). Anm. Das doppelte Centrum, welches die Grundlage jedes Wesens ausmacht, ist das doppelte Verlangen, nämlich a) die Begierde jedes Wesens, in sich zu bleiben, und b) die Begierde, sich auszubreiten und aus sich herauszugehen. Zeithgr. 2, 60 (84). Ueber Naturrad, Verwickelung und Entwickelung vgl. noch Seg. u. Fl. 7, 97. 103. 105. Nach J. Böhme wird das Wort in der Natur (matrix, Fiat) erstgeboren und aus ihr zweitgeboren. Rel. Phil. 1, 217. S. Vater u. s. w. Bei der Schöpfung (s. d.) der Creatur war die Eröffenbarkeit des Naturcentrums unvermeidlich. Ferm. 2, 286. 300 ff. S. Scheidung. Aus der ewigen stillen Temperatur konnte unmittelbar keine Creatur als unterschiedene Selbheit entstehen. Die zum Behufe der Creation stattfindende Erhebung des Principe der ewigen Natur war aber von keiner Creatur veranlasst. Spec. Dogm. 9, 88. vgl. Incomp. 4, 311. Anm. Die erste Erregung des Naturvermögens war keine Empörung, sondern ging von der Lust zur Schöpfung aus. Ferm. 2, 255 ff. Anm. Die Natur in Gott ist nicht böse; Irrthum Daumer's, der eine Geburt des Teufels in Gott statuirte, wovon sich letzterer durch die Schöpfung geläutert habe. Versehens. 4, 367. Anm. Missverständniss der Lehre J. Böhme's über das Centrum d. Nat. bei Daumer und Feuerbach. Heg. Phil. 9, 310. S. Daumer. Gut- und Böse-Sein ist zu unterscheiden von Gutes- und Böses-Thun. Das Böse ist nicht. Seg. u. Fl. 7, 97. 104. Die Naturselbheit = ewige Natur vermochte nur mit Hilfe einer Creatur zu Willen d. h. zum substanzirten Willen als Geist zu kommen. Ferm. 2, 248 ff.

Dem Menschen (der Creatur) wird es nur durch Theilnahme
an der göttlichen Natur möglich, das Gute wie Gott (weil in,
mit und durch Gott) zu thun. Begründ. d. Eth. 5, 28 ff.
Die Natur ist das Princip der Selbstheit und der Individualität
der intelligenten Creatur. Ferm. 2, 174. S. Mensch. Die Natur
ist keine Composition, sondern eine Production. Espr. 12, 340.
Die geschaffene, beziehungsweise die materielle
Natur. Wenn das Naturcentrum des Creaturlebens (= Ichheit, Individualität) aufhört, der Einheit zu dienen und selbst
herrschend in die Peripherie tritt, brennt es als tantalischer
Grimm der Selbstsucht und des Egoismus (aus ⊙ wird ●).
Starr. u. Flüss 3, 275 ff. Die materielle Natur ist nicht selbst
der Abfall der Idee von sich, sondern nur durch einen solchen
Abfall veranlasst. Antirel. Phil. 2, 489. In wiefern die selbstlose Natur und Creatur als der Sitz und Leiter des Bösen
anzusehen sei. Spec. Dogm. 8, 147 ff. Die äussere Natur
ist gegen das Gute und Böse nicht indifferent. Begründ. d.
Eth. 5, 40. Der Zweck der äussern Natur ist, die Inwohnung
der Idea (der Jungfrau) zu gewinnen, indem sie sich ihr zur
Peripherie zu machen sucht. Geistersch 4, 217. Die Natur
muss jetzt wegen der Schuld des Menschen den Wittwenschleier tragen; ihre Schönheiten und ihre melancholische Klage.
S. Schönheit. Grundirrthum, dass man den dermaligen gewaltsamen, an ihrem Vergehen nur aufgehaltenen, weil in sich zer-
fallenen Zustand der Natur für ihren natürlichen und freien
nimmt. Opf. 7, 351. Die Natur ist auch hienieden im Ganzen
schön; aber leider trifft man auch sehr hässliche und abscheu-
liche Natur oder Unnatur in und ausser sich. Der Feind darin
ist Spontaneität (Geist, böser Geist). Elem.-Phys. 8, 243. Die
liebliche und schöne Aussen- oder Lichtseite und das vielfach
Entsetzliche und Grauenhafte unterhalb letzterer (wenn man
z. B. dem schönsten Menschenbilde die Haut abzieht). Wahrh.
1, 127. Naturscenen und Gebilde, in denen (als Symbolen)
eine höhere Spontaneität durchleuchtet, und Eindruck derselben
auf das gute, das böse und das rohe Gemüth. Elem.-Phys. 8, 229.
Alles an der äussern Natur Sichtbare ist eine Art Zeichen-

sprache für uns, doch ohne Pronunciation. Man sollte ihre Aussprache (Punctuation) suchen, nicht sich mit äusserer Beobachtung und Beschreibung begnügen. Einß. d. Zeich. 2, 129. Anm. Alle niedrigern Naturwesen äussern und entäussern sich ganz so, dass der Mensch sie nur still und gelassen zu beobachten braucht, um den Schlüssel ihres Daseins in ihnen selbet zu finden. Einß. d. Zeich. 2, 135. Das Gemüthliche und Geistige, welches durch die vielsinnige Chifferschrift der Natur zu uns spricht. Begründ. d. Eth. 5, 6. Die Natur ein kühnes Gedicht, eine Fabel mit herrlicher, bewunderungswürdiger Moral und Lehre. Tageb. 11, 149. Natursymbole (Schelling'sche schon vor Schelling). Tageb. 11, 284. Natursymbolik ohne innern Sinn nicht möglich. Inn. Sinn 4, 102. vgl. 100. Die Natur hat nicht darum keine Wahrheit, weil und wie sie ist (Hegel), sondern weil und insofern sie dem Werden Gottes durch sie (seiner Manifestation oder Nachbildung) nicht entspricht; sie ist als solche nicht Abfall der Idee von sich. Ferm. 2, 165. Naturbigottismus, wobei die Natur rein nur in Beziehung auf sich und ihre Verhältnisse genommen wird. Ferm. 2, 187 ff. Zu der taubstummen Natur kann man nicht beten. Opf. 7, 298. Anm. An die selblose Natur kann man nicht glauben, weil der Glaube immer nur Glaube an eine Person ist. Verh. d. Wiss. 1, 347 ff. Zwiesp. 1, 869. Die verschiedenartige Wirkung der chemischen und der mechanischen Naturoperationen auf den Geist, jene Enthusiasmus erweckend, diese nur den Scharfsinn übend. Elemphys. 8, 236 ff. vgl. Begründ. d. Eth. 5, 6 ff. — Die Entwickelung der Geschlechtsdifferenz in der Natur (ihre äusserliche Entzündung) fällt mit jener des Giftes und Todes zusammen. Ferm. 2, 315. S. Geschlechtsverhältniss. Die Natur wird von demjenigen am besten verstanden, der sie in seinem Gemüth sich äusserlich bleiben lässt, und sie spricht nur den gemüthlich an, der sein Gemüth (Herz) rein und unbefleckt von ihr hält. Wahrh. 1, 120. Verachtung und Prostitution der Natur == Missbrauch des Weibes. Begründ. d. Eth. 5, 40. Anm. Der Mensch ist naturlahm, weil er das *Imperium in naturam*

(s. d.) verloren hat. Ferm. 2, 159. Anm. Die Natur vermag nur durch Hülfe des Menschen die ihr von Gott aufgegebene höhere Manifestation zu leisten. Sabbath. Seg. u. Fl. 7, 82. Menschenlosigkeit und Menschenfreiheit der Natur, wie Naturlosigkeit und Naturfreiheit des Menschen. Opf. 7, 275. Menschenlose und unmenschliche Natur. Heg. üb. Buch. 7, 250. Die gute Rückwirkung der Natur auf den Menschen. Opf. 7, 285. Ein dem Innern ethischen Leben förderlicher Naturtechnicismus. Begr. d. Eth. 5, 27. 8. Ethik. Unergründliche *Natura juvans mortalem* in der äussern Natur. Wahrh. 1, 114. Unterschied vom Naturfrei und Naturlos, wie Wurzelfrei und Wurzellos. Seg. u. Fl. 7, 83. Anm. (Zeitfrei = selig. Ebd. 7, 85.) Vgl. Urtern. 7, 31. Naturannehmen, *prendre nature;* ein Beispiel davon der Moment, wo in der Eisenhütte ein Flüssiges Gestalt annimmt, gesteht. Begründ. d. Eth. 5, 13. Aam. Die Natur darf nicht vom Cultus fern gehalten werden. Opf. 7, 288. Die Natur eines Bösen, d. h. sein verdorbener Willensgrund muss durch eine in der Natur vorhandene positive Anstalt dynamisch und radical verändert werden, wenn der Böse gut werden soll. Kant's Dednet. 1, 17 ff. — Natur = unmittelbar gegebene Liebe, Unschuldszustand nach Paulus. Gegensatz: Uebernatur, Naturfreiheit, zweite oder wiedergeborne Liebe. Sped. Dogm. 8, 134 ff. Erbc. /Phil. 4, 167. Natur = Schweigen. L'hom. 12, 224. Die Natur bedarf zu ihrer Vollendung der Gnade. Blitz 2, 33. Die Natur bringt es für sich nur zum Sextener. Opf. 7, 320. Anm. Natur und Gnade = Feuer und Licht = Zorn und Liebe. Ferm. 2, 254. Natur (Gunst) und Kunst. Aph. 5, 848. *Vires naturae medicatrices* in jedem organischen Kunstgebilde. Tabl. 12, 185. Natur und Geschichte im Dienste der Religion. Franz. Rev. 6, 807. ff. Naturgesetze: der Natur sind in ihren Operationen und Zerlegungen von Gott enge Gränzen vorgeschrieben und festbestimmt, die sie ewig nicht zu überschreiten vermag. Wärmest. 8, 19. Uralte Naturgesetze: / Der Tod im Physischen wirkt zum Leben (s. d.) im Physischen und umgekehrt, und das Baconische: Alles wirkt sich in der Natur durch Analogie (Verähnlichung, Assimilation); so bei Christus und dem Satan. Tageb. 11, 97 ff. Einfaches Naturgesetz: Keine Action ist ohne Reaction &c. Kant's Deduct. 1, 9. Blindes Naturgesetz, aus dem die Materialisten die Natur zu erklären meinen. Es geschieht nichts, was nicht einen Beweggrund und Zweck hätte. Des err. 12, 133. Ein sogenanntes Naturgesetz erklärt nichts. Fest. u. Flüss. 3, 183. Der Naturmechanismus kann so wenig eine Luftblase oder ein Sandkorn, als einen Grashalm &c. hervorbringen. Elemphys. 3, 235 ff. (Naturgesetz, eingeschrieben in das Herz. Tabl. 12, 193.). Die beständige Wiederkehr derselben Naturerscheinungen trotz aller diese Regelmässigkeit bekämpfenden anorganischen Mächte ist ein Wunder der Treue des Schöpfers, nicht die Inertie eines blinden, geist- und herzlosen Mechanismus. Wahrh. 1, 113. S. Wunder. Mechanismus. — Naturmensch, ein gratis angenommenes Wort. Tageb. 11, 82. — Naturreiche, drei, Thier, Pflanze, Mineral. Metast. 4, 149. Anm. Drei Classen von Naturwesen, Thiere, Pflanzen, Mineralien. Unterschied des Menschen davon und Unterschiede jener drei Classen unter sich. Die niedere Classe hat nicht die Eigenthümlichkeit der höhern in sich, wohl aber umgekehrt. Des err. 12, 102 ff. S. Thier.

Natural (Land), Arbeit (Mensch), Geld: Der Werth jener beiden muss wieder gehoben, der Werth dieses wieder herabgedrückt werden. Vermögensl. 6, 133.

Naturalismus: Naturalisten = Naturgötzendiener, und Naturforscher = blosse Registratoren der Naturacte. Wahrh. 1, 126. Wahrer Naturalismus, nothwendig zum Verständniss des *Verbum caro factum*. Solid. Verb. 3, 343 ff. — Naturalismus und Spiritualismus machen ihre Autonomie selbst gegen Gott geltend. Urt. 7, 37. Wahrer und falscher Naturalismus und Supernaturalismus. Solid. Verb. 3, 333. Die Furcht der Naturalisten und Rationalisten vor irrationalen Erscheinungen und Ereignissen, wie magnetische und somnambulistische Geistererscheinungen. Geistersch. 4, 211. Naturalisten, Ratio-

nalisten oder Moralisten und Juristen, und das Christenthum.
Evol. u. Rev. 6, 107.

Naturphilosophie, Naturwissenschaft. S. Wissenschaft.
Aeltere und älteste Naturweise und die sogenannte deutsche
Naturphilosophie. Vorr. 1, 389. Altdeutsche Theologie und
Naturphilosophie. Vorw. 1, 417. (Gegen die schlechte Naturphilosophie von des Cartes und Newton trat in D. zuerst Schelling
auf. Saint-Martin. Fichte, ein Ignorant in Allem, was Physik
und Natur betrifft. (1806). Br. 15, 200.) Naturkunde in
höherer, universeller Bedeutung, und die atheistische und deistische Naturphilosophie. Religiöse oder christliche Naturphilosophie. Geistersch. 4, 215. Unchristlichkeit der Naturphilosophie. Seg. u. Fl. 7, 84 ff. Antireligiöse Naturphilosopheme
= Natursophismen. Emanc. d. Kath. 10, 60. Naturphilosophie
in Deutschland (Worte Tschirner's in der Anm.) = Materialismus. Minist. 12, 373 ff. 379. 385. Die Naturphilosophie:
Schelling, Oken &c. — Spinoza. Endl. Geist 7, 163. 166.
Blasche, Pohl. Endl. Geist 7, 171. Mit der Naturphilosophie
ist die Lehre Baader's keineswegs eine und dieselbe; jene ist
Alleinslehre, diese All-in-Einslehre. Spec. Dogm. 9, 22. Die
Naturphilosophie und Hegel vermengen Herausgesetztsein und
Widersetzen. Opf. 7, 281. Das Sichverzählen der Naturphilosophie (2 statt 3 und 4, 1 statt dreieins &c.). Solid.
Verb. 3, 336. Den Naturphilosophen fehlte der Begriff eines
Differenzirenden, wodurch das Indifferente geschieden wird. Nouv.
hom. 12, 260. Die Lehren der Naturphilosophie über Immaterielles. Fronl. 7, 244. Hsg. üb. Euph. 7, 249. Das Hauptproblem der Naturphilosophie ist, sowohl den Urstand und
Bestand, als das Wiedervergehen der Materialisirung der nicht-
intelliganten Natur zu erklären. Spec. Dogm. 8, 246. — Die
dermalige Naturwissenschaft beschränkt sich lediglich auf die
Materie. Incomp. 4, 307. Anm. Alte Naturforscher. Begründ.
d. Eth. 5, 6. Die chemische und mechanische (nun mathematische) naturwissenschaftliche Schule. Wärmest. 3, 25, vgl.
16 ff. 20. Die chemische, mechanische und dynamische Naturerklärung (letztere seit Kant). Fest. u. Flüss. 3, 184. 202.

:: **Anm. Die dynamische und mechanische Naturerklärung. Elemphys. 3, 207. Die maschinistische Naturansicht.** Begründ. d. **Eth. 5, 5.** (Gegen diese war Baader von jeher. Br. 15, 189.) **Die Naturforschung hat die Lehre von der Weltmaschine mit der vom Weltorganismus zu vertauschen.** Heg. Phil. 9, 429. **Die Naturbeschreibung weiset zurück auf Naturgeschichte.** Bonald **5, 111. Vorzüglich durch die Behandlung und Misshandlung** der Naturwissenschaft ist der Rationalismus gekräftigt worden. Daher Bedürfniss einer bessern Naturlehre. J. B. Theol. 3, 372. Die Naturlehre als Waffe für die Religion zu gebrauchen. Bildungsl. 2, 97. Nothwendigkeit einer Restauration der Naturwissenschaft durch Religionserkenntnisse. Br. 15, 504. Naturlehre, Sittenlehre, Theologie. Ferm. 2, 188. S. Theologie.

Naturrecht, Naturreligion: Naturrechtlicher Grund gegen die Aufhebung der Zünfte. Schr. (1801) 6, 1. (Fichtisch). Das sogenannte Naturrecht ist nur auf den natürlichen Egoismus gebaut. Wahrh. 1, 101. Naturreligion und Naturrecht gibt es nicht, jede Religion und jedes Recht ist ursprünglich positiv. Seg. u. Fl. 7, 82. Anm. **). Es gibt keine ursprünglich irreligiöse, natürliche Gesellschaft. Ebd. 83. Anm. ***). Die beiden Worte: Naturreligion und Naturrecht, sind auszumerzen. Indiff. 5, 194. Der s. g. Naturstand ist ein wahrer *status violentus.* Tabl. 12, 170. Naturstand, Naturrecht, Naturreligion, theils falsche, theils verfängliche Benennungen. Aph. 5, 258. Der Rest der Humanität eines Naturvolkes hat sich an seinen religiösen Sagen erhalten. Tabl. 12, 189. Das Wesen der Naturreligion, Erweckung des innern Sinnes um seiner selbst, nicht höherer Rapporte wegen. Inn. Sinn 4, 103. Naturreligion, falsche oder zweideutige Bezeichnung für das spätere Heidenthum. J. B. Theol. 3, 363. Naturreligionen verwilderter Völker = Unnaturreligionen. Incomp. 4, 322.

Negativität in Gott, Bedeutung derselben. Privatvorl. 13, 62. Negativität und Positivität, entsprechend dem Versuchungs- und Lichtgeburtsfeuer in Gott und im endlichen Wesen. Endl. Geist 7, 177 ff. Die Negation in Gott ist nicht böse. Quar. Qu. 12, 494. Negativität als Trübung des Gemüthes beim

Uebergang zu einer Stufe höherer Geistigkeit ist etwas Gutes: es gibt eine Traurigkeit zum Leben und eine zum Tode. Spec. Dogm. 8, 214. Negativität des Naturwillens oder der Begierde. Spec. Dogm. 9, 200, vgl. 169. Negativität des Radicale in der Natur = Entzündung des Naturgeburtsrades, der schwerste Begriff in der Naturphilosophie. Solid. Verb. 3, 339. Anm. — Weit grassirendes Missverständniss in der Auffassung des Begriffes der Negativität: Nicht jedes Nichtich ist = Negation des Ich. Gott ist Nichtich für den Engel so gut wie für den Teufel. Spec. Dogm. 9, 35 ff. — Negativität in der Wissenschaft seit geraumer Zeit herrschend. Hoffnung auf einen Umschlag durch organische Vermählung von Glauben und Wissen. Spec. Dogm. 8, 203 ff. Negativität = Furie der Zerstörung nach Hegel. Spec. Dogm. 8, 61. S. Furie.

Nemo beatus et perfectus ante finem. Societ. 14, 88. — *Neminem laedere*, genügt nicht; man muss dem Nächsten helfen. Evol. u. Rev. 6, 86. *Nemo mirans nisi volens*. Espr. 12, 268.

Nerven: Gegen- oder Untersatz des Ganglien- und Cerebralsystems, die sich wie Nacht- und Taggestirn verhalten. Incom. 4, 309. Anm. Unterscheidung von Rührungs- und Berührungsnerven. Br. 15, 664. S. Nacht.

Neri, Physiker. Anleit. 6, 259.

Neuberth, Originalbeiträge zur Geschichte des Magnetismus. Revis. d. Wiss. 10, 272.

Neuplatoniker, Würdigung derselben, insbesondere des Proclus. Wirth, darüber. (Anm. Hoffmann's). Spec. Dogm. 8, 297. vgl. 303. Ihr falscher Dualismus von Idealem und Realem. Spec. Dogm. 9, 124. Sie lehrten Emanation. Einl. 12, 59 ff.

Newton, *Philosophiae naturalis principia mathematica* (London 1706). Tageb. 11, 390. Er hielt eine wahre Auflösung aller übrigen Körperstoffe in (und zu) Wärmematerie für möglich. Fest. u. Fl. 8, 189 vgl. 195. Anm. Sein Emanationssystem in Bezug auf Licht und Sehen. Elem.-Phys. 8, 207. Gegner der irreligiösen cartesischen Naturansicht. Solid. Verb. 4, 297. Anm. Seine Lehre über die centrifugale und centripetale Kraft

und die Kraft und die Bewegung der Gestirne. Rat. mat. Vorst.
3, 29. Spec. Dogm. 8, 65. Er vereinerleite fälschlich Attraction
und Schwere. Minist. 12, 389. Er vermengte die active und
electve Attraction (s. d.) oder die freie Bewegung der Gestirne mit dem passiven, unfreien und centrumleeren Fallen
derselben. Vorr. 1, 395. Spec. Dogm. 9, 41. S. Gravitation,
Sonne. Newton und Hooke. Ferm. 2, 298. Anm. Sein Leben
und seine Entdeckungen von Brewster übers. von Goldberg.
Ferm. 2, 299. Anm. Brewster gibt nach Law die Notiz, dass
Newton J. Böhme's Schriften eifrig studirt habe und dass sich
unter seinen hinterlassenen Papieren reichhaltige Auszüge aus
denselben gefunden hätten. Nach Law hat Newton die Lehre
von der Anziehung aus den Böhme'schen drei ersten Gestalten
der ewigen Natur entlehnt. Bonald 5, 55. Anm. 107.

Nexus von Schreiben, Sprechen und Wirken. Seg. u. Fl. 7, 138.
175. Das Wie des Nexus des verständigen und unverständigen
Thuns oder die Frage: wie Gott schafft, ist unvernünftig; ihre
Identität, nicht Einerleiheit, ist anzuerkennen. Ferm. 2, 379.
Das *Maximum* und *Minimum* des Nexus der intelligenten und
nichtintelligenten Creatur. Spec. Dogm. 8, 150 ff. S. Geist
und Natur. Nexus des Geistigbösen mit der Materie. Dölling.
Euch. 7, 68. vgl. Ferm. 2, 172. 177 &c. Antirel. Phil. 2,
484 ff. S. Materie. Der Nexus des Ethisch-Guten und Bösen
mit dem Wohl- und Uebelbefinden der nichtintelligenten Creatur
ist von der Religionswissenschaft gegenüber der falschen Philosophie darzuthun. Spec. Dogm. 8, 47.

Nichts, das — aus welchem als dem Bestandlosen und Unsichtigen das Bestehende und Sichtige geschaffen ward == Naturcentrum (nicht Indifferenz, sondern höchste Differenz). Bildungl.
2, 102. Nach Paulus und J. Böhme == die reine Productivität
und das reine Producens als das Nichts oder die Negation
und Abwesenheit alles Producirten und Productseins. Societ.
14, 117. == Bloss ideale oder magische Erfülltheit des Seins.
Fund. d. Christ. 10. 30. Sonst auch bei J. Böhme == Unbestimmtheit; der Uebergang von der Unbestimmtheit zur Bestimmtheit durch die Wahl == Versuchung, wobei die Creatur

von Gott an sich selbst gewiesen wird. Spec. Dogm. 8, 165. — Durch Nichtsagen und Lügensagen wird der Sprecher in und ausser uns zum Schweigen gebracht. Opf. 7, 294.

Nicolai und Bode: *Les Jesuits chassés de la maçonnerie.* Nach Jacobi eine unsinnige Schrift. „Ich fuhr auf, da ich dieses las, weil ich jedesmal, wenn ich ein Beispiel über alle Beispiele geben will, was für unbegreifliche Absurditäten ein menschlicher Kopf aushecken und Andern beibringen kann, den Bode'schen Schlüssel zu dem Buche des *Erreurs et de la Verité* anführe." Tageb. 11, 133.

Nigromantie, nach Paracelsus ein Theil der Astronomie. Incomp. 4, 305.

Nihil est in intellectu, quod non fuerit in sensu (Locke) und umgekehrt. *Nihil est in intellectu, quod non fuerit in historia, et omne, quod fuit in historia, deberet esse in intellectu.* Br. 15, 589. Des err. 12, 99. 158. Rel. Phil. 1, 305. Vgl. Aph. 5, 257. — Nihilismus == Missbrauch der Intelligenz, und Obscurantismus == Inhibition ihres Gebrauchs. Freih. d. Int. 1, 149.

Niembsch von Strehlenau, genannt Lenau. Spec. Dogm. 9, 155. Brief Baader's an ihn (1837). Br. 15, 567.

Nieuwentyd, über das Verhältniss von Haupt und Leib in physiologischer Rücksicht. Versehens. 4, 358. Anm.

Nil s. Prehensio.

Nisus formativus == Bildungstrieb des Lebens. Bildungsl. 2, 99. In der höchsten Region des Lebens == Einerzeugung des Menschen in die göttliche Natur durch *Infectio vitae* vom Seiten Christi. Bildungsl. 2, 114. *Nisus formativus* des menschgewordenen moralischen Gesetzes. Spec. Dogm. 9, 42 ff.

Noack. Indiff. 5, 137. Anm. Socialph. Aph. 5, 262. Anm. Ueber Schelling und Baader. Minist. 12, 379. Anm. Ecce hom. 12, 427. Anm.

Nominalisten und Realisten, beide hatten nur zum Theil Recht und im Ganzen Unrecht. Aph. 5, 267. vgl. Aph. 5, 340. Log. 1, 317. Der Nominalismus in Bezug auf Lucifer oder die Behauptung, dass es kein universell-individuelles höher

Centralwesen geben könne, ist mit dem Christenthum unverträglich. Rat. Theol. 2, 510.

Non datur prehensio in distans = *Nihil datur praeter simulacra fruendum.* Rüge 3, 322. S. *Prehensio. Non elevari est labi.* Bildungsl. 2, 112. *Non progredi est regredi.* Aff. d. Bewund. 1, 27. Zwiesp. 1, 361. Spec. Dogm. 8, 223. Versehens. 4, 344 &c. *Non serviam* = *non accipiam.* Indiff. 5, 136.

N o r k, Wörterbuch der Mythologie (Stuttg. 1836). Spec. Dogm. 9, 78. Vorschule der Hieroglyphik. Versehens. 4, 401. Br. 15, 558. 687.

N o s e, Chemiker, Geolog und Geognost. Pyth. Quadr. 3, 265.

N o t h w e n d i g k e i t, die göttliche — oder Autonomie ist weder als ein Sollen, noch als ein Müssen zu fassen, nicht als Schicksal, Fatum, *necessitas* (Homer), sondern als *necessitatio* (Empedokles), womit alle Willkür (s. d.) von Gott ausgeschlossen wird. Spec. Dogm. 273. Franz. Rev. 6, 324. Nothwendigkeit der Liebe Gottes. Lettr. 12, 430 ff. Nothwendiges = das die Bewegung des Erkennens innerlich Bestimmende, Leitende und Tragende. Ferm. 2, 327. Die Nothwendigkeit des Glaubens, so dass es sich also nur fragt: Wem? oder an Wen? Verh. d. Wiss. 1, 347. Zwiesp. 1, 368. Noth führt zu Gott; jede Subjection ist Lichterzeugung. Spec. Dogm. 8, 43. L'hom. 12, 207. Wie der Prophet aussen iu der Hölle, innerlich im Himmel ist (Br. 15, 402), so bei Christen: Ringsum ist Noth, in ihnen Gott. Br. 15, 404. — Noth und Nothwendigkeit des Regierens in unserer Zeit. Posit. Rechtsbest. 6, 57. vgl. Constit. 6, 51. Die irdische Noth wird durch die geistige gemildert. L'hom. 12, 209 und sonst öfter.

N o v a l i s, s. Hardenberg.

Nullum ens gravitat in loco suo. Rüge 3, 320.

Numen: Desine, cur nemo videat sine numine numen. L'hom. 12, 225. S. Gott.

Nunquam est societas cum injustis; denn der eigentliche Tyrann, wie der eigentliche Revolutionär ist der Ungerechte. Vermögensl. 6, 186.

O.

O b e d i e n z, intellectuelle, beim Glauben; sie soll ein *Obsequium rationabile*, nicht eine blinde und passive sein. Spec. Dogm. 8, 209.

O b e n und U n t e n, im kosmischen Sinne, nach Daub. Bildungsl. 2, 107. = in der Perpendiculaire von Gott zum Menschen. Ferm. 2, 208. Langweilige Annahme eines Entwickelungsganges der Wesen von unten auf. Espr. 12, 352. Alles Volk schreibt sich von oben her, die Weltweisen und ihre Humanität von unten. Tabl. 12, 189. Das Oben und Unten (der gute und böse Affect) werden vom unbefangenen Gemüth leicht und sicher unterschieden. Spec. Dog. 8, 211.

O b e r k a m p, Herr v., k. b. Bundestagsgesandter. — Fünf Briefe Baader's an ihn (1819—1825). Br. 15, 352—430.

O b e r l i n, Bericht über eine Geisterseherin. Alim. 14, 472.

O b j e c t s. Subject.

O b r i g k e i t, alle — ist von Gott; diess darf nicht bloss auf die vom Volke eingesetzten Obrigkeiten beschränkt werden. De Lamenn. Parol. 6, 116 ff.

O b s c u r a n t i s m u s der Bosheit in Bezug auf religiöses Wissen. Der Teufel will, dass der Mensch blind bleibe und das Licht Gottes nicht schaue. Spec. Dogm. 8, 337. Es gibt drei Obscurantenparteien: die der geistigen Trägheit Fröhnenden, die dem s. g. freien Lebensgenuss sich Ueberlassenden, und die Bigotten (Letztere zur Zeit fast gar nicht vorhanden). Vorr. 1, 386. Kantischer Obscurantismus. Schub. 1, 65. Rationalistischer Obscurantismus. Incomp. 4, 305. Vgl. Unsterbl. 4, 265. Rationalismus, Liberalismus.

O'C o n n e l, über den Pabst und die h. Schrift. Morg. u. Ab. Kath. 10, 176.

O d i n. Opf. 7, 336.

O e k o n o m i e des göttlichen Lichtes. Tabl. 12, 191. — der göttlichen Fügungen nach Saint-Martin. L'hom. 12, 220 ff.

selben: *Chaque cause doit faire sa propre manifestation ou révélation* (Saint-Martin). Spec. Dogm. 9, 62. Die Grundlehre aller wahren Offenbarungstheorie. Espr. 12, 290. Directe und indirecte (reflectirte) Manifestation. Ferm. 2; 229. Indirecte Manifestation = Erscheinen, directe = Zum-Vorschein-Kommen. Kant hat in seiner Lehre vom Ding-an-sich und dessen Zum-Vorschein-Kommen beide verwechselt. Incomp. 4, 309. Anm. Physiologischer Sinn des Wortes Offenbarung. Ekst. 4, 37. Geradlinige oder strahlende Offenbarung = Licht. Blitz 2, 31. 38. Offenbarmachen einer Sache = sie in kosmische Gemeinschaft bringen. Blitz 2, 43. Anm. Manifestation des Lebens = Evolution. Positive und negative Manifestation. Evol. u. Rev. 6, 80. — Offenbarung im engern Sinn = Gottes- und Geistes-Offenbarung. In Bezug auf Gott sind zu unterscheiden: die innere oder immanente Offenbarung = *Generatio*, und die äussere oder emanente Offenbarung = *Factio*. Rel. Phil. 1, 212. Zwei Momente der (immanenten) Offenbarung nach J. Böhme und dem Evangelium Johannes: Wort, das Gott und zugleich bei Gott ist. Spec. Dogm. 9, 187 ff. S. Logos, Sohn, Vater, Dreizahl. *Manifestatio = Formatio = Intelligens in Intellecto effingitur seu se effingit Imaginem.* Rel. Phil. 1, 184. Keine Offenbarung, weder die immanente oder Selbstoffenbarung, noch die emanente oder Formation eines Andern vollendet sich unmittelbar, vielmehr ist diese Vollendung immer nur das Werk einer Vermittelung. Privatvorl. 13, 92. Jedem Hervorbringen (Manifestiren), dem primitiven wie secundären, liegt ein innerer Gegensatz und dessen Ausgleichung oder Vermittelung zu Grunde. Indiff. 5, 191. Vgl. Seg. u. Fl. 7, 78. Alle Manifestation wird vermittelt durch eine Occultation. Bemerklichmachung dieses Gesetzes auch durch Carus. Alim. 14, 470. Vgl. Seg. u. Fl. 7, 104. Myst. Magn. 18, 227. Aph. 5, 271 ff. 287 ff. — Das Gesetz der Manifestation ist, dass jede Manifestation durch eine Occultation (Aufhebung) bedingt und vermittelt ist, oder dass, was manifest sein soll, dieses sich und Andern nur sein kann in einem Andern als Raum, Auge, Form oder Leib.

Anthropoph. 4, 217. Jedes Offenbarsein von *A* ist bedingt durch ein Nichtoffenbarsein von *B*. (So bei Christus und dem heiligen Geist. Geistlosigkeit einer bloss sichtbaren Kirche.) Morg. u. Ab. Käth. 10, 184. Jedes sich Offenbarende setzt Etwas in sich, dieses von sich unterscheidend, um in und durch dieses sich zu offenbaren. Heg. Phil. 9, 310. In jedem Aussprechen (Darstellen, Offenbarmachen, Existenzgeben) ist nachzuweisen der Nisus des anstrengenden Sich-zusammennehmens (finstern Natureentrums) und der diese Anstrengung zersprengende, über sie erhebende Blitz. Jedes Wort schon ein blitzend (scheidend) Feuerwort. Studienb. 13, 387. Die Manifestation des Lichtgeistes durch Heimlichhaltung der Natur beruht auf dem physikalischen Gesetz der Latenz (oder Nichtlatenz) einer Kraft: *vis mortua*, *vis viva*. Ferm. 2, 413. In der Lehre von der Manifestation ist kein Dualismus, weil jene von einem ersten Centrum ausgeht, in welchem das Finstercentrum und das Lichtcentrum noch unentwickelt beisammen liegen. Beide scheiden sich durch Erweckung des Feuers und Merbei geht das Finstercentrum in völlige Occultation ein. Myst. Magn. 13, 228 ff. Das Centrum (die Einheit als Gleichheit oder Temperatur) scheidet sich als manifestirend in zwei Centra, um durch das dritte wieder in sich zurückzukehren, Ausgang, Eingang. Seg. u. Fl. 7, 95 ff. Drei Momente der göttlichen Selbstmanifestation und der (normalen) geschöpflichen Manifestation. Privatvorl. 13, 77 ff. Alle Manifestation geschieht in *descensu* durch Einhüllen, in *ascensu* durch Enthüllen. J. B. Theol. 8, 391. Spec. Dogm. 8, 368. Rapp. 4, 203. In dem Begriff des Offenbarens fällt der des Oeffnens (Baar-, Bloss-, Unverhülltmachens) und der des Tragens (bar, gebären) zusammen (Gott durch dasselbe Wort alle Dinge hervorbringend und tragend). Spec. Dogm. 9, 101. Unterschied der unbestimmten Uneingehülltheit oder Freiheit und der bestimmten (erfüllten) Uneingehülltheit oder Freiheit. Einhüllung (Fassung) zum Behuf einer Enthüllung. Ternar des Offenbarseins oder der Gründung. Myst. Magn. 13, 188 ff. Gesetz für die Manifestation: Alles Höhere kann sich im *descensus* nur vermittelst

einer Remission und Occultation, alles Niedere im accessus
nur vermittelst einer Intention und Enthüllung manifest machen.
Spec. Dogm. 8, 237. — Jede (freie oder gehemmte) Mani-
festation kommt nur zu Stande durch ein Mitwirken und ein
werkzeugliches Wirken d. h. jedes Wirkende hebt sich
in Inneres und Aeusseres auf, um in der gelungenen
Wirkung sich zu restituiren. Antirel. Phil. 2, 464. Alle Mani-
festation der Vermögen geschieht durch Attribute, die diesen
Vermögen entsprechen. Des err. 12, 157 ff. S. Weisheit,
Natur, Selbstoffenbarung. Jedes Erscheinen kommt durch das
Zusammenwirken Dreier zu Stande, einen Centralwirker, einen
Mitwirker und einen werkzeuglichen Wirker. Spec. Dogm.
8, 367. vgl. Ferm. 2, 169. 242. 247. 279. 326. Br. 15, 548.
Jeder Manifestation liegt eine Subjection (des Werkzeugs unter
das Organ &c.) zu Grunde. Ferm. 2, 164. Triplicität der
Manifestation Gottes, als geschehend in der göttlichen, geistigen
und natürlichen Region. Strauss Leb. J. 7, 262. Die voll-
endete Manifestation ist nur dann hervorgebracht, wenn die
Einheit und Vielheit zugleich offenbar sind. (Ueber immanente
und emanente Offenbarung, Centrum und Peripherie.) Spec.
Dogm. 8, 64 ff. — Offenbarung im engsten Sinne =
Erzeugung des göttlichen Gedankens für den Gedanken der
Creatur. Spec. Dogm. 8, 87. = Senkung eines höhern Wesens
in eine niedrigere Region, eines Centralen in die Peripherie.
Centrale und peripherische Offenbarung Gottes in der Menschheit (jene vor, diese nach dem Fall). Zus. d. Leb. 2, 23.
Innere und äussere Offenbarung war auch im originellen Zustande des Menschen; nur war letztere zwar sinnlich, aber
nicht materiell. Tabl. 12, 172 ff. Durch die Schuld der Menschen haben sich die göttlichen Manifestationen erst auf ein
einzelnes Volk, dann auf ein einziges Individuum beschränkt.
J. B. Theol. 3, 360. Das Totalmoment der Manifestation des
Absoluten wird durch die Versetzung (Fall und Reintegration)
der Creatur nicht verändert. Ferm. 2, 245. 285. Bei der
Offenbarung (Theophanie) widersprechen sich keineswegs das
freie Geben und das freie Nehmen. Ekst. 4, 26. Anm. Zur

Erfassung der göttlichen Offenbarungen bedürfen die Menschen des Bewusstseins und Schauens, nicht des blinden Thierinstinktes. Abbrev. 4, 113. Die Offenbarung als solche ist immer divinatorischer Natur oder die Zukunft anticipirend. Elemtbgr. 14, 53. Offenbarungsscale als Effect des Rapports von niedrigern Naturen mit höhern, wobei diese sich als belebend, jene als belebt zeigen. Bildungsl. 2, 111. Usurpirte Manifestationen. Badl. Geist 7, 200. 208. Die göttlichen und geistigen Manifestationen haben in unserer Zeit nicht aufgehört, sondern sind centraler, universeller und intenser geworden. Ferm. 2, 192.

Ohlhauth, zwei Briefe von ihm an Baader (1820. 1821). Br. 15, 693 — 697.

Oischinger's Schrift: Die Günther'sche Philosophie. Zeitl. u. ew. Leb. 4, 294. Anm. Indiff. 5, 238. Anm. Spec. Dogm. 8, 389. Anm.

Oken, Naturgeschichte. Einl. V, VIII. Indiff. 5, 218. Lehrbuch der Naturphilosophie. Privatvorl. 13, 81. Ekst. 4, 19. Anm. Schöne Stelle aus ihm. Fragm. 4, 49 ff. Anm. vgl. Br. 15, 488. Ueber das Thierreich als discret auseinandergelegten Organismus. Emant. d. Kath. 10, 73. 104. Endl. Geist 7, 163. Anm. Randgl. 14, 417. Biogr. 15, 142. 159.

Omnia sunt eadem, sed aliter. Rel. Phil. 1, 174. Spec. Dogm. 8, 17. 162 ff. Privatvorl. 13, 109. *Omnis determinatio est negatio,* Unrichtigkeit, ja Monstrosität dieser Behauptung Spinoza's, nebst mehrfachen Umwendungen des Satzes. Myst. Magn. 13, 232. Spec. Dogm. 9, 36. Heg. Phil. 9, 312. Morg. u. Ab. Kath. 10, 117. Revis. d. Wiss. 10, 265. &c. S. *Determinatio.* So auch: *Omnis formatio est positio et negatio.* Spec. Dogm. 8, 99 ff. *Omnis potestas à Deo.* Aphor. 5, 848. 10, 852. *Omne vivum ex ovo* (Harvey). Des err. 12, 115. Anm.

Omphale, ihr Spiel mit der Keule des Hercules. Spec. Dogm. 8, 185.

Onomacritus. J. B. Theol. 3, 403. Anm.

Opfer: Vorlesungen über eine künftige Theorie des Opfers und des Cultus. Schr. (1836) 7, 271 ff. (Die Schrift war schon

1815 so gut wie fertig. vgl. Br. 15, 277. — 1821: 366. 370.
386. — 1836: 588. 540 ff. 542 ff. 545.) Gedanken aus
dem grossen Zusammenhang des Lebens. Schr. (1813) 2, 9 ff.
Vgl. Saint-Martin, *Ministère de l'homme esprit.* Ebd. 11.
Ankündigung der Schrift über die Opfer, mit der Bemerkung,
dass die Opfer die Basis des Mitwirkens oder des Glaubens
geben, Ferm. 2, 389. vgl. 233. 283. Eine Anticipation aus
den Schrift über die Opfer. Div. 4, 75. Anführung der Schrift
über die Opfer. Morg. u. Ab. Kath. 10, 137. Opfer als Er-
weise der Anerkenntnies Gottes. Bonald 5, 97. Opfer so alt
als das Menschengeschlecht. Opf. 7, 296 ff. 314. Das erste
Opfer der Creatur == Aufgabe des Vermögens, das Streben der
Selbstsucht in sich zu entzünden, verschieden von dem Opfer
der bereits schuldig gewordenen Creatur. Ferm. 2, 383. Anm.
Dem Menschen ist zu seiner Wiederherstellung das Opfer der
Selbstsucht, d. h. der Entzündung der Ichheit, nicht das der
Selbheit als Dieselbigkeit oder der Creatürlichkeit nothwendig.
Dynam. Bew. 3, 285. Das Opfer des materiellen Lebens.
Seg. u. Fl. 7, 131. Der Zweck der Opfer: Oeffnung einer
höhern immateriellen Region. Opf. 7, 381. vgl. 297 ff. Der
bei den heidnischen Opfern erwartete Effect, nach Livius' Be-
richt über ein dem Tullus Hostilius beim Opfer zugestossenes
Unglück. Ferm. 2, 172. Heidnische Opfer in Verbindung mit
Augurien, Auspicien &c. Eket. 4, 7. Ausführlicheres über die
Theorie der Opfer. Ferm. 2, 233. Seg. u. Fl. 7, 121 ff. Endl.
Geist 7, 196. Metast. 4, 154. Anm. Rel. Erot. 4, 194. 200.
Der Begriff des Opfers, erläutert an zwei Beispielen, dem
Prozess der Erleuchtung und dem des Todesopfers. Derivation
(s. d.). Elembgr. 14, 49 ff. Die negative und positive Function
des Opfers. Kath. u. Prot. 1, 73. Die Reversibilität der Opfer.
Ferm. 2, 220. Die Thierseele dient zur Expiation der Geist-
seele. Magik. 12, 537. Grosse Zahl der Menschenopfer bei
Kriegen &c. Minist. 12, 378. Derivation bei den Opfern.
Minist. 12, 402. Opfer seit Anfang der Welt, nicht erst seit
dem Falle des Menschen. Nouv. hom. 12, 239. Opfer im
alten und neuen Bunde. Aph. 10, 349. Das Opfer Abraham's.

Organ: Nach Adam Müller sind persönliche, dem Individuum nicht subjicirte, und sächliche, selbstlose, dem Individuum subjicirte Organe zu unterscheiden. Convertibilität beider z. B. in Entzündungskrankheiten. Ferm. 2, 143. Organe und Werkzeuge in der Creatur verhalten sich wie Geist und Natur. Seg. u. Fl. 7, 90. Nothwendigkeit, solche auch bei Gott anzunehmen. Ebd. 7, 96. 98. Organe beim Menschen = Geist, Seele, Leib, zur Geltendmachung seiner drei Grundvermögen. Seg. u. Fl. 7, 103. S. Vermögen. Organe oder Attribute des Menschen sind der Geist (alleinwirkend), die Seele (mitwirkend), der Leib (Werkzeug). Diesem Ternar liegt ein Quaternar zu Grunde. Unbestimmter Gebrauch der Worte: Seele und Geist. Spec. Dogm. 8, 252 ff. S. Seele &c. Das Organ setzt sich durch seine Function sein Werkzeug. Ferm. 2, 256. Ein und dasselbe leibliche Organ kann mehr als einer Persönlichkeit zugleich dienen. Ferm. 2, 178. Das Organ und Medium der Wahrnehmung ist nicht selbst wahrnehmbar. Ekst. 4, 30. Das Organ in Gott = Centrum: Jedes Producens kann nur unter Vermittelung seines sich Fassens in ein Organ (Centrum) produciren. Dieses Centralorgan der Schöpfung war nach Paulus Christus als Erstgeborner vor aller Creatur, näher die himmlische Jungfrau, woraus er geboren ward. = *Principium (Bereschit), Spiritus supra aquas incubans.* Geist u. W. 10, 9 ff. S. Weisheit, Geist. Organ sprachlich = Weib d. h. Urgehilfe, in Bezug auf immanente Formation wie emanente Production. Spec. Dogm. 8, 325. = Bild, Urweib, Princip der Form. Spec. Dogm. 9, 178 ff.

Organismus = organisches System, in welchem jedes einzelne Glied in allen und alle in jedem einzelnen Gliede leben. Ekst. 4, 5. Das Organische entspringt nicht aus der Zusammensetzung des Nichtorganischen (der vorausgesetzten Atome). Die Physik muss mit dem Organischen, den Sinnen anfangen. Privatvorl. 13, 111 ff. Organismus und Mineral verhalten sich wie Idee und abstracter Verstandesbegriff, Process und abstracte Gestalt. Spec. Dogm. 8, 72. Jedes organische Gebilde (so auch der Staat) besteht nur in dem harmonischen Zusammen-

wirken äusserer Macht und innerer Liebe (Natur und Gnade,
Vater und Sohn). Rel. u. Pol. 6, 16. vgl. Blitz. 2, 27—46. Die
einzelnen Glieder im Organismus leben von einander und vom
Ganzen; zwischen ihnen unter sich und dem Ganzen besteht
wechselseitiges Geben und Nehmen, Produciren und Consumiren.
Verkörp. 2, 5. Die Coordination und Subordination der Glieder
bedingt ihre freie Bewegung. Evol. u. Rev. 6, 80. Ungeachtet
ihrer Coordination und Subordination sind sie frei und selbstständig in demselben Maasse, wie sie geeinigt sind. Freih. d.
Intell. 1, 140. Kein Organismus kann ohne einen in sich
aufgehobenen Nichtorganismus als Antiorganismus entstehen und
bestehen. Spec. Dogm. 9, 206. Der Organismus ist ein Eins und
ein Vieles, vertheilt in zwei Regionen. Spec. Dogm. 8, 111.
Nur scheinbar widerspricht sich darin die Selbstständigkeit des
Ganzen und der Glieder. Spec. Dogm. 8, 159. Bei dem
Wachsthum, Bestand und Verfall aller organischen Wesen zeigt
sich eine siderisch-elementare Versuchung. Societ. 14, 109.
Nichtnothwendigkeit und Nichtnormalität des Vergehens oder
Wechsels der Glieder beim Fortbestande desselben Gesammt-
organismus. Das virtuelle ineinander Ein- und Uebergehen
der Glieder nicht = Zugrundegehen derselben. Societ. 14, 84 ff.
Organisation = Bekräftigung zum freien Miteinanderleben der
Creatur mit dem Princip ihrer Region (*Congressus cum Uni-
verso*). Ferm. 2, 280. Der Organismus ist Gleichniss und
Spiegelung des absoluten Lebens = die durch Sonderung vermittelte Verbindung des Einen mit dem Einzelnen. Ferm. 2, 278.
Parallele von Geschöpf und Schöpfer mit Glied und Gesammt-
organismus: ersteres nach Oben (Innen) dienend, ruhend, willen-
los, selbstlos, unwirkend, dagegen nach Unten (Aussen) wirkend,
gestaltend, sprechend, thuend. Spec. Dogm. 8, 164. Beispiel
des Paulus aus der Physiologie (Gliederleben und Leben des
Ganzen). Spec. Dogm. 8, 162. Der Widerspruch zwischen
dem Centrum und den Gliedern eines Lebens zeigt sich im
Organismus aufgelöst (gegen Spiritualismus und Mechanismus).
Spec. Dogm. 8, 160. Die Selbstheilung eines krankgewordenen
Organismus gibt ein Analogon des Sich-zum-Organ-Machens

des Centrums, welches bei der Menschwerdung Gottes stattfand.
Antirel. Phil. 2, 473. Der Organismus ist nach überwundener
Krankheit gesunder wie in der Zeit vor der Krankheit. Erot.
Phil. 4, 172.

Orgasmus (= *turgor*, Spannung, ein medicinischer Ausdruck)
der Schöpfung. Bildungsl. 2, 102. S. Schöpfung.

Orgien, auch unter christlich - pietistischen, mystificirenden De-
corationen. Inn. Sinn 4, 103.

Orient = Aufgang in jeder Sphäre ist ihr Centrum, wovon sie
ausgeht und wohin sie zurückgeht. Die Philosophie soll die
Intelligenz orientiren. Societ. 14, 96. Der Orient des Men-
schen ist nicht in der Horizontalfläche, sondern allein in der
Verticale zu finden. Heg. Phil. 9, 358. Der wahre Orient
steht über mir (im Zenith), der wahre Niedergang unter mir.
Ferm. 2, 331. Sich Orientiren = unterscheiden, ob etwas
von Gott, dem innersten Centrum der Creatur, dem wahren
Orient in ihr, kommt oder nicht. Spec. Dogm. 9, 270. —
Occidentalismus und Orientalismus in der deutschen Philosophie.
Elemphys. 3, 242. = Mechanismus und Dynamismus, Tod
und Leben. Vorr. 1, 385. Die Religionswissenschaft hat auf
den Orient zurückzugehen. Spec. Dogm. 8, 304. Der Fortschritt der orientalischen Studien in der neuern Zeit ist wichtig
für Theosophie. Minist. 12, 371.

Origenes. Seine Lehre, dass wir, ohne Gott, Gott nicht einmal zu suchen, geschweige zu finden vermöchten. Indiff. 5,
223. Origenes gibt dem Celsus zu, dass die Christen allerdings Mysterien hätten, was ihnen aber nicht eigenthümlich
sei, weil ja auch die heidnischen Philosophen zwischen exoteri-
scher und esoterischer Lehre unterschieden. Döll. über Euch.
7, 64. Anm. Er spricht von einem Zerbrechen eines Gefässes
voll eines duftenden Spiritus zur Erläuterung der Wirkungen
der Opfer. Opfer 7, 312. Er behauptete, dass Gottes Sein
nicht ohne das des Geschöpfes denkbar sei. Spec. Dogm.
9, 260. Myst. M. 13, 193. Societätsph. 14, 50. S. Tertullian.

Original und Copie (Gott und der Mensch). Man kann von

letzterer einen Rückschluss auf ersteres machen. „Wenn schon die Werke des Menschen mit jenen Gottes, und zwar schon darum in keinem Vergleich kommen, weil letztere, wie die Scholastiker sagen, eine *actuatio substantiae* sind, so ist es doch erlaubt, das Original für jene Gesetze, welche der intelligente oder Geistmensch in seinen Productionen oder Offenbarungen befolgt, in Gott als im absoluten Geiste zu suchen, und so in der Copie (im Menschen) das Original (Gott) zu lesen." Spec. Dogm. 8, 90 ff. Original und Caricatur. Ferm. 2, 321.

Ormuzd und Abriman, s. Perser.

Orpheus, der das Ixionsrad stillte, als Sinnbild des Menschen inwiefern letzterer die Bestimmung hat, Harmonie und Segen auch in der niedrigern Natur um sich zu verbreiten. Begründ. d. Eth. 5, 33. Anm. 40. Blitz 2, 33 &c.

Ort = immanente Unterschiedenheit der Regionen in einem Wesen. Espr. 12, 341. Ort im Himmel, in der Hölle, ebenso wie Leib, nicht bloss innerlich, sondern auch äusserlich zu fassen. Solid. Verb. 3, 354. S. Region.

Orthosophie und Orthodoxie. Aphor. 10, 297. S. Aufrichtigkeit.

Oryktographen: Nach ihnen ist nur die Form primitiv, welche zugleich mit ihrem Wesen entsteht. Log. 1, 319.

Ossian, Ursache, warum sich die Söhne immer an das Verhalten ihrer bessern und stärkern Vorfahren hielten, und warum die Barden ihnen immer Thaten aus der Vorwelt mit so grossem Effect hinmalten. Tageb. 11, 2 ff.

Osten-Sacken, Baron Friedrich v., Majoratsherr der Wormen'schen &c. Güter in Kurland, Hauptförderer und Mitherausgeber der Baader'schen Werke. Dessen Einleitung zum 12. Bande. 12, 1—80.

Oesterreicher. Anleit. 6, 237. 242. &c. Biogr. 15, 50.

Ovid, Stellen aus ihm. Ferm. 2, 225. Anm. Wärmestoff. 8, 41. Socialph. Aphor. 5, 272. Anm. Evol. u. Rev. 6, 89. vgl. Ignoti. Tageb. 11, 205.

Oxydation, aus ihr, wie Berzelius mit Recht sagt, die Erde entstanden. Oxydation = Grimm bei J. Böhme. Privatvorl. 13, 144.

P.

Pabst, Heinrich, der Mensch und seine Geschichte. (Wien 1830). Aphor. 10, 316 ff. Ein *soi disant* Philosoph. Br. 15, 491.

Pabst und ökumenisches Concil nach Thomassin: jede wahre Verbindung wirkt bekräftigend und elevirend auf die sich Verbindenden. Ferm. 2, 214 ff. Pabstthum und Katholicismus sind nicht untrennbar. Emanc. d. Kath. 10, 56. Eine schon ältere italienische Schrift gegen das Pabstthum. Br. 15, 585. 594. (vgl. Morg. u. Ab. Kath. 10, 151). Die Schrift: Darstellung des ältesten Christenthums. Br. 15, 613. S. Römische Kirche, Papismus, Katholicismus und Monarchthum. Morg. u. Ab. Kath. 10, 94. Päbstlicher Kirchenstaat, protestantische Staatskirche, synodale Verfassung der morgenländischen Kirche. Rückbl. 5, 394. 396. 397.

Pädagogik, philanthropische und naturwidrige unseres Jahrhunderts. Tageb. 11, 43 ff.

Pampsychismus. Ekst. 4, 15. S. Petöcz.

Pantheismus, ist falsch, weil in Gott der Grund der Existenz und die Existenz selber zusammenfallen (s. *causa sui*). Des err. 12, 87. Pantheistische Vereinerleiung Gottes und des Geschöpfs. Ausführlicheres darüber. Vorr. 1, 396. Einl. 12, 42 ff. Der seine Creatur wieder aufspeisende Gott des Pantheismus ist ein grässlicher d. h. ein Ungott. Dyn. Beweg. 3, 285. Pantheismus, Alleinslehre im Gegensatz von Panentheismus, All-in-Einslehre. Rat. mat. Vorst. 3, 295. Spec. Dogm. 9, 22. Nicht Gott, aber in Gott sein. Quar. Qu. 12, 474. Der Irrthum des Pantheismus. Heg. Phil. 9, 334. Innerer Widerspruch des Pantheismus. Nouv. hom. 12, 245. Pantheismus = Vermischung der activen und intelligenten Ursache mit der Fähigkeit des Menschen. Hegel's spinozistische Erklärung der Vernunft. Des err. 12, 187 ff. Es ist Pantheismus, wenn man die eigene Entfaltung (Dreifaltung) der Einheit mit dem Schaffungsact zusammenfallen lässt. Des err. 12, 154. Man

kann wohl sagen: Alles ist Gott, aber nicht: Gott ist Alles.
Espr. 12, 339. Alle Essenzen stammen von Gott, sind aber
nicht seine / Essenz: keine Homeusie zwischen beiden. Espr.
12, 344. Die Lehre J. Böhme's ist frei von Pantheismus und
Dualismus. Myst. Magn. 13, 173. Der Pantheismus wird von
J. Böhme zurückgewiesen. J. B. Theol. 3, 390 ff. S. Böhme.
Der Pantheismus wurde zuerst vom Teufel im Paradiese gelehrt. Aph. 5, 273. Anm. Mephistopheles im Faust, ein Pantheist. Ferm. 2, 398 ff. Anm. Zum Pantheismus gehören der
Buddaismus, der verdorbene Kabbalismus, die Lehre Spinoza's,
Schelling's und Hegel's. Alim. 14, 472. Die indische Lehre
war ursprünglich nicht pantheistisch, die parsische nicht dua-
listisch. Einfluss des Buddaismus auf letztere und das Ent-
stehen des Manichäismus dadurch — nach Baur. J. B. Theol.
3, 412. Der älteste indische Pantheismus lehrt einen Abfall
Gottes von sich selbst, Büssung, Läuterung &c. Weiteres über
Pantheismus. Ferm. 2, 146 ff. vgl. Spec. Dogm. 8, 188.
Pantheismus und Spinozismus. Elemphys. 3, 328. S. Spinoza.
Pantheismus, Spinozismus und christliche Pantheisten unter den
Mystikern (s. d.). Ferm. 2, 373. Vernunft- oder Geistes-
pantheismus = naturphilosophischer Pantheismus = Spinoismus.
Was dagegen zu sagen sei. Rel. Phil. 1, 109. Anm. Die
Lehre Schelling's über Pantheismus in seinen Vorlesungen über
Philosophie der Mythologie, und Baader's Verhältniss dazu.
Einl. 12, 67. 69. S. Naturphilosophie, Schelling, Hegel, Saint-
Martin. Pantheismus und Dualismus in Bezug auf den Staat,
Centralisationssystem Napoleon's und Constitutionalismus. Zeit-
schr. Av. 6, 39. S. Dualismus, Pantheismus, Deismus, Theis-
mus. v. Osten. Einleit. 12, 12. Anm.

aracelsus, seine Schriften und die neuere Literatur über ihn
(in Hoffmann's Anm. zu Metast. 4, 161). Baader mit ihm
besonders beschäftigt 1812—15. Br. 15, 248 ff. 259. Paracelsus, Böhme und Kepler. Br. 15, 268 dann 382. Paracelsus und Böhme, die zwei grössten Naturphilosophen. Br. 15,
482. 682. 703. Paracelsus nicht Pantheist. Ferm. 2, 424. Anm.
Paracelsus Lehre von der Magie (die Stellen in der Anm. d.

H.).· Myst. Magn. 18, 215. Seine Definition des Glaubens.
Div. 4, 78. Seine Lehre über Imagination (s. d.). Begierde,
Lust, Zeugung. Dogm. 8, 327. Rat. mat. Vorst. 8, 300.
Anthropoph. 4, 285. Incomp. 4, 807. Anm. (vgl. 305). Heg.
Phil. 9, 840 ff. Ueber den Begriff des Weibes als Geist.
Geist u. W. 10, 9 ff. Ueber Angriff (s. d.) und Ingriff.
Metast. 4, 160. Myst. Magn. 13, 217. Incomp. 4, 318.
Ueber Astralgeist (s. d.) und secundäre Lebensgeister. Heg.
Phil. 9, 419. Ueber Tinctur (s. d.). Versehens. 4, 388. Anm.
Ueber Eucharistie: Jedes Leben ist, was es isset, und isset,
was es ist. Heg. Euch. 7, 257. Anthropoph. 4, 227. 236.
Emanc. d. Kath. 10, 69. Ueber die Dreitheilung von Leib,
Seele und Geist beim Tode des Menschen. Metast. 4, 154.
Ueber das materielle Dasein, worin zu unterscheiden das Centrum
und ein (zweifacher) Dreiangel, nämlich drei Grundvermögen
und drei Attribute oder chemische Basen (Schwefel, Mercur,
Salz), die sich in jedem der vier Elemente finden. Spec. Dogm.
8, 252. 9, 127. S. Elemente, Kraft. Vergl. Incomp. 4, 318.
Versehens. 4, 346. 350. 384. 404. Soc. Aph. 5, 327. Anm.
Opf. 7, 371. Spec. Dogm. 8, 251. 327. 350. Spec. Dogm.
9, 54. Anm. 234. Anm. Hegel. Phil. 9, 341. Anm. Fundam.
des Christenth. 10, 31. Anm. Morgenl. u. Abendl. Kath.
10, 229. Anm. Religionsph. Apor. 10, 299. Privatvorl.
18, 103. 109. Anm. 162. 187. Anm.

Paradies, seine Fortpflanzung und Ausbreitung über die Erde.
Begründ. d. Eth. 5, 88. S. Mensch. Frühe Störung des ersten
Paradiesesstandes der christlichen Kirche. Spec. Dogm. 8, 19.
Paradieseszustand des Menschen (s. d.). Des err. 12, 95 ff.

Parcere victis, ast debellare superbos. Minist. 12, 382.

Parteien, religiöse — in neuerer Zeit: scientifischer Nihilismus
und nichtscientifischer Pietismus auf protestantischem, sowie
Illuminismus und Separatismus auf katholischer Seite. Dritter
Theil der Kirche: Einheit von Wissenschaft und Mystik. Kath.
u. Prot. 1, 74.

Pascal, *Pensées.* Tageb. 11, 30. 49 Anm. Ueber Indifferenz
und Stumpfsinn. Indiff. 5, 156.

Pasqualis s. Martinez.

Passavant, Carl, berühmter Arzt und geistvoll philosophirender Schriftsteller, an Baader empfohlen durch Schubert (1815). Br. 15, 268. Sechzehn Briefe Baader's an ihn (1815—1822). Br. 15, 270—369. vgl. 280. (Diese Briefe sind bezeichnet: B. an Z.). Ueber die Freiheit des Willens. Versehens. 4, 391. Anm. vgl. 373. Spec. Dogm. 8, 248. Anm. Er starb 14. April 1857. Seine Schriften sind: Untersuchungen über den Lebensmagnetismus und das Hellsehen (1821, 2te Aufl. 1837), Von der Freiheit des Willens und dem Entwickelungsgesetze des Menschen (1835), Das Gewissen (1857), Sammlung vermischter Aufsätze (1857). Vergl. Hamberger's Characterbild: Dr. J. C. Passavant (1857). Seine Wittwe bereitet eine Gesammtausgabe seiner Werke vor.

Passivität und Activität, Attraction und Repulsion, Nähren und Zehren, Alimentation und Secretion &c. in der Physik und Psychologie. Franz. Rev. 6, 319. Es gibt keine blosse Passivität; da nur der Thuende leidet &c. Espr. 12, 271. Das passive Verhalten der Regierungen gegenüber der Herrsch- und Beutelust, sowie der Zerstörungs- und Revolutionslust einzelner Parteien ist zu rügen. Naturrechtl. Gr. 6, 9.

Pater in filio, filius in matre. Vater und Mutter = Himmel und Erde. Rel. Erot. 4, 187. Vorr. 1, 410. = Der Höchste ist auch der Tiefste; nur der Allvater kann auch die Allmutter sein. *Materia* von *Mater.* Solid. Verb. 3, 344. *Pater* und *Mater* = das In-sich und Aus-sich = *Animans* und *Corporans* oder *Formans* = Subject und Object. Spec. Dogm. 8, 190. Vgl. 177 ff. Sonstige Erläuterungen dieses vielfach angeführten Satzes s. Geist u. W. 10, 10 ff. Spec. Dogm. 9, 170. Societ. 14, 90. S. Vater u. Mutter.

Pathos ($\pi\acute{a}\vartheta o\varsigma$) ist für den Willen, was $a\check{\iota}\sigma\vartheta\eta\sigma\iota\varsigma$ für das Erkennen. J. B. Theol. 3, 398.

Patricius, Franciscus. Magia philosophica (1593). J. B. Th. u. Ph. 3, 374. Anm. Fund. d. Chr. 10, 26. 31. Anm.

Paulucci, Marquis, General-Gouverneur in Riga. Biogr. 15, 66. 82.

Paulus: Ueber den Paulinischen Begriff des Versehenseins im

Namen Jesu vor der Welt Schöpfung. Schr. (1837). 4, 325 ff.
vgl. Br. 15, 547—560. Zusatz dazu 566. Die Paulinische
Lehre ist beschämend für alle unsere Philosophie.
Tageb. 11, 121. (Paulus — über Gesetz und Geist —) = ein
alter Dialektiker, liberaler und aufschlussgebender als Kant. Kant's
Deduct. 1, 14. Paulus' Unterscheidung des innern Herzmenschen
und äussern Sinnesmenschen. Anthropoph. 4, 224. Seine Lehre
vom Worte als dem Träger aller Dinge. Versehens. 4, 376,
von Christus als dem Erstgebornen vor aller Creatur. Geist
u. W. 10, 9, von der Schöpfung. Einl. 12, 61, von Natur
und Materie. Eket. 4, 18. (S. Materie), vom geistigen Aufer-
stehungsleibe s. Leib, von der Angewiesenheit der ganzen Natur
auf den Menschen s. Natur &c. Der Apostel Paulus hatte
gewissermaassen einen Primat in Betreff der Doctrin. Versehens.
4, 329.

Payne, Thomas, *the rights of man.* Indiff. 5, 165.

Peinlichkeit, Angst; Geburtsangst, Todesangst. Heg. Phil.
9, 420. Pein des Dämons beim Peinigen (die Somnambule
Spielmann). Minist. 12, 399. 441. S. Leiden.

Pelagius, sein Irrthum über Gnade und Freiheit. Er erkannte
damit auch nur den Vater, nicht den Sohn und Geist an und
war der erste Apostel des Deismus. Widmer's Augustin. 7, 55.
Vgl. Indiff. 5, 232. Anm. Rel. Phil. 1, 242. Ueber Gesetz
und Gnade. Spec. Dogm. 8, 40 ff.

Pensionirungssystem, das — kann nicht den Güterbesitz
(Domaine, Dotation) ersetzen. Posit. Rechtsbest. 6, 65.

Pentarchie und die Münchener histor. polit. Blätter. Morg.
u. Ab. Kath. 10, 92.

Per crucem ad lucem (Douzetems). Elembgr. 14, 40.

Perfectibilität in *infinitum* lehrt auch Saint-Martin eigentlich nicht. Espr. 12, 342. Endlose Perfectibilität ist verwerflich. Quar. Qu. 12, 480. S. Vervollkommnung.

Periculum vitae der Creatur. Spec. Dogm. 9, 252 &c.

Peripherie Gottes: seine Sophia. Minist. 12, 403. S. Gott.
Centrum.

Perser, die — (im Zendavesta) und die alten Deutschen (in

der Edda) wussten von einer im ewigen Licht schaffenden
Doppelkraft oder einer Feuer- und Wasserwelt (Muspel- und
Niflheim). S. Licht im Orient (1808). Starr. u. Fl. 3, 274.
Anm. Die älteste parsische Lehre und deren spätere Ver-
derbung durch den Buddaismus, Manichäismus. J. B. Theol.
3, 412. Parsen- und Hinduslehren. Br. 15, 398. Schlüssel
zum Verständiss der parsischen Lehre über Ormuzd und Ahriman
nach J. Böhme. J. B. Theol. 3, 389. Die Perser fassten mit
Recht beide als Geborne oder Geburten; ihre Fehler dabei.
Spec. Dogm. 8, 181 ff. Bei Ahriman Vermengung des Feuer-
sprechens in und ausser der Creatur. Spec. Dogm. 8, 88.
Anm. Daumer (s. d.) über Ormuzd und Ahriman. Elementarbegr. 14, 38.

Persönlichkeit == höchste Unterscheidung mit innigster Einheit
von Gedanke, Wille, That. Tabl. 12, 187. == Einzigkeit und
Unersetzbarkeit jedes menschlichen Individuums in Bezug auf
die ganze Gattung; darauf beruht zugleich der Begriff der
Geschichte (Tradition, Sprache) und selbst auch der der Unsterblichkeit. Rel. Phil. 1, 304. Anm. Allgemeine Persönlichkeit *(l'homme général)*, einzelne Persönlichkeit. Ekst. 4, 5.
Der Begriff der Person oder Persönlichkeit schliesst immer
jenen einer in einer Einheit befassten Mehrheit in sich, d. h.
eine Person in *abstracto*, ohne Bezug auf andere Personen,
ist nicht denkbar. Wahrh. 1, 132. Die vollendete Person (des
Menschen) ist dreifaltig: Leib, Seele, Geist. Minist. 12, 385.
Die Persönlichkeit eines Wesens bedarf eines Nichtintelligenten
und Nichtpersönlichen (eines Attributs) in demselben Wesen,
um sich geltend machen zu können. Anthropoph. 4, 236. Anm.
Die Persönlichkeit ist verschieden von Individualität, diese das
Organ jener. M. Pasq. 4, 126. Die Persönlichkeit kommt
der Idee, die Individualität (Egoität) der Natur zu. Mehrheit
der Willen, Eigenschaften, Persönlichkeiten in einem Indiduum.
Quart. Qu. 12, 489. Wohl der Träger einer Persönlichkeit,
aber nicht sie selbst ist ein Individuelles, wesshalb die Persönlichkeit immer nur in Plural, als Wir, vorkommt. Ver-
scheps. 4, 869. vgl. 405. Jedoch ist die Unterscheidung von

Persönlichkeit und Individualität nicht absolut geltend zu machen. Ferm. 2, 171. Convertibilität von Sachlichkeit in Persönlichkeit z. B. bei Entzündungskrankheiten, ähnlich der Convertibilität von Gefühl in Vorstellung bei Somnambulen. Ferm. 2, 143. Entstehen eines Eingeweidewurmes in einem Mutterorganismus = einer parasitischen oder secundären Persönlichkeit in einer andern. Spec. Dogm. 9, 267. Uebertritt aus Sachlichkeit in Persönlichkeit = Erhebung der Natur aus dem Zustand eines dem Willen dienenden Werkzeugs in jenen eines ihm nicht dienenden. Persönlichkeit in diesem Sinne = relative Selbstständigkeit einer Substanz, worin das Viele in Eins gefasst ist z. B. Gold. Ferm. 2, 163 ff. Personen = Kräfte. Verschiedene Arten des Selbstischen. Espr. 12, 310. Persönlichkeit (Selbstthätigkeit) eines Gedankenbildes. Urtern. 7, 36. Anm. Das Persönliche ruft im Nichtpersönlichen Persönlichkeit hervor. Nouv. hom. 12, 244. In der guten Persönlichkeit des Menschen sind Geist und Natur identisch, in der nichtguten nichtidentisch. Ferm. 2, 381. Die personificirende Macht des Logos (der Sonne). Die Persönlichkeit der Intelligenz, vom Lebensgeist *par excellence* von innen und aussen geschaffen, begründet und gewahrt, wird dagegen vom Mord- und Lügengeist zu vernichten gesucht. Bildungsl. 2, 117. — Die göttliche Person (der Logos) nahm die unpersonirte menschliche Natur und nicht die personirte oder eine einzelne menschliche Person an. Rel. Phil. 1, 283. Erläut. 14, 230. Augustinus: *Deus Verbum non assumsit personam hominis, sed naturam.* Erläut. 14, 326. Die Leugnung der Persönlichkeit des Bösen führte nothwendig zur Leugnung Christi als historischer Person. Spec. Dogm. 9, 17. Mit der Leugnung der Persönlichkeit des bösen Geistes kann das Christenthum so wenig als mit der des guten Geistes bestehen. Spec. Dogm. 9, 108. Die Persönlichkeit des unwiedergebornen Menschen ist zweifaltig, die des wiedergebornen dreifaltig. Div. 4, 90. — Die Persönlichkeit Gottes ist verschieden von der natürlich-creatürlichen Persönlichkeit. Franz. Rev. 6, 375. Die Persönlichkeit Gottes ist unpersönlicher als der

der creatürliche Geist und persönlicher als die creatürliche
Natur. Spec. Dogm. 8, 274. Auch bei Gott findet sich der
Unterschied der Persönlichkeit und Individualität. *Ego et Pater
et Spiritus sanctus unum sumus*, nicht *Persona*, sondern
Individuum. Societ. 14, 138 ff. Die Persönlichkeit besteht
nach unten in *singulari*, nach oben nur in *plurali*, wesswegen
in der höchsten Einheit die Persönlichkeit nicht in *singulari*
denkbar ist. Spec. Dogm. 9, 261. Personen = *proprietates
Dei*. Das sie manifestirende Wort ist keine Person. Espr.
12, 343 ff. In Gott sind drei Personen in einem (unper-
sönlichen) Wesen = Sophia. Nichtbeachtung der letztern in
den gewöhnlichen Trinitätslehren. Geist u. W. 10, 13. Person
und Name (s. d.) haben in der Schrift dieselbe Bedeutung;
daher hat das Weib keinen eigenen Namen und die sieben
Sephirot (Sophia) den Namen des Geistes (ruach fem.), indem
sie sich dazu wie als Weib verhalten. Ferm. 2, 427. Anm.
Ueber die Nichtpersönlichkeit und Persönlichkeit der Sophia,
der ewigen und der zeitlichen Natur, eines *Missus*. Incomp.
4, 311. Anm. S. Geist, Natur, Weisheit, Bild Gottes. — Personificirung alles Wirkenden, Handelnden bei jedem noch unver-
dorbenen, ungekünstelten Naturvolk (im relativen Sinne): Gefühl der Nähe einer verborgenen, höheren, mit Absicht handelnden
Kraft. Tageb. 11, 111 ff.

Perty, Max. Ueber die Bedeutung der Anthropologie für Naturwissenschaft und Philosophie. Indiff. 5, 211. Anm.

Petavius, *Opus de Theol. Dogmatibus.* (Ven. 1795.) Vorr.
1, 408. Ueber das *rationabile obsequium*. Rel. Phil. 1, 242.
Motto. Spec. Dogm. 8, 4. J. B. Theol. u. Philos. 3, 412.

Peter der Grosse. Seine Idee, den Clerus aus dem Ertrag des
gesammten Kirchenfonds zu besolden. Morgenl. u. Abendl.
Kath. 10, 116. Anm. Biogr. 15, 156.

Petetin, über Versetzung der Sinne von einem Theile des
Körpers in einen andern. Ekst. 4, 13.

Petöcz, Michael, die Welt aus Seelen (Ansicht der Welt, Leipz.
1838). J. B. Theol. 3, 378. 381. Anm. 388 Anm. Aphor.
10, 299. Religionsph. Aphor. 10, 299. S. Böhme.

Petri's Artikel: Böhmitten im 11. Th. d. allgem. Encycl. v.
  Ersch u. Gruber. Ferm. 2, 887. ff. Anm. 393. Anm. 400. Anm.

Peuger. Euch. v. Döllinger: 7, 64. Anm. *Disciplina arcani.*

Pfaffenthum, mit ihm wird man nicht fertig durch Irreligiosität.
  Der Quacksalberei kann man nur durch Arzneikunde los werden.
  Heg. Phil. 9, 319.

Pfeiffer, Franz. Deutsche Mystiker des 14. Jahrhunderts.
  Spec. Dogm. 8, 300. Anm. Biogr. 15, 159.

Pfeilschifter. Biogr. 84. Br. 15, 424 g.

Pfenninger. Philosophische Vorlesungen über das neue Testament.
  Tageb. 11, 186.

Pfetten, Baron v. Br. 15, 257. 282. 285. 293. 294. 295. 308.

Pflanze, die — wird durch das Himmelsgestirn aus der Wurzelregion in die Luft- und Lichtregion emporgehoben. Schub. 1, 59.
  Sie muss, um in der obern Luft- oder Sonnenregion als Blüthe &c.
  zu erscheinen, in der untern finstern Erdregion als Wurzel erscheinen. Ferm. 2, 246. Dieselbe ist nach des genialen Schelver geistvoller Ansicht ihrer Selbstlosigkeit wegen geschlechtalos.
  Antirel. Phil. 2, 474. S. Thier.

Pflicht von Verflochtensein. Eine Verbindlichkeit ist nur aus
  einer reellen Verbindung erklärlich. Theor. d. Erk. 1, 55.
  Pflichten der Lebenden gegen Gestorbene und noch Ungeborne.
  Aph. 5, 268 ff. Pflicht und Liebe sind dasselbe, eine Liebe
  kann geboten werden. Rel. Erot. 4, 186.

Phantasei, finstere, steht der Idea als göttlicher Imagination
  entgegen. Gnadenw. 13, 253. Heg. Phil. 9, 328. === Naturleben ohne Idea. Morg. u. Ab. Kath. 10, 119. Die Creatur
  als geschaffen steht nicht in der Phantasei (*centrum naturae*),
  obschon diese verborgen, aber noch ungeschlossen oder noch
  nicht unaufschliessbar in ihr steht. Gnadenw. 13, 273. Phantasei
  === falsche Bildung, in die sich die Seele aus ihrer generativen
  Kraft gebärt === fixe Idee in der Seele, welche sie nach dem
  Tode auch plastisch ausser sich projicirt. Ferm. 2, 310 ff. ===
  Abtrennung vom Ganzen. Eine von ihrem Locus, dem sie
  eingeschaffen war, gewichene Creatur fällt unter die Natur (dem

- Spiel ihrer Selbheit oder Phantasei anheim) und ist abimirt.
J. B. Theol. 3, 419. —Die Phantasei des Gestaltens beim gefallenen creatürlichen Geist. Ferm. 2, 416. Die Region der
Phantasei ist die Unternatur. Die phantastischen Bildungen
oder der chaofische Bildungstrieb dieser allerzeitlichsten und
allerräumlichsten Region. Besess. 4, 254. Die Phantasei, In-
fusorienregion und Effluvien des Abgrunds sind zuweilen bei
bei magnetischen Erscheinungen wirksam. Ekst. 4, 88.

Phantasmagorie, die atomistisch-mechanische — bezüglich
der angeblich ins Unbestimmte porösen Materie nach Hegel.
So soll z. B. Glas für Licht ganz Porus, für Electricität ganz
Nichtporus sein! Rüge. 3, 817. — Die Phantasmagorie der
Geschlechtsliebe (s. Liebe) eine Hinweisung auf die Idea. Erot.
Phil. 4, 176. Die Materie keine Phantasmagorie. Rel. u. Pol.
6, 16. Anm. S. Materie.

Pharisäismus und Sadducäismus unserer Zeit. Tageb. 11,
122 ff. Die Pharisäer, Sadducäer und Essäer in der jüdischen
und christlichen Kirche. Aph. 5, 280. Anm. Pharisäismus
und Naturalismus sträuben sich gegen den Begriff einer centralen
und universellen Alimentation. Alim. 14, 478 ff. S. Liberale.

Philo, der Jude, sagt von einem Sünder, dass er die Natur
lügen zu machen strebe. Spec. Dogm. 9, 253. Er lehrte
Emanation. Einl. 12, 59.

Philesophie. Begriffsbestimmung: Philosophiren heisst über
einen Gegenstand denken oder nachdenken. Der Mensch ward
durch den Anhauch Gottes zu einer vernünftigen Seele geschaffen. Spec. Dogm. 8, 36. Die Befangenheit im Wissen
steht wohl dem noch unschuldigen Kinde, aber nicht dem der
Kindheit Entwachsenen und Schuldvollen an. Spec. Dogm. 8, 7.
Philosophie heisst dem Worte nach Liebe zur Weisheit, σοφία,
der göttlichen nämlich. S. Weisheit. Das Gegentheil der
φιλοσοφία ist, wie schon die Schrift sagt, die φιλομωρία
d. h. die Liebe zur Unwissenheit, Thorheit und Lüge. Comment.
13, 828. Das erste Geschäft der Philosophie ist, die Vermittlungen und Bedingungen aufzusuchen und nachzuweisen,
unter welchen der Mensch zum freien Gebrauche seines Erkennt-

nissvermögens gelangt. Religionsphil. 1, 324. 8. Erkenntnisslehre. Philosophisches Erkennen = *Cognitio per causas*
(Aristoteles Anal. post. 1, 2 &c. s. Zeller 2, 367). Incomp.
4, 306. = Freies, weil wahrhaft begründetes Erkennen. Erlösbarkeit der Philosophie. Kath. u. Prot. 1, 77. vgl. Ferm.
2, 328. 329. Der Gegenstand der Philosophie oder das,
worüber philosophirt wird, sind Natur und Geist. Vorr. 1, 389.
Die Philosophie hat überall die Einheit des innern und äussern
Geschehens gegen ihre Trennung sowohl als gegen ihre Vermengung festzuhalten. J. B. Theol. 3, 430. Maassgebend ist
dabei für die Forschung überall der anthropologische Standpunct (s. d.). Die besondern Zweige der Philosophie, wie alles
menschlichen Wissens, sind: Theologie (s. d.), Physiologie,
Anthropologie, deren richtige Auffassung sich gegenseitig bedingt. Die religiöse Philosophie zerfällt in drei Abtheilungen,
nämlich: 1) die Lehre vom Erkennen, 2) die religiöse Naturphilosophie und 3) die religiöse Philosophie des Geistes, zugleich
die religiöse Philosophie der Societät in sich befassend. Rel. Phil.
1, 154. = Lehre von Mensch, Gott, Welt oder Universum
(Geist, Natur). Spec. Dogm. 8, 9 ff. 225. Die Griechen haben
die Philosophie in Physik, Ethik und Logik eingetheilt (Tageb.
11, 307), während Baco alles menschliche Wissen in Geschichte,
Poesie und Philosophie zerlegt hat. Tageb. 11, 85. Die ersten
Elemente der Philosophie (= Grammatik bei den Sprachen)
werden bei der speculativen Philosophie als bekannt vorausgesetzt. Sie steht nicht neben allen übrigen (positiven) Wissenschaften, sondern durchdringt sie alle und sollte n a c h ihnen
studirt werden, um dadurch den g e n i a l e n Standpunct zu
gewinnen. Spec. Dogm. 8, 215. — Philosophie (nach Saint-
Martin) = Enthüllung des (handelnden, hervorbringenden wie
zerstörenden) Daseins oder Daseienden. Br. 15, 172. Das
P r o b l e m der (speculativen) Philosophie ist: Exponirung des
Gesetzes der Offenbarung des Seienden nach allen Momenten
desselben, sowohl in der Normalität als in der Abnormität ge-
fasset. Ihre Wahrheit = Concretheit des Monotheismus und
Polytheismus. Revis. d. Wiss. 10, 273. In welchem Sinne

der Philosophie aufgegeben sei, hinter das Sein zu kommen.
Myst. Magn. 13, 168. Das eigentliche Räthsel in der Philosophie ist das der gebährenden und schaffenden Liebe. Fund.
d. Christ. 10, 29. Die Philosophie kann von den Menschen
nicht eigentlich gemacht werden. Spec. Dogm. 8, 45. *Philosophia divina* im Sinne der Alten. Kant's Deduct. 1, 10.
S. System. — Geschichte der Philsophie: Die Philosophie hatte ursprünglich religiösen Sinn und religiöse Bedeutung. Rel. Phil. 1, 169. Sie entstand zuerst im Orient bei
denjenigen Nationen, welche die ursprünglichen Traditionen nicht
mehr rein erhalten hatten, sondern bereits entstellt empfingen,
den Phöniciern und Aegyptern. (S. Hermes Trismegistos.)
Sie ging von dem Bedürfniss einer Läuterung oder Reformation
dieser Traditionen aus, schlug aber bald in Opposition dagegen
um. Rel. Phil. 1, 170 ff. Bonald 5, 47. Sinesische Philosophie
nach Windischmann. Spec. Dogm. 8, 114. Aelteste indische
und parsische Lehre nach Baur. J. B. Theol. 3, 412. Die
altjüdische Tradition oder Kabbalah (s. d.), Moses und die
Propheten, z. B. Jesaja (s. d.). Theologie und Philosophie
waren urprünglich Eins. Spec. Dogm. 8, 54 ff. Die ältesten
Theologen und Philosophen fassten Gott als ἓν ὄν oder μόνον
d. h. als *unicus* und *uniciessimus* nach Proclus. Heg. Phil.
9, 382. Die Aufeinanderfolge war fast überall: gute Wissenschaft, verbrecherische Wissenschaft, Aberglaube, reformatorische
und revolutionäre Bestrebungen. S. Wissenschaft. Die Philosophie bei den Griechen und Römern: Aelteste Zeit, jonische
und italische Schule, oder Thales und Pythagoras. Reform der
Philosophie zur Zeit des Sokrates. Plato, Aristoteles, die Lehre
der Stoa (s. d.). Die Eklektiker zur Zeit der römischen Weltherrschaft. Barbarei zur Zeit des zweiten und dritten Jahrhunderts. Bonald 5, 48 ff. Der Entwickelungsgang der Philosophie vom Beginn des Christenthums an bei Kirchenvätern,
Scholastikern und in der neuern Zeit. Wiss. u. Rel. 1, 95.
Paulus und die übrigen Verf. des neuen Testamentes; die
Gnostiker und Manichäer, Arius; Tertullian, Origenes, Athanasius,
Pelagius; die Neuplatoniker, Dionysius der Areopagit, Pro-

clus &c. — Alcuin, Scotus Erigena, Thomas von Aquin, Dante, Johannes von Parma &c. (s. d.). Die scholastische Philosophie behandelte die Religion nur als Mittel zum Zweck, nämlich zum Fortschritt unseres Selbstvermögens. Spec. Dogm. 8, 51. Meister Eckart, Tauler (s. d.) Die Mystiker des 14. und 15. Jahrhunderts. Spec. Dogm. 8, 300 ff. Paracelsus (s. d.). Die ältere deutsche Philosophie. Ferm. 2, 367. S. Wissenschaft, Jacob Böhme, Oetinger, Saint-Martin &c. Zweite entschiedene Trennung der Philosophie von der religiösen Tradition beim Eingehen der scholastischen Philosophie. Rel. Phil. 1, 175. Nachtheiliger Einfluss des Wiederauflebens der classischen Wissenschaften für die Philosophie, insofern sie dadurch abermals von der Religion getrennt ward. Ihre misslungene Reform durch Baco, Descartes, Leibniz. Bonald 5, 51. Seit dem Eingehen der scholastischen Philosophie trennte sich in ihr immer mehr das speculative und das historische oder empirische Element, wobei ersteres in Destructivität, letzteres in Versteinerung ausartete. Spec. Dogm. 8, 204. Die Philosophie hat seit dem Mittelalter vorzüglich nur an Breite, nicht an Tiefe gewonnen. Spec. Dogm. 9, 161. Das Verfahren der neuern Philosophie besteht darin, den bürgerlich- und religiös-geselligen Menschen aus dem Gesammtlebensverbande, in welchem er allein nur entstehen und bestehen kann, loszureissen, um, wie sie sagt, in dieser reinen Abstraction dessen Lebensentwickelung ungestört betrachten zu können. Bonald 5, 52. Anm. Baco, Descartes, Spinoza, Malebranche, Leibniz, Newton, Hume (s. d.). Die Plumb-pudding-Philosopie in England. Tageb. 11, 407. Rousseau und andere Franzosen, die Materialisten, Rationalisten, Deisten, die neueste deutsche Philosophie: Kant, Fichte, Schelling, Hegel &c. (s. d.) In der Philosophie der Neologen (Schelling, Hegel &c.) findet man nichts von dem Einen, was Noth thut (von Christus als Person). Br. 15, 584. Unsere Geistesphilosophen und die thörichten Jungfrauen. Nouv. bom. 12, 256. — Nächste Aufgabe der dermaligen Philosophie. Die Philosophie muss sich mehr mit religösen Doctrinen durchdringen. Ferm. 2, 275. Philosophen und Theologen

dürfen nicht gegen einander fremd thun. J. B. Theol. 3, 405!
Verflachung der Philosophie, wenn sie sich von den Tiefen der
Religion abgeschlossen hält. Freih. d. Intell. 1, 136. Die
irreligiöse Richtung der neuesten deutschen Phiosophie ist zu
bekämpfen durch den Nachweis, dass alles creatürliche Selbstbewusstsein als ein secundäres von dem göttlichen als dem
primitiven abzuleiten ist. Rel. Phil. 1, 199. 202. Die ältere
Philosophie J. Böhme's verglichen mit der jüngsten Philosophie
unserer Zeit. Ferm. 2, 373. J. Böhme verdient *par excellence*
den Namen eines Philosophen, weil seine Philosophie, wie das
Wort sagt, von der Liebe der göttlichen Sophia ausgeht, auf
sie zurückweist und in ihr lebt. Myst. Magn. 13, 197. Philosophen und Theologen, die das Forschen in den Mysterien der
Natur und Schrift verbieten wollen. Rüge 3, 315. S. Gegner.
Ueber den Unterschied der religiösen oder christlichen und der
irreligiösen Philosophie. Rel. Phil. 1, 155. Spec. Dogm. 8, 38.
Religiöse und antireligiöse, kirchliche und antikirchliche Philosophie. Verh. d. Wiss. 1, 353. S. Religion und Wissenschaft.
Die Philosophie Baader's in Vergleich mit den Lehren aller
dermaligen philosophischen Schulen. Spec. Dogm. 9, 13 ff.
Plan eines Werkes über Natur-, Moral- und Rechtsphilosophie
in 4 Bänden (1834). Br. 15, 499. 502. 504. Vgl. noch das
Schema und die Eintheilung der Baader'schen Philosophie betreffend: 527. 539. 562. Der Erfolg der Philosophie Baader's
ist nicht in Bälde zu erwarten. Spec. Dogm. 8, 205.

Phlogiston, Wärmestoff, Resultat alles darüber Gesagten.
Wärmest. 3, 371. Vgl. Hoffmann's Einl. zum III. Bd. S. VII. ff.
Die chemische Lehre über Phlogiston und Oxygen. Aphor.
10, 314.

Phoronomie, nach Kant; Lehrsatz derselben. Pyth. Quadr.
3, 252 ff.

Phosphorescenz eines frühern dämonischen Zustandes. Fragm.
4, 54. Phosphorescirendes Licht (s. d.)

Photius und Nikolaus. Em. d. Kath. 10, 75.

Photogene = Hydrogene, Skotogene = Pyrogene. Spec.
Dogm. 9, 24.

Photophobie, Philophobie, Theophobie, Logophobie, Christophobie, wie Hydrophobie (*s.* Wasserscheue). Spec. Dogm.
9, 47 ff. J. B. Theol. 3, 424.

Physik, Physiologie, Physiosophie. Die Physik hat mit
einer Zahlenlehre, Raumlehre und reinen Dynamik zu beginnen;
die letzte dieser drei Wissenschaften (als höhere Dynamik) er-
wartet noch ihre bestimmte Gestaltung. Form od. Maass 2, 523.
Unsichtbares und Sichtbares in der Physik. Tageb. 11, 195.
Die magische und magnetische Physik Baader's steht im ge-
nauesten Zusammenhang mit seiner ganzen Philosophie. Br.
14, 466. (Physikalische Versuche von Baader, Schelling und
Ritter. Br. 15, 231. Die Scheidung des Natrons aus Kochsalz
und Glaubersalz. Br. 15, 233. Vgl. Glasfabrication.) Der
rasche Fortgang der Physik und Chemie in der neuern Zeit,
seitdem sie die *Minima* (s. d.) der Action zum Gegenstande
ihres Forschens gemacht haben. Dynam. Bew. 3, 282. Die
mechanischen Physiker sprechen ganz ungenirt von einer
electrischen, magnetischen, leuchtenden, wärmenden &c. Materie,
die aber durch die Poren der Materie ausströmen soll. Spec.
Dogm. 9, 38 ff. Die neuern Physiker und Chemiker nehmen
materielle und immaterielle Materien *(fluides invisibles et incoercibles)* an = penetrirte und penetrirende Materie. Spec.
Dogm. 8, 228 ff. 339. Die *fluides universels, incoercibles,
imponderables* sind ein die Materie durchdringendes Ueber-
materielles. Spec. Dogm. 9, 98. Die ersten Elemente der
Physik, Trennung der untern und obern Wasser. Geistersch.
4, 216. *Physique superieure, primitif, immateriel* (Gegens.
physique secondaire) = *double physique* = σῶμα πνευματικόν. Morg. u. Ab. Kath. 10, 100. Durchblicken einer
höhern Physik in der niedern und durch sie. Emanc. d. Kath.
10, 63. Physische Erklärungsweise der Divination. Div. 3, 70 ff.
Physisch-psychische Erklärung derselben (durch Vermittelung
aussermenschlicher Geister). Div. 4, 71 ff. Physisches Wirken
nicht ohne entsprechendes geistiges Thun und umgekehrt. Mart.
Pasq. 4, 125. — Die Lehre Stahl's (s. d.) über Physiologie.
Bonald 5, 76 ff. Physiologie = Sinnenlehre: Alles Sinnliche

ist dem Sinn unterzuordnen, Spec. Dogm. 8, 241. — Das
Ziel der Philosophie und Theosophie ist die Freundlichkeit
und Befreiung der Natur und des Menschen im Verhältniss zu
Gott. Spec. Dogm. 9, 64. Die Physik als Kunst kann ihr
höchstes Ziel nur erreichen durch ihre Unterordnung unter die
Religion. Aeltere Physiker. Industrie == Bauchdienst. Bildungsl.
2, 121 ff. Die Physik ist in demselben Verhältniss geist-
loser geworden, als sie irreligiös und ideenlos geworden ist.
Ritge 3, 523. Physiologie ist nicht von den Kirchhöfen zu
holen. L'hom. 12, 204. Sie ist zum Verdauen nicht nothwendig. Espr. 12, 350. Physik und Ethik (s. d.). Physik,
Psychik oder Psychologie und Pneumatik. Ferm. 2, 171, Anm.
— Physiokratisches System der Staatswirthschaft. Staatsw.
6, 171. Büsch, 6, 186. Holzbau. 6, 204.

Pfetten, Baron, seine Krankheit und sein Tod. Br. 15, 282—
295. vgl. 302.

Pietisten und Rationalisten. Vorr. 1, 390. Pietismus ==
lichtscheue Fromme, und Nichtfromme. Spec. Dogm. 8, 309.
Pietismus und Speculationsscheue. Antirel. Phil. 2. 447. Pietismus, religiöser Kotzebuanismus. Ferm. 2, 337. Pietistische
Kopfhängerei in Norddeutschland. Br. 15, 396. Separatismus
401. vgl. Biogr. 15, 88. 94. Pietismus und Quietismus, ==
Beten ohne Arbeiten. L'hom. 12, 209.

Pindar's Olymp. VI, 68—79. Tageb. 11, 44—45. Anm. des
Herausgebers.

Pius VII., Pabst. Seine Erklärung der römischen Grundsätze
durch den p. Nuntius Consalvi auf dem Congresse zu Wien
im J. 1815. Röm. kath. und gr. kath. K. 5, 395—896.

Planeten, s. Sonne.

Plastisch: Die plastische, somatische (die Physiologen sagen,
reproductive) Function setzt das erkennende, wollende, wirkende
Individuum selbst nach seinem Typus und kann also nicht
inner eine dieser Actionssphären fallen: erstere ist das Werk
nicht des einzelnen Naturindividuums, sondern des Allgemeinen.
Ferm. 2, 143. Die plastische, generative Kraft der Seele.
Ferm. 2, 310. Das Plastische oder Chemische der Gemüths-

25*

operationen. Elemphys. 8, 238. Das plastische oder Gefühlsleben, d. h. das schaffende Walten der Erkenntniss- und Wirkungssphäre beim Geistmenschen und im Thierorganismus. Bildungsl.
2, 110.

Platen, Graf von. Vom Geist u. W. d. D. 1, 68. Ferm. 2, 284.
Plato, „der grosse Pfaff.“ W. u. R. 1, 88. Anm. — Biogr.
15, 87. Anm. Wärmest. 8, 29. Anm. Tageb. 11, 409. 417.
Plato's Lehre von der Reminiscenz (ἀνάμνησις) scheint Kant's
System veranlasst zu haben. Tageb. 11, 218. 222. Kant's
Urtheile über Plato's Politik. Ebd. 424. Plato hat seine Lehre
von den Ideen aus der hebräischen Philosophie (dem Begriff
des *Mundus archetypus* daselbst) geschöpft. Elembgr. 14, 86.
vgl. Spec. Dogm. 9, 182. Aristoteles zog die Platonischen
Ideen vom Himmel zur Erde herab, ihren überirdischen Ursprung
wo nicht leugnend, doch verdunkelnd. Bonald. 5, 48. Plato
kannte schon die Lehre vom Vater und Sohn. Evol. u. Rev. 6, 84.
(vgl. Sonne) vgl. Materie (Tim. 50 D.). Ganzes. Der erste,
zweite und dritte König im Briefe an Dionys = centrales, mit-
wirkendes und werkzeugliches Wirken. Ferm. 2, 356. Seine
Aeusserung an denselben über das Eins, das gegeben werden muss.
Br. 15, 189. S. *Unum.* In seiner Lehre vom Denken als einem
Selbstgespräch ist er tiefer wie Aristoteles. Spec. Dogm. 8, 68 ff.
Vergl. Bonald 5, 181. Anm. Seine Lehre vom Auge, von
dem ich mich gesehen weiss oder dass das eigentliche Object des
Auges (Sehens) selbst ein Auge (Auge) sei — was auch vom
Wollen und Thun gilt. Anthropoph. 4, 240. Spec. Dogm.
8, 339. 9, 112. 259. vgl. Fund. d. Chr. 10, 44. S. Auge.
Tugend durch Einfluss des Göttlichen und Nähe des Guten
zum Gutwerden behülflich. Zus. d. Leb. 2, 25. Plato's Idee
der Androgyne. Ferm. 2, 314. Der Ueberfluss hat das
Bedürfniss erfunden. Ferm. 2, 348. Spec. Dog. 9, 115.
Anm. 189. Göttliche Thorheit weiser als ungöttliche Weisheit.
Ekst. als Met. 4, 156. Bewunderung ein Affect der Intelligenz.
Dogm. 8, 23. Anm. Braniss über das Verhältniss des Aristo-
teles zu Plato. Dogm. 8, 69. Anm. Plato's Lobsprüche der
Mysterien. Heg. Phil. 9, 382. Tageb. 11, 22. Anm. 44. Anm.

142, 275. Anm. 307. 334. Randgl. 14, 396. Vgl. Socialph.
Aphor. 5, 315. Anm. Urs. d. Leicht. 6, 383. Endl. Geist.
7, 190. Zw. Cap. d. Gen. 7, 238. Heg. Philos. 9, 307. Anm.
345. Religionsph. Aphor. 16, 299. Biogr. 15, 152. Seine
Lehre über die Liebe und dass nur sie die Menschen göttlich
machen könne, sowie dass die Liebe die Tochter des Ueber-
flusses und der Armuth (eine Tochter des Verzeihens und
Reuens) sei. Schub. 1, 59. Geist u. W. 10, 4. Erot. Phil.
4, 170. Spec. Dogm. 9, 189 (die betreffende Stelle in der
Anm. d. H.). Seine Lehre von der Liebe dessen, was uns
hilft, das Schöne zu erzeugen. Espr. 12, 266. Seine Lehre
von einer dem Geiste gleich ewigen Materie ist irrig. Ferm.
2, 380. Bonald 5, 48 (Anm. Hoffm. daselbst). Nach ihm
ist der Leib nur = sterblicher Leichnam, und eine Unvoll-
kommenheit; er lehrt Leiblosigkeit. Versehens. 4, 346. Emanc.
d. Kath. 10, 71. Dualismus des Idealen und Realen, woher
der Unbegriff des Christenthums. Strauss Leb. J. 7, 262. Er
hat die Gesellschaft nicht begriffen. Bonald 5, 49.

Platner's Anthropologie. Tageb. 11, 3.

Pleroma = Erfüllung. Die Seele ist πλήρωμα dem Geist, der
Leib der Seele. Anthropoph. 4, 227. 230 ff.

Plinius: *Quod dubitas, ne feceris.* Kant's Deduct. 1, 14.
Deus est mortali juvans mortalem, s. Deus. Sein Spott
über die magische Wissenschaft und Kunst der alten Parsen
und Aegypter. J. B. Theol. 3, 374. Anm. Fundamt. d. Chr.
10, 81. Anm.

Plotin. Schon bei ihm der Gedanke Goethe's: Wär' nicht das
Auge sonnenhaft, die Sonne könnt' es nie erblicken &c. Rel.
Phil. 1, 297. Anm. Spec. Dogm. 8, 224. Anm. L'hom.
12, 203. (s. Neuplatoniker).

Plutarch. Nothwendigkeit der Religion zur Begründung des
Staates. Indiff. 5, 164. Anm.

Pohl, Physiker. Begriff des endl. Geistes. 7, 171.

Pneumatogonischer Process, s. Lust und Begierde.

Poësie, s. Dichtkunst.

Poiret, über die Localität in der Eucharistie. Opf. 7, 395.

Polarerstarrung der griechischen Kirche in den r. Ostsee-
provinzen. Biogr. 15, 91.

Polarität alles Daseienden. Spec. Dogm. 9, 213 ff. Die
höhere Region ist bipolarisch und zwar so, dass hier das
dextrum und *sinistrum* ein Oben und Unten bezeichnet, d. h.
ein und dasselbe göttliche Wesen geht ewig in der obern
(Licht-) Region als erfreuliches Licht, in der untern (Finster-)
Region als schreckender Blitz auf. Kant's Deduct. 1, 7 ff.
Anm. Die wahre Ansicht von der Polarität ist: Soll der
Lichtpol irgendwo (im Lichtpol) herrschend sein, so muss der
Finsterpol in einem andern Orte herrschen; der Scheidepunct
ist das Feuer. Studienb. 13, 379. Jede Polarität hat die
drei Momente: Involution, Opposition, Subordination. Ferm.
2, 255. Subordination und Coordination der beiden Glieder
des polaren Gegensatzes. Freih. d. Intell. 1, 139. Bei dem
Begriff derselben in der Naturphilosophie Schelling's wurde
verkannt, dass die Zwietracht der Coordination durch Herstellung der wahrhaften Subordination in Eintracht verwandelt
wird. Begründ. d. Eth. 5, 12. In der Naturphilosophie würde
die relative Gradation der Pole und die Tripolarität verkannt.
Heg. Phil. 9, 311. Ferm. 2, 348. Fund. d. Christ. 10, 85.
— Polarität des Gemüths = Lebenszwist durch höhern Einfluss (Christi) ebenso bedingt, wie die Polarität im physischen
Leben (Wärme) durch den Einfluss der Sonne. Aff. d. Bewund.
1, 29. Polarität = Derivation. Opf. 7, 282. Aum.

Polemik: die polemische Natur eines Vortrags über religiöse
Philosophie im Gegensatz zur irreligiösen. Wie diese Polemik
zu führen sei, sowie Zweck, Erfolg und Nothwendigkeit einer
solchen Polemik. Rel. Phil. 1, 155 ff. Eine wissenschaftliche Polemik zwischen Katholicismus und Protestantismus ist
erspriesslich. Spec. Dogm. 8, 12. S. Gegner. Humoristische
Aeusserungen Baader's über die Art seiner Polemik im Unterschiede jener von Görres. Einl. II, LIV. Anm.

Polen, seine pecuniären Missstände. Büsch. 6, 184.

Politik, s. Religion. Einfluss der Phänomene in der politischen
Welt (1792) auf den Verf. Tageb. 11, 201. Die politische

Selbständigkeit lässt sich nur in demselben Maasse gründen und sicher stellen, wie die Production und Fabricationsselbständigkeit. Naturrechtl. Gr. 6, 6. Politische Schnaderhüpferln. Aphor. 5, 302 ff. Die in der neuern Zeit stattfindende politische Indifferenz gegen Religion. Indiff. 5, 138 ff. Die Politik jetzt gutentheils gott- und heil(and)los. Ein gottloses Volk königlos und ein gottloser König volklos. Rel. u. Pol. 6, 25. Politien und Parekbasen nach Aristoteles. Spec. Dogm. 9, 206. — Die Protestanten wollen (1813) die gemeine Politik divinisiren und den einzelnen Menschen dem Staat aufopfern. Hemmung des *Commercii divini cum hominibus*. Br. 15, 249! Politische Zustände 1809—13, s. Napoleon. 1815 ff. Br. 15, 372. 373. 419. 479 &c. s. Russland, Frankreich, England, Deutschland. 1831. Br. 15, 468. 481. 483. S. Vermögenslose, Clerus, Gesellschaft, Positivität, (Unsere) Zeit &c. — Die Politisirung des Christenthums seit Constantin ist seinem Einfluss nachtheilig und seinem Geist zuwider gewesen. Kant's Deduct. 1, 21. Die Politik des römischen Stuhles und der katholischen Geistlichkeit in Spanien (1833). Aphor. 5, 320. S. Römische Kirche.

Polizei: Ueber polizeiliche Zurückhaltung schlechter Doctrinen, anstatt die Menschen auf bessere Gedanken zu bringen. Unsterbl. 4, 264. Polizeiliche und Prohibitivmaassregeln sind gegen die negative Evolution nicht ausreichend. Evol. u. Rev. 6, 75. Polizeien sind nicht zu allen Untersuchungen, womit man sie beauftragt, geeignet. Divin. 4, 63 ff.

Pohl. Ueber den galvanischen Process. Endl. Geist. 7, 171. 173.

Pordage, von Geistesfiguren, die sich immer bewegen. Minist. 12, 407. Religionsph. Aphor. 10, 343.

Pörner, Allgemeine Begriffe der Chemie. Anleit. 6, 241.

Pöscheljaner, Sekte in Oesterreich und Bayern (1817), von Lyon aus gestiftet. Br. 15, 325. S. Lindl.

Positivität einer Erkenntniss == innerliches und äusserliches (nicht bloss äusserliches) Begründetsein derselben. Religionsphilos. 1, 532. Vermittelte Positivität. Endl. Geist 7, 193.

Ueber das Revolutioniren des positiven Rechtsbestandes. Sehr. (1831). 6, 55 ff. vgl. schon 1828. Br. 15, 443 ff. 445. Vermögensl. 6, 131.

Postellus, seine Werke. Amsterdam 1646. Br. 15, 270 ff. De ultima nativitate mediatoris. Ueber den Begriff der Durchdringung. Spec. Dogm. 9, 98. Vom vollkommenen Leibe. Espr. 12, 314. Ueber den Begriff einer durch ihre Integrirung aus dem materiellen Zustand in den immateriellen übergehenden Leiblichkeit. Opf. 7, 400. Vgl. auch noch Versehens. 4, 334.

Potentielles und Actuelles, das Verhältniss beider. Privatvorl. 13, 139. Jeder Potenzirung geht eine Depotenzirung als Bedingung voran. Br. 15, 348. Ueber Potenzirung. Ebd. 350.

Prabodha-Chandrodaya, oder die Geburt des Begriffs, theol. philos. Drama von Krishna Misra. Uebers. v. G. und h. von Rosenkranz. (1842). Rel. Philos. 1, 244. Anm.

Prädestinationslehre, Irrthümlichkeit derselben. Privatvorl. 13, 59. Versehens. 4, 343. 368.

Präexistenz der Kinder im Stammvater. Versehens. 4, 391. — Der Seelen: die Hauptstelle dafür in der Schrift. Br. 15, 315. Dessgl. nach Saint-Martin. L'hom. 12, 220.

Präsenz, verborgene und offenbare — ist in allen Regionen zu unterscheiden. Spec. Dogm. 9, 67. Temporäre, geistige und reale = äusserliche, innerliche und concrete Gegenwart des Menschensohnes bei den Menschen; ähnlich die der Menschen unter sich. Leb. 4, 292. Präsenz und Assistenz von Gehülfen des Menschen bei Opfern &c. Opf. 7, 99.

Prechtl, Herausgeber der Jahrbücher des k. k. polytechnischen Instituts zu Wien. Glaserz. 6, 248. Anm. 344. 348. 358. Biogr. 15, 46. Anm. 47.

Prehensio: Non datur prehensio in distans. = Nil datur praeter simulacra fruendum. Rüge 3, 322. S. Actio.

Preu. Das System der Medicin des Th. Paracelsus von Dr. Pr. mit Vorrede von Leupoldt. (1838). Spec. Dogm. 8, 252. Anm.

Prevost: De l'origine de forces magnetiques. Tageb. 11, 371. Anm.

Priesterthum: Von einem frühern edeln Priesterthum ging
alle Gesittung aus. Spätere Ansartung des Priesterthums. Spec.
Dogm. 9, 28 ff. Priester, Gelehrte und Künstler müssen verbunden sein. Sichtb. Kirche 7, 222. Priester und Gelehrte.
Biogr. 15, 87. S. Clerus. Ehemals waren Priester und Recht-
sprecher eins. Des err. 12, 148. Das Priesterthum kann als
ein Missionsinstitut für die Welt und als Weltcorporation weder
regiert werdend noch regierend bestehen. Spec. Dogm. 9, 82.
Priester und Adel. — Begründ. d. Eth. 5, 4. Priester, nicht
Polizeibedienstete, Beamte, Advocaten &c.; sollen die Reprä-
sentanten, d. h. Advocaten der Proletairs in den Kammern sein.
Vermögensl. 6, 138. Geheimlehre der Priester in Betreff des
Opferrituals. Opf. 7, 311. Der Priester der Wahrheit soll
weder Sklave noch Verschnittener sein. Elembgr. 14, 80.
Priester oder Pfaffe, Gott oder Götze, eins von beiden ist jedem
Menschen nothwendig. Anal. d. Erk. 1, 48. Die Einen kann
man nicht ohne die Andern loswerden. Aphor. 5, 302. Prie-
ster und Pfaffen, Philosophen und Sophisten. Tageb. 11, 193.
Pretraille und Philosophaille oder Pfaffen und Sophisten im
Gegensatz von Priestern und Philosophen. Spec. Dogm. 9, 159.
228. Priester und Pfaffen sind nicht zu vermengen. Morg. u.
Ab. Kath. 10, 175. Das Priesterthum in der morgen- und
abendländischen Kirche. Morg. u. Ab. Kath. 10, 130.

Priestley. Einl. III, VII. XI. Wärmest. 3, 174. Br. 15, 224.

Primat des Pabstes, dagegen erklären sich die Kirchenväter
Epiphanius, Cyprianus, Theodoretus, Augustinus, Gregor I.
Trennb. 5, 375 ff. Derselbe ist nicht nothwendig zum Be-
stande der Kirche. Morg. u. Ab. Kath. 10, 91. Lehren der
morgen- und der abendländischen Kirche über den Primat als
Oberstbischofsamt. Ebd. 10, 148 ff. Ausarbeitung eines grösseren
Werkes darüber (Morg. u. Ab. Kath.?). Br. 15, 622. 624.
626. 655. 664. S. Römische Kirche. Punctualisation.

Primum, Alterum = Natur, Materie. Rat. mat. Vesst.
3, 293. S. Natur.

Princip, nicht bloss der Anfang (incipere), sondern vielmehr
das Centrum oder die Mitte eines Wesens. Ferm. 2, 329.

Princip == Prototyp, Talent, Dogma. Ferm. 2, 158. Das
vollkommene Dasein jedes endlichen Wesens setzt voraus, dass
dieses Wesen enthalten oder begriffen ist in seinem Princip
und dass dieses Princip dasselbe erfüllt, oder dass es sein
Gesetz (seine Umschreibung) ist und es erfüllt. (S. Kraft.)
Zeitbgr. 2, 58 (83). Dass die intellectuelle Freiheit in ihrer
Bewegung innerlich und äusserlich begründende Princip ist
nicht zu verwechseln mit einem dieselbe hemmenden. Freib. d.
Int. 1, 136. Princip des Erkennens == das, was die freie
Ausübung der Erkenntniss-, Urtheils- und Willensthätigkeit
sowohl begründen als leiten muss, das den Menschen und nicht,
das er sich setzt, obwohl er nicht in der wirklichen Uebung
seines Thuns als den Grund und Leiter des letztern inne wird.
Bonald 5, 46. — Nur das schaffende Princip kann auch das
beleuchtende sein. Auch Gott erkennt nur, indem er hervorbringt, und umgekehrt. Bildungsl. 2, 109. Das erste Princip
producirt ausser und in der Zeit; dort durch ihm inhärente
Attribute (Organe, Eigenschaften), hier durch noch andere
Attribute. Spec. Dogm. 8, 240. Die Mehrheit der Principien
in Gott widerspricht nicht seiner Einheit. J. B. Theol. 3, 385.
Aus der Mehrheit der schaffenden Principien erklärt sich die
innere Vielheit in der Creatur, die nur durch die Zukehr der
Creatur zum alleinigen *Unions* (Logos) zur Einheit erhoben
werden kann. Ferm. 2, 166. Die Trilogie von Princip (Mann),
Ferm (Weib) und Genitus (als Organ) ist besser als die abstract
logische Hegel's und Schelling's. Spec. Dogm. 9, 144. vgl. 34.
Das Princip machte sich in der Menschwerdung zum (secundären)
Organ. Spec. Dogm. 9, 146. Naturprincip s. Natur. *Principium
causalitatis, rationis sufficientis, contradictionis* s. Ursache
und Grund. Das Princip der Materie ist zu unterscheiden von
der Materie. Des err. 12, 113, 117. 119. 127. Angeborenes
Princip jedes körperlichen Wesens. Ebd. 12, 115. Princip
der Specification für Natur und Geschichte. Ferm. 2, 330; 334.
Associirendes Princip oder Bildungstrieb der Societät == Erhebung des Einzelnen in das Gemeinsame. Diesem Bildungstrieb der Societät steht entgegen ein Tödtungstrieb des socialen

Lebens. Aphor. 5, 270. Es gibt zwei Principien. Des err. 12, 120. vgl. 109. Die feurigen Principien und das Princip des Lebens. Bd. 12, 121. — Drei Principien nach J. Böhme = innere, mittlere und äussere Welt oder Offenbarungsregion. Dieselben sind nicht neben, sondern in einander (als *gradus*) und zwar die mittlere als die tiefste und höchste. Ferm. 2, 240. Das erste Princip = sechs Quellgeister, innerliche, siderische, Seelen-Geburt; das dritte = entzündeter, siebenter Quellgeist, Natur, Leib; das zweite = Ternar, göttliches Princip, Seelengeist, innerste Geburt. Blitz 2, 39. = Naturprincip, Lichtprincip, Princip des Irdischen. Privatvorl. 13, 125. Drei Principien im Menschen wie überhaupt in der Creatur, nämlich himmlisches oder Lichtprincip, finsteres oder feuriges Naturprincip und sittlich-irdisches Princip. Die Herrschaft je eines derselben ist bedingt durch Imagination. Spec. Dogm. 8, 100. Vgl. J. B. Theol. 8, 399. = Der äussere (Elementenoder Sternen-) Mensch, die Seele, und der innere himmlische Lichtmensch. Morg. u. Ab. Kath. 10, 227. Anm. 8. Region, Seele, Leib, Geist. Finster, Feuer, Licht. — Princip, Organ, Werkzeug. Früheste Andeutung der Lehre darüber: a) *Natura naturans* = Ich *par excellence*, das nie Du werden kann. Deren Product ist b) das Ideal = regulatives Princip, Gesetz, Imperativ, Instinct, Trieb, Flamme. Man kann dieses Ideal als Treiber und Leiter alles Lebendigen das Erstgeborene vor aller Creatur nennen. Endlich c) *Natura naturata* (Ich, Mensch, jedes geschaffene Wesen). Elemphys. 8, 218. Saint-Martin macht nicht den Unterschied von Princip und Organ. Des err. 12, 99. vgl. Espr. 12, 355. Alles Thun geschieht nicht unmittelbar, sondern durch ein von mir unterschiedenes Organ (*Revelator*). Nouv. hom. 12, 288. Princip und (innere) Form. Tabl. 12, 177. J. Böhme nimmt ein Princip und drei Organe und Werkzeuge an. Oeuvr. 12, 453. vgl. 454. Adam Müller über die Unterscheidung von Organ und Werkzeug s. Organ. Princip, Organ, Werkzeug = Gott, Mensch (Mitwirker), nichtintelligente Natur. Div. 4, 81 ff. Anm. Fetm. 2, 159 ff. Anm. Drei Principien oder Regionen, worin der

Mensch lebt: göttliche, geistige, natürliche; in der ersten soll
er Werkzeug, in der zweiten Mitwirker, in der dritten Alleinwirker sein. (Nur das Organ, nicht das Werkzeug kann mit-
und gegenwirken.) Ferm. 2, 157. Anm. 258. Princip, Organ,
Operator. Tabl. 12, 240. Es ist zu unterscheiden der eigentliche Erzeuger, die beiden Geschlechtskräfte (Agens und Reagens)
als Mitwirker, und das werkzeugliche Recipiens. Tabl. 12, 186.
Werkzeug, Organ, Princip = Lehrling, Geselle, Meister. Das
gute Agens nimmt dabei den entgegengesetzten Weg, wie das
böse (Mephistopheles als Pudel &c.). Ferm. 2, 168. Anm.
Rel. Phil. 1, 178. Mart. Pasq. 4, 118 ff. S. Lehre. Alleinwirker (Centrum); Mitwirker, Organ, Werkzeug sind als Quaternar
(und als Ternar) zu fassen. Spec. Dogm. 8, 258. Centrales
Wirken, Mitwirken (durch's Organ), werkzeugliches Wirken:
erläutert durch ein von der Ton- und Klangerzeugung her-
genommenes Gleichniss. Myst. Magn. 13, 233 ff. = Voll-
stimmige, mitlautende, stumme Buchstaben. Incomp. 4, 815.
Die Triplicität von Princip, Organ und Werkzeug ist nicht zu
verwechseln mit dem heiligen Ternar. Auch darf diese Triplicität
nicht zum Dualismus herabgesetzt werden. Morg. u. Ab. Kath.
10, 121. 138—147. Princip und Organ = Vater und Sohn.
Br. 15, 607. 641. Princip, Organ, Factor, beim Sensations-
und Generationsprocess. Br. 15, 640. S. Denken, Dreizahl,
Scotus. Gott, Geist, Natur.

Priscillianus. Seine Hinrichtung sogar von Leo dem Grossen
gebilligt. Morgenl. u. abendl. Kath. 10, 240.

Problem, um ein solches gründlich zu lösen, muss man seine
Schwierigkeit auf die Spitze führen. Spec. Dogm. 8, 159. Das
Problem der Restauration der Wissenschaft durch Religion und
der Religionslehre durch die Wissenschaft. Urs. d. Leicht.
6, 340. Das Problem der Kirchenlehrer im 16. Jahrhundert
war die Erringung einer höhern Stufe der intellectuellen Fortbildung bei dem lehrenden Theil des Klerus. Diess damals
noch unlösbare Problem ist jetzt gelöst worden. Wiss. u. Rel.
1, 92 ff. — Problem des Künstlers in Bezug auf den Ternar
des Guten, Schönen und Angenehmen. Ferm. 2, 431.

Process der Subjectivirung, immanenter, emanenter. Gesetze
beider. Ihre Verwechslung veranlasste die Verwechslung
der Immanenz aller Dinge in Gott mit der Verendlichung
beider. Spec. Dog. 8, 290. Der theogonische Process kann
nicht gehemmt werden, sonst stürbe Gott und der Teufel würde
geboren. Spec. Dogm. 8, 181. Derselbe ist ein ewiger Ver-
söhnungsprocess. Spec. Dogm. 8, 198. Der zoogonische und
pneumatogonische Process. Spec. Dogm. 8, 299. Heg. Phil.
9, 321. 329. Der zoogonische, das Leben offenbarende und
gebährende Process: Was immer aus seinem Unoffenbarsein
offenbar, leb-, und leibhaft wird, wird aus Einem Zwei und
bleibt doch Eins. Die vier Momente dieses Processes: Unoffenbares Sein, Wurzelsein, Gewächssein, Alimentsein. Emanc. d.
Kath. 10, 66 ff. Der Sensations- und Generationsprocess.
Br. 15, 640. S. Zeugen, Erkennen.

Proclus, *In Platonis Alcib. Commentarius et Institutio theo-
logica ed. Creuzer* (Frankfurt 1820 ff.). Ueber Leiden und
Wirken. Spec. Dogm. 8, 209. Seine Lehre, dass alles, was
in den Gestirnen vorgeht, sich in den Gliedmassen repräsentire.
Spec. Dogm. 8, 224. Ueber den Unterschied des Erkennens
eines höhern und eines niedrigern Wesens. Spec. Dogm. 8, 232.
Ueber Ursache und Grund. Spec. Dogm. 8, 278. Ueber die
absolute Monas, die auch das absolut Gute ist. Spec. Dogm.
8, 296 ff. vgl. Heg. Phil. 9, 332.

Production und Reproduction, immanente und emanente. Auseinandersetzung dieses Begriffes. Geist u. W. 10, 10. Bei
aller Production sind zwei Momente zu unterscheiden, je nachdem das Substrat sich zur Idee unvermittelt oder vermittelt
verhält. Zwischen beiden liegt das Moment der Vermittlung
selbst. Spec. Dogm. 8, 86 ff. Die zwei Momente jeder Production = Ausgang und Eingang. Keine Production geschieht
unmittelbar, sondern immer nur mit Hülfe von Attributen =
Organen. Spec. Dogm. 8, 239. Das erste Moment (der immanenten Production in Gott) ist das der unmittelbaren Zeugung,
das zweite das der vermittelten Geburt des Erzeugten. Vater

und Mutter (a. d.) in Gott (bei der ausser- oder übernatürlichen Selbstformation), — Urwille (Vater) und Weisheit (jung-
fräuliche Matrix). J. B. Theol. 3, 889. Mit dem Ausgang
oder vielmehr Eingang des Geistes nach Innen producirt der
ganze Tenar nach Aussen. Immanente, emanente Production.
Urterm. 7, 33 ff. Rel. Phil. 1, 227. Immanente und emanente
Production des Geistmenschen. Machtloser Gedanke und ge-
dankenlose Macht. Nothwendigkeit einer Spannung (Differenz,
Unruhe &c.) zwischen ihnen, bevor es zur emanenten Production kommt. Spec. Dogm. 8, 75. Geschiedenes, Hervortreten der Productionsfactoren (Eigenschaften, Agentien) mit
vita propria vor jeder emanenten Production. Zwei Klassen
derselben: Mitwirker und werkzeugliche Wirker (s. Princip).
Spec. Dogm. 8, 76. Das Fundamentalgesetz aller (immanenten
und emanenten) Production ist das ihrer Vermittlung oder des
Durchgangs durch zwei Stadien eines Seienden. Dreiklang des
Durchwohnens, Inwohnens und Beiwohnens dabei in Bezug auf
Producens und Product. Societ. 14, 118. 120. Die Production
= verzehrendes Geben, die Reduction = nährendes, speise-
nehmendes Geniesen. Spec. Dogm. 8, 184. Die Production
absteigend, die Integration aufsteigend. Metast. 4, 150. —
Jedes emanente Product ist nicht aus dem Wesen des Producenten, sondern nur Bild des Producenten. Spec. Dogm.
8, 84. Der Producens ist unmittelbar Eins, das Product unmittelbar Vieles, und dieses kann zur Ganzheit (Totalität,
Einheit) nur gelangen durch seinen Bezug zum Producenten.
Dieser Bezug beider wird erst möglich durch eine gemeinschaftliche Unterscheidung und Zusammenschliessung beider von
und in einem Dritten (Vater, Welt, Sohn). Ferm. 2, 241 ff.
Jeder Producent verherrlicht sich in seinem Product. Ferm.
2, 183. Dreifache Relation des Producens zum Product, indem er inner, in und ausser ihm steht. Besges. 4, 247.
Anm. Der Producens ist seinem Producte sowohl von der
Mitte aus innerlich, als an dessen beiden Grenzen äusserlich.
Spec. Dogm. 8, 284. Anfang und Ende des zeitlichen Productes im Unterschiede des ewigen. Aph. 10, 325. — Das

Product der Kräfte (2 $\times$ 2 $\times$ 2) ist nicht gleich ihrer Summe (2 + 2 + 2). Socialph. Aphor. 5, 285.

Professoren und Genie's. Tageb. 11, 177.

Progress und Regress sind in der Normalität untrennbar. Spec. Dogm. 9, 147. Privatvorl. 13, 155. — Negativer Progress in der Religionswissenschaft der neuern Zeit. Spec. Dogm. 9, 14 ff.

Proletairs s. Vermögenslose.

Prometheus. Sein Anzünden der Lebensfackel am himmlischen Feuer. Bedriff d. Zeit 2, 52. Anm. (74. Anm.)

Propheten im alten Bunde, nichtordinirte Auctoritäten, aber doch nicht revolutionär. Aphor. 5, 298. Gott und die Natur rufen immerfort Propheten und Apostel, Künstler und Dichter hervor, damit sie das Allermenschlichste darstellen möchten einem nichtmenschlich gewordenen Geschlechte. Ferm. 2, 158. Das Prophetenthum dauert noch fort. Opf. 7, 354. Alle Menschen sind todtgeborne Seher. Ekst. 4, 22. Anm. Jeder Mensch ist ein geborner Prophet und Christ (d. h. Christus, nicht Christianus) nach Mart. Pasqualis und Saint-Martin. M. Pasq. 4, 121. Nicht alle Begeistung ist göttlich und nicht alle Begeistung trübe. Mart. Pasq. 4, 122. Propheten im guten und bösen Sinn. Ihr Schicksal. Spec. Dogm. 8, 329. Der Prophet kann nur durch Sturm und Erdbeben hindurch zur Stille des Centrums dringen. Mart. Pasq. 4, 131. Anm. Der Prophet sieht darum Zukunft und Vergangenheit, weil er die Gegenwart sieht. Erot. Phil. 4, 174. Anm. Dem Geschichtschreiber, wie dem Propheten, muss Sehergabe geworden sein. M. Pasq. 4, 117. Der Schmerz des Propheten, ein Leiter der göttlichen Action. Zus. d. Leb. 2, 12. S. Noth. Die Propheten bilden zu jeder Zeit die eigentliche Jugend der Societät. Elementgr. 14, 54. — Zwei Voraussagungen Baader's, die sich bestätigt haben. Br. 15, 502.

Proselytismus liegt in der Natur der Wahrheit als katholischer. Indiff. 5, 185. Nicht der Proselytismus als solcher, sondern nur die schlechte Art und Weise desselben ist verwerflich.

Freih. d. Intell. 1, 137. Anm. — Der Proselytismus und die
Systematisirungssucht des Irrthums, wie der Wahrheit. Societ.
14, 107 ff.

Prosper, in Augustinam, über die Mysterien in der heil. Schrift
und deren Erforschung. Spec. Dogm. 9, 15. 162. Evol. u.
Rev. 6, 104. Br. 15, 525. Anm.

Protagoras. Tageb. 11, 363. Anm.

Protestantismus ist nicht so alt wie die Kirche. Döllig.
Ench. 7, 61. Eingabe Baader's bei dem König von Preussen
über den Zustand des modernen Protestantismus (1824). Biogr.
15, 67 ff. Br. 15, 413. 414. 416. 419 ff. 422. 433. Dessgleichen an den König von Bayern (1825). Br. 15, 430.
Aelterer evangelischer, und neuerer, gegen das Evangelium
selbst protestirender Protestantismus. Kath. u. Prot. 1, 74.
Derselbe hat sich durch Hegel auf die Spitze getrieben. Br.
15, 455. Er zehrt nach und nach alle von der Kirche mit
herübergenommenen Reste des Positiven auf. Wahrh. 1, 107.
Die Bedingung seiner Reunion ist Rückkehr desselben zu seiner
Quelle: Erweckung des innern religiösen Lebens. Ferm. 2, 204.
Die höchste Bedeutung und Dignität des Protestantismus. Sichtb.
Kirche. 7, 216. 219. Anm. Man muss der schädlichen Ten-
denz desselben durch Speculation begegnen, nicht bloss durch
Hingabe an die Kunst, an die Liebe und an die Religion.
Groote's Faust. 7, 42. 46. Anm. Protestantismus und Wissen-
schaftlichkeit werden irriger Weise für identisch gehalten. Spec.
Dogm. 8, 11. S. Wissenschaft. Vom doppelten Protestantis-
mus, nämlich dem stagnirenden (hyperkatholischen) und dem
revolutionären (antikatholischen 1833). Socialph. Aph. 5, 364 ff.

Psychologie der Neuern = Psychographie. Anthropoph. 4, 225.
Wichtigkeit einer *Psychologia comparata* ähnlich der *Ana-
tomia comparata.* Incomp. 4, 308. Br. 15, 597. S. Seele.

Pudel in Goethe's Faust. Aphor. 5, 360. S. Princip.

Punctation s. Buchstaben.

Punctualisirung des Kirchenregimentes im Pabste. Trennb.
5, 377. Kirchenvorst. 5, 401. S. Primat.

Purismus der Moral (s. d.) und der Societät. „Enger als man meint, hängt dieser Purismus (der Moral) mit jenem der Societät zusammen, vermöge welchem alle persönlichen Dienste &c. durch das allgemeine unpersönliche Geld beseitigt werden sollen &c." Aph. 5, 282. *Purus medicus, purus asinus;* dessgleichen *purus theologus, purus asinus.* Br. 15, 271. Purumatisiren beim Magnetisiren, s. Magnetismus.

Puysegur, ein ehrwürdiger französischer Magnetiseur. Seine achtungswerthe Maxime, sich jeder Somnambule nur mit reinem guten Willen zu nahen. Ekst. 4, 21. S. Magnetismus. Br. 15, 308.

Pythagoras: pythagoreisches Einsiedlerleben. Tageb. 11, 7. 18. Vgl. Selbstbeachtung &c. Ueber das pythagoreische Quadrat in der Natur &c. Schr. (1798) 3, 247. Die Schrift war schon entworfen vor Schelling's Schrift über die Weltseele, erhielt aber nach deren Erscheinen einige Zusätze und wurde erst nach der Lectüre der genannten Schrift Schelling's abgeschlossen. Ihr Inhalt ist durchaus nicht Schellingisch, und Baader freut sich darin nur, dass auch Schelling, wie er schon vor ihm, die mechanische Naturansicht überwunden und sich der dynamischen zugewendet hat. Vgl. Br. 15, 178 ff. 189. Pythagoras über die Einheit Gottes. J. B. Theol. 3, 385. Ueber das *Unum* und *Alterum.* Bildungsl. 2, 107. Elem.-Phys. 3, 245. Heg. Phil. 9, 307. Ferm. 2, 347 ff. Pythagoras hat den Quaternar seinen Schülern als den Schlüssel der Natur angewiesen. Pyth. Quadr. 3, 267. Des Pythagoras Tetras, *fons naturae* = J. Böhme's viergestaltiges *Centrum naturae,* das unentzündet Quelle, entzündet Qual des Lebens ist. Rüge 3, 326. Unsterbl. 4, 275. = Feuer, wodurch die Geburt der wahren Selbstheit und Aufhebung der falschen geschieht. Privatvorl 13, 104. Pythagoras wollte den Menschen von der Erde zum Himmel erheben. Bonald 5, 48. Kreuz, Tetras, Quaternar. Spec. Dogm. 8, 261. Anm. Ueber die *Dyas.* Spec. Dogm. 8, 347. Pythagoreer. Tageb. 11, 79. Vgl. Vierzahl, Zahlenlehre.

Q.

Quadrat: Ueber das pythagoreische Quadrat in der Natur, s.
Pythagoras. — Quadratur des Cirkels = völlige Aufnahme
oder Aufgehobensein der Ursache im Grunde u. u. Spec.
Dogm. 9, 236. — Quadratur des Cirkels, ein Wahnsinn, dessen
sich auch alle Historiographen und Geschichtsphilosophen schuldig machen, die die Geschichte (Zeit) inner der Zeit und aus
der Zeit, nicht aus der Ewigkeit erklären wollen. Societ. 14, 89.

Quadrupelallianz gegen die Religionswissenschaft, s. Gegner.

Quadruplicität der göttlichen Personen hat J. Böhme nicht
gelehrt. J. B. Theol. 3, 395.

Quaerit se natura, at non invenit. Fund. d. Christ. 10, 35.

Qual, Quälen, Quellen, Qualität, Wallen. Ferm. 2, 302. Qual
= 1) Quelle, 2) Qual. *Dolor solutio continui.* Privatvorl.
13, 103. Passive und active Qual des Bösen. Des err. 12,
88. 93. 100 ff.

Qualitäten = Eigenschaften, Sensationen, Sinneskräfte. Es ist
Problem der Naturphilosophie, die Construction der Qualitäten
der Natur aus ihrem Princip zu geben. Spec. Dogm. 9, 65.

Quand on est à trois, on est à quâtre c. a. d. à un. =
trinitas reducit dualitatem ad unitatem. Bildungsl. 2, 105.
Endl. Geist 7, 159. Br. 15, 447.

Quaternar s. Vierzahl.

Quelle der Nichtwissenheit in den göttlichen Mysterien ist die
Nichtwissenheit in den natürlichen Mysterien. Unsterbl. 4, 265.

Qui laborat sine Venere et Marte, stultus est in arte. (Al-
chemiker). Daher *Epée et Amour.* Br. 15, 271.

Quidquid percipitur, per modum recipientis percipitur.
Tageb. 11, 318. Ferm. 2, 247. Spec. Dogm. 8, 232 &c. S. Idealismus. Aehnlich: *Quidquid implet* u. s. w. Vesehens. 4, 390.

Quietismus, grobes Missverständniss, ihn zur Religion erheben
zu wollen. Br. 15, 268. Quietismus und die Kraft des Gebetes (s. d.). L'hom. 12, 222. S. Fenelon, Pietismus.

Quod factum est, in ipso vita erat. Joh. 1, 3. 4. Ueber den
Sinn dieser von Meister Eckart empfohlenen und auch von
Bossuet nicht missbilligten Lesart. Societ. 14, 93.

R.

Radicalhäresie der Unzerstörbarkeit der Materie. Versehens. 4, 401. Vergl. Einl. zum X. Bd.d. WW. p. XXVI—XXVII.

Raetze. Ueber J. Böhme in Ersch und Gruber's Encyclopädie der Wissenschaften und dessen Blumenlese aus Böhme's Schriften. Ferm. 2, 391. Anm. 400. Anm.

Rahel, s. Varnhagen.

Rakia tieso == Herrlichkeit, *δόξα*, chochma, *σοφία*, Schechina, Himmel == *Expansum* == Ausgespanntheit == ungeschaffener Himmel. Societätsphilos. 14, 150. Anm.

Ram-Mohun-Roy, Religionsreformator aus Indien. Ferm. 2, 301. Anm.

Ranke, deutsche Geschichte im Zeitalter der Reformation. Morg. u. Ab. Kath. 10, 231.

Raphael. Biogr. 15, 156. S. Schatten.

Rapismus, der heilige, vor Allem aus dem neuen Heiligenkalender auszumerzen. Aphor. 5, 316. Anm.

Rapport einer niedrigern Natur mit einer höhern, wobei sich letztere belebend, erstere belebt offenbart. So bei Sonne, Planeten, Monden; göttliche, intelligente, Thier- Pflanzen- und mineralische Natur, welche so eine Offenbarungsscala bilden. Bildungsl. 2, 111. Rapport zwischen dem Producenten und dem Product, vermittelt durch das Bild. Spec. Dogm. 8, 95. ff. 101 ff. Rapport oder Beiwohnung in der Alimentation zwischen dem Geber und dem Empfänger der Speise == wechselseitiges Geben und Nehmen bei jeder Alimentation. *Communio vitae.* Solidarität des innern und äussern Rapports. Aliment. 14, 472 ff. S. Schwedenborg.

Räsonnement, innerlich und äusserlich unbegründetes == Deräsonnement. Indiff. 5, 213 ff.

Rationalismus: Ueber die sich so nennende rationelle Theologie in Deutschland. Schr. (1838) 2, 497 ff. (gegen Schelling gerichtet. Br. 15, 493). Ueber den verderblichen Einfluss, welchen die rationalistisch-materialistischen Vorstellungen auf die höhere Physik, sowie auf die höhere Dichtkunst und die

26*

bildende Kunst noch ausüben. Schr. (1834) 3, 387. Rationalismus = Lehre von der absoluten Autonomie der Vernunft.
Quar. Qu. 12, 489. Nach dem Rationalismus ist die Moral
des Christenthums das Wesentliche, Dogma und Historie Neben-
sache. Polemik dagegen. Lessing, Jacobi. Evol. u. Revol.
6, 105 ff. Rationalismus = Leugnung des Supernaturalismus.
Spec. Dogm. 8, 208. Rationalismus und Supernaturalismus.
Freib. d. Intell. 1, 145. Rationalistischer Obscurantismus und
Dogmatismus. Abbrev. 4, 109. S. Magnetismus. Obscurantismus
und Servilismus, Rationalismus and Liberalismus. Aphor. 5, 293.
Anm. Rationalisten = Mysteriophoben. Aufklärungsinquisition.
Solid. Verb. 3, 334. vgl. 335. Anm. Spec. Dogm. 9, 162.
Die Rationalisten verglichen mit dem Academicus in Gulliver's
Reisen. Opf. 7, 306. Rationalismus und Pietismus, zwei gleich
verderbliche Richtungen im Protestantismus. Spec. Dogm. 8, 48.
Rationalismus, die Wurzel von dem modernen Costitutionmachen,
Königmachen, Religion- und Kirchenmachen &c. Zwiesp. 1, 365.
Anm. Rationalismus = Entbehrlichmachung der innern Auc-
torität durch eine äussere. Liberalismus, Servilismus. Incomp.
4, 319. Anm. Rationalisirung der Liebe. Rel. Erot. 4, 191.
Rationalismus = Materialismus. Antirel. Phil. 2, 477. Em. d.
Kath. 10, 63. 79.

Ratjen. Kleuker und Briefe seiner Freunde (1842). Tageb.
11, 133. Anm. Br. 15, 188. Anm.

Raubvögel beim Opfer. Opf. 7, 329.

Raum, Region, Ort. Die Priorität und der Realismus desselben
bei Allem, was in ihn tritt oder sich ihm vereint, sich ihm
zubildet, z. B. in der Geologie zu erkennen. Dyn. Bew. 3, 279.
vgl. 281. S. Realität, Region. Die Raumanschauung bringt
den Begriff der Durchdringung mit sich (gilt auch von der
Zeitanschauung oder Dauer). Comm. 13, 320. Der Original-
raum Kant's besteht aus Stoff und Form. Br. 15, 164. Der
befassende Raum ist keiner. Des err. 12, 152. Raum und
Zeit sind insofern doch auch für den Geist, als dieser raum-
und zeitfrei sein soll. L'hom. 12, 211. S. Zeit und Raum.

Raumer, Friedrich v. Rel. Phil. 1, 154. Heg. u. Ench. 7, 267.

Raumer, Carl v. Einl. IV, XV. Br. 15, 240.

Raupach's Schilderung des Hoffartsgeistes. Rel. Phil. 1, 284.

Fürst Chawansky. Div. 4, 85 ff. Anm.

Reaction der Natur = Rücktritt derselben aus dem zweiten Moment (Licht) in das erste Moment (Finsterniss). Begründ. d. Eth. 5, 41.

Realität, alle — wird durch Begierde und Imagination, erhält sich und pflanzt sich fort in und durch diese. Rat. Theol. 2, 507. Nur ein Reelles kann einem andern Reellen Ort, Stätte, Raum sein. Dyn. Beweg. 3, 281. S. Raum. Das Reale einer höhern Region ist dem Begriffe einer niedrigern nicht fassbar von ihm und nicht sperrbar. Kant's Deduct. 1, 6.

Rebelle (= Abtrünniger) und Sclave (= wissenschaftlicher, religiöser oder politischer Bigott): jener ist gegen äussere, dieser gegen innere Begründung und Befreiung. Kath. u. Prot. 1, 79.

Receptivität = Kraft der Mitwirkung. Nur dem, der sie hat, wird gegeben (der fruchtbaren Mutter, dem verdauenden Magen). Anthropoph. 4, 234.

Recht und Thatsache, de jure und de facto. Legitimität. Aph. 5, 299. Jede Rechtsverletzung eines Privaten von Seiten der Regierung ist Verletzung des Regentenrechtes selber. Posit. Rechtsbest. 6, 62. Theorie des bürgerlichen Rechts. Des err. 12, 144. Die Rechtsverletzung ist nicht ein nothwendiger Durchgangsmoment, um zu einem rechtlichen Zustand zu gelangen. Posit. Rechtsbest. 6, 68 ff. Rechtsbestand und Rechtsfortgang bedingen sich gegenseitig. Posit. Rechtsbest. 6, 69. Recht und Pflicht nicht zu trennen, ist Freisinnigkeit. Rel. Erot. 4, 186. Recht, Pflicht — Vorrechte, Vorpflichten. Spec. Dogm. 8, 164.

Rede: Die drei Redetheile eines Satzes: Verbum (Attributor, Centrum), Subject und Prädicat (= Attribute, Organe). Spec. Dogm. 8, 239. Reden in fremden Sprachen. Dämonennamen. Fragm. 4, 52 ff.

Reflex = Wiedereingang in das Sichbewusstseiende. Urtern. 7, 31. Der Reflex, durch dessen Vollendung das Eine mit seiner realisirten Lebensfülle (Vielheit) ganz in allen einzelnen Gliedern und ganz in sich lebt, ist Sinn und Zweck des Organismus. Verkörp. 2, 6.

Reflexion = reflectirtes Bewusstsein tritt als Reaction des Gesetzes erst nach dem Bruche der Einheit (dem Abfall von der Idee) ein. Ferm. 2, 298. Ueber die reflectirende Vernunfterkenntniss vgl. Abbreviatur.

Reformation im guten und im schlechten Sinne zu unterscheiden. Evol. u. Rev. 6, 101. *Reformatio fiat intra ecclesiam.* Zeitschr. Av. 6, 39. Zwiesp. 1, 359. Die Reformation und Revolution waren Ereignisse, nicht Handlungen. Morg. u. Ab. Kath. 10, 211. Die erste Wurzel des Reformationsstreites ist nicht in Deutschland, sondern in Rom und Paris zu suchen. Trennb. 5, 381. Anm. Die Reformation wurde angefangen von Waldus in Lyon. Br. 15, 426. Die Reformation ist herbeigeführt durch den Zwiespalt des Glaubens und Wissens und letzterer hat sich in jener fixirt. Zwiesp. 1, 360. 362. Durch die Reformation erlitt die Fortbildung der Religionswissenschaft eine Störung, weil hiermit letztere theils eine destructive, theils eine stagnirende Tendenz annahm. Spec. Dogm. 8, 11. Die Einwirkung der Reformation auf die Theologie. Spec. Dogm. 9, 14. Neologie und Pietismus herbeigeführt durch die Reformation. Wiss. u. Rel. 1, 89. Der verderbliche Einfluss der Reformation in socialer Beziehung. Indiff. 5, 131 ff. S. Eucharistie, Reformation u. Revolution. Biogr. 15, 91. S. Revolution. Die Reformirbarkeit eines Staates darf man nicht durch seine Revolutionirbarkeit sicher stellen wollen. Constit. 6, 52. — Reformatoren in der Philosophie: bei den Alten: Sokrates, Plato und Aristoteles. Bonald 5, 50: bei den Neuern: Cartesius, Baco, Leibniz — Kant, Fichte, Schelling, Hegel. Rel. Phil. 1, 175 ff.

Regal: das Bildungsgesetz der Dinge ist Regal Gottes. L'hom. 12, 219.

Regenbogen, ein Bild der Offenbarung Gottes in der materiellen Natur. Tabl. 12, 173 ff.

Regeneration s. Wiedergeburt.

Regent, Regierung. Beide, der Regent und das Volk (s. d.) sind von Gottes Gnaden (gegen die Absolutisten, wie gegen Rousseau und die Jacobiner). Zeitschr. Av. 6, 41. Tremb. 5, 372. Anm. Dreifaches Verhalten der Regierenden und Regierten zu einander im geistlichen und weltlichen Regiment. Man kann nicht den Rationalismus durch den Bigotsismus, den Liberalismus durch den Servilismus beschwichtigen; beiden steht die religiöse Auffassung von Kirche und Staat entgegen. Rat. Theol. 2, 504. (S. Aberglauben.) Der Regent ist der Vertreter des Gemeinsamen. Sichtb. Kirche 7, 211. 220. S. Repräsentation. Für die Ordnung im Staat ist die Stabilität der functionirenden Personen ein Haupterforderniss. Constit. 6, 50. Regentenwechsel reicht nicht zur Verbesserung der socialen Zustände aus. Evol. u. Rev. 6, 77. 88. Opposition wird nur dann gefährlich, wenn sie sich nicht mehr in den Regierungsorganen fühlbar macht. Vermögensl. 6, 142. Die Einmengung der Regierung in das Gewerbewesen ist nothwendig. Staatswirthsch. 6, 172 ff. Anleit. 6, 233.

Reghellini de Schio siehe Schio.

Region, die — ist nicht blosse Form, Raum, sondern selbst ein Wesen. Der Moment des Eintritts eines Beweglichen in eine Region ist eigentlich der, wo ersteres letztere in sich aufgehen lässt. Regioniren == Herrschen eines Wesens in einem andern. Dynam. Bew. 3, 281. L'hom. 12, 227. Höhere oder innere und niedere oder äussere Region: Jedes Individuum einer höhern Region schaut und wirkt in der niedern auf centrale Weise. Rapp. 4, § 203. In der Darstellung der verschiedenen Lebensregionen muss man von Oben ausgehen. Gott führt sich durch 3 Regionen (die göttliche, geistige und natürliche) zur vollendeten Offenbarung. Privatvorl. 13, 114. Nach ältern Philosophen gibt es eine göttliche, geistige, natürliche, materielle und unreine Region: Denken, Wollen, Handeln in Gott, mit Gott, durch Gott, ohne Gott, wider Gott. Im magnetischen Erwachen tritt der Mensch aus der materiellen Region in die natürliche. Ekst. 4, 34. Fünffache Relation und

Localität der intelligenten Creatur: in, mit, durch, ohne, gegen
Gott = göttliche, geistige &c. Region nach St. Martin. Spec.
Dogm. 9, 91. Drei Regionen und Classen von Wesen: über
der Zeit, in der Zeit, unter der Zeit. Die Wechselbezüge der
ersten und letzten zu der zweiten. Zeitbegr. 2, 69. Himmel,
Hölle, äussere Welt; die verschiedenen Offenbarungen Gottes
in diesen verschiedenen Regionen bedingen sich wechselseitig.
Ferm. 2, 246. Himmel, Hölle und irdische Welt sind nicht
ausser einander. Privatvorl. 13, 130. Vgl. noch über die
himmlische, zeitliche materielle (irdische) und die inframaterielle
(unterirdische) Region. Opf. 7, 374. Versehens. 4, 409. S.
Princip. Der Aufgang der zeitlichen Welt (im Unterschied von
Himmel und Hölle) ist mit der Entscheidung der geschaffenen
Engel für oder gegen Gott noch nicht erklärt, und auch
nicht durch den Fall des Menschen in diese Zeit, sondern dazu
bedarf es noch einer dritten, ohne Gott sein wollenden, Engel-
klasse. Elementarbegr. 14, 40. 43. Vgl. Engel, Zeit u. Raum.

Reich Gottes, die Idee desselben ist allen Menschen gemeinsam. Bonald 5, 100. Das Reich Gottes kommt nicht mit
äusserlichen Gebärden. *Nisus formativus* des Christenthums
von innen heraus. De Lamennais Par. 6, 116. Das Reich
Gottes ist nicht von dieser Welt, aber für sie und in sie
gekommen. Rel. u. Pol. 6, 25. Die vier Momente des Reiches
Gottes nach Dobmayer, nämlich dessen Begründung, Störung,
Herstellung und Vollendung. Spec. Dogm. 8, 9. Ausführliche
Erörterung des Begriffes des Reiches Gottes. Spec. Dogm. 8,
56 ff. Das Reich Gottes und das Reich des Bösen sind
einander ein Geheimniss. Spec. Dogm. 8, 330 ff. (vgl. 329).
Das Reich Gottes und das Reich des Widerchristes, der Weibessame und Schlangensame; beide Begriffe müssen zugleich festgehalten werden. Versehens. 4, 358.

Reichenbach, Ludwig, Mechaniker. Biogr. 15, 14. 17. Br.
15, 275.

Reid, Thomas. Tageb. 11, 366. 367. ff.

Reihenfolge der Naturwesen s. Thier.

Reil. Ekst. 4, 19.

Reimarus. Tageb. 11, 6. Indiff. 5, 194. Anm.

Reinhold, Carl Leonhard. Das moralische Gesetz als uneigennütziger Trieb gefasst. Kant's Deduct d. pr. Ver. 1, 13. Anm. — Reinhold, Ernst. Geschichte der Philosophie. Ferm. 2, 853. Anm.

Reintegration s. Wiedergeburt.

Reisky, Francisca B. v. Erste Frau Baader's. Biogr. 15, 85. 64. 102. Sie starb 1835. Biogr. 15, 120.

Reiz oder Affection, dreierlei Arten derselben. Elem.-Phys. 3, 880. Anm.

Relation, dreifache — der intelligenten Creatur zu Gott: Gewirktsein (Allerheiligstes), Mitwirken (Inneres), Alleinwirken (Vorhof des Tempels). Rel. Phil. 1, 269. Dreifache Relation eines Niedrigern zu seinem Höhern: Durchwohnung, Beiwohnung, Inwohnung. Rat. mat. Vorst. 8, 294 ff. Dreifache Relationsweise des Producirten zu seiner Ursache und zu seinem Grunde. Spec. Dogm. 9, 172. S. Dreizahl. Vgl. Region.

Religion, zum Begriff derselben: Religion == der Ausdruck und die Bestimmungen der wahren d. i. der Natur Gottes und des Menschen entsprechenden Beziehungen zwischen beiden, Thorheit des sich philosophisch nennenden Geschwätzes dagegen. Indiff. 5, 226 ff. 228. — Anerkenntniss eines Höhern im Erkennen (Forschen), Wollen, Schaffen. Ferm. 2, 208 ff. Die Religion bezweckt objective Gemeinschaft und besteht nicht in blosser Moral. Magik. 12, 538. Religiosität == Verhalten dreier Glieder: Gott, Mensch, Welt (aussermenschliche Intelligenzen, Natur). Spec. Dogm. 8, 225. 269. Triplicität der Religion als Naturreligion, Geistesreligion und göttliche Religion. Opf. 7, 318. Religion im Gegensatze von Moralphilosophie. Kant's Deduct. 1, 5. Die Religion und Moral lehren Verschiedenes in Bezug auf die Heilung des Menschen. Spec. Dogm. 8, 135. Die Religion kennt keine von der Physik sich lossagende Ethik. Begründ. d. Eth. 5, 20 ff. Religion und Moral sind nicht auf *Actus humanitatis pure corporales, sociales &c.* einzuschränken. Tabl. 12, 197 ff. *Religio religans hominem Deo, naturam homini.* J. B. Theol. 3, 367.

Das Wort Religion von *religare: expedit a mundo religat-que Deo.* (Br. 15, 208. Magik. 12, 537. vgl. Heg. Phil. 9, 358. Anm.); bei allen Religionen, nicht bloss der christlichen, liegt der Begriff der Vermittelung zu Grunde, d. h. Aufhebung dessen, was die freie Lebensgemeinschaft des Menschen mit Gott aufgehoben hält. Bei allen ist Cultus == Thun, dessen Zweck jene Aufhebung ist. Antirel. Phil. 2, 476. Der Sinn aller Religionen ist derselbe: die Menschwerdung des moralischen Gesetzes und die Subjicirung des Naturgesetzes dem moralischen durch die Menschwerdung (vgl. die Schrift über d. Opfer). Br. 15, 386. Die Quelle der Religionen deutlich wahrnehmbare Verbreitung einiger erhabener Gegenstände der Bewunderung. Espr. 12, 289. Die Religion ist dem Menschen eben so natürlich als nothwendig; sie ist so alt als der Mensch; es gibt nur eine Religion; durch sie erhält sich der Mensch im lebendigen Gefühl und Bewusstsein seiner Bedürfnisse einer höhern Erleuchtung und Beseligung und in der Empfänglichkeit dafür. Heg. Phil. 9, 361 — 870. Die zwei Hauptepochen der Religion sind: die babylonische Sprachverwirrung und die im Pfingstfest geschehene Sprachenvereinigung. Morg. u. Ab. Kath. 10, 217. Die Religion ist nicht etwas bloss historisch Positives, weil der Hauptgegenstand der Religion, die Wiedergeburt, nicht ein unmittelbarer ist, sondern sein Begriff nur innerhalb des religiösen Thuns gefasst werden kann. Ferm. 2, 283 ff. Das Fundamentalprincip der christlichen Religionslehre ist: Nichts (keine Creatur) wird im Sohn geboren (offenbar), es sterbe denn seinem ersten unmittelbaren, bloss natürlichen Leben (der blossen Natürlichkeit des letztern) im Vater ab. Spec. Dogm. 9, 112. Die Fundamental- und Vitallehre der Religion ist die von der Unsterblichkeit und Auferstehung, wovon aber die Philosophie zur Zeit noch nichts weiss. Societ. 14, 57. Religion == Liebe, d. h. wahre Ehe. Anal. d. Erk. 1, 46. Die zwei Pole der christlichen Religion sind Liebe des Guten und Hass des Bösen; im letzterem zeigt sich ihr männlicher, ritterlicher Geist. Rel. u. Pol. 6, 20. Die Ritterdevise der Religion ist Schwert und Liebe,

Schwert und Bret. Spec. Dogm. 8, 264. Die Religionen der
verschiedenen Zeitalter zeigen nicht bloss stufenweise Fortbildung, sondern auch wesentliche Verschiedenheiten. Es sind
zu unterscheiden die ordinirte und die nichtordinirte Form.
Jene nothwendig. Magik. 19, 539. Von der Religion, der
Hauptsache, wird in den Religionsdiscordanzen und Concor-
danzen, Concordaten &c., und ebenso in den religiösen Poesien,
jemehr das Verständniss der christlichen Grundwahrheiten ausgegangen ist, immer weniger verspürt. Rat. mat. Vorst. 3, 299.
Dynamische und mechanische Religion (letztere = Superstition).
Vorred. 1, 387. Die empirische oder practische, die theoretische oder abstracte, und die ideale oder geniale · Auffassung
der Religion. Spec. Dogm. 8, 199. Die Religion ist nicht
ausschliessend auf einen Affect des Gefühlsvermögens zu beschränken. Wahrh. 1, 117 ff. Religion und Liebe sind nicht
bloss Sache des Herzens, sondern auch Gegenstände des Nach-
denkens. Erot. Phil. 4, 165. Schandthaten, die die Menschen
im Namen der Religion begangen haben. Espr. 12, 289. —
R e l i g i o n u n d W i s s e n s c h a f t: Ueber das durch unsere
Zeit herbeigeführte Bedürfniss einer innigern Vereinigung der
Wissenschaft und der Religion. Schr. (1824). 1, 81 ff. Vgl.
Br. 15, 425. Biogr. 15, 87 ff. Nothwendigkeit der Religionswissenschaft in unserer Zeit. Ferm. 2, 840. Die Religion
hat früher die rohen Kräfte der Barbarei besiegt und soll jetzt
siegen über die rohe, weil vom Leben, vom Glauben und von
der Liebe abgekehrte Erkenntniss. Ferm. 2, 276. Die Opposition der Religion und Wissenschaft ist herbeigeführt durch
den falschen Freiheitsbegriff. Freih. d. Intell. 1, 135. Religion
und Wissenschaft. Ferm. 2, 369 ff. Nothwendigkeit einer vernünftigen Theorie der Religion. Ferm. 2, 324. Die Religion
ist in ihrem Wesen nicht unvernünftig und die Vernunft in
ihrem Wesen nicht irreligiös. Wiss. u. Rel. 1, 84. Die Religion ist die ältere Mutter der Philosophie. Tageb. 11, 112.
Die natürliche Affinität von Religion, Wissenschaft und Kunst.
Ferm. 2, 432 (nach Maistre. Biogr. 15, 78. 97). Die Religion
ist der Bürge alles Idealen in Wissenschaft, Kunst und Staat.

Sichtb. Kirthe 7, 220. Religion, Speculation und Poetik sammt
bildender Kunst, die drei Grazien unseres bessern Lebens. Rel.
Erot. 4, 181. Die befreiende Macht der Religion für Intelligenz und Societät. Franz. Rev. 6, 802. Die Philosophie
büsste den Abfall von der Religion mit dem Widerspruch des
Geistes und der Natur. Divin. 4, 68. Anm. Die positive
Religion und die irreligiös gewordene Philosophie. Kath. u.
Prot. 1, 77. Die Religionswissenschaft und die Weltwissen-
schaft, Weltweisheit. Unsterbl. 4, 259. Alles, was dem Eindringen der Religion in die Region des Wissens sich widersetzt, ist vom Bösen. Aufs. 7, 47. Die Religion muss in die
innerste Region der Gedanken eindringen, um die Verbrechen
des Denkens rügen und sühnen zu können. Freib. d. Int. 1, 186.
Die Religionswissenschaft ist eine *Scientia militans*, die das
Unversöhnliche ausstossen muss. Spec. Dogm. 8, 21. — Religion
und Dogma (Religionswissenschaft) sind nicht etwas schlechthin
Fertiges, Abgeschlossenes (Zeitreliquie, Mumie). Ferm. 2, 440.
Spec. Dogm. 8, 17. Die Religion der Freiheit und der Liebe
soll nicht bloss auswendig gelernt werden. Ferm. 2, 822. Die
Religionslehrer in und ausser Frankreich, und nicht bloss die
Philosophen, tragen Schuld an dem Unglauben und der Unwissenheit in religiösen Dingen, welche heut zu Tage herrschen.
Verh. d. Wiss. 1, 342. Das Nichtfortgeschrittensein der Religionswissenschaft ist der Hauptgrund des dermaligen Unglaubens
an die religiöse Geschichte. Spec. Dogm. 9, 16. Die Religionswissenschaft kann sich nur im Fortwachsen conserviren. Em.
d. Kath. 10, 59. Eine Neuerung als solche darf in der Religionswissenschaft nicht stattfinden. Spec. Dogm. 8, 15. S.
Dogma. Quadrupelallianz von Atheisten, Deisten, Separatisten
und Bigotten gegen die Religionswissenschaft, s. Gegner. Der
Ausbildung der Religionswissenschaft wirken heut zu Tage
hauptsächlich acht Ursachen entgegen. Spec. Dogm. 8, 14 ff.
Fünf Ursachen, aus welchen das Verständniss der Religion
noch so wenig geöffnet ist. Heg. Phil. 9, 358 — 856. Die
Religionswissenschaft ist zum Theil deshalb gegen andere
Wissenschaften zurückgeblieben, weil sie nicht mehr social be-

trieben wird. Religionsphil. 1, 334. — Schrift über die Religion oder über Theorie des Opfers (1822) erwähnt. Biogr. 15, 98 (s. Russland). Zeitbegr. 2, 93. Bildungsl. 2, 97. — Vorlesungen über religiöse Philosophie im Gegensatze der irreligiösen älteren und neuerer Zeit. Erstes Heft. Vom Erkennen überhaupt. Schr. (1827) 1, 151 ff. vgl. Br. 15, 487 ff. 445. Ueber Religions- und religiöse Philosophie im Gegensatze sowohl der Religionsunphilosophie als der irreligiösen Philosophie. Schr. (1831) 1, 321. Spec. Dogmatik und die übrigen Schriften im 7—10. Bande. — Religion und Gesellschaft: Religiöse Erotik. Schr. (1831) s. Erotische Philosophie. Schr. (1828). Ueber das durch die französische Revolution herbeigeführte Bedürfniss einer neuen und innigern Verbindung der Religion und Politik. Schr. (1815) 6, 11. — (Als Denkschrift zur Stiftung der h. Allianz. Biogr. 15, 61 ff.) Vgl. 15, 280. 479. Zeitschr. Aven. 6, 43. Religion und Politik im Alterthum. Indiff. 5, 134 ff. Religion und Politik in England. Indiff. 5, 137. S. Politik. Die Religion und der einzelne Mensch. Indiff. 5, 158 ff. Die Religion und die Gesellschaft. Indiff. 5, 164 ff. Es ist ein von den entgegengesetzten Parteien getheilter Radicalirrthum, dass die katholische Religion als solche der intellectuellen wie der bürgerlich-socialen Freiheit als Hemmanstalt entgegenstehe. Aph. 5, 316 ff. Dermalige Stellung der katholischen Religion zur Regierung in Frankreich. Aph. 5, 317 ff. Die Religion oder Kirche ist nur frei, wenn sie weltlich weder regiert, noch regiert wird. Zeitschr. Aven. 6, 43.

Renard in Hufeland's Journal (1815). Ekst. 4, 12. Br. 16, 322.

Repräsentation, engerer und weiterer Begriff derselben. Der Regent repräsentirt die Einheit der Nation. Volksrepräsentanten = Mitberather des Regenten und Advocaten des Volkes. Evol. u. Revol. 6, 86 f. S. Volk, Regent.

Republicanismus, ethischer = Autonomie, ist unverträglich mit der Theokratie. Begründ. d. Eth. 5, 3. 19. Anm.

Repulsion, die — ist nicht völlig absolut. Wechselseitige Eindringung oder Durchdringung bei Dingen derselben, einseitige

bei Dingen verschiedener (d. h. einer höhern und einer niedern)
Region. Dynam. Beweg. 8, 280.

Restauration == Reintegration ஃ Wiedergeburt. Was zur
Restauration der christlichen Doctrin Noth thue, mit Bezug auf
Friedrich Beck's Abhandlung: Ueber die weltgeschichtliche
Bedeutung der Wiederherstellung der classischen Literatur und
Kunst. Aphor. 10, 292. Die Falschheit der Bezeichnung
Restauration für die (franz.) Zustände nach Napoleon. De
Lamenn. Par. 6, 111. S. Deutschland.

Rettberg. Die christlichen Heilslehren &c. Opf. 7, 360. Anm.

Reue und Verzeihung, Bruch und Wiederaussöhnung in der Liebe
dienen zur Bekräftigung derselben (Magdalena). Erot. Phil.
4, 169. Reue (Leidsein), nicht Gewissensbisse bringt der
Mensch mit auf die Welt. Tabl. 12, 181.

Reussner, Adam, Psalmbuch. Frankfurt 1683. Br. 15, 301.

Reuter, W., Theologe. Einl. II. LXXVII.

Revelator, dessen Ingeburt in der Creatur muss der in Gott
entsprechen. Fund. d. Christ. 10, 27 ff.

Revision der Philosopheme der hegel'schen Schule bezüglich
auf das Christenthum. Nebst zehn Thesen aus einer religiösen
Philosophie. Schr. (1839) 9, 289 ff. vgl. Br. 15, 614. 616.
624. Revision der Wissenschaft natürlicher, menschlicher und
göttlicher Dinge. Ueber die Nothwendigkeit einer solchen, —
die letzte Schrift Baader's (1841) 10, 255 ff. vgl. Br. 15,
689. 690.

Revolution == Umkehrung der Ordnung oder neue Erhebung
dessen, was sich nicht mehr erheben sollte — in Bezug auf
die Kräfte der Erde und die thierischen Kräfte im Menschen.
Zeitbgr. 2, 69 (94). Sie entsteht immer nur in Folge einer
nicht assistirten, schlecht assistirten oder zurückgedrängten posit.
Evolution des Lebens. Verh. d. Wiss., 1 354. Zwiesp. 1,
363. Zeitschr. Av. 6, 39. Evol. u. Rev. 6, 75. Daher ist
auch zu unterscheiden zwischen einer stationären, evolutionären
und revolutionären Regierung. Posit. Rechtsbest. 6, 70. Die
von oben ausgehende Revolution hat eigentlich die Initiative

(Lucifer). Zeitschr. Av. 6, 39. Christus war nicht ein Revolutionär. Spec. Dogm. 8, 15. Revolutionismus in Europa, practischer in Frankreich, theoretischer (besonders bei protestantischen Theologen) in Deutschland = Erhebung gegen das Begründende, anstatt, sich evolvirend, davon auszugehen. Wiss. u. Rel. 1, 83 ff. Revolution und Reformation. Kath. u. Prot. 1, 76. Wiss. u. Rel. 1, 92. Revolution in römisch-katholischen Ländern. Em. d. Kath. 10, 57. Der Revolutionismus wird herbeigeführt durch Alles, was die Ueberzeugung verdunkelt, dass der Staat die vernünftige bürgerliche Freiheit und die Kirche die Freiheit der Intelligenz begründet. Antirel. Phil. 2, 448. Spec. Dogm. 8, 309. Das Wesen oder Unwesen des Revolutionismus in unserer Zeit besteht in dem Kampfe des positiven Rechts mit dem Unrecht oder der rechtlosen Willkür (Despotie). Posit. Rechtsbest. 6, 60. Die erste oder inflammatorische und die zweite oder asthenische, gangrenös-insensibele oder indifferente Periode des Revolutionismus. Evol. u. Rev. 6, 76. Die Revolution setzt sich dermalen an mehreren Orten gleichsam in *via humida* als Dissolution fort. Nicht das Missverhältniss der Regierungsformen zu den Regierten, sondern das Missverhältniss der Vermögenslosen zu den Vermögenden ist die eigentliche Wurzel der Revolution. Vermögensh. 6, 129. Das *primum mobile* in der Revolution besteht darin, dass man das Eigenthum durchaus transportiren müsse. Aph. 5, 288. Anm. Bevorstehende Revolution der Vermögenslosen gegen die Vermögenden, wofern nicht dem wirklichen Bedürfnisse jener Genüge geleistet wird. Vermögensl. 6, 142. Die erste (1789) und zweite (1830); aber will's Gott oder der Teufel, nicht letzte Revolution in Frankreich. Das gegenwärtige (1832) Verhältniss der Regierung und der Regierten dort und anderswo. Societ. 14, 82. Revolutionskalender. Posit. Rechtsbest. 6, 70. Das durch die Julirevolution begründete neue Verhältniss zwischen Kirche und Staat. Zeitschr. Av. 6, 81. Der Revolution kann nur durch Evolution entgegen gearbeitet werden. Was wahre Restauration (s. d) sei. Spec. Dogm. 8, 203. S. Evolution. Rousseau.

Spec. Dogm. 8, 284. Aph. 5, 308. Handbuch der Geschichte
der Philosophie. Verb. d. W. z. Gl. 1, 356. Anm. Ueber den
Adel. Socialph. Aphor. 5, 308.

Robel, Marie, Baader's zweite Frau. Sechs Briefe Baader's an
sie (1839). Br. 15, 622—680. Vgl. 633. Biogr. 15, 120.
125. 128.

Robinson Crusoe's Isolirung. „Wie die neuern Moralsysteme
von einem falschen Begriffe der Autonomie ausgehen, so gehen
jene Religionsphilosophieen meist von einem falschen Begriffe
der Selbständigkeit und Freiheit der Erkenntniss aus, und laut
oder stillschweigend bekennt man sich in selben zur Ueberzeugung, dass eben diese Isolirung und Abstraction der Vernunft jedes einzelnen Menschen, ihr Verlassensein von Gott
und Menschen, von Vergangenheit und Gegenwart, gleich dem
eines Robinson Crusoe, die alleinige Bedingung und Garantie
ihrer Freiheit sowohl als des Reichthums ihrer Entwickelung
sei, dass folglich diese isolirende und sich separirende, ja
atomisirende Vernunft als Industrie eben nur durch ihr theils
Verzichten auf Fond, Capital, Vorschuss und Credit, theils
durch ihren destructiven Angriff auf letztern, am schnellsten
zum soliden Reichthume gelangen könne und werde." Spec.
Dogm. 8, 202.

Rochette, Paul, *Lettre à Mgr. l'Eveque de Strasbourg.*
(1834). Vermögensl. 6, 138.

Römische Kirche, Entstehung des Namens: Coordination,
nicht Subordination der ersten Kirchen. Kath. u. Prot. 1, 75.
Verh. d. Wiss. 1, 355 (Anm. d. H.). Die Suprematie der
römischen Kirche ist lange nach der Apostelzeit aufgekommen
(1816). Br. 15, 319. vgl. 820. „Ich werde stets den Katholicismus trotz der Römer vertheidigen" (1821). Br. 15, 367.
S. Opposition. Gegner. Man kann den Katholicismus besser
vertheidigen, als die geistlichen Herrn in Rom. Man soll gar
nicht mit Rom anknüpfen. Man braucht die Römer zu wissenschaftlichen Dingen so wenig, als zum Beten (1836). Br. 15,
543 ff. Die römische Verurtheilung Eckart's, Galilei's, der
Antipoden, des Aristoteles &c. Br. 15, 457. 556. Die *petite*

Roux, *Vital de Lyon, Negotiant. De l'Influence du Gouvernement sur la Prosperité du commerce.* Büsch. 6, 187. Anm.

Royalismus, serviler in Frankreich = Ultraroyalismus. Zeitschr. Aven. 6, 33. 40.

Rückert, Friedrich. Sein Gedicht: Tibetanischer Mythus (Androgyne). Ferm. 2, 818. Anm. Tageb. 11, 143. Anm. Verse aus dessen Gedicht: Edelstein und Perle. Ferm. 2, 352. Indiff. 5, 189. Anm.

Rückwirkungen der Hellsehenden auf ihre Umgebungen. Inn. Sinn, 4, 104.

Rüdiger's Construction des Quaternars aus und durch den Ternar (1803). Pyth. Quadr. 3, 268. *Physica divina* (1810). Br. 15, 238.

Rüge einiger Irrthümer, welche noch in allgemeinem Credit stehen, und tiefere Fassung des Begriffes der Natur. Schr. (1834) 3, 311 ff.

Ruhe: Nicht in der Ruhe, sondern in der perennirenden Beruhigung lebt das Leben (in der Normalität). Ohne Unruhe (Wecker) stände die Lebensuhr still. Solid. Verb. 3, 353. Suchend nach Ruhe findet das Leben vorerst die Unruhe, und als Streben, sich zu begründen (Grund zu fassen), stört es sofort sich seinen Grund und Ungrund auf. Bildungsl. 2, 99. Ruhen kann man nur in einem Kräftigen. Comment. 13, 329. Wechselseitiges Ruhen des Zeugeprincips in den Gliedern und umgekehrt = wechselseitige Thätigkeit. Verkörp. 2, 8. S. Bewegung.

Ruhm: der Weltruhm nimmt, der Menschenruhm gibt. L'hom. 12, 211.

Rumford, Graf v., vormals General-Lieutenant Thompson. Biogr. 15, 13.

Rührung (Gefühl) = Flüssigmachung des äussern Sinnes und der äussern Wirkungsmacht beim Eintritt des innern Schauens und Wirkens. Inn. Sinn 4, 101. Rühren und Berühren. Heg. üb. Euchar. 7, 252. S. Angriff, Ingriff; Berührung, Nerven.

Russbroch, seine Werke, herausgeg. von Arnold. Er ist ein Meister der himmlischen Liebe, zum Theil Lehrer Tauler's. Br. 15, 251. Russbroch unterscheidet Gottheit und Gott, Produ-

27*

cirendes und Producirtes im göttlichen Wesen. Tabl. 12, 187.
Teufelsdienerische Secte zu Russbroch's Zeiten in Brüssel.
Unsterbl. 4, 273. Anm. Russbroch deutet mit M. Eckart und
Tauler mit beiden das Wort der Schrift: *In ipso vita erat*,
auf das ungeschaffene ewige Leben oder die Idea in uns,
welche das nur partiell und secundär ist, was das Wort in Gott
absolut und primitiv ist. Religionsph. Aphorism. 10, 290. Anm.
Russland: das Russen- und Türkenglöcklein (1812. 1828). Br.
15, 245. 404. Baader lässt ein Modell von Stransky's Erfindung (1812) dem Kaiser mittheilen. Ebd. 251. Baader's Be-
fürchtungen wegen der politischen Absichten Russlands in
Deutschland (1813). Br. 15, 251. Baader's Brief an eine
russische Dame, mit Nachrichten über seine Correspondenzen
in Russland (1815). Br. 15, 265. Beziehungen Baader's zu
vielen vornehmen Russen (Balk, Pahlen, Mentschikoff, Speransky &c. — s. Galizin, Mestchersky, Chevireff —), und selbst
zum Kaiser (s. Allianz). Biogr. 15, 62 ff. Br. 15, 269.
301. 387. 390. 415. 416. Vgl. Biogr. 15, 64. Ausarbeitung
eines grossen Werkes für den russischen Clerus (1816 ff.) Br.
15, 288. 291. 298. 301. S. Eucharistie. Zeitbegriff. Das
Memoire von Aachen und Kotzebue. Biogr. 15, 79. 95. Die
Russen am Pruth (1822). Ebd. 387. Baader's Reise nach Russland (1822. 23). Sein Aufenthalt zu Jeddever auf dem Land-
sitze des Barons Boris Yxkull. Reise nach Riga. Aufenthalt
zu Memel. Rückreise über Berlin und Aufenthalt in dieser
Stadt. Biogr. 15, 65 ff. 85 ff. Br. 15, 389—420. S. Glasfabrication. Verdächtigungen desshalb 398. Seine Bedräng-
niss, 400 ff. (Zur Oeffentlichkeit bestimmte) Berichte Baader's
über die Reise. Br. 15, 404. Biogr. 15, 75 ff. 85 ff. Die
Stellung Russlands zu Religion und Wissenschaft. Biogr.
15, 81 ff. Br. 15. 406 ff. 439. Ferm. 2, 322 ff. Russlands
Appetit nach den Fürstenthümern (1828). Br. 15, 444. Weiteres
über Russland (1839. 40). Br. 15, 637 ff. Die Russophobie
in Deutschland. Morg. u. Ab. Kath. 10, 109. Popanz einer
mirakulösen Macht der autokratischen Regierung in Russland.
Bemerk. 5, 393.

S.

Sabbath = vollkommene Inwohnung Gottes in der Schöpfung als seinem Bilde, welche erst möglich war nach der Hervorbringung des Menschen. Spec. Dogm. 8, 60 ff. 227. = Septenar d. h. Vollheit des Seins in seiner Siebengestaltigkeit, Gleichsetzung oder wechselseitiges Sich-Bedingen von Ruhen und Wirken &c. Spec. Dogm. 9, 234 ff. = Befruchtende Copula. Minist. 12, 895. = Wechselseitige Inwohnung. Nouv. hom. 12, 247 ff. Ruhe des Producenten im Product, Eingang der schaffenden Natur in die geschaffene und umgekehrt. Sextenar und Septenar. Verehens. 4, 332. Anm. 375. Fund. d. Christ. 10, 39. Ewiger Sabbath nach Paulus = sacramentale Verbindung des Schöpfers und Geschöpfes. Br. 15, 642. 644. Sabbathsfeierungsprocess in Gott nach J. Böhme = Selbstbegründungsprocess. Heg. Phil. 9, 306. S. Siebenzahl.

Sacramente, die Lehre des Thomas von Aquin darüber. Erläut. 14, 236. Sacrament und Offenbarung nach Thomas von Aquin. Aphor. 5, 256 ff. Sacrament = Heilung und Heiligung des Gebrauchs des verunreinten und vereinten Naturwesens. Div. 4, 88. Ferm. 2, 177. Jedes Sacrament hat magischen Anfang, geistig Mittel und leiblich Ende. Spec. Dogm. 8, 158. Die Wirklichkeit und Wirksamkeit der Sacramente beruht auf der Untrennbarkeit der Gabe und des Gebers, der Sache und Person; sie sind nicht unreale Zeichen letzterer. Rat. Theol. 2, 508. Sacrament und Symbolum, nicht blosses Zeichen (*Memorandum*), sondern Talisman. Versehens. 4, 351. Anm. vgl. 4, 206. Anm. Die Sacramente in der morgenländischen und abendländischen Kirche. Morg. u. Ab. Kath. 10, 122—127. — Das Sacrament des Lebens wird allen Creaturen nur unter zwei Gestalten, der solarischen und terrestrischen, der siderischen und elementarischen gereicht. Anal. d. Erk. 1, 46.

Saddducäismus = Rationalismus, Liberalismus, als *diabolus languens.* Unsterbl. 4, 264.

Sagen, ältere, Nachhall derselben bei allen Völkern, über Theogonie, Schöpfung, Sündenfall u. s. w. Heg. Phil. 9, 371.

Alte Sage, dass dem Fall (Verbrechen) des Menschen ein früheres oder Urverbrechen (Geisterfall) vorausgegangen sei. Rel. u. Pol. 6, 17 ff. S. Mythus, Tradition.

Sailer, Michael, zuletzt Bischof von Regensburg. Logik. Tageb. 11, 80. vgl. Biogr. 15, 28. Br. 15, 191. 418. Einl. II, XXXIV. Anm.

Saint-Lambert, *Catechisme philosophique.* Bonald 5, 79. Anm. Indiff. 5, 227. Anm.

Saint-Martin, erste Erwähnungen desselben. Tageb. 11, 126. 147. 233. Elem.-Phys. 3, 205. 281 ff. Schub. 1, 67. Ferm. 2, 279. Anm. Ueber dessen Lehre überhaupt. v. Osten. Einl. 12, 21 ff. Vollständiges Verzeichniss seiner Werke. Ebd. 12, 50 ff. Brief Baader's an ihn (1804). Br. 15, 189. 307. Schubert's Uebersetzung der Schrift Saint-Martin's vom Geist und Wesen der Dinge (1812), 1, 57 ff. vgl. Br. 15, 239, 241. Zeitbegr. 2, 49 (71). Zehn Thesen aus dessen religiöser Philosophie mit Bezug auf Klenker's Magikon (1784). Heg. Phil. 9, 351 ff. Uebersetzung (1832) von Saint-Martin's Sendschreiben an einen Freund über die französische Revolution (1795). 6, 291 ff. Anmerkungen Baader's zu Saint-Martin's Schrift: *Tableau naturel* (1782). 12, 162 ff. *L'homme de désir* (1790). 12, 201 ff. *Le nouvel homme* (1795). 12, 233 ff. (vgl. Ebd. 240: Hauptinhalt der Schrift). *L'ésprit des choses* (1800). 12, 261 ff. *Le ministère de l'homme-ésprit* (1802). 12, 367 („die reifste Schrift Saint-Martin's“. Ebd. 369. Briefe 15, 257. vgl. 239.) *Ecce homo* (1792), *Lettre à un ami* &c. (1795), *Eclair* &c. (1797), *Le Crocodile* (1799). 12, 421 ff. (vgl. Spec. Dogm. 9, 92.) *Oeuvres posthumes* (1807) 12, 445 ff. *J. Böhme, quarante questions sur l'ame* (1807). 12, 469 ff. *Des nombres* (1843). 12, 499 ff. Saint-Martin's Schilderungskraft und Gedankentiefe. Espr. 12, 287 ff. Seine Bildersprache doch öfter ermüdend. L'hom. 12, 207. Ob er Pantheistisches lehre. v. Osten Einl. 12, 32 ff. S. Emanation. Espr. 12, 274 ff. vgl. 277. Anm. 311. Er war kein Dualist im Sinne Mani's. Des err. 12, 87. 109. Es fehlen ihm höhere chemische Kenntnisse. Br. 15, 315. Einfluss der Zeichen der Gedanken auf deren Erzeugung. Einfl. 2, 125 ff. vgl. Rel.

Phil. 1, 153. Ueber Zahlenlehre (s. d.) Ferm. 2, 336. Ueber
Geben und Nehmen. Antir. Phil. 2, 457. u. a. S. Anthropo-
logischer Standpunet, M. Pasqualis, Fournié.
Saint-Simonisten zu Paris. Religionsphil. 1, 336. Anm.
Br. 15, 638.
Salm-Krautheim, Prinz v. Br. 15, 425 ff.
Salomonisches Urtheil der Theilung des Glaubens und Wis-
sens (s. d.), der Theologie und der Weltweisheit. Unsterbl.
4, 264.
Salus s. Gloria.
Salvianus, über die Schenkungen an die Kirche. Morg. u. Ab.
Kath. 10, 116.
Salzmann, Karl von Karlsberg. Tageb. 11, 122.
Same = Essenz der Gattungseinheit. Ferm. 2, 219. Ternar
von Samenerzeugung, Vegetation, Fructification = Feuer *(sul-
phur)*, Wasser *(sal)*, Erde *(mercurius)*. Spec. Dogm. 9, 135
vgl. 127. S. Elemente. Same, Reiz, Funke *(arranging-
principle* nach Hunter) = Schema für die Einbildungskraft
der Natur zu einer bestimmten Synthesis. Elemphys. 3, 220 ff.
Same und Baum sind in Gott nie getrennt; in der Creatur soll
diese Ungetrenntheit hergestellt werden. Spec. Degm. 2, 219.
Sandaei, Max., Theologia mystica. Br. 15, 288. *Clavis seu
Onomasticon Theologiae mysticae (s. Harphius).* Br. 15,
301 vgl. 298.
Sapientia ingenita (= genitrix) und *genita* nach Thomas
von Aquin = J. Böhme's ungefasste und gefasste Weisheit.
Erläut. 14, 234.
Satan, Lucifer: Nicht jener, sondern dieser ist ein Geschöpf.
Revis. d. Wiss. 10, 267. Auch beim Satan sind *Genitor,
Genitus* und Geist zu unterscheiden. Ueber Lügengeburt
(Teufelsbild, Teufelskind) und Antichrist. Opf. 7, 306 ff. —
Schelling's Lehre vom Satan verglichen mit der Baader's. Einl.
12, 71. S. Teufel. — Satanisirung und Bestialisirung des Men-
schen durch die neuern Philosopheme. Blitz 2, 30.
Satisfactionstheorie, welche allein die Erkenntniss satis-
facirt. Beweis. 4, 247. Anm.

Satz der Identität *(A = A, sum qui sum)* oberster. Satz der
Ontologie, des Selbstbewusstseins &c. Bewegung und Duplicität dabei. Fichte, Schelling. Incomp. 4, 318 ff.

Schaff, Verf. der Geschichte der apostolischen Kirche. Opfer.
7, 402. Anm.

Schaffen = Aufhebung (Entäusserung) der Idea, wodurch ihre
Restitution und Potenzirung in Herrlichkeit bezweckt wird.
Ferm. 2, 410. = Vor Gott setzen und erhalten, conform der
ewig vor Gott seienden Idea (Sophia). Spec. Dogm. 9, 24.
= *Actuatio substantiae*, verschieden vom Inspiriren des Bildes.
Spec. Dogm. 8, 95. S. Gott. Schaffen aus Nichts, dem magi-
schen Wirken des Willens parallel zu stellen. Spec. Dogm.
8, 103. S. Schöpfung.

Schamgefühl (Adam's Schlaf, Ohnmacht, Confusion &c.) gründet
im Erlöschen der höhern Natur im Menschen. Ferm. 2, 271.
2. Cap. d. Gen. 7, 231 ff. Man soll sich nicht der Natur
als Grund und Basis aller Hervorbringung und Zeugung, sondern nur der Verdorbenheit der Natur schämen. Begründ. d.
Eth. 5, 19.

Schatten, verträgt sich nicht mit der künstlerischen Darstellung
der Verklärung des irdischen Lebens. Spec. Dogm. 8, 233—34.
Raphael's Christus wirft Schatten. L'hom. 12, 226.

Schauen eines mich Durchschauenden bringt die Apperception
dieses meines Durchschautwerdens mit sich. Spec. Dogm. 8, 236.
Die Identität des Schauens und Denkens = der des Seins und
Wissens. Rel. Phil. 1, 276. Schauen und Empfinden (Object
und Subject): Eins macht das Andere nicht entbehrlich. Ferm.
2, 167. Anm. Unterschied des Schauens ohne und mit Imaginiren. Societ. 14, 101. Wie der Erkennende geschaut, so
wird der Schauende erkannt. Die Peripherie schaut nur (erkennt nicht) ihr Centrum, das Centrum aber erkennt (durchschaut) die Peripherie. Societ. 14, 73 ff. S. Erkenntnisslehre.
Centrales und peripherisches Schauen und Wirken. Beide müssen unterschieden werden. Hindeutung darauf schon durch
Kant's Unterscheidung eines apriorischen und aposteriorischen

Erkennens. Weiteres über die Theorie des centralen und peripherischen Schauens. Soelet. 14, 65 ff. 71—77. Schauen und Thun, Theorie und Praxis, können in Krankheitszuständen &c. auseinander fallen. Inn. Sinn 4, 97.

Schechina = Lichtstoff, worin Gott unmittelbar wohnt = unzugangbares Heiligthum, worin der licht- und leibgebärende Process vor sich geht. Blitz 2, 43. 46. Anm. Gott wohnt unmittelbar nur in seiner Schechina (Wohnung). Nicht Gott als Geist, wohl aber die Schechina muss selber in der Creatur persönlich werden. Das ganze neue Testament beruht auf den Begriffen des Kommens, Wohnungmachens und Innewohnens. Versehens. 4, 348. S. Herrlichkeit.

Scheele, Physiker. Anleit. 6, 257.

Scheffler, s. Angelus Silesius.

Scheiden: Uralte Scheidekunst als Lehre von einer Gährung zum Leben und einer zum Tode, die einzig richtige Philosophie. Tageb. 11, 96. Die innere Scheidung in jedem Lebendigen, Fundamentalbegriff der J. Böhme'schen Feuer- und Lichttheorie (s. d.). Spec. Dogm. 8, 292. Der Scheidungstrieb im Anfang der Natur bedingt die gliedernde Unterscheidung des Lebens. Fund. d. Christ. 10, 33. S. Natur. Schiedlichkeit, Scheidung = Gliederung. Myst. Magn. 13, 198 ff. Scheidung der Natur in finstere und lichte Schiedlichkeit = das Sich-wollen jeder Eigenschaft. Gnadenw. 13, 259 ff. Sich von einander scheiden = sich in sonderliche Anfänge fassen. Studienb. 13, 384.

Schelling, über dessen Verhältniss zu Baader, s. Hoffmann's Einleit. zum I. Bd. der WW. S. L u. LIX. und dessen Anm. zu Schub. 1, 69 ff., zum II. Bd. d. WW. S. XLVIII ff., Rel. Phil. 1, 179. Spec. Dogm. 8, 189. zum V. Bd. d. WW. S. LXVI ff., sowie v. Osten Einl. 12, 15. 65 ff. 67. 69. Minist. 12, 379. Hamberger's Anm. zu Myst. Magn. 13, 182. Schelling vom Ich als Princip der Philosophie. Elemphys. 3, 239. — und von der Weltseele. Pyth. Quadr. 3, 249. 363. vgl. Br. 15, 178. 189. Bekanntschaft Baader's mit Schelling (1798). Br. 15, 181. — Persönliche (1806). Biogr. 15, 38.

Baader versucht Jacobi mit Schelling auszusöhnen. Br. 15, 199 ff. — stellt dessen Naturphilosophie mit jener Saint-Martin's zusammen. Br. 15, 200 ff. vgl. Expr. 12, 326. — erscheint als befreundet mit Schelling und dessen Familie (1806—1818). Br. 15, 211 ff. 219. 235 ff. 242. 284. Schelling's Denkmal der Schrift von den göttlichen Dingen (1812) und die hier mit Recht empfohlene Verbindung der Naturweisheit mit der Theosophie. Schub. 1, 65. vgl. Br. 15, 247. Schelling's Lehre über den Ungrund nach Böhme und Baader (1818). Br. 15, 349. Briefwechsel Baader's mit Schelling (1824). Br. 15, 420 ff. vgl. 431 ff. Schelling's irreligiöse Philosophie. Br. 15, 438. Biogr. 15, 114. Er laborirt an einer Vertirung des Spinozismus mit Christlichem und J. Böhme'schem. Br. 15, 462. vgl. L'hom. 12, 218. Seine junge Naturphilosophie war ein kräftiger und saftiger Wildbraten, seine jetzige ist ein Ragout von allerhand, auch christlichen, Ingredienzen. Br. 15, 464. 485. Baader's Schr. über rat. Theol. (1833) ist gegen ihn gerichtet. Ebd. 492. vgl. 2, 510. Schelling über den Finstergrund in Gott. Zusammenhang seines Identitäts- oder Indifferenzsystemes mit Spinoza. Privatvorl. 13, 147 ff. Seine Alleinslehre schon von Saint-Martin widerlegt. Des err. 12, 88. Schelling's und Hegel's Fassung des Begriffes der Natur. Aphor. 10, 313. Schelling's Lehre über die Zeugung des Sohnes und scharfe Polemik dagegen. Form oder Maass 2, 526. Schelling's zu München in den dreissiger Jahren gehaltene Vorlesungen. Myst. Magn. 13, 168. J. B. Theol. 3, 432. Schelling's Vorrede zu Cousin (1834) und das dort über das Verhältniss des Schöpfers zum Geschöpf Gelehrte. Spec. Dogm. 9, 58. 102. 122. Br. 15, 518. Schelling's Trilogie vom Seinkönnen (wollen), Sein, Sein des Seinkönnens, s. Sein. Seine Lehre von Tautousie (Heterousie) und Homousie. Myst. Magn. 13, 194. Schelling führt mit seinem Ternar ein Fatum in die Speculation ein. Fund. d. Christ. 10, 29. Schelling's Retractationen der Naturphilosophie in seinen neuesten Vorlesungen (über Offenbarungsphilosophie). Revis. d. Wiss. 10, 264. Seine Nichtbeachtung des Ministerial-

rescripts (1888). Br. 15, 595. Seine Mythologie. Ebd. 688.
Sein Ruf nach Berlin (1841). 689. Prof. Böckers' Denkrede
auf Schelling. Biogr. 15, 112. Anm.

Schelver, Formgeschichte der Pflanzenwelt. Antirel. Phil.
2, 473 ff. Sein Geist kocht noch in *primis viis*. Br. 15, 311.
Seine magnetischen Kettenversuche. Ebd. 851.

Schema und Symbol (s. d.), jenes für den Verstand, dieses
für die Vernunft, wichtige Lehre Kant's. Elem.-Phys. 3, 210 ff.
Schematismus und Symbolik. Begründ. d. Eth. 5, 8. Schema
(Kant's) = Tinctur, Ferment. Durch den Besitz eines solchen
Schema's wird der Producent erst central-producirend, frei,
originell. Spec. Dogm. 9, 111. Schema der Urtetraktys oder
der Creation mit dem Menschen als Schlussgeschöpf und Ver-
mittler von Geist und Natur nach Thomas von Aquin und
M. Eckart. Erläut. 14, 230. vgl. 207. Anm. Ferm. 2, 194 ff.
Segen u. Fl. 7, 90. S. Vierzahl.

Schenk, Geh. Rath v., Freund Jacobi's, Vater der nachfolgend
Genannten. Br. 15, 211 ff. — Schenk, Eduard v., Mini-
sterialrath und später Minister, fünf Briefe Baader's an ihn
(1826—1830). Br. 15, 435—467. vgl. 211 ff. Seine Dichtungen
444. 449. — Schenk, Friedrich v., Geh. Rath, Bruder des
Dichters. Biogr. 15, 18. 40.

Schickedanz über Saint-Martin. Einl. 12, 50. 54.

Schicksalsidee bei den Dramatikern. Begründ. d. Eth. 5, 8.
S. Fatum.

Schiedsgericht, nichtständiges, zur Schlichtung einer Collision
zwischen der Regierung und den Kammern. Constit. 6, 53.
Evol. u. Revol. 6, 99.

Schiller, Verse aus dem Gedicht: die Macht des Gesanges.
Kant's Deduct. 1, 8. Verse über das Grauenhafte in der
materiellen Natur, das die Götter gnädig bedecken. Wahrb.
1, 128. Verse aus der Jungfrau von Orleans: Leicht aufzu-
wecken ist das Reich der Geister &c. Ekst. 4, 9. Br. 15,
291. Abbrev. 4, 109. Geistersch. 4, 212. Verschens. 4, 857.
Anm. Seelalph. Aphor. 5, 273. Evolut. 6, 104. Anm. Opfer

Martin. Einl. I, LXIV. Rel. Phil. 1, 274. Anm. Einl. VII,
XLV. Das social-bildende und organisirende christliche Prin-
cip ist das Innungsprincip *par excellence*. Vermögensl. 6, 137.
Morg. u. Ab. Kath. 10, 105. Sprache und Weisheit der Indier.
Blitz. 2, 37. Anm. Form. od. Maass. 2, 529. Anm. Spec.
Dogm. 9, 102. — S c h l e g e l, August Wilhelm von, Bund
der Kirche mit den Künsten. (Verse über die Kirche).
Zeitschr. Avenir, 6, 37. Ueber die Lehren der Brahmanen.
Ferm. 2, 301. Anm.

S c h l e i d e n, Einl. III, LII. LIV.

S c h l e i e r m a c h e r, v. Osten. Einl. 12, 13 ff. Sein Lob der Frömmig-
keit Spinoza's. Anthropoph. 4, 226. Anm. Ferm. 2, 211. Anm.
400. Anm. Religionsph. Aphor. 10, 298. Biogr. 15, 105.

S c h l o s s e r, nach ihm ist die Seligkeit der Liebe = Nichtsthun
derselben. Spec. Dogm. 9, 57. — S c h l o s s e r, Friedr. Christ.
Indiff. 5, 221. Anm. Br. 15, 163. 181.

S c h l ü s s e l, die Macht derselben d. h. die Besiegelung und Bewahrung der Schöpfung gegen das Eindringen des Teufels
wurde dem Menschen bei der (2.) Schöpfung anvertraut. Spec.
Dogm. 8, 228. — J. Böhme's Streit der Naturpotenzen (Qualitäten) ist der Schlüssel der Specification der Natur. Fund. d.
Christ. 10, 51. Schlüssel für die niedrigern Naturen, Pflanzen,
Thiere &c. Einfl. d. Zeich. 2, 135.

S c h l ü t e r, 24 Briefe Baader's an ihn (1827—1836). Br. 15,
441—545. Briefe Schlüter's an Baader 470. 472. Vgl. 495.
Dessen „Augustinus“. Einl. 12, 36.

S c h m e l z u n g e n, einfache und durch Einwirkungen von pal-
pabeln oder impalpabeln Stoffen modificirte. Fest. u. Flüss.
3, 188.

S c h m e r z der Selbstverleugnung. Ferm. 2, 154 ff. In Kunst,
Wissenschaft, Moral und überhaupt im Zeitleben ist der Schmerz
nicht entbehrlich. Geistersch. 4, 218. Anm. Der Zweck des
Schmerzes ist, mich schmerzfrei zu machen. Spec. Dogm.
8, 174. Nur der Schmerz ist der Conductor des Göttlichen
hienieden, nur die Hölle Geburtsstätte des Himmels. Br. 15, 289.
Dolor ex solutione continui. Ferm. 2, 166. Spec. Dogm.

8, 262 &c. *Souffrir ou mourir* (s. Theresia). Das Radical jeder Lebensempfindung ist der Schmerz. *Dii omnia laboribus et doloribus vendunt.* Spec. Dogm. 8., 264. S. Sensation. Höherer und niederer Schmerz und Lust. Nouv. hom. 12, 246. Der von der Religion erweckte tiefere Schmerz in Vergleich mit andern Schmerzen. Nouv. hom. 12, 243. Schmerz derer, die wahrhaft erleuchtet sind. Espr. 12, 328 ff. ، S. Lust.

Schmid, Leopold. Vorlesungen über die Bedeutung der hebr. Sprache (1832). Rat. Theol. 2, 505. Form od. Maass, 2, 520. 525. Myst. Magn. 13, 171. Ansicht über Somnambulismus. Rapp. 4, 206. Ueber die Lehre von der Trinität als Urgedanke für alles Denken (Sich- und Anderes-Wissen). Incomp. 4, 315. — Schmid, Eduard. Einl. I, XL. XLIII. XLVII.

Schmidlin, Theologe. Alim. 14, 480.

Schmidt, Julian, über Saint-Martin. Einl. 12, 37. — Schmidt, Adolph. Indiff. 5, 136. Anm.

Schmieder, Geschichte der Alchemie (1832). Tageb. 11, 130. Anm.

Schmitt, Pfarrer bei Aschaffenburg, Geschichte der griechisch-russischen Kirche. Morg. u. Ab. Kath. 10, 242. vgl. 156. 181. 198 &c.

Schöberlein, Theologe. Einl. III, XLI. Anm.

Scholastik, die, war in der Verstandesabstraction und folglich im Dualismus befangen. Spec. Dogm. 8, 71. Die Unterscheidung von Ursache und Grund, sowie die Lehre über Verursachtes, *causa sui* und *causa alterius* bei Platonikern (Proclus) und Scholastikern. Spec. Dogm. 8, 278 ff.

Scholz, Benjamin. Ueber das Glaswesen und seine Vervollkommnung in den neuesten Zeiten, vorzüglich in der österr. Monarchie. Nachw. zur Glasm. 6, 344. 345. 348. 349—360. Biogr. 15, 49.

Schömann's Uebersetzung des gefesselten Prometheus von Aeschylus. Antirel. Phil. 2, 463. Anm.

Schönbein, Physiker und Chemiker. Bonald. 5, 208. Anm.

Schönheit und Gefälligkeit. Gefällig ist, was einem einen Gefallen erweist; schön ist, was dem Auge,' dem Ohr, dem

Gefühl, Geschmack, Geruch gefällt. Natürlich und Gemüthlich
Schönes. Schön von Schonen. Schönheit im engern Sinn =
die Coincidenz des äussern Gefallens des Lebens mit dem Ge-
fallen des ewigen guten Lebens in ihm. Auge und Ohr sind
am meisten offen für letzteres. Solid. Verb. 3, 355. Schön,
Schonen; Lieblichkeit, Liebe; Hässlichkeit, Hass. Charis,
Grazie, Charitas, Gnade. Rel. Erot. 4, 189. Schön, Schonen.
Aphor. 5, 348. Anm. Der Sitz der Schönheit die himmlische
(unerschaffene) Natur. Espr. 12, 279. Schöne Lichtseite der
Natur, schönes Menschengebilde. Seg. u. Fl. 7, 115. Die
Schönheiten an den Producten der physischen Wesen und die
Wunder, die der Mensch, wenn er nicht gefallen, hervorbringen
würde. Tabl. 12, 182. Die Schönheiten der Natur, ihre melan-
cholische Klage über den Wittwenschleier, den sie aus Schuld
des Menschen tragen muss. Zeitbegr. 2, 79. Bildungsl. 2, 120.
S. Erde. Das Schöne und Erhabene in der Natur und das
ethisch Schöne. Begründ. d. Eth. 5, 7. Ueber den Nexus des
Schönen und Erhabenen. Apb. 10, 338.

Schönlein. Sein Irrthum besteht darin, dass er alles Leben
als Schmarotzerleben in Gott ansieht und nichts weiss von
dem Inframateriellen und dem Supramateriellen. Biogr. 15, 142.

Schopenhauer, Arthur. Die Welt als Wille und Vorstellung.
1816. Urtheil darüber. Spec. Dogm. 9, 82. Ein trister Philosophus. J. B. Theol. 3, 366. Ausführlichere Berücksichtigung
seiner Lehre. J. B. Theol. 3, 428 ff. Schopenhauer's anthropologischer Standpunct. Minist. 12, 372. Anm. 875. vgl. L'hom.
12, 280. Schopenhauer's Ansicht vom Mitleid (s. Anm. Hoffm.).
Spec. Dogm. 8, 264. Vgl. Hoffmann's Einl. zum V. Bd. d. WW.
S. XXXVI—LXVI. und zum VII. Bd. S. XVI ff. S. Voltaire.
Schopenhauer über Hooke und Newton. Ferm. 2, 298. Anm.
Schop. über den Buddhaismus. Ferm. 2, 301. Anm. Schop.
Nichtslehre. Evol. u. Revol. 6, 102. Anm.

Schöpfer, alleinweiser — und Regierer des Weltalls. Sein
Gewand ist Licht und Feuer, er selbst verzehrendes Feuer,
seine Engel Flammenboten. Wärmest. 3, 19. 30. Relation von
Schöpfer und Geschöpf. Spec. Dogm. 9, 57 ff. Hegel scheut

sich vor diesem Begriff, weil er ihn nicht zu erklären vermag.
Spec. Dogm. 8, 163. Schöpferisches und geschöpfliches Thun
nicht zu vermengen und nicht zu trennen, wohl aber deren
Identität anzuerkennen. Ferm. 2, 377. Das schöpferische und
geschöpfliche Thun (im Erkennen, Wollen und Wirken) nicht
zu confundiren und nicht zu trennen. Rel. Phil. 1, 207.

Schöpfung, Creation. Unmöglichkeit den Schöpfungsact zu
erklären und zu construiren; aber er ist einer beschreibenden
Darstellung fähig und bedürftig. Begründ. d. Eth. 5, 13 ff.
Wesshalb J. Böhme die Bewegung Gottes zur Hervorbringung
der Creatur für unerforschlich hält. Gnadenwahl 13, 250. Eine
Creationstheorie als Begreiflichmachung der ersten Bewegung
Gottes zur Schöpfung = Versuch der Creatur, zurück in Gott
zu steigen. Spec. Dogm. 8, 286. Unbegreiflichkeit der Schöpfung.
Strauss Leb. Jesu 7, 267. Anm. Das Wie der Schöpfung ist
unerforschlich. Ferm. 2, 352. Das Thun des Schöpfers in
Bezug auf die Schöpfung und Fixation des Geschöpfes ist Gränze
des Wissens für das niedrige animalische, wie für das höchste
religiöse Leben. Aphor. 5, 260. — Die Schöpfung ist nicht
mit den Gnostikern, Hegel und Schelling als Abfall der Idee
oder Gottes von sich zu fassen. Rel. Phil. 1, 206. Spec.
Dogm. 9, 130. Die Schöpfung aus Nichts ist Production, nicht
Eduction und nicht Emanation. Rel. Phil. 1, 205. Die Schöpfung
ist nichts Zufälliges. Verkörp. 2, 4 (s. Anm. Hoffm.). Sie
ist = Poesis, Erfindung und freie künstlerische Production der
schöpferischen Liebe. Vorred. 1, 396. Ihr Anfang nach
Saint-Martin. Einl. 12, 35. Sie darf der freien Liebe Gottes
zugeschrieben werden. Myst. Magn. 13, 195. Die Schöpfung
aus Nichts in gemeinem Sinn gedacht, ist etwas Unvernünftiges;
ursprünglich sollte damit nur das Wesen der Spontanität *par
excellence* angedeutet werden, die als kraftschöpfende Ursache
aus nichts Anderem als sich selber schöpfe. Elem.-Phys. 3, 241.
Schöpfung aus Nichts = Offenbarung des Unsichtbaren durch
das Sichtbare. Ferm. 2, 229. vgl. Einl. 12, 60. 68. 70. Nichts
ist ein leeres Wort, von dem kein Mensch einen Begriff hat;
also ist auch die Creation nicht aus Nichts. Tabl. 12, 178.

Ein absoluter Anfang der Schöpfung widerspricht sich nicht. Empr. 12, 275. Der Begriff der Schöpfung ist: vor Gott setzen und erhalten; ihr Zweck: die gesammte Creatur soll (unmittelbar als intelligent und mittelbar als nichtintelligent) von Gott unabfällbar gesetzt sein und bleiben, conform (in und zu) der ewig vor Gott seienden Idee (Sophia). Unsterbl. 4, 279. S. Schaffen. Der Zweck der Schöpfung wird im Erlösungsact erreicht und diese vollendet. Unsterbl. 4, 282. — Die Weltschöpfung ist ein Nachbild des ewigen, immanenten, göttlichen Lebensprocesses. Ferm. 2, 195. Das Geschöpf ward primitiv mit, in und zum Sohne geschaffen. Nouv. hom. 12, 239. Die Schöpfung aus Nichts findet ihr Analogon in dem Uebergang des magischen Gedankens durch Lust und Begierde zur That. Spec. Dogm. 8, 79 ff. Die Schöpfung beginnt nach der Schrift mit dem Ausgang aus dem λόγος ἔϰθετος oder προφορικός in Gott selbst. Vorr. 1, 406. Die Creaturen entstehen nicht unmittelbar aus dem ungründlichen Gott (Verstand, Urstand), sondern unmittelbar nur aus (in) dessen geoffenbarten Eigenschaften (Wesen, Spiegel, Idea, Weisheit). Ferm. 2, 246. Die Creatur tritt nicht unmittelbar aus der klaren Gottheit, sondern aus der ewigen Natur hervor. Ferm. 2, 288. 305 ff. S. Herrlichkeit. Der Grund der Creatur = feurige Scienz = Wurzel der Seele war ein Partikular des ewigen Willens, welcher ewige Wille im feurigen Worte der Scheidung der Natur sich in unterschiedliche Scienz geschieden getheilt hatte. Studienb. 13, 384. Die Schöpfung war bedingt durch eine Aufhebung und Scheidung des ausgesprochenen Wortes (Weisheit, Idea) in Lust und Begierde, womit sie die Creatur hervorruft, damit diese den Schöpfungsorgasmus (= Schöpfungsstreit) löse und vollende. Ferm. 2, 255. Entscheidung setzt Streit voraus (Formationsstreit). Quar. Qu. 12, 489. Die Schöpfung wurde durch Scheidung der Weisheit (des Willens der Natur) in Lust und Begierde hervorgerufen, damit sie die Krisis des Schöpfungsorgasmus löse und vollende und, sich verselbständigend, die Idea restituire und verherrliche. Ferm. 2, 285 ff. Schöpfung = Particularisirung des Naturprincips, welche dessen Erhebung (Erregung,

sohin isolirte Erreg— und Entzündbarkeit) als Selbstheit nöthig
machte. Die Deprimirung dieses Triebes, für sich selber offenbar und creatürlich zu sein, bedingt die Leibwerdung der
Creatur. Bildungsl. 2, 102. Ferm. 2, 165. S. Natur. Die
Schöpfung als Particularisirung der ewigen Natur war nicht
veranlasst durch eine Empörung dieser Natur; keineswegs eine
wirkliche Entzündung der Naturselbheit, sondern nur ihre Entzündlichkeit zeigt sich als die Schöpfung bedingend. Ferm.
2, 248. Die Creatur === particularisirte Natur. Ferm. 2, 403.
Die Creaturen sind nicht identisch mit den Gliedern des göttlichen Organismus. Spec. Dogm. 8, 163. Das Wort Creatur
von Zusammentreiben, Gestehen eines Flüssigen, Naturannehmen.
Begründ. d. Eth. 5, 13. Anm. Bei der Schöpfung der materiellen
Welt blieb zwar die Entzündlichkeit unaufgehoben, aber die
wirkliche Entzündung ward gehemmt. Ferm. 2, 416. Die freie
Creatur konnte unmittelbar nur aus der Allmacht (Natur) Gottes
hervorgehen; ihr wurde zwar die Entzündlichkeit ihres eigenen
attractiven oder Naturcentrums angeschaffen, zugleich aber die
radicale Tilgung aufgegeben. Rüge 3, 327. — Doppelact Gottes
bei der Schöpfung: Zum Grundlegen des Vollkommenen für
das Unvollkommene und Schweben des Vollkommenen über
dem Unvollkommenen. Spec. Dogm. 8, 114. Jede Creatur
bedarf eines doppelten Actes des Schöpfers: eines Sich-zum-
Grundelegens desselben (Mutter, Erde) und eines Schwebens
über ihr (Vater, Himmel). Spec. Dogm. 8, 163. Drei Momente
der Schöpfung: Essentiation, Formation und Sustentation (creavi,
formavi, feci te: Isaias). Ferm. 2, 166. Die Schöpfung hat
angefangen in Bezug auf die Corporisation (Schiedlichkeit) der
Geister, wenn gleich die Essentien derselben ewig gewesen
sind. Ferm. 2, 253 ff. Die Schöpfung ist das Abbild Gottes.
Privatvorl. 18, 91. Die Creaturen sind Bilder von den sieben
Kräften Gottes, die Art und Weise der Schöpfung ist uns Geheimniss. Privatvorl. 18, 124. Bei der Schöpfung ist nicht
Eines (Erde), sondern drei (Himmel, Erde, Mensch) zu zählen.
Vorr. 1, 413. Anm. S. Wesenclassen. Geist, Natur. Die
Creatur ist entweder selbstisch oder selbstlos. Nur jene, nicht

diese, ist eine Mitte. Spec. Dogm. 8, 179. 182. Das Zeugeprincip *(epoux)* und das productive Organ *(epouse)* sind in
Gott untrennbar Eins. Im erschaffenen geistigen Wesen bleibt
das Zeugeprincip in Gott und nur das Organ ist verschieden;
doch sollen beide in Gemeinschaft der Action sein. In natürlichen Wesen sind beide, Princip und Organ, verschieden von
Gott. Zeitbgr. 2, 91. Anm. Es ist zu unterscheiden zwischen
Creation und Emanation (s. d.). Ein erschaffenes Wesen ist
eigentlich dasjenige, welches, indem es aus seinem Zeugeprincip
hervorgeht, sich in seiner Action innerlich von ihm geschieden
findet, was beweist, dass es nicht unmittelbar aus diesem
Princip hervorgegangen ist; ein emanirtes Wesen hingegen ist
dasjenige, welches direct aus seinem Princip hervorgegangen,
in directen Bezug zu ihm tritt oder treten kann. Zeitbgr. 2, 64
(89). Der dem Menschen ursprünglich gegebene belebende
Hauch war keine Creation, sondern eine Emanation *(divinae
particula aurae)*. Zeitbgr. 2, 65 (91). Vgl. Sohn. Schöpfung
des Menschen im Namen Jesu. Versehene. 4, 337. Zusammengehören der drei Begriffe: Weltschöpfung, Menschenschöpfung
und Incarnation. Versehens. 4, 389. S. Weltalter. — Die
Creatur, durch das erste schöpferische Ausgesprochensein in
ihre wahrhafte Region, Form, Locus, Mutter oder Heimath
gesetzt, war hiermit doch noch nicht darin fixirt. Societ. 14, 92.
(s. Versuchung, Sündenfall, Materie &c.). Die Schöpfungs-
anstalt, womit Moses beginnt, zeigt uns ein äusserlich (gleichsam polizeilich) wieder zu Stand gebrachtes Universum. Spec.
Dogm. 8, 152. Der Anfang und die Vollendung der Schöpfung
Br. 15, 549. Bei der von uns sogenannten Schöpfung fand
keine Wesensvermehrung statt. Magik. 12, 534. Die Bedeutung
der irdischen Schöpfung und der sechs Schöpfungstage. Privatvorl. 13, 144. Schöpfungsgeschichte nach J. Böhme: Sonne,
Erde (erster Weltkörper), Aerolithen, Mond, Planeten. Ferm.
2, 311. Das Sechstagewerk == Wiedergeburtsanstalt. Tabl.
12, 193. Schöpfung der materiellen Welt nach den Martinisten
und Kleuker. Magik. 12, 550. Schöpfung der Erde und des
Wassers == gesondertes Hervortreten des Starren und Flüssigen,

keine erste oder originelle Lebensgeburt. Starr u. Fluss. 3, 274. Vgl. die Schöpfung nach Thomas von Aquin. Erläut. 14, 211. 254 ff. 275 ff. Die Wirkung des ersten Verbrechens in der Schöpfung. L'hom. 12, 332. Nach J. Böhme ist bei der Creatur (ebenso wie bei Gott) eine Natürlichkeit und eine Uebernatürlichkeit zu unterscheiden (die Seele, insofern ihr Gott innewohnt, insofern sie Gottes Bild ist, ist übernatürlich). J. B. Theol. 3, 384. Nur bei der Creatur kann man von einer Erstgeburt sprechen, die zwar keine Missgeburt, aber auch keine vollendete Geburt ist. Rüge 3, 337. S. Wiedergeburt. Jede Creatur ist wahr und darum selig, wenn ihr Sein ihrem Begriffe entspricht (Hegel). Wahrb. 1, 128. Ueber die natürliche Creatur, ihre Verachtung und ihren Missbrauch, weil sie zum Menschen ein bloss materiell-industrielles Verhältniss einnehme. Widerlegung dieser Ansicht nach Moses und Paulus. Spec. Dogm. 9, 83 ff. Die Creatur erkennt sich in ihrer Wahrheit nur in Gott, gleichwie sich der Geliebte nur in seinem Liebhaber recht erkennt. Relig. Phil. 1, 229. S. Geschöpf. — Hypothese Buffon's, dass unser Planet und alles auf ihm mitfortgeschleuderte, noch nicht ganz verglühte, Trümmer eines Feuerballes seien. Wärmest. 3, 19. S. Kosmos.

Schreiben, Rufen, persönlich Sehen = Zeichen, Wort, Griff. Incomp. 4, 310. Anm. Schrift und Wort als Vergegenwärtigung eines Abwesenden. Des err. 12, 159.

Schrift, heilige. Hier fing ich an, die heilige Schrift zu lesen (20. Juli 1786). Tageb. 11, 65. vgl. Ebd. 11, 6. 9. 115. 133 &c. Wozu die h. Schrift gegeben worden. L'hom. 12, 225. Die h. Schriften alten und neuen Testamentes als zuverlässigste Geschichte des Göttlichen und Menschlichen; Vieles zur Auslegung des alten Testamentes nach Saint-Martin. Heg. Phil. 9, 384. Die h. Schrift dient nicht nur zur Praxis (Empirie), sondern auch zur Speculation. Geist u. W. 10, 14. Sie muss in der Originalsprache (d. h. der Geistessprache) gelesen werden. Br. 15, 271. 316 ff. Wie man die h. Schrift lesen solle. L'hom. 12, 227. Ihre Auslegung muss im tiefen Sinne mystisch d. h. speculativ sein, indem sie die Conformität des universellen und partiellen Geschehens nachweist. (*Mutato nomine historia de te narratur*). Spec. Dogm. 8, 224. Vgl. 2. Cap. d. Gen. 7, 240. Die beste Uebersetzung der Bibel ist der Mensch. Nouv. hom. 12, 244. Schrift und Natur legen sich wechselseitig aus. Morg. u. Ab. Kath. 10, 89. 94 ff. Schrift und Tradition sind beide nöthig. Ferm. 2, 212 ff. Die Annahme des Canons der Schrift kann nur in Folge der Anerkennung der Auctorität der Kirche geschehen. Indiff. 5, 150. Anm. Die relativ grössere Wichtigkeit des alten Testamentes für Speculation s. Christenthum, Judenthum, Heidenthum. Moses lehrt den Glauben an Unsterblichkeit &c. Espr. 12, 359. Das alte (und neue) Testament ist eine geschichtlich testirte lebendige göttliche Dramaturgie. Ueber 2. Petr. 3, 10. Tabl. 12, 192. Pentateuch und Apokalypse. Br. 15, 375. S. Genesis. Das Lesen und Treiben der Bibel ist das wahre *Dissolvens* aller Secten. Br. 15, 319. Unbekannte und künftige heil. Schriften sind nicht unmöglich. Espr. 12, 356 vgl. 357 ff. Schrift $=$ levitisches Gesetz, und *Pontifex Maximus* sind alttestamentarische Begriffe, die im neuen Bunde nicht wieder geltend zu machen. Opf. 7, 364. Br. 15, 540. Sammlung von Schriftstellen, die namentlich in philosophischer Beziehung wichtig sind. Tageb. 11, 92 ff. Die biblischen Ansichten über Geist, Seele und Leib. Br. 15, 304 ff. Schriftstellen über den Primat. Morg. u. Ab. Kath. 10, 152—159. Ueber die Ewigkeit der Höllenstrafen. Versehens. 4, 420. — Schrift $=$ Buchstabenschrift; ihr Urstand fällt wahrscheinlich mit dem den Juden auf dem Berge Sinai gegebenen Gesetz zusammen (?). Bonald 5, 72 ff. 75. — Ueber die Sammlung von Baader's Schriften und Aufsätzen (1830 ff.) Br. 15, 447 ff. 465.

Schubert. Biogr. 15, 42 ff. 21 Briefe Baader's an ihn (1810 —1818). Br. 15, 238—350. Vorrede zu dessen Uebers. einer Schrift Saint-Martin's (1812). 1, 57 ff. Ueber den Priapismus (1815). Br. 15, 262. Randglossen zu dessen Symbolik des Traumes (1821). 14, 351—358. Vgl. Div. 4, 71. 72. 76. Die Nachtseite der Naturwissenschaft. Ekst. 4, 35. Anm. Blätter für höhere Wahrheit. Mart. Pasq. 4, 127. Astro-

nomische Ansichten. Ferm. 2, 312. Geschichte der Seele. Br.
15, 562. Espr. 12, 310. Ueber den somatischen Process und
dessen Verband mit dem Geistes- und Seelenleben. Versehens.
4, 346. Ueber πνεῦμα συνεκτικόν und Erde. Spec. Dogm.
9, 281 ff.

Schuld nicht = Reife, Schuldlosigkeit nicht = Unreife, (Die
Sünde war nicht nothwendig). Ferm. 2, 272.

Schultz-Schultzenstein, Lebensprocess im Blute. Ferm.
2, 266. Psychologie. Einl. 12, 72.

Schulze. Einl. I, XLII. Einl. IV, I. Anm.

Schütz, Wilhelm v. — Vier Briefe Baader's an ihn (1821—
1822). Br. 15, 367—386.

Schutzengel, Schutzgeister. Seg. u. Fl. 7, 99. Die jetzigen
Vorgesetzten des Menschen, nämlich die Mobilien und Schutz-
geister, waren ursprünglich bestimmt, seine Mitwirker und
Organe zu sein. Seg. u. Fl. 7, 125. S. Werner. Dämon.

Schwarz. Das Wesen der Religion. V. d. W. z. Gl. 1, 351.
Anm. Ferm. 2, 176. Anm. Ebendas. 2, 373. Anm. Einl.
III, XLI.

Schweben jedes creatürlichen Geistes in seinem Urstande zwischen
Vorwärts und Rückwärts, Evolution und Revolution, Eintritt in
die Region der Freiheit und Rückfall in den Naturgrund. Ferm.
2, 358.

Schwedenborg hat über den Gemeinbesitz des Nervensystems
manches Wahre gelehrt. Br. 15, 289. 303. Uber dessen Behauptung, den Rapport des ird. leb. Menschen mit Geistern
und Abgeschiedenen betreff. Schr. (1832). 4, 201 ff. Er
nahm irriger Weise die Abgeschiedenen für bereits Auferstandene.
Heg. Phil. 9, 419. Schwedenborg über den Effect des Lesens
der Schrift bei den Engeln. Des err. 12, 158. Seine kindischen
Wundergeschichten. Espr. 12, 358. Vgl. Minist. 12, 383.
Lettr. 12, 438. 441. Opf. 7, 409. Anm. Br. 15, 289. 303.
Schwedenborgianer und Neologen über den Tod als Fortdauer
der leiblos gewordenen Seele. Unsterbl. 4, 272. Der Schwedenborgianer Richer, Verfasser der Schrift: *La nouvelle Jerusalem*
(1832). Rüge 8, 314. Anm.

Schweigen, die höchste Stufe der Seligkeit. Minist. 12, 418.

Schwenk, Conrad, Deutsches Wörterbuch. Spec. Dogm. 9, 104. Socialph. Aphor. 5, 272. Anm.

Schwenkfeld, speculativer Theolog oder Mystiker, dessen Lehre vom Ternar. Geist u. W. 10, 7. Ferm. 2, 424. Anm. Myst. Magn. 13, 185. 187. Anm. Schwenkfeldianer. Spec. Dogm. 8, 112. Anm.

Schwere = unmittelbare Aeusserung des allen einzelnen oder für sich beweglichen Körpern inwohnenden Individuums (der Erde). Pyth. Quad. 3, 257. vgl. Elem.-Phys. 3, 206 ff. Das Phänomen derselben ist ganz anders zu fassen, als bisher (seit Newton) geschah. Pyth. Qu. 3, 249. Entwurf einer Abhandlung darüber (1809). Br. 15, 238. Ihr Begriff schliesst sich enge an den Begriff der Zeit an. Schwer in sich selbst (oder im passiven Sinne) ist ein Wesen, dem die nöthige Kraft fehlt, sich in seiner heimathlichen Region (seinem Gesetze) zu halten = Ohnmacht, Tod; Abtrennung von seinem Zeuge- oder Erhaltungsprincip. Zeitbgr. 2, 58 (91) ff. = der von oben kommende Druck, nicht der magnetische Zug von unten. Nouv. hom. 12, 252. Das Gefühl der Befreiung davon tritt ein, sobald der Mensch seine directe Gemeinschaft mit seinem Princip wiedererlangt hat. Zeitbgr. 2, 66 (92). Schwere = Einheitsleere; gottleer = gottschwer. Des err. 12, 100. Schwere = Centrumleere der Materie. Endl. Geist. 7, 203 ff. (S. Leere.) Ohne diesen Begriff ist in allen, auch den immateriellen, Regionen des Lebens nichts zu begreifen. *Cesser de peser* bei den Somnambulen. Solid. Verb. 3, 345. Schwere = Centrumleere d. h. vom bewegenden und stellenden Agens bloss durchwohnte, unfrei bewegte, ist negativ; dagegen ist das Leichte, d. h. dem das Centrum innewohnt oder das frei sich Bewegende positiv — analog dem Finstern = Lichtleeren, das negativ, und dem Lichterfüllten, das positiv ist — analog der Materie und der Natur. Rat. mat. Vorst. 3, 294. vgl. 296. Metast. 4, 159. Anm. Spec. Dogm. 8, 234. Zus. d. Leb. 2, 20. Div. 4, 87. Anm. 89 ff. Schwere und Attraction = Durchwohnung und Inwohnung, vermengt von Newton. Spec. Dogm. 9, 28. 172.

794

Schwere ist unfrei, Zug (Attraction) frei. Elemtgr. 14, 49.
Active und passive Schwere; jene nicht mit Attraction zu verwechseln = Centrumleere. Espr. 12, 317 ff. 320. *Centrum
gravitatis* = das das Schwere tragende (durchwolmende) Centrum.
Espr. 12, 346. *Non est gravitatio in proprio loco, sed
extra locum* (Scholastiker). Was nicht versetzt (s. d.) ist,
das ist nicht schwer, und was schwer ist, das ist versetzt.
Spec. Dogm. 9, 49. Specifische Schwere. Aph. 10, 315.
Schwere einer Pflicht, eines Gesetzes = Leere. Rel. Erot.
4, 187. S. Attraction und Gravitation, Gravitation.

S c h w e r z. Socialph. Aphor. 5, 285. Anm.

S c h w i m m a p p a r a t, ohne einen solchen ins Wasser zu gehen.
Spec. Dogm. 8, 205.

S c h w u n g h a f t e r Sinn Baader's, sich zeigend in der Stelle
Tageb. 11, 119 ff.

Sciences exactes und *non-exactes*. Die mathematischen
und physikalischen Wissenschaften sind noch weiter von der
Exactheit entfernt, als die Religionswissenschaft. Atomismus,
Impenetrabilität der Materie, Porosität, Widerspruch der Be-
rechnungen. Rüge 3, 316 ff. 321. Anm. Die *sciences exactes*
der Physiker leugnen der Natur die Intussusception ab. J. B.
Theol. 3, 386.

Scientia et potentia in idem coincidunt. Baco (s. d.).
Minist. 12, 385. 400. Anal. d. Erk. 1, 43. Ferm. 2, 378.
Anm. Spec. Dogm. 9, 62 &c. — *Scientia sine volun-
tate non format.* Spec. Dogm. 8, 79.

Scimus quia facimus. Giambatt. Vico (s. d.). Bildungsl.
2, 109. Ferm. 2, 143. 378. Anm. Antirel. Phil. 2, 493.
Wahrh. 1, 104. Widmer Augsst. 7, 55. Anm. Fund. d.
Christ. 10, 29. Bedeutung dieses Satzes für Kunst und Wissenschaft. L'hom. 12, 228. *Nescimus crimen Luciferi, quia non
fecimus.* Espr. 12, 333. Der Mensch versteht nur actues.
Minist. 12, 406. — *Scimus quod sumus* = *quid-quid
cognoscitur, per modum cognoscentis cognoscitur.* Spec. Dogm.
8, 232. vgl. 229. — *Scire nihil est, nisi sciant et*

aléi. Frem. d. Intell. 1, 186. Rel. Phil. 1, 168. Indiff. 5, 782. Anm.

Sciens (= Ziehens) nach J. Böhme = der ersten unerforschlichen Bewegung Gottes zur Intraction, Centrirung und Verselbständigung. Es gibt eine dreifache, in Gottes übernatürlichem Sein, in der Begierde des Wortes, in der Natur. J. B. Theol. 3, 420 ff.

Scléus, Theosophische Schriften (1686). Blitz. 2, 36 ff. Anm. 46. Anm.

Scotus Erigena, seine Dreitheilung der Natur in verschiedener Anwendung. Ferm. 2, 332. (Anm. Hoffm.) vgl. 211. Div. 4, 81 ff. Bonald 5, 109 ff. Indiff. 5, 219. Spec. Dogm. 8, 230. 304. 9, 112 &c. (s. Dreizahl). Ueber die Monas als Wurzel aller Zahlen, verschieden von der gezählten Eins. Ferm. 2, 256. Anm. *Intellectus rerum veraciter ipsae res sunt.* Log. 1, 318. Ueber den Ursprung des Mann- und Weibthieres. Ferm. 2, 317. 2. Cap. d. Gen. 7, 235. Anm. Morg. u. Ab. Kath. 10, 128. Neologische Abstractionen bei ihm in Betreff des Bösen. Ferm. 2, 383. Anm. Ueber seinen Einfluss auf Baader. Anh. z. Biogr. 15, 159. Vergl. Br. 15, 315. 457.

Secretion, dynamische. Ferm. 2, 263.

Sectionsberichte, anatomische, in der Philosophie und in allen Zweigen des Wissens. Verhält. d. Wiss. 1, 349. Anm. Zwiesp. 1, 370. Anm.

Seebold, Dr. Carl, Philosophie und religiöse Philosophen. Frankfurt, Brönner 1830: eine gegen Baader gerichtete Schrift, die B. der Beachtung nicht würdig fand. Biogr. 15, 107. Anm.

Seele des Menschen, ihr Dasein ist unzweifelhaft; eben so Gottes Dasein. Tageb. 11, 86. Die innere, generative, plastische Bildungskraft der Seele; aus dieser, und nicht aus ihrer Monadeneinfachheit ist ihre Fortdauer nach dem Tode zu beweisen. Sie ist aus dem generativen Grund Gottes, zwar nicht durch Emanation entstanden und steht in einer unaufhörlichen Gebärung ihrer unerlöschlichen Lebenskräfte. Ferm. 2, 310. Die

lebendige Seele nicht = natürliche; diese ist geschaffen, jene
dem Menschen eingehaucht worden; diese dem Adam bleibend,
jene ihm beim Fall verloren gegangen; jene, nicht diese, dem
Menschen von Christus wiedergebracht. Versehens. 4, 350 ff.
Geistige und nichtgeistige Seele; letztere von Paulus dem bloss
physischen Menschen zugeschrieben. Rat. mat. Vorst. 3, 291.
Anm. Die Seele der sinnlichen Wesen ist im Blute (Herzen),
aber doch ein einfaches untheilbares Wesen. Die Seele des
Menschen ist immateriell und nur eine Zeit lang an die Materie
gebunden. Des err. 12, 132. Die Menschenseele ist überzeit-
lich. L'hom. 12, 227. Warum der Traducianismus falsch
ist. L'hom. 12, 226. Generatianismus bei Saint-Martin; nach
J. Böhme entsteht die Seele im dritten Monat der Schwanger-
schaft. Creatianismus. Espr. 12, 324. Traducianismus, Creatianismus und System der Präexistenz. L'hom. 12, 222. Die
Seele ist ein Feuer und ihr Leben ein Feuerbrennen. Schub.
1, 60. Die Seele = Feuer = Pflanze lebt von Materiellem
und Immateriellem. Anthropoph. 4, 230. Seele = Brennen,
und Geist = Odem, nicht zu trennen. Spec. Dogm. 8, 239.
Die Seele ist ein Geist mit Gott, obgleich sie aus der Natur
blüht und wächst. Spec. Dogm. 8, 113. Die Seele hat die
sieben Eigenschaften der innern geistigen Welt nach der Natur;
nicht aber der Geist, denn er steht ausser der Natur in Gottes
Einheit. Bildungsl. 2, 103 ff. Die Seele des Mannes und des
Weibes verschieden. 2. Cap. d. Gen. 7, 236. Anm. Die Seele
als Gemüth = Einbildung (Imagination oder Hineinbildung
objectiver Gedanken), Verständniss (intellectueller, nur
durch das articulirte Wort versinnlichter, Objecte) und Gefühl
(Sensibilität, Gefühl des eigenen Wohl- und Uebelbehagens,
der Lust und des Schmerzes). Bonald 5, 82. J. Böhme weist
die Seele dem Sohne zu. Nouv. hom. 12, 260. Die Seele
ist ein Thermometer für Gott. Espr. 12, 290. Der seelische
Mensch als Vermittler von Geist und Natur s. d. Vgl. Psychologie.
Seele, Leib, Geist, die drei Attribute oder Organe (s. d.) des
Menschen (s. d.). Spec. Dogm. 8, 252 ff. = Die drei Elemente (Grundkräfte, Vermögen s. d.) des Menschen. Dabei

ist, der Mensch selbst $=$ $\triangle$ mit dreifachem Grundgefühl: er
vernimmt den Geist, empfindet den Leib, fühlt die Seele
$=$ Luft, Wasser, Blut. Leib $=$ Cohärenz (Festes), Seele $=$
Confluenz (Flüssiges), Geist $=$ Conspiration (Luft, Gas). Elem.-
Phys. 8, 214 ff. Cohärenz des Starren (Leib), Confluenz des
Flüssigen (Seele), Penetranz des Pneumatischen (Geist). Alle
drei fallen in der wahrhaften Substanz in einander. Starr., u.
Flüss. 3, 274. Geist $=$ ungeschiedene, ungetheilte, unaus-
gedehnte Einheit, im Gegensatz der geschiedenen, vereinzelten,
ausgedehnten (des Körpers, als bloss seiner Negativa). Körper
$=$ geronnener Geist. Pyth. Quadr. 3, 262. Leib, Seele, Geist
$=$ Unterleib, Brust, Kopf. Magik. 12, 536. *Ame, ésprit,
coeur $=$ pensée, coeur, operation.* Nouv. hom. 12, 286.
vgl. Espr. 12, 309 ff. Der Leib Mutter der Seele, die Seele
Mutter des Geistes (Saint-Martin). L'hom. 12, 219. Ternar
von Leib, Geist, Seele (NB. in dieser Ordnung). Schubert
1, 60. vgl. Ferm. 2, 161. Seele, Leib $=$ Inneres, Aeusseres $=$
Intension und Extension der Kräfte; Geist (Idea) $=$ Mitte,
Begriff. Ferm. 2, 240. Anm. Seele, Leib und die beide vermittelnde (nicht creatürliche) Idea im Menschen. Spec. Dogm.
8, 91. Morg. u. Ab. Kath. 10, 229. Vgl. Schöpfung, Seele.
Ueber den Begriff der Worte: Geist und Seele. Br. 15, 541.
Nicht die Seele vermittelt den Geist (Idea) mit dem Leibe,
sondern der Geist ist die Mitte beider. Diess gilt auch vom
bösen Geiste. Die Seele ist als Natur binär. Versehens. 4, 374.
Nur der Geist und nicht die Seele ist als Uebernatur anzuerkennen. Seele $=$ Mitte des Leibes, Geist $=$ Mitte der
Seele. Heg. Phil. 9, 345. Seele, Geist, Leib — seelisches,
geistiges, leibliches Leben des Menschen; das geistige die Mitte.
Ebenso beim Absoluten. Ferm. 2, 279. Seele, Geist, Leib;
hierbei der Geist $=$ Geistbild, Idea, im Unterschied von der
feurigen Seele, nach J. Böhme, Paracelsus, v. Helmont. Morg.
u. Ab. Kath. 10, 229. Die Seele kommt innerlich als Geist,
äusserlich als Leib zum Vorschein. Seelenloser Geist $=$ blut-
loser Leib. Allm. 14, 462 ff. Seele in, Geist inner (über),
Leib ausser (unter) mir. (Vgl. Sein $=$ Enthaltensein und

Enthalten). Anthropoph. 4, 241. Leib, Seele, Geist = Werkzeug, Organ, Selbstwirker = Durchwohnen, Beiwohnen, Inwohnen. Heg. Phil. 9, 864. — Ich unterscheide mich (Seele)
von dem, in welchem ich bin (Leib), und von dem, was in
mir ist (Geist), gegen jenes als mir Aeusseres, gegen dieses
als mir Inneres. Es gibt ein äusseres und ein inneres Object
gegenüber dem Subject. Heg. Phil. 9, 354. Die Seele wurde
von Gott eingeblasen (spirirt), der Leib erschaffen, der
Geist (Lichtbildniss) aus Gott geboren (ein Kind Gottes).
Zeitbegr. 2, 92. Anm. Der Urstand der Seele setzt nach
Gen. 2, 7 den des Geistes und des Leibes schon voraus. Vermittelnde Function der Seele. Tod, Auferstehung. Versöhns.
4, 331. Anm. Die Seele entsteht erst später, nachdem früher
der Same und später der Leib schon da waren. Ferm. 2, 218.
220. — Die Untrennbarkeit des Seelen-, Geistes- und Leibes-
lebens. Aph. 10, 299 ff. Vgl. Seg. u. Fl. 7, 142. S. Geist,
Natur. Der Geist spontan, der Leib receptiv, beides nicht
trennbar. Elemphys. 3, 210. Leib und Seele, nicht zwei Bestandstücke einer Composition (s. Zusammengesetztheit), sondern
im Grunde Eins, bleiben auch im Schlafe und Tode verbunden.
(Jeder Act, welcher das Vollbrachtwerden der Sünde hemmt,
ist eine Anticipation des Todes. Tödtung des Fleisches.)
Unsterbl. 4, 272 ff. Anm. Seele = Feuer, Leben des Geistes,
Geist = Luft, Wille. Die Wurzel in der Seele = Vater,
Seele als solche = Sohn, Wille = h. Geist. Triplicität,
nicht Dualismus von Geist oder Seele und Leib; sie sind
nicht componirt und werden im Tode nicht absolut getrennt.
Unsterbl. 4, 275. Morg. u. Ab. Kath. 10, 228 ff. Dagegen:
Gänzliche Trennung des Willengeistes vom Leibe im Tode
nach J. Böhme, partielle Trennung beider im Schlafe, in Ohn-
machten, im magnetischen Schlafe oder auch wachend in
Ahnungen, Ekstasen &c. Ferm. 2, 310. — Die Seele macht
den Geist offenbar, der Geist die Seele, beide den Leib, der
Leib beide. Anthropoph. 4, 280. Seele, Geist, Leib — Unseele, Ungeist, Unleib. Emanc. des Kath. 10, 72. Wo Geist
und Fleisch wider einander gelüsten, zeugt dieses von Mis-

seelischen und Ehebruch. Anal. d. Erk. 1, 451 Die biblischen
Lehren von Leib, Seele, Geist. Br. 15, 304. Der Mensch
hat, und er ist Seele, Leib, Geist. Ebd. 369. Dreifachheit
der Seele und des Leibes. Ebd. 660 ff. 666 ff. Vergeistigung
des natürlichen Menschen nach Seele und Leib. Verwandlung
der Seele in *Spiritus vivificans* und des Leibes in *Corpus
spiritale.* Versehens. 4, 344. 349. — „Ihr seid ein Geist
und ein Leib", keine ὁμοουσία des einen Geistes mit den
Gliedern und dem Leibe. Spec. Dogm. 8, 168. — Leib,
Seele, Geist: leibliche, beseelte, geistige Geschöpfe. Dem *Descensus* als Ausgang dabei entspricht ein *Ascensus* als Eingang.
(Tauler). Metast. 4, 151. S. Geist, Leib.

Segen und Fluch der Creatur, drei Sendschreiben darüber
an Prof. Görres (1826). 7, 71 ff. Alles Seiende ent- und besteht nur in Kraft eines Segens. Seg. u. Fl. 7, 116. vgl. Br.
15, 435. Segnungen, die vom Schöpfer auf das Geschöpf
absteigen, und Segnungen, die vom Geschöpf zum Schöpfer
aufsteigen. Seg. u. Fl. 7, 111 und überhaupt im 3. Sendschreiben. Segnungen der göttlichen Gerechtigkeit. Ebd. 7, 139.,
der Herrlichkeit. Ebd. 7, 142., der Lobpreisung Gottes. Ebd.
7, 144. Segen der gesammten äussern Natur durch den Menschen. 2. Cap. d. Gen. 7, 231. Segnungen und Weihungen,
Handauflegung &c. bei Opfern. Opf. 7, 310. Segnen = Con-
secriren, namentlich in der Eucharistie. Opf. 7, 397. Segens-
macht des guten Willens bei Speisen, Arzneien &c. Fragm.
4, 46. vgl. 48. Doppelter Segen und Fluch. Solid. Verb.
4, 301 ff.

Sehen kommt nur durch eine Conjunction zweier Functionen,
einer activen (des erfüllenden und gestaltenden Geistes) und
einer passiven (des leiblichen Princips als Spiegelwesens) zu
Stande. Ferm. 2, 362. Es ist zu unterscheiden positives Sehen,
negatives Sehen (Unvernunft) und Nichtsehen. Ferner inneres
und äusseres Sehen. Letzteres kann (in der Ekstase &c.) leicht
verdrängt werden. Zwiesp. 1, 367 ff. Es gibt ein Sehen,
Hören, Fühlen &c. von Innen heraus und von Aussen herein.
Centr. Sees. 4, 185. Sehen in Zeit- und Raummaße und Sehen

in Zeit- und Raumferne. Der Nexus beider in einem Dritten. Div. 4, 70. Seh- und Wirkungsorgan bei Fernwirkungen ist nicht die ponderabele Materie. Fragm. 4, 49.

Seher, der — oder Prophet sieht in Vergangenheit und Zukunft, weil ihm ein Blick in die Gegenwart aufgeschlossen ist. Spec. Dogm. 8, 113 ff. Seher oder Verzückte = Wahnsinnige, Träumende, Trunkene. Göttliche Thorheit bei Paulus und Plato. Metast. 4, 156. Sehertalent bei Magnetischen. Fragm. 4, 48. Dasselbe ist durch bloße physische Berührung mittheilbar. Ekst. 4, 16. Die Seherin von Prevorst. Schr. (1829) 4, 141 ff. vgl. Br. 15, 482. Nach ihr der Process im Zeitleben ein Fortzählen. Spec. Dogm. 9, 21.

Sein schliesst in sich ein Enthaltensein und Enthalten und ist nur als Mitte beider zu begreifen. Anthropoph. 4, 240 ff. Das (alleinige) Sein Gottes ist die Regel, das des Geschöpfes die Ausnahme (exceptio firmat regulam). Endl. Geist 7, 188. Das wirksame und das ruhende Sein des Schöpfers (δύναμις ἐνεργητική, ἀνεργητική). Segen u. Fl. 7, 146. Das stille und das laute Sein. Aphor. 10, 312. Vom Schein kann man auf das Sein schliessen. L'hom. 12, 206. Es gibt kein Sein, das nicht gewusst wird (Fichte). Oeuvr. 12, 447. Die Lehre J. Böhme's vom verborgenen Sein, der Sucht und dem offenbaren Sein, verglichen mit der Hegel's von Sein, Nichtsein, Dasein und der Schelling's von Seinkönnen, Sein und Sein des Seinkönnens. Rüge 3, 325. Spec. Dogm. 9, 184 ff. Solid. Verb. 3, 339 ff. Anm. Myst. Magn. 13, 172. Ferm. 2, 348. (S. Hegel, Schelling.) Sein und Werden. Aphor. 10, 323. — Nicht was eine Sache ist, sondern was sie für mich bedeutet, ist eigentlich zu fragen. Tageb. 11, 363 ff.

Selberwissen, s. Selbstbewusstsein.

Selbheit, die Zerstörung der natürlichen — bedingt die Gottesliebe. Aph. 5, 210 ff. Sie muss von der Creatur aufgegeben werden. Endl. Geist 7, 180 ff. Die Vermengung der schlechten Selbheit mit der rechten ist die Ursache, wesshalb man entweder dem intelligenten Geschöpfe absolute Freiheit zuschreibt oder seine Persönlichkeit in der Allgemeinheit untergehen lässt.

— Spec. Dogm. 9, 160. Die endliche Selbheit muss in Bezug
auf die absolute selblos sein (Gottleiden, Gottempfinden). Spec.
Dogm. 8, 210.

Selbst, selbstisch, selbstlos. Das totale Aufgehoben-
sein meiner selbst beweist, dass das Gegenwärtige (Aufhebende)
nicht selber wieder eine Creatur, sondern der Unendliche selber
ist. Comment. 13, 826 ff. Selbstlosigkeit der materiellen
Wesen. Seg. u. Fl. 7, 113. Die Natur als selbstlos ist gut,
selbstisch böse. Seg. u. Fl. 7, 98 ff. Selbstloses und Selbstisches.
Aphor. 5, 251. Selbstisch-Persönliches und selbstlose Natur
setzen sich beständig in einander über. Rel. Erot. 4, 194.
Erschaffung der selbstischen (intelligenten) Creaturen, Labilität,
Abfall, Entzweiung. Negativität derselben. Endl. Geist 7,
167—169. Versuchungs- und Opferfeuer. Ebd. 7, 176 ff.

Selbstbeachtung, Selbsterkenntniss. Erstere = Gewissenserforschung. Tageb. 11, 6 ff. 163. Selbsterkenntniss =
zu sich selber kommen, γνῶϑι σεαυτόν. Das tiefste Geheimniss in uns, vor allem zu erstreben. Tageb. 11, 48. 101 ff.
405. Die Selbsterkenntniss des Menschen führt zur Erkenntniss dessen, was über, um und unter ihm ist, ist aber Gottes
Gabe, kein Selbstgemächte. Spec. Dogm. 8, 202. Die Selbsterkenntniss bedingt die Erkenntniss des Andern, diese nimmt
aber auch die Farbe jener an: *(scimus quod sumus).* Spec.
Dogm. 8, 229.

Selbstbewusstsein Gottes = Sich-selbst-Manifestation. Gott
ist der Sich-selber-formirende. Einl. 12, 45 ff. S. Offenbarung,
Dreizahl &c. Das Selbstbewusstsein des Menschen kommt nicht
bloss durch ihn selbst, noch bloss durch ihn in Verbindung
mit andern Menschen, sondern nur mit und durch eine Conjunction (Rapport) des Einzelnen (des Individuums) mit einem
Universellen zu Stande. Ferm. 2, 207 ff. Alle Constructionen
des Selbstbewusstseins, welche nicht im göttlichen Urselbst-
bewusstsein gründen, müssen misslingen. Bonald 5, 82. Selbst-
wusstsein gibt es nicht ohne Bewusstsein eines Andern. Espr.
12, 271. Sich-, Andere-, Gott-Wissen simultan. Tabl. 12, 176.
Unser Selbstbewusstsein ist dadurch bedingt, dass wir uns von

Gott gewusst wissen. Bonald 5, 95 ff. Selberwissen, nicht =
von sich selber wissen. Heg. Phil. 9, 292. Emanc. d. Kath.
10, 55. Revis. d. Wiss. 10, 258. Das Selberwissen in religiösen Dingen und die Auctorität. Fund. d. Christ. 10, 23.
Das Sichselberwissen jedes endlichen Geistes ist ein nicht-
primitives oder secundäres. Rel. Phil. 1, 193. Unser Selbstbewusstsein findet sich von Anfang an in einer doppelten dia-
lektischen Bewegung, einer evolutionären und einer revolutionären
bezüglich unserer Aufhebung an Gott. Antirel. Phil. 2, 462.
Das Selbstbewusstsein eines Geschöpfes sagt das Etwas-inner-
sich und das Sich-inner-etwas aus und schliesst das Wissen
seines Gewusstseins von einem Höhern ein. Anthropoph. 4, 240.
Drei Momente (Trilogie) des Selbstbewusstseins: *Ipsi insum,
mihi inest, mihi adest.* Inexistenz und Durchdringung. Spec.
Dogm. 9, 33. 94 ff. Selbstbewusstsein des Geistes, sein Ternar und Einfluss der neuern Untersuchungen darüber auf den
Begriff des Erkennens überhaupt. Rel. Phil. 1, 178. Quaternar
des Selbstbewusstsein s. Vierzahl. Ausführlichere Erörterung
der vier Momente des Selbstbewusstsein. Spec. Dogm. 8, 64.
66 ff. S. Bewusstsein.

Selbstentzündung des Opferfeuers. Opf. 7, 311.

Selbstentzweiung (Zwietracht) im freien Geschöpfe, ihr Aufkommen. Vorr. 1, 405.

Selbstgründung, Selbstbegründung. Jede Selbstgründung
oder Verselbständigung kommt durch das Zusammengehen eines
Gegensatzes zu Stande. Ferm. 2, 271. Der Selbstbegründungs-,
Vollendungs- oder Vermittelungsprocess in Gott und in der
Creation. Was J. Böhme dabei nicht bemerkte. Heg. Phil.
9, 306. Das Selbstbegründungsbestreben der Creatur führt zu
ihrer Entgründung. Seg. u. Fl. 7, 79. Naturgeburtsrad; erste,
zweite, dritte Naturgestalt = Dreiuneinigkeit. Unseliges Sein
der von Gott abgekehrten Creatur. *Natura est indigentia
gratiae.* Ebd. 7, 80 ff.

Selbstkrankmachung. Anthropoph. 4, 224.

Selbstliebe, Selbstbewunderung. Rel. Erot. 4, 188.

Selbstmagnetisirung, wohlthätige, durch Gebet, wodurch man sich mit dem Heilande in Rapport setzt. Inn. Sinn 4, 106.

Selbstmord, gewaltsamer, unnatürlicher Tod. Seg. u. Fl. 7, 120 ff. Psychischer-, ein Sich selbst im leiblich übelthätigen Sinne Magnetisiren. Inn. Sinn 4, 106.

Selbstoffenbarung, **Selbstmanifestation** Gottes, ist bedingt durch ein Aufheben und Scheiden der Einheit (aus dem Kreis in die Ellipse mit zwei Brennpuncten). Ferm. 2, 255. Der Process derselben nach J. Böhme: der Ausgang dabei ist ein zweifaches, ein Persönliches und ein Unpersönliches, letzteres dem ersteren als Mitlauter dem Selbstlauter subordinirt. J. B. Theol. 3, 388 ff. Drei Centra darin. Rel. Phil. 1, 226. S. Offenbarung.

Selbstsucht und Persönlichkeitsucht, abnorme und enorme in der Creatur, d. h. Verlust der wahrhaften Selbheit und Persönlichkeit. Rüge 3, 329. — Selbstsucht, Egoismus, der nothwendige und natürliche Charakter jedes Zeitlich- oder Materiell-Lebenden, im Princip Phantasterei, Wahnsinn und Unvernunft. Wahrh. 1, 99 ff.

Selbstunterscheidung (αὐτοδιορισμός) der Einheit, wodurch diese in der Normalität sich zu einer erhöheten Potenz erhebt (mit Bezug auf die Societät). Spec. Dogm. 9, 31.

Selbstverleugnung = Zurücknahme eigener Lüge = Selbstbejahung. Dynam. Bew. 3, 235. Zus. d. Leb. 2, 21. Anm. Sie ist ohne eine höhere gute Lust im Gegensatz zur schlechten nicht denkbar. Kant's Deduct. 1, 15 ff.

Selbstverneinung Gottes als hervorbringende Liebe, welcher die Selbstverneinung der Creatur als Gegenliebe entsprechen muss. Zeitbegr. 2, 59 (83). Anm.

Seligkeit, Vollendetheit, Integrität des Menschen, seine freie, active und totale Gemeinschaft (communio vitae) mit Gott. Indiff. 5, 229. Seligkeit = Gegenwart. Seg. u. Fl. 7, 110.

Semele, Deutung des Mythus darüber: der Creatur kann nicht unmittelbar der Himmel geöffnet werden. Spec. Dogm. 8, 175. vgl. Daphne.

Semler über Besessenheit und Verbrechen als bloss leibliche
  Krankheit. Besess. 4, 255.

Sendung des Menschen in die Welt, um von Gott Zeugniss zu
  geben, bedingt durch den Geisterabfall. Spec. Dogm. 8, 125.

Seneca, über den Begriff des *decretum*, δόγμα. Indiff. 5, 234 ff.,
  über die Natur als Persönlichkeit. Verh. d. Wiss. 1, 347 ff.
  Bonald 5, 186.

Sengler, Katholische Zeitschrift (1830). Br. 15, 465. Schelling's
  Benehmen gegen ihn und Hoffmann 465. Sengler's Schrift
  (1837) ist nicht befriedigend. 560 vgl. 562.

Sensation: Unterscheidung einer centralen Sensation von einer
  bloss peripherischen und excentrischen &c. Schr. (1828) 4, 133 ff.
  Aus den Sensationen können die Vermögen zu Thätigkeiten
  nicht kommen. Des err. 12, 100.   Alle Sensationen sind zwar
  Zeichen, aber nicht alle Zeichen sind Sensationen. Einfl. d.
  Zeich. 2, 132. *Sensatio, appetitio* und *motus*: dieser Ternar
  ist zu unterscheiden von der somatischen productiven und re-
  productiven Function. Ferm. 2, 143.   Aller Sensation liegt
  Schmerz (s. d.) in *potentia* zu Grunde. Ferm. 2, 302.

Sensibilisation, das Princip der — liegt in der Natur; kein
  Geist ist naturlos und eben darum auch nicht sinnenlos. Spec.
  Dogm. 8, 246. 9, 64 ff. Sensibilisationen des Geistes (Geister-
  erscheinungen, Plastik des Gefühles) sind objectiv möglich.
  Mart. Pasq. 4, 128 ff. Sensibilisation ist auch bei centraler
  Einwirkung nöthig. Oeuvr. 12, 450. Alle *connaissance* durch
  sensibilisation. Minist. 12, 417.

Sensibilität, Beispiel einer mechanischen.   Verschieden davon
  die electrische oder magnetische Sensibilität, und noch mehr
  eine organische Innerlichkeit. Incomp. 4, 317. Sensitiv oder
  sensuell, verschieden von sensibel. Rat. Theol. 2, 513. Anm.

Sensus communis; gemeinsamer Wille, allgemeine Menschheit: dieselbe könnte und sollte zwar jeder haben, aber die
  Wenigsten zeigen sie. Ferm. 2, 185. Anm. De Lamennais
  hat den *sensus communis*, entsprechend der *voluntas communis*,
  als Begründung der Philosophie und des Katholicismus zu ver-

wenden gesucht. Polemik dagegen. De Lamenn. Parol. 6, 118 ff. — *Sensus intra sensum*, Stelle aus einem alten Schriftsteller über den Begriff desselben. Alim. 14, 480. Vgl. *loquela intra loquelam, status intra statum*. Spec. Dogm. 8, 331.

Sentimentalisten und Rationalisten sind beide auctoritätslos. Indiff. 5, 231 ff.

Septenar, s. Siebenzahl.

Separation, die — der Babelskinder von den Nichtbabelskindern ist in der Zeit unstatthaft. Opf. 7, 402. S. Lindlianer. Separatismus = Erweckung. Ferm. 2, 204. Separatisten s. Gegner.

Setzen, Aufheben, jenes ist bei Fichte, dieses bei Hegel das vornehmlich Accentuirte. Rat. Theol. 2, 515 ff. Das Fichtische Setzen = Hervorbringen als unmittelbares Thun der Causalität, ohne Eingehen derselben in einen Grund ist eine flache Vorstellung. Spec. Dogm. 9, 176. Fund. d. Christ. 10, 29.

Seufzen der Creatur. Nouv. hom. 12, 255.

Seutter. Ueber landwirthsch. Industrie. Kammern. 6, 220. Anm.

Sextenar oder Senar s. Siebenzahl.

Sextii Pythagorei sentent. „*Deus sicut mens est, quae movetur.*" Zus. d. Leb. 2, 21. Anm.

Shaftesbury, Graf von, Characteristics &c. Bonald 5. 137.

Shakespeare's Schilderung der Gottesscheue (Theophobie) im Macbeth. Spec. Dogm. 9, 48. Evol. u. Rev. 6, 85. S. Gewissen. Hamlet. Versehens. 4, 337. Anm. *Alacrity in sinking.* Mart. Pasq. 4, 123, Anm. Hegel. Philos. 9, 361. *To sleep, perhaps to dream.* Ferm. 2, 309. Vision des Dolches als hinausgetretener Mordgedanke. Centr. Sensat. 4, 136. Vgl. Ekst. 4, 155. Unsterbl. 4, 267. Zeitl. u. ew. Leb. 4, 287. Socialph. Aph. 5, 357. Anm. Evol. u. Rev. 6, 91. Anm. u. 102. Anm. Franz. Revol. 6, 322. Segen u. Fluch: 7, 142. Spec. Dogm. 8, 83. Hegel. Philos. 9, 351. Einl. zum X. Bd. d. WW. p. XXII. ff. „Es gibt mehr Dinge im Himmel und auf Erden, als eure Schulweisheit sich träumt." Haml. 1, 5 ff. Tageb. 11, 10. Anm. 318. Anm. „Meine Ursache ist in meinem

Willen." Privatvorl. 13, 124. Societätsphil. 14, 116. Randgl.
14, 411. 414. Des Err. 12, 92.

Siber, Prof. der Physik, Gedächtnissrede auf den vorm. Oberbergrath Joseph von Baader (1836) mit Verzeichniss seiner
Schriften. Biogr. 15, 23. Anm.

Sich-fasslich-machen einer niedrigern Natur = freiwilliges
Depotenziren oder Sich-zur-Materie-machen. Euch. 7, 6 (18).
Blitz 2, 39. Anm.

Sich-versehen-haben Adam's (s. d.) — des Menschen in
diese Welt. Franz. Revol. 6, 297.

Sichtbare, das — ist überall nur das Bild eines Unsichtbaren.
Affect d. Bewund. 1, 30. Jedes Sichtbare kann nur als
gemeinschaftliches Hervortreten zweier Unsichtbaren begriffen
werden. Spec. Dogm. 8, 354. Nur das Gestaltende (d. h. das
das Sichtbare Hervorbringende) ist das Sichtbarmachende. Begründ. d. Eth. 5, 10.

Siderismus = das Innere (Seelische) der Materie d. h. die
electrischen und unorganisch-magnetischen und die lebens-
magnetischen Processe, nach Ritter (s. d.) und Paracelsus. Br.
15, 703. vgl. 389 ff. Ekst. 4, 34. Centr. Sens. 4, 137 &c.

Siebenzahl und Sechszahl, ausführlich. Endl. Geist 7, 190 ff.
Der Sextenar oder Senar ist der Natur eigen, der Septenar
übernatürlich: *Senarius est indigentia septenarii.* Versehens.
4, 333. Anm. 347 ff. Der Septenar ist das Schema jeder in
sich vollendeten Manifestation. Spec. Dogm. 9, 170. Ueber
die Siebenzahl. Privatvorl. 13, 107. Siebenzahl der Mitwirker
bei der Geburt, Erhaltung und Reintegration der materiellen
Wesen *(spiritus septiformis).* Segen u. Fl. 7, 117. Sieben
Mobilien, 7 Naturgestalten, 7 Natursäulen, 7 Gestirne bringen
alle Elementarrevolutionen hervor. Segen u. Fl. 7, 125. Sieben
Sephirot der Kabbalah = 7 Vitalgeister *(Dei naturae septiformis),* deren *vita propria* (s. d.) zwar von der Persönlichkeit der Dreizahl unterschieden wird, aber doch der Manifestation dieser dient. Die Neunzahl der Creatur, die Zehnzahl
Gott, die Siebenzahl der ewigen Natur eigenthümlich. Die
Tetraktys. Besess. 4, 252 ff. Die Siebenzahl in die Dreizahl

dringend und so zum Sabbath gelangend. Besess. 4, 253. Anm. Sieben Geister nach M. Pasqualis, mit Beziehung auf die Angabe in dem Buch der Maccabäer, dass 7 Zünfte der Juden untergegangen und 5 erhalten seien. Br. 15, 365. Die Siebenzahl in der jüdischen Zeitrechnung (7 Tage, 7 Wochen, 7 Jahre, 7 × 7 Jahre), die Siebengestaltigkeit der Natur und die Siebengestaltigkeit des Geistes. Opf. 7, 320. Geometrische Construction des Septenars. Br. 15, 586 ff. S. Sabbath.

Siegel oder Pfand vom Geiste gesagt, d. h. derselbe bezeichnet nicht bloss Etwas als Besitzthum, sondern setzt einen wirklichen und fortwirkenden Rapport ein (Talisman). Versehens. 4, 351. Anm.

Siegesbeute, durch Besiegung von Irrthum, Lüge, Verbrechen und Aufruhr gewonnen. Verb. d. Wiss. 1, 341. Zwiesp. 1, 359.

Signatur, tiefe Bedeutung dieses Wortes bei J. Böhme. Spec. Dogm. 8, 332.

Sigwart über J. Böhme. Ferm. 2, 302 ff. Anm. Einl. I, LIII. Rel. Phil. 1, 241. Anm. Indiff. 5, 168. Anm.

Silberblicke des Hellsehens == Deckung der innern und äussern Anschauungen. Inn. Sinn 4, 99. Silberblicke oder Blitze, die Conjunctionen des Ewigen und Zeitlichen. Segen u. Fl. 7, 142. == Flüchtige Anticipationen der sacramentalen Vermählung des mit Seele und Leib wieder verbundenen Lichtgeistes im Menschen mit Christus. Versehens. 4, 354.

Silbert. Des h. Augustinus zwei und zwanzig Bücher von der Stadt Gottes. A. d. L. übersetzt von S. (1826). Seg. u. Fl. 7, 146. Anm.

Silesius, A. s. Angelus Silesius.

Simsonisches Räthsel. „Speise ging aus dem Fresser und Süsse (Milde) aus dem Starken (Strengen)." Richt. 14, 14. — Gelöst von J. Böhme. Blitz 2, 27. Ferm. 2, 240. Morg. u. Ab. Kath. 10, 215.

Simulation oder Affectation eines gänzlichen Nichtwissens von Gott, Verwechselung des *Credere Deum* mit *Credere Deo*. Spec. Dogm. 8, 24.

Sinne: Gehör und Gesicht physisch, Geschmack und Geruch

chemisch, Gefühl physiologisch. Tageb. 11, 365. Innerer Sinn, noch kantisch gefasst (?). Tageb. 11, 32. == Einbildungskraft, Blüthe der Sinnlichkeit, in der Poesie wirksam. Ebd. 11, 86. Bei jedem Sinn legt die Sinnenpotenz eine Basis (Materie) aus sich in das Organ, auf die es reagirt. Sehen. Nouv. hom. 12, 253. Gehör, Sprache; Gefühl, Bewegung; Sehen, Leuchten. Nouv. hom. 12, 248. Das Gehör ist der einzige Sinn, der höhere Wirksamkeiten auszudrücken vermag. L'hom. 12, 223. S. Hören. Darstellender Sinn, in Gedanke und Handlung, vermittelt durch Schema und Symbol. Die Vernunft belebt als Geist vermittelst des Symbols den Sinn als Leib == Begeistung in der Kunst. Elemphys. 3, 220 ff. Sieben unsichtbare Mobilien und drei Elemente. Magik. 12, 538. Sieben Pforten des Mithra, sieben Aeonen der Gnostiker, sieben Mobilien. Magik. 12, 553. Bedeutung der Sinne für den Geist. Verhältniss der sieben Naturgestalten zu den fünf Sinnen. Unterschied der geistigen Sinne von den thierischen. Privatvorl. 13, 107 ff. Sinn und Sensibilität findet auch beim naturfreien Wesen oder Geist statt. Spec. Dogm. 9, 64 ff. Die Sinnlichkeit und Wirksamkeit eines nichtverständigen und eines verständigen Wesens sind zu unterscheiden. Des err. 12, 100. Die leiblichen Sinnesfunctionen sind, wenn schon Leiter und Begleiter, doch nicht Quelle und Ursprung unserer Denkfunction und damit identisch — die Fundamentalwahrheit der Philosophie. Bonald 5, 53. Indiff. 5, 211. In Folge des Falles kann jetzt im Menschen kein Gedanke vernehmlich werden, der nicht durch die Sinne in ihn eingegangen wäre. Sinn für das Verständige und Sinn für das Körperliche. Des err. 12, 104. Das Bewusstsein ist unabhängig von den körperlichen Sinnen. Ebd. 12, 130. Die Lehren des Sinnes und der Sinnigkeit. Spec. Dogm. 8, 207. Ueber den innern Sinn im Gegensatz zu den äussern Sinnen. Schr. (1822) 4, 93 ff. Der innere Sinn nicht zu fassen als sechster oder siebenter Sinn neben den äussern. Inn. Sinn 4, 97. Derselbe ist nicht, wie Kant wollte, lediglich subjectiv. Ebd. 4, 98. Sinnestäuschungen bei den innern und bei den äussern Sinnen. Ebd. 4, 101. Die Sinneserregungen von aussen und innen verhalten sich so, dass sie entweder sich verwirren, oder eine die andere verdrängt, oder beide concentrisch zugleich bestehen. Centr. Sens. 4, 136. Der äussere und der innere Sinn nicht trennbar. Versehens. 4, 367. Strenges, minutiöses, alttestamentarisches Sinnenregime bei Geistessensibilisationen. Mart. Pasq. 4, 130. Eine Sinnlichkeit oder Sinnengemeinschaft mit, inner und über unserer irdischleiblichen. Seherin v. Prev. 4, 144. Eine immaterielle Sinnlichkeit und Virtualität zuweilen durchscheinend durch die materielle. Spec. Dogm. 8, 247. Begriff des Sinnlichen und Uebersinnlichen, Natürlichen und Uebernatürlichen. Es gibt ein σῶμα πνευματικόν = double physique. Morg. u. Ab. Kath. 10, 95. 100 ff. Die kosmischen Processe im Makrokosmus wiederholen sich als Sinnenprocesse im Mikrokosmus. Des err. 12, 85. Sinnlichkeit und Hoffartsgeist, Sclavensinn und Despotenlust. Indiff. 5, 125. S. Androgyne.

S i t t l i c h k e i t und Seligkeit (Schelling). Lettr. 12, 430. Anm.

S k e p t i c i s m u s Hume's. Tageb. 11, 415 ff. Den Skepticismus hat Saint-Martin schlagend widerlegt. Des err. 12, 86 ff. Der Skepticismus braucht nicht zu flürchten, dass für seine Speculation der Stoff zum Bewundern ausgehen werde, wenn anders sein Götze nicht etwa die Faulheit und Bequemlichkeit ist. Aff. d. Bewund. 1, 31.

S m i t h, Adam, Nationalöconomische Schriften (seit 1790 von Baader studirt). Tageb. 11, 198. 248. Vermögenl. 6, 132 ff. Staatswirthsch. 6, 171 ff. 179. Büsch 6, 184 ff.

S o c i e t ä t s. Gesellschaft.

S o d e n, Graf von = über die Gesetze des grossen Naturhaushaltes. Holzbau 6, 209.

S o h n, das Wort gleich oder verwandt (auch dem Sinne nach) mit Sunus, Sunu, Sonne, Sonntag, Söhnen, Sühnen, Versöhnen, — Sondern, Asunder, Sünde. Zus. d. Leb. 2, 13. Geist u. W. 10, 5. Erot. Phil. 4, 168. Rel. Erot. 4, 199. Spec. Dogm. 8, 188 &c. Sohn, Wort, Bild, bedeuten dasselbe. Urtern. 7, 135. Anm. *). Der Sohn in der Gottheit heisst vorzugsweise Person (personans). Form od. Maass 2, 525. Die Sohnesgeburt in Gott und in der Creatur; diese ist ein Nach-

bild jener. Evol. u. Rev. 6, 82. Im Princip der Schöpfung
(im Sohne Gottes) hat die Vereinigung (ἑνότης) zweier Wesen-
heiten ewig Bestand, von denen die eine die des Unsichtbaren,
die andere die seiner Schöpfung ist. Evol. u. Rev. 6, 97. —
Sohn (= Mensch), Geist, Natur — Generation, Emanation,
Creation; der Sohn ist erzeugt, der Geist (d. h. das unmittelbar unter Gott stehende Wesen) ist ausgehaucht (emanirt), die
Natur ist erschaffen. Der Mensch kann durch den Sohn an
der göttlichen Generation theilnehmen, der emanirte Geist
emaniren, die erschaffene Natur erschaffen. Zeitbgr. 2, 66 (91) ff.
Die Sohnwerdung des Wortes ist schon von ältern Philosophen
und Theologen häufig verkannt worden. Br. 15, 544. Der
Sohn Gottes musste nach der Auferstehung seine Verklärung
und Vergeistigung suspendiren. Nouv. hom. 12, 258. S.
Schöpfung, Vater, Sohn.

Sokrates, Xenophon's Memorabilien des — Tageb. 11, 152. 415.
Sokrates bei Platon über das Gutwerden durch die Nähe eines
Guten. Zus. d. Leb. 2, 25. Opf. 7, 368. Sokratisches Nichtwissen, höhere Deutung desselben = Gewusstwerden. Zus. d.
Leb. 2, 21. Sokrates liess die Moral vom Himmel niedersteigen. Bonald 5, 48. Sein Reformversuch der Philosophie
sowie der seiner bedeutendsten Nachfolger kann in der Hauptsache doch nur als misslungen bezeichnet werden. Bonald,
5, 50. Sokrates' Lehre, dass die selbsterkannte Wahrheit aller
menschlichen Autorität vorzuziehen sei, von Justinus, dem
Märtyrer († 163), getheilt. Morg. u. Ab. Kath. 10, 162. Nach
Justinus war Sokrates (wie Heraklit u. A.) Christ. Ebend. 10, 165.

Solarische (d. h. central-kosmische) Natur des Menschen. Darnach soll der Mensch in allen seinen Willensgeberden nur Gott
meinen, kein einzeln Bild ausser dem Urbild (Sohn), sondern
nur dieses (und alles Einzelne in diesem) in sich gebären
lassen. Blits 2, 45. Anm. Analogie zwischen dem solarischen Process in der nichtintelligenten und der intelligenten
Natur, oder dem äussern und dem innern (d. h. dem Erlösungs-
process), nach J. Böhme. Zus. d. Leb. 2, 13. Zeitbgr. 2, 85.
Bildungsl. 2, 108 (ausführlich). Ferm. 2, 311. 231 ff. S. Sonne.

Solidärer Verband der Religionswissenschaft mit der Naturwissenschaft. Schr. (1884). 3, 881 ff. — des intelligenten und des nichtintelligenten Seins und Wirkens. Schr. (1887). 4, 295 ff. Solidäre Verbindung der Einzelnen $=$ organische, systematische, wo jedes Einzelne als einzig und von keinem Andern ersetzbar Allen dient und von Allen bedient wird. Reg. Phil. 1, 303. Solidarität (wechselseitige Verbürgung) Aller mit Allen, der sich Niemand entschlagen kann. Spec. Dogm. 8, 220. S. Aberglauben.

Solipsismus, mit dessen Aufgabe, d. h. Demuth beginnt alle Moral. Indiff. 5, 216. Rationalistischer — Rat. Theol. 2, 512. — der Subjectivitätsphilosophie; dagegen Simultaneität und Untrennbarkeit eines Gegeben- und Aufgegebenseins in allem Wissen. Spec. Dogm. 9, 101. S. Gabe.

Solutio corporis fit cum coagulatione spiritus et coagulatio spiritus fit cum solutione corporis. Zeitbgr. 2, 63 (87).

Sömmering, über das Organ der Seele. Elemphys. 3, 226. 238. Anm. Br. 15, 211. 218.

Somnambulismus. Bemerkungen darüber. Erscheinungen von einer Taube, einem Ringe &c. Br. 15, 260 ff. Bericht über eine merkwürdige Somnambule aus dem Jahre 1787. Br. 15, 284. 292. Zur Theorie des Somnambulismus. Br. 15, 288 ff. 292. 302. 334. 338. 341. Bemerkungen darüber mit Bezug auf Hufeland. Ferm. 2, 262 ff. Die Theorie des Somnambulismus von Wirth. Incomp. 4, 320 ff. Die Erscheinungen des Somnambulismus sind eine Abspiegelung des Lebens nach dem Tode. Himmel, Hölle. Ekst. 4, 25. Was unter den Versetzungen (Entrückungen) der Magnetisch-Schlafwachen oder Ekstatischen zu verstehen sei. Solid. Verb. 3, 346. Anm. Das Zurückziehen der Lebensgeister aus dem Kopf nach der Cardia bei den Somnambulen. Ferm. 2, 270. Zuschr. an Kerner 4, 250. Opf. 7, 381. Der Somnambulismus $=$ Bauch- oder Erdrednerei. Begriff der letztern. Div. 4, 42. S. Bauchredner, Hellseher. Die Körperanschauung im Somnambulismus vermittelst eines andern Leibes. Des err. 12, 148. Die Somnam-

bule bedarf der Leiblichkeit ihres Magnetiseurs; ebenso die
Seelen der Verstorbenen unserer Leiblichkeit. Spec. Dogm.
8, 221. Unsichtbarer Verkehr zwischen der Somnambule und
ihrem Magnetiseur. Spec. Dogm. 8, 330 ff. Die Somnambule
ist zwar geisteslahm, aber darum nicht auch im Schauen und
Verständniss etwa hinter ihrem Magnetiseur zurückstehend.
Inn. Sinn. 4, 97 ff. Anm. Kosmisches Bewusstsein der Somnambulen = dunkeles Bewusstsein derselben von einer andern
Welt. Br. 15, 303. Die Somnambulen sagen nicht Alles, was
sie wissen. Rapport 4, 206. Ueber Translocation der Somnambulen. Br. 15, 636. S. Magnetismus, Ekstase, Pein.

Sonderung = organische Gliederung. Societ. 14, 145.

Sonne, Erde, Planeten. Mancherlei über die herrschenden astronomischen Systeme. Minist. 12, 390 ff. Falsche
Auffassung der Centripetal- und Centrifugalkraft, als einander
stets bekämpfender, da vielmehr die Sonne die Planeten (Erde)
trägt (enthaltende Kraft) und mit Leben erfüllt (erfüllende
Kraft). Zeitbegr. 2, 61 (85). Schlechte Vorstellung vom
Sonnensytem, als ob die Planeten nur gleichsam gegen den
Willen der Sonne in ihren Bahnen blieben, da doch die Sonne
die sie in ihrer Bahn erhaltende (ihr Maass und *Tantum*)
ist. Rüge 8, 320 ff. Die Sonne zieht nicht die Planeten
zu sich herab, sondern ist das Maass, das ihnen ihre Bahn
bezeichnet und sie, entgegen der Centrifugalität und Centri-
petalität, darauf erhält; sie trägt die Planeten, corporisirt sie
und hält sie zusammen (Vergleich mit einer höhern Sonne).
Rat. mat. Vorst. 3, 292 ff. Sonne als Lichtquelle das tragende
und corporisirende, gestaltende und stellende Princip für die
um sie kreisenden Gestirne (Planeten). Unsterbl. 4, 279. Die
Sonne als Lichtes = Leichtes ist das Tragende. Spec. Dogm.
8, 234. Die Sonne als Lichtquelle corporisirend und tragend
für die Planeten, nicht sie in sich hineinfallen machend. Bessel
über die polarische (abstossende und anziehende) Kraft der
Sonne. Spec. Dogm. 9, 24. Die Sonne hält die Planeten in
ihrer Bahn (vgl. Suabedissen in der Anm. Hoffm.). Spec.
Dogm. 9, 137. — hält sie in der ihnen zuträglichen Sonnen-

status. Versehens. 4, 389. Sonne = Haupt; durch das
Haupt geschieht die Speisung der Glieder. Seg. u. Fl. 7, 149.
Die Sonne imaginirt. Imaginiren ist auch ohne Intelligenz.
Quart. Qu. 12, 490. Sonnen-, Planeten- und Fixsternsystem.
Einzigkeit des Sonnensystems. Versehens. 4, 379. Die Sonne
ist der einzige offene Punct (Herz, Auge) im Planetensystem
= Lichtträger, indem daselbst das Naturcentrum verschlossen
ist. Oeffnete sich dieses, so würde Finsterniss anstatt des
Lichtes in das System treten. Starres u. Fliess. 3, 276.
Die Sonne und Erde (s. d.) sind beide einzig in ihrer Art.
Ferm. 2, 312. Die Sterne sind keine Sonnen. Vorr. 1, 413.
Anm. Die Sonne vereint Gestirn und Erde. Privatvorl. 13, 80.
Im Sonnensystem gibt es zwei Centra; woher die Ellipsen-
bahn. Nächtlicher und solarer Mittelpunct. Ekst. 4, 12. Anm.
Die relative Unbewegtheit einiger Himmelskörper findet nicht
statt in Bezug auf andere Himmelskörper. Morg. u. Ab.
Kath. 10, 188. Die Sonne verbrennt die Erde, wenn sie
ihr Wasser nicht darin findet. Nouv. hom. 12, 245. S.
Himmel, Astrologie.

Sonne — Christus, Gott, Mensch. Sonne, Sohn (s. d.),
Söhnen. Zus. d. Leb. 2, 13. Jeder Gottesdienst ist ein Sonnen-
dienst. Ebd. 14. In der Sonne ist das Aussere, in Christus
das innere Licht verkörpert oder zu einem einzelnen Bilde
geworden. Zus. d. Leb. 2, 24. Anm. Die Sonne ist das Indi-
vidualisations- und Personificationsprincip in der niedrigern
Natur; ähnlich der Logos. Bildungsl. 2, 47. Die Erdewerdung
der Sonne und Sonnewerdung der Erde in dem Wachsthum
der Pflanze, ein Bild der Menschwerdung Gottes. Blitz 2, 38.
Anm. Br. 15, 302. 305. Das Hervortreten der Sonne am
4. Tage = Auftritt des Erlösers. Tabl. 12, 195 ff. vgl. 171 ff.
Sonnenbild = Gottesbild im Menschen = Ideal. Elem.-Phys.
2, 213. Begründ. d. Eth. 5, 88. Sonne und Jesus. Segen
u. Fl. 7, 83. Anm. *). Sonne, Christus, Verse darüber. Strauss
Leben J. 7, 267. Sonne und Christus, Erde und Mensch.
Aff. d. Bewund. 1, 29. Sonne und Erde, wie Christus in der
Eucharistie und Mensch. Euch. 7, 22. 23. Anm. 26. Anm.

Rel. Erot. 4, 194. Sonnensystem, metallisches Transmutations-
system nach J. Böhme. Besess. 4, 253. Anm. Sonne und
Sterne, Christenthum und Magie des Heidenthums und Judenthums. Mart. Pasq. 4, 118. Mit der eingetretenen Eklipse des
Christenthums ist auch in der Wissenschaft die Sternennacht
des Heidenthums wieder zum Vorschein gekommen. Spec.
Dogm. 8, 31. Sonnenzeit = Hülfs- und Gnadenzeit im Vergleich mit der Zeit im Hades. Besess. 4, 248. Die Menschen-
gedanken sind Keime, die nur die Sonnenwirkung erwarten,
um zu ihrer Verklärung zu gelangen. L'hom. 12, 218. Die
Einzigkeit der Sonne das äussere Abbild der Einzigkeit Gottes
nach Saint-Martin. J. B. Theol. 3, 391. Anm. Die Sonne
durchwohnt die Elemente, wie Gott die Natur. Zugleich wohnt
sie jenen Wesen inne, welche die solarische Substanz in sich
haben, ebenso wie Gott den Wesen, die sein Wort in sich
haben. J. B. Theol. 3, 425. Die Sonne hält und trägt die
Planeten in ihrer Bahn; ebenso will Gott die Creatur durch
Vermittlung der Idea über ihrem blossen Naturleben und unter
seinem Gottleben halten und tragen. Myst. Magn. 13, 186.
Aufgeschlossene, vergrabene Sonne, Sinnbild des Universal- und
Partiallebens, welche letztere nur an ersterem das Complement
zu seiner reellen Existenz finden kann. Verkörp. 2, 7. Hervor-
bringung des Guten in, des Bösen ausser dem Sonnenaspect.
Des err. 12, 91. Sonne und Mensch. Privatvorl. 13, 143.
Sonne und Mensch der einzige offene Punkt in diesem äussern
Universum. Versehens. 4, 379. Sonne und Sterne, Tag und
Nacht, Sinnenerregung von aussen und innen. Gleichseitigkeit
beider. Centr. Sens. 4, 135. Sonne, Sonnenschein, ethisch
gefasst. Tageb. 11, 19. 28. Sonnen und Planeten in der
Menschheit. Politik. Ebd. 11, 36. Vgl. Solarische Natur des
Menschen. (Auch nach Platon ist die Sonne das Abbild (der
Sprössling) des Zeus in der sichtbaren Welt. Staat 6, 506.)

Sophia s. Weisheit.

Sophisten und Pfaffen, Sadducäer und Pharisäer, Liberale und
Servile. Unsterbl. 4, 259. Prolet. 6, 127 ff. Die Sophisten
unserer Zeit. Tabl. 12, 180.

Souffrir. S. Schmerz.

Späth. Gasometrie (1835). Socialphil. Aphorism. 5, 366.

Spannungs- und Abspannungstarif. Unsterbl. 4, 260. Br. 15, 531 ff.

Spaun, ein Herr v. — in München räth alle Mystiker wie Baader &c. wegen der von ihnen in religiösen und politischen Dingen angerichteten Verwirrung lieber gleich todtzuschlagen. Br. 15, 250. Sein Lustspiel. 339.

Souveränität = Unverantwortlichkeit. Constit. 6, 49. — Des Menschen, des Volkes. Wiss. u. Rel. 1, 84.

Speculation (s. Dogmatik), mit Unrecht verachtet. Bonald 5, 108 ff. Das Anathema Heinroth's dagegen ist nur durch eine Vermengung der abstracten mit der wahren veranlasst. Wahrh. 1, 109. Ebenso Aeusserungen wie: Speculiren und Sternebegucken soll man nicht immer; man soll auch geniessen d. h. sich an Bildern erfreuen. Tageb. 11, 20. 26. Mit allem Speculiren sind wir immer ohne Gott. (Pascal). Tageb. 11, 30. Grübeln, Forschen im Gegensatz von Genuss d. h. Gefühl des Daseins unserer selbst und der Wahrheit. Tageb. 11, 152. Speculationsscheue. Weder das Vieh noch der Teufel speculiren. Evol. u. Rev. 6, 108. Das Talent und der Beruf zur Speculation sind nicht gemein. Vorrede 1, 388. Frühzeitiges Abirren der Speculation vom Wahren, indem sie gegen alle Tradition protestirte. Rel. Phil. 1, 171. Gang derselben in der neuern Zeit. Spec. Dogm. 8, 22 ff. S. Philosophie. Speculiren = versuchendes Eingehen oder Fragen = *Rogare* oder *Interrogare*, wenn der Gefragte über oder unter mir steht. *Ora et labora.* Jedes wahrhafte Denken an Gott = Andacht. Spec. Dogm. 8, 344. Ueber die nöthige Anstrengung dabei. *Gratus in otio labor.* Vorr. 1, 391 ff. Man darf, um zur speculativen Erkenntniss zu gelangen, die Mitte der Sache weder abstract-theoretisch überfliegen, noch sich empirisch-practisch in sie versenken. Jeder Unterricht muss empirisch, theoretisch und philosophisch; nicht bloss theoretisch und empirisch oder practisch sein. Evolut. u. Revol. 6, 89. Specu-

lation und Empfindung, jene nicht ohne oder wider diese und
umgekehrt. Spec. Dogm. 8, 207. *Speculatio, Imaginatio,
Generatio, Operatio.* Incomp. 4, 307. Speculation nicht =
Losmachung von dem positiven, in Schrift und Sprache tradir-
ten und bestimmten Inhalt der Dogmatik und Opposition dagegen. Spec. Dogm. 8, 202. *Speculatio fiat intra fidem*
(Daub). Spec. Dogm. 9, 111. Religiosität und Irreligiosität
der Speculation. Indiff. 5, 229. Die Speculation, wie das
Leben, will immer sich selbst, d. h. sein Centrum, seinen
Grund, seine Begründung und Einheit in sich gewinnen, entweder durch selbstische Erzeugung oder durch Theilhaftwerden
an einem schon vorhandenen Grunde. Societ. 14, 62. Speculiren von *speculum,* wie *admirer* von *miroir.* Vorr. 1, 398
Anm. Man muss die Speculation frei gewähren lassen (gegenüber den Rationalisten und den Positivisten). Spec. Dogm.
8, 10. (Anm. Hoffm.). Durch völlige Freihaltung der Speculation ist der freie Bund mit der Religion herbeizuführen.
Elembgr. 14, 30. Obschon durch die Speculation und die
speculative Theologie das beschränkte Concept mancher Theologen getrübt wird, dient sie doch nur zur Verherrlichung der
idealen Natur des Christenthums. Spec. Dogm. 8, 193.

Speeth, Joh. P. (*Moses Germanus*). Einl. III, XXXII. Anm.

Speise, s. Alimentation, Eucharistie. Die Communion oder
Lebensgemeinschaft durch die Speise unter den Speisenden und
mit einem gemeinsamen Höhern. Ihre Analogie mit dem Samen.
Anal. d. Erk. 1, 47. Rel. Erot. 4, 194. Speisen und Brennen
(s. d.). Rel. Phil. 1, 159 ff. Anm. Magenspeise, Herzens-
speise. Rel. Erot. 4, 195. Speise, Willen. Anthropoph. 4, 233.

Speransky. Br. 15, 390.

Sperl, Pfarrer, Brief Baader's an ihn (1819?), seinen philosophischen Standpunct überhaupt und namentlich seine Polemik
betreffend. Br. 15, 355 ff.

Spiegel eines Wesens: die Grundlage dafür gibt, dass die enthaltende Kraft zugleich die vorstellende und zurückstrahlende
ist. Zeitbgr. 2, 84. vgl. 89. Anm. Spiegel = Recipient einer

za's gottesleugnende Lehre. Kant's Deduct. 1, 4. Spinoza
leugnete nicht das Sein, sondern das actuose Dasein Gottes.
Ecce hom. 12, 423. Vgl. Versehens. 4, 386. Anm. 415. Anm.
Spinoza's Pantheismus. Ferm. 2, 353. vgl. 254. Derselbe ent-
sprang aus einem logischen Irrthum, weil er keine *generatio*,
sondern bloss eine *modificatio* des Seienden gestattete. Fund.
d. Chr. 10, 29. Seine eigentliche fixe Idee war nicht: *Ex
nihilo nihil fit*, sondern *ex substantia nihil fit*. Societ. 14, 58.
Spinoza's Irrthum. Vorr. 1, 394. Ein Wesen, das absolut von
sich ist, ist auch absolut für sich, folglich selbstbewusst. Des
err. 12, 87. Spinoza's flacher Gedanke über die Hervorbringung des Unvollkommenen. Magik. 12, 534. Ueber dessen
Satz: *Ideo bonum est, quia appetimus*. Ferm. 2, 179. Indiff.
5, 237. Er leugnet mit Unrecht das Wunder. Rev. d. Wiss.
10, 258 ff. 267. Er vermengt den Begriff der Bestimmtheit
als Position mit dem der Negation (in dem Satz: *Omnis determinatio est negatio* (s. d.). Swedenb. 4, 208. Anm. Rev.
d. Wiss. 10, 265 ff. Spinoza's Naturrecht lediglich auf die
absurde Behauptung gegründet: „Gewalt ist Recht". Indiff.
5, 168. Spinoza's falscher Begriff vom Möglichen. Ferm.
2, 287. Anm. Sein Begriff der Substanz war unvollständig.
Ferm. 2, 401 ff. Spinoza begriff nicht die Möglichkeit des
freien Ineinanderbestehenkönnens eines höheren und eines niederen Willens. Rat. mat. Vorst. 3, 295. Von Spinoza, dessen
Gott das taube unerhörende Gesetz, ging vorzüglich der falsche
und schlechte Purismus in der neuern Moral aus. Socialphil.
Aph. 5, 282. Vgl. Sp. D. 8, 27. 33. Anm. 61. 67. 227. 324.
Anm. 9, 22. 312. 10, 261. 263 ff. Vgl. Hoffmann's Einleitung zum I. Bd. der WW. S. LI. LXVI. und zum II. Bd.
S. XXIII ff. v. Osten Einl. 12, 6 ff.

Spiratio = Aus- und Eingang, kreisendes Kommen und Gehen
(*ire* und *redire*), als Eigenthümlichkeit des Geistes. Form
oder Maass 2, 522. Vgl. Mysterien, Emanation.

Spiritualisten im Mittelalter, Anhänger des *Evangelium s.
Spiritus*. Unsterbl. 4, 261. Anm. Spiritualismus und Naturalismus in der s. g. Identitätsphilosophie seit Fichte. Franz.

Rev. 6, 325. Spiritualisten und Naturalisten $=$ Pharisäer und Sadducäer, als Folge des Unbegriffs des solidären Verbandes von Geist und Natur. Solid. Verb. 4, 300.

Spiritus mundi $=$ das allgemeine Naturindividuum. Ferm. 2, 170. Anm. $=$ universeller Lebensocean. Ferm. 2, 266. $=$ dermalige falsche Spontaneität der nichtintelligenten Natur, als gleichsam erhobene Windsbraut. Ferm. 2, 159. Die Verselbständigung der äussern Natur zu eigenem Geiste (*Spiritus mundi*) tritt ein mit der Entselbständigung, Entgeistung, der höhern Natur im Menschen. Ferm. 2, 271. S. Weltgeist.

Spontaneität, unsere — resilirt nur von einer (höhern) Spontaneität im Wollen und ebenso im Erkennen und Wirken, dem ein höheres Wollen, Erkennen und Wirken sich als Gesetz kundgibt. Kant's Deduct. 1, 9 ff.

Sprache, Sprechen. Simultaneität von Sprache und Gedanken. Ueber den Ursprung der Sprache. S. Herder. Bonald 5, 58 ff. 62 ff. (vgl. Hoffmann's Anm. zu diesen St.). Sprache nicht Anhäufung sinnlicher Merkzeichen, sondern Ausdruck und Frucht des Lebens. L'hom. 12, 204. Die Sprache konnte nicht *per generationem aequivocam* entstehen. Espr. 12, 351 ff. Rousseau über den Ursprung der Sprache. Vorr. 1, 400. Babylonische Sprachverwirrung (Tabl. 12, 185.) und Pfingstfest. Princip für die Urtheilung der Zungen und folglich auch der Völker. Der Sinn der Sprache d. h. ihr wahrhaft Erfüllendes und Gestaltendes ist nach J. Böhme die sensualische oder Natursprache, wogegen mit der anorganischen Zersplitterung und dem Verfall der Sprache blosse Formsprachen eintraten. Ferm. 2, 333 ff. Bonald 5, 70. Mentalische und sensualische Sprache. Babel. Pfingstfest. Br. 15, 659 ff. Die Sprache wird mit blosser Kenntniss ihrer Töne und Gestalten noch nicht verstanden. J. B. Theol. 3, 365. Man hat eine innere oder centrale und eine äussere oder compactirte Sprache zu unterscheiden. Jene bei den Somnambulen. Ferm. 2, 181 ff. Esoterisches und exoterisches Sprechen, λογός ἐνδιάϑετος und προφοριχός. Spec. Dogm. 8, 75. 77 ff. Sprechen oder Nennen $=$ Formiren d. h.

Führen eines ungeschiedenen Inhaltes in seine Geschiedenheit =
Schaffen; daher Formlehre = Wesenlehre. Log. 1, 318 ff.
Nur der Sprechende ist der Selbsthandelnde. Weiteres über
die Sprache. Des err. 12, 157. Sprechen und Schreiben. Des
err. 12, 159. Vgl. Einfluss der Zeichen &c., Hebr. Sprache.
S t a a t : Alle staatswissenschaftliche Theorien ohne Religion sind
seicht und verwerflich. Erot. Phil. 4, 171. „*L'état est athée
et doit l'être*" ist ein schales Wort. Verh. d. Wiss. 1, 343.
Atheistische und christliche *ratio status;* jene ist unverständig,
nur diese verständig. Evol. u. Rev. 6, 92. Es hat bis dahin
noch keinen christlichen Staat gegeben. Rel. u. Pol. 6, 25 ff.
Staatsreligion d. h. Missbrauch der Religion zum Werkzeug und
zur Sclavin der weltlichen Macht. Zeitschr. Av. 6, 34. Vgl.
Kirchenvorst. 5, 402. Staatskirche und Kirchenstaat. Bemerk.
5, 394. Staatswissenschaftliches : Regent, Volksfreiheiten; Be-
schlussfassen, Beschlussausführen; Mitberathung, Mitwirkung;
offene Landräthe, Parlamente, Ständeversammlungen; Corporationen, Argyrokratie; Organismus, Atomismus im Staatswesen.
Ferm. 2, 215 ff. In constitutionellen Staaten gehören die
Proletairs zum nicht mehr gehört werdenden Theile des Volkes.
Vermögensl. 6, 135. Der in beständiger Negativität gehaltene
Staat besteht nur gleich dem Saturnus im Verschlingen anderer
Staaten. Wiss. u Rel. 1, 87. Ueber die Meinung, in der
Verwesung oder Gangräne das Radicalmittel gegen den Revolutionismus zu finden. Geisterseh. 4, 219. Anm. Ueber das
sogenannte Freiheits- oder passive Staatswirthschaftssystem. Schr.
(1802) 6, 167 ff. Stimmensammeln oder Abstimmen ungeschickt
zur Ausmittelung des allgemeinen Willens. Ecl. 12, 437.
8. Auctorität. Die Staatssubstanz ist etwas Immaterielles und
Persönliches. Ferm. 2, 397. Die Vertheilung der Arbeiten
und Gemeinsammachung der Consumtion hat ihr Original in
der Idee eines Organismus, wo alle Glieder von einander und
vom Ganzen leben, Geben und Nehmen, Produciren und Consumiren wechselseitig ist. Verkörp. 2, 5. Staatswirtschaftliches :
Ueber Productionsvermehrung der arbeitenden Volksklassen,
Erfindungen der Technik und Mechanik, Staatspapierverkauf,

Abschaffung der Naturallöhnungen, Geldesherrschaft u. s. w. Vermögensl. 6, 132 ff.

Stadien, zwei — jedes Geschöpflichseienden nach J. Böhme. Elembegr. 14, 37.

Stagnation ist in aller Natur der Anfang des Verderbnisses. Tageb. 11, 181. Die Stagnation in der Religionswissenschaft bei Katholiken und Protestanten datirt sich von den Zeiten der Kirchenspaltung her. Evol. und Rev. 6, 103. Frühzeitige Stagnation und Regress im Christenthum. Spec. Dogm. 9, 14.

Stahl, über Physiologie und Pathologie. Elem.-Phys. 8, 212. Bonald 5, 76 ff. Seine Ansicht, dass die Seele sich ihren Leib selber baue. Bildungsl. 2, 117. Anm. Bonald 5, 76. Ueber den Verbrennungsprocess. Anleit. 6, 254. — Stahl, Julius. Naturr. Gr. 6, 10. Anm. Evol. u. Revol. 6, 87. Anm.

Stahlhütten, die darin stündlich zu machende Beobachtung der momentanen Umgestaltbarkeit des Korns einer roth glühenden Stahlstange durch einen Hammerschlag. Ferm. 2, 299.

Stammbaum der Liebe: Gottes-, Menschen-, Naturliebe (Cultus, Humanität, Cultur). Erot. Phil. 4, 167. Rel. Erot. 4, 198. Cult. u. Cultur 5, 275.

Standschaft, Ständigkeit (Corporation, Gliederung); germanisch-christlicher Begriff derselben. Evol. u. Rev. 6, 88. Ihr Zusammenhang mit der bürgerlichen und socialen Freiheit. Vermögensl. 6, 136 ff.

Stärke, moralische — einer Regierung, d. i. deren Macht über die Gemüther durch Einfluss der Achtung, des Zutrauens und der Liebe. Zeitschr. Av. 6, 38.

Starres und Flüssiges, früheste Andeutung der Lehre darüber. Tageb. 11, 393 ff. Ueber Staares und Fliessendes. Schr. (1808) 3, 269. Vgl. Festigkeit und Flüssigkeit. Starres == Stoff ohne Form, d. h., was Continuität, aber keine Penetranz, mechanische Potenz und dynamische (chemische) Impotenz hat. Starr. u. Fl. 3, 271. Jeder starre Körper besteht aus discreten Moleculen, nicht aber der flüssige. Ferm. 2, 414. Wessbalb dem Flüssigen der Vorzug vor dem Starren gebühre. Ekst.

4, 20. Anm.   Starres, Flüssiges, Gas. Starr. u. Fl. 3, 269 ff.
Die drei Formen des Tastbaren: Starres oder Festes, Fliessendes
und Gas sind eigentlich nicht 3, sondern nur 2, Starres und
Fliessendes, über welchen ein Drittes, das eigentlich Reale
steht, das weder starr noch flüssig ist, aber beiden erst Bestand
gibt. Starr. u. Fl. 3, 273. J. B. Theol. 3, 386 ff. Anm.
S. Substanz.

Stattler's Lehre über den Pabst, von Rom missbilligt. Morg.
u. Ab. Kath. 10, 149.

Status creaturae, dreifacher: *naturalis, gratiae, gloriae.*
Hiernach richtet sich auch ihre Coexistenz oder Inexistenz.
Segen u. Fl. 7, 87.

Staudenmaier (Einl. IV, XXXIII. Anm.) urtheilt höchst befangen und verkehrt über Baader. Ferm. Maass: 2, 528 ff.
Anm.   Seine Kritik Hegel's. Rel. Phil. 4, 241. Anm. Vergl.
Begründungsl. 2, 123. Anm. Ferm. 2, 146. Anm. 147. Anm.
151. Anm. Einl. IX, XV. Ferm. 13, 8. 22.

Staupiz, Büchlein von Gottes Liebe. Morg. u. Ab. Kath.
10, 235.

Steffens. Das Elementarwasser Thräne der Natur. Not. d. temps.
2, 57 (79).   Das Genie kann sich nur in dem Verhältnisse
gemeinsamen und mittheilen, in welchem es seine Eigenheit
erhält. Ferm. 2, 348. Anm. Hohe Bedeutung des Menschen.
Heg. Phil. 9, 428. Anm. Naturr. Gr. 6, 9. Anm. Anthropologie. Div. 4, 82. 89. Anm. Caricaturen des Heiligsten.
Ferm. 2, 169. Steffens': „Was ich erlebte.“ Biogr. 15, 27.
34. 65. Anm.

Stein der Weisen, nach J. Böhme im Katholicismus zwar
befindlich, aber verschlossen. Br. 15, 465. S. Alchymie. Lapis.

Stein, Ludwig. Evol. u. Revol. 6, 95. Anm.

Steinbart. Tageb. 11, 151.

Steinbeck, Verfasser der Schrift: Der Dichter ein Seher &c.
mit einl. Abhandlung von Schubert über den organischen Leib
und die Sprache. Strauss Leb. Jesu 7, 263. Anm.

Steinhart, *Meletemata Plotiniana.* Spec. Dogm. 8, 297. Anm.

Stellung der Creatur im Aufgang ihrer Lebensgeburt (Aufgang des Blitzes) zwischen einem Vor- und Hintersich d. h. einem evolutionären und revolutionären Lebensmoment. Blitz 2, 44.

Stellvertreter, sichtbare — des unsichtbaren Gottes, zwei Odin, zwei Zoroaster u. s. w. Opf. 7, 336. Die Stellvertreter (Advocaten) des Volkes sollen keine Regenten werden. Posit. Rechtsbest. 6, 72.

Sterne: Die Fixsterne sind nicht lichtzeugende Sonnenatmosphären, sondern vorherrschend Feuer. Espr. 12, 313. Die Fixsterne sind nach Schubert (Urwelt) unermesslich dünner, als unsere dünnste Bergluft. Die Erde kein Stern unter Sternen (Herder). Br. 15, 381. 383. 887. Ueber das Sichtbarwerden neuer Sterne. Wenn ein Stern sich bewegt, müssen alle sich bewegen. Tabl. 12, 166. Die Sterne entsprechend den Engeln. Metast. 4, 150. Sterne und Engel, Weise und Hirten. Aph. 5, 274. Morgensterne, die bei der Gründung der Erde jubelten, nicht = unsern Fixsternen. Spec. Dogm. 9, 89 ff. S. Engel. Erde. Sternengeist s. Astrum, Weltgeist.

Stewart, Dugald. Tageb. 11, 206. Ferm. 2, 298. Anm.

Stieglitz. Ueber Magnetismus und Somnambulismus. Ekst. 4, 19.

Stillstand im religiösen Wissen und Erkennen wird von Theologen, Rationalisten, St.-Simonisten &c. mit Unrecht für nothwendig gehalten, indem damit das Christenthum für etwas Verschollenes erklärt wird. Verh. d. Wiss. 1, 343. Zwiesp. 1, 361 ff.

Stoff und **Form** sind in allem Lebendigen nicht mechanisch neben, sondern dynamisch in einander. Kant's Deduct. 1, 6. Auf ihrer Einheit beruht alle Lebendigkeit, auf ihrer Trennbarkeit alle Sterblichkeit. Starr. u. Fl. 3, 271. Stoff oder Materie und Form nicht = Reales und Unreales; auch sind beide nicht gleichgültig gegen einander, sondern sie entstehen, bestehen und vergehen beide mit einander. Log. 1, 316. — Es gibt sichtbare, greifbare und unsichtbare Kräfte und Stoffe; die gemeinsten chemischen Phänomene drängen zur Annahme letzterer. Plötzliches Sichtbarwerden eines kurz vorher noch ganz unsichtbaren Stoffes. Tageb. 11, 166 ff. Qualitätisch-

dynamisch - chemische Stoffumwandlungen bei scheinbar mechanischen Vorgängen z. B. Compression. Elemphys. 3, 286.
Die gewöhnlichen physiologischen Vorstellungen vom Stoffwechsel und die Assimiliation geben keinen Begriff vom Wesen
der Alimentation. Spec. Dogm. 9, 276. Alim. 14, 464. Heg.
Phil. 9, 324.

Stoiker, ihre Theologie ist Physik, Feuerlehre. Wärmest. 3, 30.
Vergl. Hoffm. Vorr. zu Bd. III. S. V. Stoische Philosophie.
Rel. Phil. 1, 277. Anm. Bon. 5, 49. Stoicismus und Epi-
kureismus, Stolz und Niederträchtigkeit. Indiff. 5, 163. 186.
Spec. Dogm. 8, 115.

Stoll, Arzt zu Wien, Lehrer Baader's über Arzneiwissenschaft.
Biogr. 15, 25.

Stolz, nicht bloss Sinnlichkeit (= Niederträchtigkeit), Ursache
der Uebel unserer Zeit. Indiff. 5, 124.

Storchschnabel der Menschenform für das Universum. Magik.
12, 540. Bezüglich des Rapports der Menschen mit Ent-
fernterem. Br. 15, 328. Ferm. 2, 211. Rel. Phil. 1, 292 &c.

Strafe, Strafrecht: Alle Strafe Entfernung aus Gerechtigkeit und
Gnade, der Mensch dabei Organ des strafenden Princips. Des
err. 12, 146. Strafe und Rache zu unterscheiden. L'hom.
12, 206. Strafe des Urverbrechens. Die Höllenpein beginnt
erst recht beim Weltgericht. Segen u. Fl. 7, 134.

Stransky, Freiherr auf Greifenfels: 83 Briefe Baader's an ihn
(1805—1841). Br. 15, 190—640. vgl. Fund. d. Christ. 10, 17.

Strauss Leben Jesu. Schrift darüber (1836) 7, 259 ff. vgl.
Spec. Dogm. 9, 129. 226. Anm. Heg. Phil. 9, 334. Emanc.
d. Kath. 10, 64. Morg. u. Ab. Kath. 10, 211 ff. Strauss,
der Bürgermeister Hirzel und die christliche Gemeinde zu
Zürich (1839). Aphor. 5, 322 ff. vgl. Br. 15, 540. Strauss
dogmatisch - osteologisches Präparat der modernen Theologie.
Rev. d. Wiss. 10, 257.

Streit- und Mordleben in der Finsterniss. Blitz 2, 31. Jeder
Streit beruht in einem von beiden streitenden Parteien für
Wahrheit angenommenen Irrthum. Morg. u. Ab. Kath. 10. 186.
Vgl. Freih. d. Intell. 1, 135. Aphor. 5, 316.

Struensee, Schrift über Staatswirthschaft. Staatsw. 6, 174 ff. 184.

Struve, Astronom. Ferm. 2, 312. Anm.

Studium, das — der Zeichen wird um so schwieriger, jemehr
sie sich von der bloss äussern Region (der Elemente, Mineralien
Pflanzen) entfernen. Aber doch wünschen wir das Unhand-
greifliche und Complicirte ebenso flach und äusserlich wie jene
zu machen; daher zuletzt die willkürlich ersonnenen Zeichen
dafür, um damit das Reich der Gedanken selbst in unsere
Gewalt zu bringen! Einfl. d. Zeichen 2, 135 ff.

Stubr. Die Religionssysteme der heidnischen Völker des Orients.
Spec. Dogm. 8, 335. Anm.

Stummheit als Folge der innern Berührung des Menschen mit
einem vergiftenden Willen. Rat. Theol. 2, 514.

Stunden der Andacht, eine pelagianisch-antichristliche Schrift.
Widmer's August. 7, 57 ff. Segen u. Fl. 7, 115.

Stupor im Gegensatz von *admiratio*. Vorr. 1, 396. Die Hauptursache der Stupefaction unserer Gebildeten. Incomp. 4, 306.

Suabedissen: Einl. IV, I. Grundzüge der Metaphysik. Dogm.
9, 137. Anm. Einleit. 10, 31. 38.

Subject und Object setzen nicht einander, sondern Gott setzt
beide. Daher müsste eine Theorie des Erkennens mit einer
Theorie des Schaffens zusammenfallen. Wahrh. 1, 112. Objectives und Subjectives ist nicht nur bei äusserer, sondern auch
bei innerer Anschauung vorhanden. Elem.-Phys. 3, 217. Dasselbe Object wird vom innern und von den äussern Sinnen
wahrgenommen, nur auf andere Weise. Ekst. 4, 3. 26. Inn.
Sinn 4, 95. Seh. v. Prev. 4, 143. Objectivität der Geistererscheinungen. Incomp. 4, 305. Objectivität des sich durch
innere Rührung dem Menschen Kundgebenden. Renitenz gegen
die Wirklichkeit solcher Erscheinungen. Incomp. 4, 320. Subjectivität und Innerlichkeit sind nicht mit einander zu vereinerleien. Rev. d. Wiss. 10, 279. Ueber die subjective Erklärungsweise der Divination. Div. 4, 73 ff. Subject und Object
müssen einander entsprechen. Des err. 12, 86. Wenn man
unter Objectiv dasjenige versteht, was für alle Subjecte (jeder

einzelnen Region oder absolut) gilt, so ist der gewöhnliche Gegensatz von Subject und Object eigentlich der von Subject und Subject: nur im Gegensatz von: zwei Subjecten kann das Object aufgeben. Ferm. 2, 180. Wechselseitige Objectivität (der Begriff) gründet nur in einer wechselseitigen Subjicirung. Ferm. 2, 227. Objectiv sollte nicht bloss das mir Gegenüberstehende (Gegenständliche), sondern auch das über und unter mir Seiende, d. h. dem ich oder das mir subjicirt ist, heissen. Ferm. 2, 331. Das Object = das (erkannte oder erkennbare) Andere ist entweder selbst erkennend (= dem Subject gegenüber stehend), oder aber selbstlos und empfindungslos (= unter dem Subjecte stehend). Beiderlei Objecte sind zu unterscheiden. Drittens aber kann das Object auch schlechthin über dem Subjecte stehen. Spec. Dogm. 8, 229. Acht Sätze aus der Lehre über Subject und Object. Spec. Dogm. 8, 238 ff. Bisherige Unklarheit der Philosophie über Subject und Object (Fichte): Subjectivität = Intensivität, Objectivität = Extensivität. Spec. Dogm. 8, 161. (Vgl. Object = Product und Mittel des Subjects. Spec. Dogm. 8, 238 ff. und Object = Product, Krone, Oben; Subject = Wurzel, Unten. Segen u. Fl. 7, 87 ff.) Entgegen der herrschenden dualistischen Vorstellung von Subjectivität ist vielmehr die Trilogie des *Ipsi insum, mihi inest, mihi adest* nachzuweisen d. h. die Coexistenz ist durch eine Inexistenz = virtuelles oder geistiges Durchdrungensein eines Seins von einem andern bedungen. Spec. Dogm. 9, 95 ff. Der Process der Subject-Objectivirung. Privatvorl. 13, 118. Die dermaligen Vorstellungen von Subject und Object in den Subjectivitätsphilosophien. Spec. Dogm. 9, 263 ff. Der Subjectivismus Kant's. Begründ. d. Eth. 5, 8. Subjectivitätsphilosophie Kant's, Jacobi's, Fichte's, Schelling's, Hegel's. Spinoza's Atheismus und Antitheismus. Spec. Dogm. 8, 26 ff. Besess. 4, 246. Anm. 2. Object und Subject stehen in Bezug auf Verbrechen, Restauration und Reintegration in solidärem Verbande mit einander. Besess. 4, 247. Anm. Falscher Begriff des Subjects bei Schelling und Hegel, als eines von aller Objectivität sich absolvirt habenden. Br. 15, 518. Ich als Subject kann mich nicht von einem Andern unterscheiden, ohne ihn und mich von einem Dritten zu unterscheiden; also keine Dualität von Subject und Object. Tabl. 12, 176. — Subject = Unterthan, von Unterthun, Unterwerfen, Landeskinder. Tageb. 11, 230. Subjection der Glieder in einem Organismus. *Communio vitae.* Spec. Dogm. 8, 162.

S u b s t a n z , Alleinigkeit derselben nach Spinoza; wie dieselbe zu verstehen sei. Ferm. 2, 399 ff. Gott ist die alleinige Substanz; diese Einheit ist aber nicht eine ruhende, sondern eine geformte und sich formirende. Einl. 12, 46. Alleinige Substanz Gottes; die Creatur hat keine andere Substanzialität, als die ihr von Gott gegebene. Spec. Dogm. 8, 90. Null der Substanzialität einer Creatur. Ferm. 2, 342. Die substanzirende Function der Substanz *(sub-stans)* wird in Spinoza's und seiner Anhänger hölzernem Begriff davon übersehen. Gott, sich seiner selbst entäussernd, speiset Alles. *Descensus* des Wortes. Solid. Verb. 3, 345. Vgl. 347. Der Begriff der spinozistischen Substanz ist abstract, als *Extensum* ohne *Intensum*. Spec. Dogm. 8, 114. Anm. Die wahrhafte Substanz ist die, worin die Cohärenz (des Starren oder Festen), die Confluenz (des Flüssigen) und die Penetranz (des Pneumatischen) — Leib, Seele, Geist — ineinanderfallen. Starr. u. Fliess. 3, 274. S. Starres. Substanz und Essenz (= der Substanz Anfang und Ende). Fund. d. Christ. S. Essenz 16, 32 fl. Substanz und Figur (s. d.) Opf. 7, 352. Anm. Substanzialität = Leib, *corpus*. Ausführlicheres über beide Begriffe. Spec. Dogm. 9, 89. Substanzialität als Nichtgetrenntheit und Nichtconfundirtheit zu fassen. Spec. Dogm. 8, 298. Es ist keine unendliche Theilung oder Vereinzelung der materiellen Substanz anzunehmen, wie Kant wollte, und auch der Begriff der Substanz = Ständigkeit nicht mechanisch oder transfusionistisch (s. Transfusionismus) vorstellig zu machen. Pyth. Quadr. 3, 256 ff. Nur durch die Aufhebung der materiellen Substanz gewinnen Ton, Licht &c. ihre Selbheit. Spec. Dogm. 8, 243.

S u c h e n u n d F i n d e n , Ausführlicheres über die Wechselseitigkeit derselben. Vorr. 1, 397 ff. Suchen ist Selbstthat, Finden

Zusammenstimmen eines Gegebenen mit einer Selbstthat. Ferm. 2, 157. Wer nichts sucht als Gott, findet auch, was er nicht sucht (sich selbst). Spec. Dogm. 8, 160.

Sucht == Begierde, Verlangen, Leidenschaft. Falsche, wahre Suchten. Aph. 5, 250. Eine falsche Sucht kann nur durch Erweckung der wahren Sucht getilgt werden. Spec. Dogm. 8, 281. Alle Sucht (Verlangen) ein Ternar. Quar. Qu. 12, 473 ff. Sucht des Nichts zu Etwas d. h. zu Allem. Vier Momente derselben. Quar. Qu. 12, 496. Unerfüllbare Suchten Espr. 12, 337. S. Verlangen.

Sui conscius, sui compos; Zusammenhang beider. Societ. 14, 77.

Sulzer. Tageb. 11, 20. 22.

Summum crede nefas &c. Rel. Phil. 1, 168. vgl. 157.

Sünde nach Thomas von Aquin. Erläut. 14, 271 ff. 332. 336 ff. 339. Sünde == das Nicht-Gott-, sondern Sich-selbst-Wollen der Creatur; Liebe == Nicht-sich-, sondern Gott-Wollen derselben. Zus. d. Leb. 2, 20. Sünde == Willensrichtung, durch die Gott nicht gemeint wäre, die sich aber in der That nicht geltend machen kann. Blitz 2, 45. Anm. Alle Sünde ist selbstische Kunst und faustische Selbstüberhebung. Privatvorl. 13, 141. Die Sünde ist etwas Reales und Wesenhaftes. Spec. Dogm. 8, 141. vgl. 143 ff. Die Sünde ist keine blosse Geschichte, sondern eine wirkliche und wirksame Macht. Antirel. Phil. 2, 464 ff. Was der Teufel und was wir selbst dabei thun. Gott versucht Niemanden. Tabl. 12, 170 ff. Objective und subjective Verletzung dabei. Der Mensch kann sie, auch wenn er sie allein begehen kann, nicht allein wieder tilgen. Besess. 4, 248 ff. Speculation und Geschichte in Bezug auf den ersten Sündenfall. Spec. Dogm. 8, 129. 133. S. Versuchung. Die erste Sünde des Menschen bestand in dem Versuch, von seinem paradiesischen, nicht irdischen, Fortpflanzungsvermögen einen illegitimen d. h. einen Missbrauch zu machen. 2. Cap. d. Gen. 7, 228. Rat. mat. Vorst. 3, 301. Der Sündenfall war nicht nothwendig. Religionsphil. 1, 328. Societ. 14, 160. Sünde und Tod. Leb. 4, 293 ff. Die Sündenvergebung kann nur von Gott unter Mitwirkung des Menschen geschehen. Ferm. 2, 344.

Supranaturalismus (Spiritualismus) und Naturalismus sind stets vom Verf. bekämpft worden. Vorr. 1, 388. Supranaturalismus, Infravitalismus. Unsterbl. 4, 268. Anm. Opf. 7, 288. Wahrer und falscher Supranaturalismus. Begründ. d. Eth. 5, 5. Anm.

Swedenborg s. Schwedenborg.

Symbol nach Kant = Ineinandersein des Vernunft- und Verstandesrealen in einem und demselben Object. Kant's Deduct. 1, 6. Jedes Geistige hat sein Symbol am Sinnlichen hienieden. Tabl. 12, 172. Symbolik und Semantik jeder That Gottes in der Natur und Bibel. Tageb. 11, 75. Symbolik in der Natur nach Kant, verglichen mit dessen Lehre vom Schema. Begründ. d. Eth. 5, 7 ff. Symbol und Verstandesbegriff schliessen sich nicht aus. So Baader mit Schelling, gegen Jacobi. Br. 15, 199. 202. S. Schema. Symbolische und Hieroglyphenschrift. Einfl. d. Zeich. 2, 129. S. Hieroglyphik.

Sympathie des Menschen mit der aussern Natur und sein imperium darüber, vormals grösser als jetzt. Begründ. d. Eth. 5, 33. Active, passive Sympathie; die Bedingungen derselben. Ferm. 2, 261 ff. Materielle, immaterielle Träger der Sympathie. Ferm. 2, 264. *Sympathia, sympsychia, sympnoia* = Cohärenz oder Consens, Confluenz, Conspiration. Anthropoph. 4, 226. Anm. Worauf die sympathetische und sympsychische Einwirkung beruhe. Spec. Dogm. 9, 67.

Synkretismus in Religion, Wissenschaft, Kunst und Politik, der faule Fleck unserer Zeit. Ferm. 2, 314.

Synode, permanenter Landtag der griechischen Kirche. Biogr. 15, 156.

Synthesis und Analysis in Bezug auf das vernünftige Bewusstsein, insbesondere das Erkennen. Synthesis = Einem glauben. Kant's Deduct. 1, 8. Synthesis des Bewusstseins durch Behalten d. h. stete Reproduction des einmal Aufgefassten. Elemphys. 8, 310. Anm. Die Synthesis einer Vielheit, die einer Einheit dient, kann nicht successiv erfolgen, sondern nur auf einmal durch eine Revolution oder Explosion geschehen. Elemphys. 3, 335.

System: die Schöpfung in ihrem Urstande war ein System, kein Brouillon. Spec. Dogm. 9, 24. Unsterbl. 4, 279. Versehens. 4, 338. Das System aller geschaffenen Dinge, wovon Jesus als Erstgeborner vor allem Geschöpfe das Centrum oder der Grund ist, nach Col. 1, 15 ff. Die Mittlerschaft bei der Schöpfung macht die bei der Erlösung (und Verklärung) begreiflich. Solid. Verb. 3, 349. — System = ein nach Principien geordnetes Ganzes der Erkenntniss. Tageb. 11, 373. = Organischer d. i. solidärer Verband aller Wahrheiten und aller Wissenschaften. Aph. 5, 249. Vgl. Methodik. Das System ist nur durch Nachconstruiren zu finden. Opf. 7, 277. Die wahre Gnosis ist ein Cirkel, den man eigentlich nicht nach und nach sondern nur auf einmal fasst. Eben damit beweiset sich das Systematische der Gnosis, da jeder einzelne Begriff zum Centrum, dieses wieder zu allen andern Begriffen führt und weiset. Societ. 14, 160. Spec. Dogm. 8, 11. Systematisches (philosophisches) Erkennen verhält sich zum begrifflichen Aggregat (dem bloss gelehrten Erkennen), wie organisches Erkennen zum unorganischen. Unterschied des Systems und blosser Systematisirung. Rel. Phil. 1, 302 ff. Ein philosophisches System kann so wenig als ein organisches aus den Trümmern anderer Systeme erbaut werden. Bonald 5, 50. Missbrauch, den man mit den Worten „System" und „systematisch" treibt. Vorr. 1, 391. Ein systematischer Gedankengang ist nicht bedingt durch das ins Auge Fallen eines Schematismus von a, b, c. Rel. Phil. 1, 153 ff. Ein systematischer Gedankengang ist wohl auch ohne a, b, c möglich. Was Alles noch zu thun und abzuthun ist, bevor man zur Aufstellung eines Systems schreiten kann. Spec. Dogm. 8, 197. Zum System ist nicht nothwendig, dass die Gedanken numerotirt in Reih und Glied aufgestellt sich zeigen. Die Hauptsache ist der innere Zusammenhang der Philosopheme und dessen ist sich der Verf. bei seinem Systeme bewusst. Spec. Dogm. 9, 13 ff. Ueber Baader's Nichtsystematik. Einl. 12, 40. — *Système de la nature.* Tabl. 12, 194.

T.

Tacitus, Zeugnisse über die Moralität der Germanen. Urs. d. Leicht. 6, 331 ff.

Tagebücher. Schr. (1786—93). 11, 1 ff.

Tafel, Fundamental-Philosophie in genetischer Entwickelung. Wahrh. 1, 131. Anm. Indiff. 5, 140. Anm.

Talismann, Amulet = geschriebenes Wort. 2. Cap. d. Gen. 7, 228. Magische Gewalt der Talismane und Figuren. Schub. 1, 62. Talisman schliesst den Begriff eines Knotens ein, d. h. das, was einen wirklichen und fortwirkenden Rapport einsetzt. Versehens. 4, 351. Anm.

Tappehorn über Association u. s. w. (1834). Evol. u. Rev. 6, 95.

Tatianus über den Weltgeist. Rel. Phil. 1, 279. Anm. Ueber den Logos. J. B. Theol. 3, 407 ff.

Taufe und Abendmahl, entsprechend der Beschneidung und dem Blutopfer im alten Testament. Heg. üb. Euch. 7, 250. Das Verhältniss von Taufe und Erbsünde. Spec. Dogm. 8, 119. Die Bedeutung der Wasserbenetzung und der Namengebung bei der Taufe. Seg. u. Fl. 7, 128.

Tauler, seine Werke, Ausg. von 1522. (Baader 1810 durch Schubert zugekommen). Br. 15, 238. Eine Stelle daraus über die Gelassenheit. Br. 15, 276. 349. Anm. Kein Ueberzeitliches hat ein Warum ausser sich. Ecce hom. 12, 423. Vergl. noch: Kath. u. Prot. 1, 80. Rel. Rhil. 1, 212. Ekst. als Met. 4, 151. Anm. Begr. d. Eth. 5, 80. Anm. Soc. Aph. 5, 263. Anm. Seg. u. Fl. 7, 95. Spec. Dogm. 8, 25. Anm. 67. 208. Anm. 342. 9, 203. 245. Fund. d. Chr. 10, 30. 36. Morg. u. Ab. Kath. 10, 98. Relig. Aph. 10, 290. Anm. 323. Soc. Phil. 14, 30. Biogr. 15, 58. Br. 15, 428. Ueber die Geburt des Sohnes (Gottesbildes) im Menschen. Blitz 2, 44. Anm. Ueber die Identität von Erkennen und Gebären. Bildungsl. 2, 109. Ueber die Vernunft. Spec. Dogm. 8, 24. Ueber das Sichverlieren und Sichfinden der Creatur in Gott. Dein Verlieren ist dein Fund. Ferm. 2, 227 ff. Fund. d. Christ. 10, 30. Gott allein geht ohne Bild in uns. Nouv. hom. 12, 242. Ueber eine Stelle im Menschen und in jeder intelligenten Crea-

tur, bis in welche keine Creatur eindringen kann. Incomp.
4, 819. Anm. Elem. 14, 30.

Taute's Religionsphilosophie. Einl. III, XXXIX. Anm. Dynam.
Beweg. 3, 286. Anm. Einl. IV, XXXIX. Einl. V, XV.
Anm. XXIX. Indiff. 5, 160. Anm.

Technicismus des Denkens in Bezug auf die bildende oder
umbildende Bearbeitung eines Vielerlei des Gemüthsstoffes.
Elemphys. 3, 238.

Teleologie, physische, ethische. Begründ. d. Eth. 5, 7.

Telliamed ist (durch Versetzung der Buchstaben) Demaillel
(Verfasser der Schrift: *Entretiens d'une philosophe indien*
avec un missionaire français sur la diminution de la Mer,
la formation de la Terre, l'origine de l'homme &c. 1749).
Minist. de l'h. espr. 12, 389.

Tellurische Sensationen nach Kieser. Centr. Sens. 4, 137.

Temperatur = jene Wärme, welche, als die einem Leben
oder Leibe gedeibliche, dessen Bestand sichert = die durch
das Sonnenlicht bewirkte rechte Verbindung zweier Factoren,
der Hitze und Kälte (des heissen und kalten Brennens). Bildungsl. 2, 108. Spec. Dogm. 9, 243. Temperatur einer Materie
= Moment ihrer Expansivkraft in Vergleich mit dem einer
andern Materie. Pyth. Quadr. 3, 258. Alle Kräfte und Eigenschaften liegen im unanfänglichen Gott in Temperatur (ein
besserer Ausdruck, als Indifferenz). J. B. Theol. 3, 425.

Tennemann. Seine Uebersetzung (1806) des Werkes von *De-*
gerando: Histoire comparée des systemes de philosophie
relativement aux principes des connaissances humaines
(1804). Bonald 5, 45. Anm. Seine flache Beurtheilung J.
Böhme's. Ferm. 2, 349. Anm. (Tennemann's Geschichte der
Philosophie X, 183 ff.)

Ternar, s. Dreizahl.

Territorialbeschränkung in Bezug auf religiös-kirchlichen
und scientifischen Verkehr hat die intellectuelle Verarmung der
Nationen, gegen welche sie geltend gemacht wird, zur Folge.
Freib. d. Int. 1, 146.

Tertullian über Regent und Unterthan. Freih. d. Int. 1, 139.

Anm. Indiff. 5, 177. Ueber die Macht des Christenthums und deren Verkennung von Seite der Heiden. Indiff. 5, 182 ff. S. Häresie, Leib. Ueber *ratio* und *sermo* (Sophia und Logos). Rel. Phil. 1, 300. *Aliud longe tertium est, quam utrumque.* Br. 15, 441. Sein Irrthum in Betreff des λόγος ἔνϑετος (ἐνδιάϑετος) = Sohn und des λόγος ἔκϑετος (προφορικός) = Sophia, Idea, Gott und Welt vermittelndes Gottesbild. Vorr. 1, 406. Sein doppelter Irrthum in Betreff des Ausganges des Logos, als sei derselbe die Bedingung der Schöpfung und sogar die Hypostasirung des Logos gewesen. Spec. Dogm. 9, 27. vgl. Beil. 2, 526 ff. (mit Bezug auf Schelling's ähnliche Lehre). Myst. Magn. 13, 193 ff. (Spinoza, Schelling, Hegel). Tertullian lässt den Sohn nur mit dem Schöpfungsacte persönliches, selbstisches Sein gewinnen. Aehnliche Irrthümer bei Origenes und andern Kirchenvätern. Myst. Magn. 13, 192 ff. Doch kennt er die Natur in Gott. Rel. Phil. 196. und noch merkwürdiger lehrt er die Inseparabilität, Indivisibilität und Unverminderbarkeit der göttlichen Substanz. Anthropoph. 4, 224. Spec. Dogm. 8, 86.

Teufel, die Beweise seines Daseins gegen die Zweifel Jacobi's vorgelegt. Br. 15, 172. Dessen Existenz (als creatürlicher, persönlicher Geist) anzuerkennen, ist kein Aberglaube. Wahrh. 1, 116. 132. Rat. Theol. 2, 510. Div. 4, 84 ff. (vgl. Daub). Ob die Juden die Lehre davon erst aus der babylonischen Gefangenschaft mitgebracht haben. Myst. Magn. 13, 176. Die Leugnung des Teufels ist nur unter Hülfe des Teufels möglich. Versehens. 4, 359 ff. Anm. Der Teufel wollte in Allem zugleich wie Gott offenbar und in Allem mächtig sein. Ferm. 2, 118 ff. Der eigentlich satanische Character besteht in Hass alles Höhern und bloss desshalb, weil es höher ist. Divin. 4, 86. Antirel. Phil. 2, 467. Rel. Phil. 1, 234. Napoleon nannte ihn das *Génie du mal.* Göthe über ihn. Br. 15, 313. Baader sucht ihn bei den Ohren zu halten. Ebd. 378. Er ist nicht das absolut Böse. 409. Er ist während der Dauer der Zeit noch nicht in der Hölle. Tabl. 12, 174. Minist. 12, 887. S. Strafe. Der Teufel ist in Göthe's (s. d.) Faust unwahr ge-

schildert. Spec. Dogm. 8, 324. Zerstören kann der Teufel
u. s. w. Heg. Phil. 9, 294. Vgl. Zerstören kann der Hegel &c.
Br. 15, 453. S. Satan, Lucifer, Dämonen, Engel, Geister.
Thaer, Einleitung zur Kenntniss der englischen Landwirthschaft.
Staatswirthsch. 6, 172.
Thales. Minist. 12, 389. Heg. Phil. 9, 361. Bonald, 5, 48.
Tageb. 11, 153.
That, Thätigkeit, Thun: Das Thun des Schöpferwillens ist
constitutiv für die Creatur d. h. sich selber mit all ihren Vermögen und disponibeln Kräften setzend oder entsetzend, wesshalb ihm die Creatur direct keine Action entgegen zu setzen
vermag. Widmer's August 7, 55. Anm. Dreifache Abhängigkeit
der Creatur vom nichtcreatürlichen Thun, indem dieses dem
Thun der erstern a) vorgeht, b) assistirt oder resistirt und
c) folgt (begründet, leitet, bekräftigt): *in Deo, cum Deo, per
Deum.* Ebd. 7, 55. — That = *factio* und = *factum*,
letzteres eine Triplicität: Bestimmendes Sein (Causalität, *concipiens*), bestimmtes Sein (Grund, *conceptum*), thuendes Sein
(*explicans*), welche alle drei in die That (*explicatum*) ausgehen. Spec. Dogm. 9, 180. S. Dreizahl, Vierzahl. — Durch
die That wird der vorher Unschuldige gut oder böse. Ferm.
2, 143. Jede gute und böse That des Menschen substanzirt
sich geistig in ihrem Product (Bann, Heiligthum, Sühnung,
Erlösung). Ferm. 2, 343. Nur die Thuenden sind die Wissenden.
Inn. Sinn 4, 97. Das Thun des Vaterwillens war für Christus
eine himmlische Speise, weil der Wille nur von einem und
für einen Willen lebt. Rat. Theol. 2, 508. Anm. Positiv
tödtende (nicht bloss einen Lebensmangel bezeugende) und positiv
belebende Thätigkeit in allem Geschöpflichen. Societ. 14, 129.
Thätigkeit der Wärme bei den Luftbildungen. Wärmest. 3, 117.
Thaulow. Einl. IV, XXXV. Hegel's Ansichten über Erziehung
und Unterricht (1853).
Theil, theilhaft: S. Ganzes. Theilhaft, nicht Theil. L'hom.
12, 205. Theilsein von einer Substanz und Theilnehmen oder
Theilhaftsein an ihr ist zu unterscheiden. Ferm. 2, 399. Theil-
haftgewordensein der Creatur an der göttlichen Natur ist nicht

Homousie mit letzterer oder Zusammengeschlossenheit mit ihr.
Spec. Dogm. 9, 50. Theilhaft- oder Nichttheilhaftsein der geschaffenen endlichen Wesen an der göttlichen Natur in den
verschiedenen Stadien ihres Daseins. Wahrh. 1, 122 ff. Theilhaftsein der Creatur nicht nur am Creator als Geist, sondern
auch an dessen Wesenheit oder Natur. Solid. Verb. 4, 298.
Theilhaftsein der Creatur an Gottes schöpferischer Macht und
Sohnschaft. Versehens. 4, 360. Theilhaftwerden des Menschen
an der neuen Beleibung in Christus. Antirel. Phil. 2, 450.

Theiner, Einführung der erzwungenen Ehelosigkeit bei der
kath. Geistlichkeit. Emanc. d. Kath. 10, 62. 75. Br. 15, 604.

Theiner, Augustin. Geschichte des Pontificats Clemens XIV.
(1852). Rückblick auf Lamennais. 5, 389. Anm.

Theismus des Christenthums ist überall in Dunstwolken ver-
schattet (hamannische Stelle). Tageb. 11, 50 ff. Miserabler
Dualismus eines den Naturalismus verleugnenden Theismus und
eines den Theismus verleugnenden Naturalismus. Spec. Dogm.
9, 158. Von einer Trennung des Theismus und Naturalismus
weiss die Religionsdoctrin des alten und neuen Testaments
nichts. Heg. Phil. 9, 351 ff. Ihre Getrennthaltung ist der
Grund des Verfalls der Religion. Em. d. Kath. 10, 65. Vgl.
Theologie und Naturwissenschaft. Em. d. Kath. 10, 61.

Theogonie, zu welcher der Mensch als Mitwirker berufen ist.
Spec. Dogm. 8, 124 ff. 136 ff. S. Process.

Theokratie, verleugnet vom ethisch-republicanischen Spiritualismus. Urt. 7, 37. Anm. Theokratie soll auch bei der Scheidung
der höchsten Gewalten bestehen. Unterordnung des Staates
unter die Kirche ist nicht die wahre Theokratie. Ecl. 12, 486.
438. Bestand und Fortbestand eines esoterischen und zwar
theokratischen Weltregiments. Des err. 12, 142. Theokratie und
Dämonokratie in der neuern Zeit. Rel. u. Pol. 6, 26. S. Gesellschaft. Ueber den Begriff der Theokratie mit Beziehung
auf den Katholicismus. Aph. 5, 312 ff.

Theologie und Philosophie waren ursprünglich eins, wie in
der Theokratie Priesterthum und Königthum. Ihre Scheidung
kann recht gefasst für die Fortbildung der Religionswissenschaft

nur förderlich sein. Spec. Dogm. 8, 54 ff. Nothwendigkeit,
die Theologie als speculative Dogmatik über den Bereich einer
blossen Fachwissenschaft hinaus auszudehnen und sie zu einer
centralen und universellen Religionswissenschaft zu erheben.
Spec. Dogm. 8, 313. vgl. Vorr. 1, 418. Theologen und Nicht-
theologen bedürfen einer speculativen Dogmatik. Spec. Dogm.
8, 208. Die practische, theoretische und speculative Kenntniss der Theologie ist ebensowohl zu unterscheiden, als in der
richtigen Weise mit einander zu verbinden. Religionsphil. 1,
336 ff. Zwischen der speculativen und historischen Theologie
ist keine Opposition. Mit letzterer soll nicht angefangen, sondern
geschlossen werden. Spec. Dogm. 8, 50. Speculative Theologie = doctrineller Mystik = Religionsphilosophie. Spec.
Dogm. 8, 225. Missverstand einiger Theologen in Betreff der
über den Begriff der speculativen Dogmatik vom Verf. aufgestellten Lehren. Spec. Dogm. 8, 314 ff. Es gibt drei Un-
theologien, eine blindauctoritätsgläubige, eine pietistische, eine
rationalistische, und eine vierte Theologie. Fund. d. Christ.
10, 19. Emanc. d. Kath. 10, 60. — Theologanten, welche
die Geburt des Christs in uns für eine Phantasterei erklären.
Spec. Dogm. 9, 168. — Dreifache Theologie der Heiden nach
Thomas von Aquin. Erläut. 14, 332.

Theologie, Anthropologie, Physiologie, die Bestand-
theile der Philosophie. Aphor. 5, 254. 259. Revis. d. Wiss.
10, 255. Desgleichen Theologie oder Gotteslehre, Physik oder
Naturlehre und Moral und Politik oder Gesellschaftslehre. Bonald
5, 57. S. Naturphilosophie. Das dreifache Verhalten des Menschen
in Bezug auf seine Erkenntniss von Gott, Mensch und Welt
ist vorerst vom anthropologischen Standpunct aus zu bestimmen.
Spec. Dogm. 8, 225.

Theon von Smyrna, *Expositio eorum, quae in mathematicis
ad Platonis lectionem utilia sunt.* (Paris 1646). Ueber die
Siebenzahl. Endl. Geist 7, 190 ff.

Theophanien, die Furcht davor verschwindet erst mit dem
Eintritt des Christenthums. Ferm. 2, 289.

Theophobie, Christophobie, Hydrophobie. Heg. Phil. 9, 296 ff.

Theorie und Praxis, ihr naher Zusammenhang. Indiff. 5, 129 ff. Rel. Phil. 1, 191. Fragmente einer Theorie des Erkennens. Schr. (1809) 1, 49 ff. Theorie des Mundus. Begründ. d. Eth. 5, 41.

Theosophie J. Böhme's und das Evangelium Johannes (1, 1—4). Ferm. 2, 402 ff. Theosophie und Kosmosophie oder Physiosophie = *Christiana philosophia et huius saeculi sapientia.* Religionsphil. 1, 323. Theosophie eine erweiterte und modificirte Kabbalah. Magik. 12, 550. Verhältniss der Theosophie zur Speculation überhaupt. v. Osten. Einl. 12, 15 ff. Baader's Verdienst um die erstere. Ebd. 12, 40 ff.

Theresia, heilige. Ueber ein Wort derselben, worin sie sich über das Bedingtsein der Manifestation durch eine Occultation erklärt. Aph. 5, 271 ff. *Souffrir &c.* S. Schmerz.

Theurgische Theorie u. Praxis d. Mart. Pasq. Mart. Pasq. 4, 123.

Thier, allgemeines, nach Diderot. Inwieweit der Erde ein Hervorbringen der einzelnen auf ihr lebenden Geschöpfe beigelegt werden könne. Bonald 5, 110 ff. Gegensatz von Kraft und Widerstand beim Hund, Löwen, Stier und Lamm. Psychologie der Thiere. Espr. 12, 301. Thier, Pflanze, Mineral: im ersten herrscht das Feuer, in der zweiten das Wasser, im dritten das Erdprincip vor. Pyth. Quad. 3, 264. Ferm. 2, 195. Das erste ist ganz, die andere halb, das dritte nur auf erster Stufe von der Erde abgelöst. Metast. 4, 150. Ihr Unterschied in Bezug auf In-, Bei und Durchwohnung von Seiten des Weltgeistes. Ferm. 2, 171. Anm. Mart. Pasq. 4, 126. Anm. Die Insecten stehen über den Pflanzen und Mineralien. Tabl. 12, 175. Unterschied des Menschen vom Thiere. Des err. 12, 120. Bonald 5, 118. S. Himmel. Reihenfolge der Naturwesen in Bezug auf den constitutiven Ternar der bei ihrer Production wirksamen Agenten: 1) Alle drei Agenten sind im Product, keiner ausser ihm (Mensch im Normalzustande, Androgyne); 2) zwei sind in ihm, einer ausser ihm (Thiere); 3) einer ist in ihm, zwei ausser ihm (Pflanzen); 4) kein Agens ist in ihm, alle drei sind ausser ihm (Mineral). Antirel. Phil. 2, 475. Ihr dermaliges Verhalten ist nicht mehr das primitive. Die Bildung der Thiere ist nicht in ruhigem Process vor sich gegangen, sondern trägt die Spuren eines Kampfes mit einem antiorganischen Widerstande an sich. Alim. 14, 465 ff. Das Thier ist nur Leib und Seele, nicht eigentlich Geist. Seg. u. Fl. 7, 151. Die Thiere (nicht die Pflanzen) haben Selbstempfindung und Selbtbewegung oder Immanenz des Lebens, welche letztere mit der Stufe des Lebens steigt und darum absolut bei dem absolut lebendigen und absolut persönlichen Gott ist. Einfl. d. Zeich. 2, 134. Anm. Die Thiere sind von der Aufschliessung des inneren Sinnes nicht ganz ausgeschlossen. Inn. Sinn 4, 96. Der Character des Thieres ist nicht Sensibilisation, Irritabilität, Reproductivität', sondern Empfindung, Begierde, Bewegung. Privatvorl. 13, 150. Obgleich die Thiere ein inneres Princip haben, sind sie doch blosse Sinnenwesen. Des err. 12, 102. Der thierische Instinct ist etwas Anderes wie Ahnung, weil diese nicht stumm ist, sondern man in ihr vernimmt, was man thun soll. Abbrev. 4, 112. Ein Thier hat keine Langeweile. Zeitbgr. 2, 77. Anm. Elembgr. 14, 46. Reine und unreine Thiere, im alten Testament unterschieden nach Maassgabe in ihnen wirksamer, unmaterieller, spirituöser Actionen. Opf. 7, 309. 326. Die Thiere haben kein unglückliches Dasein (Hegel). Des err. 12, 106. — Thierbild = Mann- und Weibthierbild im Menschen; dasselbe muss erst verbleichen, damit das Gottesbild (die Jungfrau) in ihm wieder lebhaft werden kann. Ferm. 2, 225. Bei ethischer Verderbniss stellt sich ein heftiger Trieb nach thierischem Genuss ein, weil die äussere Natur (gleichsam elementarisches Wasser) als Palliativ gegen die innere Entzündung wirkt. Begründ. d. Eth. 5, 23. Anm. Thiere d. h. Menschen, die wie Thiere leben, und Menschen, die wahrhaft Menschen sind. Tabl. 12, 198 ff. Thiermysticismus. Ekst. 4, 28.

Thiers. „Der böse Revolutionär." Biogr. 15, 142. „Die diplomatische Spitzmaus." Br. 15, 675.

Tholuk, die Lehre von der Sünde. Blüthensammlung aus der morgenländischen Mystik. Rel. Phil. 1, 244. Zwiesp. d. Gl. u. Wiss. 1, 381. Anm. d. Herausg. Vgl. Einl. III. XLIX. Anm.

Thomas Anglus protestirte schon gegen die Verwechselung der

Theilbarkeit der Materie mit ihrer wirklichen Theilung. Jene Vielheit (als Theilbarkeit) ist überall nur in Gedanken (Potentia) vorhanden, als projectirte und in ihrer möglichen Ausführbarkeit erst zu erfahrende Vereinzelung. Elemphys. 3, 233.

Thomas von Aquin, Erläuterungen zu Auszügen aus den Werken desselben *(Compendium theologiae, De differentia verbi divini et humani, De principio individuationis, Summa theologiae, Commentaria in epistolas l. Pauli ad Romanos et Ephesios).* 14, 197 ff. (1821 vgl. Biogr. 15, 64). Thomas von Aquin über Erkenntniss und Liebe. Rel. Phil. 1, 116. Ueber das Wissen der Relation des Erkennenden und Erkannten. Rel. Phil. 1, 256. · *Veritas Veritati contradicere non potest.* Freih. d. Intell. 1, 145. 147. Spec. Dogm. 8, 15. Vermögensl. 6, 127. *Deum esse non creditur, sed scitur.* Spec. Dogm. 8, 22. Ueber die dreifache Theologie der Heiden. Erläut. 14, 332. Derselbe unterscheidet bei Gott eine äussere und eine innere Hervorbringung. Seg. u. Fl. 7, 87. Ueber seine Lehre vom Ternar s. Dreizahl. Seine und J. Böhme's Lehre vom *pater = sapientia ingenita = Intelligens ingenerando sibi filium sibi manifestus.* Fund. d. Christ. 10, ·26. Nach ihm ist die emanente Production Werk der ganzen Trinität, des göttlichen Wesens (Substanz). Das Sichzusammennehmen ins Wort ist ein Drei – Einen und diess Wort darf nicht mit dem Wort als zweiter Person verwechselt werden. Seg. u. Fl. 7, 88. Seine Lehre über die Sendung des Sohnes in die Welt und über den Menschen als Schlussgeschöpf. Seg. u. Fl. 7, 90. Er fasst Gott als Endzweck der Welt. Seg. u. Fl. 7, 92. Seine Lehre über das Gute und Böse. Seg. u. Fl. 7, 104. Ueber den Begriff des Segnens. Ebd. 7, 147. Ueber die Sacramente. Ebd. 7, 151. Ueber die Tinctur bei der Eucharistie. Anthropoph. 4, 231. S. Tinctur. Ueber Danksagung. Seg. u. Fl. 7, 152. Vgl. ferner Ferm. 2, 371. Anm. 382. Rel. Phil. 1, 212. Anm. Versehens. 4, 335. Fr. d. Intell. 1, 147. Anm. Rel. Phil. 1, 236. 239. 260. Anm. Religionsphil. 1, 329. Anm. Verh. d. Wiss. z. Gl. 1, 345. Soc. Aph. 5, 257. Heg. ü. Euch. 7, 255. Sp. D. 8, 304. 346. 9, 117. Anm. Heg. Philos.

9, 419. Anm. **Morg. u. Ab. Kath. 10, 293. 288. Randgl.** 14, 294 u. v. a. St.

Thomas von Kempen und J. Böhme. Morg. u. Ab. Kath. 10, 103. Vgl. Spec. Dogm. 8, 331. 9, 116.

Thomassin, Theolog, über den Pabst im Verb. zum ökumenischen Concil. Ferm. 2, 214. Br. 15, 376.

Thorild, *Maximum seu Archimetria*. Posit. Rechtsbest. 6, 56.

Thräne: Wer nie sein Brod u. s. w. Rel. Erot. 4, 193. Thränentaufe. Geist u. W. 10, 5 ff. Thränentaufe von der Magnetisirten am Magnetiseur vollzogen. Fragm. 4, 46.

Tieck, Ludwig, Uebersendung einer Schrift an ihn (1822). Br. 15, 370. Zerbino. Ferm. 2., 323. Br. 15, 238. 407. 412. 661. Vergl. Biogr. 15, 36. Solger's Schriften. Vertheidigung gegen einen Angriff desselben. Rel. Phil. 1, 154.

Tiefe des Gefühls oder Gemüths, entsprechend der Tiefe des Geistes oder der Speculation. Spec. Dogm. 8, 207.

Tilgung des Revolutionismus in seiner Wurzel von den Regierungen allein zu bewerkstelligen durch Rechtthun, insbesondere Haltung der Verträge. Pos. Rechtsbest. 6, 67.

Tinctur, Tingirung, der ältern Physiologen und Chemiker (s. Alchemie). Br. 15, 552. d. h. des Paracelsus und Böhme. Br. 15, 632. - = Nervengeist der Seherin von Prevorst. Solid. Verb. 3, 343. = Astralgeist, Nervengeist, Lebensgeister. Ferm. 2, 269. = Licht, das Wesenheit macht, wogegen Feuer Wesenheit nimmt. Studienb. 13, 342. 345. = Anhauch *(souffle)*; einen solchen setzt die Begierde immer voraus und erst der Begeistung folgt die Beleibung. Begründ. d. Eth. 5, 26. Anm. = durch Imagination (magisches Eingehen) wesentlich gemachte Kraft (Same) zum realen und empfindlichen Eingehen. Irdische, himmlische Tinctur. Adam beim Versuchbaume. Rat. mat. Vorst. 3, 300 ff. = Centrum der ewigen wie zeitlichen Wesenheit als Leiblichkeit = unleibliche Wurzel der Leiblichkeit, welche der Seele bleibt, auch wenn ihr alle Materiatur des Leibes entzogen wird, und mittelst welcher sie eben so wohl ihre Plasticität (auch unbeleibt) ausübt, als nur aus dieser Wurzel ein neuer Leib ihr werden kann. Versehens. 4, 386.

= das Verbindende eben so wohl der Seele und des Geistes, als der Seele und des Leibes, und daher der Sophia in Gott entsprechend. Br. 15, 632. = *Idea formatrix* des Leibes, das spirituöse alleinige Vehiculum der göttlichen Idea und Gottes unentäusserbares Regal. Spec. Dogm. 9, 111. = lebhaftes Geistesbild, *Idea formatrix* und *operatrix* (Auferstehungsleib = eigentlicher Leib) Anthropoph. 4, 233. = Ferment, *Initium substantiae novae* oder *renovatae* (der auferstandene, verklärte Leib Christi). Unsterbl. 4, 269. = *Natura tingens*, z. B. *aquae*, welche in der grössten Wassermasse, wie in dem kleinsten Tropfen als dieselbe unzertheilt präsent ist. Anthropoph. 4, 231. = Natur. Hegel üb. Euch. 7, 255. Den Begriff derselben hat zuerst Thomas von Aquin, der Schüler des Albertus Magnus, auf die Eucharistie angewandt. Spec. Dogm. 9, 117. S. Thomas v. Aq. Weiteres über den Begriff der Tinctur, als Erklärung des Begriffs der Vergegenwärtigung. Heg. Phil. 9, 405. Auf der Mittheilung der Tinctur beruht aller magnetische Rapport zwischen dem Magnetiseur und der Somnambule, wie auch alle Selbstversetzung der Somnambule in andere Orte (ihre *perceptio* und *actio in distans*). Solid. Verb. 3, 346. Ein jeder Leib wird aus seiner eigenen Tinctur. Die (todte) Wesenheit bedarf also der Tinctur, um Leib zu werden. Studienb. 13, 358. Das Tingiren wird dem Geist *(spiritus spiratus)* in Bezug auf Seele und Leib zugeschrieben. Versehens. 4, 350. Die Tinctur ist die Wohnstätte der Idea. Mann, Weib. Versehens. 4, 402 ff. Tincturen oder Potenzen des Mannes und Weibes. 2. Cap. d. Gen. 7, 234. In der spirituösen Tinctur des Blutes wohnt die Seele. Opf. 7, 310. Vis sang. 4, 424. Tingirender Lebensbalsam, der bei zerbrochenem Gefäss ausströmte. Opf. 7, 360. Die himmlische Tinctur als Kraft von des Vaters Feuerglanz und des Sohnes Lichtglanz hat eine doppelte Function, das natürliche Feuer zu löschen und das göttliche Feuer zu entzünden. Fund. d. Christ. 16, 39. Vgl. ferner über Tinctur und Tingirung. Spec. Dogm. 9, 199. 213. 220. Opf. 7, 386. Confusion, Trennung, Union der Tinctur. L'hom. 12, 229.

Titsingh, über Japan. Naturrechtl. Gr. 6, 8.

Tod, der furchtbare Bruder, ist überall mit in die Consultation zu nehmen. Trauern ist besser als Lachen. Tageb. 11, 100 ff. Vgl. Elembgr. 14, 40. Furchtbarkeit des Todes für uns. Des err. 12, 96. Tod und Leben, Schöpfung und Vernichtung entsprossen nicht einem und demselben Keime. L'hom. 12, 204. Feuerbach, über Leben und Tod. L'hom. 12, 214. Tod = absoluter Banquerot alles bloss zeitlichen Seins und Wirkens. Die Ansichten der Alten darüber. Lessing, Lasaulx. Leb. 4, 289. = Tod = absolut Starres oder absolut Flüssiges. Starr. u. Fl. 3, 272. In wie weit der Tod natürlich ist. Zeitbegr. 2, 56 (79). Die äussere Natur und Natürlichkeit zeigt sich dermalen nicht tauglich zu einer Begründung des ethischguten Lebens und muss, um dazu dienen zu können, erst eine Umwandlung durch den Weg des Todes erleiden. Begründ. d. Eth. 5, 21. Jedem Zeitwesen geschieht durch seinen Tod oder Untergang nur sein Recht (Zeittodt = Gericht). Nur ganz von der Natur abgelöste Wesen, Menschen und Thiere, nicht Pflanzen, Mineralien &c. sind dem Zeittode unterworfen. Societ. 14, 83. Der Begriff des Zeittodes fasst als der weitere den des irdischen Todes in sich. Elembgr. 14, 41. Tod = Entleibung. Vollendetheit des Lebens. Leibwerdung nach Schubert. Vis sang. 4, 427. Der Tod dient dem Leben zur Leibwerdung. Bildungsl. 2, 103. Ferm. 2, 347. Versehens. 4, 346. Tod = Trennung des Leibes von der Seele. Gewaltsamer Tod. Segen u. Fl. 7, 150. Tod = Auflösung der Lebenselemente, der Seele und des Leibes. Er ist nicht natürlich, wurde von Christus besiegt, dient zur Läuterung der Seele, dauert nur bis zur Auferstehung des Leibes. Unsterbl. 4, 270 ff. Schilderung der Todesangst. Fragm. 4, 53. Todeskreuz = Trennung des Menschen nach seinen drei constitutiven Principien. Opf. 7, 408. Im Tode und den ekstatischen Zuständen hört die Wechselseitigkeit der Occultation und Manifestation zwischen Leib, Seele und Geist auf. Anthropoph. 4, 230. Beim Tode kehrt der Lichtgeist zu Gott zurück, assistirt aber doch zugleich der Läuterung der Seele und des Leibes, auf deren Vollendung als Bedingung seiner gänzlichen Menschwerdung er selbst empfindlich wartet. Versehens. 4, 354. Leib, Seele, Geist, müssen dem Tode absterben. Nouv. hom. 12, 259. Tod der materiellen Wesen = Reintegration derselben. Seg. u. Fl. 7, 112. 118. Tod beim Menschen und bei Christus nach Thomas v. Aquin. Erläut. 14, 236. Beim gewaltsamen Tode findet eine temporäre Interception zwischen dem centralen Princip und den secundären statt, wodurch zwischen dem Diesseits und dem Jenseits ein Rapport eröffnet wird. Opfer. Ferm. 2, 270. Seg. u. Fl. 7, 122. Besess. 4, 251. Todesstrafe, Opfer. Aphor. 5, 326 ff. 362 ff. Anm. Im Tode bleiben uns alle Theile unserer Domaine. Espr. 12, 340 ff. Durch den blutigen Tod des Erlösers allein ist das Geistesblut im Menschen wieder flüssig geworden. Div. 4, 75. Der Tod Jesu, unser Leben; beides ist aus einander zu beweisen. Unsterbl. 4, 274. Opf. 7, 365. — Moralische Todesgefahr des Verfasser's. Tageb. 11, 100 ff. Der Tod der Gräfin N. N. und Baader's Ergriffenheit davon. Br. 15, 184 ff. Der Tod der ersten Frau Baader's. Ebd. 519. Vgl. *Facies hippocratica.*

Tohu va bohu. Spec. Dogm. 9, 85 ff.

Toleranz, eine solche, die Gott und den Teufel tolerirt. Widmer's August. 7, 57. Toleranz, Glaubensduldung, Indifferenz: *Interficite errores, diligite homines.* Indiff. 5, 127 ff. 129. 202. Die Form ist bei der Religion nicht gleichgültig. Br. 15, 432. Die theoretische Toleranz ist eine Flachheit und Dummheit. Spec. Dogm. 8, 51. — Die Toleranz (im rechtlichen Sinn) verlangt für die katholische und protestantische Confession strenge Sonderung im öffentlichen Unterricht, besonders Philosophie, Geschichte, Bearbeitung der Literatur &c. Nothwendigkeit eines literarischen Anzeigers für die Katholiken in Deutschland. Groote's Faust. 7, 41 ff. — Eine bloss polizeiliche Toleranz gibt keine Bürgschaft für die Ruhe der Societät. Trennb. 5, 373.

Tonerzeugung durch äussere oder innere Luft. Spec. Dogm. 8, 186. Nexus der Ton- oder Worterzeugung mit der Gestaltung oder Figurbeschreibung (Nexus von Ohr und Auge).

Spec. Dogm. 8, 185. Ton $=$ Vermählung der innern und
äussern Luft. Espr. 12, 302.

Totalistae. „*Vagos Idealistas veri et boni habuimus inde
a Platone, Realistas varios inde a Verulamio, sed Tota-
listas* (welche den Orient und Occident verbinden) *nunquam.*"
Verb. d. Rel. u. Naturw. 3, 347. Anm.

Totum, s. Ganzes.

Tournyer (Verwandter Saint-Martin's) üb. St.-Mart. Einl. 12, 54. 73.

Tradition, das Entstehen der ältesten Traditionen über die Geschichte des Menschen und der Natur. Heg. Phil. 9, 377. $=$
katholische Erblehre der ältesten Zeit. Deren Verderbniss
durch verbrecherische Wissenschaft. Daher Separation (Judenthum und Christenthum) zur Erhaltung der alten Tradition
(gegen Schelling's Mythologie). Aphor. 5, 261 ff. Tradition
mit wenig Ueberlegung geleugnet von Kant, Fichte, Schelling,
Hegel. Espr. 12, 279. Ob Fehler in der alten Tradition seien?
(gegen Saint-Martin). Espr. 12, 353. Minist. 12, 381. Hebräische Tradition und ägyptische Götterlehre. Tabl. 12, 191 ff.
S. Sage, Mythus. Traditionsautorität $=$ eine das bereits zum
wahrhaften Bestand Gekommene schirmende Macht. Solid. Verb.
3, 336. Anm. Die Philosophie entstand zuerst bei jenen
Nationen, welche die ursprünglichen Traditionen nicht mehr
rein erhalten hatten und ging vom Bedürfniss einer Läuterung
(Reformation) dieser Traditionen aus, schlug aber bald in eine
Protestation dagegen um. Rel. Phil. 1, 170 ff. Aehnliches geschah auch seit der Reformation im 16. Jahrhundert. Daher
der revolutionäre Character der Philosophie. Indiff. 5, 241.
Tradition und bloss traditionelle Lehren. Ferm. 2, 438. Tradition und Schrift bei den Juden vor und nach dem Verfall
der Theokratie. Bonald 5, 47. Anm. Die Tradition beruht
auf dem Grundsatz: *Veritas veritati contradicere non potest.*
Rel. Phil. 1, 173. Anm. Die respectiven Rechtssphären von
Tradition, Schriftauslegung und Wissenschaft dürfen nicht in
einander übergreifen. Spec. Dogm. 9, 80. Tradition und Ori-
ginalität. Magik. 12, 549. Aeltere Traditionen über Lucifer
und die Erde. Rüge 3, 314. Anm.

Transfusionismus == maschinistische Erklärung der Natur, nicht ausreichend. Elemphys. 3, 211 ff. — z. B. in Bezug auf das plötzliche Entstehen und Wiederverschwinden sogenannter Depots im thierischen Körper &c. Metast. 4, 162. == Eingiessbarkeit der Gnade; dieselbe wird abgewiesen durch den Satz, dass man nur das hat (und folglich auch nur geben kann) was man ist. Schub. 1, 64 ff. Zus. d. Leb. 2, 22. Anm. Vgl. Besess. 4, 246. Anm. 2. Die Verbannung des Transfusionismus ist für die Religion eben so folgenreich, wie für die Physik. Kant's Deduct. 1, 9.

Transmutationsprocess, alchemistischer == Verwandlung des einen Elements in die vier Elemente und dieser in jenes. Kant's Deduct. 1, 5. Unsterbl. 4, 275. Anm. Die Transmutation Schlüssel des Christenthums und der höhern Physik (Alchemie). Br. 15, 598. 654. 657.

Transposition == Uebertragung beim Opfer und sonst in religiöser Beziehung, ähnlich der Mittheilung der Elektricität. Opf. 7, 310. 325. 366.

Transsubstantiation, nicht == *translatio substantiae*, sondern *substantiationis*. Fund. d. Christ. 10, 33.

Trau, schau, wem beim Glauben, der somit nicht blind sein soll. Verh. d. Wiss. 1, 345. Zwiesp. 1, 364. Anm.

Trauern ist besser als Lachen. Tabl. 12, 181.

Traum: Angenehme, dem gesunden Schlaf vorhergehende Träumerei (Haller). Tageb. 11, 21 ff. Träume sind nicht Lügen, und wenn die Vernunft träumt, ist sie nicht selten ihr eigener anticipirender Prophet. Tageb. 11, 417. Traum und rein magisches Schauen. Ekst. 4, 13. Versuch, unser dermaliges waches Leben aus dem Traume zu erklären. Br. 15, 253. Das Träumen ist wohl aus dem Lichtwachen (Hellsehen) zu erklären, nicht aber umgekehrt. Inn. Sinn 4, 99. Anm. Vgl. Geisterseh. 4, 212.

Trendelenburg. Logische Untersuchungen und: über Herbart's Metaphysik. Einl. V, XXXVI.

Trennbarkeit oder Untrennbarkeit des Pabstthums oder des

Primats vom Katholicismus. Schr. (1838) 5, 369 ff. Vgl. Br. 15, 569. 574. 478.

Trentowsky, *Commentatio de vita hominis aeterna.* (Freiburg 1838.) Heg. Phil. 9, 333.

Trettenbacher. Pract. Arzt in München. Jüngerer Freund Baader's. Biogr. 15, 125 ff. 188. Seine Schrift: Ueber den Verdauungsprocess (1836). Spec. Dogm. 9, 203. Anm. Brief Baader's an ihn (1840). Br. 15. 677. Vgl. 671 &c.

Trevitbick, englischer Ingenieur. Einführ. d. Kunststr. 6, 285.

Tricolor, Bedeutung desselben (Klerus, Aristokratie, Demokratie). Aph. 5, 314.

Trieb, Lust (s. d.), gute == Sollicitation oder Anmuthung zum Gutwollen. Zus. d. Leb. 2, 22.

Triplicität und Trinitas s. Dreizahl.

Tritschler, Magnetiseur. Ekst. 4, 13. Br. 15, 322.

Tropfenbildung. Fest. u. Flüss. 3, 192 ff.

Troxler, seine Lehre über thierischen Magnetismus erklärt und widerlegt. Ekst. 4, 28 ff. vgl. Br. 15, 381. 333. 336. Philosophische Rechtslehre der Natur und des Gesetzes (1820). Ferm. 2, 175. Einl. I. XLVIII. Anm. Rel. Phil. 1, 275. Anm. 310. Anm. Einl. II. XLV. Ferm. 2, 175. Spec. Dogm. 8, 63. Anm. Morg. u. Ab. Kath. 10, 134.

Trutz Nachtigall. Schrift. Berlin 1817. Rel. Phil. 1, 242. Anm.

Tscheer. Verf. des Kernhaften Auszugs aller theol., theos. und philos. Schriften J. Böhmens. Amsterdam, Wetstein 1718. Rel. Phil. 1, 226. Anm. Spec. Dogm. 9, 248. Anm.

Tugend, der Zweifel daran wird am gründlichsten widerlegt durch: selbst Tugend haben oder herzlich und wahrhaft darnach streben. Tageb. 11, 158. Die Geburt der Tugend aus der Sünde, wie der Liebe aus der Begierde. Begründ. d. Eth. 5, 19 ff. Tugend und Wissen kommt nur durch die Entkräftung (Präcipitation) des beiden Entgegengesetzten zu Stande. Spec. Dogm. 9, 10. *Vertus senaires et septenaires.* Br. 15, 538.

Typik, wornach die frühern Ereignisse die spätern nicht nur vorspiegeln, sondern auch vorbereiten. Segen u. Fl. 7, 132.

Tschirner. Briefe (1814). Minist. 12, 373. Anm.

U.

Uberfeld, J. M., seine Herausgabe der Werke J. Böhme's 1730. Br. 15, 572 ff. Auserlesene Extracte aus den Briefen eines Mannes Gottes (Gichtel's) 1740. Br. 15, 301. 655. Ferm. 2, 178. Eröffnung und Anweisung der drei Principien und Welten. Br. 298. Vgl. noch Ebd. 248. 263. Vgl. Bildungsl. 2, 124. Anm.

Uebel: über die Behauptung, dass es kein Uebel (kein Laster) in der Welt gebe. Spinoza, Schelling, Hegel, Feuerbach. L'hom. 12, 214. S. Böses.

Ueberfluss hat das Bedürfniss erfunden, nach Plato und Jacobi. Ferm. 2, 348 und sonst öfter.

Ueberlieferungen, religiöse, sind schätzbare Ueberreste einer uralten Experimentalphilosophie. Kant's Deduct. 1, 21. Anm.

Uebernatur, Uebernatürlichkeit. Ueber das Verhältniss der Uebernatur zur Natur wird eine besondere Schrift zugesagt. Besess 4, 254. Es ist die Uebernatürlichkeit und Natürlichkeit Gottes zugleich anzunehmen. Die Getrennthaltung beider Begriffe ist von altem Datum. Zoroaster, Sokrates, Plato, die Idealisten, Realisten, Moralisten &c. Die Sadducäer lassen sich einen Kantischen Gott wohl noch gefallen. Solid. Verb. 3, 347. Das Uebernatursein Gottes = Naturfreiheit, nicht Naturlosigkeit, nach J. Böhme auseinander gesetzt. J. Böhme's Theol. 3, 391. Vgl. Versehens. 4, 347. Die Uebernatur kann sich nur durch die Natur offenbaren. Morg. u. Ab. Kath. 10, 120. Uebernatürlich nicht = übermateriell. Mangelhafte Darstellung des Erstern bei unsern Dichtern und Künstlern. Rat. mat. Vorst. 3, 298.

Uebersinnliche Welt, nur sinnenfrei, nicht sinnenlos. Ferm. 2, 230.

Ueberzeitlichkeit s. Zeit.

Ueberzeugung durch Gegenwart eines Zeugen. Bezeugen. Spec. Dogm. 9, 33. Alle sind im Grunde nur von dem überzeugt (wissen nur das), was sie sich unmittelbar weder sagen noch schreiben können. Spec. Dogm. 9, 163. Trennb. 5, 375 ff. Morg. u. Ab. Kath. 10, 235.

Ubi libertas, ibi populus; ubi populus, ibi divitiae. Kammern 6, 225.

Ubiquitas, Sempiternitas = Nichträumlichkeit, Nichtzeitlichkeit = Kant's Anschauung des reinen Raumes und der reinen Zeit. Spec. Dogm. 8, 283. Leb. 4, 287. Raum = Heraussetzen aus der Ubiquität, Zeit = Heraussetzen aus der Sempiternität. Des err. 12, 111. S. Zeit, Raum.

Ullmann's Gregor von Nazianz. Unsterbl. 4, 261. Anm.

Ulrich's Metaphysik. Tageb. 11, 1. Ulrich's Uebers. der Leibnizischen neuen Versuche über den menschlichen Verstand. Rel. Phil. 1, 260. Anm.

Ulrici. Einl. III. LVII. Anm. Franz. Rev. 6, 310. Einl. VII. XLV. Anm. Ueber Saint-Martin. v. Osten. Einl. 12, 36. Ul. über Böhme. Ferm. 2, 406. Anm. Einl. B. I, LIII. Anm.

Ultraïsmus, doppelter = Verwesungs- und Versteinerungssucht, die Constitutionskrankheit aller Zeit. Societ. 14, 125.

Ultramontanismus = Cäsaropapismus, ein scrvil-revolutionäres System, schon gelehrt von den Päbsten Bonifacius VIII., Paul IV., Pius V., dann von den Jesuiten Lainez, Bellarmin, Mariana, neubegründet von Napoleon. Rückbl. 5, 385 ff. Morg. u. Ab. Kath. 10, 252. Die Bulle Innocenz X. und die Instruction Pius VII. Rückb. 5, 395. Anm. S. Cäsaropapismus.

Umgestaltung der socialen Verhältnisse durch das Christenthum. Indiff. 5, 179 ff.

Umhüllung und Enthüllung mit Bezug auf Materie, Natur, Geist, Göttliches. Opf. 7, 287 ff.

Umwandlung, unmittelbare — der Dämpfe zu Luft; Muthmaassung über den Beitrag des Phlogistons zur Luftbildung. Wärmest. 3, 139 ff. Ein Mittel kann in ein Hinderniss und umgek. umgewandelt werden. Franz. Rev. 6, 328. S. Verderbniss.

Unauflöslichkeit des göttlichen Lebens; Seele, Geist, Leib des Menschen trennen sich durch den Tod nicht gänzlich. Ferm. 2, 279.

Unbegreiflichkeit Gottes. Spec. Dogm. 9, 68. S. Begriff.

Unbewegliche, der, bewegt Alles. Bonald 5, 101 ff.

Unendlichkeit, Endlichkeit; wahre, falsche. Die falsche oder schlechte Endlichkeit soll geopfert werden, um zur wahren zu gelangen. Ferm. 2, 193 ff.

Unentbehrlichkeit freier Bünde, Stände oder Corporationen. Aph. 5, 301. Anm.

Unfolgerichtigkeit in der Behauptung derer, dass eine höhere Natur sich zwar wohl im Erkennen und Wollen, aber nicht im Thun manifestiren könne. Div. 4, 84.

Unform, Ungrund, Unwesen, Ungesundheit, Unvernunft, Unglaube entsprechen sich. Opf. 7, 281. Anm. Desgl. Ungestalt, Unmenschlichkeit &c. im positiven Sinne einer Verkehrtheit oder Corruption. Gebr. d. Vern. 1, 37.

Ungeboren oder lebendig todt ist der Religion zufolge der Mensch, der das Leiden Christi noch nicht oder nicht mehr inne wird. Spec. Dogm. 8, 264.

Ungeheuer, ewig speiendes und wiederkäuendes — eine monströse Vorstellung. Societ. 14, 70.

Unglaube = Ab- oder Aberglaube; es ist immer ein Aberwitz darin nachweisbar. Heg. Phil. 9, 348. — Kann nicht durch Aberglaube geheilt, der neue Teufel nicht durch den alten ausgetrieben werden. Rel. u. Pol. 6, 26. Unglaube = Feigheit. L'hom. 12, 212. Obscuranten und Rationalisten theilen den Unglauben an die Uebereinstimmbarkeit des innern und äussern Zeugnisses. Religionsphil. 1, 336.

Ungrund, Grund = das esoterisch und das exoterisch Eine, von dem das Leben in einem Organismus ausgeht. Verkörp. 2, 3. Der Ungrund ist nach J. Böhme androgyn. Spec. Dogm. 9, 219. Ungrund (Nichts) begründet den Willen und ist sein Grund, Wille begründet die Dreiheit, Dreiheit begründet die Weisheit (ist Grund der Weisheit), Weisheit begründet das Geistwasser (Tinctur ist die sich im Geistwasser formende Kraft). Studienb. 13, 358—362. 383. Gleichniss davon an der Kerze. Ebd. 13, 385.

Uniformirung, äussere, ohne Raison ist thöricht. Spec. Dogm. 9, 166.

Union, jede, entsteht nur durch eine gemeinsame Subjection Aller unter ein Höheres. Ferm. 2, 279. Dogm. 8, 162. 221. Die Union in der Intensität bedingt die Continuität oder den wahren Zusammenhang in der Extensivität. Ferm. 2, 167. Asm. Union in der Liebe: Gott hat aus Einem Zwei gemacht und ist doch nur Einer blieben. Rel. Rhil. 1, 23 ff. Die Union, ἑνότης, des Schöpfers mit dem Geschöpf, durch die Menschwerdung des Princips der Schöpfung, wäre auch ohne Fall, obgleich auf andere Weise, bewerkstelligt worden. Spec. Dogm. 9, 20.

Unitas a principio in Binarium mota (Binario superato) in Trinitate consistit. Greg. I. Or. de filio. Bildungsl. 2, 105 (s. Zahl).

Universalität der Menschwerdung des Logos: Derselbe Mittler, der einmal Mensch ward, musste und muss in jeder Zeit und in jedem Ort, nur auf andere Weise, sowohl vor als nach jener Centralmanifestion, sichtbar sein. Antirel. Phil. 2, 473.

Universalmedicin = Entwickelung des einen Elementes in den vier Elementen. Seh. v. Prev. 4, 146.

Universum = Sammlung einer unendlichen Menge von Keimen und Samenarten. Des err. 12, 114. = Zeitwelt, materielle Welt. L'hom. 12, 228. Das sinnliche Universum und die höhere, dasselbe regierende Natur. Des err. 12, 131. Das zeitliche Universum besteht nur in der Suspension des weltrichtenden Blitzes. Versehens. 4, 398.

Unnatur des bösen Geistes: nur indem er etwas zerstört, hat dieser negative Wille das Gefühl seines Daseins. Furie des Zerstörens nach Hegel's Philosophie des Rechtes. Antirel. Phil. 2, 471. Unmensch, Unnatur. Des err. 12, 143. S. Furie.

Unmittelbares, s. Aufgabe.

Unphilosophisches und Untheologisches in Theologumenen und Philosophemen. Spec. Dogm. 9, 8. 163.

Unruhe, innere, bei Annäherung an den wahren Frieden. Tabl.

12, 100. Woher die Unruhe, auch die politische entsteht. L'hom. 12, 225 f.

Unschuld, Unschuldszustand. Ueber den Begriff der Unschuld. Des err. 12, 91. 94 ff. Der Creatur wurde nicht guter oder böser Character und somit auch effective Freiheit oder Unfreiheit, sondern nur die Anlage dazu angeschaffen. Wahrh. 1, 100. Anm. (vgl. Ferm.). Unschuldszustand, Vollendungszustand, Sühnungszustand der freien Creatur, und demgemäss eine dreifache Aeusserung der Religion und ein dreifaches Opfer. Indiff. 5, 190. Die im Unschuldszustand gegebene primitive Erkenntniss Gottes. Ebd. 5, 239 ff. Unschuld, Versuchung, positive und negative Erfülltheit dargestellt an der Lehre von der Elektricität. Spec. Dogm. 8, 167. Unschuldszustand, Versöhnung, Reunion. Erot. Phil. 4, 172.

Unseligkeit jener, die ihr Herz im Herzlosen (äusserer, herzloser Natur) oder im positiv Herztödtenden (Bösen, als Geist) zu gründen suchen. Wahrh. 1, 129 (s. Zeit). S. Blutsauger.

Unsichtbare Wirkungen der sichtbaren Kirche. Einer der gewöhnlichsten und allgemein verbreiteten Irrthümer über die sichtbare Kirche ist der, dass man die Wirkungen derselben sowohl zeitlich als räumlich viel zu sehr auf die bloss ostensiblen augenfälligen oder gleichsam handgreiflichen Wirkungen derselben beschränkt und jene ungleich weiter in Zeit und Raum reichenden, wenn schon nicht offenkundigen, mittelbaren Wirkungen übersieht, welche doch gleichfalls von dieser sichtbaren oder äussern Weltkirche ausgehen. Alles, was von Christus, von seiner Lehre oder von der h. Schrift, von der apostolischen Tradition, von seinem eingesetzten Lehrstande, von seinen Sacramenten &c. nur irgendwo oder irgendwie in der Welt ist und fortwirkt, das ist und wirkt doch nur allein in dieser und durch diese Kirche. Dieses Alles würde nicht in die Welt gekommen sein, wenn diese äussere Kirche nicht früher gewesen wäre und würde wieder erlöschen, wenn sie zu sein aufhörte oder nicht mehr wäre. Sichtb. Kirche 7, 215.

Unsichtbares, Sichtbares, ἄϊδης, φάος $=$ Nichtsein, d. h. Nichtdasein, Nichtoffenbarsein, und Sein d. h. innerlich und äusserlich Offenbarsein, mit Beziehung auf das Leben Gottes und das Leben der Creatur. Versehens. 4, 365.

Unsterblichkeit, Schr. über den christlichen Begriff der Unsterblichkeit im Gegensatz der ältern und neuern nichtchristlichen Unsterblichkeitslehren (1835). 4, 257 ff. vgl. Br. 15, 529. 581 ff. Der kantische Beweis dafür aus der Vervollkommnungsfähigkeit des Menschen ist nichtig. Zeitbegr. 2, 53 (74). Die von ihm dabei angenommene Unerreichbarkeit des Ideals mit tantalischem Streben darnach macht sie zur Verdammniss des ewigen Juden. Ferm. 2, 230. Der alleinige Beweis dafür ist der von Christus selbst aufgestellte, dass Gott kein Gott der Todten ist; und der Christ gewinnt die volle Ueberzeugung davon durch die Theilnahme am Leiden Christi. Aph. 5, 269. Franz. Revol. 6, 322. Spec. Dogm. 8, 263. Unsterblichkeitslehre der neuern Philosophen. Societ. 14, 57 ff. Alles wird erst unsterblich. Quar. Qu. 12, 477.

Unterlassung (Omission) des Guten war das Erste, die freie Gegensetzung gegen das Gesetz oder das Thun des Bösen das Zweite. Des err. 12, 90 ff.

Unterleib, Gebundenheit der Psyche daran im gemeinen Wachen. Ekst. 4, 85. Div. 4, 72.

Unternatur (= Anfang der Natur), **Natur**, **Unnatur**. Fund. d. Christ. 10, 35.

Unterrichtsanstalten, zur Hebung des intellectuellen Wohlstandes errichtet, sollen besonders die religiöse Intelligenz, anstatt der irreligiösen, heben. Vermögenslose 6, 134.

Unterscheiden, Unterschied. Unterscheiden und Einen ist bei allen Thatsachen der lebendigen Natur und des lebendigen Geistes, insbesondere bei denen der Divination und Sympathie nöthig. Div. 4, 68. Unterschiedenheit des Schöpfers vom Geschöpf. Ferm. 2, 353. Sie zeigt sich auf jeder, besonders auch auf der höchsten Stufe der Erkenntniss. Rel. Phil. 1, 243. Unterschied des Geschaffen- und Geborenseins von Gott. Ausführliches darüber. Aph. 5, 358.

Untrennbarkeit des Ab- und Wegläugnens vom Er- und An-
läugen. Ferm. 2, 343. — Untrennbarkeit der äussern und der
innern Kirche, gegenüber der Vermengung und dem Widerspruch beider. Sichtb. Kirche 7, 217 ff.

Unum, Alterum der Pythagoreer. Jenes = welches ist,
nie war und nie wird; dieses = das stets Bewegliche. Elem.-
Phys. 3, 245. vgl. Bildungsl. 2, 107. Alterum = Non Ens
des Parmenides in Platon's de uno &c. Br. 15, 176. Alterum
= Natur d. h. Quelle nichtintelligenter Triebe im Geist. Quar.
Qu. 12, 486. Das alterum = Natur, Materie. Rat. mat. Vorst.
3, 293. Das Eins setzt nicht unmittelbar Eins, sondern zunächst ein der Einigung Bedürftiges, welches es dann, darin
eingehend, seiner eigenen Einheit theilhaft macht. Gegen den
Dualismus Schelling's. Heg. Phil. 9, 307.

Unvermögen zu zeugen und sich auszusprechen = Impotenz =
Nichtfinden des helfenden Zeugungs- und Offenbarungsorgans
(Wortes), macht die Hölle jedes Lügengeistes aus. Anal. d.
Erk. 1, 44.

Unvollendet und Endlich sind nicht mit einander zu verwechseln. Seg. u. Fl. 7, 85.

Unvollkommene Zeichen reichen als Ausdruck ebenso un-
vollkommener Gedanken schon zu. Einfl. d. Zeich. 2, 182.

Unwesen, das, des Bösen wird erst nach Aufhebung des
Scheinwesens desselben manifest. Ferm. 2, 231.

Unwissenheit, s. Wissen.

Upnekhat von Anquetil du Perron. „Si Brahm recte cog-
noscere vis, oportet Intelligentem, Intellectionem et Intellectum
fieri unum." Rel. Phil. 1, 204.

Uranographie als Phänomenologie im Gegensatz zu Urano-
gnosie oder Uranologie. Spec. Dogm. 9, 281 ff. Vermebens.
4, 379.

Urchristenthum s. Christenthum.

Urmensch s. Mensch.

Uror dum destituor. St. Bernhard. Zusammenh. d. Leb. 2, 20.
Aam. Blitz 2, 39. Aam. und sonst oft.

Ursache == das, was der Materie die erste Bewegung giebt. Physische, jedoch immaterielle und zugleich verständige Ursache. Des err. 12, 121. Drei zeitliche Ursachen und eine höhere. Des err. 12, 125. Alle Wesen tragen die Zeichen ihrer Ursache an sich. Tabl. 12, 174. *Cause premiere, causes secondes et troisiemes.* Bonald 5, 95. Nothwendigkeit sie anzuerkennen. Ebd. 5, 113. Ursachen der Leichtigkeit &c. s. Deutschland.

Ursache oder Causalität und Grund (*ratio sufficiens*) bei Gott und der Creatur. Ferm. 2, 154 Anm. (s. Entstehen). Urdualismus von Ursache und Grund, die jedoch nicht einen Gegensatz, sondern einen Untersatz bilden. Eine Ursache (Hervorbringendes) vermag sich als solche nicht anders zu äussern, als durch ein Gründen, und nur durch einen Grund (Basis, Stütze) kommt jene als verursachend zur Existenz. Begründ. d. Eth. 5, 11. Nicht die grundlose, sondern die grundfreie Causalität ist effectiv frei. Versehens. 4, 367. Anm. Schon Proclus, die Scholastiker und ebenso Saint-Martin unterschieden Ursache und Grund. Spec. Dogm. 8, 278. Das *Principium causalitatis* und *rationis sufficientis* bei den Scholastikern == Ursache und Grund. Spec. Dogm. 8, 131. (*Principium rationis sufficientis == Principium contradictionis.* Bildungsl. 2, 111.) Jeder positiven Aeusserung als Ausgegangenem liegt eine Triplicität zu Grunde. Es gibt aber auch eine negirende Triplicität. Spec. Dogm. 9, 34 ff. vgl. 207. Die Triplicität des Grundes == immanente Action, Reaction, Energie. Spec. Dogm. 9, 100. Triplicität des sich in Einem, des Eines in sich Findenden und des Dritten, das deren Mitte oder Inbegriff ist. Br. 15, 517 ff. Triplicität der Causalität, des Grundes und der Energie == Vater, Sohn und Geist. Br. 15, 635. Die im Grunde gefasste Causalität unterscheidet sich in eine Triplicität, während sich die (innerlich-äusserliche) Gründung als Duplicität zeigt und der Septenar oder Sabbath das Schema jeder vollendeten Manifestation ist. Spec. Dogm. 9, 170 ff. Triplicität des Grundes, nämlich erste Fassung, Aufhebung derselben, zweite Fassung. Revis. d. Wiss. 10, 266.

Die Causalität (Wille) manifestirt sich in der Triplicität von Idea, Natur und Grund. Heg. Phil. 9, 304 ff. In dem Begriffe der vollständigen Einheit von Ursache und Grund beruht der Begriff der Androgyneität, in dem ihrer Nichteinung der der Geschlechtstrennung; in jener zeigen sie sich als *genitor* und *genitus*, in dieser als Mann und Weib. Spec. Dogm. 9, 213. Vgl. Paul. Versehens. 4, 368. Ursache und Grund in moralischer Beziehung unterschieden. Wahlwille == Vater, und dessen einerzeugter Grund == Sohn. Der Wille ist nicht Motiv. „Meine Ursache ist in meinem Willen" (Shakespeare). Des err. 12; 92. 94. S. Grund, Vater, *Pater*.

Urstand der Welt, Eitelkeit (Gottleersein) der Welt, Urstand des Menschen: diese drei Fragen sind zwar nicht zu vermengen, aber doch nur zusammen zu beantworten. Sp. Dogm. 8, 226. — Urstand, Bestand, Absorption palpabler Wesen von und in Geistwesen (Gasen). Metast. 4, 159. Anm.

Urternar. Schr. darüber, später unter dem Titel: Vierzahl des Lebens (1816) 7, 29. Die Schrift war veranlasst durch den Irrthum einer Somnambule in Betreff des Ternars. Br. 15, 311 ff. 2. Auflage. Ebd. 343. 348. Zusatz dazu 349.

Urtheilende d. h. organisch scheidende Function des Blitzes oder Feuers in allen drei Principien (Welten) und auch beim Uebergang aus dem einen ins andere. Ferm. 2, 241.

Urverbrechen des Menschen (nicht das des Teufels) bestand in einem Missbrauch des Selbstgebärungsvermögens. Ferm. 2, 316. vgl. Tabl. 12, 181. Seine Centralität. Segen u. Fl. 7, 118.

Urvölker, die besassen tiefere Naturkenntnisse und Einsichten, deren verbrecherischer Missbrauch sich in ihrem Cultus zeigt. Rüge 3, 316.

Urzustand des Menschen war ähnlich dem Christi nach der Auferstehung. Spec. Dogm. 8, 192.

Utzschneider, Brief an ihn, die Glasfabrication betreffend (1814). Br. 15, 252.

Uzkull s. Yxkull.

V.

Valentinus', des Gnostikers Lehre, dass alle Materie durch das Feuer werde verzehrt werden. Dölling. 7, 66—67.

Varnhagen v. Ense, und dessen Frau Rahel v. Varnhagen. — Drei Briefe Baader's an letztere (1822—1824). Br. 15, 370—417. Varnhagen über Baader. Biogr. 15, 53. 67. 101. 443. — über Saint-Martin. Einl. 12, 50. Varnhagen's Uebersetzung der Schrift Saint-Martin's: *Lettre sur la revol. franç.* Ferm, 2, 213. Anm. Tageb. 11, 234. Anm. 236. Anm. 283. Anm. Biogr. 15, 64. 103. 105.

Vater, doppelter Sinn dieses Wortes bei den Theologen. Fund. d. Chr. 10, 48. — Vater, Mutter. Der Vater = Fülle, Expansion, Denken, *mas;* die Mutter = Hülle, Condension, Wollen, *foemina.* Die Einigung beider, eine wechselseitige Ekstasis *(in tertio).* Rel. Phil. 1, 221. S. Bitterkeit. *Pater* und *Mater* = volatil und fix. Endl. Geist 7, 172. Anm. vgl. 159. Anm. Vater = Geist, Seele, Ich, Fassendes; Mutter = Leib, Fassliches; jener über, dieser unter mir; gilt von jedem Lebendigen. Anthropoph. 2, 241. = Himmel, Erde; wie sich die Creatur zum Himmel verhält, so die Erde zu ihr. Spec. Dogm. 8, 163 ff. S. Begründung. Im ethischen Leben bezeichnet Vater das schöpferische und gesetzgebende, Mutter das reproducirende Princip (das ins Fleisch gekommene Wort). Begründ. d. Eth. 5, 24. Anm. 25. Anm. Der Vater sich entselbstigend in der Mutter gewinnt seine Verselbstigung wieder vom Sohne. Quar. Qu. 12, 481. Es muss immer etwas von und in der Creatur vergehen, aufgehoben oder geopfert werden dem Gesetz (Vater), damit diese Creatur immer als neu entstehend geboren oder genährt werdend, von und in der Mutter bestehe &c. Anthropoph. 4, 236. S. *Pater in filio* dc. In der Gottheit bestehen Vaterschaft, Sohnschaft, Mutterschaft in einander, in der Creatur ausser einander. Geist u. W. 10, 15. Es gibt eine solche im höchsten Sinne und eine andere im schlechten Sinne, wie im abstracten oder Zeitleben. Spec. Dogm.

8, 178. Vater, Mutter, Kind treten zugleich in Selbheit. Espr.
12, 272. 814. Das normale Sein des Kindes ist bedingt durch
die Eintracht von Vater und Mutter, und es selbst hinwiederum
hat durch Aufgabe an den Vater die Eintracht zwischen Vater
und Mutter zu vermitteln. Spec. Dogm. 8, 164. — Die Region
der Väter und Mütter d. i. die Natur. Des err. 12, 97. 117.
S. Ursache u. Grund, Weisheit, Geschlechtsverhältniss, Fortpflanzung, Production. — Vater, Sohn, jener = mani-
festans, dieser = manifestatus. Ferm. 2, 188. = Blitz (s. d.)
und Licht; sie zeigen sich überall als zwei und doch wieder
zugleich als ein und derselbe (das Lamm trägt das Löwenherz,
der Löwe das Lammherz in sich). Blitz 2, 44. Jeder Sohn
ist in der Natur seinen Vater zu regeneriren bestimmt. Verkörp.
2, 8. Ihre wechselseitige Befreiung ist ihr Aus- oder Aufgang
(Geisten). Bildungsl. 2, 118. Anm. Vater = Gott, Sohn =
Mensch, der mit Gott verbunden, aus und in Gott lebt, oder
worin der Vater sein Bild gebiert, Ggs. Knecht. Verkörp. 2, 7.
Blitz 2, 44 ff. S. *Pater*, *Genitor* und *Genitus*, Grimm,
Sohn. — Vater, Sohn, Geist. Neutestamentlicher Begriff
des Ternars im Unterschied vom Dogmatischen. Geist u. W.
10, 8. Hervorgang des Geistes als Person im ewigen Zeu-
gungs- und Geburtsacte des Vaters und Sohnes. Ebd. 10, 13.
= Selbstbegriff, Selbstformation. Spec. Dogm. 8, 97. Aph.
10, 302. = Begriff, Urtheil, Schluss. Aph. 10, 348. Der
Vater in der Natur, der Sohn in der Menschwerdung, der heil.
Geist im kommenden Gericht: diese dreifache Offenbarung des
dreifachen Gottes ist das Geheimniss der Religion. Bz. 15, 303.
Im Naturternar, wenn derselbe durch den Blitz (die vierte
Naturgestalt) im Himmel transmutirt wird, hält der Vater,
sammelt der Sohn und sind beide eins im Geiste. Blitz
2, 32. = Blitz, Licht, und der als ihr Verkünder aus der
Lichtgeburt hervorgehende Geist. Ebd. 2, 43. Anm. = 1^1, 1^2,
1^3 oder Länge (Linie), Breite (Fläche), Höhe und Tiefe (Körper). Triplicität des Begründungsactes der Existenz oder des
Wesens als immanenter Dehnung des Einen. Es sind immer
drei, welche das Wesen produciren. Form pd. Mann. 2, 525.

= Feuer, Wasser, Luft. Rel. Phil. 1, 221. Anm. Der Wille
bedarf eines Ortes, einer Stätte, um sich zu entfalten (als Geist
auszugeben); und nur der göttliche Wille macht (gebiert) sich
diese Stätte, Herz, Ort (Sohn). Studienb. 13, 382. Ternar von
Genitor, *Genitus* und Geist = formaler Wille (*causa*).
Natur und Geist. Gesetz oder Motiv. Spec. Dogm. 8, 121 ff.
136. 137. = Causalität, Grund und Copula der Energie beider
(gegen Schelling's Ternar = Potenz, Energie, Copula oder
Seinkönnen, Sein, Sein des Seinkönnens). Heg. Phil. 9, 307.
Vgl. Dreizahl. — Ausserdem ist in Vater, Sohn, Geist das
D u r c h, I n und B e i oder M i t Gott – Sein des Geschöpfes
oder die Durchwohnung, Inwohnung, Beiwohnung angedeutet.
Div. 4, 79. Rat. mat. Vorst. 8, 296. — V a t e r, S o h n, G e i s t,
W e i s h e i t = Gott der Einsprechende, der Eingesprochene,
der Aussprechende und der (das) Ausgesprochene, Letzteres
nicht persönlich in Bezug auf den Ternar. Ferm. 2, 428. =
Producens, Quo producit, Ex quo producit und *Productum.*
Sophia = ausgesprochenes Wort, Bild Gottes (des Ternars).
Relig. Phil. 1, 205. Desgl. *Pater in filio, filius in matre*
(s. d.). Vater, Sohn, heil. Geist. Sophia. Nouv. hom. 12, 246.
Sophia = Bild der ganzen Gottheit. Seg. u. Fl. 7, 105. =
Der Anfang, der Angefangene, der jenen durch diesen Offenbarende, ausgesprochene Weisheit. Endl. Geist 7, 175. —
V a t e r, S o h n, G e i s t, W e i s h e i t, N a t u r. Es ist zu unterscheiden der Ternar *in potentia* oder der essentiale Ternar,
und der erst durch das Medium der ewigen Natur (Begierde)
in actum geführte oder *personaliter* auftretende Ternar. Ferm.
2, 304 ff. Die Idea (Jungfrau) gebiert zwar nicht, macht
aber die Natur (= spirituöse Potenz, Essentien, ewige Leiblichkeit, ungeschaffenes Element — nicht Creatur — gebären).
Spec. Dogm. 9, 25 ff. Der Ternar wohnt der Sophia, selbe vor
sich stellend, inne. Natur = spirituöse Potenz, nicht Creatur.
Aus- und Eingang. Jungfrau. Unsterbl. 4, 281. S. Dreizahl,
Natur, Weisheit.

Veda's, die. Ferm. 2, 301. Anm.

Vehementer cupio vitam. Anal. d. Erk. 1, 41.

Ventura in Rom, Gegner des Abbe de Lamennais. Zeitsch. Aven. 6, 32. 41.

Veralten = Verkommen kann nur durch Fortschreiten in der Zeit vermieden werden. Evol. u. Rev. 6, 75. Veraltern und Verjüngern nach M. Eckart. Ebd. 6, 101. Veraltern und Neuern in der Religionswissenschaft nur zu vermeiden durch stete Erneuerung des Alten. Spec. Dogm. 8, 16. Vermögensl. 6, 127.

Verbesserung der Kunstsätze. Schr. (1791.) 6, 145 ff.

Verbindung, freie und aufrichtige, der Speculation mit der Tradition und dem Glauben. Spec. Dogm. 8, 205. — des revolutionären Princips mit dem Katholicismus durch de Lamennais. Rückbl. 5, 385. Eine Verbindung kann nur zwischen Ungleichen stattfinden, zwischen Gleichen nur Anhäufung (Aggregation). Rel. u. Pol. 6, 15. Aus schlechten Verbindungen unter Menschen sollen gute werden. Rel. Erot. 4, 196.

Verbrechen oder Unrecht, jedes stützt sich auf einen Hinterhalt von Recht, wie jeder Irrthum (Lüge) auf einen Hinterhalt von Wahrheit. Vermögensl. 6, 130. Verbrechen der Intelligenz zur Zeit der franz. Revolution. Pandämonium des National-instituts. Indiff. 5, 134. Anm. Nur die Praxis des Verbrechens, nicht seine Theorie, ist zu fürchten. Spec. Dogm. 8, 80. Jedes Verbrechen materialisirt die Natur mehr. Ebd. 8, 248. Rapport zwischen dem Verbrecher und dem durch ihn Verletzten. Blutrache. Besess. 4, 248. Psychologische und medicinisch-materialistische Hinwegerklärungen aller Verbrechen. Aphor. 5, 362. Verbrechen, Gebrechen. L'hom. 12, 226.

Verbrennlichkeit. Espr. 12, 300.

Verbum, vox, — verbe, parole. Rel. Phil. 1, 291. 299. Aufsatz über das Verbum caro factum (1834). Br. 15, 503. Auseinandersetzung des christlichen Grundbegriffes: Verbum caro factum. Sein des Wortes in und vor Gott zugleich, über dem Wesen und in dem Wesen. Spec. Dogm. 9, 23. ff. 27. S. Wort.

Verbürgungsanstalt: Gott, sein Mitwirker (der Mensch), die Intelligenz (der Geist) und die Natur sollen sich nach der

Absicht des Schöpfers die Freiheit wechselseitig verbürgen. Spec. Dogm. 8, 272.

Verderbniss, alle, einer Creatur ist Umwandlung (a. d.) eines dienenden Mittels in ein refractaires Hinderniss. Folgerungen daraus für die Wiederherstellung der Creatur. Ferm. 2, 411 ff. Das zweite Verderbniss, nicht der himmlischen Natur, sondern der aus ihr erschaffenen (des Universums) wird meist ganz übersehen. Espr. 12, 286. In Betreff der verdorbenen Wesen ist ein Unterschied zu machen zwischen solchen, die direct, und die nur indirect sich wider Gott setzten. Tabl. 12, 174.

Verdünsten und Verdampfen, Lehrsätze darüber mit Beziehung auf Wilke und Saussure. Wärmest. 3, 119. 122.

Vereinigungsact zweier oder mehrerer Einzelnen, jeder ist nur als ein Unterwerfungsact derselben unter ein gemeinsames Höheres zu begreifen. Subject. 1, 59. Comment. 13, 325.

Verfall des Staates, dabei ist es gleichgültig, ob die Despotie monarchische, aristokratische oder demokratische Form annimmt. Rel. u. Pol. 6, 19 ff.

Verfinsterung im Judenthum und im Christenthum. Opf. 7, 350.

Verflachung in der Naturwissenschaft und in der Theologie hielten, besonders seit der Reformation, gleichen Schritt. Solid. Verb. 3, 338.

Vergangenes und Zukünftiges, Altes und Neues (s. d.); der Streit zwischen beiden bleibt nur dann in den Schranken eines Rechtsstreites (Processes), wenn man sich in der Mitte jeder Zeit (s. d.) d. h. über ihr oder zeitfrei erhält. Verb. d. Wiss. 1, 341. Zwiesp. 1, 359. Vergangenes ist noch, Zukünftiges ist schon. Br. 15, 326. Die Vergänglichkeit des Irdischen könnte der Geist nicht bemerken, wenn er selber vergänglich wäre. L'hom. 12, 215 ff.

Vergnügen an der Natur, verbunden mit dem Verlangen nach einer grossen Idee, Idealen, der Idee Gottes. Tageb. 11, 1. 3. 17. 19. 20. 34. Vergnügung und Freude der Natur durch Inwohnung der Uebernatur in ihr. Heg. Phil. 9, 423.

Vergötterung des Menschen == offene oder versteckte Gottes- und Menschenleugnung; so auch bei Kant's Lehre von der Autonomie des Menschen. Antirel. Phl. 2, 475.

Verhalten des Wissens zum Glauben. Schr. (1833) 1, 339. vgl. Br. 15, 492. Des Menschen zu Gott, zur Menschheit, zur Welt; ob das dermalige normal oder abnorm, und welches der Zweck und Erfolg des religiösen d. h. restaurativen Verhaltens in dieser Rücksicht sei. Zusammenhang des erwähnten dreifachen Verhaltens. Spec. Dogm. 8, 268 ff.

Verirrungen, zweierlei, des Zeugungs- und Erkenntnisstriebes. Anal. d. Erk. 1 47.

Verkalken der Metalle. Wärmest. 3, 164.

Verkehr zwischen Körper als Raumindividuen, kann ein dreifacher sein, ein mechanischer, dynamischer und chemischer. Elemphys. 3, 223 ff. — esoterischer, zwischen Menschen: *loquela intra loquelam*, wie *status intra statum*. Magnetismus. Runenschrift (von raunen, ins Ohr sagen). Spec. Dogm. 8, 331.

Verklärung der Natur, vorläufige, schon in dieser Zeit sich zeigende. Bildungsl. 2, 121. Erläutert am Eisen, das im Feuer glühend geworden. Aphor. 5, 255.

Verknechtung, logische, religiöse, bürgerliche. Trennb. 5, 379.

Verkörperung, über Sinn und Zweck der Verkörperung, Leib- oder Fleischwerdung des Lebens. Schr. (1809). 2, 1 ff. Verkörperung im wahren und allgemeinen Sinn genommen == Erfüllung der Entwickelung eines Wesens. Zeitbgr. 2, 62 (86).

Verlangen, *Désir:* Nähere Bestimmungen darüber. Minist. 12, 412 ff. vgl. Crocod. 12, 442. Verlangen als freier Affect. Leeres Verlangen. Espr. 12, 338. Objectivität desselben. Das Verlangen verlangt sich selbst. Espr. 12, 266. 283. vgl. 285. Heg. Phil. 9, 411. Es ist bei hinreichender Stärke und rechtem Maass ein Langen, Reichen (Regioniren). Ekst. 4, 15. Ueber das allgemeine Verlangen nach vollständigen Gedanken und vollständigen Zeichen. Einl. d. Zeich. 2, 132.

Vermischung und Trennung der Principien des creatürlichen

Lebens, zweierlei Gefährdungen oder Kränkungen desselben. Ferm. 2, 278. — Vermittelung, der Hegel'sche Begriff derselben (= Vermittelung durch Aufhebung. Franz. Revol. 6, 328) findet sich im Wesentlichen auch bei J. Böhme in dessen Lehre von der Offenbarung. Spec. Dogm. 9, 114 ff. — Oder als Lehre von dem durch einen Ausgang bedingten Eingang sowohl bei Gott als bei den Creaturen, wobei eine positive und negative Vermittelung zu unterscheiden ist. Vorr. 1, 401 ff. = Immanenz der Causalität im Grunde. Spec. Dogm. 9, 170. — Oder Einführung der Idea in den Anfang der Natur. Heg. Phil. 9, 312. — Bei welchem Process das Eine und Viele vermittelt wird durch Unterordnung des letztern unter Ersteres sowohl in Gott als dem Original, wie im Nachbilde zwischen den Geschöpfen und Gott. Privatvorl. 13, 61. Bei der intelligenten Creatur ist eine zweifache Vermittelung möglich, eine positive und eine negative, wegen der Möglichkeit eines zweifachen Gebrauches der Freiheit, wie ja auch in Gott Finsterniss und Licht nur durch die Vermittelung entstehen. Elembgr. 14, 39. Es muss dabei die rechte Wahl getroffen werden (gegen Hegel). Ferm. 2, 192 ff. Der gelungenen Vermittelung folgt Beseligung, der misslungenen die Pein und Qual des Erzeugenwollens und Nichterzeugenkönnens. Privatvorl. 13, 72. Die negative Vermittelung kann lösbar oder nicht lösbar sein. Ebd. 18, 93. Der Logos (das Wort) übt bei der Creatur eine dreifache Vermittlungsfunction aus: 1) er gibt der Creatur das Dasein, 2) er gibt ihr, indem sie in ihn eingeht, die fixirte Vollendung (aus dem Unschuldszustande) und 3) gibt er ihr die Vollendung aus dem gefallenen Zustande. Seg. u. Fl. 7, 82. Anm. Indiff. 5, 191. Anm. Vermittelung des Producirenden durch das Producirte. Aphor. 10, 326 ff. Vgl. Aufheben.

Vermögen des Centrums. Auf der Essentialität der drei Grundvermögen in Gott beruht deren Persönlichkeit, welche in der Creatur nicht stattfindet, bei der die Grundvermögen nicht sie selber, sondern Gaben sind, worauf die Souveränität Gottes über die Creatur beruht. Versehens. 4, 415. Die Vermögen

(*facultés*, Agenten) in uns sind ohne die Formen der göttlichen Kräfte nicht actuos. Nouv. hom. 12, 250 ff. Nur zwei
desselben sind mit dem Menschen herabgestiegen, die Vermögen des Willens und des Handelns; dagegen ist der an-
wandelbare Gedanke (die Macht der Gesetzgebung oder die
Weisheit) nicht mit ihm herabgestiegen. Zeitbgr. 2, 57 (80).
- Anm. Die drei Grundvermögen in uns sind: Denken (= Ge-
dankenbilder Vernehmen, nicht Erzeugen), Wollen, Ausführen. Urtern. 7, 86. Anm. Die drei Grundvermögen des
Menschen: Erkennen, Lieben, Handeln; ihre Dreieinigkeit =
Glück; ihre Dreiuneinigkeit = Unglück. Indff. 5, 169. Die
drei Grundvermögen des Menschen: Denken, Wollen, Handeln.
Seg. u. Fl. 7, 151. Seine Organe: Geist, Seele, Leib. Ebd.
7, 154. Die drei Wurzelvermögen des Menschen (Denken,
Wollen, Wirken oder Handeln) sind sowohl von den ihm bei-
gegebenen drei Attributen oder Organen (Geist, Seele, Leib),
als dem wirklich hiemit in die bestimmte Existenzweise ge-
führten Menschen zu unterscheiden. Spec. Dogm. 8, 252.
S. Wissen.

Vermögenslosen, die, oder Proletairs und die Vermögen besitzenden Classen der Gesellschaft. Schr. (1835) 6, 125 ff.
vgl. Evol. u. Rev. 6, 96. Einführ. d. Kunstst. 6, 261. Mémoire
über die Proletairs an einen hochgestellten Staatsmann (1854).
Br. 15, 506 ff. Die Vorsorge für den Proletair ist nicht unmittelbar Sache der Stände, sondern des Regenten. Morg. u.
Ab. Kath. 10, 196. S. Priesterthum. Nicht alle Vermögenslose sind Kinder Gottes, nicht alle Vermögende Kinder des
Satans. De Lamenn. Parol. 6, 113.

Vernunft. Darunter versteht J. Böhme fasst immer nur die
creatürliche, von der göttlichen oder absoluten Vernunft abgekehrte, Hegel dagegen die absolute Vernunft. Bei beiden soll
sich die erstere in die letztere aufheben, aber in verschiedenem
Sinn. Ferm. 2, 806. Blosse Vernunft, ein verfänglicher Ausdruck. Bon. 5, 45. Unsere Vernunft gelangt nur mittelst
Theilhaftwerdens der göttlichen Vernunft als durch eine Gabe
zu seiner Erkenntniss. Wiss. u. Rel. 1, 96. Der Mensch ist

nicht die Vernunft, sondern er hat sie nur oder hat sie nicht, je nachdem er der absoluten, göttlichen, allein seienden Vernunft theilhaft ist oder nicht. Freih. d. Int. 1, 138. Anthrel. Phil. 2, 454 ff. S. Geben. Die Vernunft oder der Vernunftsinn, nach Christus das Auge des Menschen, ist einer dynamischen Aufklärung ebenso fähig und bedürftig, wie unsere Leidenschaften einer dynamischen (nicht mechanischen) Temperatur. Kant's Deduct. 1, 5. Die Vernunft ist als Licht und Auge zu fassen, das beides erst ist, wenn es in das göttliche Licht und Auge eingerückt wird. Fund. d. Christ. 10, 43. Vernunftinstinct = vom Geist in sich vernommene Gabe für Erkennen, Wollen und Wirken, ist recht wohl verträglich mit der Freiheit des Geistes. Ekst. 4, 24. 28. Bildungsl. 2, 112. S. über Kant's Deduction der practischen Vernunft und die absolute Blindheit der letztern (1796) 1, 1—28 und über die Behauptung, dass kein übler Gebrauch der Vernunft sein könne (1807) 1, 33—38. Die theoretische und die practische Vernunft sind nicht zwei von einander trennbare Potenzen (Kant), sondern beide sind ein und dieselbe Vernunft. Rel. Phil. 1, 285. Vernunft kann ohne Intuition, innere Anschauung (lebendige Imagination) nichts durchdringen. Tageb. 11, 81. S. Vorstellung, Abbreviatur. Es ist nicht ihre Bestimmung, nichts in Wahrheit oder an sich zu erkennen. Spec. Dogm. 8, 24. Auch in religiösen Dingen ist Vernunftgebrauch nöthig. Fund. d. Christ. 10, 19. Sie wird von den Rationalisten und Naturalisten nicht zuviel, sondern zu wenig gebraucht; und auch ihr Missbrauch bei denselben hat ihre Hauptstärke nur in dem Nichtgebrauch der Vernunft bei den Gegnern jener. Rat. mat. Vorst. 3, 289. Vernunft, Uebervernunft, Unvernunft entsprechen der Natur, Uebernatur, Unnatur. Spec. Dogm. 8, 208. Endl. Geist 7, 170 ff. Vernunft und Auctorität sind zwei Gestirne, die nur zusammen über dem Horizont unseres Geistes aufgehen und nur zusammen untergehen. Freih. d. Int. 1, 138. Vernunft und Glaube nach Thomas von Aquin. Erläut. 14, 241. 246. 248. 285. Vernunft und Offenbarung. Die untere kann nicht rein Alles aus sich erzeugen, sondern nur eine Gabe von

oben annehmen oder sich dagegen verschliessen. Der Vernunftgebrauch gründet immer auf ein ihr gegebenes Positives. Indiff.
5, 194. Vernunft und Socität entwickeln sich zugleich. Indiff.
5, 222. Die Vernunft strebt ihrer Natur nach sämmtliche
Intelligenzen zu associren. Freih. d. Intell. 1, 136. Vernunft
und Verstand nach Jacobi. Gebr. d. Vft. 1, 85. Die erstere
soll nicht sclavisch unter die Gesetze des letztern gestellt
werden. Elemphys. 8, 287. Die Vernunft ist kein blosses
Gefühl, besser mit Kant = Vermögen der Principien oder
Ursachen; Verstand = Erkenntniss des Verursachten. Wahrh.
1, 117. Verstand und Vernunft verhalten sich wie Feuer
und Licht. Privatvorl. 13, 140. Der Verstand ist nominalistisch,
die Vernunft realistisch. Bonald 5, 110. Anm. Ueber ihre
Unterscheidung in der frühern Zeit und in der neuern deutschen
Philosophie. Rel. Phil. 1, 270 ff. (Stellen darüber in d. Anm.
Hoffm. 1, 274.) Der Verstand würde richtiger mit den Alten
in dem Sinne von *Intellectus* über die Vernunft = *Raison*
gesetzt werden. Indiff. 5, 205. Verstand und Vernunft sind
von Kant entzweit und gegen einander gesetzt worden. Verstand
und Sinn. Br. 15, 203. Der Rangstreit zwischen Verstand
(νοῦς) und Vernunft (λόγος) ist damit entschieden, dass man
im Verstand das legislative, inflexible Princip anerkennt, wogegen in der Venunft bereits die Willkür (der Wille der Creatur)
also auch die Möglichkeit der Corruption anfängt. Zeitbgr. 2, 80.
Anm. s. Uebers. Der Verstand steht in der Mitte von Vernunft und Sinn. Div. 4, 65. Anm. Ueber Vernunft und Verstand steht der architectonische Verstand. Strauss Leb. Jes.
7, 262. Vgl. Begründ. d. Eth. 5, 9. S. Verstand.

Vernünftigkeit der Natur als Bildnerei. Elemphys. 8, 216.
Die Vernunft verfährt im Denken chemisch, d. h. plastisch
oder bildend, die Natur ausser uns in allen ihren Grundopera-
tionen vernünftig. Ebd. 8, 238. Es zeigt sich eine Vernunft,
ein Gedanke in der Natur, im Schicksal &c. Für den Menschen, der der göttlichen Einheit theilhaft geworden, hört die
Stummheit der Natur auf. Spec. Dogm. 8, 170. Die Vernunft
in der Natur ist die Bedingung alles Experiments. Rspr. 12, 255.

Vernunftkritik, ihr Einfall, nicht eher ans wirkliche Erkennen zu gehen, bis wir das Instrument unseres Erkennens selbst gründlich erkannt hätten, ähnlich dem, dem Gebrauch des Auges durch eine anatomische Zergliederung (Entäusserung) desselben berichtigen, dem Sehen selbst zusehen zu wollen. Bonald 5, 55.

Verrücktheit = Wahnsinn, fixe Ideen &c. Ihm. Sinn 4, 102. Sie tritt ein, wenn die höhere und niedrigere Gemeinschaftssphäre nicht mehr als concentrische Kreise sich decken, sondern bleibend versetzt sind. Ekst. 4, 7. = Transposition, Metastasis, Abgekommensein von dem normalen Zustand. Metast. 4, 156. Verrücktheit des in der Zeitregion befindlichen Menschen. Rapp. 4, 203. Verrückt nennt mit Unrecht der Verrückte den ihm sein Concept Verrückenden. Zurückweis. 5, 407. Eine einzige wunderbare Thatsache würde den Verstandesmenschen ihr Concept verrücken. Div. 4, 67.

Verschiebbarkeit der Theile in einem Naturkörper. Fest. a. Flüss. 3, 192.

Vesse von Baader. Ferm. 2, 183. 360. Elemphys. 3, 246. Rat. mat. Vorst. 3, 303. Geistersch. 4, 212 Versehens. 4, 342.

Versehensein: Ueber den paulinischen Begriff des Versehenseins des Menschen im Namen Jesu vor der Welt Schöpfung. Schr. (1837) 4, 325 ff. vgl. Bildungsl. 2, 115. Versehensein der Natur an dem Menschen und dieses an jener = der wechselseitige plastische Einfluss beider auf einander. Aph. 5, 256. Versehen = Verordnen und Vorsehen Gottes sind zu unterscheiden. Comment. 13, 321. Versehen nach Paracelsus und J. Böhme. Cpf. 7, 371 ff.

Verselbständigungsact, der, fällt mit einem Subjicirungsact zusammen. Ferm. 2, 429.

Versenken (Sich-) in Gott = freie innere Entselbstigung, welche alle Vermittelung eines andern Menschen ausschliesst, also der radikale religiöse Act selber. Comment. 13, 326.

Versetztheit, s. Zusammengesetztheit.

Versetzung des Menschen aus der Region der Mitwirker in die der bloss werkzeuglichen Wirker. Antirel. Phil. 2, 472.

= **Missgestaltung.** Opf. 7, 280. Entstellung des Menschen in der Zeit. Br. 15, 186. s. Zusammengesetztheit, Abnormität. Ohne den Begriff der Versetzung kann man Opfer und Cultus nicht verstehen. Versehens. 4, 371. Anm.

Versöhnung zwischen Ascese und Natur angedeutet. Tageb. 11, 8. 16 &c. — Schmerz der Versöhnung, zugleich Todes- und Geburtsschmerz. Relig. Erot. 4, 198.

Verstand = Urstand nach J. Böhme = esoterische Gottheit, göttliches Chaos, Ensoph, Nichts = reine, offenbarende Thätig- keit, Sprechenskraft. Die erste Function dieser Kraft ist orga- nisirendes, sich beleibendes, urtheilendes Gliedern. Ferm. 2, 243. Der Verstand, nach Hegel bloss Negativität, ist als gekehrt gegen ein Negatives höchste Positivität, seine Function die Zusammenfassung zweier sich scheinbar widersprechender Dinge. Div. 4, 65. Der von Gott abgekehrte Verstand kann nur mehr confundirend trennen und trennend confundiren, an- statt einend zu unterscheiden und unterscheidend zu einen. Div. 4, 68. vgl. Ferm. 2, 144. Missbrauch des bloss nega- tiven, trennenden, abstrahirenden Verstandes. Bonald 5, 103. Freude des Verstandes, wenn aus der Finsterniss in ihm Licht geworden, und Zurücksinken desselben in Finsterniss, wenn er seinen Stoff nicht bemeistert hat. Begründ. d. Eth. 5, 17. Verstand das Unterscheidende von Thier und Mensch. Des err. 12, 120. Verstand der im Universum wirksamen Ursache. Ebd. 12, 122. Verstand, architektonischer, Kants. Ferm. 2, 362. S. Vernunft. Begründ. d. Eth. 5, 8.

Versuch einer Theorie der Sprengarbeit. Schr. (1792). Zweite Auflage. Ebendas. (1798). 6, 153 ff. Erneuerter Versuch, die biblische Geschichte als Fabel zu erklären, und Beifall, den derselbe in Deutschland gefunden hat. Aph. 5, 338. — Physi- kalischer Versuch nach Baco = Frage an das Naturwesen, von dem wir Aufschluss verlangen. Frage (*interrogatio*) und Bitte (*rogatio*). Aphor. 5, 346. Anm.

Versuchung, ihr Wesen und ihre Bedeutung. Ferm. 2, 412. Rel. Phil. 1, 151—320, besond. 249 ff. Spec. Dogm. 8, 124 ff.

128 ff. Societ. 14, 99 — 109. 155 ff. Ihre Nothwendigkeit
zur Bewährung (Wahrmachung) des Lebens. Bildungsl. 2, 100.
Rat. mat. Vorst. 3, 303. Die Versuchung macht schlecht bestanden nicht böse, sondern das Böse nur offenbar; gut bestanden
aber gewinnt sie dem Bösen eine Kraft ab. Ferm. 2, 168. Anm.
Es gibt eine Versuchung zum Guten und eine zum Bösen,
jene als Attraction der Freiheit, diese als Attraction des Naturcentrums. Ferm. 2, 259. M. Pasq. 4, 130. Versuchung Lucifer's durch das Naturcentrum. Ferm. 2, 244 ff. Versuchung
= Entzücktsein, Verzücktsein, Gelüsten im guten und bösen
Sinn. Unsterbl. 4, 276. Versuchung Adam's, erste vor Erschaffung des Weibes, zweite am Versuchbaum, dritte dermalen. 2. Cap. d. Gen. 7, 231. Die Versuchung wie die
Geistererscheinung folgt dem Gesetze der drei Potenzen, so
dass die erste Versuchung der Linie (Zahl), die zweite der
Fläche (Maass), die dritte dem Cubus (Gewicht) entspricht
(= Wort, Zeichen, Griff). Unsterbl. 4, 277. Die Bedeutung
des Versuchbaumes. Rel. Phil. 1, 249. Versuchung, Abfall,
Versöhnung in Bezug auf Liebe. Erot. Phil. 4, 167. Versuchung der Erde. Ferm. 2, 267. S. Abfallbarkeit.

Vertheilung der Wärme. Wärmest. 3, 70 ff. 87 ff. Physikalische (bei der Elektricität (s. d.) &c.), = Erregung. Bewund. 1, 29.

Vertiefung = Sich-Verdemüthigung des Empfängers vor dem
Geber, ausgedrückt im Hebr. barach. Seg. u. Fl. 7, 111. Freie
Vertiefung (Subjection) unter ein Höheres erhebt den endlichen Geist über ein Tieferes. Aphor. 5, 265 ff. Anthropoph.
4, 231.

Vertrag, zu jedem gehören drei Stücke, die beiden abschliessenden Parteien und ein drittes, basirendes Höheres. Bildungsl.
2, 106.

Verunstaltung oder Kränkung eines Lebens nimmt nicht in
der Seele, sondern im Geist und Leib ihren Sitz; daher ist
eine Wiedergeburt aus Geist und Wasser nöthig. Schöb. 1, 61.

Verursachung *(causatio, factio).* Es findet keine unmittelbare Verursachung (eines Andern) statt, sondern nur eine durch

innere Hervorbringung oder Eingeburt *(generatio)* vermittelte. Dasselbe gilt von der Erkenntniss eines Andern in Bezug auf die Erkenntniss seiner. Selbst. Rel. Phil. 1, 214.

Vervollkommnungsfähigkeit des Menschen. Tageb. 11, 222. Das System einer fortschreitenden Vervollkommnung ist zu verwerfen. Tabl. 12, 174. vgl. 194 ff. S. Perfectibilität.

Verwandtschaft des magnetischen Rapports mit dem Geschlechtsrapport. Bildungsl. 2, 116.

Verwechselung des Rausches mit Stärke 'liegt einer Menge moralischer und politischer Systeme als *disciplina arcani* zu Grunde. Elemphys. 3, 231.

Verwirkbarkeit des Regentenrechtes durch Pflichtverletzung, z. B. Ludwig XVI. Posit. Rechtsbest. 6, 62. S. Volk.

Verwirklichung, zwiefache, jedes Geschöpfes (durch Gott und sich selbst). Societ. 14, 110 ff.

Verzehren und Gebären, Untrennbarkeit beider im zoogonischen Process. Rev. d. Phil. 9, 318 ff. Emanc. d. Kath. 10, 66—70.

Verzeihung, Versöhnung, Versöhner; von diesen Grundbegriffen des Evangeliums weiss die gewöhnliche Moral gar nichts. Antirel. Phil. 2, 461. Ueber Verzeihung und Reue in der Liebe. Relig. Erot. 4, 192 ff. 200.

Via humida und *sicca* in chemischen Processen &c., z. B. beim Verkalken der Metalle. Wärmest. 3, 139 ff.

Vico, Giambattista: Scimus quae cogitando facimus. Rel. Phil. 1, 195. *Scimus quae facimus*, angeführt von Jacobi. Spec. Dogm. 9, 107.

Vielerlei, das, unserer fünf Sinne ist nicht neben, sondern in einander *(gradatim)* vorhanden. Bewund. 1, 30. Anm.

Vierzahl, Tetras, dargestellt in der vierten Naturgestalt J. Böhme's (Feuer, Blitz, Decussation, Vater) wie auch im Zahlzeichen 4 und dem Kreuz +, ist die Central- und Scheidezahl, worin der Mensch ursprünglich (bei seinem Aufgang in der ewigen Natur) stand und von wo aus allein er vorwärts und rückwärts zählen kann. Blitz 2, 46. Anm. Die heilige

Urtetraktys im göttlichen Lebensprocess spiegelt sich in der Weltschöpfung wieder. Ferm. 2, 195. Vier kabbalistische Momente bei Jesaja 43, 7 *(vidi te (Idea), creavi (essentiavi) te, formavi te, feci (substantiavi) te)* und J. Böhme. Besess. 4, 254. Myst. Magn. 13, 201. Elem. 14, 35. Vierzahl des Lebens s. Urternar. Der Quaternar der vier Elemente, anstatt des Dualismus der Grundkräfte, ist der Schlüssel der Natur. Pyth. Quadr. 3, 267. Der in Gen. 1, 1. 2. sich zeigende Quaternar von Vater, Wort, Geist und Weisheit entspricht den vier Elementen. Br. 15, 375 ff. Vierzahl der Naturwesen, s. Thier, Dreizahl. Im Quaternar allein vollendet sich das Anschauen. Ekst. 4, 30. Ebenso das nur in der *actio ad extra* ganz zu Stande kommende Selbstbewusstsein. Urternar 7, 33. 36. S. Selbstbewusstsein. Der Quaternar von Sprecher, Sprechgrund, Sprechen, Ausgesprochenes ($\triangle$) hebt den Ternar so wenig auf, dass er ihn erst begründet. Blitz 2, 43. Anm. Quaternar von Sprecher, Wort, Geist, Ausgesprochenes. Nouv. hom. 12, 242. 243. Das sich aussprechende Wesen, dessen Eigenschaften, die Explosion, die explodirte Natur. Espr. 12, 344. Quaternar des Scotus Erigena $=$ Centrum des Dreiangels ($\triangle$), im Gegensatz zu dessen Ternar. Ferm. 2, 232. Quaternar der That (s. d.). Quaternar beim zoogonischen Process: unoffenbares Sein, Wurzelsein, Gewächssein, Alimentsein. Emanc. d. Kath. 10, 67. S. Dreizahl, Quand, Weltgegenden, Coordination, Schema, Blitz, Kreisbewegung, Kreuz.

Villermoz, der einzige (1816) noch lebende Schüler des Martinez Pasqualis. Br. 15, 320. 329. Ein Brief Baader's an ihn erwähnt. Br. 15, 331. vgl. 388. Magik. 12, 531. Anm. Randgl. 14, 385.

Villers. Essai sur l'esprit et l'influence de la réformation de Luther (1804). Bonald, 5, 51. Anm.

Vincent, M., von Nismes. Indiff. 5, 202 ff.

Vincke. Socialpb. Aphor. 5, 285. Anm. Naturr. Gr. 6, 10. Anm.

Viriliser, la doctrine religieuse ou morale (durch Naturwissenschaft). Br. 15, 315.

Vischer, Friedrich Theodor, kritische Gänge. Antir. Philos. 2, 462 ff. Anm. Seine ästhetischen Principien sind als pantheistisch in ihrer Urwurzel grundfalsch. Man vergl. Eckardt's theistisch begründete Aesthetik.

Vis ejus (Antaei?) integra, si conversus in terram. Satz des Hermes Trismegistus (?) De vi sang. 4, 427. Alter chemischer Lehrsatz. M. Pasq. 4, 123. vgl. Verkörperung d. Leb. 2, 3. Zeitbgr. 2, 63. (87). Begründ. 2, 99. Ferm. 2, 257. 331. Rel. Phil. 1, 249. Spec. Dogm. 9, 39. Unsterbl. 4, 280. Myst. Magn. 13, 198 &c.

Vis sanguinis ultra mortem. Schr. darüber (1838). 4, 423 ff. vgl. Br. 15, 568. Spec. Dogm. 9, 253.

Vis conjuncta fortior, vis separata debilior. Elem.-Phys. 3, 216. 229 ff. Starres u. Flüss. 3, 271. Ferm. 2, 413.

Vis inertiae oder *centrifuga* im menschlichen Geist. Tabl. 12, 187 ff. = ein Reactives, welches bloss in seiner versuchten Aufhebung in Wirksamkeit tritt. Form od. Maass 2, 519. — *vis* und *potestas* sind zu unterscheiden. Rüge 3, 828.

Visionen, Möglichkeit derselben, als *sensus intra sensum, sensatum intra sensatum* u. s. w. Heg. Phil. 9, 419. Jede Vision ist nur durch eine Ekstase möglich. Rat. mat. Vorst. 3, 300. Es geht eine Visio einer Imagination vorher und daraus wieder hervor; unvermittelte, wahrhafte oder bewährte. Incomp. 4, 309. Visionen sind meist Beweise von Störungen des normalen Einwirkens der immateriellen Welt in die materielle. J. Böhme's Theol. 3, 369.

Vita propria, die, der einzelnen Organe kann nicht in der stillen Einheit als solcher, sondern nur ausser dieser entstehen, soll aber dann in die Einheit wieder aufgenommen werden. Diese Kräfte sind Anfangs unleiblich, später leiblich. Myst. Magn. 18, 20 ff. vgl. Nouv. hom. 12, 242. Es kann die *vita propria* der Eigenschaften (Glieder) eines Organismus zugleich bestehen mit dem Centralleben desselben. Spec. Dogm. 8, 112. 114. Der Widerspruch zwischen der *vita propria* Gottes und der *vita propria* der Geschöpfe ist analog einem solchen in einem Organismus. Ebd. 8, 159. Die *vita propria* der Liebe. Nouv. hom. 12, 244. S. Gott, Siebenzahl.

Vitalis: „*Cinis sum, cinis terra est, terra Dea est.*" Römische Inschrift im Münchener Antiquarium. Spec. Dogm. 9, 90. Anm.

Vitalfunction des Geistes, die (nämlich der Process der Wiedergeburt, sonst auch die königliche Kunst genannt, weil durch ihn die regulinische Natur des Menschen wieder hergestellt wird) ist uns ein Geheimniss. Divin. 4, 85 ff. Ferm. 2, 355. Die Vitalfunctionen, welche das Sinnorgan bilden und restauriren, können nicht selber in die Sphäre der Sensation fallen. Aphor. 5, 260. — Nothwendigkeit einer Evolution der Vital-, Radical-, Centralwahrheiten der Religionswissenschaft im Gegensatz zu den herrschenden Letaldoctrinen. Spec. Dogm. 8, 309.

Vocale s. Buchstaben.

Vögel bei Abraham's Opfer. Unsterbl. 4, 271. Anm.

Vogt, Carl. Einl. III. XXXVI. Einl. IV. XV ff. Einl. VII. XXIII ff. Vogt, C. Neoplatonismus und Christenthum. Spec. Dogm. 8, 303. Anm.

Volk und höhere, cultivirtere Volksklassen nicht schlechthin einander entgegenzusetzen. Wahrh. 1, 115. Das Entstehen der rohen Völker. Des err. 12, 144 ff. Das Volk (die Natur) sagt mit Recht dem Könige (dem Geist) den Gehorsam auf, sowie dieser ihn Gott aufsagt. Spec. Dogm. 8, 158. S. Verwirkbarkeit.) Die franz. Volksrepräsentation ein alle corporativen Elemente auflösendes Princip. Morg. u. Ab. Kath. 10, 106. „Der Volkswille (= Wille der Majorität) bat immer Recht", Grundsatz der Revolution. Posit. Rechtsbeet. 6, 61. S. Regent. Volkssouveränität und Autonomie. Wiss. u. Rel. 1, 84. Anm. S. Repräsentation.

Volkmann. Seine Schrift: Die Physiologie als Gegnerin der Lehre des Materialismus &c. (1838). Indiff. 5, 208. Anm.

Vollendetheit des Seins kann nicht unmittelbar, sondern nur vermöge eines Gegensatzes und dessen Ueberwindung stattfinden. Auch dieser Gegensatz gewinnt nur, wenn er sich

aufgibt an das Erste, die Integrität seines Seins. Myst. Magn.
13, 224 ff. Angeschaffene Vollkommenheit ist nicht auch
schon fixirt. Elembgr. 14, 86. Vollendetes, ewiges Sein $=$
zeit- und raumfreies, nicht $=$ loses. Societ. 14, 59. $=$ Zu-
sammensein des Bleibens und des Sich beständig Veränderns.
Elembgr. 14, 31. Nicht $=$ unendliches Sein oder Gott. Societ.
14, 70. Spec. Dogm. 8, 143. Vollendung ist auch bei der
Creatur möglich trotz ihrer Endlichkeit. Kant's falsche Vorstellung von der Unsterblichkeit. Ebd. 8, 190. Alle Vollendung
ist vermittelt. Oeuvr. 12, 468. Restauration ist nicht Vollendung. Espr. 12, 280.

Volta. Br. 15, 192. 196. 215.

Voltaire lässt Spinoza in einem Gespräch mit Gott sagen: *„Je
crois, entre nous dit, que vous n'existez pas.“* Ferm. 2, 373.
Voltaire's deistische Moral. Bonald 5, 145. Liebe und Verehrung erscheinen ihm als Schwäche. Erkenntnisstr. 1, 46.
Anm. Voltaire erklärt in seinem Spottgedicht *(la Pucelle)* —
nicht selten den Erzbösen mit grosser Sagacität divinirend —
die Religion und die Frauenliebe als auf dieselbe *Foiblesse*
gegründet. Ferm. 2, 317. Vgl. Unsterbl. 4, 271. Urs. d. Leicht.
6, 333. Rel. Aphor. 10, 294. Voltaire leugnete alle Divination.
Div. 4, 69. Voltaire und Byron als Religionsfeinde verglichen
(dessgl. Spinoza und Schopenhauer in Hoffm. Anm.). Spec. Dogm.
8, 33. *„La pensée n'est à nous.“* Des err. 12, 96. „Der
Styl ist Alles.“ Minist. 12, 407.

Von dem Borne, Beschreibung der preuss. Staaten. Büsch.
6, 189.

Vorbedeuten $=$ Vorbereiten. Opf. 7, 318.

Vorfahren, die practischen und speculativen Leistungen derselben und deren Ignorirung. Incomp. 4, 306.

Vorgesetzte s. Schutzengel.

Vorlesungen über speculative Dogmatik. Schr. (1828—38)
8, 1 ff. 9, 1—288. — über Naturphilosophie (J. B. Theol.?)
angekündigt. Spec. Dogm. 8, 88. 111. Solid. Verb. 3, 343.
Vgl. Spec. Dogm. 8. 367. 9, 115.

V o r r e c h t, das absolute, Gottes ist vom Menschen bei all seinem
Wissen, Wollen, Thun anzuerkennen. Auf ihm beruhen auch
alle relativen Vorrechte des Menschen, die Traditionsauctorität
u. s. w. Solid. Verb. 3, 336.

V o r r e d e n zu den Sammlungen Baader'scher Aufsätze vom Jahre
1809. 1831. 1832 (vgl. Br. 15, 485 ff. 489) und zu Hoffmann's
Schrift über die Selbsterzeugung Gottes 1835. zusammengestellt
1, 383 ff. Vorrede zu Schubert's Uebersetzung der Schrift
Saint-Martin's vom Geist und Wesen der Dinge (1811) 1, 57 ff.

V o r s a t z verschieden von **G e b u r t.** Urtern. 7, 37.

V o r s c h r i f t e n, minutiöse, formelle, alttestamentarische, der
Somnambulen zur Herstellung und Erhaltung bestimmter Rapporte
und überhaupt für theurgische Operationen. Ferm. 2, 172.

V o r s e h u n g   u n d   E r l e u c h t u n g geht nicht bloss auf das All-
gemeine (Malebranche s. d.), sondern auch auf das Einzelne.
Morg. u. Ab. Kath. 10, 194. Fürsehung = Vorsehung und
Rücksehung. L'hom. 12, 208.

V o r s t e l l u n g. Die philosophische Erkenntnissweise macht die
Bewegung des Erkennens von der unmittelbaren Vorstellung
frei, nicht los. Ihre Elemente sind die Empfindung (der Inhalt)
und der Begriff (die Form). Ferm. 2, 326 ff. Magische Vorstellung. Ebd. 2, 362. Jede Vorstellung kommt durch die
Vermittelung der Empfindung als Aufhebung der unmittelbaren
Entäusserung des ersten Schauens und durch den Hervorgang
eines vermittelten Schauens (Idea) zu Stande. Spec. Dogm.
9, 186. S. Begriff.

V o r u r t h e i l e gegen eine speculative oder philosophische Erläuterung der Dogmatik oder Religionswissenschaft entspringen
aus Unglauben oder Aberglauben (Quadrupelallianz der Atheisten,
Deisten, Separatisten, Bigotten). Spec. Dogm. 8, 13 ff.

V o r w ä r t s s c h r e i t e n: wir müssen Alle in der Zeit vorwärts
schreiten, wenn wir wollen, frei; wenn nicht, unfreiwillig.
Aphor. 10, 351.

Vult ignorari in seculo, vom Bösen. Spec. Dogm. 8, 329.

W.

Wachen, magnetisches und gemeines, durch **Schlaf** bedingt. Ekst. 4, 31. Gegensatz beider in moralischer Beziehung. Fragm. 4, 46. Gegensatz in ersterem. Ebd. 4, 47.

Wachler über Rousseau. Indiff. 5, 237. Anm.

Wachsthum in der Zeit. Ferm. 2, 153 vgl. Entwickelung.

Wachter's *Elucidarius cabbalisticus*. Einl. III, XXXII. XXXVII. J. Böhme's Theol. 3, 383 405 ff. Magik. 12, 549.

Wagner, J. J. Mathematische Philosophie (1811). Br. 15, 253. Ueber den Staat. Br. 15, 259. Naturr. Grund 6, 9. Anm. Spec. Dogm. 8, 324. Anm. Wagner, Adolf. Uebersetzer von Saint-Martin's Mensch der Sehnsucht. 1814. (und *Ecce homo*). Br. 15, 253. 257. 328. Drei Briefe Baader's an ihn (1817—1818). Br. 15, 325 — 339. Wagner, Rudolph. Einl. IV, XIV. Bonald 5, 208. Anm. Wagner, Andreas. Bonald 5, 208. Anm.

Wahlanziehung zwischen den Gestirnen, nicht indifferente Massenanziehung. Rat. mat. Vorst. 3, 292. Rüge 3, 318. = Affinität; Bedeutung dieser Lehre. Minist. 12, 371.

Wahlfreiheit s. Freiheit.

Wahlverwandtschaft zwischen Menschen. Spec. Dogm. 8, 325.

Wahrheit, Recension der Schrift Heinroth's darüber (1824). 1, 97 ff. („Diese Schrift enthält die Grundlinien zur Restauration des speculativen Wissens." Br. 15, 425 vgl. 426. 429.) Das Objective als Kriterium des Wahren = Ausschliessung alles Subjectiven. Des err. 12, 86. Die Existenz der Wahrheit bewiesen durch die Sehnsucht des Menschen darnach. L'hom. 12, 206. Keine Wahrheit kann uns neu erscheinen. Tabl. 12, 178. Die Freude der Wahrheit. L'hom. 12, 205. Wahrheit, erste Ursache, Macht: Namen Gottes in der intellectuellen, physischen, socialen Welt. Bonald 5, 102. Die Wahrheit ist der Gesetzgeber und der Gesetzerfüller in uns. Wahrh. 1, 130. Die Wahrheit findet sich zu jeder Zeit in der Mitte zweier entgegengesetzter Parteien, Ultra's. Ferm. 2, 203 ff. Sichtbare K. 7, 213.

Wahrnehmungen *a priori* und *a posteriori*; jene sind auf innere Nothwendigkeit (Soll), diese auf äussere (Noth) zurück zu führen. Begründ. d. Eth. 5, 26. Anm.

Wahrnehmungs- und Lügevernehmungsvermögen im Menschen. Kant's Deduct. 1, 6.

Waitz. Einl. III, LXV. Anm.

Wallenberg. *De Rhythmi in morbis Epiphania.* Spec. Dogm. 8, 251. Anm.

Walther, der Orientalist, hat auf J. Böhme's Lehre keinen Einfluss gehabt. J. Böhme's Theol. 3, 382.

Wandlung der Natur, wodurch das Unfassliche und Unempfindliche wesentlich und fasslich wird. Versehens. 4, 367.

Wandsbeckerbote, über den Anfang des Wissens vom Nichtwissen, des Wollens vom Nichtwollen. Zus. d. Leb. 2, 21. — gegen Jacobi in Schutz genommen. Ebd. 2, 24. Anm.

Warmblütigkeit des Geistes, dessen Blutsauger die kaltblütig oder blutlos gewordenen Geister sind. Div. 4, 78.

Wärme, Wärmestoff. Schr. vom Wärmestoff, seiner Vertheilung, Bindung und Entbindung, vorzüglich beim Brennen der Körper (1786) 3, 1. Bruchstücke einer Geschichte der Versuche und der darauf gebauten Raisonnements über die Wärme. Wärmest. 8, 8. Von der Wärme überhaupt. Ebd. 8, 11. Wärme, die Weltseele der Erde. Stoiker. Wärm. 3, 30. vgl. Vorr. III, S. IV ff. Erwärmung und Erkältung, nähere Bestimmung und Entwickelung dieses Begriffes. Ebd. 3, 48. Die Wärmematerie, bald frei, bald gebunden erscheinend (vgl. Ebd. 3, 33), ist ein wesentlicher Stoff, der auf alle übrigen Körperstoffe als wahres Menstruum einwirkt. Ebd. 3, 40 ff. 54 ff. 87 ff. Wärmeentbindung beim Brennen. Ebd. 3, 145. Dagegen schon: Ist ein besonderer Wärmestoff oder blosse Bewegung (Oscillation) eines warmen Stoffes anzunehmen? Tageb. 11, 166. und: Einfluss der Lehre Lavoisier's auf Baader. Ebd. 11, 288. Ferner: Die Wärme kein Stoff, sondern eine Qualität. Hoffm. Einl. zum III. Bd. S. II. Die frühere Ansicht Baader's eine Jugendsünde. Fest. u. Flüss. 3, 201. Anm. Der

Wärmestoff *(calorique)* ist nicht ohne Weiteres eine *force expansive* (Lavoisier). Fest. u. Flüss. 3, 189. Die Wärmematerie ist inpalpabel. Ebd. 3, 195. Anm. Die Hypothese einer warmmachenden Materie ist nichts als eine mechanisch-atomistische Vorstellungsweise: dynamischer Einfluss im Gegensatz eines mechanischen. Pyth. Quadr. 3, 359. — Wärme == Temperatur (s. d.) des heissen und kalten Brennens oder Feuers; ebenso die L i e b e, als geistige oder seelische Wärme. Bildungsl. 2, 109. Wärme und Licht == Herz- und Kopfleben; ihre Trennung und Wiedervermählung. Vorr. 1, 411 ff. S. Kälte, Kopf. Lichtkälte und Finsterwärme, Gesinnung. Vgl. Hoffmann's Einleitung zum III. Bd. der WW. S. I—XIII.

W a r u m ? W i e ? *(pourquoi, comment):* in Bezug auf das Object (Dasein) geht jene Frage stets dieser voran. Spec. Dogm. 8, 238.

W a s s e r ist kein einfacher, sondern ein zusammengesetzter (?) Stoff. Feuerluft (Sauerstoff) == Elementarwasser, wohl nur eine Grunderde. Wärmest. 3, 163. Vgl. Einl. Hoffm. III, S. IX ff. J. Böhme's Lehre über seinen Ursprung, bestätigt von der neuern Chemie, wornach das Wasser ein verbrannter Körper ist. Ferm. 2, 330. Anm. Von Steffens die T h r ä n e der Natur genannt, kann es näher die Thräne der Liebe genannt werden, die sich der Welt wieder annehmen wollte. Zeitschr. 2, 57 (79). Bei der Schöpfung nach Lucifer's Fall als erste Sündfluth eintretend hatte es für die Erde eine ähnliche Function, wie das W e i b nach Adam's Fall für den Menschen, nämlich einen tiefern Fall zu arretiren. Ferm. 2, 317. — Die Wassererzeugung == 1°, Anfang aller Corporisation, fällt zusammen mit dem Aufgang des Lichtes. Blitz 2, 42. Wasser, die unterste Stufe der ursprünglichen Dinge und Princip der Ernährung und Erhaltung der Körper. Espr. 12, 317. Obere und untere Wasser, entsprechend dem Reinen und Unreinen im Gemüthe. L'hom. 12, 211. S. Elemente.

W a s s e r s c h e u, H y d r o p h o b i e, ethische == Verhalten einer freien Creatur, die das zu ihrer Substanzirung und Einverleibung in das gemeinsame System dienende eine göttliche Element und Aliment verschmäht, und dessen Näherung ihr dann wegen der Verkehrheit ihrer eigenen Natur Pein und Wuth verursacht. Begründ. d. Eth. 5, 23. Zusammenstellung derselben mit Wollust, Mordlust, Blut- und Samenvergiessen. Div. 4, 89. Anm. Vgl. Theophobie, Christophobie &c.

Watt. Versuche über den Basalt. Br. 15, 196.

Wechselseitigkeit der Alimentation in einem Organismus zwischen dessen Centrum und dessen Gliedern, bei Farben, bei der Musik, bei Zahlenoperationen: Anthropoph. 4, 238. — der Liebe. Rel. Erot. 4, 185. — der Wohlthat bei dem Geber und Empfänger. Rel. Erot. 4, 190. — der Pflichten und Rechte. Aphorism. 5, 306.

Weber: Godwin's Untersuchung über polit. Gerechtigkeit. Tageb. 11, 220. Anm. 226. Anm. 232. Anm.

Wege der Vorsicht in der Zeit oder Geschichte, warum sie oft schwer zu begreifen. Societ. 14, 114 ff.

Wegele, Dante's Leben und Werke: Socialph. Aphor. 5, 307. Anm. Sichtb. u. unsichtb. Kirche 7, 221. Anm.

Weib: Man hat überall (auch in Gott) den Spiegel vom Bild, das Weib vom Kind zu unterscheiden. Espr. 12, 280 ff. Die Erschaffung des Weibes. Rat. mat. Vorst. 3, 302. Vgl. Wasser. Die Trennung des Weibes vom Manne Folge der ersten Sünde und erste Hilfe. L'hom. 12, 229. Das Weib leistet zwar stets nur eine secundäre Function im Guten und Bösen (2. Cap. d. Gen. 7, 280) und hat, als dem Manne vermählt, keine eigene Persönlichkeit und darum auch keinen eigenen Namen (Anthropoph. 4, 285. Anm.); aber dennoch steht es höher als der Mann, weil es die Trägerin der Lust (des Bildes, der Idea) ist, die des Mannes Begierde erregt, so freilich, dass sie erst durch Hilfe der erweckenden Kraft des Mannes zum Bewusstsein dieses Bildes gelangt und darum ihm stets untergeordnet bleibt. Ferm. 2, 256. Anm. Von dem Weibe geht die gute wie böse Action aus — Eva, Ave. (Mart. Pasq. 4, 122 ff. Anm.) Ferm. 2, 317. Erot. Phil. 4, 175. Anm. Esch. 7, 27. 2. Cap. d. Gen. 281. Rat. mat. Vorst. 3, 302.

Sie ist zugleich die Tochter und die Braut des Mannes. 2. Gen. 7, 236. Das Weib ist bloss siderisch, daher seine Unterordnung unter den Mann. Br. 15, 505. vgl. 637. Ueber die Mission des weiblichen Geschlechtes als Opfer. Br. 15, 585. S. Bild Gottes. Geschlechtsverhältniss. — Weib Gottes: die Idee, die Schöpfung, die Kirche. Br. 15, 496.

Weibessame = leibliches (weibliches) Princip des Gottesbildes im Menschen, zwar erloschen, aber doch durch die Versehung des Menschen in Jesus erhalten und wieder erregbar. Ferm. 2, 225. Weibessame, Schlangensame = gute, böse Lust. Ebd. 2, 256. 2. Gen. 7, 231. Bei beiden ein erster und zweiter Leib. Besess. 4, 254.

Weigel, *Studium universale*. Lpz. 1700. Theor. d. Erk. 1, 52. Anm. *Deus minor minimis, major maximis*. Opf. 7, 400. Offenbarung Jesu Christi 1619. Geist u. W. 10, 11. Comment. 13, 320. Weigélianer. Versehens. 4, 368. Ferm. 2, 424. Anm. Rel. u. Naturw. 3, 354. Myst. Magn. 13, 185. 187. Anm.

Weihe der Natur durch den Menschen. Morg. u. Ab. Kath. 10, 125. Die (Priester-) Weihe *at first hand* noch jetzt zu erhalten. Br. 15, 331.

Weihnachtsfest, *Impetus philosophicus* für dasselbe. Aph. 5, 274 ff. Weihnachts-, Oster-, Pfingstfest, entsprechend den drei Zuständen des Erlösers als Mariä Sohn, Christ (= Geistmensch, Paradies), sitzend zur Rechten Gottes im Himmel. Opf. 7, 816. Anm. 323. Anm.

Weinhold. Socialph. Aph. 5, 281. Anm.

Weishaupt, Materialien zur Beförderung der Welt- und Menschenkunde. Studienb. 13, 392.

Weisheit, Sophia, Idea, Jungfrau in Gott und im Menschen, so wie ihr Verhältniss zur Natur. Sophia bei Juden und Griechen = übermenschliche, bereits von Ewigkeit her fertige, den Menschen weisende Weisheit oder Vernunft. Daher das Wort Philosophie. Rel. Phil. 1, 169. (Sophia bei den Hebräern = Idea bei den Griechen (Platonikern) = Maja bei den Indiern = Imagination oder Magia bei J. Böhme, alles diess ausgehend vom Begriff der Spiegelung *(mirer, miroir)*,

woher auch Speculation. Spec. Dogm. 9, 182.) 8. Imagination.
Ausführliches über Sophia $=$ Spiegel, Auge $=$ platonische
Idea. Br. 15, 447. $= \delta\acute{v}\nu\alpha\mu\acute{\iota}\varsigma \ \tau\iota\varsigma \ \lambda o\gamma\iota\varkappa\grave{\eta}$ (Justin.) Rel. Phil.
1, 300. Der Philosophie ist über ihrem beständigen frucht-
losen Suchen nach der Sophia endlich sogar auch die Liebe
zu ihr und der Glaube an sie ausgegangen. Bonald 5, 54.
Ideophobie, analog der Hydrophobie (s. Wasserscheu). Spec.
Dogm. 8, 32 ff. — Die Weisheit, in und bei Gott seiend, ist
aus Gott vor aller Creatur hervorgegangen. Urterm. 7, 36. Weis=
heit $=$ Idea, Spiegel, zuerst ausgesprochenes, geformtes Wort
ist nach dem Buche der Weish. 9, 12 und Sprichw. 8, 22.
die Mitwirkerin (das Organ) Gottes (als Princips), wozu J.
Böhme zuerst die ewige Natur (das Fiat) als Werkzeug hinzugefügt hat. Ferm. 2, 247. J. Böhme hat das von ihm
richtig erkannte Verhältniss von Idea und Natur oder von
Realität und Idealität überall festgehalten. Myst. Magn. 13, 164.
— $A\grave{v}\tau o\delta\iota o\varrho\iota\sigma\mu\acute{o}\varsigma$ des seine Selbstmanifestation begehrenden
Willens, wesshalb sich derselbe in sich (in einander, nicht
nach- oder neben einander) setzt, d. h. zuerst als begehrend
oder sich centrirend imaginirt (sich in eine Idea, Lust ein-
führt) und dann sofort sich tiefer in seiner Begierde oder in
und zur Natur fasst. J. B. Theol. 3, 379. Die unoffenbare
Sophia $=$ unessentialische Figur im Willen (Vater). Quar. Qu.
12, 483. Die Idea als stille Lust der Offenbarung, und der
Naturgrund. Versehens. 4, 393. Lust und Begierde, Freiheit
und Natur, Strenges und Mildes, Weibliches und Männliches
bedeuten (je paarweise) dasselbe. Privatvorl. 13, 65. Idee und
Natur, beide zunächst unoffenbar und erst durch ihre Conjunction offenbar werdend, sind nicht dualistisch zu fassen, sondern
dafür die Triplicität der Causalität (Wille): Idea, Natur und
Grund (Mitte oder Logos) zu setzen. Heg. Phil. 9, 303. Idea
und productives Vermögen sind zu unterscheiden. Vier Momente der Production aus dem esoterischen ins exoterische
Sein. Spec. Dogm. 8, 78. Die ewige Weisheit (ewige Jungfrau ohne Wesen) entsteht im Begehren und ist aus dem Chaos
gefasst ins Begehren. Studienb. 13, 359. J. Böhme's Lehre

über die Idea == Spiegel, Auge, Weisheit. Rel. Phil. 1, 186.
Ueber die Idea und Natur in Gott. Die Natur, φύσις, ist
nicht ein Hervorgebrachtes, sondern die unmittelbar hervor-
bringende (gebärende) Macht. Spec. Dogm. 9, 95. Idea. und
Natur vermitteln den Hervorgang der Creatur aus Gott, jene als
Witwirker (δύναμις, vis), diese als werkzeuglicher Wirker. Rel.
Phil. 1, 205. Die Idea im Unterschied von der Natur nach
Hegel; jene tiefer und früher, in der Offenbarung aber später
als diese. J. Böhme's Lehre darüber. Heg. Phil. 9, 302 ff.
Ueber Hegel's Entäusserung der Idee in oder als Natur und
Wiederhervorgang oder Wiedererhebung der entäusserten Idee
aus der Natur als Geist. J. Böhme's Lehre darüber. Societ.
14, 119. Die Idea geht so gut erst in die Natur ein und
hebt sich in ihr auf, wie diese in jene. Rüge 3, 327. Gott
hebt die Idea (Name, Sophia, himmlische Menschheit, Adam
Kadmon) in seiner ewigen Natur ewig auf, entäussert oder ver-
birgt sie, damit sie ewig durch Aufhebung und Verbergung
dieses Naturprincips in ihr in Herrlichkeit aufgehe. Creatürliche
Nachbildung dieses ewigen Processes. Incomp. 4, 811. Anm.
Die göttliche Weisheit wird nur vollendet offenbar durch
Schlichtung des Streites der Natur. Privatvorl. 13, 86. Die
Idea == Sophia, die ewig vor Gott ist, verhält sich analog
der Idee des Künstlers und zeigt sich in drei Momenten: magisch, lebhaft zu ihrer Leibwerdung treibend, wirklich leib-
geworden (cubirt). Dieselbe Idea das Bild Gottes im Menschen, nach J. Böhme's Lehre. Spec. Dogm. 9, 24. Idea
(Sophia), ewig vor Gott seiend, Inbegriff aller Geschöpfe. Idea
des Künstlers; drei Momente: magisch, lebhaft, leibhaft. Unsterbl. 4, 279 ff. Als erste magische Entwickelung des Lebens
in Gott ist die Weisheit das Auge der Wunder, welches durch
die Fassung in Natur Licht wird, und hiermit als ewiges Licht-
gestirn oder Firmament in Gott aufgeht. Ferm. 2, 305. Idee
und Verstandesbegriff. Erstere ist ein Process, ein *circulus
vitae* und im Trialismus beschlossen. Spec. Dogm. 8, 70 ff.
Idea == Sphäre, magischer Operationskreis. Mit dem Heraustritt in sie entsteht dem sich Aussprechenden erst die Energie

(*bis*), welchen Urstand der Energie der sich Aussprechende als ein Quellen in sich inne wird. J. B. Theol. 3, 398. *Idea = Forma =. Exemplar* nach Thomas von Aquin. Erläut. 14, 249. *Idea Formatrix* = spirituöse Potenz. Opf. 7, 378. (Sonst auch *Idea Formatrix* = geistige Substanz, die aber nicht verständig und nicht unsterblich ist, entstehend durch Imagination (s. d.) der Naturwesen. Ferm. 2, 260, 267. Die *Idea Formatrix* ist Mitwirkerin Gottes *par excellence*, und sie vermittelt auch den Verkehr der Creatur mit ihrem Princip. Ferm. 2, 288. Idea, Name = der einem Product eingesprochene Gedanke, Basis des virtuellen und effectiven Rapports damit. Spec. Dogm. 8, 86. Idea = ingebildete, geistige Figur = Schechina. Versehens. 4, 371. Sophia, Idea, in ihrem bezüglich auf uns noch unleibhaften, ihre Wirklichkeit nur anstrebenden Zustande = Geist. Geistersch. 4, 214. Idea beim Schaffen eines Werkes: der Mensch gebiert sie vorher in sich und gibt sie dann in der Ausführung (als sein Liebstes) hin. Aehnlich bei der Erschaffung der Welt durch Gott. Ferm. 2, 410. Die reale, lebendige Idea = sprechendes Wort; davon zu unterscheiden die unlebendige, stumme, nur magisch vorhandene Idea, und davon wieder die äussere Darstellung, das ausgesprochene Wort. Idee des Künstlers. J. B. Theol. 3, 378 ff. Idea (Gedanke) und Wort, ihr Unterschied = erster magischer und zweiter Ausgang. Wort als P o t e s t a s, Auctorität; durch das Wort wird der schauende Wille zum nennenden und erkennenden. Rat. Theol. 2, 505. Anm. Ausfürlicheres über den Unterschied und die Einheit von Sophia und Logos in Gott. Jene ist nicht eine Persönlichkeit. Ternar von Gott dem Einsprechenden, Eingesprochenen und Aussprechenden. Daneben Gott als der Ausgesprochene. Ferm. 2, 427 ff. S. Logos, Sophia. Die zeugende Weisheit = Vater, die gezeugte = Sohn, die wirkende = heil. Geist, nach Bossuet, Thomas von Aquin, J. Böhme und der hebräischen Philosophie (Chochmah, Binah). Was aber Bossuet dabei übersehen hat. Elem. 14, 32. Origenes, Tertullian und die meisten Kirchenväter wissen nichts vom Ausgang des Geistes in Sophia und dem ewigen Urstand

der Wesenheit, in welcher diese als Forma eingeführt ward.
Log. 1, 316. Anerkennung eines mütterlichen Princips in
Gott bei Thomas von Aquin. Erläut. 14, 201 ff. 233 ff. An-
deutung der Sophia bei Alcuin. Randgl. 14, 434 ff. Die
Sophia oder Doxa wird in der Schrift unsere Mutter, die oben
ist, genannt. Sinn dieser Lehre ($\delta\acute{o}\xi\alpha = \lambda\acute{o}\gamma\sigma\varsigma \ \pi\varrho\sigma\varphi\sigma\varrho\iota\varkappa\acute{o}\varsigma$).
Spec. Dogm. 8, 113. Sophia $= \lambda\acute{o}\gamma\sigma\varsigma \ \acute{\epsilon}\varkappa\vartheta\epsilon\tau\sigma\varsigma$. Br. 15, 463.
Sophia $=$ *matrix* aller Urbilder. Rel. Erot. 4, 200. Idea,
Sophia $=$ Jungfrau nach Apoc. 14, 4. Myster. Magn. 13, 186.
Jungfräulichkeit der Idea, wegen der Superiorität und Unver-
mischbarkeit derselben mit der Creatur. Spec. Dogm. 8, 91.
S. Spiegel. Die Sophia ähnlich zu fassen, wie die K i r c h e
bei Paulus: ihre Bräutlichkeit und Weiblichkeit soll nur ihre
Willen-, Person-, Selbst- und Namenlosigkeit andeuten. J. B.
Theol. 3, 396. Organ $=$ Urweib s. Organ. Der Sohn heisst
und ist nicht erst bei der Schöpfung und Erlösung der Jung-
frauensohn. Reale Form $=$ Conjunction der Idea und Natur.
Heg. Phil. 9, 305. Durch den Ingress des Genitors und mit
ihm wird die Weisheit (Idea, Urform, gefasste Lust) wirkend
und gebärend. Die erste unmittelbare Immanation (nicht
Emanation) ist das Wort *(Verbe,* Genitus); zugleich aber geht
aus jenem Ingress der Geist als effectiver Sprecher beider
(parole) aus. Form od. Maass 2, 521. Dem unmittelbaren
Urstande des Genitus entpricht die durch den ausgehenden und
ausführenden Geist (als Operator, Formator und Confirmator)
vermittelte Production der Sophia $=$ Widerschein, Herrlichkeit Gottes. Incomp. 4, 314. Anm. Weisheit in Gott $=$ das
dem Wort Reactive, *terminus a quo* und *ad quem*, wogegen
das Wort (Centrum) *principium a qua* und *ad quod.* So
hat auch die Spende des Wortes dessen Rückkehr zur Folge.
Anthropoph. 4, 224. Sophia verschieden vom Geist als dritter
Person. Rel. Phil. 1, 299. Trilogie von Gott, Weisheit ($=$
Geist) und Natur in Gott. Sophia $=$ Spiegel und Analogon
unserer Gedanken, verschieden vom ausgesprochenen Wort.
Espr. 12, 276 ff. 293 ff. 347 ff. 357. 360. Sophia, das
unmittelbar aus dem Ternar ausgegangene geistige und herr-

liche Wesen, von dem der uns gegebene und aufgegebene Geist
unmittelbar kommt. Ihre Persönlichkeit ist nicht mit der dreifachen activen Persönlichkeit Gottes zu vermengen. (S. Vater,
Sohn, Geist, Sophia). Sie ist activ persönlich bloss in Bezug
auf das Geschöpf. Versehens. 4, 351 ff. Die Sophia wird nur
in der Creatur persönlich. Geist u. W. 10, 13. Sophia (Idea)
und ewige Natur haben in Gott und bezüglich auf ihn keine
Persönlichkeit oder Selbheit, wohl aber in der Creatur und
bezüglich auf sie. Aber dieses Persönlichwerden der Sophia
in der Creatur ist bedungen durch das Nichtpersönlichwerden
ihres Naturprincips. Incomp. 4, 311. (Verselbständigung der
Idea in und durch den Menschen, durch das Opfer seiner Ichheit als gleichsam des Feuermaterials. Ferm. 2, -209. Das
normale Verhalten von Idea und Natur zu einander zum Behuf der Verselbständigung des erstern. Abnormes Verhalten
der Natur und Creatur zur Idea. Societ. 14, 147—152. Idea
und Naturgrund im Menschen = $+$ —. Spec. Dogm. 8, 167.)
Idea und Moria, beide werden erst in der Creatur persönlich.
Revis. d. Wiss. 10, 268 ff. — Jungfrau, ewige, ungeschaffene
und creatürliche. Incomp. 4, 313. Idea oder Sophia, nur als
Ideal aufgehend, als Revenant wieder erscheinend. Geistersch.
4, 213. Die Idea kann frei herabsteigen, soll nicht herabgezogen werden. Zaubereisünde. Divin. 4, 92. Idea, Ideal,
himmlische Jungfrau = jungfräuliches Gottesbild in Adam,
das in ihm real werden sollte. Darin standen seine männlichen
und weiblichen Eigenschaften in Temperatur, hatten aber noch
das *posse* ihrer Nichtunion, wie Adam das *posse* irdischer
Leibwerdung. Nicht aus ihr, sondern aus der bereits inficirten
weiblichen Eigenschaft wurde das Weib erschaffen. Rat. mat.
Vorstell. 3, 302. vgl. 307 ff. Die ungeschaffene, der Creatur
eingesprochene und ihr inwohnende Idea hält dieselbe mit Gott
in effectivem Rapport und ist die Mitte (das Centrum) in der
intelligenten Creatur, die die nichtintelligente Natur mit ihr
vermittelt. Spec. Dogm. 8, 92. Idea, Ebenbild Gottes im
Menschen = Geist, wird durch die Feuernatur der Seele offenbar, verbleicht mit dem Fall, soll aber von Neuem für Men-

schen wesentlich werden. Bildungsl. 2, 104. Idea == Bild
Gottes im Menschen; Verbleichen desselben beim Fall; Eintritt
des Logos in dasselbe. Unsterbl. 4, 282. Himmlische Jungfrau
== vom Menschen gewichene Lichtseele (oder Geist), die als
in ternario sancto seiend Christus unserer Seele als Braut
wieder mitbrachte. Versehens. 4, 351. Anm. Idea als Gehilfin
(s. d.) dem ersten Menschen beigegeben. Ihr Verbleichen
(denn der Geist mit seiner Idea wohnt nicht unmittelbar dem
Wesen, sondern der Tinctur inne). Eintritt des Logos in sie &c.
Versehens. 4, 336. Unsterbl. 4, 281. Opf. 7, 290. Segen u.
Fl. 7, 100. Morg. u. Ab. Kath. 10, 129. Die Creatur ist in
ihrer wahren geistigen oder geistlichen Gestaltung über die
Natur als ihre Wurzel, zugleich aber auch unter Gott gestellt.
Diese Gestaltung geschieht vermöge ihrer Vermählung mit der
Idea oder der himmlischen Jungfrau, welche Adam verlassen,
Christus aber wiedergebracht hat. Myst. Magn. 13, 184 ff.
Göttliche Jungfrau == Idea, Gottesbild im Menschen, weil es
über dem (creatürlichen) Geist im Menschen steht und sich
so wenig mit der Creatur vermischt, wie das Feuer mit dem
Eisen, auch wenn dieses ganz von jenem durchglüht wird.
Ferm. 2, 224. Erweckung der himmlischen Jungfrau und
Mutter in der irdischen bei der Incarnation. Geist u. W. 10, 9.
Die Idea als Gehilfe des Menschen sollte, als selbst androgyn,
dem Menschen helfen, die Dualität seiner Naturcausalität in
die Androgyne auf und zu ihr zu erheben. Spec. Dogm. 9, 211.
Jungfrau == innerer, Mann == äusserer Leib des paradiesischen
Menschen, der durch die Conjunction beider sich hätte fortpflanzen können. Ferm. 2, 315. Die irdische Jungfrauschaft
stirbt in des Mannes Umfangen, die himmlische entsteht im
himmlischen Empfangen. Ferm. 2, 225. Geist u. W. 10, 12.
Jungfrauenbild == Bild des vollkommenen Menschen. Euch.
7, 27. Sophia, Jungfrau, als Gehilfe, Weiser, Leuchter und
Führer in jeder Mannes- und Weibesseele, durchscheinend in
der Ekstase der Liebe. Erot. Phil. 4, 177. In der Sophia
finden Mann und Weib ihre Ergänzung; beide Tincturen in
ihr. Minist. 12, 380. 382. 388. Die Idea ist der Focus der

ganzen romantischen und Ritterpoesie. Der Mensch ist der
Ritter, der seiner Jungfrau die besiegten Feinde zu Füssen
legt. Spec. Dogm. 8, 176. — Sophia = Schlange im Ophitendienst (Gleichsetzung des Scheines als solchen mit dem
bereits täuschenden, verführerischen und lügenhaften Schein).
Spec. Dogm. 8, 278. Vgl. Bild Gottes, Lust, Aeusseres,
Spiegel. — Weisheit nach Baco = Gotteswissenschaft. Tageb.
11, 88. Kritische Weisheit unseres Jahrhunderts. Spec. Dogm.
8, 205.

Weiss. Fragmente über Sein, Werden und Handeln. Br. 15, 181.

Weissagung, *clairvoyance* — Begriff der wahrhaften, nach
J. Böhme. Versehens. 4, 354 ff. S. Magnetismus, Somnambulismus.

Weisse, Hermann. Einl. I, LXV. Vorr. 1, 898. Anm. Ferm.
2, 406. Anm. 417. Anm. Zus. d. Leb. 2, 17. Anm. Einl.
III, XIII. LXIII. Einl. V, XXXII. Tageb. 11, 281. Anm.
Vorr. 13, 8, 35.

Weisung des Menschen, wovon die Rationalisten nichts wissen.
Spec. Dogm. 9, 177. S. Weisheit.

Welt, erste, zweite. Man sollte diese Welt nach Saint-Martin
eigentlich die andere nennen. J. Böhme's Theol. 3, 369. Die
gegenwärtige Weltanschauung verhält sich als *second-sight*
gegenüber einer andern als *first-sight*. Incomp. 4, 310. Anm.
Die Ordnung oder Harmonie und die Verwirrung darin. Tabl.
12, 196.

Weltalter oder Weltepochen. Es gibt deren drei: Die
Weltepoche des Vaters (Schöpfung), des Sohnes (Menschwerdung),
des heiligen Geistes (Auferstehung). Ferm. 2, 419 ff. Mart.
Pasq. 4, 118. (S. Durchwohnung.) Dessgleichen: erste Schöpfung
(Vater), Abfall der Creatur (Sohn), Himmelfahrt (Geist). Nach
dem Weltgericht d. h. mit dem Ende der Zeit wird der ganze
Gott offenbar. Em. d. Kath. 10, 87. Oder auch: Weltschöpfung,
Menschenschöpfung, Erlösungsopfer Christi. Erot. Phil. 4, 172 ff.
Ebenso: Erschaffung des ersten intelligenten und nichtintelligenten
Universums, Erschaffung des Menschen, Jesus. Spec. Dogm.
8, 152. S. Schöpfung. Die Patriarchal-, Gesetzes-, Befreiungs-

oder Pfingstepoche. Espr. 12, 336. Drei andere Weltalter als die Schelling's. Br. 15, 610. Weltepochen in Bezug auf das Böse sind ebenfalls drei, jenachdem das Böse sich in der Region ' der Natur, oder der Seele, oder des Geistes durchführt. Die letzte Epoche begann erst nach dem Eintritt des Christenthums. Segen u. Fl. 7, 144. Die von Hegel angenommenen vier Epochen der Weltgeschichte (orientalisches, griechisches, römisches, germanisches Reich) beruhen auf einer abominabeln Vorstellung. Societ. 14, 112.

Weltansicht, heitere, ist nur statthaft, wenn man sein Auge gegen das Gewahren der Unnatur in der Welt zudrückt. Spec. Dogm. 9, 47.

Weltbaumeister, Bezeichnung Gottes. Tageb. 11, 6.

Weltflüchtigkeit ist keine Weltfreiheit (gegen die Asketen). Heg. Phil. 9, 358.

Weltgegenden, vier = Cardinalpuncte alles Seienden, dargestellt im Quaternar oder Kreuz. Societ. 14, 104. Nach Pohl's Ansichten und Ergebnisse über den Magnetismus. Endl. Geist ; 7, 172 ff. S. Vierzahl, Coordination.

Weltgeist oder Weltseele. Weltseele = Wärmematerie. Wärmest. 3, 30. Weltgeist, *spiritus mundi;* es gibt einen solchen im Unterschied von den einzelnen Thierseelen oder Geistern. Rel. Phil. 1, 279. Weltseele oder Weltgeist = Veste, Himmel. Elemphys. 3, 226. = Sternen- und Elementengeist, der lüstern nach der himmlischen Jungfrau in Adam diesen versuchte. Als derselbe nachgab, wurden in ihm die männliche und weibliche Eigenschaft zersetzt: Feuer, Wasser. Rat. mat. Vorst. 3, 302. Gegensatz von *spiritus Dei* und *spiritus mundi immundus.* Societ. 14, 112. Die Sophia entspricht als *spiritus mundi divini* dem ewigen Element, wie der *spiritus mundi sidereus* den vier Elementen. Morg. n. Ab. Kath. 10, 230. Die Gesetzgebung im alten Bunde durch den Weltgeist, nicht den h. Geist. Spec. Dogm. 9, 267. Der Welt- oder Zeitgeist, entstanden im Ungewitter, ist einer Windsbraut zu vergleichen, die sich endlich der Jungfrau zu

Füssen legt. Geistersch. 4, 217. Anm. Ferm. 2, 159. 202. Wie durch Lucifer der Wurm (= Hoffartsprincip), so ward durch Adam der Weltgeist (= Princip der äussern Sinnlichkeit) creatürlich. Beide Tendenzen von Gott in und durch den Menschen besiegt. Societ. 14, 159 ff. *Spiritus mundi immundus.* (Antirel. Phil. 2, 491 ff.) Rel. Phil. 1, 309 &c. S. Astrum, *spiritus mundi*, Tatianus.

Weltgericht = Aufhebung der Materie, um den Himmel, die himmlische Welt, das Reich Gottes zu voller Manifestation zu bringen. Partielle Anticipationen davon in der Religion. Antirel. Phil. 2, 477 ff. Auch jedem partiellen Weltgericht geht die Erscheinung gewisser zerstörender, apokryphischer, sophistischer Wesen vorher. Societ 14, 115. Dass die Weltgeschichte das Weltgericht sei (Schiller), ist unwahr. Antirel. Phil. 2, 477. Spec. Dogm. 9, 21. Societ. 14, 68. S. Gericht, Gewirke.

Welthandel, die darin herrschende allgemeine Anarchie und der hierbei von einer einzelnen Nation ausgeübte Despotismus. Naturrechtl. Gr. 6, 6.

Weltkatastrophe s. Katastrophe.

Weltkirche s. Kirche.

Weltklugheit s. Klugheit.

Weltschöpfung s. Schöpfung.

Weltstandschaft und Weltbürgschaft des Katholicismus. Zeitschr. Av. 6, 35. Weltstandschaft von Religion, Wissenschaft, Kunst im Gegensatz von blossen National-, Privat- und Winkelinstituten. Sichtb. Kirche 7, 220 ff. Weltstandschaft der katholischen Kirche. Wiss. u. Rel. 1, 91. S. Bund.

Weltumwandlung: der Glaube daran ist bedingt durch die Annahme einer die materielle Substanzialität aufhebenden, diese ins Unsichtbare zurückversetzenden Macht. Basess. 4, 255. Anm.

Weltwage, die, ruht auf der Einheit der Energie der Schwere als auf ihrem wahren Grunde; diese ist unaufhörlich bestrebt, dem regel- und formlosen Egoismus expansiver Kräfte (Fliehkräfte) Maass und Ziel zu setzen. Elemphys. 3, 209.

Wenzel. Sprengarb. 6, 164.

Werk: Je vollkommener ein Werk ist, desto mehr Vollkommenheit setzt es in seiner schaffenden Ursache voraus. Tabl. 12, 165.

Werkzeug, Organ, Princip s. Princip.

Werner, Abraham, Lehrer Baader's in Geognosie und Bergbauwissenschaft. Spreng. 6, 159. Anm. Biogr. 15, 26. 143. Vorw. IX, XXIV. Werner, Heinrich Randglossen zu dessen: Schutzgeister oder Blicke zweier Seherinnen. Randgl. 14, 367. 381. Vergl. Spec. Dogm. 9, 311. Anm. Heg. Phil. 9, 311. Br. 15, 631 ff. 663.

Werther: Die Kräfte der unorganischen Natur in ihrer Einheit und Entwicklung (1852). Rel. u. Pol. 6, 14. Anm.

Wesen, bei seinem ersten Entstehen $=$ *prima materia*, $1^0 =$ *caput mortuum* einer vermittelst eines Depotenzirungsprocesses erschöpften Energie. Blitz 2, 41. Anm. Es ist zwar dünner, subtiler, kräftiger, als die Angstqual, und ihr unfasslich oder über ihr, aber dicker, als die Freiheit, unter ihr, ihr fasslich, bildbar. Ferm. 2, 244. Die essentiale Wesenserzeugung $=$ Erzeugung eines lebhaften Geistbildes $=$ geschieht durch eine Attraction. Ferm. 2, 260. Jedes einzelne Wesen hat seine feste bestimmte Zahl und sein Gesetz. Tabl. 12, 175. Wesen $=$ Bild bei J. Böhme. Ebd. Das Wesen muss auch erscheinen (Hegel). Wie diess zu verstehen sei. Spec. Dogm. 9, 20. S. Bild. Wesen (Grund) und Erscheinung (Form); dieser Dualismus ist vielmehr als Triplicität zu fassen: Causalität, Grund, Form (gegen Kant, mit Hegel). Phantasmagorie der Erscheinung in der Philosophie. Heg. Phil. 9, 308.

Wesen und Person. Das empfangene Wesen wird in der Empfängniss selber zur Person oder zum Selbst (Sophia, heil. Geist). Geist u. W. 10, 12. Vgl. Idea, Sophia, Moria.

Wesenclassen gibt es nach M. Pasqualis dreierlei: göttliche, geistige, natürliche, ein Ternar, ähnlich dem von Scotus Erigena aufgestellten. M. Pasq. 4, 120 ff. Anm. $=$ Mensch, Geist, Natur (göttlich vom Menschen d. h. Geist und Natur mit Gott vermittelnd). Spec. Dogm. 8, 289. Triplicität der Geschöpfe:

Himmel, Mensch, Erde $=$ Geist, Seele, Leib. Der Mensch
würde erschaffen sein, auch wenn Lucifer nicht gefallen wäre.
Versehens. 4, 331. Anm. Schriftstelle über die Triplicität der
Geschöpfe, entsprechend den Namen des Erlösers: Jesus, Christus,
Sohn der Maria. Versehens. 4, 334. S. Schöpfung. Unerschaffene Wesen. Zeitbegr. 2, 91. Das Wesen des Geistmenschen ist ewig *a parte ante* und *a parte post.* Zeitbegr.
2, 51 (73). Zwei der Zeit vorgesetzte Wesenclassen. Seg. u.
Fl. 7, 124. Selbstische, selbstlose Wesen; ein Wesen letzterer
Art ist nicht eine Aeusserlichkeit ohne Innerlichkeit, sondern
es centriren nur in ihm Aeusserlichkeit und Innerlichkeit in
eine Mitte, oder diese Mitte wohnt demselben nicht inne, es
wird nicht als Figur geschlossen. Elemphys. 3, 219. Vgl. Haller.
Wesenkreis nach Thomas von Aquin (Gott, Geist, Natur,
Mensch). Erläut. 14, 230. 268 vgl. 207. Dessen Gradation
der erschaffenen Wesen. Ebd. 14, 214.

Wetterglas nach Sutor's Erfindung und ein ähnliches Blut-
wetterglas. Br. 15, 275.

Wetzel, F. G., Gedichte. Versehens. 4, 385 ff.

Whewell, Geschichte der inductiven Naturwissenschaften. Ferm.
2, 298. 299.

Wichart, H., Geist, Natur und Mensch mit Hinweisung auf
Gott. Versehens. 4, 332. Anm.

Wider einen Aufsatz des Baron von B (urgau). Schr.
(1802). 6, 213.

Widerlegung des Blattes oder der Blüthe durch die Knospe,
dieser durch die Frucht (Hegel). Evol. u. Revol. 6, 81.

Widersetzlichkeit gegen die Aufhebung unseres Selbst an
Gott ist uns angeboren, aber keineswegs etwas Unschuldiges.
Antirel. Phil. 2, 462.

Widerspruch, anscheinender, im Schaffen eines freien Geistes.
Spec. Dogm. 8, 110.

Widerstand, nicht Mittel, sondern Hinderniss. Minist. 12, 377.
S. Kraft.

Widerstreit (noch nicht Widerspruch) der zwei Kräfte in der
Natur, s. Kraft.

Widmanstetten, Director in Wien. Anleit. 6, 248. Einführ. der Kunststr. 6, 273. Biogr. 15, 47.

Widmer. Uebersetzer der Augustinischen Schrift von der Freiheit des Willens und göttlicher Gnade. Anzeige derselben 7, 53—58. Stelle aus Widmer's Vorrede 7, 75. Anm.

Wiederbringung aller ewigen Geschöpfe, uneigentlich so genannt. Sendschr. 4, 411. Der Wiederbringungsprocess des Menschen und der Erde. Bildungsl. 2, 122. — Wiederbringung der Einsicht in die *harmonia luminis naturae et gratiae.* Ferm. 2, 237.

Wiedererkennen in der andern Welt an Wechselverhältnissen, die sich schon in der jetzigen zwischen uns gebildet haben. Espr. 12, 342.

Wiedergebärung, nachbildliche, Gottes in und durch das Geschöpf. Spec. Dogm. 9, 167.

Wiedergeburt = gründliche Umwandlung des Menschen an Seele und Leib, Grundbegriff des Christenthums. Spec. Dogm. 8, 46. Zwei Irrthümer in Betreff derselben: einmal, das Bild Gottes sei dem Menschen als **fertiges** angeboren; sodann, der Mensch sei als fertiger **Erdenmensch** geschaffen. Ferm. 2, 281. Jedes Leben muss wiedergeboren werden. Blitz 2, 36 ff. Auch in der ewigen Natur in Gott sind nach J. Böhme ein erster und ein zweiter Moment zu unterscheiden. Ferm. 2, 403. Hiernach ist näher eine Theorie der Wiedergeburt des Menschen zu geben. Ferm. 2, 346 ff. Opf. 7, 407. Es handelt sich dabei nicht um ein absolutes Entstehen, sondern um ein Eingeborenwerden, oder davon, dass Christus in seinen Jüngern eine Gestalt gewinne. Bonald 5, 90. Sie ist freier Wiedereingang oder freie Wiedereinführung der selbständig gewordenen Wesenheit oder Kräfte in die ursprüngliche Einheit, wodurch eben die Vollendetheit der Lebensgeburt bedingt ist. So konnte und sollte der Mensch durch Wiedergeburt zum Bilde Gottes sich vollenden. Myst. Magn. 13, 210 ff. Der Process der Wiedergeburt zerfällt in drei Acte — nach dem Ternar von Princip, Organ, Werkzeug. Div. 4, 90 ff. — oder in drei Momente: Imagination, Tingirung des Willens zum Geistbilde, Tingirung der Seele zur leibhaften Gestalt. Spec. Dogm. 8, 157. Der Schlüssel zum Verständniss der Regeneration als Integration. Spec. Dogm. 8, 256. Nochmalige Auseinandersetzung des ganzen Begriffes, nebst einer Theorie des creatürlichen Guten und Bösen. Fund. d. Christ. 10, 32. Den Weg der Wiedergeburt können wir nur an der Hand des furchtbaren Bruders (des Todes) wandeln. Elembgr. 14, 40. Der baader'sche Ausdruck „Reintegration" (aus der Mathematik entlehnt) ist besser als der schelling'sche „Indifferenz". Rel. Phil. 1, 271. Stufenleiter für die Reintegration eines von seinem Centrum getrennten und in eine nicht äusserliche Welt gefallenen Wesens: 1) Auflösung der höhern Verkörperung, 2) niedere Verkörperung, 3) Tod = Auflösung der niedern Verkörperung. Zeitbgr. 2, 61 (85) ff. Der Modus der Restauration (Reintegration) lässt sich wissen. Ferm. 2, 354. Die Restaurabilität (Regenerirbarkeit) der Natur und des Menschen wird nur zugleich zur Vollendung gebracht. Spec. Dogm. 9, 77. S. Vitalfunction des Geistes, Blut. Bei begonnenem Wiedergeburtsprocess wirkt ein Rückfall ganz anders, als die Vollbringung desselben Bösen ausserdem. Br. 15, 293. 296.

Wieland, Agathon. Tageb. 11, 3. 14. 22. 156. Psyche. Ebd. 11, 9.

Wienhold, Magnetiseur. Br. 15, 324.

Wilbrand's Physiologie 1815. Dyn. Bew. 3, 285. Ausführliches Urtheil darüber. Br. 15, 278 ff. vgl. 277. 283.

Wildheit und Rohheit, nicht primitiver Zustand der Natur und des Menschen. Bonald 5, 67. 70 ff. Spec. Dogm. 9, 77 ff.

Wilkinson. Einf. der Kunsts. 6, 148 ff.

Wille = die sich selber durch Offenbarung begründende und damit sich verselbständigende Causalität. J. Böhme's Theol. 3, 388. = einzige Causalität nach J. Böhme. Studienb. 13, 388. = potenzialer Geist, nur in die Fassung (Grund) eingehend. wird er actualer Geist. Spec. Dogm. 9, 200. Wille und Geist verhalten sich wie Flüssiges und Gestaltetes, Blut und organisches Gebilde. Heg. Phil. 9, 304. Wille, das Centrum unseres Geistwesens. Espr. 12, 311. Unser Wille hat das Vermögen des Selbstanfangs in sich. Tabl. 12, 186. vgl. Des err. 12, 94 ff. Einfach im Sinne der Monadenlehre, nämlich ohne Mehrheit der Triebe und Motive als gleichsam ihre Diagonalkraft, ist der Wille nicht denkbar. Ferm. 2, 162. Magie desselben, d. h. seine plastische oder samliche Potenz. *Intellectus videt, sed sine voluntate non format vel efficit.* Spec. Dogm. 8, 103. 126. Man muss die *actio vitalis*, das Zeugende, Gebärende, Plastische oder Samliche des Willens anerkennen. Societ. 14, 156. Die Richtung des Willens wird primitiv vom Gedanken bestimmt. Nouv. hom. 12, 245. Der Wille ist ohne das Attribut der Sprache impotent. Des err. 12, 157. Allgemeiner Wille als Imperativ == Wille Aller. Ecl. 12, 436. Es ist unbestimmter und freier Wille (Ferm. 2, 155), formaler oder leerer und erfüllter oder realisirter Wille zu unterscheiden, ebenso wie auch die Erkenntniss erst formal, dann erfüllt ist *(potentia, actu).* Spec. Dogm. 8, 116. Im göttlichen Urwillen ist Potenz und Actus ewig zumal. Privatvorl. 13, 60. Der Wille des Ungrunds fasst sich in Freiheit und Natur zugleich. Privatvorl. 13, 147. Der Wille ist bei innern Anschauungen oder Bildungen beschränkt. Inn. Sinn 4, 98. Der Schöpfer hat einen doppelten Willen, sein Wort zu gebären und dasselbe zu offenbaren. Incomp. 4, 312 ff. Gottes uncreatürlichen Willen kann jeder Mensch jeden Augenblick von seinem eigenen, jedes andern Menschen und jeder andern Creatur Willen unterscheiden. Spec. Dogm. 9, 268 ff. Unterschied des göttlichen und des menschlichen Willens nach Saint-Martin. v. Osten. Einl. 12, 83. Die Natur und Wirkungsweise des menschlichen Willens. Rat. Theol. 2, 500. Wodurch man der Freiheit des Willens verlustig gehe. Des err. 12, 86. Ausführlicheres über die Willensfreiheit des Menschen. Des err. 12, 94 ff. Nur der Wille, nicht die That, ist frei und unprädeterminirt. Espr. 12, 354. Die Intensität unserer Willensenergie ist proportional mit dem Umfang ihrer Wirksamkeit. Br. 15, 327. Der Wille ist == Geist der Seele, sofern er von ihr aus- und in ein anderes eingeht und hierbei

dessen Gestalt oder Bild annimmt, welches Bild aber nicht als
ein äusseres betrachtet werden darf (Gottesbild, Gebet, Glauben).
Myst. Magn. 13, 215 ff. Der böse Wille der Creatur ist
theils ein empörerischer, sein Centrum zu überfliegen, theils
ein niederträchtiger, sich einem untergeordneten Centrum zu
unterwerfen. Zeitbgr. 2, 61 (85). Willengeist des Menschen
und Streit der drei Principien, nämlich des strengen Feuer-
lebens, des göttlichen Liebe- und Lichtlebens und des irdischen
Lebens darum. Aliment. 14, 484 ff. S. Lust und Begierde. —
Nur die Berührung des Gotteswillens kann allen eigenen Willen
nehmen. Lettr. 12, 432. Der Gute und Böse wollen verschieden, aber thun beide, was Gott will. L'hom. 12, 211.
Willkür und Nothwendigkeit auf Gott und den Heros nicht
anwendbar. Spec. Dogm. 8, 273 ff.

Willemer, über Pressfreiheit. Br. 15, 319.

Windischmann, das Gericht des Herrn (1814). Br. 15, 255.
Ueber Etwas, das der Heilkunst Noth thut (1824). Randgl.
14, 381 — 386. — Die Philosophie im Fortgange der Weltgeschichte. Spec. Dogm. 8, 37. 39 ff. S. auch Br. 15, 423.
552. Verh. d. W. z. Gl. 1, 345. Zwiesp. d. Gl. u. W. 1, 382.

Winkelmann. Ueber das ihm von Goethe zugeschriebene
heidnische Naturell. Wir werden alle nach der Kinderlehre
als blinde Heiden geboren. Antirel. Phil. 2, 480—481.

Winterl, Physiker. Anleit. 6, 261.

Wirkliche, alles, kommt nur durch eine Conjunction eines
Aeussern und eines Innern, eines Descensus und eines Ascensus
zu Stande, so die Ton- und Wortbezeichnung. Spec. Dogm.
8, 134 ff. Der Character des Wirklichen liegt weder im bloss
innern noch im bloss äussern Wirken, sondern in der Concretheit beider. *Praesentia realis*. Religionsphil. 1, 332)

Wirkungs- und Leidenssphäre des Menschen. Jene ist
grösser als diese; es gibt keine fixe Grenze zwischen den will-
kürlichen und nichtwillkürlichen Actionen. Spec. Dogm. 8, 312.

Wirkungsstätte, die, des Willens ist analoger Natur mit
ihm d. h. selbst wollend. Man kann nur ein Wollen wollen;

alle Realität wird durch Begierde und Imagination bewirkt. Rat. Theol. 2, 507.

Wirth, U., Theorie des Somnambulismus. Incomp. 4, 320 ff. vgl. Hoffm. Anm. 423 ff. Die Idee Gottes. Ferm. 2, 373 ff. Anm. 385. Anm. Einl. III, XXXI. XLI. u. Einl. 12, 60. Einl. IV, VIII. Einl. V, XIII. Einl. VII, XXXVIII. Spec. Dogm. 8, 297. Anm. Vorr. 13, 9, 17, 38.

Wissen, Wollen, Handeln = Sein und Leben des Geistes. Aph. 5, 251. Primitives und secundäres Wissen. Einl. 12, 45. Christliches wie sokratisches Nichtwissen, Nichtwollen, Nichtthun ist nicht Zweck, wohl aber Mittel zum Zweck, nämlich zum Wahres Wissen, Gut-Wollen, Recht-Thun. Ferm. 2, 258. Der Schmerz und die Schmach des Nichtwissens. Incomp. 4, 305. Br. 15, 386. Dreifache Unwissenheit (Gebrechen, Glück und Gnade, Verbrechen). Br. 15, 366. 374. (S. Schrift über die Opfer.) Speculative Unwissenheit in religiösen Dingen. Heg. Phil. 9, 295. S. Erkennen. Wissen und Bewusstsein ist Bedürfniss des Menschen. Tabl. 12, 163. Die Theorie des Wissens als Gewissheit und Gewissen hat im Erkennen des Erkanntseins oder darin, dass das Auge einem sein Sehen sehenden Auge begegnet (Plato), ihr logisches Princip. Spec. Dogm. 8, 339. Wissen, Nichtwissen, Glauben finden sich nicht bloss im religiösen, sondern auch in jedem andern Zweige des menschlichen Erkennens und Thuns, so in Geschichte, Politik, Industrie &c. und ihr Zwiespalt setzt sich von einem Gebiet ins andere fort. Zwiesp. 1, 363 ff. Es ist zu unterscheiden ein Wissen, das dem Glauben zu Grunde liegt, ein anderes, das den Glauben belohnt, ein drittes, das den Unglauben bestraft. Nicht Glauben und Wissen, sondern Glaube und Glaube, Wissen und Wissen stehen einander entgegen. Spec. Dogm. 8, 29. Wissen und Glauben beruhen auf dem Zusammentreffen innerer und äusserer Auctorität, ähnlich wie die Kunst auf dem innerer und äusserer Natur. Unsterbl. 4, 260. Ueber das Verhältniss von Wissen und Thun, Theorie und Praxis. Wahrh. 1, 103 ff. vgl. Tageb. 11, 101. 225. Die Wissenden sind die Freien, die Unwissenden die Unfreien. Rel. Phil.

1, 227. Vgl. Abgeschiedene. Die Liebe hat das Wissen, nicht
das Wissen die Liebe hervorgebracht. L'hom. 12, 227. Wissen
und Gewissenseigenheit verglichen mit Leibeigenschaft. Em. d.
Kath. 10, 55. Wissende, *Illuminati*, die ohne den Lehrlings-
und Gesellengrad, Judenthum und Christenthum, durchgemacht
zu haben, sogleich den Meistergrad erlangen wollen. Mart.
Pasq. 4, 120.

Wissenschaft, ihr Begriff, namentlich in Bezug auf Naturwissenschaft. Tageb. 11, 373 ff. Die Wissenschaft ist das Cor-
rosiv alles Falschen in den religiösen Doctrinen und nur das
Wahre darin bleibt von ihr unangegriffen. Ferm. 2, 217. Der
Zweck der Wissenschaft ist Scheidung des Reinen und Unreinen. L'hom. 12, 225. Sie ist = Freiheit des Erkennens
und das Gegentheil aller antireligiösen Freidenkerei. Ebd. 2,
322 ff. Tritt man auf den Boden der Wissenschaft, so
verlässt man keineswegs die Auctorität. Kath. u. Prot.
1, 73. S. Auctorität. Die Wissenschaft ist nichts Selbstisches,
Individuelles, Separatistisches. — Der gute, lichte Geist ist nur
reich im Mittheilen seines Reichthums, er hat das Wort nur,
indem er spricht. Spec. Dogm. 8, 222. S. Weltstandschaft.
Wissenstrieb und Bedürfniss erkannt zu werden, d. h. zu wissen, dass man gewusst ist. Spec. Dogm. 8, 164. Altdeutsche
Wissenschaft, Naturphilosophie und Theologie vereinend =
Theosophie, Alchymie, Mystik. Mit ihrem Wiedererlöschen
wurde die Naturphilosophie irreligiös und antireligiös, die Theologie flach und naturlos. Vorr. 1, 417. Geheim gehaltene
Wissenschaften in alter und neuer Zeit, zum Theil verbrecherische. Ferm. 2, 231. S. Geheimniss, Hebräer. — erst gut,
dann verbrecherisch, zuletzt abergläubisch. Spec. Dogm. 8, 335.
J. B. Theol. 3, 374 ff. Ophitendienst der schlechten Wissenschaft. Br. 15, 600. Verbrecherische Wissenschaft, die Er-
zeugerin eines verbrecherischen Cultus in alter und neuer Zeit.
Aph. 5, 262. Wissensfaulheit, Wissensfrechheit sowie Revolu-
tionirung aller Sphären des menschlichen Lebens und Thuns in der
neuern Zeit. Spec. Dogm. 8, 31. Exacte Wissenschaft gibt es
auch in der Religion. Spec. Dogm. 8, 209. S. Lehre, Religion.

Witz: eine Eigenthümlichkeit Baader's, verglichen mit Kant, Hamann u. A. Einl. 12, 40. Anm.

Wohlstand, intellectueller, physischer. Vermögenslose 6, 184. Derselbe soll nicht bloss **negativ**, durch Nichtnehmen, sondern auch **positiv**, durch wechselseitige Hülfe, gehoben werden. Staatswirthsch. 6, 177.

Wohlthätigkeits- und Polizeianstalten im Gegensatz zu Rechtsanstalten. Vermögenslose 6, 180.

Wolfart, magnetische Curanstalt in Berlin. Br. 15, 285, 287. Einl. IV, XLVIII.

Wolff, Christ., Ferm. 2, 287. Anm. Tageb. 11, 67. 400. 413.

Wolff, O., Geschichte des Romans. Indiff. 5, 221. Anm. Tageb. 11, 216. Anm.

Wollen und Thun: Gott lässt nur das Wollen der Creatur frei, nicht ihr Thun. Gnadenw. 18, 240. Vgl. Wille, Dreizahl, Denken, Vermögen.

Wollen und Walten setzt immer ein sich Heraussetzen oder eine Ekstase der Seele *(anima est ubi amat)* und also eine Location voraus. Versehens. 4, 370. Anm.

Wollstonecraft, Miss, *Rights of woman* (1792). Tageb. 11, 201.

Woltreck, Bildhauer, Verfertiger einer Büste Baader's. Br. 15, 615. 617. Nach Baader's Tode vollführte Brugger eine andere, und König Ludwig liess für die bayerische Ruhmeshalle eine dritte verfertigen.

Wort Gottes, zwiefache Bedeutung desselben. S. Thomas v. Aquin. Inneres und äusseres Wort oder Sprechen, nach Thomas v. Aquin. Erläut. 14, 200. 298 ff. Wort = Bild. Minist. 12, 417. Geformtes Wort = Idea, Weisheit, Wille der Natur. Gott schied zur Schöpfung diesen Willen in ein Contrarium, d. h. die **Idea** entfaltete sich in **Lust** und **Begierde**, aus deren Ineinandergehen die Creatur hervortritt, um die Idea verherrlichend zu restituiren. Ferm. 2, 256. Wort oder Name = **erste Fassung**, aus deren Aufhebung sich uns ein **Sehen** oder **Gesicht** im Geiste entwickelt; diese aufgehobene **zweite Fassung** hebt sich dann wieder zur **ersten Fassung** auf. **Stilles und lautes Wort.** Ebd. 2, 305. Das **Wort** oder der Ternar erscheint bei J. Böhme als *Formans*, die **Idea** oder

Weisheit als die *Forma*, die Natur oder das ewige Element als das *Formatum*. Myst. Magn. 13, 170 ff. Wort = Selbstbegriff, der durch Aufhebung der (magischen) Vorstellung entsteht. Ferm. 2, 362. Anschaffendes Wort *(verbum)* und schaffende Naturmacht *(Fiat)*. Ebd. 2, 377. Wort, Logos, *Verbum* in Gott, und die Natur als dessen Macht *(Fiat)*. Mit der ewigen Natur des erstern urständet auch letztere; jenem als Mitwirker ist diese als werkzeuglicher Wirker subjicirt. Ebd. 2, 378. Das Wort verbindet Idee und Natur und realisirt beide. L'hom. 12, 210. Wort Gottes, Logos = Begriff der Subjectivität und Objectivität. Ebd. 2, 402. Sein des Wortes in und vor Gott, über dem Wesen und in dem Wesen. Sein Descensus in die Wesenheit bei der Erlösung verschieden von seiner Hypostasirung zur Persönlichkeit. Unsterbl. 4, 282 ff. Versehens. 4, 388. Form od. Maass 2, 526 ff. Seinen Ausgang in und durch die ewige Natur begreift J. Böhme zwar als eine *condescensio*, welche aber den *ascensus* bedingt. J. Böhme's Theol. 3, 411. Das Wort ist das in die Existenz Führende. Als Gehülfe ist dasselbe Organ des Princips (Segen u. Fluch 7, 147.) und die Macht der Dinge. Seg. u. Fluch 7, 110. Der Ausdruck: das Wort ist alle Dinge, ist nicht pantheistisch zu fassen. Ebd. 7, 138. Wort (= Organ) und Natur (= Werkzeug) verhalten sich wie *potestas* und *vis*. Ztschr. Avenir. 6, 36 ff. Wort, als einerzeugter Factor, Organ des denkenden, ist nicht zu verwechseln mit dem durch dasselbe geschaffenen Gedanken. Indiff. 5, 225. Das Wort als Princip alles Existirenden ist weder Subject noch Object, sondern beide vermittelnd. Espr. 13, 345. Seine Stufen des Samenseins, der Vegetation und der Fructification. L'hom. 12, 229. Sprechendes, ausgesprochenes Wort. Versehens. 4, 393. = *Missus*. Nouv. hom. 12, 242. 243. Dreifache Geburt des Wortes. Aph. 5, 274. Duplicität des Wortes als Stimme des Rechtes auf Horeb und als Stimme der Gnade auf Tabor. Zeitschr. Avenir 6, 37 ff. — Unterschied des göttlichen und menschlichen Wortes nach Thomas v. Aq. Erläut. 14, 238 ff. Homification des Wortes. Minist.

12, 398. Wort (des Menschen), seine Reaction oder Reflex und seine physische Macht. Anthropoph. 4, 224. Das Wort als Gedankenmittheilung und als Befehl. Nouv. hom. 12, 239. Worte = gebildeter Geist. Quar. Qu. 12, 479. Wort, das in die Materie überall vergraben ist (Mystiker). Spec. Dogm. 8, 243. S. Logos, *Verbum.*

Wort und Licht, Analogie beider, jenes in der intelligenten, dieses in der nichtintelligenten Region oder Natur das gestaltende, individualisirende Princip, desshalb, weil sie, jedes in seiner Art, das Selbst, Ich, Individuum *par excellence* sind. Bonald 5, 85.

Wort und Schrift, Sprechen und Schreiben. Ein Gedanke kann uns auch mitgetheilt werden, ohne dass wir diess Sprechen und Schreiben äusserlich gewahren. Spec. Dogm. 8, 217. Endl. Geist 7, 175. Wort (= Tradition) und (heil.) Schrift (s. d.). Trennb. 5, 378.

Wort, Zeichen, Griff, die drei Johannitischen (1. Joh. 1, 1) Momente (= Linie oder Zahl, Fläche oder Maass, Cubus oder Gewicht), wodurch die Manifestation geht. Ferm. 2, 158. = Schreiben, Sprechen, Handeln. M. Pasq. 4, 124. Unsterbl. 4, 277. Froml. 7, 245. Wort und Zeichen nicht für Pflanzen und nicht von Thieren anwendbar. Einfl. d. Zeich. 2, 134 ff. S. Denken. Der ganze Sternenhimmel ist uns nur Zeichen. Br. 15, 883.

Wullen, Blüthen aus J. Böhme's Mystik (1840). J. Böhme war Wurzelgräber und Samenhändler und hat sich mit Blumenbouquets nicht abgegeben. Br. 15, 645. Wullen fasst Böhme's Lehre in ihrer wahren Tiefe nicht. Nach ihm wäre Böhme über den Semipantheismus oder Persönlichkeitspantheismus nicht hinausgekommen. Nach Böhme steht Gott keineswegs in nothwendiger Abhängigkeit von der Welt. Gott ist nicht bloss idealiter vollendet und die Welt ist nicht seine reale Ergänzung, sondern Gott besteht zugleich in ewiger realer Vollendung und die Weltschöpfung ist kein Werk der Noth und Nothwendigkeit. Vorr, 13, 9. 38.

Wunder, warum sie in unserer Zeit so selten und wesshalb sie

den Rationalisten so anstössig sind. M. Pasq. 4, 132. Die in
Tod und Finsterniss verschlossenen Wunder wieder zu eröffnen,
muss unser Sinnen und Trachten sein. Br. 15, 202. Die
Leugnung derselben beruht auf der Voraussetzung, mit der
Natur sei es noch *res integra*. Rev. d. Wiss. 10, 259 ff.
J. Böhme gibt den Schlüssel derselben. J. B. Theol. 3, 367.
Wie das Herz in der Ehrfurcht mit Liebe umgeben, so ruht
der Geist im Wunder; was auch Kant meinte, als er sagte,
unsere Vernunft gehe eigentlich immer nur auf Ideal- und Ver-
nunftprincipien aus. Aff. d. Bew. 1, 31. Begriff des Wunders und
wunderliche Begriffe davon. Div. 4, 79 ff. S. Spinoza. Wunder
ist das Hereinlangen, Hereinblicken, Hereinsprechen einer Welt-
region oder Welt A in eine andere von ihr verschiedene B,
ja auch schon die eine c e n t r a l e Gemeinschaftsweise von
Wesen derselben Region im Unterschied eines bloss p e r i -
p h e r i s c h e n Verkehrs derselben. Revis. d. Wiss. 10, 274.
Die Möglichkeit von Licht- und Finsterwundern ist nicht zu
leugnen. Ferm. 2, 296. Die Fortsetzung eines Wunders oder
dessen Gesetzlichkeit hebt den Character des Wunders nicht
auf. Bonald 5, 62. Anm. Das Wunder muss nicht geglaubt,
sondern erfahren und factisch gewusst werden. Heg. Phil. 9,
328. Alles Begreifen geht von einem Wunder aus. S. Bewunderung. Espr. 12, 270.

W u n d e r s c h ö n, dessen Bedeutung. Wenn der Dichter wie der
Künstler sich frei nur im Affecte der Liebe bewegen, so weiss
man, dass man frei nur lieben kann, was man bewundert, hiemit im freien Gebrauche seiner Intelligenz als bewundernswerth
anerkennt, d. h. bis zu dessen Schauen man, forschend und
ringend, durch alle jene Verhüllungen hindurch siegreich ge-
drungen ist, welche als falscher Schein die Gegenwart dieses
wahrhaft Bewunderns- und Liebens-Werthen uns theils ab-
leugnen, theils ein anderes als solches dafür anlügen. Spec.
Dogm. 9, 164. Morg. u. Ab. Kath. 10, 118.

W u r m d e s L e b e n s == Naturprincip, Anfang des Naturlebens:
Omnis vita a verme, welcher Wurm aber keine Creatur und
nicht Creator ist. Incomp. 4, 311. Anm. Rev. d. Wiss. 10, 268.

Wurm bei J. Böhme = die drei ersten in ein Centrum geknüpften Essentien, ist nicht Creatur, ward aber zur Schöpfung erregt. Br. 15, 522. Wurm im Herzen, das eigentliche Unglück des Menschen, wovon die Thiere nichts wissen. Des err. 12, 107. Nagender Wurm = Feuer, das in der Zeit auszubrechen droht. Zeitbegr. 2, 52 (74). S. Natur, Weltgeist.

Wurmübel der neuern Societäten, nämlich das Schwanken zwischen der alten Societät der Auctorität und der neuen, akephalen, auctoritätslosen Societät. Indiff. 5, 199.

Wurzel des Lebens, über der dieses selbst als unterschieden davon, aber doch nicht los davon, schwebt. Begründ. d. Eth. 5, 12 ff. Die Wurzel des Creaturlebens ist in dessen Normalzustande latent. Myst. Magn. 13, 180 ff. Entblössung der Wurzel von Krankheiten der Anfang ihrer Heilung; so auch bei der Sünde. Ekst. 4, 38 ff. S. Beichten. Wurzel, Stamm, Krone. Der Stamm (= Herz) ist Grund, Mutter des Gewächses. Gnadenwahl 13, 240. — Wurzel und Potenz realisiren sich wechselseitig. L'hom. 12, 230.

Wurzelüberzeugungen, *idees causes* oder *mères*. Elembgr. 14, 24.

X.

Xenokrates, Schüler Plato's, führt die Dreitheilung der Philosophie in Logik (Dialektik), Physik und Ethik auf Plato zurück. Tageb. 11, 307. Anm.

Xenophon. *Memorabilia Socratis.* Tageb. 11, 152.

Y.

Yxkull, Freiherr Boris v. — Biogr. 15, 65 ff. 96 ff. 102. 113. Br. 15, 370. vgl. 420. 28 Briefe Baader's an Baron Y. (1822—1827). Br. 15, 372—487. Sein Brief an Baader. Br. 15, 439.

Z.

Zahl, Zahlenlehre, Dekadik. Hauptschrift darüber: die
Erläuterung zu Saint-Martin's *Nombres* 12, 501 ff. Zahlen =
Uebersetzung von Wahrheiten, deren Grundtext Gott, Mensch
und Natur ist. Arithmetik, Algebra, Differential- und Integral-
rechnung. Espr. 12, 330. Alles Schaffen, Wirken und Thun
im Sinnlichen ist eine Rechnung mit unbekannten Grössen.
Tabl. 12, 179 ff. Begriffloses Zählen der Mathematiker, wogegen es auch Zahloperationen (Wurzelausziehen, Potenziren,
Multipliciren, Dividiren, Addiren, Subtrahiren &c.) im Sinne
einer lebendigen Weltansicht gibt. Elemphys. 3, 215. 222.
Ferm. 2, 324. Privatvorl. 13, 156 ff. Solid. Verb. 3, 337.
Des err. 12, 156. Die Zahlen der Dekadik sind nicht als begrifflose Compositionen von atomistischen Einzelnheiten, sondern
die Vielheit jeder Zahl ist vielmehr als untrennbare Gliederung
derselben zu betrachten. Versehens. 4, 333. Anm. Die Zahl
ist ein einzelner Nenner (*denominator*) der Monas. Verkörp.
2, 6. Zahl und Zählbares. Magik. 12, 554. Der älteste
Zahlenbegriff in der Dekadik ist der, dass jede Zahl als gezählt
oder als Product der zählenden Monas eine besondere Be-
griffsweise (Gestalt, Form, Enveloppe) dieser Monas ist. 10 Gestalten des Feuers bei J. Böhme. Ferm. 2, 256. Anm. vgl.
Blitz 2, 32. Zahlen = innere und äussere Gestalten der
Natur, sind nach J. Böhme vom Standpuncte der Entelechie
aus zu fassen. Anthropoph. 4, 225. Zahl = intellectuelle
Form. Gegenüber dem begrifflosen Zahlengebrauch sind die
Lehren der Alten und des Martinez Pasqualis sowie
Saint-Martin's darüber zu beachten. Die Zehnzahl. Ferm.
2, 335. 355 ff. Zahlenlehre des Pythagoras: „*Divinus ille
imperscrutabilis Ternarius magicus, superato Binario,
auxilio quaternarii cum gloria pergit (redit) ad Primum,
unde perfectus efficitur.* Spec. Dogm. 8, 347, Ueber die
platonische Zahlenlehre s. Theon. Zahlenlehre bei Jacob
Böhme, den Juden, Pythagoras. Die Siebenzahl

gehört der Natur, die Dreizahl ist Uebernatur. Pythagoras' Tetras oder *Fons Naturae*. J. Böhme hätte mit 4 anfangen müssen. Spec. Dogm. 9, 239 ff. Ueber die Pythagoreische Tetras *(Fons Naturae)* u. J. Böhme's viergestaltiges *Centrum naturae*. Unsterbl. 4, 275. Die Zahlenlehre Saint-Martin's. Einl. 12, 54. 72 ff. Nach Oetinger ist 1° == undeterminirte Einheit, 7 der Exponent der Auswickelung der 7 Eigenschaften ins Unendliche. Blitz 2, 41 ff. Anm. Absolutes == Eins; Sucht, Begierde, Natur == Zwei. Ferm. 2, 347 ff. Zwei, Durchgangszahl alles Reducirens oder Destruirens == Productionsmoment, abstract oder fixirt gesetzt, Entzweiung bewirkend. Ferm. 2, 256. 259. Zweiheit und Entzweiung in Bezug auf die Dualität von Action und Reaction. Polaritätsspannung. Des err. 12, 107. Die Natur ist *ab origine Dyas*, vom Geist gilt dagegen: *Deus numero impari gaudet*. Versehens. 4, 402. Dyas, Dualismus == Gegensatz == nicht vollendete Selbheit; dagegen die Trias, Ternar == vollständige Selbheit. Drei führt zu vier. S. *Quand.* Einheit ist Mitte. Inneres, Aeusseres. Der *Genitus* wird in der Mitte producirt. Endl. Geist 7, 157. (auch Anm.) Zweizahl der Zeit, entsprechend dem zwiefachen Zweck des materiellen Universums. Daher auch zwei Classen der der Zeit vorgesetzten Wesen. Seg. u. Fl. 7, 124. Zweiheit der Lebensevolutionsmomente einer Creatur. Spec. Dogm. 9, 47. Drei kommt der Ruhe, Vier der Bewegung zu. J. B. Theol. 3, 401. Siebenzahl und Vierzahl. Magik. 12, 553. Drei-, Sechs-, Siebenzahl in Bezug auf Sternenbahnen. Minist. 12, 391. Zweizahl, Dreizahl, Siebenzahl, Zehnzahl. Espr. 12, 295. Ternar, Quaternar, Siebenzahl. Geist u. W. 10, 13. Eins und Zwei sind nicht rechte Zahlen, sondern erst drei ist die rechte Primzahl. Fund. d. Christ. 10, 29. Thesis, Antithesis, Synthesis; dabei nicht 3, sondern 4 zu zählen. Die Monas, als Erstes und Letztes, von den drei in ihr Entstehenden und Bestehenden (nach Plato) zu unterscheiden. Heg. Phil. 9, 307. Der Natur als solcher ist nur der Sextenar eigen und sie gewinnt nur durch Eingang und Inwohnung des nach seiner Herkunft übernatürlichen

Septenars als gesegnet ihre Vollendetheit. Versehens. 4, 383. vgl. 347. Die Zehnzahl ist nach J. Böhme in die der Manifestation Gottes durch die ewige Natur dienenden Principien zu setzen. J. B. Theol. 3, 385. — Dieselbe wird auch vom Kabbalismus nicht mit der Monas vermengt. J. B. Theol. 3, 421. Ueber die Zahlenlehre der Kabbalah. Besess. 4, 252 ff. Vgl. Monas, Unitas, Einheit — Zweizahl, Dreizahl, Vierzahl, Siebenzahl. Sabbath; vgl. ferner Ursache und Grund, Wechselseitigkeit.

Zahl, Maass, Gewicht, ein Ternar. M. Pasq. 4, 124. Apb. 10, 314. Uhr Unterschied bezüglich der Action. Anwendung davon auf Thiere und Menschen = Kopf, Brust, Unterleib = Gedanke, Wille, That. Des err. 12, 129 ff. vgl. 150 ff. = Feuer, Wasser, Erde, als drei Grundkräfte. Das eine Princip hebt die Action an, das zweite beschränkt oder moderirt sie, das dritte realisirt sie oder führt sie aus. Pyth. Quad. 3, 263. Ankündigung eines Versuches, dieselbe zu deduciren. Ferm. 2, 324. Es ist dabei die vermittelnde Function des Maasses (der Form) anzuerkennen. Form od. Maass 2, 522. Construction dieses Ternars = Intensivität, Extensivität und Inbegriff beider = Zeit, Raum, Schwere = Action, Reaction, Energie = Begründung, Leitung, Vollendung = Begriff, Urtheil, Schluss. Spec. Dogm. 8, 162. = Protension, Extension, Intensität. Societ. 14, 65. S. Intensität.

Zahlfigur, als Inbegriff eines durchlebten Zeitabschnittes (Seberin von Prevorst). Spec. Dogm. 9, 21. Zahl- und Raumfigur = Synthesis von Einem und Vielem, als Ineinander oder Auseinander Log. 1, 316. 317.

Zamolxis. Opf. 7, 336.

Zauber = temporäre Suspension der materiellen Präsenz und Translation (vgl. Metast. 4, 160 ff.), eine die materielle Substanzialität aufhebende, diese ins Unsichtbare zurückversetzende Macht. Besess. 4, 255. Zaubern = die Natur lügen machen. Gnadenw. 13, 271.

Zaubereisünde = Einwirkung auf die Natur durch Hülfe der Dämonen. Opf 7, 300. = Versuch zu erklären, wie Gott die Welt erschaffen habe. Ferm. 2, 352 ff. = Versuch, die Idee zu bannen. Div. 4, 92.

Zauberkreis = Peripherie, Niederes, darf nicht überschritten werden, wenn man nicht der Aeusserung (d. i. der wahren Erscheinung) des Höhern (des Centrums) den Garaus machen will. Begründ. d. Eth. 5, 13. ·

Zeichen = Organe und Gewänder von Gedanken. Tabl. 12, 189 ff. Sinnliches Zeihen nach Saint-Martin = materielle Signatur. Tabl. 12, 173. Natürliche, conventionelle Zeichen, — erstere feststehend, letztere nicht — müssen aus zwei Dingen bestehen, Gedanken oder Sinn und Zeichen oder Organ. Einfl. d. Zeich. 2, 129. S. Ausdruck, Einfluss. Aufsatz über die Symbolik der arabischen Zahlzeichen (1897). Br. 15, 172. Sinnbildliche Zeichen für Geist, Feuer, Wasser &c. 12, 395. Zeichensprache des Menschen, der Thiere — jene willkürlich, diese unfrei und gebunden. Das Thier kann nur eine an es gestellte Frage, beantworten, keine an uns stellen. Einfl. d. Zeich. 2, 130. Zeichen, Worte, Gedanken. Espr. 12, 362.

Zeit, Begriff derselben: Schrift: *Sur la notion du tems* (1818) nebst Uebersetzung. 2, 47 (69). vgl. „Das Beste, was ich je geschrieben habe." Br. 15, 351 ff. Ferner: Schrift über den Begriff der Zeit und die vermittelnde Function der Form und des Maasses (1833). 2, 517 ff. vgl. Br. 15, 490 ff. Elementarbegriffe über die Zeit (1831). Nachgel. Schr. 14, 29 ff. Vorlesungen über die Societätsphilosophie. Einleitung: Philosophie der Zeit (1831. 32). Nachgel. Schr. 15, 55 ff. S. Gesellschaft. Ankündigung einer Schrift über Zeit und Ewigkeit (1836). Br. 15, 548. Alle bisherigen Theorien der Zeit lassen sich auf drei, die kantische, fichtische und naturphilosophische zurückführen. Societ. 14, 56. 63. 65. Augustinus über die Zeit s. Fortlage. — In Vergleich mit der Ewigkeit ist die Zeit gegenwartleer, wesshalb die Hebräer das Sein als stabiles nicht ausdrücken konnten. Form od. Maass 2, 520. Societ. 14, 68. Zeit = Vergangenheit und Zukunft ohne Gegenwart = Scheinzeit. Zeitbgr. 2, 51 ff. (73). Vergangenheit, Zukunft, Gegenwart (Allgegenwart) im Verhältniss zur Zeit. Elemphys. 3, 241.

245. 245. Anm. Seg. u. Fl. 7, 119. Zeitleben = abstractes oder anderes Leben. Endl. Geist 7, 188. Der Character alles Zeitlebens, ein beständiger Conflict zweier Tendenzen; daher Halbheit, Zweideutigkeit, Unentschiedenheit, Unvollendetheit, Unfertigkeit, Unseligkeit. Elembgr. 14, 41 ff. Societ. 14, 87. Eine ewige Zeit würde eine ewige Hölle sein. Br. 15, 185. Zeitleben = beständiges Sich-ausgleichen und Vertragen der Vergangenheit mit der Zukunft in der Gegenwart. Posit. Rechtsbest. 6, 69. Die Zeit als gegenwartflüchtig ist die allem Begriff als Totalität, Absolvirtheit und Integrität sich widersetzende Macht. Leb. 4, 287. Das Präsens fällt nicht in, sondern inner die Zeit, Zeitcyclus. Zeitevolution. Der Tag als Schema aller Geschichte. Versehens. 4, 357. S. Kreisbewegung. Zeit ohne Grenzen, *Zeruane Akarene*, bei den Persern = ungeformte, undefinirte Zeit. Form. od. Maass 2, 520. Zeitabmessungen, drei, zwei, eine = Himmel, Erde, Hölle. Zeitbgr. 2, 52 (74). = *tems vrai*, *apparent*, *fausse*, das schwerste Problem. Br. 15, 496. Anfang, Bestand oder Fortgang und Ende der Zeit lässt sich nur in Bezug auf die Ewigkeit vernünftig begreifen. Societ. 14, 89. Zeit und Ewigkeit dürfen nicht pantheistisch (mit Spinoza und Schelling) vermengt werden. Elembgr. 14, 34. Societ. 14, 57. Ueber Zeit und Ewigkeit. Opf. 7, 218. Anm. Privatvorl. 13, 131. Br. 15, 176. Zeit und Ewigkeit treten für den von Gott sich abkehrenden Geist aus einander. Ferm. 2, 859. Zeit entsteht nach Eckart, wo der Vater vom Sohne getrennt wird, und wird zum Ewigen, sowie beide sich in einem Seienden in einander finden. Societ. 14, 97. 125. Zum Urstand der Zeitregion gab ein Theil der Intelligenzen Veranlassung, welche weder für noch gegen, sondern ohne Gott sein wollten. Elembgr. 14, 43. Rapp. 4, 205. Zeit = Suspension der Ewigkeit, sowohl der guten als der schlechten. Elembgr. 14, 34. 42. Das Zeitliche kommt erst in der Ewigkeit zu seiner Wahrheit. Spec. Dogm. 9, 21. S. Form. Ruhe und Bewegung dürfen nicht in zwei Regionen, die zeitliche und ewige, aus einander geworfen werden. Das zeitliche Sein und Bewegen kann nicht ohne das ewige, wohl

aber dieses ohne jenes begriffen werden. Societ. 14, 71. Zeitliches, Ewiges, Geschichte. Auseinanderhaltung des Zeitlichen
und Ewigen bei den Moralisten und Religionslehrern. Incomp.
4, 316. Anm. Falsche Theorie der Zeit, wenn Gott nur als
in indefinitum fortgesetztes zeitliches Universum betrachtet
wird. Versehens. 4, 416. Anm. Ohne Theorie der Zeit ist
keine Theorie der Geschichte und der Societät möglich. Elembegr. 14, 52. Societ. 14, 55 ff. Drei Momente alles Zeitlichen: Historisch-Hervortretendes, verborgen Fortbestehendes,
vollendet wieder Hervortretendes == der da war, der da ist,
der da kommen wird. Zeitliches und Ewiges sollen nicht
auseinander gehalten, nicht für etwas nur quantitativ Verschiedenes gehalten werden. Versehens. 4, 356 ff. Triplicität
der Seinsweise des Menschen in Bezug auf die Zeit: über,
in, unter der Zeit. Opf. 7, 802. Heg. Phil. 9, 418.
Zeitlichkeit == Zeitgebundenheit; Ueberzeitlichkeit == Zeitfreiheit, nicht == Zeitlosigkeit. Form od. Maass 2, 533. Indiff.
5, 245. Anm. Zeit, Zeitfreiheit und Zeitunfreiheit alles moralischen Lebens. Die Zeit hat kein Präsens, aber im Gewissen
ist mir jede That präsent. Kant's Deduct. 1, 12 ff. Zeitfreiheit der Creatur nicht == Gottsein derselben. Es treten dabei
Bewegung und Ruhe aus ihrer Abstractheit in die Concretheit.
Spec. Dogm. 8, 88 ff. S. Erhaltung. Zeitfrei ist keine Creatur, kein Engel, vor Vollendung der gesammten Schöpfung;
aber darum nicht zeitlich. Gnadenw. 13, 269. Zweck, wesshalb die Lebenszeit dem Menschen gegeben ist. Ferm. 2, 169.
Die Zeit ist für den gefallenen Menschen eine Gnaden- und
Erlösungszeit und Anstalt. Spec. Dogm. 8, 119. Alles hat
seine Zeit, d. h. seine Fortdauer ist nur die Erscheinung einer
steten Wiedererneuerung. Nur in dem Ewigen coincidiren Anfang und Ende, Vater und Sohn, Alter und Jugend &c. Zeit
== Trennung von Anfang und Ende. Ihr Zweck ist die Geburt eines Mittels zwischen beiden, welches ausgeborne Mittel
auch später noch übrig bleibt. Elemphys. 3, 222. (S. Vergangenes). Das Zeitleben der Creatur hat keinen andern Zweck,
als das 1° der bildenden, bauenden, göttlichen Licht- und

Lieberegion zu werden. Blitz 2, 42. Alles hat seine Zeit, d. h. Alles muss seine Zeit durchmachen, um dann wieder in die Ewigkeit einzugehen. Elembgr. 14, 38. Zeit nicht blosser Wechsel, in dem alles Leben sich verjüngt, sondern = Tod, Böses. Nicht die Zeit als solche, sondern unsere Befangenheit in ihr drückt uns. Der Zeitstrom hat das mit einigen Mineralquellen gemein, dass er das darin Untergetauchte (Menschengemüth) versteinert. Elemphys. 3, 243. Mit der Zeit verschwindet sowohl die Langeweile (das Bleiben dessen, was nicht bleiben sollte), als die Eitelkeit (der Nichtbestand dessen, was bleiben soll). Solid. Verb. 3, 350. Das Zeitliche als solches ist zwar nur herzlos, nicht herztödtend; aber es birgt, ihm unbewusst, herztödtende Mächte in sich. Unsterbl. 4, 267. Anm. S. Unseligkeit, Blutsauger. Der formlose Zeitstoff = Fliessendes (d. h. zugleich Vergehendes und Entstehendes) wird inner der Form zu einer kreisenden oder wiederkehrenden Bewegung bestimmt, d. h. bestimmt die beständige Erneuerung desselben Seienden, ohne es zu einer dauernden Objectivität zu bringen. Form od. Maass 2, 521. Alles zeitliche Wesen ist als sich in der Peripherie bewegend eine Erscheinung *(apparition);* daher die Zeit selbst eine Scheinzeit, im Gegensatz zur wahren Zeit. Zeitbgr. 2, 76 ff. Ferm. 2, 421. — Zeitwesen, sinnliche und intelligente. Seg. u. Fl. 7, 111 und öfter daselbst. Tödtung der Zeit und Unglaube an Unsterblichkeit. Benutzung der Zeit. Espr. 12, 337. 338 ff.

Zeit und Raum. Das Problem derselben wurde von Kant (s. d.) in die Philosophie eingeführt und von Daub (s. d.) im Judas Ischariot gründlich zu lösen versucht. Evol. u. Revol. 6, 100. vgl. Tageb. 11, 223. Randgl. zu Daub 14, 401 ff. Thom. Aq. 14, 218 ff. 254. Die Elemente einer vollständigen Theorie von Raum und Zeit finden sich in der Schrift über Divination. Br. 15, 369. Zeit ist nicht ohne Raum zu denken; die Zeit gewinnt erst durch Ingress in den Raum ihre Form und wird bestimmter Inhalt. Form od. Maass 2, 523. Das Entstehen von Zeit und Raum erklärt sich nur durch das Herabsteigen eines höhern Wesens aus seiner Region in eine

untere und beschränkte Region. Zeitbgr. 2, 55 (77). Anm.
Zeitlichkeit und Räumlichkeit ergibt sich der Creatur actuell
erst auf Unterlassung ihrer freien Ergebung an den Schöpfer,
folglich durch ihre eigene Schuld. Räumlichkeit = Suspension der Ubiquität, Zeitlichkeit = Suspension der Sempiternität.
Myst. Magn. 13, 207. Zeitbgr. 2, 72 ff. Anm. Tabl. 12, 182.
Espr. 12, 321 ff. 328. 331 ff. Die Zeit- und Raumtheorie
hat das Verhältniss der Persönlichkeit zur Natur vor, in und
nach ihrem Zurücktritt in das allgemeine Naturindividuum
(Tod) zu behandeln. Hegel, Daub. Mart. Pasq. 4, 127 ff.
Der Mensch verhält sich zu Raum und Zeit jetzt nicht völlig
raum- und zeitfrei, aber auch nicht völlig raum- und zeit-
unfrei. Selig, unselig. Ferm. 2, 295 ff. Das Zeitliche ist
nicht bloss das sich Verändernde (denn es bleibt darin auch,
was nicht bleiben soll), und das Räumliche nicht bloss das
Ausgedehnte (denn es findet darin auch eine Nichtausbreitung
dessen statt, was ausgedehnt sein soll). Rüge 3, 328 ff. Zeit
und Raum = Evolutionsstufen, Evolutionsgesetze (Position,
Location). Elembgr. 14, 46 ff. Der naturfreie Geist ist in
seinem Sein, Schauen und Wirken zeit- und raumfrei, nicht
zeit- und raumlos; der naturunfreie ist den Schranken der
Zeit und des Raumes unterworfen, in einem noch andern Sinn,
wie die Natur. Societ. 14, 64. vgl. Ferm. 2, 295 Zeit-
und Raumfreiheit im Unterschied der Zeit- und Raumunfreiheit.
Ableitung dieser Begriffe aus denen der Centralität und Nicht-
centralität des Schauens, Wirkens und Seins. Societ. 14, 72.
Spec. Dogm. 8, 233 ff. 240. 257. 283 ff. Jetzt und Hier
können nur in dem Immer und Ueberall begriffen werden.
Elembgr. 14, 34. S. Hier und Nun. Zeiträumlichkeit. Das
Nichtjetzt und Nichthier aufgehoben in dem Immer und Ueberall.
Antirel. Phil. 2, 490. Privatvorl. 13, 99. Solid. Verb. 3, 351 ff.
S. *Ubiquitas.* Das Zeiträumliche von dem Ende als der
Ewigkeit ergriffen und gleichsam in die Mitte genommen. Societ.
14, 116 ff. S. Region.
Zeit, unsere, ihre Krankheit in Vergleich mit dem (class.)
Alterthum — nach Herder. Tageb. 11, 56 ff. Ihr politischer

Zustand. Posit. Rechtsbest. 6, 57 ff. Sie kann nur zum Theil mit der der römischen Weltherrschaft verglichen werden. Evol. u. Rev. 6, 91. Sie ist zu vergleichen mit der Zeit des Sturzes und Verfalls des römischen Reiches, insofern wir auf ähnliche Weise in ihr ein Gericht über das Reich des Mittelalters sich vollziehen sehen. Societ. 14, 115. = Die Zeit des Judenthumes unmittelbar vor Christus. Privatvorl. 13, 114. Das Neue derselben (seit 300 Jahren) ist nur, dass die natürlichen Gewalten des Staates sich bestimmter aus ihrer frühern Nichtunterscheidung herausgestellt haben. Desto mehr bedarf es einer innigern wechselseitigen Verbindung derselben. Const. 6, 51. Das Bedürfniss, in ihr eine Polemik zu Gunsten der religiösen Philosophie zu führen. Rel. Phil. 1, 167 ff. S. Eklipse. Sie ist für manchen Glauben und Aberglauben zu schlecht geworden. Anal. d. Erk. 1, 47. Anm. Sie ist erzpolitisch und jesuitisch. Tabl. 12, 192. Doch zeigt sie sich im Allgemeinen genommen als Periode der Rückkehr zum Glauben. Spec. Dogm. 8, 20. Zwar ist dieselbe noch nicht über die Hälfte der Zeit (Geschichte) hinaus; aber sie nähert sich mit Beschleunigung einem Hauptabschnitt derselben und daher ist eine speculative Behandlung der Religionswissenschaft jetzt nöthiger wie je. Spec. Dogm. 8, 218. Sthenie und Asthenie der Revolutionszeit und unserer Zeit. S. Geist, Krisis.

Zeitschrift Avenir, die, und ihre Principien. Schreiben darüber (1831). 6, 29. Ihre Herausgeber: Br. 15, 467. 469 ff. — 1832: 484. — Nutzen von Zeitschriften in unserer Zeit. Br. 15, 478.

Zeller: Philosophie der Griechen. Bonald 5, 48. Anm. Spec. Dogm. 8, 297.

Zend-Avesta, oder über die Dinge des Himmels und des Jenseits (1851) von G. Th. Fechner (Mises). Einl. 12, 64. Anm.

Zeno, Stifter der Stoa, ordnete, Idealismus und Sensualismus verbinden wollend, die Gottheit doch wieder dem Fatum unter. Bonald 5, 49.

Zertrümmerungs- und Zerschlagungssystem. Irrthümliche Voraussetzung dabei. Aphor. 5, 284.

Zeugen, Zeugung. Ausführliches über die Zeugung. In welchem Sinne dabei der Mann das Element des Beseelenden, Innern, das Weib das der Form oder des Aeussern liefere. Mann und Weib erzeugen nicht unmittelbar ein Kind, sondern bringen nur den Samen dazu hervor. Thätigkeit der Imagination (s. d.) des Mannes und des Weibes dabei. Das Untergehen des Samens in dem daraus hervorgehenden Leibe des Kindes, das spätere individuelle Hervortreten des Letztern &c. Ferm. 2, 218. 223. vgl. die Lehre von Thomas v. Aq. Erläut. 14, 285. Die Zeugung geschieht nur mittelst einer Ekstase. Ferm. 2, 209. Nach Saint-Martin sind bei jeder physischen und geistigen Zeugung drei Grundkräfte thätig. v. Osten Einl. 12, 23. vgl. Nombr. 12, 514. Nothwendigkeit dreier Factoren dabei; der dritte ist der Geist als Operator oder Agent der beiden andern (des Mannes und des Weibes &c.). Anthropoph. 4, 239 ff. S. Generation. Die dadurch veranlasste Befleckt- heit ist bei erloschenem Naturtrieb geringer. Ferm. 2, 382. In aller (emanenten) Zeugung ist der Genitus (Product) ge- ringer als der Genitor (Princip). Des err. 12, 112. Bewun- derung, Liebe, Zeugung bleiben stets in einander. Drei Zeugungs- factoren. Espr. 12, 272. Missbrauch der Zeugungskräfte und deren Folgen in der Weltgeschichte nach Saint-Martin. Des err. 12, 144. Zeugungs- und Zerstörungslust. 2. C. d. Gen. 7, 237. Analogie des Erkennens und Zeugens, s. Erkennen. Zeugen = *testari* und *generare (testis, testiculus)*. Br. 15, 640.

Zeugecentrum in Gott, von ihm trennt sich (im Leben Gottes selbst) die Production nie; dagegen fing die materielle Natur mit ihrem Austritt daraus an. Spec. Dogm. 9, 150 ff. Zeuge- potenzen = Geschlechtspotenzen (s. d.); nur durch ihre Dif- ferenz oder Trennung (Nichtunion, Opposition) tritt alle Im- potenz des Zeugens (d. h. alles Erlöschen oder Verstummen der Manifestation) ein. Spec. Dogm. 9, 113. *Puissances génératrices* (Saint-Martin). Minist. 12, 396. Zeugeprincip und Glieder eines Organismus = Einheit (esoterische, Ungrund) und Vielheit. Verkörp. 2, 8.

Zeugniss, inneres und äusseres, suchen, sich beständig mit

einander zu ergänzen. Elembgr. 14, 51.   Aeussere und innere
Zeugschaft müssen zusammen treffen. Espr. 12, 353. S. Aeusseres,
Inneres.   Die Zeugen des Göttlichen auf Erden s. Aufklärerei.

Zimmermann, die Erde und ihre Bewohner.   Br. 15, 241.
Zimmermann, Robert. Einl. III, XIII.

Zimzum der hebr. Theologen. Spec. Dogm. 9. 176.

Zoogonischer Process, z. B. bei der Alimentation, kann nur
in allen Regionen zugleich verstanden werden. Aliment. 14, 465.

Zoometer = Stärke der Verbindung von Stoff und Form.
Starr. u. Fl. 3, 271.   Der Zoometer (Lebensmesser) eines
Volkes ist nicht etwa der Courszettel, sondern die Eintracht
oder Zwietracht seines religiösen Glaubens und Wissens. Zwiesp.
1, 364.   S. Leben.

Zorn Gottes, nicht = Rache, sondern Feindesliebe. Opf. 7, 283.

Zoroaster. Verb. d. R. u. Natur. 3, 347. Anm. Opf. 7, 336.

Zuckrigl: Wissenschaftliche Rechtfertigung der Trinitätslehre.
Einl. IX, XX. Vergl. Einl. VII, XLII. Anm.

Zug und Druck = Liebe und Trieb.   Rel. u. Pol. 6, 15.
S. Attraction.

Zukehr zu Gott = Quelle der nie versiegenden himmlischen
Lebenswasser für die Creatur.   Rüge 3, 329.

Zulassung des Bösen von Seiten Gottes ist nicht Wirkung
oder Mitwirkung.   Des err. 12, 40.

Zunahme der Unwissenheit bei Abnahme des Glaubens und Zunahme des Unglaubens bei Abnahme des Wissens. Zwiesp. 1, 361.

Zünfte, ursprünglich dazu bestimmt, das Polypolium zu ver-
hindern, arteten durch Schuld der Regierungen in Monopolien
aus.   Staatswirthsch. 6, 177.

Zurückweisung der vom Univers gegen B. erhobenen An-
klage eines Abfalls von der kath. Kirche. 5, 405.

Zusammengesetztheit im Gegensatz zur Geeintheit oder
Einfachheit (s. d.). Des err. 12, 101. Nouv. hom. 12, 254.
Espr. 12, 285. 294.   Gott ist nicht aus Materie und Form
zusammengesetzt, der Mensch (nach der Auferstehung) nicht
aus Leib und Seele zusammengesetzt &c.   Erläut. zu Thom.
14, 242. vgl. Ebd. 198. 207. 213. 244. 259. 278.   Die

nichtmateriellen Wesen sind eins und einfach. Antirel. Phil. 2, 493. In den Organen des Menschen (Geist, Seele, Leib) fand eine Versetzung und ein Verlust oder eine Vertauschung derselben mit andern statt, aus denen er nun zusammengesetzt ist. Spec. Dogm. 8, 253. S. Seele, Leib, Geist. Composition = Dualität entsteht, wenn ein Wesen niederer Ordnung von einem Wesen höherer Ordnung *per usurpationem* Besitz genommen hat, so dass Centrum und Peripherie nicht mehr zusammengehören. Spec. Dogm. 8, 255. Ueber die Zusammengesetztheit der materiell-zeitlichen Wesen = Versetztheit ihrer constitutiven Elemente vgl. ferner: Spec. Dogm. 8, 254. 356. 9, 44 ff. Elembgr. 14, 34. 42. Societ. 14, 126. Solid. Verb. 4, 301. Anm. Inn. Sinn 4, 100. Seherin von Prev. 4, 146. Franz. Revol. 6, 320. Opf. 7, 280. 285 ff. 350 ff. 376. 389. Versehens. 4, 399. Wiederaufhebung der Zusammengesetztheit beim Eintritt der wahren Einigung. Ferm. 2, 160. S. Versetzung, Abnormität, Abstractheit, Desintegrität.

Zusammenhang des Lebens. Schr. Gedanken über den grossen Zusammenhang des Lebens (1813). 2, 9. — Der Sünde mit Krankheit und Tod. Div. 4, 84 ff. — Aller Wahrheiten und Irrthümer, die die Gesellschaft und das Universum betreffen. Bonald 5, 79. Solidärer Zusammenhang aller Intelligenzen unter sich und mit der selblosen Natur. Elembgr. 14, 44.

Zustand des Menschen; die Erkenntniss des Verhaltens seines jetzigen Zustandes zu seinem vergangenen und zukünftigen ist dem Menschen zu seiner Restauration und Regeneration nothwendig. Heg. Phil. 9, 375. — des Seins, essentialischer, substanzialischer = stilles, samliches Sein, offenbares Sein. Studienb. 13, 345 ff.

Zweck: Nur Gott ist Selbstzweck, Alles von ihm Erschaffene hat seinen Zweck in ihm. Nouv. hom. 12, 245. Materie und intelligentes Wesen sind nicht Selbstzweck. Espr. 12, 293. S. Atheismus. Zweckmässigkeit, Zwecklosigkeit, Zweckwidrigkeit in der Natur, bezüglich auf Ethik. Begründ. d. Eth. 5, 27.

Der Zweck heiligt die Mittel, Maxime des Revolutionismus. Posit. Rectsbest. 6, 62.

Zweifache Circulation in einem Organismus, peripherische der Glieder unter sich, und centrale der Glieder mit der Central-einheit. Verkörp. 2, 5 ff.

Zweifelei, durch die Gewissheit in Gott zurückzuweisen. Tageb. 11, 105 ff.

Zweifelsmaxime des Cartesius, in Betreff moralischer Ueberzeugungen und als Anfang der Philosophie nicht zulässig. Bonald 5, 60. Heg. Phil. 9, 292.

Zweites Capitel der Genesis, Schr. darüber, besonders in Bezug auf das durch den Fall des Menschen eingetretene Geschlechtsverhältniss (1829). 7, 223.

Zweizahl: Der Binarius = Bewegung der Monas zur Dreizahl nicht = den ersten zwei Personen in der Gottheit. Incomp. 4, 314. Binarius in der freien Creatur, die sich von Gott abwendet. Ferm. 2, 342. S. Zahl, Dualismus, Zwietracht.

Zwiespalt zwischen der Intelligenz als Willkür und der Nichtintelligenz als Willenlosigkeit bestand in der Welt bereits vor dem Menschen und dieser war berufen, denselben zu vermitteln. Spec. Dogm. 8, 276. — des religiösen Glaubens und Wissens als die geistige Wurzel des Verfalls der religiösen und politischen Societät in unserer wie in jeder Zeit. Schr. darüber (1833) 1, 357. — zwischen Glauben und Wissen = dem zwischen Glauben und Wirken. Zwiesp. 1, 360.

Zwietracht (nicht Dualität) in der Natur (vgl. Vorr. 1, 411. Anm.) von Hegel nicht erklärt. Mit der Mehrgestalt der Natur ist die Möglichkeit sowohl ihrer Eintracht als ihrer Zwietracht gegeben. Rüge 3, 319. Ausgekommene Zwieträchtigkeit im Dasein der Creatur und Fundamentalirrthum der Naturphilosophie in dieser Beziehung. Vorr. 1, 396. 403. 404. Myst. Magn. 13, 182.

Zwingli. Ueber gute und bösgewordene Geister. Zus. d. Leb. 2, 16. Anm. Seg. u. Fl. 7, 124. Anm.

Im The Story

personalised classic books

JANE
IN
WONDERLAND

LEWIS
CARROLL

"Beautiful gift.. lovely finish.
My Niece loves it, so precious!"

Helen R Brumfieldon

★★★★★

UNIQUE
GIFT

FOR KIDS, PARTNERS
AND FRIENDS

Timeless books such as:

Kids

Alice in Wonderland • The Jungle Book • The Wonderful Wizard of Oz
Peter and Wendy • Robin Hood • The Prince and The Pauper
The Railway Children • Treasure Island • A Christmas Carol

Adults

Romeo and Juliet • Dracula

Highly
Customizable

Change
Books Title

Replace
Characters Names
with yours

Upload
Photo on
inside page

Add
Inscriptions

Visit
Im The Story .com
and order yours today!

CPSIA information can be obtained
at www.ICGtesting.com
Printed in the USA
BVHW071926280819
556820BV00026B/127/P